Naoufel Daghfous
École des sciences de la gestion, Université du Québec à Montréal

Pierre Filiatrault
École des sciences de la gestion, Université du Québec à Montréal

Le m@rketing

2e édition

Achetez en ligne*
www.cheneliere.ca

* Résidants du Canada
seulement.

**gaëtan morin
éditeur**

CHENELIÈRE ÉDUCATION

Le m@rketing
2e édition

Naoufel Daghfous et Pierre Filiatrault

© 2011 **Chenelière Éducation inc.**
© 2006 Les Éditions de la Chenelière inc.

Conception éditoriale : Sylvain Ménard
Édition : Johanne O'Grady
Coordination : Johanne Lessard
Révision linguistique : Paul Lafrance
Correction d'épreuves : Marie Labrecque
Conception graphique : Josée Bégin
*Adaptation de la conception graphique originale
  et infographie :* Interscript
Impression : Imprimeries Transcontinental

**Catalogage avant publication
de Bibliothèque et Archives nationales du Québec
et Bibliothèque et Archives Canada**

Daghfous, Naoufel

Le m@rketing

2e éd.

Comprend des réf. bibliogr. et un index.

ISBN 978-2-89632-062-2

1. Marketing. 2. Études de marché. I. Filiatrault, Pierre, 1939-   .
II. Titre.

HF5415.F5332 2010   658.8   C2010-941091-2

**gaëtan morin
éditeur**

CHENELIÈRE ÉDUCATION

7001, boul. Saint-Laurent
Montréal (Québec) Canada H2S 3E3
Téléphone : 514 273-1066
Télécopieur : 450 461-3834 / 1 888 460-3834
info@cheneliere.ca

ISBN 978-2-89632-062-2

Dépôt légal : 1er trimestre 2011
Bibliothèque et Archives nationales du Québec
Bibliothèque et Archives Canada

Imprimé au Canada

1 2 3 4 5 ITG 14 13 12 11 10

Nous reconnaissons l'aide financière du gouvernement du Canada par
l'entremise du Programme d'aide au développement de l'industrie de l'édition
(PADIÉ) pour nos activités d'édition.

Gouvernement du Québec – Programme de crédit d'impôt pour l'édition de
livres – Gestion SODEC.

Tableau de la couverture :
Night City 6
Œuvre de **Joseph Siddiqi**

Joseph Siddiqi est né à Montréal en 1972. Il a étudié
à l'École nationale des Beaux-Arts de Bourges, en
France, complété son baccalauréat en Studio Art à
l'Université Concordia et obtenu une maîtrise en peinture de l'Université de Boston. Les paysages urbains
se profilent sur ses toiles, dans une lumière sensuelle,
presque futuriste. L'artiste tire son inspiration de la sil-
houette architecturale de Montréal, ville colorée qui
chatoie selon la lumière du jour ou de la nuit.

Des marques de commerce sont mentionnées ou illus-
trées dans cet ouvrage. L'Éditeur tient à préciser qu'il
n'a reçu aucun revenu ni avantage conséquemment
à la présence de ces marques. Celles-ci sont repro-
duites à la demande de l'auteur en vue d'appuyer le
propos pédagogique ou scientifique de l'ouvrage.

Dans cet ouvrage, le masculin est utilisé comme
représentant des deux sexes, sans discrimination à
l'égard des hommes et des femmes, et dans le seul
but d'alléger le texte.

Tous les sites Internet présentés sont étroitement liés
au contenu abordé. Après la parution de l'ouvrage, il
pourrait cependant arriver que l'adresse ou le contenu
de certains de ces sites soient modifiés par leur propriétaire, ou encore par d'autres personnes. Pour cette
raison, nous vous recommandons de vous assurer
de la pertinence de ces sites avant de les suggérer
aux élèves.

Le matériel complémentaire mis en ligne dans notre
site Web est réservé aux résidants du Canada, et ce,
à des fins d'enseignement uniquement.

Membre du CERC

Membre de
l'Association nationale
des éditeurs de livres

ASSOCIATION
NATIONALE
DES ÉDITEURS
DE LIVRES

À
Amel, Kaïs et Inès
Colette, Marc, Anny et Rose

_Avant-propos

Les entreprises, les organisations publiques et les organismes sans but lucratif doivent aujourd'hui savoir faire face à l'innovation technologique continue, à la mondialisation des marchés et à son influence sur l'environnement économique, à l'instabilité de certaines industries, aux pressions sociales, aux changements sociodémographiques et socioculturels, tout comme aux changements de valeurs des consommateurs. Tous se doivent d'être socialement responsables et soucieux de l'impact de la consommation sur l'environnement naturel. La fonction marketing, parce qu'elle suppose une bonne connaissance du macroenvironnement des entreprises, contribue à l'orientation stratégique de celles-ci.

Ce livre présente l'ensemble des éléments de la gestion de la fonction marketing dans les entreprises. Il traite à la fois des éléments fondamentaux du marketing, de l'orientation stratégique et des outils de base du management. Il est accessible aux non-spécialistes en raison des nombreux exemples qu'il contient et de la simplicité du langage qui y est utilisé.

Le premier chapitre dévoile la véritable nature du marketing, les diverses optiques de gestion du marketing ainsi que deux sujets rarement abordés dans les livres de marketing : la responsabilité sociale des entreprises et l'éthique dans la perspective du marketing.

Le chapitre 2 est consacré aux différentes stratégies de marketing et à la planification du marketing. Le chapitre 3 porte sur la première étape du processus de planification du marketing, qui consiste à faire une analyse de l'environnement de l'entreprise. Il est en effet essentiel d'observer les changements qui se produisent dans l'environnement et, le cas échéant, de modifier les produits actuels ou d'en concevoir de nouveaux. Dans ce chapitre, on décrit les différents environnements (démographique, socioculturel, économique, naturel, technologique et scientifique, politico-juridique) qui composent le macroenvironnement marketing.

Les chapitres 4, 5 et 6 sont consacrés aux fondements de la discipline. On y parle du comportement d'achat des consommateurs et des organisations, de la recherche et de l'analyse des marchés et des concurrents. Le chapitre 4 présente des éléments théoriques essentiels du comportement du consommateur et de décision d'achat, éléments indispensables à la compréhension de la pratique du marketing. Les chapitres 5 et 6 décrivent des outils que tout mercaticien devrait connaître : les différents types de recherche en marketing et d'outils d'analyse des marchés et de la concurrence. Les chapitres 7 et 8 touchent le cœur de l'orientation stratégique de l'entreprise et de sa planification. Dans le chapitre 7, on expose en détail le concept et les principales stratégies de segmentation. Le chapitre 8 porte sur les stratégies complémentaires de différenciation et de positionnement. Les stratégies de segmentation, de différenciation et de positionnement sont dites fondamentales puisqu'elles sont sous-jacentes aux stratégies plus opérationnelles du mix de marketing (produit, prix, place et promotion) et qu'elles doivent être arrêtées avant ces dernières.

Les chapitres 9, 10, 11 et 12 sont justement consacrés aux éléments du mix de marketing. La gestion du produit (bien ou service), élément central du mix de marketing, est présentée dans le chapitre 9, où l'on traite de produits existants et de nouveaux produits. Le chapitre 10 aborde un élément économique essentiel dans une décision d'achat, les diverses façons de fixer un prix ainsi que les principales décisions ayant trait à la détermination du prix.

Les deux autres éléments du mix de marketing concernent la mise en marché, soit la distribution et la communication. Le chapitre 11 est consacré à la distribution des biens et services et à la logistique, alors que sont décrites au chapitre 12 les étapes du processus de communication et les composantes du mix de communication.

Au chapitre 13, il est question de commerce électronique et de cybermarketing (*e-marketing*), un outil relativement nouveau au service des politiques de produit, de distribution, de communication et de prix des entreprises modernes. Enfin, le chapitre 14 ferme la boucle du processus de management du marketing en introduisant les notions d'organisation, de mise en œuvre et de contrôle du marketing.

Bonne lecture.

Naoufel Daghfous

Pierre Filiatrault

_Remerciements

La publication de la deuxième édition de ce manuel de marketing nous permet d'offrir un livre mis à jour, exhaustif et stratégique, qui met l'accent sur l'ensemble de la fonction marketing et sur les nouvelles tendances dans cette discipline. Tout au long de la dernière année consacrée à ce projet, nous avons tous les deux eu l'occasion non seulement de mettre sur papier le bagage de connaissances accumulé dans nos travaux de recherche et dans nos cours, mais aussi et surtout d'exposer une méthodologie de transmission des connaissances qui reflète notre vision de l'enseignement du marketing : celle du pragmatisme, de la création et de la passion.

Ce manuel est le fruit d'une intense collaboration. Nous tenons ici à remercier tous ceux et celles qui nous ont fait bénéficier de leur savoir et de leur expertise.

Nous remercions, en premier lieu, nos collègues du Département de marketing de l'École des sciences de la gestion de l'Université du Québec à Montréal (ESG-UQAM), et spécialement les professeurs de marketing qui nous ont encouragés à entreprendre ce projet et qui nous ont offert leur aide tout au long de sa réalisation. Qu'ils sachent que leur enthousiasme ainsi que leur esprit à la fois critique et positif nous ont permis de dépasser les objectifs que nous nous étions fixés au début.

Nos remerciements vont également aux professeurs et chargés de cours qui ont fait l'effort et pris le temps de nous faire des recommandations et suggestions pour améliorer le contenu du livre. Un grand merci à nos assistants de recherche, tout particulièrement à Isabelle Goyette et Makrem Saadi, qui ont bien voulu s'occuper de la recherche documentaire. Par la rigueur, l'efficacité de leur travail et leur sens du détail, ces personnes nous ont permis d'atteindre notre but, qui était de faire un manuel universitaire de qualité.

Notre projet nous a aussi permis de vivre une expérience professionnelle enrichissante avec une maison d'édition composée de collaborateurs dont la patience, la courtoisie et surtout le sens du jugement nous ont grandement plu. Que 'Sylvain Ménard, Johanne O'Grady et Johanne Lessard et particulièrement Paul Lafrance et Marie Labrecque pour l'excellence de la révision des textes, ainsi que le reste du personnel de Chenelière Éducation, soient ici remerciés pour le travail bien accompli.

Finalement, nous exprimons notre gratitude profonde à nos épouses respectives, pour les encouragements qu'elles nous ont prodigués pendant les années où nous avons rédigé ce manuel. Très chères Amel, Colette, nous vous sommes infiniment reconnaissants de tout ce que vous avez consenti à faire pour nous aider à réaliser ce projet.

Naoufel et Pierre

_Table des matières

_Chapitre 11

La distribution et la logistique 377

_Chapitre 12

Les communications 411

_Chapitre 13

Le marketing électronique 445

_Chapitre 14

La gestion du marketing 495

La nature du marketing

1

Sommaire

Tout le monde a entendu parler du marketing. Mais bien des gens emploient le terme « marketing » sans vraiment en comprendre le sens. Certains n'ont qu'une vague idée de la nature du marketing, d'autres ne savent tout simplement pas de quoi il s'agit. Le mot « marketing » a, il est vrai, plusieurs significations. Pour un directeur des ventes, le marketing correspond naturellement à la vente. Pour un directeur de comptes au service d'une agence de publicité, le marketing, c'est la publicité – d'ailleurs, le grand public confond souvent marketing et publicité. Pour un agent de la sécurité publique, le marketing pourrait évoquer l'utilisation frauduleuse de techniques, comme le télémarketing, pour abuser de la bonne foi des personnes âgées. En fait, le marketing est une discipline qui n'a pas de valeur en soi. Tout comme le droit. Un avocat étudie les textes de loi et apprend à les invoquer tantôt pour défendre des criminels, tantôt pour les accuser. Il peut travailler pour l'aide juridique, défendre des innocents, défendre la mafia ou frauder une banque. Il en va de même pour le marketing : on peut s'en servir pour lancer un nouveau produit pharmaceutique qui sauvera des vies, pour améliorer la sécurité routière ou pour soutenir la campagne de financement d'un organisme de charité, mais aussi pour manigancer des affaires malhonnêtes.

Plusieurs estiment que le marketing est un outil de gestion essentiel pour réussir en affaires. Le secteur public et les organismes sans but lucratif (OSBL) ont découvert le pouvoir et l'utilité de cette discipline pour faire la promotion de leurs projets ou de leurs causes. L'emploi rationnel du marketing contribue donc au succès de nombreux produits ou services. L'expérience montre aussi que de ne pas faire de marketing ou d'en faire un mauvais usage peut entraîner l'échec, voire la faillite d'entreprises. On reproche souvent aux scientifiques, aux techniciens et aux artistes de sous-estimer l'utilité du marketing. Parfois, on reconnaît que le marketing a contribué au succès de certaines entreprises, jusqu'à en exagérer le rôle ; d'autres fois, on lui attribue une puissance diabolique à l'origine de certains abus de notre société de consommation. Tout cela montre que le sujet reste méconnu.

Ce livre présente ce qu'est réellement le marketing, à savoir une façon de penser en même temps qu'une façon d'agir. Le chapitre 1 définit la nature, les champs d'application, les optiques de gestion du marketing et, pour finir, la responsabilité sociale des entreprises et l'éthique en marketing. Le chapitre 2 traite des différentes stratégies et décrit toutes les étapes de la planification du marketing, un élément essentiel de la gestion et du plan d'affaires de toute entreprise. Analyser l'environnement constitue une étape de cette planification du marketing ; c'est le sujet du chapitre 3. Un des principaux rôles de la fonction marketing consiste à mettre sur pied un système de veille afin d'observer les changements qui se produisent dans l'environnement, à adapter l'entreprise en conséquence en modifiant les produits et les services existants, ou à innover en mettant sur le marché de nouveaux produits et services qui répondent mieux aux besoins changeants des consommateurs et de la société.

Ce premier chapitre révèle que le marketing est une philosophie de gestion d'entreprise qui reconnaît l'importance de la clientèle et la nécessité de la satisfaire. Pour pouvoir satisfaire leurs besoins, il est nécessaire de savoir comment et pourquoi les gens agissent de certaines façons. Aussi, le chapitre 4 est-il consacré à l'étude du comportement d'achat du consommateur. Le chapitre 5 se penche sur la recherche en marketing : l'un de ses objectifs est de comprendre le processus de décision et le comportement d'achat des consommateurs en général, en vue de concevoir ou de modifier des produits ou services pour les rendre conformes aux attentes du marché ; un autre est de connaître le degré de satisfaction ou d'insatisfaction des clients actuels. Il en va de même pour les marchés organisationnels. Dans l'analyse de l'environnement externe d'une entreprise, il est essentiel de prendre en compte les marchés et les concurrents. C'est ce qu'expose le chapitre 6, avec lequel prend fin la présentation des fondements du marketing.

Les huit autres chapitres portent sur la gestion du marketing. Les chapitres 7 et 8 présentent des stratégies de base du marketing, à savoir la segmentation, la différenciation et le positionnement. On y décrit les avantages et les variables de la segmentation (*chapitre 7*) ainsi que les diverses manières de positionner et de différencier un produit ou un service sur le marché (*chapitre 8*).

Les éléments du mix de marketing (ou marchéage), soit le produit ou le service, le prix, la distribution et la communication, sont présentés dans les chapitres 9 à 13. La gestion du produit ou du service, au centre du mix de marketing, est expliquée au chapitre 9. On y décrit les principaux moyens pour concevoir et lancer avec succès des produits et des services, ainsi que le concept de cycle de vie des produits. Au chapitre 10, il est question de la gestion du prix, un élément essentiel dans la décision du consommateur et un outil stratégique de gestion pour l'entreprise. On y examine les diverses façons de déterminer un prix ainsi que les principales stratégies employées pour y arriver.

Une fois déterminé le produit ou le service, ses caractéristiques et son prix, il faut le mettre sur le marché, le rendre disponible, accessible. À l'origine, les études de marketing portaient presque exclusivement sur les moyens et les réseaux de distribution. La gestion des canaux de distribution, des différents intermédiaires et des fonctions d'échange est toujours au premier plan de la gestion du marketing. Cependant, de nos jours, on attribue aussi un rôle important à la logistique, laquelle se résume à rendre le bon produit disponible au bon endroit, en temps voulu et au coût le plus bas ; les logisticiens s'intéressent aux activités d'entreposage, de ravitaillement et de transport. Le chapitre 11 explique en quoi consistent la distribution et la logistique. Le chapitre 12 énumère les étapes du processus de communication, les composantes du mix de communication ainsi que différents éléments de la gestion des ventes. Le chapitre 13 propose une approche de marketing relativement nouvelle, le cybermarketing (*e-marketing*). Enfin, le chapitre 14 est consacré à des éléments du management du marketing tels que l'organisation, la mise en œuvre et le contrôle.

1.1 La véritable nature du marketing

Nous sommes tous, à des degrés divers, des consommateurs. Tout le monde est client d'une compagnie de téléphone, d'Hydro-Québec, d'un cinéma, d'une boutique de vêtements, d'une librairie… Chacun achète des produits et des services, à peu près tous les jours. On lit les journaux, on écoute la radio, on regarde la télévision et on consulte régulièrement Internet, qui tous diffusent des messages publicitaires. En fait, dans notre société postindustrielle, le marketing intervient dans presque toutes les activités quotidiennes. En connaissant la véritable nature du marketing et le fonctionnement de son système, on augmente ses chances de devenir non seulement de meilleurs gestionnaires, mais aussi de meilleurs consommateurs, voire des consommateurs avertis. Pour l'étudiant en gestion ou en communication, il est indispensable de connaître le marketing pour comprendre la gestion et la planification d'une entreprise et apprécier l'importance de la fonction marketing. La logique est simple : pas de clients, pas d'entreprise. Que l'on travaille en management, en production, en finance, en comptabilité, en gestion des ressources humaines ou en communication, on est tôt ou tard appelé à collaborer avec des mercaticiens. Il est donc essentiel de connaître la nature et le fonctionnement du marketing. Évidemment, si l'on opte pour une carrière en marketing – il existe de nombreuses possibilités à cet égard –, le présent ouvrage constitue un excellent point de départ pour des cours spécialisés en cette matière.

La première partie de ce chapitre fait un bref historique du marketing, puis présente diverses définitions, tout cela dans le but de saisir sans grandes difficultés la véritable nature du marketing.

1.1.1_Un peu d'histoire

Le marketing a toujours existé, même dans les civilisations dites primitives. Dans les économies de subsistance, les individus étaient relativement autonomes et produisaient la plus grande partie des biens dont ils avaient besoin pour survivre. Ils cultivaient des fruits et des légumes, élevaient des animaux pour l'alimentation et l'habillement, fabriquaient des outils et bâtissaient eux-mêmes leur demeure. Mais ils ne pouvaient pas tout produire. Il existait déjà un certain degré de spécialisation. Certains étaient plus habiles en agriculture ou à la pêche, d'autres dans l'élevage du bétail ; certaines femmes cousaient ou fabriquaient de la poterie, d'autres s'occupaient à leur métier. De nos jours, on rencontre encore cette forme primitive d'économie dans certains pays en voie de développement.

Les gens se rendaient sur la place publique pour échanger certains produits qu'ils avaient en surplus contre d'autres dont ils avaient besoin. On a vu apparaître divers commerçants et intermédiaires. Le troc étant devenu peu pratique, on institua alors la monnaie. Se développèrent ensuite les marchés, des lieux publics où l'on se rencontrait pour vendre et acheter des biens, et pour socialiser. Le terme « marketing » vient d'ailleurs du mot anglais *market,* qui signifie « marché ».

Avec le temps, la spécialisation se fit de plus en plus grande et les artisans se multiplièrent : bottiers, forgerons, maréchaux-ferrants et luthiers avaient leur clientèle. Puis, de petits producteurs firent leur apparition, des artisans travaillant seuls ou avec quelques employés ou apprentis. On commença à fabriquer des biens en plus grande quantité, parfois en prévoyant la demande. Les vendeurs n'avaient qu'à trouver des acheteurs qui voulaient de leurs produits. On s'entendait sur un prix. Le client payait le producteur ou le commerçant, et ce dernier pouvait dépenser le produit de la vente comme bon lui semblait : pour répondre à ses besoins personnels, pour acheter de la marchandise ou pour payer ses employés.

Le système de marketing était né, sous la forme que l'on appelle de nos jours le macromarketing. Pour que le marketing soit possible, il doit y avoir des échanges entre deux parties qui ont pour but de satisfaire des besoins. En fait, il y avait déjà des commerçants dans l'Antiquité, on en parle dans la Bible et, pendant des siècles, on importa de la soie de la Chine et des épices de l'Orient. À un bout de la chaîne se trouvaient des producteurs, des agents de commerce ou intermédiaires et, à l'autre bout, des commerçants et des consommateurs. Avec la révolution industrielle, en même temps que se développaient les centres urbains et que déclinait la vie rurale, un système plus élaboré se mit peu à peu en place. Le jeu de l'offre et de la demande s'est fait plus complexe et a su capter l'attention des économistes. Au début, le marketing était grandement tributaire de la théorie économique, mais les mercaticiens concentraient leurs efforts sur les éléments de marketing du système économique, c'est-à-dire sur les actes de commerce des manufacturiers, des intermédiaires, des commerçants, des clients et des consommateurs en général.

C'est au début du XXe siècle que la discipline du marketing prit réellement forme et que les premiers cours de marketing furent donnés dans des universités américaines [1].

Le principal sujet d'intérêt était alors la distribution. C'est d'ailleurs pourquoi certains spécialistes croient encore aujourd'hui que la distribution constitue l'élément fondamental du marketing; des puristes vont jusqu'à affirmer que l'objet du marketing est uniquement la distribution. Un peu plus tard, on s'intéressa non seulement aux grossistes et aux commerces de gros et de détail, mais aussi à la commercialisation des produits et à diverses activités commerciales, comme la publicité et la vente. Le mot « marketing » a commencé à prendre un autre sens après la Première Guerre mondiale : les termes « surplus » et « surcapacité » s'introduisirent dans le vocabulaire économique courant. Les moyens de production s'étaient grandement développés, de même que la productivité ; la fabrication s'imposait moins à l'attention que la mise en marché des produits. On commença alors à mener des études de marché et à faire de la publicité pour équilibrer l'offre et la demande.

Après la Seconde Guerre mondiale, le marketing franchit une nouvelle étape. Dans un contexte de production de masse, de souci de la qualité, d'aisance relative dans les pays développés et de boum des naissances, on vit apparaître le concept moderne du marketing. De nombreuses entreprises s'étaient déjà placées dans une optique marketing, dirigeant leur attention sur le client et orientant leurs opérations vers le marché. Des changements importants s'opérèrent dans la distribution avec l'apparition des centres commerciaux, des magasins à grande surface, des chaînes de commerce de détail. Dans les années 1980, on commença à s'intéresser au marketing de services. Les services comptent aujourd'hui pour près des deux tiers du produit intérieur brut du pays et fournissent les trois quarts des emplois. On parle aussi de marketing d'idées, de marketing de causes et de marketing politique. Dans les années 1990, les nouvelles technologies influencèrent grandement la pratique du marketing ; apparurent alors le commerce électronique et les services bancaires à domicile. Puis, avec la plus grande pénétration d'Internet dans les foyers au cours des années 2000, on assista à une révolution dans l'achat de billets de spectacles, de services d'hôtellerie et de transport aérien. Parallèlement, la place du marketing dans le secteur public et dans les organismes sans but lucratif s'accroissait.

Le marketing a donc beaucoup évolué. Il est maintenant omniprésent dans notre économie et constitue un moteur puissant de développement économique. Il est devenu un outil de gestion essentiel dans les secteurs primaire, secondaire et tertiaire. Il sert à la mise en marché de biens et services d'usage quotidien (lait, transport en commun), usuels (livres, vêtements, services d'impôt, compte d'épargne) ou complexes (ordinateur, cinéma maison, automobile, hypothèque, REER), ainsi que de services et de biens industriels destinés au marché local ou à l'exportation.

1.1.2_La définition du marketing

On peut définir le marketing de bien des façons. Avant tout, il y a lieu de préciser qu'il en existe deux types : le macromarketing et le micromarketing. Le macromarketing a généralement rapport au système de production et de distribution dans son ensemble. Il désigne le processus social qui dirige le flux de biens et services des producteurs aux consommateurs, pour harmoniser l'offre et la demande, tout en permettant à la société d'atteindre ses objectifs [2]. Les producteurs ont des visées, des capacités, des habiletés et des ressources différentes ; et les consommateurs ont des besoins, des goûts et des moyens différents. Le micromarketing concerne l'accomplissement d'activités qui permettent à une organisation d'atteindre ses objectifs en allant au-devant des besoins des clients et des consommateurs et en dirigeant vers eux le flux de biens et services qui répondent à leurs besoins [3]. Ce livre traite surtout de micromarketing.

Voici maintenant quelques définitions bien connues du marketing. Une qui date, mais qui a servi de base à bien d'autres, a été formulée en 1948 par la principale association professionnelle de marketing, l'American Marketing Association : « Le marketing est la mise en œuvre d'activités commerciales qui dirigent le flux de biens et services du producteur aux consommateurs ou utilisateurs [4] ».

La définition sociale suivante se révèle bien préférable : « Le marketing est un processus sociétal par lequel les individus et les groupes satisfont leurs besoins et désirs au moyen de la création et de l'échange libre de produits et services ayant une valeur pour autrui [5] ».

Cette définition repose sur plusieurs concepts de base, à savoir le processus sociétal, le besoin, le désir, l'échange et la valeur. De nombreux auteurs considèrent que l'objet fondamental du marketing est l'échange. Enfin, il est nécessaire de définir également le terme dans une perspective de management, puisque le marketing est une fonction importante de l'entreprise. Nous retenons à cet égard une autre définition de l'American Marketing Association : « Le management du marketing est le processus de planification et de mise en œuvre de la conception, du prix, de la promotion et de la distribution d'idées, biens et services en vue d'effectuer des échanges qui satisfont aux objectifs des individus et des organisations [6] ».

Pour conclure, on peut définir simplement le management du marketing de la façon suivante : Faire du marketing, c'est gérer des échanges entre une organisation et ses marchés.

Dans une organisation, on peut envisager le marketing de quatre façons différentes, présentées dans la section suivante.

_1.2 Qu'est-ce que le marketing ?

Les entreprises peuvent avoir des conceptions diverses du marketing. On a dit plus haut qu'il s'agissait à la fois d'une façon de penser et d'une façon d'agir. En fait, le marketing peut être vu comme une philosophie de gestion, une fonction de l'entreprise, une démarche et un ensemble de pratiques [7].

1.2.1_Une philosophie de gestion

Le marketing est une philosophie de gestion en ce qu'il fournit un principe général sur lequel fonder la conduite d'une entreprise. Suivant ce principe, la clientèle et le marché devraient guider les opérations de toute entreprise. Cette manière de voir correspond à l'optique marketing, que l'on étudiera en détail un peu plus loin. Dans cette optique, le succès d'une entreprise dépend de son aptitude à prospecter les marchés, à discerner les besoins des clients actuels ou futurs et à y pourvoir de façon à ce que les clients soient satisfaits. La clientèle est considérée comme un actif important de l'entreprise.

1.2.2_Une fonction de l'entreprise

Une entreprise doit réaliser plusieurs opérations pour accomplir sa mission. La gestion vise à coordonner diverses activités fonctionnelles, et l'accomplissement des fonctions de l'entreprise repose sur un ensemble de connaissances [8]. En fait, gérer une entreprise consiste à assurer l'intégration de plusieurs types de gestion : gestion du marketing, gestion des finances, gestion de la production ou des opérations, gestion des ressources humaines, gestion des relations de travail, gestion des systèmes informatiques et gestion de la technologie. La fonction marketing a pour objet de définir les relations entre l'entreprise et le marché, de discerner les changements qui surviennent dans la société, de reconnaître et de satisfaire les besoins des clients, d'assurer l'accessibilité des biens et des services au marché, ainsi que de gérer les échanges et les relations avec les clients.

1.2.3_Une démarche

Faire du marketing dans une entreprise, cela veut dire faire le management du marketing, c'est-à-dire planifier, organiser, réaliser et contrôler les activités de marketing. Le premier élément de cette démarche est la planification, étudiée en détail au chapitre suivant. Les principales parties du plan sont l'analyse de l'environnement interne et externe de l'entreprise, la définition de la mission et des objectifs de marketing, et le choix des stratégies de marketing. Une fois le plan conçu, on doit l'appliquer. Il faut déterminer qui fera quoi et comment, c'est-à-dire s'occuper de l'organisation et de la mise en œuvre des stratégies et réaliser les activités planifiées. Il faut s'assurer enfin que les objectifs fixés au moment de la planification ont été atteints et, s'ils ne l'ont pas été, rechercher pourquoi et apporter les correctifs nécessaires. C'est là le but du contrôle. Et l'information obtenue au moment du contrôle servira à mieux planifier le prochain exercice.

1.2.4_Un ensemble de pratiques

La pratique du marketing repose enfin sur un ensemble d'activités. Les mercaticiens utilisent plusieurs outils de gestion. Faire du marketing, dans la pratique, consiste à étudier le comportement des consommateurs, à effectuer des sondages et des entrevues individuelles ou de groupe ainsi que des études de marché, à mettre au point et à lancer de nouveaux produits et services, ou à assurer un excellent service à la clientèle. On utilise plusieurs outils de gestion pour actualiser le mix de marketing. On parle de décisions au sujet du prix, de la distribution et de la communication (publicité, commandite, promotion des ventes, relations publiques, marketing direct, ventes et service à la clientèle). À cela s'ajoutent diverses décisions touchant la structure organisationnelle de la fonction marketing, la gestion des ressources humaines, telles que le recrutement et la formation du personnel de recherche, du personnel chargé de la clientèle et des représentants de commerce.

Toutes ces définitions permettent de mieux comprendre ce qu'est le marketing. Les horizons de cette discipline se sont toutefois grandement ouverts au cours des deux dernières décennies. Pour se familiariser davantage avec le marketing, on se penchera maintenant sur ses multiples champs d'application.

_1.3_ Le marketing de quoi ? De tout !

À l'origine, le marketing s'occupait de la distribution de produits de consommation durables ou non durables fabriqués par des entreprises privées ; ces produits pouvaient être d'achat courant, réfléchi ou de spécialité. Toutefois, outre les individus, les entreprises achètent aussi une grande variété de produits. Les individus et les entreprises achètent non seulement des produits, mais aussi des services. De plus, ils achètent des produits et des services à des entreprises privées comme à diverses autres organisations. En conséquence, les champs d'application du marketing sont devenus multiples.

1.3.1_Le marketing de produits aux consommateurs

Le marketing tel que nous le connaissons aujourd'hui résulte de l'évolution de la gestion du marketing de produits. Celui-ci repose sur l'étude des activités de conception et de développement de nouveaux produits, de la création de marques, de la gestion de la distribution et de la logistique de biens matériels ainsi que de la mise en marché proprement dite, qui fait appel aux différents outils de communication. Le produit demeure la pierre angulaire de la stratégie de marketing. Pour bien des gens, c'est l'outil fondamental du marketing. L'étude du produit s'impose donc dans ce livre. Mais qu'entend-on par produit ?

Au sens large, un produit est tout ce qui peut être offert pour satisfaire un besoin ou un désir. Ce peut donc être un bien, un service ou même une idée. La gestion des produits a tellement marqué le domaine du marketing que, de nos jours encore, dans la pratique du marketing de services, on parle de « produit financier » et de « produit touristique ».

Cependant, en règle générale et dans la langue de tous les jours, quand on parle de produits destinés aux consommateurs, on fait référence à des biens matériels, tangibles. Ces biens peuvent être des produits de masse, comme les vêtements fabriqués en usine, ou des produits de fabrication artisanale, comme un habit confectionné par un tailleur. Les produits peuvent faire l'objet d'un conditionnement recherché, comme les cosmétiques et les parfums, ou d'un conditionnement minime, comme les noix vendues en vrac dans un supermarché. Les produits doivent être entreposés ou transportés. Outre les attributs physiques, on considère notamment, au moment de l'évaluation, la qualité, le rendement, la durabilité, le style, le design et la marque de commerce. Les produits peuvent être assortis d'une garantie plus ou moins totale ou d'un service après-vente plus ou moins étendu, comme en ce qui concerne une automobile. Ils peuvent être mis en vente dans des magasins à grande surface, des boutiques spécialisées, des dépositaires autorisés, par catalogue ou par voie électronique. Ils peuvent être offerts seuls ou combinés avec d'autres produits ou avec un ou plusieurs services, ceux-ci pouvant constituer une partie plus ou moins importante de l'offre d'une entreprise. En fait, l'offre d'une entreprise peut aller d'un produit pur à un service pur. On distingue cinq catégories d'offre [9] :

1. **Un bien matériel pur.** L'offre concerne un produit tel que du savon, de la pâte dentifrice ou du sel. Aucun service n'est rattaché au produit.

2. **Un bien matériel accompagné d'un service.** On propose à la fois un produit et un ou plusieurs services qui accroissent la valeur du produit et l'attrait qu'il exerce sur le consommateur. Appartiennent à cette catégorie d'offre le service à la clientèle, la garantie ou le service d'entretien fournis par les manufacturiers d'automobiles, d'appareils électroménagers, ainsi que l'assistance technique et les services d'installation assurés par les fabricants d'ordinateurs.

3. **Un service hybride.** Dans le secteur de la restauration, on considère à la fois la qualité du service, l'atmosphère (relativement intangibles), la qualité de la nourriture et le décor (relativement tangibles).

4. **Un service principal assorti de biens et de services secondaires.** Dans le transport aérien, par exemple, le service principal est constitué du service de transport, avec comme complément le service à bord de l'appareil. Pour être réalisé, ce service, intangible en soi, requiert l'usage d'un bien tangible, l'avion, qui implique des investissements considérables. Au service principal s'adjoignent des éléments matériels, comme les sièges et les repas.

5. **Un service pur.** L'offre porte essentiellement sur un service. Le service consiste en une action (intangible par nature), comme l'émission d'un diagnostic par un neurochirurgien ou l'estimation, par un spécialiste du marketing, de la demande concernant un nouveau train de banlieue.

1.3.2_Le marketing de services aux consommateurs

Un service peut être défini comme suit : Un service est un acte, une activité ou une prestation offert par une partie à une autre partie, qui a pour effet de créer de la valeur, qui apporte des avantages aux parties et qui ne comporte pas de transfert de propriété.

L'industrie des services est très vaste. Mentionnons notamment les services financiers, le tourisme, l'hôtellerie et la restauration, le transport de personnes (par avion, train ou autobus) ou de marchandises (par voie terrestre, aérienne ou maritime), les services professionnels (comptables, avocats, fiscalistes, conseillers en management), les services personnels (coiffure, esthétique) et les soins de santé, publics et privés (médecine, physiothérapie, optométrie, acupuncture). Le commerce de détail et le commerce de gros sont aussi des services.

Quatre caractéristiques distinguent les services des produits [10] :

1. **L'intangibilité.** Parce que les services sont des actions et des prestations et non pas des objets, ils ne peuvent être vus, goûtés, sentis ni touchés. Pour plusieurs, c'est là la principale caractéristique qui distingue les services des produits. L'intangibilité des services suscite de l'incertitude chez les acheteurs potentiels, car le risque perçu à l'achat est plus élevé que dans le cas de produits, les services pouvant être difficiles à évaluer avant l'achat [11]. Pour venir à bout de cette incertitude, l'acheteur recherchera des signes tels que l'apparence des locaux, la tenue vestimentaire et la conduite du personnel. De plus, les services sont souvent difficiles à présenter du fait que les acheteurs sont inquiets ou anxieux devant un service tel qu'une police d'assurance, une hypothèque, un testament ou un contrat fiduciaire. Les mercaticiens dans les entreprises de services doivent donc s'attacher à fournir des signes perceptibles pour rendre matériel ce qui en soi ne l'est pas.

2. **La simultanéité.** En général, la production et la consommation d'un service sont indissociables, car les services sont produits et consommés en même temps. Alors que les biens sont d'abord produits, puis vendus et consommés, les services sont d'abord vendus, puis produits et consommés en même temps. Aussi le personnel de l'entreprise est-il présent la plupart du temps, car il fait partie de l'offre. Le client est également présent et il est souvent un coproducteur du service. La qualité du service peut donc dépendre de la qualité de la participation du client : un médecin peut difficilement établir un bon diagnostic si son patient lui donne de mauvais renseignements ; la qualité du service fourni par un ingénieur-conseil ou un conseiller en management dépend largement de l'information donnée par les clients. L'information et même la formation des clients deviennent des outils de marketing déterminants. Enfin, puisque le personnel fournit le service, la représentation fait fréquemment partie de ses responsabilités.

3. **La variabilité.** La variabilité a trait aux plus ou moins grandes différences entre les prestations des divers pourvoyeurs de services, des membres du personnel d'un même pourvoyeur et des divers clients, ou d'un pourvoyeur donné à des heures ou à des jours différents. En pratique, c'est une tâche difficile que d'obtenir et de maintenir un niveau de qualité uniforme des services tout le temps. La variabilité est un caractère inhérent à la prestation de services.

   Pour atténuer cette variabilité, on peut établir des normes, uniformiser la prestation, rechercher des qualités précises au moment de l'embauche du personnel, investir dans des programmes de formation, faire l'étalonnage continu des meilleures pratiques de la concurrence ou mesurer régulièrement la satisfaction de la clientèle.

4. **La périssabilité.** La périssabilité (ou non-durabilité) a rapport au fait que les services ne s'entreposent pas. Les chambres d'hôtel non louées, les sièges d'avion ou pour un spectacle invendus ne peuvent être récupérés. Comme les services ne peuvent être stockés, il faut synchroniser l'offre et la demande. Deux stratégies sont possibles : modifier la capacité de prestation et déplacer la demande [12].

Lorsque l'on n'a aucune influence sur la demande, il faut modifier la capacité de prestation ou l'offre de service de façon à répondre à la demande. Voici des exemples de moyens utilisés à cette fin [13] :

- **Le réaménagement de l'horaire quotidien de travail, en fonction des pics de la demande.** Cela consiste généralement à faire travailler du personnel à temps partiel aux heures de pointe ou à des heures entrecoupées, comme les chauffeurs d'autobus scolaires.

- **Le réaménagement de l'horaire hebdomadaire de travail.** Cela consiste par exemple, à faire travailler le personnel de 10 à 12 heures par jour, 5 jours d'affilée, suivis de 3 ou 4 jours de congé, méthode souvent utilisée pour le personnel infirmier, les ambulanciers, les policiers ou les pompiers.

- **L'augmentation de la participation du client pendant les heures de pointe.** Cela permet, par exemple, de lui faire exécuter certaines tâches, comme se servir soi-même au buffet du midi. Dans le cas des guichets automatiques bancaires, non seulement le client fait le travail, mais en outre il paie pour l'utilisation du service.

- **La modification et le partage des capacités de prestation.** Cela s'exerce, par exemple, en changeant la disposition des sièges dans un avion ou en faisant exécuter par le personnel des tâches accessoires pendant les périodes creuses de façon qu'il puisse se concentrer sur les tâches principales en périodes de pointe.

- **La formation polyvalente du personnel.** Elle amène une flexibilité de prestation qui permet de satisfaire la demande en périodes de pointe.

On peut aussi s'appliquer à modifier la demande [14]. Voici certains moyens utilisés pour ce faire :

- **Le déplacement de la demande.** Par des stratégies de marketing, on peut accroître le degré d'utilisation de la capacité (les centres de ski offrent des forfaits ou des réductions de prix pour les périodes creuses) ou encore réduire la demande afin de compenser le manque de capacité (certaines municipalités exigent que les pelouses soient arrosées seulement tard le soir ou les jours pairs ou impairs, pour réduire la demande d'eau aux heures de pointe en été, surtout dans les périodes de sécheresse).

- **Le prix.** Un moyen courant d'influencer la demande consiste à fixer les prix en fonction des objectifs à atteindre. Les compagnies de téléphone offrent des taux plus bas pour les appels interurbains le soir ou le week-end en vue d'accroître la demande dans les heures creuses et de réduire la demande durant les heures chargées. Dans le même but, des compagnies d'électricité fixent un tarif plus élevé pour la consommation excédant un certain niveau aux heures de grande demande.

- **L'ajout de services complémentaires.** Aux heures les plus occupées, les restaurateurs dirigent les clients vers un bar à l'aspect attrayant, près de l'entrée, en attendant qu'une table se libère. De la même manière, les guichets automatiques ont permis de diminuer les opérations bancaires offertes en succursale, ce qui a eu pour effet de raccourcir les files d'attente aux heures de pointe.

- **Le stockage de la demande.** Lorsque la capacité de production est relativement fixe et qu'il y a périodiquement une demande abrupte, on stocke la demande par le moyen d'un système de réservations, comme dans le cas des compagnies aériennes, des restaurants et des hôtels, des cliniques dentaires ou médicales ; ou bien on étale la demande du fait de la flexibilité de l'offre, comme dans le cas de la formation à distance offerte par la TÉLUQ (émissions sur Internet, cours en ligne ou par correspondance).

Plusieurs éléments fondamentaux sont communs au marketing de services et au marketing de produits, comme les processus de recherche et d'analyse, et la planification stratégique du marketing. Mais les caractéristiques et les stratégies décrites plus haut montrent que le marketing de services diffère grandement par certains aspects du marketing de produits, plus traditionnel.

1.3.3_Le marketing de produits et services organisationnels

On a brièvement présenté quelques aspects de la nature du marketing de produits et services destinés aux consommateurs, mais il existe un autre marché important : le marché organisationnel. Les produits et services organisationnels s'adressent aux entreprises manufacturières et de services, aux organisations publiques et

parapubliques, et aux OSBL. Ils ne sont pas vendus à des consommateurs individuels ni à des intermédiaires qui se chargent de les vendre au consommateur final.
On parle de marketing *B2B* (*business to business*), mais le terme est réducteur, car
le marché organisationnel comprend toutes les entreprises des secteurs primaire,
secondaire et tertiaire, y compris les organismes gouvernementaux et les OSBL,
qui achètent des marchandises et des services pour les incorporer à d'autres produits ou services, ou pour les utiliser dans leurs activités. On estime que l'importance économique de ce marché en dollars et en unités est plus grande que celle
du marché aux consommateurs [15].

Le marché des produits et services organisationnels diffère du marché des
biens et services de consommation à divers points de vue. Plusieurs caractéristiques en sont radicalement différentes, ce qui force le mercaticien à adapter sa
manière d'agir et ses stratégies de marketing en conséquence. Ces caractéristiques
sont les suivantes :

- **Un moins grand nombre d'acheteurs.** Ceux-ci sont souvent concentrés géographiquement. Par exemple, le marché potentiel pour l'équipement de laboratoire
  se limite presque exclusivement aux laboratoires d'universités, d'hôpitaux,
  de centres de recherche et de compagnies qui font de la recherche. De plus,
  les organisations sont aussi concentrées géographiquement. Les industries
  spécialisées dans l'aérospatiale, la technologie et les produits pharmaceutiques brevetés sont concentrées au Québec. L'automobile, les produits pharmaceutiques génériques et les finances sont l'apanage de l'Ontario, tandis que
  le bois de coupe est partagé entre la Colombie-Britannique, le Québec et le
  Nouveau-Brunswick.

- **Des acheteurs professionnels avertis.** Les mercaticiens, dans ce marché, font
  affaire avec des acheteurs compétents, bien formés et bien informés qui doivent
  toutefois, dans bon nombre de cas, suivre les règles et les politiques d'achat
  établies par leur entreprise. Ils travaillent souvent avec une équipe de vendeurs
  et une équipe d'acheteurs dont peuvent faire partie notamment des spécialistes
  en génie, en finance, en comptabilité et en informatique.

- **De plus gros achats.** Un petit nombre d'acheteurs font de gros achats. Un
  avion Airbus se vend aujourd'hui environ 250 millions de dollars, et le marché se limite à quelques centaines de clients potentiels. Même si la part de
  marché d'Airbus est d'environ 50 % pour les avions de type A320 et A340, la
  compagnie n'a qu'un petit nombre d'acheteurs.

- **Un processus d'achat complexe.** Ce processus comporte beaucoup plus
  d'étapes que le processus d'achat individuel. Il faut bien cerner le problème
  à résoudre dans son ensemble et les besoins à combler, élaborer des spécifications, chercher des fournisseurs, procéder à un appel d'offres et choisir
  le fournisseur, préparer la commande et les contrats, puis faire le suivi. De
  surcroît, de nombreuses personnes ont voix au chapitre dans le processus de
  décision. Le mercaticien attaché à une entreprise doit savoir quelles sont les
  personnes qui composent la centrale d'achat, par exemple ; celles qui utilisent ou utiliseront le produit ou service ; celles qui influencent le processus
  de décision ; enfin, celles qui participent à la décision ou qui décident.

- **Une demande dérivée et fluctuante.** La demande de produits et services sur
  le marché organisationnel dépend en partie ou totalement de la demande sur le

marché final. La demande pour les roulements à billes dépend de la demande pour les moteurs électriques, qui dépend de la demande pour les presses à injection de plastique, laquelle dépend à son tour de la demande par les consommateurs de contenants en plastique. La demande pour des produits industriels peut donc reposer sur plusieurs niveaux de demande. En conséquence, elle a tendance à être plus volatile, plus fluctuante que la demande des consommateurs. Par exemple, une augmentation ou une baisse de la demande de 20 % sur le marché des consommateurs pourrait entraîner une augmentation ou une baisse, temporaire ou permanente, de la demande industrielle ou organisationnelle de 200 %.

■ **Une perspective relationnelle.** À la différence du marketing transactionnel, qui se concentre sur la transaction, le marketing relationnel a pour but d'entretenir et de renforcer les relations avec les clients majeurs en s'assurant des avantages mutuels. À cause de la nature et de l'importance des achats organisationnels, et du faible nombre de clients, les relations entre les vendeurs et les acheteurs sur ce marché sont beaucoup plus étroites et durent beaucoup plus longtemps. Même les achats de matières premières et de fournitures se font souvent pour un an. Lorsqu'il s'agit d'équipement d'importance, comme un réseau d'ordinateurs ou un avion, ou d'impartition de services, l'entente, donc la relation, s'échelonne sur une longue période, allant parfois jusqu'à 10, voire 20 ans.

Toutes ces caractéristiques du marché organisationnel déterminent les pratiques et les stratégies de marketing dans ce secteur de l'économie. Les professionnels, dans ce domaine, sont souvent très qualifiés. Ainsi, dans le secteur pharmaceutique, il n'est pas rare qu'un représentant de commerce soit titulaire d'une maîtrise en sciences ou en gestion.

Par ailleurs, il est nécessaire non seulement de savoir qui compose l'unité de prise de décision, mais aussi de comprendre comment cette unité fonctionne. Il faut maîtriser le processus de décision, et en particulier tout ce qui concerne la procédure d'appel d'offres.

Enfin, il faut savoir adapter aux circonstances les différentes stratégies de marketing telles que le mix de communication. Sur ce marché, le budget de communication est relativement moins élevé que sur le marché des consommateurs, et l'allocation est différente : on accorde un plus grand pourcentage du budget à la vente, et moins à la publicité.

Les figures 1.1 et 1.2 (*voir p. 14*) montrent deux exemples de messages publicitaires destinés à des gens d'affaires ou à des professionnels.

_FIGURE 1.1 Un message publicitaire pour le marché des produits organisationnels

Source : CUMMINS, dans *Plan, la revue de l'Ordre des ingénieurs du Québec,* mai 2009, p. 6.

Un message publicitaire pour le marché des services organisationnels

DONNEZ DE L'ÉLAN À VOTRE ENTREPRISE!

Grâce à nos garanties de prêt et à nos prêts, nous sommes en mesure de vous simplifier la vie et de donner de l'élan à vos projets.

Nous avons le savoir-faire et les produits financiers pour vous aider à saisir les meilleures occasions d'affaires, celles qui permettront à votre entreprise d'atteindre de nouveaux sommets.

Contactez notre équipe dès aujourd'hui.

IQ Investissement Québec

www.investquebec.com | 1 866 870-0437   FACILITER·FINANCER·PROPULSER

Source: INVESTISSEMENT QUÉBEC, dans *Les Affaires*, édition spéciale annuelle, été 2009, p. 15.

1.3.4_Le marketing de produits et services dans les secteurs public et social

On a vu plus haut les différences importantes entre le marketing de produits aux consommateurs et le marketing de services aux consommateurs, mais aussi entre le marketing de produits et services aux consommateurs et le marketing de produits et services aux organisations. Le champ d'action du marketing s'est élargi depuis les années 1980. En effet, dans le secteur public, c'est-à-dire les gouvernements fédéral et provinciaux, les organismes gouvernementaux et l'administration municipale, on recourt de plus en plus au marketing pour faire la promotion de produits, de services, d'idées et de causes. En outre, à mesure que l'État se désengage, on voit apparaître de plus en plus d'organismes sans but lucratif, dont les besoins augmentent sans cesse. En quoi le marketing pratiqué dans les organismes publics et les OSBL diffère-t-il du marketing pratiqué dans le secteur privé [16] ?

Le marketing dans le secteur public

Le secteur public ou parapublic est surtout associé à des services, à des idées et à des causes. Il y a bien sûr des exceptions : ainsi, la Société des alcools du Québec distribue et commercialise des vins et spiritueux. Toutefois, en général, les opérations dans le secteur public ont un but à caractère social ou d'intérêt public, et l'on parle dans ce cas de marketing social. Comme ils sont grandement visibles, les organismes gouvernementaux sont plus facilement exposés à la critique de la population et même des entreprises et des organisations privées. Le « produit » est souvent une idée ou une cause, comme les effets négatifs et l'iniquité du travail au noir, la sécurité routière (l'alcool au volant ou la conduite sécuritaire). Les politiques et les processus d'administration et d'évaluation sont beaucoup plus complexes et contraignants dans le secteur public que dans le secteur privé. Ainsi, le contrat d'une étude de marché ou d'une campagne publicitaire doit dans certains cas être adjugé au plus bas soumissionnaire, ce qui n'est pas nécessairement avantageux. On constate aussi une certaine fausse pudeur vis-à-vis de l'utilisation du marketing ou même du mot « marketing » ; ou encore on ne parle pas de publicité, mais plutôt de communication… Pourtant, les dépenses en publicité du gouvernement fédéral et du gouvernement du Québec sont parmi les plus élevées au Canada… Mentionnons pour conclure que le prix et la distribution, deux variables du mix de marketing, sont souvent inappropriés dans le secteur public.

Le marketing dans les OSBL

Les organismes sans but lucratif relèvent surtout du secteur privé, mais ils reçoivent parfois des subventions gouvernementales. Les buts qu'ils poursuivent sont fort variés. Témoin les noms suivants : Centraide, Jeunesse au Soleil, Oxfam-Québec, Héma-Québec, l'Orchestre symphonique de Montréal, la Fondation de l'UQAM, la Fondation Rêves d'Enfants, l'Église de Montréal. Les figures 1.3 et 1.4 montrent des messages publicitaires diffusés par des OSBL. Dans les OSBL du secteur privé, les fonds proviennent de donateurs, alors que, dans le secteur public, ils viennent des contribuables. La première différence entre ce type de marketing et le marketing traditionnel fait par les gens d'affaires est que, comme l'organisme est constitué dans un but moral, philanthropique, religieux ou culturel, le profit ne fait pas partie de ses objectifs, ce qui n'empêche pas que l'on puisse souhaiter avoir des revenus supérieurs aux dépenses. Une autre différence essentielle est que la nature de l'échange n'est pas toujours claire : dans une situation commerciale, on donne de l'argent en échange d'un produit ou d'un service ; dans le cas d'un OSBL, il est possible de faire des contributions (de son vivant ou par un legs) ou de donner du temps (bénévolat) par esprit de devoir, par désir de se réaliser ou de faire don de soi. Le marketing doit être fait tant à l'intrant qu'à l'extrant : il faut convaincre les bénévoles, collecter des fonds et les utiliser ou les distribuer de la manière la plus efficace possible pour que l'organisme puisse atteindre ses objectifs. Les activités sont généralement des services (le gîte pour les itinérants, les repas pour les jeunes de la rue) mais, à l'occasion, des produits sont vendus à l'encan et les revenus sont remis à l'organisme. Toutefois, étant donné que, comme dans le cas du marketing traditionnel, le marché peut être constitué par le grand public ou les entreprises, on sollicite les dons individuels et les dons d'entreprise.

Les principales différences entre le marketing de produits et services dans le secteur public, le marketing des OSBL et le marketing traditionnel portent sur les objectifs, en particulier celui de la rentabilité, et sur la mission, qui dans les deux premiers cas est le plus souvent sociale, philanthropique, religieuse ou culturelle. Ces différences sont prises en compte dans les opérations et les stratégies de marketing menées dans ce marché. Les mercaticiens qui travaillent dans ce secteur doivent être conscients de son caractère particulier, des objectifs qu'il poursuit, des contraintes opérationnelles quelquefois dues à la

_FIGURE 1.3 **Un message publicitaire d'organisme sans but lucratif**

Source : FONDATION DES MALADIES DU CŒUR, dans *Châtelaine*, juillet 2009, p. 90.

_FIGURE 1.4 **Un message publicitaire d'une région**

Source : TOURISME NOUVEAU-BRUNSWICK (site Web eauchaude.ca), dans *Coup de pouce*, juin 2009, p. 23.

bureaucratie qu'il subit, comme de la grande influence qu'il a et du rôle important qu'il exerce dans la société. Enfin, le marketing est vite devenu un outil puissant dans les OSBL et il le deviendra encore davantage à mesure qu'ils raffineront leur gestion. Les implications les plus importantes du marketing pour les organismes sans but lucratif, tant à l'intrant qu'à l'extrant, sont une activation de la demande, et la détermination de la nature de l'échange avec des clients qui sont aussi des partenaires.

1.4 Les optiques de gestion du marketing

Le marketing est à la fois une façon de penser et une façon d'agir, et il faut donc envisager diverses optiques de gestion du marketing. Une optique est une façon de voir. Donc, comme cette section décrira quatre optiques de gestion du marketing, elle présentera quatre manières de voir ou de gérer la fonction marketing dans une organisation, soit quatre orientations : l'optique produit, l'optique vente, l'optique marketing et l'optique marketing sociétal.

1.4.1 L'optique produit

Cette orientation traditionnelle détermine les décisions prises dans bon nombre d'entreprises. Selon cette optique, le marché préfère les produits offrant la meilleure qualité, la meilleure performance et les meilleures caractéristiques – ce qui est vrai, d'un certain point de vue. Le problème est que la qualité, la performance ou les caractéristiques sont parfois définies par le producteur, qui souvent se préoccupe surtout de rentabilité, de productivité ou d'avance technologique et qui ne consulte ni la clientèle ni le marché. Voici trois exemples frappants d'événements qui ont marqué l'économie ces dernières années. Le premier concerne l'industrie des télécommunications. Des spécialistes du secteur technologique, après que la célèbre bulle technologique eut éclaté, proclamèrent que ce secteur était devenu le secteur industriel le plus important et attendirent une croissance du marché, qui ne vint jamais. Des entreprises comme Nortel se sont retrouvées avec des surplus de stocks et une surcapacité de production, mais sans marchés. Les ventes ont chuté de même que les profits, et la Bourse a suivi ; des emplois, des fonds de retraite pour le personnel et des fortunes ont été perdus. Les actions de Nortel ont même été retirées de la Bourse, et ses actifs vendus en pièces détachées aux plus offrants. On avait pensé « production et produit », mais pas « marché ». Le deuxième exemple est encore plus éloquent. Devant les succès continus de vente des modèles A320 et A340 d'Airbus, la mise au point du gros-porteur à très grande capacité A380 de la même société et le retrait du Concorde, les ingénieurs de Boeing ont conçu le Sonic Cruiser, un avion capable de voler à une vitesse légèrement inférieure à la vitesse du son. Des centaines de millions de dollars ont été dépensés pour la conception de cet appareil à la fine pointe de la technologie. Mais, en 2003, le projet a été abandonné… Pourquoi ? Après avoir résolu les principaux problèmes techniques, on a présenté le produit aux compagnies aériennes. Aucune ne voulait de ce type d'avion [17]. Troisième exemple, l'industrie nord-américaine de l'automobile a fait la même erreur. Elle n'a pas vu les changements qui survenaient dans la société (demande pour des produits de qualité, sécuritaires et plus écologiques) et n'a pas su adapter son offre en conséquence. La caricature présentée à la figure 1.5 illustre bien la philosophie de marketing rétrograde des grands manufacturiers nord-américains d'automobiles à cette époque. Les sociétés GM et Chrysler ont été acculées à la faillite, ont dû être complètement restructurées et n'ont pu survivre que grâce au soutien financier des gouvernements américain et canadien. L'optique produit avait été favorisée au détriment de l'optique marketing, ce qui a entraîné la « myopie du marketing », une concentration exagérée de l'attention sur le produit qui fait oublier le marché et ses besoins.

1.4.2_L'optique vente

Cette autre optique traditionnelle suppose que les clients n'achèteront pas un produit s'ils sont laissés à eux-mêmes. Si le produit est bon mais que les clients sont incapables d'en apprécier la valeur, il faut adopter une formule vigoureuse de vente et de promotion des ventes. Les entreprises qui ont épousé cette manière de penser cherchent à vendre ce qu'elles ont produit et non à produire ce qu'elles peuvent vendre. Cette optique est propre aux organisations qui ont une certaine surcapacité et à celles qui connaissent mal le marché ou ont peu de respect pour les clients. C'est ce que GM et Chrysler ont fait en désespoir de cause en

_FIGURE 1.5 Une illustration des pièges de l'optique produit

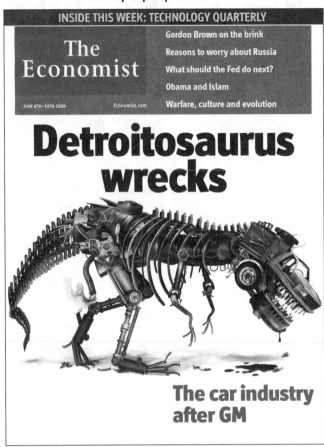

Source : *The Economist*, 6-12 juin 2009, p. 1.

2009, dans le contexte de leur problème de survie et de la grave crise économique, avec un succès très relatif. Devant la difficulté de vendre leurs voitures, ils ont eu recours à des rabais importants, à du financement à un taux d'intérêt de 0 %, etc. Le marketing qui s'appuie sur la vente, surtout la vente sous pression, comporte de grands risques. Les clients se détournent rapidement des entreprises qui emploient cette méthode. Quoi de plus désagréable qu'un représentant qui pousse la vente de son produit chez un concessionnaire automobile ? D'autre part, cette manière de faire repose sur l'idée que les clients qui achèteront le produit l'aimeront. Au contraire, si la vente est forcée, il est possible que les consommateurs ne l'aiment pas. C'est d'ailleurs pourquoi la *Loi sur la protection du consommateur* autorise l'annulation des ventes dans certains cas. De plus, la mauvaise publicité faite par des clients insatisfaits peut nuire gravement aux entreprises. Des études ont démontré que les clients insatisfaits se plaignent auprès d'un grand nombre de personnes, alors que les clients satisfaits ne recommandent le produit qu'à quelques proches. Par ailleurs, beaucoup de clients insatisfaits ne se plaignent pas, mais ne font simplement plus affaire avec l'entreprise. Chercher de nouveaux clients pour compenser ceux qu'on a perdus n'est pas une bonne solution. Il en coûte cinq fois plus cher pour attirer un nouveau client que pour conserver un client actuel[18]. Vendre sous pression un mauvais produit ou un produit qui ne répond pas aux besoins des clients accroît donc la probabilité d'insatisfaction; la méthode permet peut-être d'atteindre certains objectifs à court terme, mais elle peut se révéler très néfaste à long terme. Certaines personnes confondent vente et marketing. C'est là une erreur, car le rôle du marketing est de rendre la vente superflue [19].

1.4.3_L'optique marketing

Cette optique a été conçue pour remédier aux défauts des deux optiques précédentes. L'optique marketing est une philosophie de gestion selon laquelle, pour qu'une organisation atteigne ses objectifs, il est nécessaire de cerner les besoins et les désirs de la clientèle et de lui apporter la satisfaction d'une manière efficace et efficiente [20]. L'optique marketing repose sur les quatre piliers suivants: la focalisation sur le marché, l'orientation vers le client, le marketing intégré et la rentabilité. L'optique marketing est une perspective externe-interne. L'entreprise part du marché pour cerner les besoins à satisfaire, mettre au point de nouveaux produits et services et devancer la concurrence. L'entreprise doit ainsi être orientée vers le marché pour pouvoir reconnaître les occasions d'affaires intéressantes, mais elle doit aussi focaliser constamment son attention sur le client – non seulement le client potentiel, mais surtout le client actuel en offrant, entre autres avantages, un excellent service à la clientèle. Selon cette manière de voir, la fidélisation des clients actuels a plus d'importance que la recherche de nouveaux clients. Dès lors, la mesure continue de la satisfaction de la clientèle et le désir de s'adapter aux changements du marché apparaissent comme des nécessités.

Le marketing intégré suppose que toutes les activités de l'entreprise qui concernent le client forment un tout. Dans la pratique, cela implique trois types d'intégration: premièrement, l'intégration des diverses fonctions et opérations de marketing entre elles; deuxièmement, l'intégration des autres fonctions de l'entreprise (production ou opérations, finances, ressources humaines, etc.) à la fonction marketing pour tout ce qui concerne le client; troisièmement, à tous les échelons de l'entreprise, l'intégration du marketing dans les décisions et les opérations qui ont rapport au client. Ces intégrations ont pour but d'aider l'entreprise privée à atteindre un niveau de rentabilité normal. Dans le cas des organismes publics et des OSBL, les objectifs peuvent être relatifs aux revenus (collecte de fonds) ou aux activités (nombre d'itinérants accueillis, nombre de paniers de Noël distribués).

1.4.4_L'optique marketing sociétal

De plus en plus de gens se demandent si l'optique marketing suffit pour que les chefs d'entreprise puissent estimer avoir acquitté leur rôle social, être considérés comme de bons citoyens ou même assurer la survie à long terme de leur entreprise. L'optique marketing se justifie-t-elle dans un contexte de pauvreté accrue (l'écart croissant entre nantis et moins fortunés, la pauvreté des familles monoparentales), de mauvaise condition physique généralisée au pays (l'embonpoint dû à la mauvaise alimentation, l'irresponsabilité des fabricants d'aliments et des propriétaires de restaurants-minute, le tabagisme, la consommation excessive de médicaments), de détérioration de l'environnement (la pollution liée à la consommation élevée de carburant des véhicules utilitaires)? Des théoriciens et des praticiens ont donc proposé l'optique marketing sociétal en vue d'aider les entreprises et leurs dirigeants à assumer leurs responsabilités sociales. Dans cette optique, l'entreprise doit non seulement déterminer les besoins, les désirs et les intérêts des clients actuels et potentiels de façon à les satisfaire d'une manière plus efficiente et efficace que les concurrents, mais elle doit aussi s'efforcer d'améliorer le bien-être des citoyens. La question, ici, est de savoir s'il est possible à la fois de répondre aux besoins individuels à court terme et de protéger à long terme tant les intérêts individuels que les intérêts collectifs. Ainsi, les compagnies de tabac sont-elles justifiées de mettre des cigarettes sur le marché?

Si elles considèrent la question sous une optique sociétale, les entreprises doivent reconnaître qu'elles ont des responsabilités sociales, qu'elles doivent promouvoir le respect de la morale et de l'éthique, et qu'elles doivent établir et suivre certaines règles de conduite. La section suivante aborde, en la situant dans la perspective du marketing, la question de la responsabilité sociale des entreprises et de leurs obligations éthiques.

1.5 La responsabilité sociale des entreprises et le marketing

Il n'y a pas si longtemps, des sondages indiquaient que les gens d'affaires figuraient parmi les personnes les plus respectées et les plus influentes dans notre société. Le milieu des affaires avait la confiance du public. Mais une suite de scandales, la plupart à caractère financier, a secoué ce milieu (Enron, Tyco, Adelphia, Norbourg, Norsweld, Banque Stanford, Jones, etc.). À cela sont venus s'ajouter plusieurs autres problèmes qui concernaient la responsabilité sociale des entreprises : la pollution résultant du déversement de déchets toxiques dans l'environnement, l'emploi de techniques frauduleuses de télémarketing, le recours par de grands fabricants de vêtements et d'articles de sport à des sous-traitants qui font travailler en Asie des enfants dans des conditions proches de l'esclavage, puis la vente de tels produits par de grandes chaînes de commerce de détail, etc. D'autre part, des pratiques abusives d'accessibilité au crédit, particulièrement des méthodes agressives d'accès au crédit hypothécaire, et l'utilisation d'outils financiers à haut risque aux États-Unis ont provoqué la crise économique mondiale de 2009. Cela a fait déborder le vase.

Le monde des affaires était alors partout en butte aux critiques, et le président Obama jugea nécessaire de mieux encadrer les institutions financières aux États-Unis. Des gens d'affaires soucieux d'assumer leurs responsabilités sociales, des associations de gens d'affaires, des entreprises et des universitaires partout dans les pays développés s'alarmèrent en constatant que les fondements mêmes de notre système économique étaient secoués. Déjà, depuis quelques années, on commençait à tenir compte de la responsabilité sociale et de l'éthique dans la conduite des affaires. La société KPMG a longtemps publié un sondage annuel sur les sociétés que les principaux cadres dirigeants du pays respectent le plus. Une des catégories de classement était la responsabilité sociale. Or, il arrivait fréquemment que l'entreprise qui remportait le premier prix pour son empressement à exercer ses responsabilités sociales fût aussi celle qui était la plus respectée.

La notion de responsabilité sociale est difficile à définir. On s'accorde généralement pour dire que la responsabilité sociale pour une entreprise consiste à contribuer à l'amélioration de la société. Plusieurs définitions ont été proposées[21]. Pour certains, la responsabilité sociale représente l'engagement de l'entreprise à assurer le développement économique et à améliorer la qualité de vie. Pour d'autres, c'est la relation globale d'une compagnie avec différentes entités ou différents groupes sociaux et économiques : actionnaires, employés, collectivités, propriétaires, investisseurs, gouvernements, fournisseurs et concurrents. On a aussi donné une définition toute simple de la responsabilité sociale : la défense par l'entreprise d'intérêts autres que ceux des actionnaires.

En effet, la notion de responsabilité sociale implique que les obligations de l'entreprise transcendent celles qu'elle a envers ses actionnaires : l'entreprise doit rendre compte de ses actions à plusieurs groupes d'intérêts (dont les clients), que les intérêts défendus soient protégés ou non par la loi[22]. Dans le présent ouvrage, la responsabilité sociale des entreprises et l'éthique sont traitées dans la perspective du marketing. Ces deux questions sont d'autant plus importantes que le marketing est un outil de gestion efficace, extrêmement efficace. C'est aussi une technique de persuasion très puissante qui peut amener des individus et des entreprises indifférents à l'égard de leurs responsabilités sociales ou dépourvus de sens moral, ou tout simplement sans scrupules, à abuser des gens.

Dans l'optique du marketing sociétal, l'entreprise doit donc non seulement répondre aux besoins du marché, mais aussi assurer le bien-être des individus et de la communauté à long terme. Ainsi, lorsqu'une entreprise s'emploie à satisfaire les besoins d'un groupe social, il peut en résulter des conséquences négatives pour d'autres groupes sociaux (comme la taille d'une embarcation à moteur qui est hors de proportion avec celle du lac peut être source de désagrément pour les riverains) ou pour la société en général (certains véhicules utilitaires sont particulièrement polluants).

Le principe de responsabilité sociale implique que toute organisation fait partie de la société et qu'elle est redevable de ses actes à cette même société[23]. Elle doit par conséquent veiller à ce que ses actions aient des effets sociaux positifs.

Voici énumérés, dans cinq domaines, un certain nombre d'éléments susceptibles d'aider l'entreprise à assumer ses responsabilités sociales. Les éléments cités peuvent servir de guide dans l'appréciation du niveau de conscience sociale d'une organisation[24].

- **Les produits et services.** Qualité des produits et des services ; préoccupation envers le développement durable tant dans la production que pour l'utilisation, la récupération et le recyclage des produits ; sécurité des produits et leurs effets sur l'environnement ; respect des lois et des règlements sur la sécurité des produits et sur l'environnement.

- **Les clients.** Mise en marché honnête, proscription de toute publicité mensongère ou frauduleuse et de la vente sous pression ; vérification de la qualité et de la sécurité des produits et de leurs effets sur l'environnement ; respect de la garantie ; règlement rapide des plaintes des clients ; service après-vente équitable.

- **Les fournisseurs.** Prise en compte de certains aspects sociaux et environnementaux dans les décisions d'achat et les efforts de développement durable ; refus de faire affaire avec des sous-traitants qui sont de mauvais employeurs (atteinte aux droits de la personne, salaires trop bas, mise à contribution des enfants, etc.) ou qui maltraitent les animaux ; priorité donnée aux achats locaux.

- **La collectivité.** Engagement de l'entreprise et de ses employés dans des causes sociales ou accomplissement d'actions caritatives ou philanthropiques ; règlement rapide des plaintes provenant du milieu ; contribution au développement durable.

- **Les actionnaires.** Information honnête ; transparence financière ; bonnes pratiques financières et fiscales ; contrôles comptables rigoureux ; engagement social clair.

Enfin, les clients doivent eux aussi être socialement responsables. Ils doivent recycler les bouteilles, les boîtes de conserve, les emballages, etc. Et ils ne doivent pas hésiter à se plaindre à une entreprise, autrement celle-ci pourrait ne pas se rendre compte des effets négatifs de ses produits ou services. Ainsi, très tardivement, en réponse aux inquiétudes liées aux problèmes d'obésité, plusieurs chaînes de restaurants-minute ont ajouté des plats sains à leur menu. Les fabricants de motomarines ont apporté certaines modifications à ces embarcations après leur bannissement de plusieurs lacs à la suite des plaintes des riverains. Enfin, le public doit éviter le téléchargement illicite de musique sur Internet, qui nuit à la fois aux entreprises et aux artistes.

_1.6 L'éthique et le marketing

Tout le monde conviendra que le marketing est de plus en plus présent dans la vie quotidienne. Le marketing est aussi une fonction importante dans la gestion des organisations. Or, certaines décisions de marketing peuvent avoir des effets moraux, et celles qui vont à l'encontre de règles morales généralement acceptées peuvent avoir des conséquences négatives sur l'entreprise, surtout si ces décisions s'avèrent illégales.

De plus en plus de dirigeants d'entreprise sont conscients non seulement de leurs responsabilités et de leurs rôles sociaux, mais aussi des effets négatifs que l'absence de responsabilité sociale ou de sens moral peut avoir sur l'avenir de leur entreprise. Il paraît nécessaire, avant même de parler d'éthique, de considérer certains problèmes que le marketing entraîne dans la société.

1.6.1_Le marketing et la société

La société s'attend, à juste titre, à ce que les entreprises agissent d'une façon socialement acceptable et se préoccupent des effets sociaux et environnementaux de leurs opérations [25]. Notre économie repose sur le système de la libre entreprise et, dans ce système, le marketing joue un rôle important d'allocation des ressources. Ce système, du point de vue de la théorie économique, est imparfait à plusieurs égards. Il diffère tout d'abord du modèle de la concurrence pure, car le nombre de vendeurs et d'acheteurs qui agissent rationnellement et qui peuvent influencer l'offre et la demande n'est pas toujours élevé. D'autre part, diverses actions gouvernementales peuvent gêner le libre jeu des forces du marché. Il faut aussi reconnaître que l'information est parfois incomplète et que certaines entreprises ont une conduite moralement douteuse, sinon carrément inique. Il est utile de rappeler ici que l'optique marketing est une philosophie de gestion selon laquelle, pour atteindre ses objectifs, l'organisation doit s'enquérir des besoins et des désirs du marché et y répondre d'une manière efficace et efficiente. Si l'on considère la question dans l'optique du marketing sociétal, l'organisation doit en outre veiller à assurer le bien-être des consommateurs et de la collectivité à long terme.

Mais les activités de marketing sont-elles toujours conformes à l'optique de marketing sociétal? La réponse est non. Certaines entreprises s'engagent dans des activités commerciales frauduleuses, elles enfreignent sciemment la loi. Pour ne pas déborder le propos, on peut se limiter à dire ici que certaines opérations sont tout simplement illégales. Par contre, d'autres entreprises ont des pratiques douteuses ou de mauvais goût. De plus, plusieurs critiques ont été faites à l'égard du marketing en général. Du point de vue social, on met en évidence que le marketing peut engendrer un matérialisme excessif, des désirs artificiels, la stimulation de la demande pour des biens publics ou sociaux et la pollution culturelle et visuelle.

Par « matérialisme excessif », on entend la stimulation d'un appétit exagéré pour des biens matériels : les individus sont alors jugés sur leurs possessions plutôt que sur leur valeur personnelle. Dans la foulée, la publicité et la promotion encouragent une consommation quelquefois ostentatoire qui engendre des désirs artificiels souvent imposés par des groupes sociaux. D'autre part, la demande pour certains biens publics ou sociaux procède de la demande pour les produits fabriqués par le secteur privé. Les routes, les pistes de motoneige et les pistes d'aéroport sont utilisées pour faire fonctionner des biens et des équipements produits par un petit nombre d'entreprises privées, mais sont payées par l'ensemble de la collectivité. De plus, l'usage excessif de la publicité, de la promotion et de la commandite contribue à la pollution culturelle des médias et à la pollution visuelle du milieu.

Les promesses trompeuses et la publicité mensongère sont associées à certains produits. Les nutraceutiques en sont un bon exemple. Extraits de source végétale, animale ou marine, comme les acides gras oméga-3 ou les lycopènes, ces produits se situent entre les aliments et les médicaments. On leur prête des vertus de prévention des maladies ou même des propriétés curatives. Dans bien des cas, ils ont fait l'objet de peu de recherche scientifique. Ils sont en vente libre et on connaît mal leur interaction avec des médicaments. Certains n'hésitent pourtant pas à les prescrire ou à les recommander. Pire encore, on attribue des propriétés amaigrissantes à des fruits exotiques qui sont vendus comme compléments de programmes d'amaigrissement, à prix fort, sans aucune preuve scientifique.

On parle aussi de l'élimination de la concurrence, de la fixation des prix, de la vente sous pression, de la mauvaise qualité de certains produits et services, de l'obsolescence planifiée, du non-respect des garanties et de la mauvaise qualité du service à la clientèle. Pour remédier à certains de ces problèmes, améliorer certaines pratiques de marketing non conformes aux principes du marketing sociétal et éliminer les comportements antisociaux sinon criminels de certains mercaticiens, on reconnaît de plus en plus la nécessité pour les entreprises et même les organismes publics et sans but lucratif d'avoir des règles morales et éthiques.

1.6.2_L'éthique en marketing

Qu'est-ce que l'éthique ? L'éthique est la science de la morale et l'art de la bonne conduite. L'éthique est la science du devoir humain qui fixe des règles de conduite, qui détermine ce qui est bien et ce qui ne l'est pas.

On peut définir l'éthique comme étant l'ensemble des principes moraux et des valeurs qui gouvernent les décisions et les actions d'un individu ou d'un groupe [26]. Elle sert en quelque sorte de guide pour agir d'une manière correcte et juste. L'éthique est différente de la loi. La loi représente les valeurs et les normes d'une société qui sont mises en application par un système judiciaire, alors que l'éthique s'occupe de valeurs et de principes personnels et moraux. En général, ce qui est illégal n'est pas éthique. Mais ce qui est légal peut être éthique ou ne pas l'être. Le marketing utilisé par des gens sans conscience morale peut facilement donner lieu à des abus, tout en n'étant pas illégal. Voici des exemples de pratiques non éthiques :

- mettre en marché des produits non sécuritaires ;
- se servir du prétexte d'une évaluation énergétique du domicile pour vendre une thermopompe ;
- distribuer des produits que l'on sait obsolescents ou endommagés ; faire des promesses à un client que l'on sait ne pouvoir tenir ;
- faire de la publicité trompeuse ou fallacieuse (une brochure montrant un camp d'été avec des voiliers, alors que le camp n'en possède pas ; un hôtel qui affiche des prix modiques dans ses dépliants et son site Internet, mais qui n'y montre que les chambres luxueuses) ;
- se servir des enfants pour amener les parents à acheter des produits ou des services ; mener une prétendue enquête téléphonique pour vendre un produit ; mousser l'offre de vente d'un produit avec financement « gratuit » (en réalité, pour six mois, ensuite le taux d'intérêt sera de 20 % à 30 %) ;
- fournir de l'information incomplète au moment de l'achat ; mettre en évidence une information partielle qui peut induire en erreur ;
- tenir des concours dits « sans obligation » dans les foires ou les salons afin d'obtenir les adresses de clients et les pousser à l'achat par la suite ; employer des techniques de vente trompeuses ;
- proposer des garanties sous certaines conditions difficiles, voire impossibles à respecter.

Par exemple, en 2009, Air Canada a proposé dans une publicité un billet Montréal-Genève à 340 $; en réalité, il s'agissait d'un aller simple offert conditionnellement à l'achat d'un aller-retour (précision écrite en petits caractères). De plus, le tarif indiqué n'incluait pas le supplément des frais de carburant de 112 $ pour aller simple (également mentionné en petits caractères). Ce qui faisait un total de 904 $, sans compter les diverses taxes…(La publicité fut, entre autres, publié dans *Les Affaires*, édition du 28 février au 6 mars 2009.)

À l'opposé, les pratiques immorales des clients intéressent aussi les mercaticiens. Citons des exemples de pratiques répréhensibles : photocopie illicite de livres ou de documents pour ne pas en faire l'achat ; copie illégale de disques compacts ou de DVD ; retour frauduleux de marchandises (on achète une robe de prix le samedi, on la porte le samedi soir et on la retourne le lundi sous prétexte que le conjoint ne l'aime pas); retour d'un stylo au magasin parce qu'il ne fonctionne pas, alors qu'on l'a utilisé jusqu'à ce qu'il n'y ait plus d'encre); accident volontaire pour réclamer des assurances.

Considérons un aspect du comportement éthique qui est rarement discuté et qui concerne l'attitude du gestionnaire du marketing envers ses employés. Certains gestionnaires adoptent des comportements qui ne sont pas toujours éthiques, sans en être nécessairement conscients. Mentionnons par exemple les préjugés relatifs au sexe (considérer les femmes comme de mauvaises gestionnaires) ou à la race (soupçonner certaines nationalités d'incompétence ou de pratiques malhonnêtes), la tendance à favoriser les groupes d'appartenance (ceux qui ont le même diplôme, la même *alma mater,* etc.), les conflits d'intérêts (faire un traitement de faveur aux individus qui servent les intérêts personnels) et la tendance à exagérer son propre rôle dans la réussite de diverses opérations (certains managers surévaluent leurs capacités et leurs réalisations personnelles [27]). Ainsi, l'éthique pour un mercaticien concerne sa conduite à l'égard de la collectivité, des intermédiaires, des clients et des collègues de travail.

De nos jours, les mercaticiens devraient se soucier constamment de la responsabilité sociale et morale de leur entreprise et en tenir compte au moment de la préparation d'un plan de marketing [28].

Les lois ainsi que toutes les formes de contrôle gouvernemental ne peuvent résoudre tous les problèmes mentionnés plus haut. Il faut également refuser de penser que tout est permis parce que notre système économique est fondé sur la liberté. Les entreprises ont donc le devoir de s'autodiscipliner, d'élaborer et d'appliquer des règles d'éthique. N. Craig Smith et John A. Quelch [29] ont proposé un modèle de code d'éthique en marketing, compatible avec l'optique du marketing sociétal, qui tient compte de la capacité du consommateur à décider de la quantité, de la qualité et de la disponibilité de l'information et des possibilités de choix. Ce modèle suggère différentes actions qui permettent au mercaticien d'harmoniser les droits et les intérêts des consommateurs avec ceux de l'entreprise. Pour favoriser une meilleure éthique ou améliorer l'éthique en marketing, Gene R. Lackniak et Patrick E. Murphy [30] recommandent que toute entreprise : rédige un code de déontologie en marketing ; crée un comité d'éthique ; fasse de la formation en éthique.

Il est nécessaire d'instituer un comité d'éthique. Il s'agit non pas tant d'un tribunal que d'un guide qui peut aider à cerner des problèmes d'éthique et à y trouver des solutions. L'entreprise a aussi intérêt à organiser régulièrement des séances de formation en éthique à l'intention de ses employés. Ce faisant, l'entreprise s'acquitte en partie de ses obligations éthiques et sociétales et, pour leur part, les employés se trouvent renseignés sur leurs devoirs et leurs responsabilités, tout comme ils disposent d'outils propres à les guider au moment de prendre des décisions délicates. L'info-marketing 1.1 énumère un certain nombre de principes sur lesquels pourraient s'appuyer les employés quand ils ont à résoudre des problèmes d'éthique dans les séances de formation. Ces principes ne sont énoncés qu'à titre indicatif ; chaque organisation doit se doter d'un cadre d'analyse rigoureux adapté à sa situation.

Les principes à appliquer dans la résolution de problèmes d'éthique

La règle d'or – Agissez avec les autres comme vous voudriez qu'ils agissent avec vous.

Le principe utilitaire – Agissez de manière qu'il en résulte le plus grand bien pour le plus grand nombre.

L'impératif catégorique de Kant – Agissez de sorte que la maxime de votre volonté puisse aussi servir en tout temps de principe pour une législation universelle[a].

L'éthique professionnelle – Accomplissez seulement des actions qui pourront être perçues comme convenables par un groupe de collègues indépendants.

Le test de la télévision – Un mercaticien devrait toujours se demander : « Est-ce que, dans une émission de télévision à forte cote d'écoute, je pourrais expliquer aisément pourquoi j'ai pris cette décision ? »

a. Traduction de Jeanne HERSCH, *L'étonnement philosophique*, Paris, Gallimard, coll. « Folio essais », 1993, p. 233.

Source : Gene R. LACKNIAK et Patrick E. MURPHY, « Incorporating marketing ethics into the organization », dans Gene R. LACKNIAK et Patrick E. MURPHY (dir.), *Marketing Ethics : Guidelines for Managers*, Lexington (Mass.), Lexington Books, 1985, p. 9-10 ; traduction libre.

Ce qui n'est pas éthique n'est pas nécessairement illégal, on l'a déjà dit. Il ne suffit pas de connaître et de respecter la loi, il faut aussi bien agir. C'est pourquoi Lackniak et Murphy recommandent d'établir un code de déontologie pour aider les mercaticiens dans leur prise de décisions. Un code de déontologie spécifie l'ensemble des devoirs et des responsabilités inhérents à l'exercice d'une profession. Plusieurs entreprises ont rédigé des codes de conduite à l'intention de leurs employés qui incluent les pratiques envers les clients[31]. L'American Marketing Association propose un modèle pouvant être utile aux organisations qui veulent doter leurs mercaticiens d'un code de déontologie susceptible de les guider dans leur prise de décision (*voir l'info-marketing 1.2*).

Les droits et les devoirs des parties dans un processus d'échange marketing

Les mercaticiens doivent servir non seulement leur organisation mais aussi la société en effectuant, en facilitant et en opérant des transactions qui s'insèrent dans l'économie en général. Dans ce rôle, ils doivent épouser les plus hautes valeurs éthiques en assumant leurs responsabilités envers les parties prenantes que sont les clients, les employés, les investisseurs, les partenaires, etc.

LES VALEURS ÉTHIQUES

L'honnêteté – Nous devons nous montrer francs dans nos transactions avec les clients et les parties prenantes. À cette fin, nous :

■ nous efforcerons de dire la vérité en tout temps, dans toutes les situations ;

■ offrirons des produits de valeur qui reflèteront les affirmations faites dans nos communications ;

■ respecterons nos engagements et nos promesses implicites et explicites.

La responsabilité – Il nous faut accepter les conséquences de nos décisions et de nos stratégies de marketing. À cette fin, nous :

■ nous efforcerons de répondre aux besoins des consommateurs ;

■ ne mettrons pas de pression sur les parties prenantes ;

■ reconnaissons la responsabilité sociale qui résulte du pouvoir croissant du marketing et de l'économie ;

- reconnaissons nos responsabilités envers les segments de marché plus vénérables ;

- convenons de notre responsabilité environnementale dans nos décisions.

L'équité – Nous devons prendre en considération, à juste titre, les intérêts des acheteurs et des vendeurs. À cette fin, nous :

- présenterons avec transparence nos produits, que ce soit par la vente, la publicité et toute autre forme de communication, et n'exercerons pas d'activités promotionnelles erronées, mensongères ou trompeuses ;

- éviterons tout conflit d'intérêt.

Le respect – Il nous faut reconnaître la dignité fondamentale de toutes les parties prenantes. À cette fin, nous :

- valoriserons les différences individuelles et éviterons de véhiculer des stéréotypes au sujet de certains clients ou groupes démographiques (sexe, race, etc.) ;

- serons à l'écoute des besoins des clients et ferons tous les efforts possibles pour leur donner satisfaction ;

- reconnaîtrons la contribution de nos partenaires et collaborateurs ;

- traiterons tout le monde, incluant nos concurrents, de la manière dont nous aimerions être traités.

La transparence – Il nous faut faire preuve d'un esprit d'ouverture dans nos activités de marketing. À cette fin, nous :

- nous efforcerons de communiquer clairement avec tous nos interlocuteurs ;

- accepterons la critique constructive des clients et des parties intéressées ;

- expliquerons les risques associés aux produits et services et apporterons des correctifs si nécessaire ;

- dévoilerons les listes de prix et les termes de financement.

La responsabilité sociale – Nous devons nous acquitter de nos responsabilités économiques, légales, philanthropiques et sociétales envers les différentes parties prenantes. À cette fin, nous :

- nous efforcerons de protéger l'environnement dans la mise en œuvre des programmes de marketing ;

- donnerons en retour à la communauté grâce à des activités de bénévolat et à des dons de charité ;

- contribuerons à l'amélioration du marketing et à sa bonne réputation ;

- recommanderons avec insistance à tous les partenaires de la chaîne de production et de distribution que les pratiques d'affaires soient équitables, incluant dans les pays en voie de développement.

Source : AMERICAN MARKETING ASSOCIATION, *Statement of Ethics,* [En ligne], http://www.marketingpower.com (Page consultée le 25 janvier 2010) ; traduction libre.

En conclusion, on considère de plus en plus que les entreprises doivent contribuer à l'amélioration du bien-être de la société et qu'elles doivent tenir compte des intérêts d'autres intervenants que les intérêts uniques des actionnaires. Elles doivent donc, en utilisant les diverses méthodes du marketing, préserver et améliorer le bien-être des consommateurs et de la collectivité à long terme. De nombreuses entreprises reconnaissent qu'il est essentiel de se préoccuper d'éthique.

L'éthique est la science du devoir humain qui détermine ce qui est bien et ce qui ne l'est pas. Certaines décisions de marketing peuvent avoir des conséquences éthiques, et celles qui vont à l'encontre des règles d'éthique généralement acceptées peuvent avoir des conséquences coûteuses pour les entreprises. Celles-ci devraient donc réaliser qu'il y va de leur intérêt d'être socialement responsables et d'encourager un comportement éthique dans leurs activités de marketing.

_ Ce premier chapitre a précisé la nature du marketing et proposé plusieurs définitions du marketing. Il existe quatre manières d'envisager le marketing dans une entreprise : le marketing est une philosophie de gestion, une fonction de l'entreprise, une démarche et un ensemble de pratiques.

_ Les champs d'application du marketing sont fort variés. On parle de marketing de produits et de marketing de services aux consommateurs, de marketing de produits et de marketing de services aux organisations, ainsi que de marketing de produits et de marketing de services dans les secteurs public et social. Le marketing pratiqué dans le secteur public a un caractère plutôt social. Beaucoup d'organismes sans but lucratif du secteur privé, constitués en fonction d'un objectif philanthropique, religieux ou culturel, ont de plus en plus recours au marketing.

_ Le produit est la pierre angulaire de la stratégie de marketing. Pour plusieurs, c'est l'outil fondamental du marketing. Évidemment, à cause de l'importance des services dans notre société, on ne peut ignorer le marketing de services. Quatre caractères distinguent les services des produits : l'intangibilité, la simultanéité, la variabilité et la périssabilité.

_ Il y a quatre optiques de gestion de marketing : l'optique produit, l'optique vente, l'optique marketing et l'optique marketing sociétal. L'optique marketing est une philosophie de gestion selon laquelle, pour atteindre ses objectifs, l'organisation doit cerner les besoins et les désirs du marché et les satisfaire d'une manière efficace et efficiente. L'optique marketing repose sur quatre piliers : la focalisation sur le marché, l'orientation vers le client, le marketing intégré et la rentabilité. L'optique marketing sociétal complète la précédente : l'organisation doit non seulement cerner les besoins et les désirs du marché et les satisfaire d'une manière efficace et efficiente, mais aussi assurer le bien-être des consommateurs et de la collectivité à long terme.

_ Les entreprises sont de plus en plus conscientes qu'elles ont une responsabilité sociale. Elles doivent contribuer à l'amélioration du bien-être de la société et ne doivent pas tenir compte uniquement des intérêts des actionnaires. Pour améliorer certaines pratiques de marketing qui ne s'accordent pas avec l'optique du marketing sociétal et pour éliminer les comportements antisociaux, quasi frauduleux ou même illicites de certains mercaticiens, il est nécessaire d'entretenir des préoccupations morales et éthiques au sein des entreprises et des organismes publics et sans but lucratif. L'éthique est la science du devoir humain qui fixe des règles de conduite et qui détermine ce qui est acceptable et ce qui ne l'est pas. Enfin, pour favoriser ou améliorer l'éthique en marketing, les entreprises devraient rédiger un code de déontologie en marketing, créer un comité d'éthique et faire de la formation en éthique.

_1. Comment ce livre peut-il aider les étudiants à devenir non seulement de meilleurs gestionnaires, mais aussi de meilleurs consommateurs, voire des consommateurs avertis ?

_2. « Faire du marketing, c'est gérer des échanges entre une organisation et ses marchés. » Commentez cette définition. Donnez un exemple d'échange pour un produit aux consommateurs, un service aux consommateurs ; pour un produit aux entreprises, un service aux entreprises ; pour un service public et un service social.

_3. Dans ce chapitre, on dit : « Le produit demeure la pierre angulaire de la stratégie de marketing. » Qu'est-ce que cela signifie ? Quelle est la signification du terme « produit » ? Quels sont les éléments ou les variables pris en considération au moment de l'achat d'un produit ? La garantie fait-elle partie du produit ?

_4. Quelles sont les quatre caractéristiques des services ? Comment peut-on tirer profit de ces caractéristiques pour améliorer la qualité des services ? Donnez un exemple pour chacune de ces caractéristiques dans le cas d'un service destiné aux consommateurs.

_5. « En général, la production et la consommation d'un service sont indissociables, car les services sont produits et consommés en même temps. Alors que les biens sont d'abord produits, puis vendus et consommés, les services sont d'abord vendus, puis produits et consommés en même temps. » Quelles sont les conséquences de cet énoncé de fait sur la pratique du marketing de services relativement au marketing de produits ?

_6. En quoi le marketing de produits et services organisationnels diffère-t-il du marketing de produits et services destinés aux consommateurs ? En quoi cela force-t-il le mercaticien qui œuvre dans les marchés organisationnels à adapter ses stratégies de marketing ?

_7. Qu'est-ce que le marketing relationnel ? Pourquoi le marketing relationnel est-il plus souvent utilisé que le marketing transactionnel dans le marketing organisationnel ?

_8. Donnez un exemple d'une activité de marketing dans le secteur public et dans un organisme sans but lucratif. Quelles sont les principales différences entre le marketing dans le secteur public, le marketing dans une organisation sans but lucratif et le marketing de biens et services aux consommateurs ?

_9. Qu'entend-on par « myopie du marketing » ? En quoi la myopie du marketing peut-elle avoir une influence négative sur une entreprise ou sur ses produits ? Donnez un exemple.

_10. Quelles graves erreurs GM et Chrysler ont-elles faites dans leur gestion du marketing ? Qu'auraient-elles dû faire à la place ?

_11. « Perdre quelques clients, ce n'est pas très grave quand on peut trouver de nouveaux clients pour les remplacer. » Commentez.

_12. Qu'entend-on par responsabilité sociale? Indiquez des éléments susceptibles d'aider une entreprise à assumer ses responsabilités sociales. Comment les clients peuvent-ils être socialement responsables?

_13. On a émis de nombreuses critiques d'ordre social à l'égard du marketing en général. Quelles sont les critiques les plus fréquentes? Que doit-on faire pour résoudre certains de ces problèmes?

ÉTUDE DE CAS

Placage Victochrom

Jean Beaufils, président-directeur général (PDG) de Placage Victochrom, a mis sur pied cette entreprise il y a une trentaine d'années afin de répondre aux besoins croissants de placage pour des pièces de voitures accidentées. Mais avec les années, les manufacturiers ont substitué à l'acier l'aluminium et le plastique, des matériaux plus légers et moins sujets à la corrosion. L'entrepreneur était fort compétent, et son équipement était à la fine pointe de la technologie. Devant l'érosion du marché du placage pour les automobiles accidentées, il s'est tourné vers les fabricants d'appareils électroménagers avec lesquels il a signé plusieurs contrats lucratifs de sous-traitance à long terme.

Il avait toutefois tiré une leçon de son aventure initiale sur un marché unique. Même si les affaires étaient bonnes maintenant, il décida de diversifier son offre et de ne pas «mettre tous ses œufs dans le même panier» des électroménagers. Créatif, innovateur, il inventa un nouveau jeu de société semblable au jeu de fers à cheval et au jeu d'anneaux traditionnels, en misant sur sa technologie du placage.

L'appareil consistait en un poteau auquel étaient soudées quatre branches, le tout plaqué en chrome. Les anneaux, au lieu d'être en acier, étaient moulés en plastique, ce qui rendait le jeu plus accessible à toute la famille, et évitait d'endommager les gazons. M. Beaufils fit fabriquer un emballage de belle qualité, avec des boîtes imprimées en couleurs. Il était certain que ce jeu se vendrait facilement aux familles fréquentant les terrains de camping, et aux banlieusards ayant de grandes cours gazonnées.

Il se présenta au bureau des achats de grands commerces de détail pour se faire dire par les acheteurs professionnels qu'ils ne trouvaient aucun intérêt à ce produit. Il se rendit lui-même sur des terrains de camping où il réussit à vendre quelques unités, mais essuya surtout des refus.

Le PDG avait investi temps et argent pour concevoir un produit dont le lancement fut un échec total. Il subit une perte financière et une blessure certaine à son *ego*.

_1. Que s'est-il passé?

_2. En quoi le PDG s'est-il trompé?

_3. Comment aurait-il dû procéder?

_Notes

1. Robert BARTELS, *The History of Marketing Thought,* 2ᵉ édition, Colombus (Ohio), Grid, 1967. Pour plus d'information : WIKIPÉDIA, *Marketing,* [En ligne] fr.wikipedia.org/wiki/ Marketing (Page consultée le 23 janvier 2010) ; courte vidéo à WIKIO, *A Short History of Marketing,* [En ligne] wikio.fr/ video/2210491 (Page consultée le 23 janvier 2010)

2. William D. PERREAULT *et al., Basic Marketing : A Global-Managerial Approach,* 12ᵉ édition canadienne, Toronto, Richard D. Irwin, 2007, p. 9.

3. *Ibid.,* p. 7.

4. Ralph S. ALEXANDER, « Report of the definitions committee », *Journal of Marketing,* octobre 1948, p. 202-217.

5. Philip KOTLER *et al., Marketing Management,* 13ᵉ édition canadienne, Toronto, Pearson Canada, 2009, p. 5.

6. Peter D. BENNETT, *Dictionary of Marketing Terms,* 2ᵉ Édition, Chicago, American Marketing Association, 1995. Cité dans Philip KOTLER, Pierre FILIATRAULT et Ronald E. TURNER, *Le management du marketing,* 2ᵉ édition, Boucherville, Gaëtan Morin Éditeur, 2000, p. 16.

7. Pierre FILIATRAULT, *Comment faire un plan de marketing stratégique,* 2ᵉ édition, Montréal, Éditions Transcontinental, 2005, p. 31-32.

8. Michel G. BÉDARD et Roger MILLER, *La direction des entreprises : une approche systémique, conceptuelle et stratégique,* Montréal, Chenelière/McGraw-Hill, 2003, p. 359-360.

9. P. KOTLER, P. FILIATRAULT et R. E. TURNER, *op. cit.,* p. 501.

10. Valarie A. ZEITHAML, A. PARASURAMAN et Leonard L. BERRY, « Problems and strategies in services marketing », *Journal of Marketing,* vol. 49, printemps 1985, p. 33-46. Également à consulter : MARKETING ÉTUDIANT, www. marketing-etudiant.fr (Page consultée le 4 janvier 2010) et EMERALD, *Journal of Services Marketing,* [En ligne], www. emeraldinsight.com (Page consultée le 24 janvier 2010)

11. Adrian PALMER et Catherine COLE, *Services Marketing : Principles and Practices,* Englewood Cliffs (New Jersey), Prentice Hall College, 1995, p. 35.

12. Jean-Charles CHEBAT, Pierre FILIATRAULT et Jean HARVEY, *La gestion des services,* Montréal, Chenelière/McGraw-Hill, 1999, p. 239-242.

13. James A. FITZSIMMONS et Mona J. FITZSIMMONS, *Service Management for Competitive Advantage,* New York, McGraw-Hill, 1994, p. 242-249.

14. James L. HESKETT, W. Earl SASSER Jr. et Christopher W. L. HART, *Service Breakthroughs : Changing the Rules of the Game,* New York, The Free Press, 1990, p. 146-150.

15. P. KOTLER *et al., op. cit.,* p. 207.

16. Ce thème a été traité dans de nombreux ouvrages, en particulier dans : Christopher H. LOVELOCK et Charles B. WEINBERG, *Marketing for Public and Nonprofit Managers,* New York, John Wiley & Sons, 1984 ; John L. CROMPTON et Charles W. LAMB, *Marketing, Government and Social Services,* New York, John Wiley & Sons, 1986.

17. « Sonic sinker », *The Economist,* 23 novembre 2002, p. 58.

18. Frederick F. REICHHELD, *The Loyalty Effect,* Boston, Harvard Business School Press, 1996, 323 p.

19. Richard TOMKINS, « Making selling superfluous », *The Globe and Mail,* 9 juin 2003, p. BE8.

20. Définition qui s'inspire de celle donnée dans P. KOTLER, P. FILIATRAULT et R. E. TURNER, *op. cit.,* p. 21.

21. COMMISSION SUR LA DÉMOCRATIE CANADIENNE ET LA RESPONSABILITÉ DES ENTREPRISES, *Démocratie canadienne et responsabilisation des entreprises : un survol des enjeux,* Atkinson Charitable Foundation, 2001, p. 18-23.

22. COMMISSION SUR LA DÉMOCRATIE CANADIENNE ET LA RESPONSABILITÉ DES ENTREPRISES, *Une nouvelle équation : les profits et les responsabilités des entreprises à l'aube du 21ᵉ siècle, rapport final,* Atkinson Charitable Foundation, Columbia Foundation, Fridswell Foundation, janvier 2002, p. 5-8.

23. Eric N. BERKOWITZ *et al., Le marketing,* 2ᵉ édition, Montréal, Chenelière/McGraw-Hill, 2007, p. 98.

24. P. FILIATRAULT, *op. cit.,* p. 41-42.

25. Cette partie du chapitre s'inspire du chapitre 1 de Pierre FILIATRAULT et Jean PERRIEN, *Marketing des services financiers,* Montréal, Institut des banquiers canadiens, 1999, p. 18-34.

26. E. N. BERKOWITZ *et al., op. cit.,* p. 87.

27. Mahzarin R. BANAJI, Max H. BAZERMAN et Dolly CHUGH, « How (un)ethical are you ? », *Harvard Business Review,* décembre 2003, p. 56-65.

28. P. FILIATRAULT, *op. cit.,* p. 44.

29. N. Craig SMITH et John A. QUELCH, *Ethics in Marketing,* Homewood (Ill.), Irwin, 1992, p. 21-34.

30. Gene R. LACKNIAK et Patrick E. MURPHY, « Incorporating marketing ethics into the organization », dans Gene R. LACKNIAK et Patrick E. MURPHY (dir.), *Marketing Ethics : Guidelines for Managers,* Lexington (Mass.), Lexington Books, 1985. Voir aussi : OBOULO, www.oboulo.com (Page consultée le 24 janvier 2010) et le blogue MARKETING ETHIQUE, fr.wordpress.com (Page consultée le 24 janvier 2010)

31. AMERICAN MARKETING ASSOCIATION, *Statement of Ethics,* [En ligne], http://www.marketingpower.com (Page consultée le 24 janvier 2010) ; WIKIPÉDIA, *Éthique des affaires,* [En ligne] fr.wikipedia.org/wiki/Ethique_des_affaires (Page consultée le 27 janvier 2010) ; voir aussi un exemple de code de conduite d'une entreprise québécoise : VAN HOUTTE, *Code de conduite en entreprise,* [En ligne], www.vanhoutte.com (Page consultée le 24 janvier 2010)

La planification du marketing

2

Lorsque le pilote de ligne monte à bord de son avion, une partie de son travail est accompli, car il a dressé son plan de vol. Il s'est informé des prévisions météorologiques et des conditions de vol au point d'arrivée (analyse de l'environnement), puis il a préparé son plan de vol en conséquence. Son travail dépend de celui de l'équipe professionnelle et technique qui l'assiste (organisation). Avant le départ, de son siège de pilote, il fait les derniers ajustements et vérifications, puis il décolle (mise en œuvre). À intervalles réguliers pendant le vol, il vérifie la position de l'appareil par rapport au plan de vol (contrôle). Il se renseigne régulièrement sur les conditions météorologiques et, si nécessaire, modifie son plan de vol. Il atterrit, souvent de nombreuses heures plus tard, à des milliers de kilomètres de son point de départ, à peu près à l'heure prévue. Il a appris à piloter un avion de manière à assurer le confort de centaines de passagers, il maîtrise les techniques (télécommunications, instruments de navigation) et il sait planifier les différentes opérations de vol de façon à arriver à destination, sans encombre, à l'heure fixée.

Le rôle et les responsabilités d'un directeur du marketing ressemblent à ceux d'un pilote de ligne. Le mercaticien doit fixer des objectifs et déterminer les moyens de les atteindre. Pour ce faire, il lui faut non seulement concevoir un plan et le mettre à exécution, mais aussi mettre sur pied, contrôler et gérer divers programmes et opérations de marketing.

_2.1_ La planification du marketing

La planification du marketing consiste à fixer des objectifs et à rechercher les meilleurs moyens (stratégies) pour les atteindre. Le plus souvent, le plan de marketing est annuel. À l'étape de l'organisation du marketing, le directeur du marketing définit la nature de la structure organisationnelle ainsi que les tâches et les responsabilités des membres de son équipe, et s'occupe du recrutement et de la formation du personnel, conjointement avec le service de gestion des ressources humaines. La mise en œuvre du marketing constitue l'étape opérationnelle : il s'agit alors de réaliser les programmes et de gérer les diverses activités de marketing. Le directeur du marketing coordonne le travail du service de marketing (les directeurs de produits, le responsable des communications, les représentants de commerce) avec celui des autres services de l'entreprise et des sous-traitants (agence de publicité, firme de relations publiques, etc.). Enfin, la dernière étape est celle du contrôle. Elle a pour but de mesurer les résultats, de déterminer si les objectifs ont été atteints et de constater s'il en résulte une augmentation du rendement. Un bon système de contrôle fournit de l'information qui permet d'assurer l'exécution du plan de marketing, de modifier ce plan au besoin, d'améliorer les performances et de faciliter la préparation du prochain plan de marketing.

La démarche de planification permet au responsable du marketing de prendre en considération les changements qui se produisent dans l'environnement quand vient le temps de définir les orientations stratégiques du marketing. Il est même devenu nécessaire, dans certaines entreprises, d'assurer une gestion quotidienne des activités de marketing, ce que les nouveaux outils de contrôle ont rendu possible. Une fois l'an, on dresse le bilan de l'année qui se termine et l'on discute des grandes orientations stratégiques. Le plan ne doit cependant pas être un carcan et il n'est pas intangible [1]. Au cours de l'année, on pourrait devoir apporter des ajustements aux grandes orientations stratégiques si des événements majeurs imprévus se produisaient, comme l'arrivée d'un nouveau concurrent menaçant, la faillite d'un fournisseur important, une crise financière, une nouvelle technologie ou un cataclysme.

Ce chapitre porte essentiellement sur la première étape du processus de management du marketing, soit la planification (*voir la figure 2.1*). Les autres étapes (organisation, mise en œuvre et contrôle) seront traitées au chapitre 14, le dernier du livre.

_FIGURE 2.1 **Le processus de management du marketing**

_2.2_ Le coffre à outils du marketing : le mix de marketing

Avant d'aborder la planification du marketing proprement dite, il est essentiel de décrire brièvement les quatre principaux outils opérationnels du marketing – les 4 P : le produit, le prix, la place et la promotion. On appelle aussi mix de marketing (ou marchéage) l'ensemble formé par les 4 P ; ce concept a été introduit il y a plusieurs décennies par E. Jerome McCarthy [2]. Dans l'environnement changeant du marché cible, le mercaticien contrôle quatre variables, les 4 P ou le mix de marketing de l'entreprise (*voir la figure 2.2, p. 34*). L'environnement de l'organisation peut être démographique, socioculturel, économique, naturel, technologique et scientifique et politico-juridique ; le chapitre suivant en décrira les différentes facettes en détail.

Cet environnement influe sur les valeurs de la société en général et sur celles des individus qui composent le marché cible, de même que sur leurs attitudes, leurs désirs et leurs besoins. Il subit des changements constants auxquels l'organisation doit s'adapter. C'est pourquoi le mercaticien étudie le comportement d'achat des individus et des organisations (*chapitre 4*) en faisant de la recherche marketing (*chapitre 5*) et en analysant les marchés (*chapitre 6*).

Le mercaticien élabore ensuite les stratégies fondamentales du marketing. Il segmente les marchés et choisit des marchés cibles (*chapitre 7*). Il conçoit des stratégies de positionnement de l'entreprise, de ses produits ou de ses services, et décide des stratégies de différenciation et de concurrence (*chapitre 8*). Après cela, le mercaticien détermine ses stratégies de mix de marketing, qui concernent : le produit (*chapitre 9*) ; le prix (*chapitre 10*) ; la place ou la distribution, la logistique (*chapitre 11*), la promotion ou la communication (*chapitre 12*) et, le cas échéant, le commerce électronique et le cybermarketing (*chapitre 13*).

_FIGURE 2.2 **Les relations entre le mix de marketing (les 4 P),
le marché cible et l'environnement**

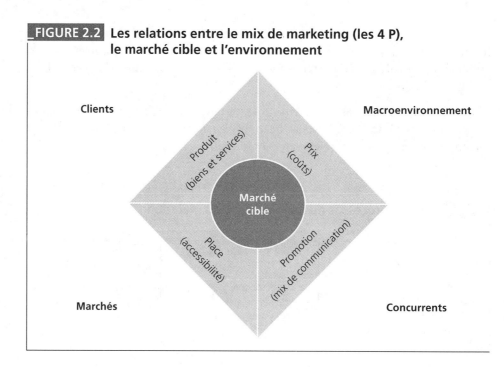

La brève description des quatre composantes du mix de marketing qui suit servira d'introduction à la seconde partie de ce chapitre, portant sur la planification du marketing. Le tableau 2.1 donne des exemples de décisions que les mercaticiens prennent en ce qui touche le mix de marketing.

_TABLEAU 2.1 **Des exemples de décisions relatives aux 4 P**

Produit	Prix	Place	Promotion
Objectifs	Objectifs	Objectifs	Objectifs
Biens et services	Méthodes	Circuits de distribution	Publicité
Qualité	Stratégies	Types de commerces de gros et de détail	Commandite
Garantie	Rabais	Logistique	Promotion des ventes
Gamme	Modes de paiement		Environnement
Marque			Relations publiques
Conditionnement			Marketing direct
Personnel en contact			Vente
Service après-vente			Service à la clientèle

2.2.1_Le produit

Le produit, qu'il s'agisse d'un bien ou d'un service ou encore d'une combinaison des deux, constitue l'offre essentielle de l'organisation (*chapitre 9*). La prise de décision concernant le produit est précédée d'une étude du marché cible et des besoins des consommateurs ou des entreprises. Le mercaticien s'applique alors à concevoir un bien ou un service qui répond aux besoins des clients. Il met d'abord en marche un processus de conception de nouveaux produits dans l'organisation, souvent en collaboration avec des spécialistes (ingénieurs, scientifiques, etc.). Il détermine la nature, les caractéristiques et la qualité des biens ou des services qui seront vendus. Il décide si l'on offrira une garantie et, dans l'affirmative, en précise l'étendue. Le produit ou le service sera-t-il unique ou fera-t-il partie d'une gamme de produits ou de services? Il faut aussi, pour ce qui est des biens, prendre des décisions concernant la marque et le conditionnement, ce qui est essentiel pour des produits comme les cosmétiques.

À ces décisions viennent s'en ajouter bien d'autres qui portent sur le personnel. Dans le cas des services, ces décisions sont vitales: le personnel fait alors partie du « produit », et certains vont jusqu'à dire qu'il est le produit. C'est le cas, par exemple, du directeur des comptes d'une agence de publicité, d'un conseiller en ressources humaines ou même des techniciens qui, travaillant pour le compte d'industriels, fournissent un service après-vente. La compétence et la courtoisie du personnel en contact avec les clients font partie du « produit » de l'entreprise. Ce sont là des éléments indispensables pour offrir un excellent service à la clientèle, lié directement à la qualité du personnel. Si les clients s'attendent à être bien servis dans les entreprises de services, il en va de même pour les acheteurs individuels ou organisationnels de biens. Le service après-vente est devenu un facteur de différenciation pour les biens durables de consommation, comme les automobiles ou les appareils ménagers, et pour les biens industriels, comme les avions, les simulateurs de vol ou l'équipement informatique. Le service après-vente prend de plus en plus d'importance dans l'offre de l'entreprise. Il permet de dialoguer avec les clients, de mieux servir les clients, de recevoir les plaintes pour pouvoir corriger les erreurs et, d'une façon générale, d'assurer la satisfaction de la clientèle. Le mercaticien doit prendre en considération ces différents éléments dans la définition de son produit.

2.2.2_Le prix

Le prix a toujours été et sera toujours une variable déterminante dans une opération commerciale telle que l'achat d'un bien ou d'un service (*chapitre 10*). Il faut choisir non seulement le bon produit ou service, mais aussi le bon prix, c'est-à-dire un prix qui satisfait les deux parties. Une décision cruciale et étroitement liée au prix est celle de la valeur que le mercaticien veut attacher à son offre; il lui faut alors considérer à la fois le bien ou le service et le prix exigé. Le prix est ce que les gens paient, la valeur est ce pour quoi ils paient. Pour le vendeur, le prix permet des rentrées de fonds. Il reçoit cette somme d'argent en échange de son produit ou de son service, et il l'utilise pour couvrir ses frais, affecter des fonds à la recherche et au développement, et constituer un profit qui lui donne un taux équitable de rendement sur le capital investi.

Pour l'acheteur, le prix représente non seulement la somme à débourser, c'est-à-dire le prix monétaire, mais aussi les efforts réalisés pour se procurer le bien ou le service, ces efforts correspondant au prix non monétaire. L'acheteur considère le prix total – c'est-à-dire le coût total pour lui (le prix monétaire plus le prix non monétaire) – de l'achat d'un ensemble d'avantages ou de bienfaits rattachés à la nature du bien ou du service et à l'image de marque du produit. Ces divers éléments quantitatifs et qualitatifs constituent la valeur livrée (*voir la figure 2.3, p. 36*). Des produits d'une très grande qualité, comme une montre Rolex vendue 10 000 $ ou un sac à main Gucci vendu 1000 $ offrent une valeur certaine pour un marché cible donné. Mais Walmart offre aussi une valeur intéressante à un vaste segment de marché à cause de ses bas prix pour des produits de marques connues. Une décision relative au prix est donc une décision aussi complexe que cruciale. Le prix doit être à la fois assez élevé pour assurer la rentabilité et la survie de l'entreprise, et suffisamment concurrentiel et attrayant pour s'imposer dans le marché ; il faut donc qu'il soit ni trop élevé ni trop bas.

_FIGURE 2.3 Le prix total pour l'acheteur

| Prix total | = | Prix monétaire | + | Prix non monétaire |

Le mercaticien se doit de connaître parfaitement les différents aspects de l'échange économique entre l'entreprise et le client. Les objectifs de prix qu'il fixe ont pour but d'assurer la survie ou la rentabilité de l'entreprise, de même que la croissance des ventes ou de la part de marché. Il peut choisir une ou plusieurs méthodes de fixation des prix. On dit souvent que le prix doit être un compromis entre trois variables – les 3 C : les coûts, la courbe de la demande (ce que le marché juge acceptable) et la concurrence. S'ajoute, pour certaines entreprises, un quatrième C, le cadre réglementaire (*chapitre 10*).

Plusieurs autres stratégies sont liées aux objectifs de prix, mais aussi à la qualité du produit ou service, aux pratiques d'escompte ou de remise, notamment en ce qui concerne les intermédiaires. Une précision s'impose toutefois : le prix de vente payé par le consommateur n'est pas le prix payé au fabricant, c'est le prix payé au commerçant. Le prix peut aussi varier selon les segments de marché et les versions du produit. Par exemple, il existe plusieurs modèles de la Honda CRV, et leur prix varie grandement selon le type d'équipement. D'autre part, si le bien ou le service fait partie d'une gamme de produits, il doit y avoir un juste rapport entre les prix des divers modèles ou différentes prestations. Enfin, il est possible de payer un prix unique pour un ensemble de produits ou de services tels qu'un abonnement d'un an à l'Orchestre symphonique de Montréal, un billet de saison pour les Alouettes de Montréal et un forfait mensuel pour un ensemble de services financiers.

2.2.3_La place

Par place, on entend bien sûr celle qui est occupée sur le marché (*chapitre 11*), et qui est rendue opérationnelle par la distribution et la logistique. D'une façon générale, on s'intéresse aux décisions qui ont pour but d'introduire les produits (biens ou services) sur le marché et de les mettre à la disposition des clients. Le mercaticien concentre son attention sur l'accessibilité : il met en œuvre tous les moyens dont il dispose pour rendre les biens et services accessibles aux clients, à un prix, dans des délais et dans un lieu attrayants.

Les biens

En particulier dans le cas des biens, la composante « place » du mix de marketing suppose à la fois la gestion des circuits de distribution et celle de la logistique du marché. Les fabricants font appel à des intermédiaires pour acheminer leurs produits vers le marché. Ces intermédiaires constituent le circuit de distribution, que l'on pourrait aussi appeler « canal de distribution » ou « canal commercial ». Le circuit de distribution se définit comme un ensemble d'organisations interdépendantes qui s'occupent de mettre le produit sur le marché d'une manière complémentaire. La logistique du marché, quant à elle, consiste à assurer l'acheminement des matériaux vers le fabricant et celui des produits finis du fabricant vers les distributeurs ou les détaillants. On tient compte à la fois de la gestion de la chaîne d'approvisionnement, c'est-à-dire la gestion des intrants (achat des matières premières, intégration des systèmes informatiques, etc.), et de la gestion de la distribution (gestion de l'entreposage des produits finis, gestion du transport, etc.).

La première tâche du mercaticien est de fixer les objectifs relatifs au circuit de distribution. Sa deuxième tâche consiste à faire le choix du circuit de distribution, donc à décider si son entreprise vendra directement aux consommateurs ou à d'autres entreprises, ou si elle vendra directement à des détaillants, comme Walmart, ou encore à des grossistes qui vendront à des détaillants qui, à leur tour, vendront aux consommateurs ou aux organisations. Le mercaticien peut aussi opter pour une combinaison de ces possibilités, selon le marché cible préalablement défini.

Ensuite, il doit prendre une série de décisions qui comportent des engagements importants et qui auront des conséquences à long terme. Il doit choisir les intermédiaires qui formeront son circuit de distribution, déterminer les formes de relations avec les intermédiaires et, éventuellement, faire l'évaluation des intermédiaires.

Enfin, le mercaticien veille à la bonne transmission des flux de matériaux et de produits. Le but de la logistique est de diriger les bons produits vers le bon endroit au bon moment et au meilleur coût possible. Les quatre éléments principaux de la logistique sont le traitement des commandes, l'entreposage, les stocks et le transport.

Les services

Les services, eux aussi, doivent être accessibles. Le directeur du marketing d'une entreprise de services peut avoir à gérer des circuits de distribution variés et complexes. Ainsi, les transporteurs aériens comme les chaînes d'hôtels peuvent vendre leurs services directement à leurs clients par Internet ou par téléphone, ou par l'intermédiaire d'agences de voyages. Pareillement, les industries du loisir ou de la culture font appel aux services d'agences de vente et de distribution de billets. L'accessibilité aux entreprises de services est fonction de la situation des points de service, de la facilité à trouver du stationnement et, dans le cas des établissements financiers, de l'installation de guichets automatiques et de la disponibilité des services financiers électroniques à domicile ou au téléphone. Le commerce électronique constitue à la fois un nouveau moyen d'entrer en contact avec les clients et un circuit de distribution qui requiert un soutien logistique. Archambault est un commerce de détail, donc une entreprise de services, qui vend des disques compacts et des livres en magasin, mais aussi par voie électronique. Comme ces derniers sont des biens matériels qui doivent être livrés, Archambault a dû instaurer un système de logistique.

2.2.4_La promotion

Il ne suffit pas de concevoir un bon produit, de l'offrir à un prix attrayant et de le rendre facilement accessible, il faut aussi informer le marché et promouvoir l'offre. L'entreprise doit communiquer avec son ou ses marchés cibles. La promotion repose sur un ensemble d'outils de communication, le mix promotionnel ou mix de communication. De nos jours, dans les ouvrages spécialisés et dans les milieux de la communication, on parle surtout de mix de communication. Le mix de communication comprend la publicité (traditionnelle ou par Internet), la commandite, la promotion des ventes, l'environnement, les relations publiques, le marketing direct, la vente et le service à la clientèle (*chapitre 12*).

La publicité est un outil de communication de masse qui sert à promouvoir des produits, des services ou des idées et, surtout, à donner de l'information à leur sujet. La promotion des ventes, quant à elle, vise à stimuler l'achat de produits. L'environnement a trait aux aspects tangibles de l'offre, là où le produit est vendu ou le service rendu, par exemple la décoration, le design, l'éclairage. Ces éléments contribuent à renforcer l'image de l'entreprise et son positionnement. Les relations publiques se définissent comme l'ensemble des actions accomplies auprès de la clientèle en vue de bâtir, d'améliorer, de modifier ou de protéger l'image d'une entreprise, d'un produit ou d'un service. Le marketing direct englobe les outils de communication tels que le publipostage et Internet, qui permettent de communiquer directement avec un client actuel ou potentiel. La vente représente habituellement le principal article du budget de communication. Elle correspond à la sollicitation faite par un représentant de commerce en vue d'obtenir une réponse directe prenant la forme d'un achat ou d'une commande. Les autres outils du mix de communication sont généralement utilisés pour soutenir l'effort de vente de l'entreprise. Il en va de même pour le service à la clientèle, qui peut être une unité administrative responsable du service à la clientèle pour toute l'organisation, ou bien la manière de servir les clients en général ou encore un ensemble de services le plus souvent après-vente, qui sont fournis aux clients. Le service à la clientèle est un outil de gestion de marketing qui peut contribuer à accroître l'efficacité de la communication entre une entreprise et ses clients actuels et potentiels parce qu'il permet de dialoguer avec ceux-ci.

Cette brève description des outils de base du marketing a touché certains éléments essentiels du marketing. Dans la section suivante, on verra qu'il est possible de définir des stratégies opérationnelles pour divers éléments du mix de marketing et de les intégrer aux stratégies fondamentales de marketing, qui sont le pivot de sa planification. Nous tournerons maintenant notre attention vers le plan de marketing, l'une des pièces centrales du management de marketing.

2.3 Le plan de marketing

Un plan est un ensemble de dispositions établies en vue de l'exécution d'un projet, d'une ou de plusieurs actions. *Le Petit Robert* le définit comme étant un « projet élaboré, comportant une suite ordonnée d'opérations, de moyens, destinée à atteindre un but [3] ». Le plan de marketing est un outil de gestion structuré et organisé qui présente un processus ordonné et rationnel, indiquant un certain nombre d'opérations devant déboucher sur l'élaboration de stratégies, de programmes et d'activités de marketing qui aideront l'entreprise à atteindre ses objectifs. Le mercaticien, lorsqu'il établit un plan de marketing stratégique, s'attache à déceler les marchés représentant des occasions d'affaires intéressantes et à mettre en œuvre les stratégies appropriées par le moyen du mix de marketing [4]. Le plan n'est qu'un outil, ce n'est pas une fin en soi. Évidemment, on peut fort bien concevoir un plan dans son esprit et ne pas aller plus loin. Mais le plan de marketing désigne toujours un texte écrit qui analyse la situation de l'organisation et qui définit des objectifs et des stratégies ainsi que les moyens pour assurer leur réalisation.

2.3.1_Les avantages et les inconvénients du plan de marketing

Les avantages du plan de marketing sont multiples (*voir l'info-marketing 2.1*). Avant tout, le plan de marketing permet de gérer de façon rationnelle et organisée le marketing dans l'entreprise. Il force l'entreprise à se renseigner sur ce qui se passe dans son environnement, à recueillir de l'information et à établir des bases de données. Il facilite la mise en œuvre des opérations et renforce la motivation des employés en les informant sur ce que l'entreprise attend d'eux. Il est également essentiel pour la mise en place du système de contrôle.

INFO MARKETING 2.1

Les avantages du plan de marketing

- Traiter la planification du marketing de manière plus rationnelle.
- Obtenir des données historiques sur l'organisation.
- Mieux connaître les besoins des clients.
- Se renseigner sur les changements qui surviennent dans l'environnement.
- Aider à mieux définir et à mieux coordonner les opérations de marketing.
- Connaître les forces et les faiblesses de l'organisation.
- Découvrir de nouvelles occasions d'affaires et déceler des menaces.
- Mieux utiliser les actifs de l'entreprise.
- Donner une orientation stratégique à l'organisation.
- Aider à prendre des décisions plus rationnelles.
- Faciliter le choix des priorités.
- Fournir une liste de vérification et un échéancier.

- Disposer d'un dossier détaillé sur les décisions de marketing.
- Établir une base de données.
- Élaborer un programme pour les activités de marketing.
- Faciliter la préparation des budgets.
- Coordonner les efforts de marketing.
- Employer les ressources de façon plus efficace.
- Réduire les coûts.
- Motiver le personnel.
- Faciliter la gestion du personnel.
- Améliorer la gestion de la mise en œuvre.
- Informer tous les paliers de l'organisation des priorités en matière de marketing.
- Contrôler plus efficacement les activités de marketing.
- Appliquer plus rapidement les mesures correctives.

Sources : Hal W. GŒTSCH, *How to Prepare and Use Marketing Plans for Profit,* Chicago, American Marketing Association, 1979, p. 5-6 ; William A. COHEN, *The Marketing Plan*, 3ᵉ édition, New York, John Wiley & Sons, 2001, p. 2 ; Linda LEE et Denise HAYES, *Creating a Marketing Plan,* American Marketing Association, [En ligne], www.marketingpower.com (Page consultée le 17 février 2010) ; Pierre FILIATRAULT, *Comment faire un plan de marketing stratégique,* 2ᵉ édition, Montréal, Éditions Transcontinental, 2005, p. 58 ; Roger J. BEST, *Market-Based Management,* 5ᵉ édition, Upper Saddle River (New Jersey), Pearson, 2009, p. 444 ; *Resource Library,* American Marketing Association, [En ligne], www.marketingpower.com (Page consultée le 19 janvier 2010)

Le plan de marketing comporte aussi des inconvénients. Il implique des coûts et nécessite du temps et des efforts. Les personnes qui collectent des données en vue de l'établissement du plan ne peuvent évidemment pas s'occuper à plein temps de la gestion quotidienne des opérations. De plus, la préparation du plan peut parfois prendre plusieurs mois. Il faut le reconnaître : l'élaboration d'un premier plan de marketing n'est pas chose simple. Pourtant, on n'a pas d'autre choix que de s'y mettre un jour ou l'autre. Le deuxième plan de marketing est beaucoup plus facile à préparer, car on dispose déjà d'une base de données qu'il suffit de mettre à jour. Et plus on en fait, plus on devient habile et compétent.

2.3.2_Les conditions de la réussite

La première condition de la réussite des opérations de marketing d'une entreprise est de faire avant toute chose une analyse du marché. L'entreprise doit recueillir toute l'information possible sur son environnement et sur elle-même. La deuxième condition est de définir des objectifs réalistes. La troisième est de concevoir des stratégies créatives et dynamiques pour atteindre ces objectifs (*voir l'info-marketing 2.2, pour un témoignage sur l'utilité d'un plan de marketing dans le démarrage d'une entreprise*).

INFO MARKETING 2.2

Le plan de marketing

« Le démarrage d'une entreprise exige passion et détermination. Pour que la pâte lève, il faut réunir beaucoup d'ingrédients. [...]

Un jour, en revenant de voyage, Stéphane Ménard et sa conjointe Anne Brunelle ont eu le goût de créer un livre avec leurs photos numériques.

En testant les entreprises américaines qui offraient déjà cette possibilité, ils ont compris qu'il y avait un marché potentiel pour lancer leur propre entreprise, PhotoInPress.

Un marché en véritable explosion : selon un sondage de la Photo Marketing Association mené en 2006, les Canadiens auraient pris 1,7 milliard de photos dans l'année précédant l'étude, comparativement à 1,2 milliard l'année d'avant. Pas étonnant que l'entreprise fondée en 2006 connaisse une croissance très rapide.

Toutefois, même si les gens prennent plus de photos qu'avant, ils ne les impriment pas toujours pour les conserver et les montrer. Réaliser un livre avec des photos de voyage ou de mariage se révèle un passe-temps pour ces nouveaux photographes, en plus d'une idée de cadeau. Il suffit de télécharger un logiciel et de placer les photos et les textes dans les pages virtuelles du futur livre. On envoie le tout à l'entreprise qui nous retourne notre œuvre reliée sur papier glacé quelques jours plus tard. Mais pour se démarquer de ses concurrents, des géants cotés en Bourse comme Kodak ou Shutterfly, il fallait prendre le temps de bien comprendre les besoins de la clientèle cible et trouver de bonnes stratégies pour la rejoindre. D'où la grande utilité d'un plan marketing bien fait.

Ce plan doit comporter trois étapes : l'analyse du marché, l'établissement d'objectifs, et la mise au point de stratégies de marketing pour les atteindre.

Analyser le marché

Pour savoir comment se positionner sur le marché, il faut d'abord l'analyser. On examine ce que les spécialistes nomment les 4 P : le produit, la place, la promotion et le prix. Il faut aussi observer les forces, les faiblesses, les occasions et les menaces présentes sur le marché.

"On doit observer les tendances, voir ce que fait la concurrence et se demander ce qu'on peut offrir de plus pour se différencier et répondre à ce que la clientèle cible veut vraiment", explique Karine Lapointe, consultante en communications et marketing. En se livrant à cet exercice, les fondateurs de PhotoInPress ont déterminé que leur clientèle cible était composée surtout de gens qui voyagent ou qui ont de jeunes enfants. Et ils ont compris que ce qu'ils vendaient avant tout, c'étaient des souvenirs et de l'émotion.

[...]

Après avoir analysé les forces et les faiblesses de leurs concurrents, ils ont décidé que leur logiciel serait plus facile à utiliser et offrirait plus de possibilités de création que ceux des concurrents. "Alors que les autres logiciels offrent seulement une vingtaine de modèles de pages, le nôtre en compte 230", dit Stéphane Ménard.

Objectifs et stratégies

"Le plan marketing doit se baser sur des objectifs quantifiables et vérifiables. Contrairement au plan de communications, qui sert à améliorer la perception du public, le plan de marketing sert à réaliser des objectifs chiffrés. Par exemple, d'augmenter nos ventes de tel pourcentage, ou d'avoir un certain nombre de nouveaux clients", dit Karine Lapointe.

Les stratégies de marketing sont nombreuses et vont de pair avec le budget. "Quand on démarre, on n'a pas beaucoup d'argent. Soyez créatif. Il faut que chaque dollar dépensé pour la promotion soit justifié et génère un maximum de ventes", dit Sébastien Gosselin, conseiller en gestion pour le Service d'aide aux jeunes entrepreneurs (SAJE) Montréal Métro.

Car une fois le produit lancé, il faut le vendre. "Pour un nouvel entrepreneur, la clé du succès, c'est de réussir à faire des ventes rapidement. Pour survivre plus que quelques mois, il nous faut des retours sur nos investissements le plus vite possible", ajoute-t-il. En plus de la publicité, les articles de presse sont utiles pour faire parler de soi à peu de frais.

[...]

Une fois qu'on a déterminé nos stratégies, il faut en mesurer l'impact et ajuster le tir au besoin. On peut le faire en sondant notre clientèle pour lui demander comment elle a découvert l'entreprise, en faisant une revue de presse, et en mesurant les nouvelles ventes.

Chez PhotoInPress, on a pris le temps de mesurer la performance de chacun des investissements publicitaires pour trouver le média le plus efficace.

"On a découvert que la meilleure publicité pour nous était celle qui était faite sur Internet. C'est peu coûteux pour une PME, et les statistiques nous permettent de savoir quelle annonce génère chaque vente", dit Stéphane Ménard. »

Source : Caroline RODGERS, « Le plan marketing en trois étapes », *La Presse Affaires,* 26 février 2008, p. 7, [En ligne], http ://lapresseaffaires.cyberpresse.ca (Page consultée le 23 février 2010)

Puisque le plan ne reste qu'une abstraction tant qu'il n'est pas mis en application, la dernière condition de réussite est évidemment de mettre le plan à exécution. Il est essentiel, pour ce faire, de s'assurer de la collaboration et la participation de toutes les personnes concernées. De plus, il importe de disposer des informations les plus détaillées possible sur les résultats de l'entreprise et de tenir compte de la responsabilité sociale de celle-ci, de ses activités passées, de la satisfaction de la clientèle, de la concurrence et des changements dans l'environnement.

Le plan de marketing permet de créer une offre qui a une valeur réelle pour le client [5], en même temps que de se concentrer sur l'optique marketing et les obligations éthiques et sociales de l'entreprise. Il est par ailleurs nécessaire d'organiser le processus de planification, car préparer le plan de marketing nécessite du temps. Il faut faciliter la mise en œuvre des stratégies décrites dans le plan et mettre en place un système de contrôle qui permet d'en gérer l'exécution et d'évaluer les résultats obtenus.

D'autre part, le plan devrait être facile à comprendre. Les objectifs devraient être clairs et réalistes, et les échéanciers, raisonnables. Autrement, les employés seront peu empressés à le réaliser. On doit prendre le temps d'expliquer le plan à tous ceux qui ont contribué à le bâtir ou qui seront responsables de sa mise en œuvre.

2.3.3_Le contenu du plan de marketing

Le plan de marketing donne l'occasion de mettre par écrit des idées ingénieuses. Après avoir étudié son environnement, le mercaticien doit décider de ce qu'il fera. Il doit choisir les marchés cibles, déterminer des stratégies, tracer des plans d'action et assurer le contrôle. L'info-marketing 2.3 (*voir p. 42*) présente la table des matières simplifiée d'un plan de marketing typique.

La première partie du plan est l'abrégé administratif, qui le résume. L'abrégé administratif joue un rôle crucial dans le plan ; il doit être engageant, précis, clair, concis, facile à comprendre et agréable à lire. Bien que placé au début du plan, l'abrégé est rédigé après les autres parties, lorsque l'on est parvenu à la fin du processus de planification. Il devrait contenir en résumé l'essentiel de l'information dont auront besoin les décideurs et les exécutants. Il existe deux types d'abrégé administratif : l'abrégé administratif synoptique et l'abrégé administratif narratif.

L'abrégé administratif synoptique est le plus simple et le plus court. Il présente brièvement les conclusions de chacune des parties du plan. L'abrégé administratif narratif offre un résumé de chacune des parties du plan, il est donc plus long que l'abrégé synoptique. Le choix de l'abrégé dépend du but recherché et du type de lecteur qui lira le plan. Dans bon nombre d'entreprises, de nos jours, la haute direction exige des abrégés administratifs courts, jamais plus de deux pages. Aussi opte-t-on le plus souvent pour l'abrégé administratif synoptique.

INFO MARKETING 2.3

Un exemple de plan de marketing

TABLE DES MATIÈRES

Le premier élément du plan est l'analyse de la situation, décrite en détail dans la section suivante de ce chapitre. Cette analyse comporte deux parties : l'analyse interne et l'analyse externe, qui permettent de déterminer les enjeux auxquels l'entreprise doit faire face et de préciser la mission de l'organisation et les objectifs de marketing. On définit ensuite les stratégies (stratégies fondamentales de marketing et stratégies de mix de marketing) et l'on fixe le budget. La dernière partie du plan est d'ordre plus pratique : on planifie les opérations que comportent les différentes étapes de l'exécution du plan (*organisation, mise en œuvre de programmes et d'activités, et contrôle ; ces étapes seront étudiées en détail au chapitre 14*). Voyons maintenant en quoi consiste précisément chacune des étapes du processus de planification du marketing.

_2.4_ Les étapes de la planification du marketing

La planification du marketing comprend quatre étapes principales [6] résumées dans l'abréviation SOCE : l'analyse de la situation ; la définition de l'orientation stratégique ; la création, qui consiste à élaborer les stratégies de l'entreprise ; l'exécution des stratégies et du plan (*voir la figure 2.4*).

FIGURE 2.4 **Le processus de planification du marketing**

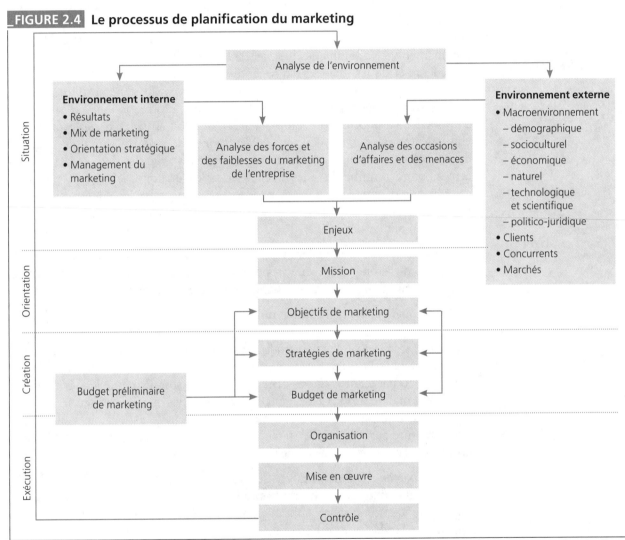

Source : Pierre FILIATRAULT, *Comment faire un plan de marketing stratégique*, 2ᵉ édition, Montréal, Éditions Transcontinental, 2005, p. 66 ; adaptation libre.

2.4.1_L'analyse de la situation

L'analyse de la situation, première étape du processus de planification du marketing, se divise en deux parties complémentaires essentielles : l'analyse de l'environnement interne de l'organisation et l'analyse de son environnement externe, c'est-à-dire du milieu dans lequel elle fait des affaires. L'analyse de la situation peut servir à déceler les forces et les faiblesses de l'entreprise, les occasions d'affaires et les menaces de l'environnement, ce qui permettra de préciser les enjeux auxquels l'entreprise fera face.

L'analyse de l'environnement interne

La planification du marketing débute par une analyse de l'environnement interne. L'ampleur de cette analyse dépend de la qualité du système d'information de l'entreprise et de la quantité de données utiles dont elle dispose. De nos jours, toutes les entreprises utilisent l'informatique; la plupart agissent sur Internet, et nombre d'entre elles vont en ligne pour y rechercher surtout de l'information générale ou de l'information relative à la concurrence. Mais les entreprises ne sont pas toutes dotées d'un système d'information qui permet au directeur du marketing de prendre des décisions éclairées. Le chapitre 5 décrira plus en détail le système d'information marketing. Pour le moment, précisons qu'il est souhaitable d'avoir le plus d'information possible si l'on veut s'assurer que le plan de marketing est efficace. L'entreprise qui veut se tenir à jour doit exploiter un système d'information marketing. Évidemment, il est nécessaire de connaître les résultats de l'année précédente et de les analyser en fonction des objectifs, des stratégies, des programmes et des opérations réalisés. C'est là le rôle du système d'information interne. Dans beaucoup d'entreprises, le système d'information interne se résume à un système d'information comptable. Celui-ci doit être adapté de façon à pouvoir fournir aussi aux mercaticiens de l'entreprise de l'information utile à la prise de décision marketing. Ainsi, il est nécessaire de disposer des données les plus récentes pour déterminer les axes de croissance, les territoires les plus prometteurs, ceux où l'on devrait accentuer ses efforts, les produits qui doivent être améliorés, modifiés ou abandonnés, et pour discerner les représentants les plus performants et ceux qui ont besoin d'aide.

L'analyse de l'environnement interne a pour but de faire le point sur la fonction marketing de l'entreprise. L'analyse porte sur les résultats obtenus par l'entreprise, le mix de marketing, l'orientation stratégique et le management du marketing.

La première étape de l'analyse interne évalue les résultats obtenus par l'entreprise au cours de la dernière année. Les ventes totales sont-elles conformes aux objectifs fixés? Les ventes par produit, par marché, par client ou par territoire le sont-elles aussi? Et qu'en est-il de la rentabilité totale, par produit, par marché, par client ou par territoire? Les principaux clients sont-ils rentables? L'entreprise offre-t-elle un bon service à la clientèle? La qualité des biens et des services ajoute-t-elle de la valeur à l'offre de l'entreprise? La clientèle est-elle satisfaite? Dans quelle mesure parvient-on à la retenir? On étudiera les résultats par rapport aux objectifs et l'on tentera d'expliquer les écarts.

La deuxième étape de l'analyse de l'environnement interne considère chacun des éléments du mix de marketing: produit (bien ou service) ou gamme de produits, prix, distribution et communication. On rend compte de ce qui a été fait. On analyse les décisions du mix de marketing par rapport aux résultats; on passe en revue les plaintes des clients ou les suggestions du personnel qui est en contact avec la clientèle. Donne-t-on au service à la clientèle l'importance qu'il devrait avoir? Cette analyse peut être menée pour chacun des segments de marché occupés par l'entreprise.

La troisième étape de l'analyse interne est cruciale: elle examine les orientations stratégiques de l'entreprise. On évalue la mission et la responsabilité sociale de l'entreprise, son positionnement et celui de ses produits, les objectifs et les marchés visés ainsi que les stratégies fondamentales de marketing.

La quatrième et dernière étape de l'analyse de l'environnement interne concerne les pratiques de management de l'entreprise: la planification, l'organisation, la mise en œuvre et le contrôle. Comment la fonction marketing est-elle gérée? On étudie le processus de planification du marketing, son efficacité, sa diffusion et le degré de responsabilité et de participation des personnes concernées. On évalue la structure organisationnelle du marketing en fonction de l'évolution de l'entreprise et de l'environnement externe. La meilleure structure est-elle basée sur la fonction, sur le produit ou sur le marché? Qui est responsable de telle ou telle chose? On apprécie l'efficacité de la mise en œuvre du plan de l'année précédente, les bons coups et les mauvais coups... Enfin, on passe en revue le contrôle du marketing. Les prévisions se sont-elles vérifiées et les objectifs ont-ils été atteints? Possède-t-on les outils et les compétences pour faire des prévisions relativement précises? Les budgets de marketing ont-ils été bien gérés? Sinon, pourquoi? Les différents systèmes de gestion sont-ils efficaces? Le chapitre 14 sera consacré à l'organisation, à la mise en œuvre et au contrôle.

L'analyse de l'environnement interne terminée, le mercaticien connaît mieux l'entreprise, sa fonction marketing et les résultats obtenus. Il est maintenant en mesure de définir les forces et les faiblesses du marketing de l'entreprise.

L'analyse de l'environnement externe

L'analyse interne achevée, l'entreprise doit maintenant recueillir des informations précises sur l'environnement externe, c'est-à-dire sur le macroenvironnement, les clients, les concurrents et les marchés.

C'est là le rôle du système d'information externe, sur lequel se penche le chapitre 5, et plus particulièrement du système de renseignements marketing. De nos jours, les changements économiques, sociaux et autres se succèdent rapidement. L'entreprise doit donc être bien renseignée sur eux, de façon à pouvoir discerner les menaces potentielles ainsi que les occasions d'affaires avantageuses.

L'information recueillie par le moyen du système externe et du système de renseignements marketing n'est pas toujours suffisante ou utile, et il faut parfois rechercher d'autres renseignements, comme au moment du lancement d'un nouveau produit ou du remaniement d'un service. On doit alors faire de la recherche en marketing. La recherche en marketing, étudiée en détail au chapitre 5, se définit comme la conception des travaux de collecte, l'analyse et la diffusion systématique de données relatives à une situation de marketing à laquelle l'entreprise fait face [7]. Elle peut avoir pour but d'évaluer la demande potentielle pour un nouveau bien ou un nouveau service, de définir les caractéristiques essentielles et les avantages concurrentiels pérennes d'un nouveau bien ou d'un nouveau service, ou de déterminer les causes de l'insatisfaction de la clientèle. Le directeur du marketing s'applique donc à obtenir le plus d'information possible sur le milieu afin de pouvoir élaborer des stratégies de marketing efficaces.

La première étape de l'analyse de l'environnement externe est l'analyse du macroenvironnement (*chapitre 3*). Cette analyse est importante parce qu'elle sert à décrire la conjoncture dans laquelle se trouve l'entreprise. Elle a pour but d'enregistrer les changements qui surviennent dans l'environnement de l'entreprise et les tendances principales du marché, afin de permettre à l'organisation de s'ajuster à la situation et de repérer aussi bien les occasions d'affaires que les menaces. Le macroenvironnement englobe six éléments, c'est-à-dire les environnements démographique, socioculturel, économique, naturel, technologique et scientifique, et politico-juridique.

Dans la deuxième partie de l'analyse externe, on concentre son attention sur la clientèle. On veut connaître le volume des ventes et la rentabilité des clients revendeurs, ainsi que les profils de ces derniers et des clients finals. Ceux-ci sont-ils jeunes?

Scolarisés? Quelles sont leurs motivations d'achat? L'un des rôles importants du marketing est de comprendre les motivations et le comportement d'achat de la clientèle (*chapitre 4*) et de définir les avantages recherchés par la clientèle actuelle ou potentielle. On cherche à comprendre chaque phase du processus d'achat et à déterminer qui participe à la décision d'achat, et à quel moment. Il importe aussi de connaître le comportement postachat, en particulier le degré de satisfaction des clients et le taux de rétention de la clientèle. Ainsi, il est absolument nécessaire d'examiner les plaintes des clients si l'on veut améliorer le service à la clientèle.

La troisième étape de l'analyse externe consiste à étudier la concurrence (*chapitre 6*). Dans un contexte de faible croissance de la population, de mondialisation des marchés (par exemple, l'éveil économique de géants comme la Chine et l'Inde) et de ralentissement de la croissance économique, il est essentiel d'être parfaitement renseigné sur la concurrence. La concurrence sera de plus en plus vive, qu'elle soit générique (une concurrence de substitution, comme les caméras électroniques pour l'industrie du film), éloignée (comme les produits provenant de la Chine) ou directe. Dans le cas de la concurrence directe, il faut d'abord déterminer les concurrents qui ont des produits ou des stratégies semblables à ceux de l'entreprise, potentiellement les plus dangereux, puis tenter d'en savoir le plus possible sur eux: leur taille, leurs clients, leurs ventes, leurs produits, leurs promotions et leurs stratégies ainsi que leurs forces et leurs faiblesses. Cette information est essentielle pour pouvoir élaborer des stratégies concurrentielles qui soient efficaces.

La dernière étape de l'analyse de l'environnement externe porte sur les marchés: il s'agit d'étudier leur potentiel ainsi que les facteurs d'attrait et la position concurrentielle de l'entreprise sur les divers marchés ou segments de marché. On repère les marchés actuels ou potentiels dans lesquels il serait avantageux d'investir ou ceux qui ne procurent plus aucun profit et qu'il y aurait lieu d'abandonner.

Au terme de son analyse de l'environnement externe, le mercaticien comprend mieux le contexte dans lequel évolue l'entreprise: son macroenvironnement, ses clients, ses concurrents et ses marchés. Il est maintenant prêt à reconnaître les occasions d'affaires les plus prometteuses ainsi que les menaces les plus sérieuses.

La définition des enjeux

L'information obtenue grâce à l'analyse des environnements interne et externe permet aux mercaticiens et aux stratèges de l'entreprise de définir les principaux enjeux que celle-ci est susceptible de rencontrer. Il s'agit de faire une analyse rigoureuse des forces dont dispose l'entreprise pour tirer profit des occasions d'affaires et faire face aux menaces. Quelles sont les occasions d'affaires les plus prometteuses? À quelles forces l'entreprise devrait-elle recourir et à quelles faiblesses devrait-elle remédier pour pouvoir profiter de ces occasions d'affaires? Quelles sont les menaces les plus sérieuses? De quels moyens dispose l'entreprise pour composer avec ces menaces? La définition des enjeux permet de mesurer les capacités de l'entreprise. Comme les ressources sont limitées, il faut faire des choix stratégiques en ce qui concerne les marchés ou les produits: certains de ces derniers devront peut-être être modifiés ou éliminés, ou encore faire l'objet d'une attention spéciale. On s'interroge alors sur l'orientation stratégique de l'entreprise. On devra peut-être redéfinir sa mission et ses objectifs en s'appuyant sur les résultats de l'analyse des enjeux, et valider les stratégies actuelles ou les remanier. Le directeur du marketing est maintenant prêt à passer à l'étape suivante du processus de planification du marketing, celle de l'orientation.

2.4.2_L'orientation

À la lumière de l'information relative aux environnements interne et externe, le responsable du marketing a fait le point sur la situation globale de l'entreprise. Il connaît à la fois sa situation passée et sa situation actuelle. Maintenant, l'entreprise doit déterminer où elle veut aller. Cela constitue l'objet de la deuxième étape du processus de planification. Les dirigeants de l'entreprise sont prêts à prendre des décisions cruciales concernant le nouveau plan de marketing pour le court terme, et peut-être même pour le moyen ou le long terme. Du même coup, ils sont prêts à donner une orientation stratégique à leur entreprise. L'orientation stratégique comprend deux éléments : la mission de l'entreprise et les objectifs qu'elle se fixe.

La mission de l'entreprise

Parler de la mission de l'entreprise, c'est parler de sa raison d'être. La direction de l'entreprise a pour responsabilité de définir cette mission, en collaboration avec le directeur du marketing qui a recueilli de l'information sur l'entreprise comme telle et sur son environnement. En fait, la direction doit être capable de déterminer ce qu'est l'entreprise, ce qu'elle sera et ce qu'elle devrait être. L'énoncé de mission précise la raison d'être de l'entreprise et reflète la vision de ses dirigeants. Il doit être facile à comprendre pour que, par la suite, on puisse efficacement fixer des objectifs et formuler des stratégies.

L'énoncé de mission doit indiquer clairement aux cadres et aux employés de même qu'aux fournisseurs et aux clients l'objet de l'entreprise et l'orientation qu'elle se donne. Le contenu, la forme et la longueur de l'énoncé peuvent varier. En général, on s'accorde pour dire que la définition de la mission doit tenir compte des éléments suivants [8] : les clients et leurs besoins ; les marchés ; les produits ; les avantages concurrentiels ; la technologie ; les valeurs de l'entreprise ; les employés ; la responsabilité sociale.

L'énoncé doit guider et motiver les employés. La définition de la mission précède celle des objectifs.

La définition des objectifs de marketing

Un objectif est un résultat que l'on cherche à atteindre. L'entreprise et ses diverses fonctions internes ont leurs propres objectifs. Les objectifs de l'entreprise ont rapport, entre autres facteurs, au rendement financier et à la croissance des ventes à atteindre pour réaliser la mission de l'entreprise. Le présent ouvrage se concentre sur les objectifs de marketing – ceux-ci doivent aider l'entreprise à accomplir sa mission et à parvenir ses buts généraux. Certains objectifs, comme ceux de volume de ventes, sont à la fois des objectifs d'entreprise et de marketing.

La plupart du temps, les objectifs de marketing concernent les domaines suivants [9] : le volume de ventes (en dollars ou en unités) ; la part de marché ; la rentabilité ; la qualité des biens ou des services ; la qualité du service à la clientèle ; la satisfaction de la clientèle ; la rétention de la clientèle ; le bien-être des employés ; la responsabilité sociale.

Les organismes sans but lucratif et les organismes publics ou coopératifs n'ont pas d'objectifs de rentabilité. Ils doivent cependant établir des budgets qui leur permettent d'offrir des services de qualité aux meilleurs coûts possible. On s'y préoccupe aussi de la qualité des services, de la satisfaction ou de la rétention de la clientèle (comme dans le cas des transports en commun). Les objectifs de marketing doivent donc convenir à la nature de chaque organisation. Ils peuvent être globaux ou définis en fonction du marché, du segment de marché, du client, du territoire, du produit, du représentant, etc. Ils devraient être le plus souvent d'ordre quantitatif ; les résultats à atteindre sont alors mesurables (montant des ventes, nombre de patients traités) : on dispose de chiffres exacts et l'on peut mesurer objectivement les progrès dans la réalisation des objectifs (c'est le cas, par exemple, de l'objectif de la campagne annuelle de Centraide). On peut aussi poursuivre des objectifs d'ordre qualitatif : par exemple, on s'attache à défendre telles valeurs ou tels caractères de l'organisation, ou à développer le sentiment d'appartenance à cette dernière.

La définition des objectifs de marketing est une tâche exigeante. Ceux-ci doivent être énoncés en termes clairs, et être mesurables dans le cas des objectifs quantitatifs. Ils doivent s'accorder avec les objectifs de l'organisation comme avec ceux des autres fonctions. Ils peuvent servir à motiver le personnel, mais ils doivent alors être atteignables, et leur réalisation doit s'accompagner d'un sentiment d'accomplissement [10]. Il faut surtout veiller à ce que les objectifs fixés ne deviennent pas rebutants à cause de leur manque de réalisme.

Dans leurs décisions relatives à l'orientation stratégique, les dirigeants déterminent la direction qu'ils veulent donner à l'entreprise. Ils ont défini clairement la mission de l'entreprise – sa raison d'être – en tenant compte des caractéristiques des environnements interne et externe. Ils ont ensuite fixé des objectifs à atteindre à court et à long terme : parts de marché, qualité des biens et des services, qualité du service à la clientèle, satisfaction de la clientèle, rétention de la clientèle, satisfaction des employés ou responsabilité sociale. Il leur faut par la suite déterminer les moyens d'atteindre ces objectifs, c'est-à-dire élaborer des stratégies.

2.4.3_La création

Alors que la définition de la mission et des objectifs de l'entreprise reflète la vision de ses dirigeants, le choix des stratégies témoigne de leurs capacités en tant qu'entrepreneurs et stratèges de même que de leur aptitude à innover. L'étape de la création consiste à définir les stratégies pour réaliser les objectifs de marketing et à établir un budget pour la mise en œuvre de ces stratégies.

Les stratégies de marketing

On distingue deux types de stratégies de marketing : les stratégies fondamentales ou de premier niveau, qui influent sur toutes les décisions de marketing, et les stratégies de second niveau, qui correspondent aux stratégies de mix de marketing [11] (*voir la figure 2.5*).

_FIGURE 2.5 **Les stratégies de marketing**

Stratégies d'offre
→ Stratégies de croissance
→ Stratégies de portefeuille

Stratégies de demande
→ Stratégies de segmentation
→ Stratégies de différenciation
→ Stratégies de positionnement

Stratégies de mix de marketing
→ Stratégies de produit
→ Stratégies de prix
→ Stratégies de place
→ Stratégies de promotion

Les stratégies fondamentales de marketing (*qui feront l'objet des chapitres 7, 8 et 9*) sont elles-mêmes de deux types : les stratégies d'offre et les stratégies de demande. Les stratégies d'offre portent principalement sur les produits envisagés du point de vue du marché ; elles se divisent à leur tour en deux types : les stratégies de croissance et les stratégies de portefeuille. Des exemples typiques de stratégies de croissance sont le développement de nouveaux produits ou de nouveaux marchés et la pénétration des marchés. Un exemple de stratégie de portefeuille serait d'équilibrer le portefeuille de produits ou des services d'une entreprise par rapport au cycle de vie des produits (*chapitre 9*). Les stratégies de demande prennent surtout en considération le marché ; elles se divisent en trois types : les stratégies de segmentation (*chapitre 7*), de différenciation et de positionnement (*chapitre 8*).

Les stratégies fondamentales représentent les orientations principales que le mercaticien entend donner à l'entreprise. On les dit fondamentales parce que les choix effectués concernent davantage le moyen ou le long terme que le court terme, qu'ils engagent grandement l'entreprise et qu'il est difficile de les changer.

Ces stratégies sont préalables aux stratégies de mix de marketing, dont elles favorisent l'intégration. Les stratégies de mix de marketing (les 4 P : produit, prix, place et promotion) ont un caractère plus opérationnel et servent de base à la définition des programmes et des activités de marketing.

Le budget

L'élaboration des stratégies est une étape essentielle du processus de planification du marketing. Les stratégies et les concepts adoptés peuvent conduire au succès ou à l'échec. Il est nécessaire de rendre ces stratégies opérationnelles et, pour ce faire, on procède à une estimation de la demande et des coûts ; on établit donc un budget. Il faut évaluer les coûts que représente la réalisation de ces idées ainsi que les revenus prévus. La préparation d'un budget comporte plusieurs étapes. On estime les revenus et les coûts une première fois, et il est possible alors que la rentabilité escomptée se révèle médiocre. Dans ce cas, on modifie les stratégies de façon à accroître les revenus ou à réduire les coûts jusqu'à ce que les résultats soient jugés satisfaisants. Une fois l'approbation finale du budget obtenue, on est prêt à passer à l'action, c'est-à-dire à l'étape de l'exécution.

2.4.4_L'exécution

Un plan de marketing n'a d'intérêt et de valeur que s'il est exécuté. Il faut toujours se rappeler qu'un plan est un moyen, et non une fin en soi, et que sa valeur se mesure au succès de sa mise en application. L'exécution est la dernière étape du processus de planification ; elle englobe trois opérations : l'organisation, la mise en œuvre et le contrôle [12].

L'organisation

L'organisation du marketing est l'ensemble des moyens utilisés pour définir le travail à accomplir, le répartir et le coordonner, pour distribuer les rôles et les responsabilités, et pour préciser les niveaux hiérarchiques de façon à réaliser le plan, les objectifs et la mission. Le terme « organisation », dans ce contexte, désigne tant la structure que la culture organisationnelle.

Habituellement, quand on parle de l'organisation du marketing, on fait référence au regroupement des tâches, à la division et à la coordination du travail à l'intérieur du service de marketing (recherche en marketing, gestion de produit, promotion, vente, etc.) et entre les différents services de l'entreprise (marketing et finances, marketing et ressources humaines, marketing et production ou opérations, etc.). La structure organisationnelle a une influence sur les relations entre les individus et entre les services. L'organisation du travail a pour but de coordonner les efforts en précisant les relations entre les tâches et les niveaux hiérarchiques. « Organiser » signifie déterminer qui fait quoi et qui rend des comptes à qui [13].

La culture organisationnelle peut être définie comme un ensemble de comportements qu'une organisation a acquis dans son processus d'adaptation externe et d'intégration interne, qui se sont révélés avantageux et que les nouveaux membres sont invités à considérer comme constituant la norme dans l'entreprise [14]. La culture organisationnelle reflète les valeurs, les convictions et les buts que partagent les employés et qui exercent une influence sur le comportement individuel et le comportement du groupe [15]. Les processus de gestion stratégique sont étroitement liés à la culture organisationnelle.

La mise en œuvre

On l'a déjà dit, le plan de marketing n'est pas une fin en soi. C'est un outil de gestion qui permet d'accroître l'efficacité du service de marketing. Ce qui est important, c'est évidemment la mise en œuvre du plan. Il faut passer du monde des idées et des concepts à celui de l'action. La mise en œuvre de ce plan (*comme on le verra au chapitre 14*) exige le recours à des mécanismes et à des outils, afin de mettre en pratique et d'exécuter les stratégies définies dans le plan de marketing.

Les mécanismes de mise en œuvre du marketing sont essentiellement représentés par les programmes et les activités de marketing, ainsi que par les systèmes et les politiques de marketing. Les programmes de marketing sont relativement complexes. Ils comprennent des activités de marketing ainsi que les éléments du mix de marketing. De plus, pour les rendre opérationnels, il est nécessaire d'obtenir la collaboration d'autres fonctions de l'entreprise (production, finances, etc.). Les activités de marketing ont pour fin quelque chose de concret, comme la préparation d'un catalogue ou la participation à une foire, et sont uniquement la responsabilité du service de marketing.

Les systèmes et les politiques de marketing sont des mécanismes de mise en œuvre d'un niveau supérieur aux activités et aux programmes de marketing. Mécanismes plus ou moins complexes et plus ou moins formels, ils ont pour fonction de fournir de l'information aux responsables de marketing, d'aider à la prise de décision, de faciliter la gestion des activités et des programmes de marketing, et d'assurer le contrôle des opérations. Un exemple de système de marketing est le processus de préparation du budget de marketing. Les politiques de marketing, quant à elles, sont des lignes de conduite qui concernent la marche des affaires. Elles permettent de régler des situations courantes. Plus l'entreprise est grande, plus les politiques sont nombreuses et contraignantes. Celles-ci ont pour but d'assurer une certaine cohérence dans les décisions qui sont relatives aux valeurs et aux stratégies de l'entreprise, qui s'inscrivent dans différents contextes et qui concernent différents marchés. Par exemple, les politiques de marketing peuvent prendre en compte les règles d'éthique ou le niveau de service à la clientèle.

Les outils de mise en œuvre sont utiles à la gestion et au contrôle du plan, des programmes et des activités de marketing. Ces outils peuvent être simples, comme les graphiques de Gantt, ou complexes, comme les méthodes de cheminement critique.

Le contrôle

Le contrôle constitue l'ultime étape du processus de planification; il est en quelque sorte la conclusion de l'exécution du plan de marketing. Il consiste à surveiller la mise en œuvre du plan, à diriger et à ajuster les opérations de marketing tant du point de vue interne (ventes, rentabilité, etc.) que du point de vue externe (parts de marché, satisfaction de la clientèle, etc.). Le contrôle mesure les résultats obtenus et les compare avec les prévisions budgétaires. Il vise à s'assurer que les stratégies, les programmes et les activités de marketing satisfont aux objectifs fixés au moment de la préparation du plan de marketing. Il a aussi pour fonction de faciliter la prise de mesures correctives lorsque, dans le cours de l'exécution du plan, les résultats se révèlent moindres que ceux qui étaient attendus. Il existe trois types de contrôle du marketing: le contrôle de l'orientation stratégique du marketing, le contrôle de la productivité du marketing et le contrôle des activités et des programmes de marketing. Le contrôle stratégique du marketing procède à un examen critique de toute la fonction marketing. Le contrôle de la productivité du marketing a pour but d'apprécier les effets des activités et des programmes de marketing sur les ventes, d'évaluer la satisfaction de la clientèle, et d'estimer la rentabilité des produits, des marchés et des clients. Enfin, le contrôle des programmes et des activités de marketing sert à s'assurer du bon déroulement et de la coordination des programmes et des activités ainsi que du respect des échéanciers et des budgets.

_Points saillants

_Avant de décrire en détail le processus de planification, on a présenté le coffre à outils du marketing, constitué des 4 P – le produit, le prix, la place et la promotion – que l'on appelle aussi le mix de marketing. Le produit, qu'il s'agisse d'un bien ou d'un service, représente l'offre essentielle de l'organisation. On s'intéresse à la qualité, à la garantie, au conditionnement, au personnel en contact, au service après-vente, etc. Le prix a toujours été et sera toujours une variable cruciale dans une opération commerciale telle que l'achat d'un bien ou d'un service. Le troisième élément du mix de marketing est la place, qui comprend la gestion des circuits de distribution et celle de la logistique du marché. Le dernier élément du mix de marketing est la promotion, constituée d'un ensemble d'outils de communication, comme la publicité, la commandite, la promotion des ventes, l'environnement, les relations publiques, le marketing direct, la vente et le service à la clientèle.

_Le processus de planification du marketing comprend quatre grandes étapes: l'analyse de la situation, la définition de l'orientation stratégique, la création des stratégies et l'exécution. L'analyse de la situation se décompose en analyse de l'environnement interne de l'entreprise et en analyse de son environnement externe. L'analyse de l'environnement interne porte sur quatre aspects de la réalité actuelle de l'entreprise: ses résultats, son mix de marketing, son orientation stratégique et son management du marketing. L'analyse de l'environnement externe sert à mieux connaître le macroenvironnement, les clients, les concurrents et les marchés de l'entreprise. L'information fournie par l'analyse des environnements interne et externe permet à l'entreprise de déceler les points névralgiques sur lesquels elle a intérêt à porter sa réflexion et de définir les enjeux à venir.

_Une fois l'analyse de la situation terminée, on est prêt à passer aux trois autres étapes du processus de planification du marketing. L'étape suivante est la définition de l'orientation stratégique. Dans cette définition, on considère la mission et les objectifs de l'entreprise. L'énoncé de la mission indique la raison d'être de l'entreprise, et les objectifs sont les résultats recherchés par celle-ci. Il faut ensuite décider des moyens à mettre en œuvre pour atteindre les objectifs, c'est-à-dire concevoir des stratégies. En marketing, on distingue deux types de stratégies : les stratégies fondamentales de marketing et les stratégies de mix de marketing. Les stratégies fondamentales sont des stratégies d'offre ou des stratégies de demande ; les stratégies de mix de marketing sont constituées des 4 P. Il faut ensuite préparer le budget et revoir les stratégies en fonction des contraintes budgétaires.

_La dernière étape du processus de planification du marketing est l'exécution, qui comprend trois éléments : l'organisation, la mise en œuvre et le contrôle. L'organisation du marketing peut désigner la structure organisationnelle ou encore la culture organisationnelle. La mise en œuvre se définit comme la mise en pratique des idées. L'étape ultime du plan de marketing est le contrôle, qui consiste à surveiller la réalisation du plan et à diriger les opérations de marketing. On distingue trois formes de contrôle de marketing : le contrôle stratégique, le contrôle de la productivité du marketing et le contrôle des activités et des programmes de marketing.

_Questions

_1. Quelles sont les principales responsabilités du directeur du marketing dans une organisation ?

_2. Dans l'environnement changeant du marché cible, le mercaticien contrôle les quatre variables qui composent le mix de marketing. Quelles sont-elles ? Diffèrent-elles dans le cas des services ?

_3. La planification du marketing est l'une des principales responsabilités du directeur du marketing. La préparation d'un plan de marketing comporte des inconvénients et des avantages. Quels sont les principaux inconvénients ? Et les principaux avantages ? À votre avis, quel est l'avantage le plus important ?

_4. L'élaboration d'un plan de marketing est une tâche complexe qui exige beaucoup de temps et d'efforts. Quelles sont les conditions de réussite d'un plan de marketing et de sa mise en œuvre ?

_5. Quels sont les principaux éléments contenus dans un plan de marketing ?

_6. Il est essentiel de mettre sur pied des stratégies de mix de marketing si l'on souhaite concevoir des stratégies fondamentales de marketing qui guideront l'ensemble des activités de marketing. Commentez.

_7. En quoi consiste la préparation du budget de marketing ? Quel rapport peut-on établir entre le budget et les stratégies ? La préparation du budget précède-t-elle l'élaboration des stratégies ou est-ce l'inverse ?

_8. Le terme « organisation » peut avoir plusieurs sens. En quoi consiste l'organisation du marketing ? La structure organisationnelle ? La culture organisationnelle ?

_9. Quels sont les mécanismes de la mise en œuvre du marketing ? Expliquez brièvement en quoi ils consistent.

_10. Qu'entend-on par « contrôle », en marketing ? Qu'est-ce que ce contrôle permet de faire ? Quels rapports y a-t-il entre le contrôle et la planification ?

ÉTUDE DE CAS
Sofastgame

Sofastgame est une jeune entreprise qui produit des jeux vidéo pour les ordinateurs PC et Macintosh et pour les consoles Nintendo. Cette PME de Montréal – une ville mondialement reconnue pour la production de jeux électroniques de tous genres – connaît une croissance rapide depuis sa fondation, il y a trois ans. Pour concevoir ses jeux, Sofastgame tire son inspiration de trois sources : les idées originales de ses propres programmeurs et créateurs, les jeux télévisés et les jeux de société populaires. Les choses vont vite, et Marc Prieur, le président-directeur général de l'entreprise, n'a guère de temps à perdre avec les détails administratifs.

Récemment, Marc confiait à un ami qu'il se sentait dépassé. La concurrence, dans cette industrie, est très forte, et son entreprise doit se mesurer à des compagnies d'envergure comme Ubisoft. Jusqu'à présent, ses jeux se vendaient tout seuls, mais ces derniers temps les ventes ont diminué. Sofastgame vend ses produits en ligne, et Marc aimerait pouvoir les distribuer dans des commerces de détail. Il ne sait toutefois pas s'il devrait se tourner vers une chaîne spécialisée de jouets ou vers les magasins grande surface. Il se demande aussi s'il devrait tenter d'exporter ses jeux.

Depuis quelque temps, les problèmes s'accumulent. Le directeur de la production se plaint des courts délais qu'on lui impose et de ses difficultés à planifier la production. Le responsable des services financiers l'a récemment informé qu'il avait de plus en plus de problèmes de gestion de trésorerie. Marc hésite entre embaucher un directeur des ventes ou un directeur du marketing. Personne ne s'occupe du marketing, ses employés clés sont tous des informaticiens et des concepteurs. Malgré la couverture médiatique positive sur son entreprise et sur ses jeux, Marc se montre préoccupé par l'avenir de son entreprise.

_1. Que conseilleriez-vous à Marc ?

_Notes

1. Nathalie VALLERAND, « La planification stratégique évolue », *Les Affaires,* 9 octobre 2004, p. 6.

2. William D. PERREAULT *et al., Basic Marketing : A Global-Managerial Approach,* 12ᵉ édition canadienne, Toronto, Richard D. Irwin, 2007, p. 33-36.

3. *Le Nouveau Petit Robert de la langue française,* Paris, Dictionnaires Le Robert, 2010, p. 1922.

4. W. D. PERREAULT *et al., op. cit.,* p. 32.

5. Pierre FILIATRAULT, *Comment faire un plan de marketing stratégique,* 2ᵉ édition, Montréal, Éditions Transcontinental, 2005, p. 60.

6. *Ibid.,* p. 66.

7. Philip KOTLER *et al., Marketing Management,* 13ᵉ édition canadienne, Toronto, Pearson Canada, 2009, p. 98.

8. Fred R. DAVID, *Concepts of Strategic Management,* 5ᵉ édition, Englewood Cliffs (New Jersey), Prentice Hall, 1995, p. 97 ; P. FILIATRAULT, *op. cit.,* p. 209-210 ; Eric N. BERKOWITZ *et al., Le marketing,* 2ᵉ édition, Montréal, Chenelière/McGraw-Hill, 2007, p. 36.

9. Adapté de E. N. BERKOWITZ *et al., op. cit.,* p.37.

10. Pierre FILIATRAULT et Jean PERRIEN, *Marketing des services financiers*, Montréal, Institut des banquiers canadiens, 1999, p. 175.

11. P. FILIATRAULT, *op. cit.,* p. 68.

12. *Ibid.,* p. 231-252.

13. F. R. DAVID, *op. cit.,* p. 165.

14. Edgar SCHEIN, *Organizational Culture and Leadership,* San Francisco, Jossey-Bass, 1985, p. 9.

15. E. N. BERKOWITZ *et al., op. cit.,* p. 94.

Le macroenvironnement marketing

Sommaire

Une des fonctions les plus essentielles du marketing consiste à déceler les changements potentiellement intéressants qui surviennent dans l'environnement de l'entreprise et à reconnaître les nouveaux besoins qui apparaissent dans les marchés, comme on l'a expliqué au chapitre 1. Le marketing a aussi pour rôle de définir les relations entre l'entreprise et le marché. L'environnement marketing des entreprises, en constante évolution, engendre sans cesse de nouvelles occasions d'affaires, mais aussi de nouvelles menaces. Ainsi, la Chine est en pleine transformation. Son économie connaît un progrès fulgurant et sa population atteindra bientôt 1,4 milliard d'habitants. La Chine présente de lucratives occasions d'affaires pour les entreprises d'ici, mais elle constitue aussi une menace sérieuse à cause de ses percées sur le marché canadien.

L'environnement de l'entreprise, comme on l'a vu au chapitre 2, est composé du macroenvironnement, de la clientèle (*plus précisément de son comportement d'achat, qui sera étudié au chapitre 4*), de la concurrence et des marchés (*chapitre 6*). Le présent chapitre est consacré au macroenvironnement, qui comprend les environnements démographique, socioculturel, économique, naturel, technologique et scientifique, et politico-juridique. Les entreprises ont intérêt à surveiller continuellement ce macroenvironnement en perpétuelle évolution et à ajuster leurs offres en conséquence. Elles doivent aussi innover constamment, donc être prêtes à lancer de nouveaux produits et de nouveaux services, comme l'expliquera le chapitre 9.

Les mercaticiens ont un rôle de vigie à exercer. Certaines grandes entreprises ont d'ailleurs mis sur pied des centres de veille, de même que certaines universités, qui ont mis l'information qu'elles ont recueillie à la disposition d'un grand nombre d'organisations et d'individus. Par exemple, le Réseau de veille en tourisme de la Chaire de tourisme Transat de l'ESG UQAM (http://veilletourisme.ca) est à l'affût de tout ce qui se passe en tourisme, et les données recueillies sont accessibles aux divers organismes du secteur de l'industrie touristique et aux petites ou aux grandes entreprises établies dans les différentes parties du monde. Tous les membres d'une organisation ont avantage à surveiller ce qui se passe dans leur environnement, mais ce sont surtout les mercaticiens qui le font, parce que la question les touche de près et qu'ils sont souvent mieux placés que les autres membres du personnel pour mener les recherches nécessaires. Les spécialistes du marketing qui prennent leur travail à cœur observent continuellement leur environnement à l'aide du système d'information marketing (*chapitre 5*) de leur entreprise, entretiennent des contacts avec les clients actuels ou potentiels et sont toujours en quête de nouvelles informations sur les concurrents.

_3.1 La toile de fond

L'analyse de l'environnement externe de l'entreprise, plus spécialement du macroenvironnement, constitue une étape importante dans la préparation du plan de marketing. L'analyse du macroenvironnement porte notamment sur les tendances. Une tendance est un courant, un ensemble d'événements, de pratiques, de façons de vivre ou de faire. C'est une orientation générale du présent vers l'avenir [1]. Ce qui intéresse particulièrement les mercaticiens, ce sont les mégatendances. Celles qu'ils observent leur permettent de dégager les nombreuses possibilités qui s'offrent pour de nouveaux produits ou de nouveaux services. Dans les années 1990, Faith Popcorn et John Naisbitt, deux futurologues, ont constaté certaines tendances.

Une tendance a une durée relativement longue et des effets sur la consommation observables ; elle s'accorde avec d'autres mouvements d'ensemble qui se manifestent en même temps [2]. Faith Popcorn a cerné 10 tendances socioéconomiques principales, à caractère plutôt psychologique et psychographique, et, pour plusieurs d'entre elles, ses prévisions se sont révélées assez exactes.

John Naisbitt [3] a plutôt observé des mégatendances, c'est-à-dire des tendances lourdes à caractère social et économique. Les 10 mégatendances qu'il a relevées se sont confirmées, et la plupart d'entre elles se poursuivent d'ailleurs de nos jours. Ces 10 mégatendances sont les suivantes :

- l'explosion de l'économie mondiale ;
- la renaissance des arts ;
- l'émergence d'un socialisme de libre marché ;
- les modes de vie mondiaux et le nationalisme culturel ;
- la privatisation de l'État-providence ;
- la croissance des pays du Sud-Est asiatique ;
- le leadership des femmes ;
- l'importance croissante de la biologie et de la biotechnologie ;
- le renouveau religieux du IIIe millénaire ;
- le triomphe de l'individu.

À la suite de la crise économique mondiale qui a marqué la fin de la première décennie du XXIe siècle, Eric Beinhocker, Ian Davis et Lenny Mendonca ont repéré 10 mégatendances que le milieu des affaires devra surveiller dans les années à venir (*voir l'info-marketing 3.1, p. 58*). À ces mégatendances observées par Naisbitt et par Beinhocker, Davis et Mendonca, il serait possible d'en ajouter : le nombre croissant de femmes titulaires d'un diplôme universitaire et, corollairement, la place de plus en plus importante occupée par celles-ci sur le marché du travail ; l'extrémisme religieux ; le déclin de l'hégémonie américaine ; la prolongation de l'espérance de vie et les coûts croissants des soins de santé ; la fragilisation des couples ; l'hypersexualisation des jeunes ; la hausse constante du nombre des individus souffrant d'embonpoint ou d'obésité morbide ; l'affirmation des groupes ethniques ; la révolution informatique ; la mondialisation des marchés ; la remise en question de certains aspects du capitalisme ; l'intérêt croissant pour l'éthique en affaires ; les changements climatiques ; etc. Les tendances, et les mégatendances, qu'elles soient économiques, psychographiques, sociales, politiques ou culturelles, constituent des menaces autant que des occasions d'affaires. Elles peuvent être des sources d'inspiration pour la création de nouveaux produits ou de nouveaux services, ou pour l'amélioration des produits et des services existants.

Les mercaticiens doivent donc porter attention aux tendances et aux mégatendances lorsqu'ils analysent le macroenvironnement de leur entreprise, c'est-à-dire les environnements démographique, socioculturel, économique, naturel, technologique et scientifique, et politico-juridique. Ils doivent s'attacher à découvrir des rapports entre les divers environnements, car cela leur permet de déceler plus facilement les occasions d'affaires et les menaces. Ainsi, la croissance explosive de la population mondiale (environnement démographique) entraîne une pénurie des ressources (environnement naturel). De même, la croissance fulgurante de l'économie de la Chine, due à un changement interne en ce qui concerne le commerce et les relations internationales (environnement politico-juridique), donne lieu à

Les dix grandes tendances à surveiller

À cause de la crise économique mondiale qui a marqué la fin de la première décennie du XXIe siècle, le milieu économique se doit de se donner une vision pour la prochaine décennie. Eric Beinhocker, Ian Davis et Lenny Mendonca, de la firme de conseillers en management McKinsey & Company, ont cerné les 10 tendances les plus importantes qui influenceront le milieu des affaires au cours des prochaines années.

1. **La pression sur les matières premières.** L'offre des ressources répond difficilement à la demande croissante, ce qui provoquera une rareté et une plus grande volatilité des prix, qui seront à la hausse. On n'a qu'à penser aux aliments et à l'énergie.

2. **Un réalignement de la mondialisation.** Certains volets de la mondialisation ont été secoués par la crise, particulièrement le secteur des finances que plusieurs tiennent comme le principal responsable de la crise. Les liens mondiaux étroits dans ce secteur d'activité et une trop grande permissivité envers les conditions de crédit ont contribué à engendrer une cascade d'événements néfastes. Il en résultera un plus grand contrôle du système financier et une approche différente de la gestion du risque. Ce retour du balancier pourrait entraîner un protectionnisme accru. Par contre, la tendance de la mondialisation des talents et de la production des biens et services continuera.

3. **Une perte de confiance envers le milieu des affaires.** La relation entre la société civile et le monde des affaires est tendue. Depuis le début de cette crise, la confiance envers le milieu des affaires s'est effritée (particulièrement à l'égard du secteur financier). La direction des entreprises doit agir afin de regagner la confiance des parties prenantes, un premier pas pour rebâtir la crédibilité des entreprises.

4. **Un rôle accru des divers paliers de gouvernement.** L'implication plus grande des gouvernements dans les affaires est l'un des résultats les plus frappants de la crise. La réglementation sera accrue et le secteur public deviendra plus important. Par contre, après la crise, les gouvernements auront à faire face à des problèmes financiers importants à cause de la croissance de la dette publique et du vieillissement de la population.

5. **Une remise en question de la science du management.** L'informatique et les modèles mathématiques ont révolutionné la pratique de la gestion. La crise a toutefois révélé les limites de certains modèles financiers. L'utilisation de ces modèles ne disparaîtra pas, mais il faudra adopter une vision plus réaliste du comportement humain en se fiant davantage à la rétroaction des gens du milieu.

6. **Un transfert des habitudes de consommation.** La croissance de la consommation ralentira dans les pays développés, surtout aux États-Unis, et le nouveau centre de gravité de la consommation deviendra la Chine et l'Inde. En conséquence, les entreprises doivent: être prêtes à affronter une croissante plus lente de la consommation globale; se focaliser sur les consommateurs plus âgés; faire preuve d'une créativité accrue afin d'offrir certains luxes à peu de frais; effectuer un transfert d'activités vers la Chine et l'Inde.

7. **Une croissance marquée de l'Asie.** Cette croissance est due à un rattrapage remarquable de la productivité et à un taux d'épargne élevé. Le produit intérieur brut (PIB) de l'Asie dépasse déjà celui de l'Europe et des États-Unis. Cette tendance représente assurément une menace pour les entreprises occidentales.

8. **La restructuration de plusieurs industries.** De nombreuses industries comme celles de l'automobile, de la technologie de l'information, de la biotechnologie et de l'industrie pharmaceutique seront secouées. L'écart entre les entreprises plus fortes et plus faibles s'accroîtra, et l'on assistera à de nombreuses consolidations et acquisitions. Les directions des entreprises devront à la fois saisir toutes les occasions d'affaires et contribuer aux changements structurels de leur industrie.

9. **L'innovation ne s'arrêtera pas, bien au contraire.** On verra des investissements accrus en recherche en technologie de l'information, en biotechnologie, en nanotechnologie, dans la science des matériaux et dans l'énergie propre. L'histoire démontre que les entreprises qui investissent en recherche quand l'économie ralentit devancent leurs concurrents quand les activités économiques reprennent.

10. **Les prix deviendront de plus en plus volatils.** Les entreprises devront apprendre à gérer leurs opérations dans un contexte de prix instables, devenir plus flexibles, se montrer prudentes dans leurs engagements à long terme et tenter d'établir des liens entre les coûts des intrants et leurs prix de vente. Elles auront du même coup à raffiner leurs pratiques et procédures d'achat.

Source: Eric BEINHOCKER, Ian DAVIS et Lenny MENDONCA, *Harvard Business Review,* juillet-août 2009, p. 55-60; traduction et adaptation libres.

une plus grande consommation d'automobiles (environnement économique), ce qui augmente la pollution (environnement naturel) et stimule la recherche pour mettre au point des véhicules plus éconergétiques (environnement technologique et scientifique). Cette croissance économique de la Chine (environnement économique), jointe à la politique de contrôle des naissances (environnement politico-juridique), est à l'origine du phénomène des «enfants rois» (environnement démographique), gâtés par six adultes (environnement socioculturel), ce qui a provoqué une demande élevée et inattendue pour les biens de consommation (environnement économique). Cette demande accrue conduira inévitablement les consommateurs à exiger des lois pour les protéger des abus d'entreprises peu responsables (environnement politico-juridique).

_3.2_ L'environnement démographique

L'environnement démographique est le premier élément de l'environnement de toute organisation. En effet, ce sont les individus qui composent les marchés tant pour les produits de consommation que pour les services destinés aux consommateurs et qui sont à la base de la demande pour les produits et services industriels et organisationnels. Les mercaticiens veulent connaître les diverses caractéristiques de la population ainsi que leur évolution dans le temps. Ils en étudient la taille, la croissance et la décroissance, la répartition selon l'âge, le niveau de scolarité, la structure des ménages et la mobilité.

3.2.1_La taille de la population

Avant de considérer la taille de la population canadienne et québécoise, il importe de considérer, pour avoir un terme de comparaison, la taille de la population mondiale. En février 2010, la population mondiale totalisait 6,7 milliards d'habitants (voir le tableau 3.1).

TABLEAU 3.1 La population mondiale par continent en 2010

Lieu	Nombre	Pourcentage
Afrique	981 252 590	14,51
Amériques	922 494 552	13,64
Antarctique	1 500	0,00
Asie	4 086 202 972	60,42
Europe	738 358 895	10,92
Océanie	35 000 737	0,52
Monde	**6 763 311 246**	**100,00**

Source : POPULATIONDATA.NET, Le monde, [En ligne], www.populationdata.net (Page consultée le 19 février 2010)

Le nombre d'habitants en Afrique, en Europe et dans les Amériques est à peu près équivalent, les trois continents représentant, ensemble, environ le tiers de la population mondiale. Près de 60 % de la population mondiale vit en Asie, dont 37 % en Chine et en Inde. Elle augmente au rythme de 1,2 % par année, soit une augmentation d'environ 77 millions de personnes. Cette croissance est loin d'être répartie uniformément sur la planète. La population croît à un taux de 0,34 % dans les pays industrialisés, de 1,7 % dans les pays en voie d'industrialisation et de 2,3 % dans les pays moins avancés. En 2050, la population de la planète devrait atteindre 9,1 milliards de personnes [4].

Cette augmentation rapide amène à se demander si les ressources de la planète sont suffisantes pour subvenir aux besoins de tous ces êtres humains. Un deuxième problème, c'est que la croissance démographique est plus forte dans les pays en voie de développement, qui éprouvent déjà de la difficulté à nourrir, soigner, vêtir et instruire leurs habitants.

Un autre sujet de préoccupation : dans certains pays comme la Chine, le niveau et la qualité de vie de certains habitants se rapprochent des standards occidentaux pour une petite minorité de la population, notamment dans les villes, alors qu'ils sont beaucoup plus bas pour la majorité. De tels écarts pourraient devenir la source de problèmes sociaux sérieux dans bon nombre de pays. D'ailleurs, la pauvreté était considérée comme le plus grand problème de l'humanité par les 54 000 répondants à un sondage effectué dans 68 pays en 2005 [5].

L'Amérique du Nord compte à peu près la moitié de la population des Amériques (*voir le tableau 3.2*). En 2010, la population estimée des États-Unis était de 308 470 707 habitants, celle du Mexique, de 111 211 789 habitants, et celle du Canada, de 33 739 900 habitants. La population du Québec était de 7 828 900 habitants en 2009, ce qui correspondait à 23,2 % de la population canadienne, comparativement à 38,7 % pour l'Ontario. La population du Québec représentait 23,8 % de la population du Canada en 2001. Ce pourcentage décroît régulièrement d'année en année. Quant à la population canadienne, elle ne représente que 7,5 % de la population de l'Amérique du Nord et 3,7 % de celle des Amériques. Même si le Canada figure parmi les pays ayant l'indice de développement humain le plus élevé, selon le Programme des Nations Unies pour le développement (PNUD), même s'il est le deuxième pays du monde après la Russie pour la superficie de son territoire (9,97 millions de kilomètres carrés contre 17,07 millions de kilomètres carrés [6]) et même s'il fait partie du G8 (composé, en plus du Canada, de la France, de l'Allemagne, de l'Italie, de la Russie, du Japon, du Royaume-Uni et des États-Unis), du point de vue de la population, le Canada est un pays relativement petit.

TABLEAU 3.2 **La population des Amériques en 2010**

Lieu	Nombre	Pourcentage
Amérique du Nord	453 805 450	49,19
Amérique centrale	40 623 706	4,40
Antilles	41 558 716	4,50
Amérique du Sud	386 506 680	41,91
Amériques	**922 494 552**	**100,00**

Source : POPULATIONDATA.NET, *Amériques,* [En ligne], www.populationdata.net (Page consultée le 19 février 2010)

Cette réalité démographique met en évidence le fait que, pour maintenir la place privilégiée occupée par le Canada sur la scène mondiale, les entreprises canadiennes doivent élaborer des produits et services innovateurs et miser sur l'économie du savoir. De plus, pour croître malgré la taille moindre de la population canadienne, les entreprises canadiennes et québécoises doivent s'efforcer de s'ouvrir sur le monde et d'exporter leurs produits et services. Par ailleurs, non seulement la population du Canada est relativement faible par rapport à celle de nombreux autres pays, mais son taux de croissance est peu élevé.

3.2.2_La croissance et la décroissance de la population

Au Canada, entre 2005 et 2009, le taux annuel moyen de croissance était de 0,9 %, soit environ 298 940 personnes, et de 0,3 % au Québec, soit environ 49 400 personnes [7]. L'Institut de la statistique du Québec ne prévoit pas de déclin démographique avant 2056. La population du Québec devrait atteindre 8 millions d'habitants en 2012 et s'établir à 9,2 millions en 2056 [8]. On constate une croissance faible de la population du Manitoba et de la Saskatchewan et une croissance zéro dans les Maritimes. L'augmentation annuelle de la population de l'Ontario était de 1,0 % en 2009. L'Alberta a connu une croissance annuelle moyenne de 2,8 % pendant plusieurs années, mais cette croissance a été presque nulle entre 2008 et 2009 [9].

La croissance de la population au Canada et au Québec est surtout due à l'immigration. En fait, sans l'immigration, l'augmentation de la population du Canada et du Québec serait pratiquement inexistante. De 2008 à 2009, il y a eu 377 703 naissances et 242 863 décès au Canada, pour une croissance naturelle de 94 840 personnes. Mais si l'on ajoute les 245 275 immigrants, la croissance brute a été de 340 115 personnes, nombre qui doit être ajusté en fonction de l'émigration, des résidents permanents, etc. Il en est de même pour le Québec où, au cours de la même période, il y a eu 88 600 naissances et 56 700 décès, pour une croissance naturelle de seulement 31 900 personnes en un an. Les 45 735 immigrants arrivés cette année-là représentent donc près des deux tiers de la croissance de la population du Québec [10]. Le taux de mortalité est essentiellement le même pour le Canada et pour le Québec, soit 7,3 décès pour 1000 habitants [11]. Le taux de natalité est, lui aussi, similaire : 11,4 naissances pour 1000 habitants au Québec, comparativement à 11,3 naissances pour 1000 habitants au Canada [12].

Cette croissance très faible de la population pose certainement des problèmes aux mercaticiens, du fait que la croissance des marchés liée à la croissance de la population est presque nulle. Pour augmenter les ventes, il faut innover et lancer de nouveaux produits et services, ou élaborer de puissantes stratégies de marketing afin de hausser le taux d'utilisation du produit par le marché, ou bien accroître la part de marché en ravissant des ventes aux concurrents, ou encore mettre l'accent sur les exportations. Dans tous les cas, il en résulte des coûts supplémentaires, donc une rentabilité souvent plus faible. Il existe toutefois une autre possibilité : accroître les ventes dans des segments de marché qui offrent un bon potentiel. En effet, si le taux de croissance de la population dans son ensemble est faible, il n'en est pas de même dans tous les groupes d'âge : certains croissent plus rapidement que la moyenne, d'autres moins. C'est ce que décrit la section suivante.

3.2.3_La répartition selon l'âge

Une autre donnée démographique importante concerne la répartition de la population selon les groupes d'âge. Au Canada, entre 2011 et 2031, le pourcentage des personnes de 24 ans et moins sera ramené de 29,1 % à 25,4 % et celui des personnes âgées passera de 14,4 % à 23,4 % (*voir le tableau 3.3, p. 62*).

Groupe d'âge	Année (pourcentage)				
	2011	**2016**	**2021**	**2026**	**2031**
0 à 14 ans	15,9	15,5	15,2	15,0	14,6
15 à 24 ans	13,2	12,2	11,2	10,8	10,8
25 à 39 ans	20,7	20,7	20,5	19,5	18,6
40 à 64 ans	35,8	35,2	34,4	33,4	32,6
65 à 79 ans	10,5	12,3	14,3	16,2	17,1
80 ans et plus	3,9	4,1	4,4	5,1	6,3

Source: STATISTIQUE CANADA, CANSIM, tableau 052-0004 et publication n° 91-520-X du catalogue, dernières modifications apportées le 26 juin 2008, [En ligne], www40.statscan.ca (Page consultée le 20 février 2010)

Le nombre de personnes âgées de 65 à 74 ans devrait atteindre 4,8 millions d'ici 2031, et les 75 à 84 ans atteindront 3,9 millions en 2041 (*voir l'info-marketing 3.2*). Ces données mettent en évidence l'un des phénomènes démographiques et sociaux les plus marquants pour notre société dans les prochaines décennies : le vieillissement de la population. Les effets de ce phénomène sur la société sont nombreux, au point où le gouvernement du Québec a maintenant créé un poste de ministre responsable des Aînés.

INFO MARKETING 3.2

Un portrait des aînés au Canada

« Pendant la majeure partie du XXe siècle, une proportion assez petite de la population canadienne était composée de personnes âgées de 65 ans et plus. Dans les années 1920 et 1930, les aînés représentaient environ 5 % de la population, alors qu'ils en totalisaient moins de 8 % dans les années 1950 et 1960 [...].

La situation est très différente aujourd'hui. Les faibles taux de fécondité, l'espérance de vie plus longue et les effets de la génération du baby-boom comptent parmi les facteurs qui ont entraîné le vieillissement de la population. Entre 1981 et 2005, le nombre d'aînés au Canada est passé de 2,4 millions à 4,2 millions et leur part de l'ensemble de la population, de 9,6 % à 13,1 %. Par conséquent, les groupes plus âgés sont de plus en plus représentés dans l'ensemble de la population canadienne.

Le vieillissement de la population s'accélérera au cours des trois prochaines décennies, tout spécialement parce que les enfants du baby-boom des années 1946 à 1965 commenceront à avoir 65 ans. Le nombre d'aînés au Canada devrait passer de 4,2 millions à 9,8 millions entre 2005 et 2036, et la part des aînés dans la population devrait presque doubler, soit de 13,1 % à 24,5 %. Le vieillissement de la population se poursuivra entre 2036 et 2056, mais à un rythme moins rapide. Au cours de cette période, le nombre d'aînés devrait augmenter de 9,8 millions à 11,5 millions et leur part de l'ensemble de la population, de 24,5 % à 27,2 %.

[...]

Parmi les aînés, les tendances démographiques continueront de varier considérablement selon les groupes d'âge au cours des années à venir. Entre 1981 et 2005, le nombre de Canadiens âgés de 65 à 74 ans est passé de 1,5 million à 2,2 millions et leur part de l'ensemble de la population, de 6,0 % à 6,9 %. À mesure que les enfants de la génération du baby-boom entreront dans ce groupe d'âge, le nombre de personnes âgées de 65 à 74 ans devrait augmenter jusqu'à 4,8 millions d'ici 2031, pour représenter 12,4 % de l'ensemble de la population à ce moment. [...]

Entre 1981 et 2005, le nombre de Canadiens âgés de 75 à 84 ans a plus que doublé, passant de 695 000 à 1,5 million, et leur part de l'ensemble de la population est passée de 2,8 % à 4,6 %. [...] C'est entre 2026 et 2041 que l'accroissement du groupe de personnes âgées de 75 à 84 ans devrait ⟩

être le plus marqué. La part de l'ensemble de la population que représente ce groupe d'âge devrait passer de 6,9 % à 9,7 % au cours de cette période et le nombre des personnes âgées de 75 à 84 ans devrait atteindre 3,9 millions d'ici 2041. Le vieillissement continu de la génération du baby-boom est le principal facteur qui explique cette tendance.

Le nombre d'aînés âgés de 85 ans et plus s'est accru rapidement au cours des deux dernières décennies. Entre 1981 et 2005, le nombre de personnes faisant partie de ce groupe d'âge est passé de 196 000 à 492 000 et leur part de l'ensemble de la population, de 0,8 % à 1,5 %. Entre 2005 et 2021, le nombre absolu de personnes âgées de 85 ans et plus devrait augmenter à 800 000 [... Et] entre 2021 et 2056, à mesure que les baby-boomers entreront dans ce groupe d'âge, le nombre de personnes âgées de 85 ans et plus devrait croître de 800 000 à 2,5 millions et leur part de l'ensemble de la population devrait presque tripler, soit de 2,1 % à 5,8 %. »

Source : STATISTIQUE CANADA, « Chapitre 1. Données démographiques sur le vieillissement », *Un portrait des aînés au Canada*, [En ligne], www.statcan.gc.ca (Page consultée le 22 février 2010)

Un premier effet de ce boum des aînés est de créer un marché potentiel important. Ainsi, « il naît en France [une personne âgée] toutes les 37 secondes, pour un bébé toutes les 42 secondes [13] »… Toutefois, aborder ce marché ne sera pas chose facile parce qu'il n'est pas homogène pour plusieurs raisons : l'âge diffère, et les revenus, la qualité de vie et l'état de santé des aînés varient énormément. Plusieurs mercaticiens de renom dont Daniel Yankelovich, Hervé Sauzay, Jean-Luc Excousseau et Jean-Paul Tréguer reconnaissent toutefois la nécessité de structurer ce marché par classe d'âge ; on retient la typologie suivante :

- les moins de 64 ans, les *baby-boomers* ;
- les 65 à 74 ans, les jeunes aînés ;
- les 75 à 84 ans, les aînés ;
- les 85 ans et plus, les grands aînés.

Cette segmentation doit toutefois être pondérée par l'existence d'un écart important entre l'âge réel et l'âge ressenti. Les aînés se voient et se sentent plus jeunes qu'ils ne le sont (souvent de l'ordre de 20 ans). « Ce n'est qu'au-delà de 80 ans que les gens se trouvent en phase avec leur âge réel [14] », affirme Hervé Sauzay. Le marché du troisième âge offre un potentiel énorme. Le « *baby-boom* » fait place au « *papy-boom* » [15]. Il s'agit d'une génération habituée à la société de consommation, maintenant plus à l'aise avec la technologie, possédant souvent des disponibilités monétaires et jouissant d'une ressource rare : le temps.

Un deuxième effet de ce changement démographique majeur fait toutefois l'objet d'un débat important à cause du poids accru exercé par les personnes âgées sur le système social et le besoin de ne pas augmenter progressivement les impôts des jeunes générations. Évidemment, les personnes âgées sont plus sujettes à la maladie. Par contre, elles font de plus en plus d'exercice physique, s'alimentent mieux, et par conséquent vivent plus longtemps et ont une meilleure qualité de vie. Mais elles consomment des médicaments et subissent des traitements médicaux coûteux. Les recherches menées par les compagnies pharmaceutiques en vue de découvrir de nouveaux médicaments ont permis de guérir de nombreuses maladies et d'en soulager plusieurs autres. Tout cela coûte cher, et les Canadiens de 65 ans et plus utilisent déjà 44 % des sommes consacrées à la santé et aux services sociaux [16].

La situation est fort préoccupante. En 2005, un groupe de 12 personnalités québécoises ont signé un texte intitulé *Pour un Québec lucide*. Ce manifeste est une prise de conscience des problèmes qui guettent le Québec de demain si le *statu quo* perdure. On y décrit quelques pistes qu'il faudrait explorer d'urgence afin d'assurer une certaine équité entre les générations eu égard à la dette élevée de l'État et à la charge potentiellement lourde qui devra être supportée par les générations plus jeunes dans les prochaines décennies [17]. La situation pourrait créer un conflit de générations. En effet, les déficits actuariels considérables qui sont prévus résulteront du fait que la génération des *baby-boomers* videra les différentes caisses et que les générations suivantes n'obtiendront pas les mêmes avantages sociaux, étant donné le nombre insuffisant de personnes qui travailleront pour leur assurer de tels avantages au moment de leur retraite. Un autre groupe de travail a également proposé des recommandations au sujet de ces problèmes potentiels (*voir l'info-marketing 3.3*). C'est aussi pourquoi le gouvernement du Québec a constitué le Fonds des générations pour remédier en partie aux problèmes financiers liés au vieillissement de la population (prestations de retraite, assurance médicaments, services à domicile, etc.). De cette façon, la prochaine génération sera moins imposée.

INFO MARKETING 3.3

Un résumé de la liste des recommandations du rapport Ménard

- **L'élaboration d'une stratégie** intégrée pour baliser la croissance des coûts des services de santé et des services sociaux à partir du Fonds consolidé de la province. Les coûts excédentaires devraient provenir d'autres sources.

- **Le contrôle de la dette** par la création d'un fonds énergétique affecté à son remboursement. Par exemple, en augmentant chaque année les tarifs d'électricité de 2 %.

- **L'accroissement par le gouvernement fédéral de ses transferts au Québec** en fonction de besoins nouveaux, notamment les besoins découlant de l'évolution démographique de la population québécoise.

- **L'amélioration de l'efficience et de l'efficacité du système de santé et des services sociaux** par l'élaboration d'un plan pluriannuel d'amélioration de la performance du système. Quatorze recommandations précises ont été faites et misent entre autres sur une approche multidisciplinaire, la prévention en matière de santé, l'accès à un médecin de famille, l'économie sociale (particulièrement dans le domaine de l'aide à domicile, de l'hébergement et des services de première ligne). On recommande aussi d'édicter des règles strictes pour garantir l'indépendance des médecins et des pharmaciens à l'égard des entreprises offrant des produits liés au secteur de la santé.

- **Le recours au secteur privé** pour rendre plus accessibles des services offerts dans le secteur de la santé. On pourrait, par exemple, permettre la création de cliniques où des médecins spécialistes effectueraient des opérations et offriraient d'autres services présentement assurés en milieu hospitalier. Ces cliniques seraient entièrement financées par le système public.

- **La mise sur pied d'un régime d'assurance contre la perte d'autonomie**, établi par l'État et intégré au système de services de santé et de services sociaux pour permettre le financement des services aux personnes en perte d'autonomie.

- **La création d'un « compte » santé et services sociaux**, à l'intérieur du Fonds consolidé, pour assurer des liens entre les différentes dépenses en santé et en services sociaux et garantir à la population que tout prélèvement additionnel pour la santé et les services sociaux serve effectivement à financer ces services.

- **D'autres sources de revenus** par des taxes additionnelles à la consommation si des revenus supplémentaires s'avéraient nécessaires (taxes sur les carburants, sur le tabac, sur la « malbouffe », une hausse de la TVQ, etc.).

Source : COMITÉ DE TRAVAIL SUR LA PÉRENNITÉ DU SYSTÈME DE SANTÉ ET DES SERVICES SOCIAUX DU QUÉBEC, *Pour sortir de l'impasse : la solidarité entre nos générations*, rapport et recommandations, sous la présidence de Jacques Ménard, [En ligne], www.reseaudesaidants.org (Page consultée le 24 février 2010); adaptation libre.

3.2.4_Le niveau de scolarité

Un autre facteur démographique d'importance est le niveau de scolarité. Le niveau de scolarité moyen de la population diffère grandement entre les pays développés et les pays en voie de développement. Les économies basées sur le savoir et la technologie exigent de vastes connaissances. Un rattrapage important a été fait au Québec quant au pourcentage de la population qui possède un baccalauréat. Dans les années 1960, ce pourcentage était inférieur à 5 %. C'est ce qui a conduit à la création du réseau de l'Université du Québec. Le Québec a d'ailleurs fait de grands progrès dans ce domaine au cours des dernières décennies.

Le niveau de scolarité est fortement lié au niveau de développement économique et social d'un pays, c'est pourquoi une partie importante du budget du gouvernement est consacrée à l'éducation. Deux caractéristiques de la scolarisation, au Canada et au Québec, sont aux antipodes du système d'éducation. Sur le plan des diplômes universitaires décernés, le Canada se classe très bien parmi les pays de l'OCDE (Organisation de coopération et de développement économiques). En 2006, 225 900 Canadiens ont obtenu un diplôme universitaire, dont 181 400 au premier cycle et 44 500 aux cycles supérieurs. Au total, 60,3 % des diplômés étaient des femmes (136 200 femmes et 89 700 hommes), et 45 800 diplômes ont été conférés en gestion, soit 20,3 % de la totalité [18]. Au Québec, en 2005, 1278 doctorats, 10 002 maîtrises, 32 177 baccalauréats et 19 580 certificats ont été décernés ; la même année, 30,2 % de la population québécoise – 37,9 % des femmes et 22,9 % des hommes – détenait un baccalauréat [19].

Une deuxième caractéristique de la scolarisation dérange toutefois. Il s'agit du décrochage scolaire. En effet, si le taux d'obtention d'un diplôme d'études secondaires atteignait 86,4 % au Québec en 2006, et même 93,4 % chez les filles, il n'était que de 63,3 % chez les jeunes de moins de 20 ans de sexe masculin [20]. En 2009, 31 % des jeunes (36 % des garçons et 25 % des filles) n'obtenaient pas de diplôme d'études secondaires. Le gouvernement du Québec souhaite réduire à 20 % d'ici 2020 le taux de décrochage [21]. Si des actions concrètes ne sont pas entreprises dès maintenant pour freiner le décrochage scolaire, un si faible taux de scolarité dans une économie postindustrielle pourrait être la cause de problèmes sociaux et économiques au Québec et au Canada dans l'avenir.

3.2.5_La structure des ménages

Les familles se transforment tant du point de vue de leur structure que de leur taille. Sur 2 121 610 familles au Québec, 1 768 780 sont des familles biparentales (couples mariés ou en union libre), et 352 845, des familles monoparentales [22]. Le parent est de sexe féminin dans 77,9 % des familles monoparentales. Dans les familles biparentales, 65,7 % des couples sont mariés et 34,3 % vivent en union libre [23]. Le nombre moyen d'enfants à la maison est de 1,1 chez les couples mariés, de 0,8 chez les couples vivant en union libre et de 1,5 dans les familles monoparentales [24]. Près de la moitié des personnes mariées divorcent. On compte approximativement 21 000 mariages et 17 000 divorces par année au Québec [25]. De plus, les remariages de personnes divorcées sont environ 10 fois plus nombreux que ceux des veufs et des veuves [26]. Les personnes divorcées ou séparées se remarient donc souvent, ce qui donne lieu à des familles reconstituées auxquelles s'ajoutent à l'occasion des enfants issus de cette nouvelle union. La structure du ménage traditionnel n'est plus dominante de nos jours. On trouve dorénavant des couples du même sexe ou non, mariés ou non, sans enfants ; des adultes de sexes différents ou de même sexe, qui sont mariés ou qui vivent maritalement, et qui ont des enfants ; des ménages formés d'une seule personne (ainsi que de plus en plus de célibataires qui ne vivront pas en couple). Évidemment, la structure du ménage peut devenir une variable intéressante de segmentation du marché.

3.2.6_La mobilité de la population

La mobilité des Canadiens prend de nombreuses formes. Depuis plusieurs décennies, on observe une tendance au déplacement de la population vers l'Ouest canadien. Le gain migratoire le plus important, et de loin, au cours des dernières années est survenu en Alberta, une province prospère et riche en pétrole. Le Canada est une nation en mouvement. Ses habitants déménagent beaucoup. Sur une période de 5 ans, 4 Canadiens sur 10 auront déménagé [27].

Une autre forme de mobilité concerne les déplacements des habitants des zones rurales vers les zones urbaines, déplacements qui ont débuté il y a plusieurs décennies. De nos jours, plus des quatre cinquièmes des Canadiens vivent en milieu urbain. En fait, 21,6 millions de personnes au Canada vivent dans les RMR (régions métropolitaines de recensement) comptant plus de 100 000 habitants, dont plus de la moitié à Toronto, à Montréal et à Vancouver [28], soit 11,5 millions d'habitants. Ces dernières décennies, on a noté un autre type de déplacement : un nombre considérable de couples et de familles se sont déplacés vers la banlieue et certains d'entre eux sont retournés vivre en ville une fois leurs enfants élevés (*voir l'info-marketing 3.4*). De plus, nombreux sont ceux qui ont choisi de s'installer dans la banlieue éloignée. La banlieue se caractérise par un style de vie plus décontracté, des relations plus étroites, voire amicales avec les voisins. Les familles sont souvent plus jeunes, comptent plus d'enfants et vivent généralement dans des maisons individuelles. Les gens sont plus scolarisés et les revenus, plus élevés. Les banlieusards représentent un marché potentiel intéressant pour les outils de jardinage et d'entretien de la pelouse, les souffleuses à neige, les matériaux de construction et de décoration, les loisirs et les articles de sport pour toute la famille.

INFO MARKETING 3.4

Le triomphe de la banlieue

« On l'a vertement dénoncée, on s'est beaucoup amusé aux dépens de ceux qui l'habitent. [...] Et pourtant, la banlieue continue d'attirer de plus en plus de Québécois.

Selon les plus récentes projections démographiques de l'Institut de la statistique du Québec, les régions qui connaîtront la plus forte croissance de leur population au cours des 20 prochaines années se trouvent en banlieue de l'île de Montréal : Laval (+ 29 % de 2006 à 2031), Lanaudière (+ 38 %), Laurentides (+ 34 %) et Montérégie (+ 22 %). En 1991, 32 % de la population du Québec habitait Montréal et sa banlieue ; en 2031, cette proportion atteindra 39 %.

Au sein de la région métropolitaine, l'île de Montréal continuera de subir une fuite vers la banlieue. Et c'est sans compter la croissance de la banlieue de Québec, de Gatineau et

des autres villes de la province. Le Québec est déjà et sera de plus en plus une nation de banlieusards.

Pendant ce temps, des régions mythiques stagnent, voire se dépeuplent. Le Saguenay–Lac-Saint-Jean comptait 292 000 habitants en 1991 ; il en aura perdu 37 000 en 2031. La Côte-Nord aura perdu 20 000 habitants, la Gaspésie, 14 000, l'Abitibi-Témiscamingue, 14 000 et le Bas-Saint-Laurent, 10 000. Dans certaines de ces régions, l'exode a ralenti au cours des dernières années, mais cela s'explique par l'âge avancé des habitants qui restent. Dans deux décennies, 38 % de la population de la Gaspésie et des Îles-de-la-Madeleine aura plus de 65 ans, comparativement à 21 % dans l'île de Montréal. Il est sans doute bien vu qu'un gouvernement parle d'"occupation du territoire" (les libéraux ont même › désigné un ministre responsable de ce dossier); quoi qu'ils disent, politiciens et fonctionnaires n'arriveront pas à contrer une tendance aussi lourde.

Quant à la "banlieusardisation" du Québec, elle ne se manifeste pas seulement par la croissance fulgurante de la population en périphérie des grandes villes. Le nombre d'emplois y augmente aussi, notamment les emplois manufacturiers [...]. L'offre de services commerciaux et culturels est désormais impressionnante, ce que symbolise à merveille le complexe DIX30 à Brossard.

Cette évolution amène son lot de défis. Par exemple : comment l'État québécois arrivera-t-il à payer à la fois pour garder

ouverts écoles et hôpitaux dans des régions en déclin et pour en construire de nouveaux dans les régions en croissance ?

De tels dilemmes ne changent rien aux faits : n'en déplaise à ses nombreux détracteurs, la banlieue a triomphé. Ce triomphe s'explique simplement : la banlieue correspond aux besoins, aux goûts et aux moyens financiers d'un très grand nombre de Québécois.

On n'arrivera pas à freiner ce mouvement; de toute façon, il est trop tard. Les instances publiques devraient plutôt consacrer leurs énergies à prendre des mesures permettant de rendre la vie en banlieue plus conforme aux exigences du développement durable, notamment en s'assurant que le territoire agricole est vigoureusement protégé. »

Source : André PRATTE, « Le triomphe de la banlieue », *La Presse*, 22 juillet 2009, p. A14.

3.3 L'environnement socioculturel

Le mercaticien, dans son analyse du macroenvironnement de l'entreprise, doit aussi prendre en compte l'environnement socioculturel. Quelles sont les attitudes, les valeurs et les croyances prédominantes dans la société ? Celles-ci forment la culture de groupes homogènes et sont transmises de génération en génération. Les mercaticiens doivent s'appliquer à les comprendre et s'intéresser aussi aux grandes transformations sociales. Évidemment, toutes les sociétés évoluent, sous l'influence de nouvelles valeurs, par l'effet de la démocratisation de l'éducation, de l'utilisation des technologies de l'information et des moyens de transport, de l'évolution des moyens de télécommunications, de l'immigration, de la mondialisation des marchés, de la découverte de nouveaux médicaments et de la mise au point de nouvelles techniques médicales. De nombreux changements ont marqué la société québécoise au cours de la dernière décennie. Nous considérerons ici trois de ces changements : la transformation du rôle des femmes dans la société, la diversité culturelle et les changements de valeurs.

3.3.1_La transformation du rôle des femmes

L'évolution rapide du rôle des femmes a marqué la société québécoise au point qu'il existe maintenant un fossé entre la façon de vivre des femmes d'ici et celle des femmes évoluant dans des sociétés plus traditionnelles, même quand elles viennent vivre au Canada. Deux facteurs expliquent l'évolution du rôle des femmes et des hommes dans notre société. Le premier facteur a été l'accès aux études et la hausse du niveau de scolarité des femmes qui en a résulté. De nos jours, un peu plus de 60 % des étudiants des universités québécoises sont des femmes. Ce pourcentage pourrait même s'accroître, puisque de plus en plus de garçons ne terminent pas leurs études secondaires ou collégiales. Le second facteur est intimement lié au premier. Il s'agit de l'arrivée massive des femmes sur le marché du travail. Le nombre de femmes dans la population active au Canada a augmenté de 46,1 % entre 1987 et 2007, comparativement à 23,6 % pour les hommes, pour atteindre 8,5 millions de femmes relativement à 9,5 millions d'hommes, ce qui constitue une croissance remarquable [29]. Il y a toutefois une ombre au tableau : il existe toujours des écarts salariaux entre les femmes et les hommes. En effet, les revenus moyens des femmes représentent environ les deux tiers de ceux des hommes pour l'ensemble des personnes qui travaillent au Canada.

À tout cela vient s'ajouter un autre phénomène : le nombre des tâches exercées par des femmes sur le marché du travail augmente et le temps disponible pour les autres responsabilités quotidiennes diminue. Il est bien connu que les *superwomen* manquent de temps, et cela a contribué à faire évoluer les rôles traditionnellement attribués aux deux sexes : désormais, les hommes aussi s'occupent des enfants et exécutent des tâches ménagères. D'autre part, si la tendance actuelle se poursuit, un plus grand nombre de femmes, proportionnellement plus scolarisées que les hommes, occuperont des postes de haute direction, ce qui devrait entraîner d'autres changements dans les rôles respectifs des femmes et des hommes à l'intérieur des familles. Les effets seront plus complexes dans les familles monoparentales ayant une femme à leur tête.

Les mercaticiens doivent donc offrir des produits et des services répondant à des besoins nouveaux : services de garderie au travail, services de transport pour les enfants, services de livraison à domicile, plats préparés pour emporter fournis à la garderie ou au travail, plats surgelés, etc.

3.3.2_La diversité culturelle

La société québécoise, comme la société canadienne dans son ensemble, est une mosaïque culturelle. L'origine ethnique des habitants du Canada et du Québec est de plus en plus variée. On trouve des communautés culturelles et des groupes ethniques importants dans de nombreuses villes, mais ils se concentrent surtout à Toronto, à Vancouver et à Montréal. Les deux tiers de l'accroissement démographique du Canada reposent essentiellement sur la migration internationale. En moyenne, 240 000 personnes ont immigré chaque année au Canada depuis 2001 [30]. Un peu plus de 6 millions de personnes nées à l'étranger vivent maintenant en ce pays. Les représentants des minorités visibles atteignent 5 millions, et la moitié sont d'origine asiatique – dont 40,5 % qui vivent en Colombie-Britannique. Un tiers des Canadiens sont d'origine autre que canadienne, anglaise ou française. Le Canada compte 17,9 millions d'anglophones et 6,8 millions de francophones. Le français est la langue maternelle de 80,1 % des habitants du Québec et de 22,1 % des habitants du Canada [31].

Les mercaticiens doivent tenir compte de cette réalité culturelle. Au Canada, les allophones composent une partie importante de la population, et les francophones sont une minorité, tandis qu'ils sont la majorité au Québec. Il faut aussi prendre en considération l'évolution des attitudes et des valeurs des Québécois au cours des dernières décennies. La Révolution tranquille des années 1960 et le mouvement souverainiste des années 1970 et 1980 ont eu pour effet d'accroître le nationalisme, la fierté culturelle et l'autodétermination économique des Québécois [32]. En même temps, des groupes ethniques constituent des sous-cultures importantes au sein de la société québécoise. Par exemple, les Italiens de Montréal se sont groupés à Saint-Léonard et dans la « Petite Italie », où ils se réunissent et manifestent avec exubérance à l'occasion du Mondial de football ; ils exploitent des stations de radio et de télévision ainsi que des journaux en langue italienne. Des Asiatiques se sont regroupés dans le quartier chinois de Montréal et à Brossard, sur la Rive-Sud. Depuis plus de 180 ans, les Irlandais fêtent la Saint-Patrick, un dimanche près du

17 mars, par un défilé dans les rues de Montréal auquel participent divers groupes sociaux et ethniques devant des dizaines de milliers de spectateurs.

Pour les mercaticiens, la diversité culturelle peut représenter des possibilités de marché intéressantes. Chaque groupe ethnique a des besoins, des désirs et des habitudes d'achat qui lui sont propres, ce qui implique des choix de produits et d'outils de communication particuliers. En même temps, les mercaticiens se doivent d'être prudents et de ne pas faire trop de généralisations avec les groupes ethniques. Fréquemment, d'ailleurs, les goûts et les besoins des nouvelles générations dans ces groupes ethniques se rapprochent beaucoup de ceux des jeunes des groupes majoritaires.

3.3.3_Les changements de valeurs

La démographie et la diversité culturelle influent sur les valeurs des différents groupes socioculturels et de l'ensemble de la société. Mais les valeurs sont aussi influencées par des groupes religieux ou encore par des groupes de pression qui défendent des causes comme la libéralisation ou l'interdiction de l'avortement, la recherche de moyens pour stopper le réchauffement de la planète, contrôler la pollution ou protéger l'environnement, freiner la mondialisation des marchés ou favoriser la simplicité volontaire. Certains se portent à la défense de causes politiques dans d'autres pays. Des changements importants ont eu lieu ces dernières années dans beaucoup de domaines. Les décisions des consommateurs sont influencées par les valeurs centrales, soit le système de croyances sous-jacent aux attitudes et aux comportements des consommateurs[33]. En conséquence, les spécialistes du marketing se doivent de surveiller l'évolution des valeurs dans la société. À cause de leurs effets potentiels sur la consommation de biens et services, on s'attardera particulièrement à l'évolution des valeurs en rapport aux quatre thèmes suivants : le moi et le nous, le travail, la santé et la nature.

Il y a quelques décennies, on accordait beaucoup d'importance à l'accomplissement de soi. Chacun recherchait la satisfaction personnelle, l'« autorécompense ». De nos jours encore, beaucoup de gens pensent de cette façon. Mais depuis quelques années, la « société du moi » tend à céder la place, pour plusieurs, à la « société du nous ». Beaucoup de personnes cherchent l'accomplissement personnel dans le dévouement et aspirent à rendre notre société plus humaine. On ne compte plus le nombre d'associations qui ont pour but de venir en aide aux personnes âgées, aux jeunes en difficulté, aux familles monoparentales vivant sous le seuil de la pauvreté, ou aux personnes handicapées ou à celles souffrant d'une maladie dégénérative grave. De nombreux bénévoles s'occupent d'amasser des fonds pour diverses fondations qui offrent des ressources aux enfants malades et à leur famille, aux déshérités ou pour soutenir des organisations qui ont vu l'aide gouvernementale diminuer de beaucoup. On s'intéresse maintenant à l'économie sociale et à la philanthropie, et des cours universitaires portent sur ces deux domaines. Cette tendance offre de l'intérêt pour les fournisseurs de produits et services de soutien social.

L'attitude des individus envers le travail a aussi beaucoup évolué au cours des dernières années. En effet, nombreux sont ceux qui tendent à passer du « vivre pour travailler » au « travailler pour vivre ». Les gens accordent maintenant plus d'importance à la qualité de vie. La tendance s'est accentuée avec le déclin de la fidélité organisationnelle, en particulier dans les grandes organisations qui ont dû s'adapter à la crise économique en faisant d'importantes mises à pied, ou qui ont appliqué des programmes de réingénierie des processus et de réduction du personnel pour des fins de rentabilité en recourant de plus en plus aux contractuels, aux sous-traitants et aux employés à temps partiel. Des gens se sont tournés vers la pratique des sports, les activités de loisir et le *cocooning*. Les industries des loisirs, du sport, du tourisme, des matériaux de construction et de la décoration en profitent largement. Par ailleurs, pour remédier à la baisse de la fidélité organisationnelle, bon nombre d'entreprises ont amélioré les conditions de travail et offrent même une gamme de services jugés essentiels par leurs employés tels que des garderies en milieu de travail, des services de buanderie, de changements de pneus pour l'hiver ou l'été, et de traiteur (mets préparés à emporter). Enfin, de nombreuses personnes, qui ont subi durement les contrecoups de la crise économique de 2008 et 2009, ont dû réduire subitement de beaucoup leur train de vie, et pourraient avoir à composer avec cette situation pour plusieurs années.

Une autre préoccupation majeure de la société d'aujourd'hui est la santé, qui représente environ 40 % des dépenses des gouvernements provinciaux au Canada. De nos jours, les personnes âgées tendent à être plus instruites et mieux informées, et elles prennent un plus grand soin de leur santé. De nombreuses études ont démontré que l'activité physique et une saine alimentation contribuent à conserver la santé. La plupart des gens le savent déjà. Mais le manque d'exercice, la malnutrition et la malbouffe constituent des problèmes sociaux d'importance. Un nombre sans cesse croissant d'individus ont un surplus de poids : environ 1 personne sur 2 souffre d'embonpoint, 1 sur 5 d'obésité, et 1 sur 25 d'obésité morbide. Les obèses vivent en moyenne 20 ans de moins que les personnes d'un poids normal. La figure 3.1 montre bien l'évolution de l'obésité au cours des siècles.

_FIGURE 3.1   **Le problème de l'embonpoint et de l'obésité**

Source : page couverture de la revue *The Economist*, 13-19 décembre 2003.

Les principales causes de l'obésité sont une alimentation trop riche en calories et une activité physique insuffisante. Les aliments contenant peu ou pas de matières grasses ou de cholestérol favorisent le maintien de la santé.

Face à cet état de choses, certaines entreprises ont réagi assez rapidement et proposé de nouveaux produits et services, ou modifié ou amélioré des produits et des services existants. Beaucoup de personnes ont recommencé à faire de l'exercice et fréquentent les gymnases ou les pistes cyclables. Les fabricants de produits alimentaires ont multiplié les produits à faible teneur en calories ou en matières grasses. Les ventes de bières légères augmentent. Même les chaînes de restauration rapide offrent maintenant des menus santé, ainsi que les cafétérias des écoles secondaires et des hôpitaux. Les gens commencent donc à mieux s'alimenter et recherchent plus fréquemment des produits naturels. On a vu apparaître des commerces spécialisés dans la vente d'aliments et de produits naturels de toutes sortes. De plus, des médicaments naturels pouvant être vendus sans ordonnance ont fait leur apparition sur le marché. Or, ces médicaments peuvent avoir des effets néfastes s'ils sont absorbés avec des médicaments d'ordonnance[34]. Ils peuvent même nuire gravement à la santé des personnes âgées qui consomment beaucoup de médicaments. Ainsi, des changements de valeurs ont amené des changements de comportement tels qu'un plus grand souci d'adopter de saines habitudes de vie et un intérêt accru pour les produits naturels. Mais un mauvais usage de ce type de produits peut affecter la santé. Les mercaticiens doivent non seulement être au fait des nouvelles tendances, mais aussi assumer les responsabilités sociales liées à la promotion des produits et services.

Enfin, les valeurs en rapport avec la nature sont en train de changer. Le réchauffement de la planète, l'effet de serre et les changements climatiques font l'objet de nombreux débats. L'attitude des personnes envers la nature varie beaucoup : la vente des gros véhicules utilitaires est remise en question, alors que le marché des véhicules hybrides ou à faible consommation d'essence, comme la Prius de Toyota et la Civic Insight de Honda, est en plein essor. De plus en plus de gens se préoccupent du gaspillage des ressources naturelles. Ils jugent nécessaire de les consommer de façon plus rationnelle et de mieux utiliser les circuits de distribution à rebours. Ceux-ci peuvent revêtir deux formes : la collecte des matériaux recyclables déposés dans des bacs ou la consigne versée par les magasins des chaînes d'alimentation qui reçoivent des contenants en verre, en plastique ou en aluminium.

De nombreux consommateurs expriment leur amour de la nature en faisant du cyclisme, du camping, du canotage ou de la pêche. La marche et la randonnée pédestre ont trouvé de nouveaux adeptes. Les fabricants d'articles de sport offrent des gammes complètes de bicyclettes et d'équipement de camping. Les grossistes en voyage multiplient les produits exotiques et les voyages dans les régions sauvages. Bon nombre de messages publicitaires mettent en valeur des biens de consommation en les plaçant dans des lieux naturels. Les marchés publics connaissent un renouveau, car les consommateurs recherchent des produits d'alimentation naturels et frais. C'est là une autre forme que prend le retour à la nature.

Les nouvelles valeurs (l'accomplissement de soi, l'intérêt croissant pour la qualité de vie, le souci du maintien de la santé, l'amour de la nature et la volonté de la préserver) offrent ainsi d'immenses possibilités pour l'élaboration de nouveaux produits et services, pour la modification des produits et des services existants ou pour la transformation des modes de fabrication et de distribution.

3.4 L'environnement économique

Les mercaticiens s'intéressent aux marchés. Pour qu'il y ait un marché, il faut d'abord qu'il y ait des personnes. Comme on vient de le voir, ces personnes possèdent des caractéristiques démographiques et socioculturelles. Elles détiennent également un pouvoir d'achat. Celui-ci est fonction de la structure économique des pays et de leur situation macroéconomique, de même que du revenu et des dépenses des individus et des ménages.

3.4.1_La structure économique des pays

Les niveaux de revenus et la répartition des revenus dépendent de la structure économique du pays. On distingue quatre types de structure économique[35] : l'économie de subsistance, l'économie exportatrice de matières premières, l'économie en voie d'industrialisation et l'économie industrielle et postindustrielle.

Dans une économie de subsistance, la majorité des personnes pratiquent une agriculture relativement rudimentaire et effectuent des opérations commerciales modestes. On vit au jour le jour, les conditions hygiéniques laissent à désirer, le taux de mortalité à la naissance, de même que celui des mères, est élevé et la durée de vie est relativement courte. Une économie exportatrice de matières premières offre de meilleures conditions de vie que la précédente à une catégorie définie d'individus. La répartition des revenus est inégale, car la richesse est surtout concentrée entre les mains d'exploitants de ressources naturelles, de propriétaires terriens, de commerçants et de membres des professions libérales. Si cette économie est bien exploitée, elle peut éventuellement faire place à une économie en voie d'industrialisation.

Dans une économie en voie d'industrialisation, les entreprises manufacturières représentent une part croissante du produit national brut. L'industrialisation relève le niveau des salaires et crée une classe moyenne qui, quoique relativement petite, contribue à accroître la demande ainsi que le taux d'emploi et le niveau de vie d'une grande partie de la population. C'est le cas actuellement en Inde et en Chine. L'économie industrielle et postindustrielle est la plus florissante. Dans ce type de structure économique, on exporte des biens et des services, des capitaux et des connaissances. La classe moyenne y est importante. Le Canada, les États-Unis et les pays de l'Europe de l'Ouest ont atteint le stade de l'économie postindustrielle.

3.4.2_Le contexte macroéconomique

Le taux de croissance économique (fort variable selon les pays), la mondialisation des marchés, la déréglementation, la révolution technologique (surtout celle des télécommunications), le niveau élevé de scolarisation, l'évolution des modes de vie, la montée des intégrismes sont autant de phénomènes qui influent sur l'économie des pays.

L'un des phénomènes marquants de la présente décennie est la mondialisation. Le monde entier devient accessible comme marché de produits, de services et de main-d'œuvre. Les pièces d'un avion, d'un train ou d'une voiture peuvent être fabriquées dans un pays donné, assemblées dans un autre et vendues partout dans le monde. La concurrence internationale à laquelle donne lieu la mondialisation favorise l'essor des pays peu développés, mais peut frapper durement les petits salariés du Québec et du Canada. Personne ne peut nier les effets de la concurrence des pays en voie de développement sur les producteurs locaux, dont ceux de produits agricoles. Les salaires très modestes payés dans des pays comme la Chine et l'Inde exercent souvent une pression à la baisse sur la rémunération des salariés les moins bien payés de notre pays. Certains remettent d'ailleurs en question la mondialisation, affirmant qu'elle n'a pas tenu ses promesses, surtout dans les pays en voie de développement. À la philosophie du libéralisme économique, on oppose celle du renforcement de l'État-nation[36], ce qui ne pourra sans doute que s'accentuer à la suite de la crise économique des années 2008 et 2009.

À l'inverse, les pays industrialisés exportent de plus en plus, surtout vers des pays en voie rapide d'industrialisation tels que la Chine et l'Inde, qui ont grand besoin de produits, dont les ressources naturelles, et de services pour accélérer leur industrialisation. Pour faciliter les échanges commerciaux, les pays établissent des organismes ou des partenariats comme l'Organisation mondiale du commerce (OMC), la Communauté économique européenne (CEE) et l'Accord de libre-échange nord-américain (ALENA). Il faut aussi noter que, dans les pays postindustrialisés, les services représentent une plus large part de l'activité économique que la fabrication de biens. Au Québec et au Canada, le secteur des services génère les trois quarts des emplois. Le produit intérieur brut du Canada en termes de dépenses atteignait 1 600 081 millions de dollars en 2008, le huitième plus important au monde. Le produit intérieur brut du Québec a atteint 302 225 millions de dollars en 2008, loin derrière celui de l'Ontario (587 827 millions) et suivi de près par l'Alberta (291 256 millions)[37].

3.4.3_Le revenu

Pour les mercaticiens, l'intérêt envers un marché dépend grandement du pouvoir d'achat des individus qui le composent. Le revenu d'une personne ou d'une famille peut être envisagé sous différents points de vue. Du point de vue économique, on peut considérer le revenu brut, le revenu disponible et le revenu discrétionnaire. Le revenu brut est le revenu total d'un individu ou d'une famille. Il comprend la rémunération, les dividendes, les transferts gouvernementaux, etc. Le revenu disponible est le revenu qui reste après déduction des impôts et des cotisations sociales pour se procurer les biens de première nécessité comme la nourriture, les vêtements, les médicaments et le logement. Enfin, le revenu discrétionnaire est le montant dont un individu dispose après qu'il a payé ses impôts et acheté les biens et services essentiels.

Le tableau 3.4 (*voir p. 74*) présente le revenu moyen après impôt, qui est le revenu total (y compris les transferts gouvernementaux) moins l'impôt sur le revenu, selon le type de famille économique.

Ainsi, le revenu moyen après impôt au Canada en 2007 fut de 71 900 $ pour une famille économique de deux personnes ou plus, de 82 000 $ pour une famille biparentale avec enfants, de 77 500 $ pour un couple sans enfants (deux personnes gagnant un revenu) et de 39 500 $ pour une famille monoparentale avec une femme comme soutien de famille.

Le revenu total médian pour toutes les familles de recensement en 2006 était de 63 600 $. Établi à 59 000 $, le revenu total médian des familles au Québec était donc inférieur au revenu total médian canadien. Il était de beaucoup inférieur à celui de l'Alberta (78 400 $), inférieur à celui de l'Ontario (66 600 $), un peu inférieur à celui de la Colombie-Britannique, semblable à celui du Manitoba et de la Saskatchewan et supérieur à celui de Terre-Neuve et des provinces maritimes[38].

TABLEAU 3.4 Le revenu moyen après impôt selon le type de famille économique (en dollars constants de 2007)

Type de famille économique	Revenu moyen après impôt
Famille économique, deux personnes ou plus	71 900
Famille de personnes âgées	54 200
Famille autre que celle de personnes âgées	75 000
Couple marié seulement	70 000
Deux personnes gagnant un revenu	77 500
Famille biparentale avec enfants	82 000
Famille monoparentale	41 800
Famille monoparentale ayant un homme à sa tête	52 100
Famille monoparentale ayant une femme à sa tête	39 500
Personne seule	29 800
Homme gagnant un revenu	42 800
Femme gagnant un revenu	33 800

Source : STATISTIQUE CANADA, *Revenu moyen après impôt selon le type de famille économique (2007)*, dernières modifications apportées le 2 juin 2009, [En ligne], www40.statcan.gc.ca (Page consultée le 25 février 2010)

3.4.4_Les dépenses

Pour le mercaticien, il est évidemment fort intéressant de connaître aussi les dépenses moyennes par ménage pour les différents postes de dépenses afin d'évaluer les revenus disponibles et discrétionnaires. La somme dépensée annuellement pour chaque poste de dépenses permet de faire une estimation approximative du potentiel de marché total pour divers postes. Le tableau 3.5 indique les dépenses moyennes par ménage au Canada et au Québec pour les postes de dépenses étudiés par Statistique Canada. Les dépenses moyennes totales par ménage en 2008 au Québec se chiffraient à 60 478 $; elles étaient inférieures aux dépenses moyennes canadiennes (71 364 $), ce qui est normal puisque, comme on vient de le voir, les revenus moyens sont supérieurs dans plusieurs autres provinces[39]. Les trois principaux postes de dépenses pour les ménages québécois sont le logement, le transport et l'alimentation ; ils totalisent 26 565 $, ce qui représente 61,6 % des dépenses de consommation courante, qui sont de 43 108 $. Les dépenses les plus importantes vont au logement et elles sont substantiellement plus élevées dans le reste du Canada (à 14 183 $) qu'au Québec (à 11 169 $). De plus, les Canadiens dépensent plus pour l'habillement, le transport, les loisirs et l'éducation que les Québécois.

Les spécialistes des études de marché analysent les revenus, les sources de revenus, l'épargne et les divers postes de dépenses pour évaluer la totalité ou une partie des marchés potentiels. Ils cherchent aussi à dégager des tendances. Une augmentation notable du prix des biens et services se rattachant à un poste de dépenses donné peut avoir des répercussions sur les dépenses afférentes à ce poste, mais aussi sur les dépenses afférentes à d'autres postes. Ainsi, comme la section suivante l'expliquera, l'augmentation du prix d'une ressource naturelle, comme le pétrole, pourrait entraîner non seulement une baisse de la demande pour des voitures énergivores, mais aussi une augmentation des dépenses pour les loisirs, ce qui inciterait les gens à remplacer les voyages par le *cocooning*.

Type de dépenses	Dépenses moyennes des ménages	
	Canada	Québec
Alimentation	7 435	7 399
Logement	14 183	11 169
Entretien ménager	3 345	2 653
Ameublement	1 967	1 578
Habillement	7 856	2 368
Transport	9 722	7 997
Soins de santé	2 044	2 084
Soins personnels	1 189	1 078
Loisirs	4 066	3 304
Matériel de lecture	253	231
Éducation	1 179	641
Tabac et alcool	1 495	1 416
Jeux de hasard	260	228
Divers	1 075	965
Impôt sur le revenu	14 599	12 423
Versements d'assurances et cotisations de retraite	4 023	3 848
Dons en argent et contribution	1 674	1 100
Dépenses totales	**71 364**	**60 478**
Consommation courante totale	**51 068**	**43 108**

Source : STATISTIQUE CANADA, *Dépenses moyennes des ménages, par province et territoire, et au Québec (2008)*, CANSIM, tableau 203-0001, dernières modifications apportées le 21 décembre 2009 [En ligne], www40.statcan. gc.ca (Page consultée le 1er mars 2010)

3.5 L'environnement naturel

La détérioration de l'environnement naturel est devenue l'un des problèmes les plus importants de notre société. Les gens prennent davantage conscience de la gravité de la situation, et de plus en plus de citoyens se portent à la défense de la nature. Les quatre principaux sujets de préoccupation relativement à l'environnement naturel sont la pollution, les changements climatiques, l'offre et la demande pour les matières premières et les coûts croissants de l'énergie. Les mercaticiens se doivent de bien comprendre les enjeux majeurs liés à l'environnement naturel pour être en mesure de cerner les menaces possibles et de trouver des idées de produits et de services susceptibles de répondre aux préoccupations d'ordre écologique et aux besoins qui s'y rapportent.

_FIGURE 3.2 **La protection de l'environnement**

Source: *Châtelaine*, vol. 50, n° 6, juin 2009, p. 161.

Ainsi Honda a devancé la plupart des manufacturiers d'automobiles en s'efforçant de créer des produits qui préservent l'environnement, ce qu'elle communique dans sa campagne publicitaire «Un ciel bleu pour nos enfants» (*voir la figure 3.2*).

3.5.1_La pollution

Dans les grandes villes un peu partout dans le monde, et même dans les régions peu habitées, on entend souvent parler de pollution de l'air, pollution de la terre ou pollution de l'eau. Des rivières de l'Amérique du Sud sont polluées par des déchets provenant d'exploitations minières. Les érables du Québec sont menacés par les pluies acides qui émanent d'usines du centre des États-Unis et de l'Ontario, et une partie des polluants présents dans le Saint-Laurent dérive des Grands Lacs. L'environnement naturel est abîmé par des déchets chimiques, biomédicaux et même nucléaires, par les engrais chimiques, les produits non biodégradables, les plastiques et autres matériaux d'emballage. Certains terrains sont à ce point contaminés que leur décontamination entraînerait des coûts exorbitants. Les citoyens eux aussi sont responsables de la pollution. Par exemple, le maintien de la propreté dans les rues d'une ville comme Montréal relève du défi à cause de l'insouciance des gens. Et les algues bleues polluent de nombreux lacs du Québec à cause des négligences et mauvaises habitudes des riverains et des pratiques abusives de certains usagers des plans d'eau.

Cependant, les valeurs et les attitudes changent, tranquillement. Les villes et les municipalités imposent des règlements, et des associations de citoyens militent pour faire changer les habitudes. Beaucoup de gens trient maintenant leurs ordures ménagères afin de mettre à part ce qui est recyclable. Chaque Canadien produit en moyenne 383 kilos de déchets solides par année et environ le cinquième de ces déchets est recyclé ou réacheminé autrement[40]. Les entreprises commerciales et industrielles ainsi que les organismes gouvernementaux fournissent un peu plus de la moitié des matières à recycler, tandis que les ménages en fournissent les deux cinquièmes. Dans les bureaux, on recycle le papier. Une entreprise comme Cascades doit son succès à ses procédés innovateurs en matière de recyclage. Un très grand nombre de fabricants de biens de consommation utilisent maintenant du papier et du carton recyclés. On parle de «consommation responsable» et d'«acquisition écologique» (acquisition de biens respectueux de l'environnement, c'est-à-dire fabriqués avec des matières recyclées et recyclables de nouveau, présentés dans un emballage consigné, etc.). Les consommateurs recherchent les produits «verts» et sont même prêts à payer un peu plus cher pour avoir des produits plus écologiques. Le souci écologique croissant de la population favorise donc l'élaboration de nouvelles méthodes de production, de nouveaux produits et emballages moins nuisibles à l'environnement. Malheureusement, certaines entreprises sans conscience sociale donnent une image «verte» à leurs produits sans réellement adopter un comportement responsable. On appelle cette mascarade écologique, où l'on n'hésite pas à utiliser des labels faux ou trompeurs, le *greenwashing* (écoblanchiment)[41]. Des efforts sont faits pour pallier ce problème éthique de prétentions écologiques fallacieuses (*voir l'info-marketing 3.5*).

Est-ce réellement écologique ?

L'Association canadienne de normalisation (Canadian Standard Association, CSA) est un organisme non gouvernemental constitué de membres dont les activités visent à répondre aux besoins de l'industrie, du gouvernement, des consommateurs et d'autres parties intéressées, au Canada et dans le monde entier. Important organisme de normalisation axé sur les solutions, la CSA élabore des normes et des codes, et fournit des produits d'application ainsi que des services de formation et de consultation. La CSA a pour objectif de renforcer la sécurité publique, d'améliorer la qualité de vie, de protéger l'environnement et de faciliter les échanges commerciaux. Le Bureau de la concurrence du Canada (BCC) est un organisme indépendant qui contribue à la prospérité des Canadiens en protégeant et en favorisant des marchés concurrentiels et en permettant aux consommateurs de faire des choix éclairés.

Le BCC et la CSA ont élaboré en 2008 un guide détaillé pour tenter de limiter les abus dans les prétentions « écologiques » publicitaires de certaines entreprises.

« [On y trouve des] lignes directrices qui donnent aux entreprises les outils voulus pour s'assurer que la promotion commerciale axée sur l'aspect écologique n'est pas trompeuse, et aux consommateurs une plus grande assurance en ce qui concerne l'exactitude des déclarations environnementales.

Le document *Déclarations environnementales : Guide pour l'industrie et les publicitaires* traite de diverses déclarations écologiques couramment utilisées et donne des exemples de pratiques exemplaires quant à la façon de les utiliser conformément aux dispositions sur les indications fausses et trompeuses des lois appliquées par le Bureau de la concurrence. Entre autres, le guide énonce les conseils suivants :

■ Les déclarations vagues impliquant de façon générale des bienfaits pour l'environnement sont insuffisantes et devraient être évitées ;

■ Les déclarations environnementales devraient être claires, précises et exactes, et non trompeuses ;

■ Les déclarations environnementales devraient être vérifiées et étayées avant d'être données.

"Les consommateurs ne doivent pas être induits en erreur par des déclarations écologiques trompeuses", a déclaré la commissaire de la concurrence Sheridan Scott. "Les entreprises ne devraient pas faire des déclarations environnementales à moins de pouvoir les justifier. Au bout du compte, ce principe profitera aux entreprises légitimes et aux consommateurs en assurant une plus grande véracité dans la publicité faite sur le marché."

"Les déclarations environnementales prennent de plus en plus d'importance alors que des produits 'écologiques' nouveaux et novateurs font quotidiennement leur apparition sur le marché", soutient Suzanne Kiraly, présidente, Normes, Association canadienne de normalisation (CSA). "La CSA a utilisé son expertise pour concevoir des normes afin d'aider les entreprises et les publicitaires canadiens à formuler des déclarations environnementales plus exactes. Cela aidera les consommateurs à faire des choix plus éclairés au moment d'acheter des produits qui sont présentés comme ayant des répercussions moins importantes dans l'ensemble sur l'environnement."

Le Bureau reconnaît que les entreprises pourraient vouloir réévaluer leur publicité et leur étiquetage à la lumière du guide. [...]

Le guide n'a pas force de loi, mais le fait de respecter les meilleures pratiques qui y sont décrites aidera les entreprises à éviter de faire des déclarations trompeuses contrevenant aux lois appliquées par le Bureau. Le guide servira de référence au Bureau pour évaluer la publicité environnementale qui suscite des préoccupations au regard du mandat que lui confie la loi. »

Source : BUREAU DE LA CONCURRENCE, *Est-ce réellement écologique ?*, [En ligne], www.bureaudelaconcurrence.gc.ca (Page consultée le 1er mars 2010) ; adaptation libre.

3.5.2_Les changements climatiques

Les changements climatiques sont une autre source majeure de préoccupation environnementale. Ces changements sont principalement dus aux émissions de gaz à effet de serre (GES). Le Canada et 156 autres pays ont signé le protocole de Kyoto qui a été ouvert à la ratification le 16 mars 1998 et est entré en vigueur en février 2005, lequel constitue un engagement à réduire les effets des changements climatiques par la réduction des émissions de GES [42]. Malheureusement, le gouvernement canadien ne respecte pas ses engagements internationaux et le Canada n'a pas réduit ses émissions de gaz à effet de serre. Le Canada s'était engagé à une réduction de 6 % sous les niveaux de 1990, de 2008 à 2012, en vertu du Protocole de Kyoto. Au lieu de cela, ses émissions sont près de 34 fois supérieures à l'objectif établi pour 2012. Le Canada se classe parmi les derniers pays du monde quant à la réduction de ses émissions de GES [43].

Les changements climatiques représentent plus qu'un réchauffement de la planète. L'augmentation des températures modifiera le climat à différents points de vue : la configuration des vents, les quantités et les formes de précipitations ainsi que le type et la fréquence des phénomènes climatiques aberrants (par exemple, canicules, inondations et tempêtes de neige en Europe, ouragans aux États-Unis, sécheresses et verglas au Canada). Les changements climatiques pourraient avoir de sérieuses conséquences sur l'environnement, la société, l'économie et la santé humaine.

Les changements climatiques sont à peine perceptibles, mais ils pourraient avoir d'innombrables répercussions dans plusieurs pays et sur de nombreuses industries. Au Canada, voici, dans quelques domaines, certaines incidences possibles [44] :

- **Agriculture.** Événements météorologiques extrêmes, augmentation du nombre de canicules et de pluies diluviennes qui résultera en un allongement des périodes de sécheresse et d'inondation, redoux hivernaux qui nuiront aux récoltes ;
- **Faune.** Migration de nombreuses espèces vers le nord de même qu'en altitude – une réorganisation en profondeur des communautés animales se prépare ;
- **Ressources naturelles.** Baisse du niveau d'eau dans le Saint-Laurent et les Grands Lacs, accroissement de l'érosion en particulier dans l'estuaire maritime et le golfe du Saint-Laurent, redistribution et modification du taux de croissance des espèces d'arbres et de plantes dans les forêts, augmentation du nombre d'épidémies et d'incendies de forêt ;
- **Tourisme.** Diminution de la quantité de neige et, par conséquent, raccourcissement des saisons de ski et de motoneige ; impact de la détérioration de la qualité des eaux des lacs et des rivières sur le nautisme et la pêche ;
- **Santé.** Multiplication des canicules et des épisodes de smog, avec leurs conséquences sur la santé des personnes âgées ou souffrant de maladies respiratoires, propagation des maladies contagieuses, progression de maladies vectorielles comme le virus du Nil, la maladie de Lyme et même la malaria.

Évidemment, les changements climatiques pousseront les chercheurs et les mercaticiens à concevoir de nouveaux vaccins, des climatiseurs plus efficaces, des produits pour décontaminer l'eau potable, des centres d'activités de plein air ouverts toute l'année... Les étés pourraient devenir plus longs, plus chauds ou plus froids, ou plus pluvieux, avec de grandes fluctuations de températures, ce qui pourrait beaucoup nuire à certains fabricants et commerçants travaillant dans l'industrie du tourisme, par exemple, et offrir de nouvelles possibilités pour d'autres.

3.5.3_L'offre et la demande pour les matières premières

Le Canada est riche en ressources naturelles de tout genre : ressources agricoles, ressources forestières, ressources marines, ressources hydrauliques, ressources énergétiques et ressources minières. Pendant longtemps, les gens ont considéré l'environnement comme une source intarissable de ressources telles que le poisson, le bois d'œuvre, le pétrole, le gaz, l'or et le cuivre. Les stocks de poissons et les forêts, croyait-on, étaient inépuisables. Ces ressources sont toujours abondantes, mais elles ne sont pas infinies [45].

Des phénomènes tels que les pluies acides, l'amincissement de la couche d'ozone et l'épuisement des stocks de poisson ont montré que l'environnement est incapable d'absorber la pollution et de renouveler les ressources si l'on continue à lui en demander autant. Il est devenu impératif de subvenir aux besoins environnementaux et économiques du pays en gérant bien les ressources naturelles. Il apparaît nécessaire d'assurer un développement durable. On définit ce dernier comme un développement qui répond aux besoins présents sans affaiblir la capacité des générations futures à répondre aux leurs.

Les ressources de la terre sont limitées. Certaines sont renouvelables, d'autres non. Les mercaticiens doivent être conscients des enjeux du développement durable pour leur entreprise et leurs produits. Les ressources naturelles représentent une partie importante de l'activité économique du pays ; le bois, le minerai de fer, le zinc, le poisson, le blé et le pétrole sont les principales ressources naturelles qui y sont exploitées. Le développement rapide de pays comme la Chine et l'Inde entraîne une augmentation de la demande pour les matières premières, ce qui exerce des pressions à la hausse sur les prix et stimule l'offre.

Certaines ressources renouvelables comme les forêts et le poisson doivent être exploitées de façon raisonnable si l'on veut répondre non seulement à la demande actuelle, mais aussi aux demandes de demain. Des mouvements écologiques militent pour qu'une plus grande partie du territoire fasse l'objet de mesures de protection et pour que les grandes entreprises forestières planifient leur coupe du bois de manière à assurer le développement durable.

Il est nécessaire par ailleurs de gérer de façon plus rationnelle les ressources non renouvelables, ce qui suppose la collaboration de l'industrie et de la population. Si des matières premières comme le zinc, le magnésium ou le platine deviennent rares, leur prix connaîtra des pressions à la hausse. Pour remédier au problème de la rareté, les chercheurs dans le secteur de l'industrie doivent trouver des moyens d'utiliser au mieux les matières premières ou leur découvrir des substituts.

Les mercaticiens doivent bien connaître l'état de l'offre et de la demande pour les matières premières et savoir l'observer du point de vue des fournisseurs, des fabricants et des acheteurs, que ceux-ci soient des individus ou des entreprises.

3.5.4_Les coûts croissants de l'énergie

Comme on vient de le voir, le développement de certains pays entraîne une augmentation de la demande pour les matières premières, ce qui est très bon pour l'économie canadienne. Ainsi, la demande pour les ressources énergétiques renouvelables ou non renouvelables sera très forte dans les années à venir, et exercera nécessairement des pressions à la hausse sur les prix.

Le cas du pétrole, une ressource non renouvelable, est significatif à cet égard. L'augmentation de la demande pour le pétrole destiné à l'industrie et au transport (en particulier l'automobile) provenant des pays en développement (comme la Chine), jointe à une réduction possible de l'offre venant de pays à risque géopolitique (comme l'Iran, l'Iraq et le Nigeria) ou qui se servent du pétrole comme d'une arme politique (comme le Venezuela), a provoqué une hausse considérable des prix, qui sont passés au Québec de moins de 0,70 $ le litre à 1,47 $ à l'été 2008.

Une augmentation du prix du pétrole se répercute sur les coûts de production des biens de consommation et des biens industriels et sur les frais d'opération des transporteurs et des distributeurs. Il en résulte une augmentation des prix des produits (aliments ou meubles) et des services (transport aérien ou transport en commun). La demande pour les ressources énergétiques renouvelables comme l'électricité augmentera aussi en proportion. Le Québec est privilégié à cet égard. C'est pourquoi plusieurs alumineries s'y sont implantées.

La part de l'hydroélectricité par rapport à la production totale d'électricité demeurera considérable, mais, par souci de développement durable, on utilisera aussi des éoliennes. La demande mondiale croissante pour l'énergie entraînera également une hausse des prix de l'électricité, mais sans doute pas au même rythme que ceux du pétrole.

Il est clair que les questions environnementales font maintenant partie des préoccupations majeures de notre société. La protection de l'environnement est une responsabilité sociale des individus, des entreprises et des gouvernements. Les quatre grandes préoccupations environnementales (la pollution, les changements climatiques, l'offre et la demande pour les matières premières et les coûts croissants de l'énergie) doivent maintenant faire partie des questions que les décideurs responsables, tant du secteur public que du secteur privé, considèrent quotidiennement dans leur travail.

Les entreprises, leurs administrateurs et leurs cadres seront désormais évalués non seulement sur leurs résultats financiers, mais aussi sur la manière dont ils assument leurs responsabilités sociales et environnementales.

3.6 L'environnement technologique et scientifique

La technologie et la science ont des répercussions sur le mode de vie et les valeurs des individus, puisque les progrès techniques et les découvertes scientifiques ont d'innombrables applications dans leur vie quotidienne. Immanquablement, la technologie a changé la manière de faire des affaires. De nos jours, elle est la force dynamique qui façonne la vie. Tous reconnaissent que la recherche et l'innovation de même que l'utilisation des technologies sont essentielles pour assurer la croissance de l'économie. Comme on l'a vu, le Canada ne peut pas concurrencer l'Inde, la Chine ou Singapour pour des produits dont la fabrication requiert une vaste main-d'œuvre. Il doit se différencier par des produits innovateurs qui font appel à une technologie de pointe et à des connaissances de très haut niveau.

Les innovations technologiques peuvent contribuer au succès des entreprises ou à leur échec. Les entreprises doivent connaître leur environnement technologique et scientifique, assurer la recherche et le développement de nouveaux produits, acquérir du matériel de pointe, connaître les firmes qui offrent des services-conseils et maîtriser les techniques de mise en marché. Pour les entreprises industrielles, l'innovation peut aussi signifier de nouveaux modes de production et de nouveaux procédés de fabrication.

3.6.1_L'industrie du savoir

Traditionnellement, les termes « industrie du savoir » et « industrie des connaissances » désignent des industries qui font surtout appel à la technologie et au capital humain. C'est le cas des industries de haute et de moyenne-haute technologie telles que les industries pharmaceutique, aéronautique et spatiale, et électronique.

Les industries du vêtement, du bois et du papier et des instruments aratoires sont, quant à elles, des industries de faible technologie. Les entreprises manufacturières innovent en matière de produits et de procédés. Pour introduire des innovations chez elles, les entreprises consultent des sources d'information internes et externes. Internet et l'informatique sont les moyens les plus utilisés pour obtenir de l'information et investissent dans la recherche et le développement.

Desmond Beckstead et Guy Gellatly se sont penchés sur la notion de nouvelle économie et ont élargi la définition de l'industrie du savoir en prenant en compte la tendance de la structure professionnelle du Canada à aller vers les professions à forte concentration du savoir [46]. L'industrie du savoir comprend évidemment des industries axées sur les technologies et les sciences, comme les technologies de l'information et des communications (TIC), et notamment les services informatiques. Mais elle comprend aussi des industries à vocation scientifique telles que les bureaux d'architectes, d'ingénieurs et d'autres services scientifiques et technologiques ; les industries des services financiers, comme les intermédiaires financiers, les services de comptabilité et les intermédiaires d'investissement ; les bureaux de conseil en gestion.

Une chose est sûre : dans la nouvelle économie, même des industries qui ne sont pas de haute technologie investissent dans les connaissances [47]. L'investissement dans le capital humain est essentiel à la croissance économique dans un pays comme le Canada, car il permet aux entreprises du pays de se différencier des entreprises des pays en voie de développement rapide. Si l'on veut que le Canada conserve son avantage concurrentiel, il est nécessaire que tous les mercaticiens, ceux qui s'occupent du marché des consommateurs comme ceux qui s'intéressent aux entreprises et aux organisations, connaissent les nouveaux besoins et contribuent à l'élaboration de produits innovateurs et à l'exploitation des connaissances et des compétences.

3.6.2_Une croissance accélérée

Les innovations technologiques et scientifiques se succèdent à une vitesse sans proportion avec ce que l'on avait connu jusqu'ici. En l'espace de moins d'un demi-siècle, on a vu apparaître les ordinateurs personnels, les télécopieurs, les magnétoscopes, les disques compacts, les guichets automatiques et les montres numériques. Depuis quelques années, les nouvelles inventions se suivent à un rythme trépidant ; mentionnons, entre autres, le téléphone cellulaire, la télévision par satellite et la télévision numérique, les disques vidéonumériques, les jeux vidéo, Internet haute vitesse, les produits comme l'iPod Nano, et les services financiers à domicile. En particulier, le secteur des technologies de l'information et des communications (TIC) est en pleine effervescence par suite de l'avènement de la téléphonie par câble ou IP. L'arrivée de ces nouvelles technologies a des répercussions sur le marketing des biens de consommation. Mais d'autres innovations tout aussi importantes sont apparues sur les marchés industriel, institutionnel et professionnel dans les domaines pharmaceutique, aéronautique et informatique. À cet égard, dans des secteurs tels que la robotique, le génie biomédical et les nouveaux matériaux synthétiques comme les composites, les développements majeurs se multiplient.

Tous ces changements technologiques et scientifiques influent directement ou indirectement sur les valeurs des gens et sur leurs façons d'être, d'agir et même de vivre. Par exemple, les services financiers à domicile sont plus accessibles, plus rapides et plus efficaces que les services financiers traditionnels. Les TIC permettent d'obtenir de nombreux services à domicile, comme le commerce électronique et Internet. Ce dernier facilite le travail à domicile, et le télétravail contribue à réduire la circulation automobile et la pollution.

Les innovations proviennent à la fois de la recherche appliquée et de la recherche fondamentale. Les grandes entreprises possèdent leurs propres laboratoires de recherche, les gouvernements soutiennent les efforts de recherche et les chercheurs universitaires participent à la recherche fondamentale, et même quelquefois à la recherche appliquée. Les mercaticiens ont l'obligation de se tenir au courant des recherches qui se font dans leurs domaines. Ils doivent collaborer avec les scientifiques pour mettre sur pied et maintenir un système de veille technologique qui soit à l'avant-garde sur leur marché, de façon à offrir des biens et des services concurrentiels et propres à satisfaire de nouveaux besoins.

_3.7 L'environnement politico-juridique

L'environnement politico-juridique a aussi une grande influence sur les décisions de marketing. La mise en marché de biens et de services est encadrée par des lois fédérales et provinciales, que les mercaticiens se doivent de connaître. La législation sur les affaires poursuit trois buts : protéger les entreprises de la concurrence déloyale, protéger les consommateurs contre les pratiques abusives des entreprises et protéger la société en général contre les agissements déloyaux de certaines entreprises [48]. Voici en revue les principales lois qui réglementent les activités commerciales des entreprises et des consommateurs.

3.7.1_Les lois du Québec

Sans doute la loi la plus connue au Québec en matière de consommation est la *Loi sur la protection du consommateur*. Elle a pour but de protéger la population québécoise dans de nombreux secteurs de la consommation. Elle régit les contrats conclus entre consommateurs et commerçants, prévoit une garantie fondamentale sur tous les biens et services, prévoit des protections particulières pour certains types de contrat (crédit, commerce itinérant, vente à distance, vente et réparations d'automobiles, motocyclettes et appareils domestiques, location à long terme, etc.), détermine certains domaines d'activité commerciale où la délivrance d'un permis est requise (comme les studios de santé), encadre la publicité concernant le crédit, la location à long terme et celle destinée aux enfants de moins de 13 ans, et ainsi de suite [49].

Cette loi interdit aux commerçants, aux fabricants et aux publicitaires de se livrer à des pratiques susceptibles d'induire les consommateurs en erreur. Dans des circonstances définies, elle oblige les commerçants à déposer dans des comptes en fidéicommis les sommes reçues des consommateurs. Enfin, en plus de prévoir des sanctions pénales en cas de violation de la loi, elle précise les recours dont disposent les consommateurs lorsque les pratiques des commerçants, des fabricants ou des publicitaires leur paraissent déloyales. À cette loi se rattachent trois lois plus particulières : la *Loi sur les arrangements préalables de services funéraires et de sépulture,* la *Loi sur le recouvrement de certaines créances* et la *Loi sur les agents de voyages* [50]. La *Loi sur la protection du consommateur* est continuellement mise à jour. Ainsi, en décembre 2009, un grand ménage dans les télécommunications a été entrepris afin de protéger les consommateurs, en exigeant que soient clairement définis les termes des contrats, comme le prix ou la durée des abonnements. On s'est aussi penché, entre autres, sur les garanties prolongées, les frais cachés, les dates d'expiration des cartes-cadeaux [51]...

3.7.2_Les lois fédérales

Les lois provinciales portent surtout sur des questions telles que les conditions de vente, les garanties, la délivrance de services, les pratiques commerciales déloyales, les questions contractuelles, les ventes par démarchage, le crédit et la divulgation du coût du crédit, et les pratiques de recouvrement des créances. Le gouvernement fédéral, pour sa part, se charge de réglementer le marché national et veille à ce qu'il soit juste, efficace et concurrentiel pour les producteurs, les commerçants et les consommateurs. Parmi les lois fédérales actuelles relatives à la protection du consommateur, certaines concernent la concurrence, la sécurité du consommateur (produits dangereux, aliments et drogues, salubrité alimentaire), l'étiquetage, le commerce électronique et la protection des renseignements personnels. Le gouvernement fédéral a aussi le pouvoir exclusif de légiférer sur les opérations bancaires et les industries des télécommunications. L'info-marketing 3.6 présente une brève description des principales lois fédérales relatives à la protection du consommateur.

INFO MARKETING 3.6

Quelques lois fédérales relatives à la protection du consommateur

La *Loi sur la concurrence* (L. R. 1985, ch. C-34) porte sur des questions de consommation, sur les pratiques commerciales trompeuses, comme les indications fausses ou trompeuses, les concours publicitaires, les pratiques concernant les remises, les prix d'occasion et les prix d'appel, sur des questions de concurrence comme la discrimination par les prix et l'établissement d'un prix abusif, le respect des garanties.

[En ligne], http://lois.justice.gc.ca (Page consultée le 28 février 2010)

La sécurité du consommateur – Les produits de consommation généraux

La *Loi sur les produits dangereux* (L. R. 1985, chap. H-3) et ses règlements d'application fournissent des normes nationales de sécurité pour une large gamme de produits de consommation, depuis les dispositifs de retenue d'enfants pour véhicules automobiles jusqu'aux casques de hockey sur glace. Cette loi pourrait être remplacée par une proposition législative, le projet de loi C-6, qui instaurerait un nouveau régime réglementaire qui aiderait à mieux protéger les familles canadiennes contre les produits de consommation dangereux. D'autre part, la *Loi sur les aliments et drogues* (L. R. 1985, ch. F-27) réglemente la vente d'aliments, de drogues, de cosmétiques et d'appareils médicaux au Canada.

[En ligne], www.hc-sc.gc.ca (Page consultée le 28 février 2010); [En ligne], http://laws.justice.gc.ca (Page consultée le 1er mars 2010); [En ligne] www.hc.sc.gc.ca (Page consultée le 1er mars 2010)

La sécurité du consommateur – La salubrité alimentaire

L'Agence canadienne d'inspection des aliments applique un certain nombre de lois et de règlements qui sont conçus pour assurer la salubrité des approvisionnements alimentaires. Les gouvernements provinciaux peuvent aussi administrer d'importants programmes d'inspection des aliments.

La sécurité du consommateur – Les véhicules automobiles

La *Loi sur la sécurité automobile* (L. R. 1993, ch.16) régit la fabrication et l'importation des véhicules et équipements automobiles en vue de limiter les risques de mort et de dommages corporels, matériels et environnementaux. On s'intéresse aussi aux coussins d'appoint, aux pneus, etc.

[En ligne], www.tc.gc.ca (Page consultée le 1er mars 2010)

L'étiquetage

La *Loi sur l'emballage et l'étiquetage des produits de consommation* (L. R. 1985, chap. C-34) fait en sorte que les emballages des produits alimentaires présentent convenablement ceux-ci – quantité et ingrédients – dans les deux langues officielles. On se penche sur les normes de présentation de la déclaration de quantité nette, l'étiquetage contenant de faux renseignements, etc.

[En ligne], http://lois.justice.gc.ca (Page consultée le 1er mars 2010)

La protection des renseignements personnels

La *Loi sur la protection des renseignements personnels* (L.R., 1985, ch. P-21), qui s'applique actuellement aux entités sous réglementation fédérale et aux ventes transfrontières – et qui, depuis le 1er janvier 2004, s'applique à l'ensemble du secteur privé dans les provinces qui n'ont pas de loi sur la protection des renseignements personnels –, offre aux consommateurs la possibilité de savoir quelle information les entreprises réglementées recueillent à leur sujet, de choisir de soustraire leurs ⟩

renseignements personnels aux pratiques de collecte d'information des entreprises et de corriger l'information inexacte. La *Loi sur la protection des renseignements personnels dans le secteur privé* du Québec (L. Q., chap. P.39.1) régit les pratiques d'information des entreprises dans cette province.»

[En ligne], http://lois.justice.gc.ca (Page consultée le 1er mars 2010)

Une nouvelle loi sur la protection du commerce électronique (LPCE) est proposée. La nouvelle loi établirait un cadre de réglementation pour protéger le commerce électronique au Canada, et s'attaquerait aux courriels commerciaux non sollicités (pourriels) en interdisant l'envoi de messages électroniques commerciaux sans consentement, interdirait les pratiques nuisibles au commerce électronique, les représentations fausses ou trompeuses en ligne, la collecte de renseignements personnels par l'accès aux systèmes d'ordinateur sans consentement, etc.

[En ligne], www.ic.gc.ca (Page consultée le 1er mars 2010)

Les lois instituées par les deux paliers de gouvernement et l'autoréglementation de l'industrie et des professions contribuent à protéger les consommateurs, et au cours des dernières décennies, les efforts faits en ce sens ont progressé à pas de géant, mais les consommateurs se doivent d'être vigilants et de jouer un rôle actif. Des organismes indépendants et différentes associations de protection du consommateur, comme l'Association pour la protection des automobilistes (APA), l'Association des consommateurs du Canada (ACC) et les associations coopératives d'économie familiale (ACEF), offrent des services de consultation budgétaire et reçoivent les plaintes relatives à la consommation. Ces organismes et associations défendent les droits des consommateurs. Ils se rattachent au consommateurisme, un mouvement d'idées qui a pour but de défendre les intérêts des consommateurs, d'accroître leur pouvoir et de faire respecter leurs droits face aux entreprises. Le magazine québécois *Protégez-Vous* défend les idées propres au consommateurisme. Il a pour mission d'aider les citoyens à se faire une opinion éclairée sur les biens, les services et les enjeux liés à la consommation.

Les mercaticiens ont le devoir de s'assurer que l'entreprise pour laquelle ils travaillent offre des produits et des services sécuritaires, qu'elle informe bien les consommateurs, qu'elle est consciente de ses responsabilités sociales, qu'elle possède et applique un code d'éthique envers les clients et les consommateurs, et qu'elle respecte toutes les lois fédérales et provinciales concernant ceux-ci.

_ Pour réussir, les entreprises doivent bien connaître leur environnement, déceler les changements, reconnaître les nouveaux besoins et les besoins changeants. L'environnement est source d'occasions d'affaires mais aussi de menaces. Dans leur analyse du macroenvironnement de l'entreprise, les mercaticiens doivent tout d'abord cerner les tendances et les mégatendances de cet environnement. Une tendance est une mouvance, un courant, une séquence d'événements, de pratiques, de façons de vivre ou de faire. Une mégatendance est une tendance lourde à caractère social et économique.

_ Le macroenvironnement est composé des environnements démographique, socioculturel, économique, naturel, technologique et scientifique, et politico-juridique. L'environnement démographique est le premier élément de l'environnement de toute organisation. Les individus composent les marchés et sont à la base de la demande pour les biens et services. Les spécialistes du marketing veulent connaître les différentes caractéristiques de la population et les changements que subit cette dernière. Ils en considèrent la taille, la croissance et la décroissance, la répartition selon l'âge, le niveau de scolarité, la structure des ménages et la mobilité.

_ Les mercaticiens doivent aussi prendre en compte l'environnement socioculturel. Quelles sont les attitudes, les valeurs et les croyances prédominantes dans la société? Les spécialistes du marketing doivent les connaître et les comprendre, tout comme ils doivent s'intéresser aux grandes transformations sociales. De nombreux changements ont marqué la société québécoise au cours des dernières décennies, notamment la transformation du rôle des femmes au sein de celle-ci, la diversité culturelle et les changements de valeurs.

_ L'environnement économique, en particulier les marchés, intéresse évidemment les mercaticiens. Pour qu'il y ait des marchés, il faut d'abord qu'il y ait des personnes. Ces personnes doivent avoir un pouvoir d'achat. Le pouvoir d'achat est, entre autres, fonction des revenus et des dépenses des individus et des ménages, mais il dépend aussi de la structure économique des pays et de leur contexte macroéconomique. Le revenu moyen après impôt et les dépenses moyennes par ménage pour divers postes de dépenses sont des concepts qui aident les mercaticiens à mieux connaître les divers marchés.

_ La détérioration de l'environnement naturel est devenue l'un des problèmes les plus importants de notre société. Les gens prennent davantage conscience de la gravité de la situation, et de plus en plus de citoyens se portent à la défense de la nature. On distingue quatre grandes préoccupations environnementales: la pollution, les changements climatiques, l'offre et la demande pour les matières premières et les coûts croissants de l'énergie. La protection de l'environnement est une responsabilité sociale des individus, des entreprises et des gouvernements. Et les grandes préoccupations environnementales doivent désormais faire partie des variables que les décideurs responsables, tant dans le secteur privé que dans le secteur public, prennent en considération quotidiennement dans leur travail.

_ La technologie et la science ont des répercussions sur le mode de vie et les valeurs des gens, et ils ont révolutionné la manière de faire des affaires. De nos jours, la technologie est la force dynamique qui façonne la vie. Tous reconnaissent que la recherche et l'innovation, de même que l'adoption et la diffusion des technologies sont essentielles pour assurer la croissance et le développement économiques. On a brièvement expliqué en quoi consiste l'industrie du savoir et décrit les effets de la croissance accélérée des changements technologiques sur les entreprises. Enfin, l'environnement politico-juridique a aussi une grande influence sur les décisions de marketing. Les mercaticiens doivent connaître les différentes lois qui régissent la mise en marché des produits et des services. Celle-ci est encadrée par des lois fédérales et provinciales qui réglementent les activités commerciales des entreprises et des consommateurs.

_Questions

_1. Qu'entend-on par mégatendances? À votre avis, quelles mégatendances marqueront le plus le macroenvironnement des entreprises au cours des prochaines années? Donnez des exemples d'impacts possibles sur le marché.

_2. Quels sont les six environnements qui composent le macroenvironnement d'une entreprise? Du point de vue du marketing, quel environnement est le plus important? Pourquoi?

_3. Quelles sont les principales caractéristiques démographiques de la population? Quelle variable démographique, à votre avis, aura le plus d'effets sur le marché québécois dans la prochaine décennie? Pourquoi?

_4. En quoi consiste l'environnement socioculturel? Pourquoi intéresse-t-il les mercaticiens? Plus précisément, quels trois principaux changements socioculturels sont survenus dans la société québécoise au cours de la dernière décennie? Lequel vous paraît le plus important?

_5. L'émancipation des femmes est un des phénomènes marquants des dernières décennies au Québec. Elle a amené des changements sociaux qui ont entraîné l'apparition de nouveaux besoins et, par conséquent, la création de nouveaux produits et de nouveaux services. Donnez des exemples de produits et de services qui ont résulté de cette évolution.

_6. Les sections 3.4.3 et 3.4.4 sont consacrées aux revenus et aux dépenses. Quelles statistiques vous ont le plus frappé dans les tableaux 3.4 et 3.5 (*voir p. 74 et p. 75*)? Quelles en sont les implications?

_7. Qu'est-ce que l'environnement naturel? Quels sont les principaux sujets de préoccupation relativement à l'environnement naturel? Pourquoi les mercaticiens devraient-ils s'intéresser à ces sujets?

_8. La gestion des matières premières renouvelables et non renouvelables est plus un problème de l'environnement économique que de l'environnement naturel. Commentez cette assertion.

_9. En quoi consistent l'industrie du savoir et la nouvelle économie? Ces termes sont-ils synonymes? La technologie est-elle plus importante que le capital humain? Pourquoi? A-t-elle des répercussions sur les produits de consommation?

_10. Pourquoi les mercaticiens doivent-ils considérer l'environnement politico-juridique? Est-ce que les entreprises doivent s'en occuper? Et les consommateurs?

Walmart, créé en 1962 aux États-Unis, est un géant mondial parmi les commerces de détail grande surface. Plus d'un million de Canadiens fréquentent le réseau de 303 succursales de la Compagnie Walmart du Canada. Le magasin offre plus de 80 000 produits dans les domaines de l'alimentation, des vêtements, des articles de sport, etc. Au Québec, Walmart emploie 12 000 personnes dans ses 54 magasins et s'approvisionne auprès d'environ 1700 fournisseurs. Les achats québécois faits par Walmart représentent plus de 1,8 milliard de dollars[a]. L'avantage concurrentiel de Walmart réside dans ses coûts plus bas d'achat et d'inventaire, résultat des millions de dollars que la firme a investis dans la gestion d'inventaire, ce qui lui permet de vendre à des prix de détail inférieurs à la concurrence. Les représentants de Walmart négocient âprement pour obtenir les coûts les plus bas. Mais lorsqu'une entente satisfaisante est conclue, l'entreprise croit à l'utilisation du marketing relationnel pour maintenir des relations à long terme avec ses fournisseurs. Walmart s'approvisionne partout dans le monde, mais mise beaucoup sur les fournisseurs locaux et régionaux.

Les Québécois croient de plus en plus à « l'achat chez nous » et encouragent, par exemple, les producteurs agricoles locaux. Walmart a voulu faire vibrer cette corde sensible des consommateurs et a mené plusieurs campagnes publicitaires informant le grand public de l'apport de son commerce à l'économie du Québec.

a. Source : www.walmart.ca

_1. Jusqu'où Walmart doit-il aller dans ses pratiques d'achat de produits québécois ? Les clients accepteraient-ils de payer plus cher pour des produits québécois, ce qui nuirait au principal avantage concurrentiel du magasin ?

_2. Walmart aurait-il avantage à acheter des produits de fabricants dans chacune des régions du Québec pour vendre ces produits uniquement dans les magasins régionaux où ces fabricants sont localisés ?

_3. Croyez-vous que Walmart devrait acheter des produits à caractère ethnique pour les offrir dans les magasins situés dans un secteur où habite une minorité ethnique importante ?

_Notes

1. Philip KOTLER, Pierre FILIATRAULT et Ronald E. TURNER, *Le management du marketing,* 2e édition, Boucherville, Gaëtan Morin Éditeur, 2000, p. 159-162.

2. Faith POPCORN, *Le rapport Popcorn. Comment vivrons-nous l'an 2000 ?,* Montréal, Éditions de l'Homme, 1994, 268 p.

3. John NAISBITT et Patricia ABURDENE, *Megatrends 2000,* New York, William Morrow and Company Inc., 1990, 384 p.

4. NATIONS UNIES, Département des affaires économiques et sociales, Division de la population, [En ligne], www.un.org (Page consultée le 28 janvier 2010)

5. LÉGER MARKETING, *L'opinion du monde 2006,* Montréal, Les Éditions Transcontinental, 2006, 192 p.

6. *THE ECONOMIST.* « Pocket World in Figures », London, 2009, p. 14.

7. STATISTIQUE CANADA, *Population par année, par province et territoire,* CANSIM, tableau 051-0001, 2009, [En ligne], www40.statcan.gc.ca (Page consultée le 1er mars 2010)

8. INSTITUT DE LA STATISTIQUE DU QUÉBEC, *Pas de déclin démographique d'ici 2056 mais un vieillissement de la population toujours présent,* [En ligne], www.stat.gouv.qc.ca (Page consultée le 1er mars 2010)

9. STATISTIQUE CANADA, *op. cit.*

10. STATISTIQUE CANADA, *Composantes de la croissance démographique, par province et territoire,* [En ligne], www40.statcan.gc.ca (Page consultée le 1er mars 2010)

11. STATISTIQUE CANADA, *Décès et taux de mortalité, par province et territoire,* [En ligne], www40.statcan.gc.ca (Page consultée le 1er mars 2010)

12. STATISTIQUE CANADA, *Naissances et taux de natalité, par province et territoire,* [En ligne], www40.statcan.gc.ca (Page consultée le 1er mars 2010)

13. Hervé SAUZAY, cité dans « Seniors : Bayard Presse décrypte les dynamiques d'un marché à haut potentiel », *Le hub,* groupe La Poste (France), [En ligne], www.laposte.fr/lehub (Page consultée le 28 janvier 2010)

14. *Ibid.*

15. Jean-Paul TRÉGUER, *Le senior marketing,* 4e édition, Paris, Dunod, 2007, p. 7.

16. Jonathan TRUDEL, « Attention, iceberg en vue », *L'actualité,* 15 septembre 2005, p. 18-20.

17. *Manifeste pour un Québec lucide,* [En ligne], www.pourunquebeclucide.org (Page consultée le 24 février 2010)

18. STATISTIQUE CANADA, « Grades, diplômes et certificats décernés », *Le Quotidien*, [En ligne], tableaux 1 et 2 : www.statcan.gc.ca (Pages consultées le 24 février 2010)

19. MINISTÈRE DE L'ÉDUCATION, DES LOISIRS ET DU SPORT, *Indicateurs de l'éducation*, édition 2007, p. 108 et 129, [En ligne], www.mels.gouv.qc.ca (Page consultée le 24 février 2010)

20. *Ibid.*, p. 101.

21. Tommy CHOUINARD, « Québec veut réduire le taux de décrochage de 11 % », *Cyberpresse*, [En ligne], www.cyberpresse.ca (Page consultée le 25 février 2010)

22. STATISTIQUE CANADA, *Recensement de la population de 2006*, [En ligne], www40.statcan.gc.ca (Page consultée le 25 février 2010)

23. *Ibid.*

24. *Ibid.*

25. STATISTIQUE CANADA, *Mariages, par province et territoire ; Divorces, par province et territoire*, [En ligne], www40.statcan.gc.ca (Pages consultées le 25 février 2010)

26. INSTITUT DE LA STATISTIQUE DU QUÉBEC, *Remariages selon la durée et l'année de divorce ou veuvage au Québec en 2007*, [En ligne], www.stat.gouv.qc.ca (Page consultée le 25 février 2010)

27. STATISTIQUE CANADA, *Profil de la population canadienne selon la mobilité : les Canadiens en mouvement*, [En ligne], www12.statcan.gc.ca (Page consultée le 25 février 2010)

28. STATISTIQUE CANADA, *Population des régions métropolitaines de recensement*, CANSIM, tableau 051-0034 et publication nº 91-213-XIB au catalogue, [En ligne], www40.statcan.gc.ca (Page consultée le 26 février 2010)

29. STATISTIQUE CANADA, *Caractéristiques de la population active selon les sexes*, [En ligne], www45.statcan.gc.ca (Page consultée le 26 février 2010)

30. STATISTIQUE CANADA, *Population et démographie*, [En ligne], www41.statcan.gc.ca (Page consultée le 26 février 2010)

31. STATISTIQUE CANADA, *Annuaire du Canada 2008*, nº 1-402-XPF au catalogue, Ottawa, octobre 2008, p. 107-116.

32. P. KOTLER, P. FILIATRAULT et R. E. TURNER, , *op. cit.*, p. 164-165.

33. *Ibid.*, p. 183.

34. OPTION CONSOMMATEURS, *Produits naturels et médicaments : un mélange parfois risqué*, Montréal, novembre 2005.

35. P. KOTLER, P. FILIATRAULT et R. E. TURNER, *op. cit.*, p. 167-168.

36. John SAUL, *Mort de la globalisation*, Paris, Payot, 2006, p. 408.

37. STATISTIQUE CANADA, *Produit intérieur brut en termes de dépenses, par province et territoire*, [En ligne], www40.statcan.gc.ca (Page consultée le 25 février 2010)

38. STATISTIQUE CANADA, *Revenu total médian selon le type de famille, par province et territoire*, [En ligne], www40.statcan.gc.ca (Page consultée le 25 février 2010)

39. STATISTIQUE CANADA, *Les dépenses moyennes des ménages au Canada et au Québec*, [En ligne], www40.statcan.gc.ca (Page consultée le 25 février 2010)

40. STATISTIQUE CANADA, « L'activité humaine et l'environnement : les déchets solides », *Le Quotidien*, [En ligne], www.statcan.gc.ca (Page consultée le 25 février 2010)

41. Voir : Rémi MAILLARD, « Marketing/Blanchiment écologique » *Protégez-Vous*, août 2009, p. 11-17 ; THE ENVIROMEDIA GREENWASHING INDEX, [En ligne], www.greenwashingindex.com ; BUREAU DE LA CONCURRENCE, *Déclarations environnementales : Guide pour l'industrie et les publicitaires*, [En ligne], www.bureaudelaconcurrence.gc.ca (Pages consultées le 25 février 2010)

42. Tim WILLIAMS, *La Convention sur les changements climatiques et le protocole de Kyoto*, PRB 07-21F, révisé le 30 janvier 2009, Bibliothèque du Parlement, Service d'information et de la recherche, [En ligne], www.parl.gc.ca (Page consultée le 25 février 2010)

43. GREENPEACE, *En quoi consiste KYOTOplus ?*, [En ligne], www.greenpeace.org (Page consultée le 26 février 2010)

44. STATISTIQUE CANADA, *L'activité humaine et l'environnement : statistiques annuelles 2007 et 2008*, [En ligne], www.statcan.gc.ca ; CRÉ DE LAVAL, *Le Québec et les changements climatiques : un défi pour l'avenir*, [En ligne], www.mddep.gouv.qc.ca ; MINISTÈRE DE LA SANTÉ ET DES SERVICES SOCIAUX, *Changements climatiques – Santé environnementale*, [En ligne], www.msss.gouv.qc.ca ; FRANCVERT, *Impacts des changements climatiques sur la faune du Québec*, [En ligne], www.francvert.org ; TRANSPORTS QUÉBEC, *Changements climatiques*, [En ligne], www.mtq.gouv.qc.ca ; ENVIRONNEMENT CANADA, *Évaluation des effets des changements climatiques et des variations extrêmes des niveaux d'eau sur des usages sensibles du Saint-Laurent*, [En ligne], www.qc.ec.gc.ca (Pages consultées le 26 février 2010)

45. « L'économie, la gestion de nos ressources pour l'avenir », *Cyberlivre du Canada*. Note : le *Cyberlivre du Canada* était tiré de l'*Annuaire du Canada* de 2001 (11-402-XPF au catalogue) et n'est plus publié.

46. Desmond BECKSTEAD et Guy GELLATLY, « Les travailleurs du savoir sont-ils employés uniquement dans les industries des technologies de pointe ? » *L'économie canadienne en transition*, Statistique Canada, [En ligne], www.statcan.gc.ca (Page consultée le 26 février 2010)

47. *Ibid.*

48. P. KOTLER, P. FILIATRAULT et R. E. TURNER, *op. cit.*, p. 173.

49. PUBLICATIONS DU QUÉBEC, *Loi sur la protection du consommateur*, [En ligne], www2.publicationsduquebec.gouv.qc.ca (Page consultée le 27 février 2010)

50. OFFICE DE LA PROTECTION DU CONSOMMATEUR, *Lois et règlements*, [En ligne], www.opc.gouv.qc.ca (Page consultée le 27 février 2010)

51. Stéphanie GRAMMOND, « La *Loi sur la protection du consommateur* expliquée », *La Presse Affaires*, [En ligne], lapresseaffaires.cyberpresse.ca (Page consultée le 27 février 2010)

Le comportement d'achat des consommateurs et des organisations

Sommaire

De plus en plus de concurrents, des marchés qui s'élargissent avec la mondialisation, des produits et des marques aussi variés que différenciés, telle est en résumé la situation actuelle des marchés. Elle est bien loin l'époque où des entreprises comme Ford ou Frigidaire pouvaient offrir aux consommateurs un seul modèle (par exemple, la voiture T couleur noire ou le réfrigérateur blanc avec un petit coffret de congélation) sans se soucier de ce que ceux-ci désiraient, ni du moment qu'ils souhaitaient recevoir le produit, ni de la forme qu'ils préféraient. Aujourd'hui, le consommateur est mieux informé, ses attentes sont aussi précises qu'élevées, il désire des produits plus performants et moins chers et, surtout, il refuse d'acheter par obligation et veut toujours avoir l'embarras du choix. Les entreprises doivent donc bien cerner les besoins de leur clientèle cible et y répondre mieux que ne le fait la concurrence. D'où la place privilégiée accordée dans le domaine du marketing à l'analyse du comportement des consommateurs. En général, l'entreprise veut tout savoir sur son client potentiel ou actuel. Elle veut connaître son profil sociodémographique, c'est-à-dire sa tranche d'âge ou de revenu, son sexe, son niveau d'instruction, son lieu de domicile, bref, elle veut savoir à quel segment de marché il appartient. Elle veut aussi connaître ses besoins, ses attentes et ses motivations d'achat, leur évolution dans le temps ainsi que les différentes phases de son processus décisionnel d'achat. Elle s'enquiert en outre des facteurs auxquels le consommateur est le plus sensible et qui jouent un rôle déterminant dans sa décision d'achat, qu'ils soient de nature psychologique (la perception, l'attitude, la crainte du risque, la dissonance cognitive…), socioculturelle (la famille, la classe sociale, la religion…) ou commerciale (le prix, la publicité, les promotions, l'image de marque…). C'est sur ces éléments d'analyse que se penchera ce chapitre, pour fournir le maximum de renseignements utiles au responsable du marketing. Car, même si plusieurs aspects du comportement du consommateur ont été amplement étudiés, la conduite de l'être humain demeure extrêmement complexe et difficile à prédire avec certitude.

Ce chapitre étudie le comportement du consommateur en situation d'achat. Il décrit les différentes phases du processus qui le conduisent à la décision d'achat ou de rejet d'un produit, une fois le besoin ressenti. Il examine ensuite les principaux facteurs qui l'influenceront tout au long de ce processus. Pour terminer, il analyse le comportement d'achat dans les organisations.

4.1 Le processus individuel d'achat

Chaque achat exige que l'acheteur passe par différentes étapes. Si quelqu'un veut acheter une automobile ou un ordinateur, il pourrait le faire sur un coup de tête, de manière impulsive mais, plus vraisemblablement, il prendra le temps d'examiner ses besoins, d'évaluer son budget, de considérer les différentes possibilités qui s'offrent à lui, bref, de laisser mûrir son projet. Par ailleurs, s'il veut acheter un litre de lait ou une nouvelle marque de fromage, il mettra sans aucun doute beaucoup moins de temps à se décider que pour une automobile ou un ordinateur.

En réalité, l'observation du comportement du consommateur a montré que le déroulement et la conclusion du processus décisionnel d'achat diffèrent d'un individu à un autre et, pour un même individu, d'un produit à un autre, suivant le genre d'influence qu'il subit. L'info-marketing 4.1 décrit deux types de comportement de consommation différents à l'égard d'un même produit.

L'achat d'un appareil électronique

Deux consommateurs différents, deux processus individuels d'achat distincts. Voici les démarches personnelles qu'ont accomplies Inès et Marc pour se procurer un appareil électronique qui réponde à leurs besoins propres.

Inès, une femme de 45 ans, travaille dans une firme montréalaise de conseil en management. Elle a un horaire chargé et est appelée à voyager souvent. Pour qu'elle puisse écrire ses comptes rendus et répondre à son courrier électronique, son ordinateur portable doit la suivre dans chacun de ses déplacements. Un jour, en voyage d'affaires, un collègue lui conseille d'acheter un nouveau modèle d'ordinateur de poche. Il lui explique que cet appareil lui permettrait d'exécuter les mêmes tâches que son portable : traitement de texte, analyse des données, présentations, Internet, musique, et le reste. Le mini-ordinateur remplacerait aussi son agenda électronique, devenu obsolète, ainsi que son téléphone cellulaire, qu'elle oublie d'ailleurs tout le temps. Une fois revenue à Montréal, Inès se renseigne auprès de son fils aîné, étudiant au cégep, sur l'utilité de l'appareil, les principales qualités à considérer, les modèles existants et les prix. Elle se rend ensuite dans quatre magasins spécialisés pour voir le choix qui s'offre à elle. Pour se faire une meilleure idée, elle demande aussi conseil à un de ses amis, expert en électronique. Pour Inès, l'un des points essentiels est d'obtenir un outil qui lui permettra d'accomplir son travail de lecture et d'écriture sans avoir à payer cher. Sa recherche et sa réflexion durent plus d'un mois, et son choix final se porte sur le Miniportable noir de HP. Avec son écran panoramique à rétroéclairage DEL de 10,1 po, un processeur Atom N270 d'Intel, une mémoire système de 1 Go et un disque dur de 160 Go, il offre une performance exceptionnelle et une mobilité optimale. Il comprend aussi d'autres options comme une caméra Web intégrée, un branchement Internet Wi-Fi, un lecteur de cartes mémoire, 3 ports USB, et le système d'exploitation Windows 7 édition Starter. Cet ordinateur de poche offre plusieurs autres fonctionnalités, le tout pour moins de 300 $. Cependant, pour pouvoir téléphoner et envoyer des courriels sans branchement Internet conventionnel, l'achat supplémentaire d'une clé Internet 3G à 135 $, avec un abonnement d'au moins 32 $ par mois chez un fournisseur de téléphonie mobile, est requis. Pour ces options, Inès préfère attendre encore.

De son côté, Marc est ce que l'on pourrait appeler un « adepte précoce ». Cet étudiant de 23 ans, passionné des technologies de l'information et de la communication, est constamment à l'affût des nouveautés. Lorsqu'il entend parler des nouvelles fonctionnalités des téléphones 3G, il décide de s'en procurer un sans trop réfléchir à son utilité réelle et surtout à la rentabilité d'un tel achat. Il veut un appareil électronique qui lui permettra d'écouter sa musique préférée, de prendre des photos et de tourner des séquences vidéo, de les stocker pour ensuite être en mesure de les mettre sur son compte Facebook ou sur YouTube. Il souhaite pouvoir faire un appel téléphonique en touchant simplement un nom ou un numéro dans son carnet d'adresses ou sa liste de favoris, et synchroniser automatiquement tous ses contacts depuis un micro-ordinateur ou un compte courriel en ligne. La messagerie vocale visuelle doit lui permettre de sélectionner et d'écouter ses messages dans l'ordre qui lui convient, comme pour ses courriels. Marc désire aussi un appareil à commandes tactiles afin de profiter de tous ses contenus numériques (musique, vidéos, balados et livres audio) sur un superbe écran de 3,5 po. En plus, l'appareil doit pouvoir se connecter à Internet sans fil, 3G et Wi-Fi, pour accéder en tout temps à sa messagerie électronique, à des plans avec GPS, à des recherches sur Google, etc. Enfin, Marc veut pouvoir traiter ses fichiers d'études, notamment en format Word, Excel, PowerPoint et PDF.

Par ailleurs, le prix d'un tel caprice a peu d'importance pour lui : il tient à éblouir ses amis et il vient de recevoir de l'argent pour son anniversaire. Marc va s'informer sur Internet des dernières nouveautés. Il se rend ensuite à son magasin virtuel habituel, eBay, pour faire son achat. Il porte son choix sur la dernière nouveauté d'Apple, le iPhone 3G, ce « téléphone qui a mangé un ordinateur ». Ce petit bijou électronique lui coûte 699,99 $, plus les taxes.

Sources : inspiré des sites de FUTURESHOP, [En ligne], www.futureshop.ca, FIDO, [En ligne], www.fido.ca, et eBAY, [En ligne], www.ebay.ca (Sites consultés en novembre 2009)

Les exemples donnés dans cet info-marketing montrent comment, pour un même produit électronique, les processus décisionnels d'achat peuvent différer d'une personne à une autre. Toutefois, les individus franchissent tous les mêmes étapes : une étape cognitive de reconnaissance d'un problème (ou d'un besoin) et de collecte d'informations, une étape affective d'évaluation des possibilités et de préparation de la décision, et une étape conative d'achat et de réactions postachat.

Mais la durée du processus, les efforts fournis et l'ordre des étapes varient d'une personne à une autre [1]. La figure 4.1 donne un aperçu des différentes étapes du processus décisionnel et des facteurs pouvant agir sur ce dernier.

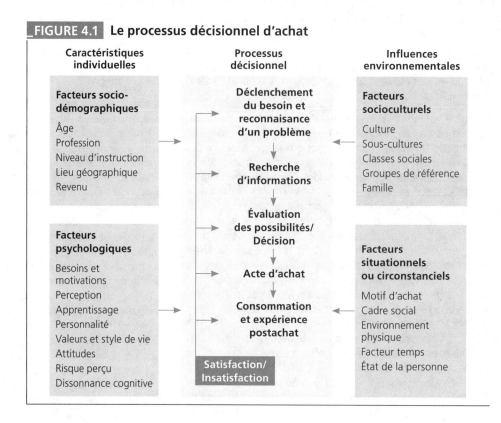

FIGURE 4.1 Le processus décisionnel d'achat

4.1.1_Les étapes du processus décisionnel d'achat

Le processus décisionnel d'achat comprend habituellement cinq étapes : le déclenchement du besoin et la reconnaissance d'un problème ; la recherche d'informations ; l'évaluation des possibilités de choix et la décision ; l'acte d'achat ; la consommation du produit et les réactions postachat.

Il est à noter que l'étape du déclenchement du besoin entraîne les étapes qui suivent. Le besoin est un sentiment de manque qui vient de la perception d'un écart entre ce que l'on a et ce que l'on souhaite avoir et qui devient irrésistible au point de faire naître un désir de changement. Le processus décisionnel est alors déclenché, et il s'ensuit une série d'actions visant à éteindre ce sentiment de manque et à éprouver le plus possible un état de satisfaction par la consommation du produit désiré. Mais la réduction de l'écart peut être momentanée : une insatisfaction causée par une mauvaise décision d'achat ou encore un changement dans la situation de l'individu peuvent entraîner la réapparition du sentiment de manque et, par conséquent, déclencher un nouveau processus décisionnel d'achat. Les étapes mentionnées plus haut peuvent se ramener à trois : l'étape cognitive (étapes 1 et 2), l'étape affective (étape 3) et l'étape conative (étapes 4 et 5).

La reconnaissance d'un problème et le déclenchement du besoin

La plupart des auteurs en marketing s'accordent pour dire que le déclenchement du processus décisionnel d'achat résulte d'un sentiment de manque dû à un écart entre la situation dans laquelle le consommateur se trouve et la situation dans laquelle il aimerait se trouver. Par exemple, une personne possède un ordinateur de table au bureau et un autre à la maison. Elle souhaite simplement pouvoir faire les mêmes opérations de traitement de texte et de calcul sur tableurs aux deux endroits sans avoir à déplacer une des machines. Plusieurs facteurs peuvent contribuer à changer l'état désiré et à creuser, par le fait même, un écart entre la situation actuelle et la situation souhaitée. Ces facteurs peuvent être l'influence du groupe de référence (par exemple, un étudiant qui constate que la plupart de ses camarades de classe possèdent un lecteur MP3), l'évolution des normes sociales (par exemple, dans la mode vestimentaire), l'achat d'un produit (par exemple, la location d'un appartement plus spacieux fait naître le besoin d'acquérir de nouveaux meubles), le changement dans la situation familiale (par exemple, un mariage ou la naissance d'un enfant) ou encore professionnelle (par exemple, une promotion). Les responsables du marketing doivent savoir discerner ces besoins et même les prévoir dans leurs planifications stratégiques, spécialement en ce qui concerne l'aspect communication, de façon à mettre en évidence le fait que leur produit présente tous les avantages recherchés par le consommateur. L'info-marketing 4.2 illustre la façon dont une entreprise peut s'y prendre pour prévoir les besoins de ses clients.

INFO MARKETING 4.2

La prévision des nouveaux besoins effectuée par Procter & Gamble

Procter & Gamble met de plus en plus de nouveaux produits sur le marché. Plusieurs d'entre eux, tels que Swiffer, WetJet et Febreze, ont eu du succès auprès des consommateurs, qui y ont trouvé une réponse à leurs besoins. Mais d'autres, comme Fit, ont échoué. Ce produit pour laver les fruits et légumes était censé enlever les résidus de saleté, de cire et de pesticides beaucoup plus efficacement que l'eau. Il n'a eu aucun succès auprès des consommateurs, qui le trouvaient trop difficile à utiliser : il fallait diluer le contenu d'un bouchon du produit dans exactement 1,89 litre d'eau, y frotter les fruits et légumes et, enfin, les rincer à l'eau. La plupart des consommateurs rinçaient déjà ces aliments à l'eau avant l'apparition de Fit, et il est vraisemblable de croire qu'ils ne voulaient pas payer pour faire la même chose.

Selon le président de Procter & Gamble Canada, Tim Penner, la compagnie n'a pas réussi à changer le comportement des consommateurs quant à la préparation des fruits et légumes. Souvent, les entreprises parviennent à manipuler les consommateurs par la création de nouveaux besoins, mais les clients ne font pas toujours ce que l'on attend d'eux, malgré les millions de dollars dépensés en publicité... La recherche en marketing peut parfois être décevante : «Vous devez mesurer objectivement les efforts que les gens sont prêts à faire pour trouver le produit, l'acheter et l'utiliser. Si les questions ne sont pas correctement posées, les résultats obtenus pourraient vous faire croire que les consommateurs sont prêts à changer leur comportement, alors que ce n'est pas le cas», affirme C. Bandak.

Des recherches et des tests échelonnés sur cinq ans ont précédé la mise en marché de Fit en avril 2000 mais, 14 mois plus tard, Procter & Gamble a décidé de le retirer du marché américain. Fit proposait une solution à un problème que la plupart des consommateurs ne voyaient pas. Cet exemple démontre bien que le rôle des responsables du marketing consiste non pas à attirer les consommateurs vers leurs nouveaux produits, mais plutôt à concevoir des produits ou des services répondant aux besoins réels des consommateurs.

Source : Angela KRYHUL, copyright *Marketing Magazine,* vol. 106, n° 40, 8 octobre 2001, p. 8 ; traduction libre. Reproduit avec la permission de *Marketing Magazine.*

La recherche d'informations

Une fois le processus décisionnel enclenché, le consommateur qui a ressenti un besoin va se mettre à la recherche de toute information susceptible de l'aider à préciser ses besoins ou de lui faire découvrir des moyens d'y répondre. Le temps et les efforts investis au cours de cette étape dépendent de l'importance de l'achat. En effet, plus les enjeux et les risques sont élevés, plus le consommateur s'appliquera à rechercher la meilleure solution. Il va sans dire que l'on accorde beaucoup moins d'importance à l'achat de pâtes alimentaires qu'à celui d'une voiture.

Dans sa collecte d'informations, le consommateur peut s'appuyer sur ses propres connaissances, sur ses expériences passées ou sur l'observation de celles des autres. On parle alors de recherche interne. Si ce genre d'informations ne lui suffit pas pour prendre une décision éclairée d'achat, le consommateur peut rechercher des informations externes. Il s'adresse alors à des amis ou à des proches, ou bien il se tourne vers la publicité, les promotions, les vendeurs, le prix ou l'image de marque.

La recherche interne

Pour la recherche interne d'informations, le consommateur se base, comme on l'a dit, sur ses propres expériences. Il s'appuie sur ses expériences d'achat avec le même type de produit ou de service, mais avec d'autres marques, ou avec la même marque, mais avec d'autres produits. Le consommateur qui a déjà été déçu par un lecteur DVD de marque X aura tendance à juger défavorablement le téléviseur HD de cette marque. Il peut également partir de l'observation d'expériences vécues par son entourage. Les informations acquises par la recherche interne peuvent être objectives, mais elles peuvent également être déformées du fait des perceptions, des croyances ou des intérêts de l'individu.

La recherche externe

Si les informations obtenues au cours de la recherche interne se révèlent insuffisantes pour prendre une décision, le consommateur procède à une recherche externe. Les renseignements à recueillir dépendent du produit ou du service à acheter, de l'information résultant de la recherche interne et du laps de temps dont le consommateur dispose. Il détermine d'abord les critères sur lesquels se basera son évaluation du produit. Pour reprendre l'exemple mentionné plus haut, au moment du choix d'un téléviseur HD, on peut considérer plusieurs attributs tels que le prix, la taille de l'écran, la technologie d'affichage (ACL, plasma), la résolution de l'image, le processeur vidéo, les rapports de contraste, la luminosité, les connexions fournies (HDMI, vidéo standard, S-vidéo, AV, RF, VGA pour PC, etc.), la qualité du son, la présence d'un lecteur intégré (CD, DVD, MP3), les fentes pour cartes mémoire multimédia, les ports USB, la garantie, etc.

Ensuite, le consommateur se renseigne sur le nombre d'options qu'il a à sa disposition, c'est-à-dire les différentes marques et les différents magasins proposant le produit recherché. À cette étape du processus décisionnel d'achat, il porte beaucoup attention aux stimuli externes tels que les différentes publicités ou promotions concernant le produit ou le service recherché. De plus, le consommateur puisera à différentes sources. Ces dernières sont généralement réparties en quatre groupes:

- les sources interpersonnelles : famille, amis, connaissances, etc. ;
- les sources publiques : reportages des médias, avis et conseils d'associations de consommateurs, sites Internet, organismes gouvernementaux d'accréditation ou de normalisation, etc. ;

- les sources liées à l'expérience acquise au contact du produit : essais des différents produits en magasin (par exemple, l'appréciation de la qualité du son dans le cas d'un produit qui s'adresse à l'ouïe). Ces sources sont largement préférées à celles qui procurent de l'information verbale ;
- les sources commerciales : publicité, présentoirs, vendeurs, prix, sites Internet d'entreprises, etc.

Les sources dont l'entreprise peut le plus tirer parti sont, bien sûr, les sources commerciales. Dans ses opérations de communication, l'entreprise doit connaître l'étape du processus décisionnel à laquelle est parvenu le consommateur pour pouvoir lui fournir l'information dont il a besoin. À cet égard, le personnel des relations avec la clientèle peut accomplir diverses actions : il peut déceler les attributs recherchés par le consommateur, donner de l'information qui fait paraître avantageuse l'offre de l'entreprise et, le cas échéant, changer la perception du consommateur, voire l'amener à accorder moins d'importance à certains attributs ou à certains critères de choix. La figure 4.2, tirée d'une étude réalisée auprès de 150 000 adultes au Québec, souligne la place qu'occupe aujourd'hui Internet en tant qu'outil de recherche d'informations commerciales pour les consommateurs.

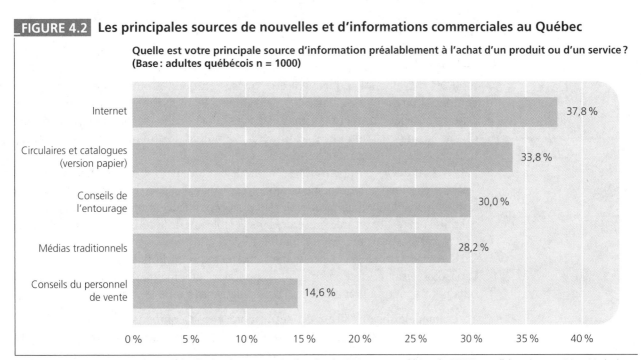

FIGURE 4.2 Les principales sources de nouvelles et d'informations commerciales au Québec

**Quelle est votre principale source d'information préalablement à l'achat d'un produit ou d'un service ?
(Base : adultes québécois n = 1000)**

Source	Pourcentage
Internet	37,8 %
Circulaires et catalogues (version papier)	33,8 %
Conseils de l'entourage	30,0 %
Médias traditionnels	28,2 %
Conseils du personnel de vente	14,6 %

Source : _NETendances 2009 : évolution de l'utilisation d'Internet au Québec depuis 1999,_ rapport publié par le CEFRIO en collaboration avec Léger Marketing, avril 2010, p. 110.

L'évaluation des possibilités et la décision

Les informations que le consommateur recueille au cours de sa recherche interne ou externe lui serviront de base pour comparer les différents produits ou services. Les choix possibles sont comparés à trois points de vue : les attributs du produit (ou les critères de comparaison), l'importance relative de chacun de ces attributs (ou les avantages recherchés) et l'évaluation de chacune des possibilités par rapport à chacun des attributs (les croyances concernant les capacités relatives de chacune des offres effectives). Le tableau 4.1 (_voir p. 96_) présente divers renseignements qu'un consommateur peut recueillir au moment de l'achat d'une imprimante ainsi que des exemples de critères de sélection et de marques.

TABLEAU 4.1 Des exemples de renseignements recueillis en vue de l'achat d'une imprimante

Produit / Attribut	Hewlett Packard (HP) LaserJet 3150	Panasonic KX-P6500	Xerox DocuPrint P1210	Brother HL-1440	Oki Okipage 14E
Prix	449,99 $	356,94 $	499 $	299 $	327 $
Mémoire	2 Mb	0,5 Mb	4 Mb	2 Mb	4 Mb
Garantie	1 an	3 mois	1 an	1 an	1 an
Technologie	Laser	Laser	Laser	Laser	LED
Interface	Parallèle	Parallèle	Parallèle	Parallèle, USB	Parallèle
Taille max. papier	10,5 po	11 po	14 po	14 po	14 po
Vitesse d'impression	6 pages/min	6 pages/min	12 pages/min	15 pages/min	14 pages/min
Impression 1re page	18 s	19 s	14 s	15 s	12 s

Source : CONSUMER REPORTS, [En ligne], www.consumerreports.org ; traduction libre.

Il est peu vraisemblable que, dans son examen des possibilités, le consommateur fasse usage d'une seule méthode d'évaluation. En effet, la façon dont l'information est traitée varie d'un individu à l'autre et aussi en fonction du produit acheté. Les spécialistes en marketing ont élaboré différents modèles qui visent à rendre compte de la manière dont les consommateurs font leurs évaluations. Ces modèles d'évaluation pourraient être divisés en deux groupes : les modèles non compensatoires et les modèles compensatoires. Pour les premiers, on considère les critères indépendamment les uns des autres, alors que les seconds impliquent une certaine compensation entre les différents critères. Les modèles non compensatoires les plus courants sont les modèles conjonctifs, disjonctifs et lexicographiques. Parmi les modèles compensatoires, le modèle multiattribut de Fishbein est le plus souvent employé [2]. Le modèle conjonctif consiste à associer à chaque attribut un seuil en deçà duquel la marque ne sera plus considérée comme un choix possible. Si l'on se réfère à l'exemple présenté dans le tableau 4.1, le consommateur qui aurait fixé à 350 $ le prix maximal serait conduit à éliminer les marques HP et Xerox. De la même manière, si le critère était une mémoire minimale de 2 Mb, la marque Panasonic serait écartée. Il suffirait d'appliquer la même méthode aux autres attributs pour aboutir à la marque la plus satisfaisante à tous les points de vue.

Le modèle disjonctif est un autre modèle non compensatoire. Il applique la règle conjonctive, sauf qu'une possibilité d'achat ne sera envisagée que si elle reste dans au moins une des limites fixées. Dans l'exemple, et selon les deux règles mentionnées ci-dessus, la marque Xerox ne serait plus éliminée, puisqu'elle présente une mémoire de plus de 2 Mb.

Enfin, la règle lexicographique, également non compensatoire, pourrait servir de complément à la règle disjonctive. En effet, il s'agit de comparer les différents produits ou services par rapport à l'attribut le plus important, puis par rapport à des attributs secondaires, et d'éliminer ceux qui sont les moins bien notés, jusqu'à ce qu'il ne reste qu'une seule marque.

Dans les modèles non compensatoires, une mauvaise évaluation d'un produit sur un attribut donné ne peut donc être compensée par une bonne évaluation sur un autre attribut. Il en va autrement dans les modèles compensatoires. Pour mieux comprendre le fonctionnement de ces modèles, examinons celui du multiattribut de Fishbein. Suivant ce modèle, le consommateur commence par classer par ordre d'importance chaque attribut considéré comme essentiel dans sa comparaison des choix de produits ou de marques. L'ordre de classement varie souvent selon ses besoins et les avantages liés à l'achat du produit. Selon des croyances basées sur l'information dont il dispose, le consommateur apprécie ensuite chaque marque en fonction des différents attributs. En groupant les diverses évaluations et en prenant en compte l'importance relative de chaque attribut, il obtient une évaluation globale de chaque produit ou de chaque marque. Les possibilités sont ensuite classées par ordre d'intérêt.

Ce modèle se résume dans la formule suivante :

$$A_j = \sum_{i=1}^{n} b_i e_{ij}$$

où : A_j = Évaluation globale du produit ou de la marque j
e_{ij} = Évaluation du produit ou de la marque j en fonction de l'attribut i
b_i = Importance de l'attribut i
n = Nombre d'attributs considérés par le consommateur

Il est possible d'appliquer ce modèle à l'exemple précédent, en supposant que le consommateur dispose des renseignements indiqués au tableau 4.1. Le tableau 4.2 donne l'ordre d'importance des attributs exprimé par le consommateur sur une échelle de 1 à 5, ainsi que l'évaluation qu'il fait des différentes marques en fonction de chaque attribut (également sur une échelle de 1 à 5).

_TABLEAU 4.2 Une application du modèle de Fishbein dans l'évaluation des attitudes d'un consommateur à l'égard d'un certain nombre de marques d'imprimantes

Produit / Attribut	Importance	Hewlett Packard LaserJet 3150	Panasonic KX-P6500	Xerox DocuPrint P1210	Brother HL-1440	Oki Okipage 14E
Prix	5[a]	2[b]	3	1	4	3
Mémoire	2	3	1	5	3	5
Garantie	3	4	1	4	4	4
Vitesse d'impression	4	2	2	4	5	5
Score total		**36**	**28**	**43**	**58**	**57**

a. Importance de chaque critère exprimée sur une échelle de 1 (pas du tout important) à 5 (très important).
b. Évaluation de chaque marque selon les différents critères sur une échelle de 1 (très mauvais) à 5 (très bon).

Source : CONSUMER REPORTS, [En ligne], www.consumerreports.org (2002) ; traduction libre.

Avec cette méthode, la marque Brother obtient la meilleure note, mais cette dernière est subjective et ne concerne que le consommateur en question. Une autre personne aurait peut-être choisi la vitesse d'impression et la mémoire comme attributs essentiels, reléguant le prix au second plan – le résultat aurait alors été différent. Ainsi, l'évaluation d'une même marque par rapport à un attribut donné peut différer d'un individu à l'autre en fonction des croyances relatives aux qualités de cette marque.

Quelle que soit sa méthode, le consommateur finit par manifester sa préférence pour une solution donnée, préférence qui découle de ses évaluations et de sa manière d'envisager les choix possibles. D'un point de vue stratégique, l'entreprise doit connaître les critères de choix des consommateurs ainsi que l'évaluation qu'ils font de son produit en fonction des critères en question. Dans le cas d'une mauvaise évaluation, il importe de connaître les attributs pour lesquels le produit n'a pas eu de bons résultats, de manière à corriger le tir. L'entreprise a parfois plusieurs stratégies à sa disposition. Ainsi, elle peut améliorer le rendement lié à des attributs importants pour le consommateur. Elle peut également influencer l'évaluation des consommateurs, en ayant recours à une stratégie de communication pour modifier l'importance des attributs recherchés (par exemple, augmenter l'importance de l'attribut qualité aux dépens du prix); pour mettre en évidence de nouveaux attributs pour lesquels le produit est performant; pour changer les croyances des consommateurs relatives à la marque créée par l'entreprise (par exemple, améliorer l'évaluation de la marque sous le rapport de l'attribut solidité) ou à des marques concurrentes. L'info-marketing 4.3 montre les liens entre les critères de produits retenus par les consommateurs et le contexte de l'achat lui-même.

INFO MARKETING 4.3

Les contextes d'achat et les critères de choix

L'importance accordée à chaque attribut variera en fonction du contexte ou de la raison d'achat. En effet, une étude effectuée auprès de 200 consommateurs en situation d'achat de parfum a démontré que la raison pour laquelle le produit était acheté avait un impact sur l'importance donnée aux critères de choix. Pour évaluer l'importance accordée par les consommateurs à chacun des critères de choix recensés, les personnes interrogées étaient invitées à utiliser une échelle de notation allant de 1 (attribut pas du tout important) à 4 (attribut très important). Les résultats obtenus furent les suivants:

Contexte / Attribut	Achat pour soi	Achat pour offrir
Odeur	3,7	3,4
Prix	3,4	3,1
Forme du flacon	2,4	2,8
Marque	2,3	2,6

« [L]es consommateurs n'attribuent [donc] pas la même importance aux caractéristiques du bien selon qu'ils l'achètent pour eux-mêmes ou pour l'offrir en cadeau. Ainsi, les individus choisissant du parfum pour leur usage personnel sont plus attentifs à l'odeur [...] et au prix [...] que ceux qui l'acquièrent pour l'offrir [...].

En revanche, la forme du flacon et la marque du produit apparaissent comme des attributs plus prioritaires chez les sujets achetant du parfum pour offrir que chez ceux qui acquièrent le bien pour eux-mêmes. [... L]'offreur privilégie des attributs susceptibles de renseigner le bénéficiaire du bien sur la qualité du produit choisi. Un article au design sophistiqué et/ou à la marque renommée peut permettre à l'offreur de souligner l'intérêt qu'il accorde à celui (ou celle) à qui il destine le produit. »

Source: Jean-François LEMOINE, « Contextes d'achat et critères de choix: acheter pour soi ou pour les autres », *Décisions Marketing,* n° 22, janvier-avril 2001, p. 25-31.

L'acte d'achat

Une fois que le consommateur a opté pour un produit ou pour une marque en particulier et qu'il a décidé de l'acquérir, il ne lui reste plus qu'à réaliser l'acte d'achat. Il a à choisir le lieu d'achat – sur Internet, dans un magasin, chez un détaillant... – et le moment. Une étude portant sur le processus décisionnel d'achat de parfum (*voir l'info-marketing 4.3, p. 98*) a révélé que les critères de choix du point de vente étaient, par ordre d'importance : 1) la variété de choix ; 2) les prix pratiqués à l'intérieur du magasin ; 3) l'accueil ; 4) les conseils des vendeurs ; 5) l'aspect matériel du point de vente ; 6) la présentation des produits en linéaire.

Assurément, il ne reste plus qu'à faire l'achat, mais il se pourrait qu'à cette étape cruciale le comportement ne soit pas celui qui avait été prévu. En effet, l'individu pourrait décider finalement de remettre son achat à plus tard à cause d'une baisse imprévue de son revenu. Il pourrait aussi décider de faire un autre achat ou une autre dépense avec la somme qui avait été réservée à cet achat. Ce serait le cas si, par exemple, quelqu'un décidait de passer ses vacances en Australie mais que, juste avant d'acheter son billet, un sérieux problème mécanique l'obligeait à considérer plus tôt que prévu l'achat d'une nouvelle voiture.

L'achat peut être annulé à cause de circonstances liées au point de vente : le consommateur pourrait ne pas trouver la marque choisie dans le magasin ou il pourrait décider de profiter de soldes exceptionnels offerts par une marque concurrente ou par le détaillant. L'entreprise doit donc toujours être en mesure de faire face à ce genre d'imprévus, de façon à perdre le moins de ventes possible.

La consommation du produit et les réactions postachat

Lorsque la décision a été prise et que l'achat a été réalisé, un doute sur l'utilité de l'article acheté peut surgir dans l'esprit du consommateur. Ce doute, que l'on appelle dissonance cognitive postachat, peut être dû à plusieurs facteurs : la difficulté de fixer son choix sur une marque plutôt que sur une autre (possibilité de choisir entre plusieurs marques dont certaines surpassaient le produit choisi à certains points de vue) ; les conséquences de la décision sur le plan pécuniaire ; le fait que la vente du produit est finale (pas de possibilité d'échange ou de remboursement) ; les commentaires négatifs de la part de l'entourage du consommateur. Supposons, par exemple, que Jacques, à la suite d'une recherche intensive d'informations, décide d'acheter une nouvelle voiture. Une fois qu'il a fait son achat, il montre sa nouvelle acquisition à ses collègues de travail, s'attendant à des compliments de leur part. L'un d'entre eux lui dit que, depuis qu'il l'a acheté, ce modèle lui a coûté très cher en réparations de toutes sortes. Jacques commence alors à se demander s'il a choisi le bon modèle, si ses critères de choix étaient objectifs, s'il a omis de considérer certains modèles au cours de sa recherche, etc.

Pour réduire le malaise psychologique entraîné par la dissonance cognitive, le consommateur peut avoir recours à différents moyens : échanger le produit ou se faire rembourser ; changer sa perception, c'est-à-dire regarder plus favorablement le produit ou le service acheté, ou plus défavorablement les marques qui ont été écartées ; rechercher de l'information susceptible de le rassurer sur son choix. Dans ce dernier cas, par exemple, Jacques pourrait demander à un mécanicien de vérifier si sa voiture est en bon état ou retourner voir le vendeur afin de s'assurer de la qualité du modèle choisi et de l'application de la garantie.

Il est très important que les professionnels du marketing prennent en considération les effets de la dissonance cognitive. C'est pourquoi la plupart des entreprises accordent de plus en plus d'importance au service après-vente, au service de garantie, au personnel des relations avec la clientèle, aux lignes de conduite en matière d'échange et de remboursement ainsi qu'aux publicités ayant pour but de rassurer les consommateurs sur le produit ou le service qu'ils ont choisi.

Après les étapes de l'acquisition du produit et de la confirmation du choix vient celle de la consommation, qui constitue l'aboutissement du processus décisionnel. Notons que le produit peut être consommé par l'acheteur lui-même ou par une autre personne. L'étape de la consommation est déterminante, car c'est sur elle que le consommateur se basera pour décider s'il adoptera la marque ou si, au contraire, il l'écartera. En effet, la consommation peut procurer de la satisfaction ou de l'insatisfaction. Au cours du processus décisionnel, l'individu nourrissait des espoirs, et il vérifiera si le produit nouvellement acquis les réalise. La plupart des chercheurs définissent la satisfaction et l'insatisfaction comme l'écart entre l'attente du consommateur et le sentiment résultant de l'usage du produit ou du service. Une absence d'écart ou un léger écart positif procurerait la satisfaction, et un écart négatif amènerait de l'insatisfaction. Plus les espoirs sont grands, plus le risque de déception et donc d'insatisfaction est élevé. Ainsi, si l'on va manger dans un restaurant chaudement recommandé par plusieurs connaissances, on s'attend à y savourer un repas exquis et l'on risque d'être désappointé. Mais si l'on se rend à ce restaurant sans qu'il ait été recommandé, donc sans idées préconçues, on jugera peut-être favorablement la qualité de la nourriture et du service.

Les professionnels du marketing doivent tenir compte de la satisfaction au moment de la consommation dans leurs stratégies de communication afin d'éviter de faire des promesses qui sont inconsidérées ou qui suscitent une attente exagérée chez le consommateur. Par ailleurs, l'entreprise doit pouvoir recevoir et régler les plaintes que les consommateurs insatisfaits lui adressent. Le règlement d'une plainte à la satisfaction du client profitera tôt ou tard à l'entreprise. Il arrive parfois, en effet, que la solution proposée par l'entreprise dépasse l'attente du consommateur, qu'elle le rende plus satisfait du produit ou de l'entreprise qu'il ne l'a jamais été. L'info-marketing 4.4 énumère un certain nombre de faits relatifs à la notion d'insatisfaction.

INFO MARKETING 4.4

Quelques données sur l'insatisfaction

Des travaux de marketing sur l'insatisfaction des consommateurs ont révélé qu'en moyenne seulement 4 % des clients se plaignent. La plupart préfèrent se tourner vers un autre produit ou une nouvelle marque. Un client mécontent en informe 10 de ses proches, un client satisfait ne le dit qu'à 2 personnes. Perdre un client, c'est perdre du même coup tout un réseau de relations.

Aller chercher un nouveau client coûte cinq fois plus que retenir un ancien. Si un client reçoit un bon traitement quand il fait une réclamation, il se montrera en général plus fidèle à la marque qu'avant l'incident. Un client comblé achète davantage. C'est à la suite de sa première expérience qu'il jugera s'il achètera de nouveau le produit, souvent en quantité plus importante.

Ainsi, quoi de plus normal que de donner au client ce pour quoi il paie : un bon produit ou un bon service. Chercher à le satisfaire est une condition minimale. Néanmoins, dans un monde de plus en plus compétitif, il faut procurer au client davantage que la simple satisfaction. La fidélisation dépend de cette petite touche supplémentaire que peuvent représenter le contact direct ou le service personnalisé. Grâce à ce type d'attention, le client se sentira en confiance et sera plus porté à revenir.

Source : M. P. BAYOL, « Fidéliser sa clientèle », *Dossier n° 22*, Proximédia, juillet 2001 ; adaptation libre.

4.1.2_Le processus d'achat et la notion d'implication

L'étude du processus décisionnel montre que l'acquisition d'un produit ou d'un service est une chose très complexe. Ce modèle s'applique en général aux situations d'achats dits de forte implication. En réalité, le degré d'implication du consommateur dans le processus d'achat est proportionnel à la complexité du processus. Il dépend, en partie, du risque rattaché à l'utilisation du produit ou du service, ce risque pouvant être de nature économique (perte d'argent), fonctionnelle (produit inutile), physique (se faire mal), psychosociale (être mal vu des autres); il peut y avoir aussi risque de perte de temps. Lorsque le produit est de forte implication, le consommateur s'applique à recueillir de l'information et apporte la plus entière attention au prix, à l'utilité, à l'image sociale, et ainsi de suite. Par exemple, une erreur dans le choix d'une automobile pourrait être lourde de conséquences sur les plans pécuniaire (dépenses superflues pour une qualité médiocre), social (une automobile est censée refléter le statut social) et matériel (risque d'accidents). Évidemment, pour les produits de faible implication tels qu'un détersif ou du beurre d'arachide, le processus décisionnel est beaucoup moins long et moins complexe, puisque la recherche d'informations et l'évaluation sont plus courtes. Cela s'explique par le fait que l'erreur aurait peu de conséquences. Si un rince-bouche est insatisfaisant pour un acheteur, il lui suffira de prendre une autre marque à sa prochaine visite à l'épicerie.

Comme on l'a déjà mentionné, le processus décisionnel d'achat suit en général le schéma présenté à la figure 4.1 (*voir p. 92*), mais certaines étapes peuvent être omises ou d'autres peuvent s'ajouter. Trois cas sont possibles où la nature du produit, jointe à l'importance de l'achat (le degré d'implication), détermine le niveau de complexité du processus [3].

Le processus d'achat routinier

Dans le processus d'achat routinier, l'individu connaît à la fois ses besoins et ses désirs, le type de produit recherché et les marques présentes sur le marché. La recherche d'informations est donc peu intensive et le consommateur a tendance à aller directement vers sa marque préférée. Le processus commence par la phase conative (l'achat), se poursuit avec la phase cognitive (information souvent positive, sauf s'il y a contretemps) et se termine avec la phase affective (confirmation de l'attitude favorable envers le choix habituel). Parmi les achats routiniers, mentionnons le lait et le journal.

La résolution extensive d'un problème

Le consommateur connaît très peu ou pas du tout le produit recherché, et il n'a presque aucune idée des marques offertes sur le marché. L'achat a une forte implication dans la mesure où il revêt une grande importance pour le consommateur et comporte un risque élevé. Le processus est long, vu la quantité d'informations à recueillir. Les étapes sont les mêmes que dans le processus d'achat routinier, mais leur ordre change: phase cognitive d'abord, puis phase affective et, enfin, phase conative.

La résolution courte d'un problème

Le consommateur connaît bien ses besoins, il a une certaine expérience du produit recherché, mais il ne sait pas exactement quelles sont les marques offertes sur le marché. L'achat est de faible implication. La recherche d'informations demande certains efforts, mais moins que dans le cas précédent, car les attributs recherchés sont déjà connus. Citons parmi les achats typiques ceux d'une nouvelle marque de pâte dentifrice ou de beurre d'arachide. Le consommateur peut alors commencer par la phase conative d'achat du produit (à titre d'essai) et passer, par la suite, à la phase affective (appréciation du produit). L'appréciation qui est faite n'entraîne pas nécessairement l'adoption définitive du produit acheté; le consommateur enregistre dans sa mémoire l'expérience d'achat. Une étude réalisée auprès de 120 clients dans un supermarché a montré qu'au moment d'acheter du détergent à lessive, un produit à faible implication, les clients n'étudiaient qu'un petit nombre de produits (1,42, soit moins de 2). En l'occurrence, 72 % n'avaient examiné qu'une seule marque [4].

Il y a lieu de mentionner que la typologie des processus d'achat décrite plus haut n'est pas la seule possible. Par exemple, des auteurs proposent une typologie qui tient compte de l'expérience acquise par le consommateur. Ils distinguent un premier achat d'un achat répété [5]. À l'intérieur de chaque catégorie de type d'achat, la variable « implication » est utilisée pour spécifier d'autres sous-catégories de processus. Dans une situation de premier achat, on parle de processus de résolution extensive, de résolution à difficulté modérée et de résolution limitée selon que l'implication du consommateur est forte, moyenne ou faible. Dans une situation d'achat répété, on a affaire soit à un processus de résolution d'un problème renouvelé, soit à un processus d'achat de routine, suivant que l'implication est forte ou faible.

_4.2 Les facteurs influant sur le comportement du consommateur

On l'a vu, le processus décisionnel d'achat est le même chez la plupart des consommateurs, mais le choix, la décision finale et l'issue de ce processus peuvent différer d'une personne à une autre. L'individu est influencé, dans chacun de ses comportements, par plusieurs facteurs, dont certains liés aux caractéristiques individuelles lui sont propres. Les autres facteurs, ceux qui lui sont extérieurs, sont dits « environnementaux ». La section suivante explique en quoi consistent tous ces facteurs ainsi que la façon dont ils influent sur le comportement du consommateur.

4.2.1_Les caractéristiques individuelles

Les facteurs liés aux caractéristiques individuelles qui peuvent influer sur les différentes étapes du processus décisionnel d'achat sont de deux types: sociodémographique et psychologique.

Les facteurs sociodémographiques

Les habitudes d'achat du consommateur et son comportement quotidien diffèrent notamment selon l'âge, la profession, le niveau d'instruction, le lieu géographique et le revenu de celui-ci.

L'âge du consommateur

L'âge est un facteur important à considérer dans l'examen du comportement d'achat, qu'il s'agisse de produits de forte ou de faible implication. Les besoins et les désirs changent avec l'âge. Si à l'adolescence on cherche plutôt à se divertir et à s'amuser, à l'âge adulte, on recherche davantage la sécurité et l'accomplissement de soi. Alors que les adolescents de 14 à 18 ans sont attirés par des produits tels que les jeux vidéo, les adultes de 30 à 40 ans s'intéressent davantage aux produits financiers et aux achats de l'immobilier. Le tableau 4.3 montre la variation des dépenses effectuées pour certains produits selon la tranche d'âge. Pour certains d'entre eux, par exemple ceux qui concernent les soins personnels et de santé, les dépenses augmentent avec l'âge, alors que, pour d'autres, par exemple le transport et les loisirs, elles diminuent. Dans une même catégorie de produits, les motivations d'achat peuvent aussi différer selon l'âge. Les motivations qui sous-tendent l'achat d'une crème pour le visage ne sont pas les mêmes chez une adolescente de 15 ans, une jeune femme de 25 ans et une femme de 45 ans. Le facteur de l'âge est très souvent utilisé par les entreprises comme critère de segmentation, car il est facile non seulement de séparer les différents groupes d'âge, mais aussi de concevoir les effets de ce facteur sur les préférences des consommateurs. C'est ainsi que plusieurs agences de voyages offrent des forfaits convenant aux différents groupes d'âge. De la même manière, la plupart des établissements bancaires proposent des produits différents aux étudiants et aux personnes âgées. On procède de façon identique en ce qui concerne la communication : les publicités pour les jeux vidéo, les boissons gazeuses et les jeans doivent utiliser le langage des jeunes ; les publicités s'adressant aux adultes doivent être plus sobres.

TABLEAU 4.3 **L'impact de l'âge sur la consommation : la répartition des dépenses moyennes de l'ensemble des ménages au Québec selon le groupe d'âge de la personne de référence (données de 2006)**

Type de dépense	Moins de 30 ans	30 à 44 ans	45 à 64 ans	65 ans et plus	Total
	%				
Alimentation	12,3	11,6	12,2	14,9	12,4
Logement	19,2	18,6	15,7	22,8	18,0
Entretien ménager	5,2	5,2	4,1	5,0	4,7
Articles et accessoires d'ameublement	4,2	3,5	2,9	2,9	3,2
Vêtements	4,8	4,3	4,2	4,1	4,3
Transport	14,9	12,4	14,3	11,8	13,4
Soins de santé	2,4	2,5	3,5	6,4	3,5
Soins personnels	1,9	1,8	1,8	2,3	1,9
Loisirs	6,4	5,9	5,7	4,6	5,7
Matériel de lecture	0,4	0,4	0,4	0,8	0,4
Éducation	2,0	1,2	1,3	0,1	1,2
Tabac et boissons alcoolisées	3,1	2,2	2,7	2,5	2,6
Dépenses diverses	1,3	1,4	1,5	1,6	1,5
Jeux de hasard	0,2	0,3	0,5	0,8	0,4
Consommation courante	78,4	71,3	70,8	80,7	73,0
Impôts personnels	14,8	20,9	21,1	14,6	19,5
Assurance individuelle et cotisations de retraite	6,2	6,8	7,0	1,9	6,2
Dons en argent et contributions	0,6	1,0	1,1	2,8	1,3
Dépenses totales	**100,0**	**100,0**	**100,0**	**100,0**	**100,0**

Source : STATISTIQUE CANADA, _Enquête sur les dépenses des ménages, septembre 2008_. Compilation : INSTITUT DE LA STATISTIQUE DU QUÉBEC, [En ligne], www.stat.gouv.qc.ca (Page consultée le 18 mars 2010)

La profession

Il est évident que la profession détermine le revenu d'un individu et, par conséquent, ses dépenses de consommation. Le type de profession exercée ainsi que la place occupée dans la hiérarchie d'une organisation influent grandement sur le genre de produits achetés. Le maire d'une ville, de par sa fonction, n'a pas la même tenue vestimentaire qu'un ouvrier du bâtiment. Nombreuses sont les entreprises qui ont compris l'importance de ce facteur : les compagnies aériennes, par exemple, s'emploient à repérer les gens d'affaires qui voyagent beaucoup afin de leur proposer des produits et des services adaptés à leurs besoins.

Un autre élément important en rapport avec la profession est le temps libre, puisqu'il dépend grandement de la fonction qu'une personne exerce. Les entreprises doivent en tenir compte. La prolifération des plats préparés et des services d'entretien ménager sur nos marchés montre que les entreprises ont pris en considération le fait que les travailleurs ont de moins en moins de temps pour accomplir les tâches ménagères. Les agences de voyages ont su également tirer parti de l'emploi du temps des étudiants en leur offrant des forfaits intéressants pendant les vacances scolaires. Notons que, pour plusieurs spécialistes en comportement du consommateur, la profession est souvent la variable la plus révélatrice de la classe sociale d'un individu.

Le niveau d'instruction

Les responsables du marketing doivent tenir compte du niveau d'instruction des consommateurs, puisque ce facteur a un effet important sur les ventes. Il suffit de penser au marché du livre ou à celui des logiciels éducatifs. L'instruction doit également être prise en considération au moment du conditionnement et de l'étiquetage du produit ainsi que dans la préparation des annonces publicitaires et des guides d'utilisation et, surtout, dans la commercialisation de produits complexes tels que les appareils de haute technologie. Il est clair, par exemple, que la stratégie marketing d'Apple et de Microsoft a été orientée vers la banalisation et la vulgarisation de l'outil informatique, ce qui a grandement contribué à le démocratiser. Avant les années 1990, seuls les informaticiens et les chercheurs utilisaient l'ordinateur.

Le lieu géographique

Le comportement des consommateurs varie en fonction du lieu géographique. Le climat dicte notre habillement et notre alimentation. Il faut également considérer l'urbanisation. En effet, les consommateurs qui vivent à la campagne n'ont pas forcément les mêmes besoins que ceux qui habitent dans les grandes villes. Par exemple, au moment de choisir une voiture, un habitant d'un petit village, où les problèmes de stationnement n'existent pas, ne recherchera sans doute pas les mêmes attributs qu'un citoyen d'une métropole. À l'intérieur même des grandes agglomérations, les habitants du centre-ville n'ont pas nécessairement les mêmes comportements de consommation que ceux de la banlieue en matière d'achat de maisons ou d'automobiles. Les premiers préfèrent les condominiums dans les tours d'habitation et les transports en commun, alors que les seconds recherchent les grandes maisons avec un vaste terrain, et les voitures plus spacieuses.

Le revenu

Le revenu est peut-être le principal facteur sur lequel se basent les entreprises. La raison en est qu'il détermine le pouvoir d'achat et, par conséquent, les dépenses du consommateur. Ce facteur a peu d'effet sur les produits essentiels tels que les aliments et les médicaments, mais il influence grandement les dépenses relatives à des produits tels que les divertissements et les investissements, comme les voyages, l'immobilier ou les produits de luxe. Pour tenir compte de ce facteur, les professionnels du marketing pourraient prévoir, pour un même produit, une version complète possédant la totalité des fonctionnalités et des attributs, et destinée aux segments à revenu élevé, et une autre version simplifiée destinée au segment à faible revenu. Afin d'éviter toute confusion dans l'image associée à leurs produits, certaines entreprises commercialisent plusieurs marques, les unes de luxe et les autres plus abordables. C'est le cas de Toyota, qui présente sa marque Lexus comme étant destinée à une clientèle aisée. Certaines chaînes hôtelières ont aussi adopté cette ligne de conduite.

Un autre moyen de s'adapter au pouvoir d'achat est d'offrir différentes quantités d'un même produit. Ainsi, on commercialise de petits flacons de parfum de luxe, ce qui rend le produit accessible aux consommateurs à revenu moyen. Le tableau 4.4 montre l'effet direct du revenu sur les dépenses de consommation relatives à certains produits. Cet effet est significatif dans tous les cas et il peut être plus prononcé pour certains produits que pour d'autres; c'est le cas du logement et des assurances personnelles.

_TABLEAU 4.4 **L'impact du revenu sur la consommation: la répartition des dépenses moyenne de l'ensemble des ménages au Québec selon le revenu annuel (données de 2006)**

Type de dépense	1er quintile	2e quintile	3e quintile	4e quintile	5e quintile	Total
			%			
Alimentation	17,5	15,2	13,8	12,7	9,7	12,4
Logement	30,5	22,5	19,0	17,1	14,2	18,0
Entretien ménager	6,4	5,8	4,8	4,6	4,0	4,7
Articles et accessoires d'ameublement	3,3	3,7	3,2	3,1	3,1	3,2
Vêtements	4,2	4,5	4,1	4,4	4,2	4,3
Transport	10,8	14,6	15,7	13,9	12,3	13,4
Soins de santé	4,6	4,7	4,0	3,5	2,7	3,5
Soins personnels	2,6	2,3	2,0	1,9	1,6	1,9
Loisirs	6,0	5,3	5,5	5,6	5,9	5,7
Matériel de lecture	0,4	0,5	0,4	0,5	0,4	0,4
Éducation	1,3	1,2	1,0	1,2	1,3	1,2
Tabac et boissons alcoolisées	4,0	3,5	3,0	2,3	2,0	2,6
Dépenses diverses	1,4	1,5	1,8	1,4	1,4	1,5
Jeux de hasard	0,5	0,6	0,6	0,4	0,3	0,4
Consommation courante	93,7	85,9	78,8	72,4	62,8	73,0
Impôts personnels	3,0	8,6	13,6	19,3	28,8	19,5
Assurance individuelle et cotisations de retraite	2,0	4,0	5,9	7,1	7,2	6,2
Dons en argent et contributions	1,4	1,5	1,7	1,1	1,1	1,3
Dépenses totales	**100,0**	**100,0**	**100,0**	**100,0**	**100,0**	**100,0**

Note: 1er quintile: 22 000 $ ou moins; 2e quintile: de 22 001 $ à 36 000 $; 3e quintile: de 36 001 $ à 54 000 $; 4e quintile: de 54 001 $ à 83 000 $; 5e quintile: plus de 83 000 $.

Source: STATISTIQUE CANADA, _Enquête sur les dépenses des ménages, septembre 2008._ Compilation: INSTITUT DE LA STATISTIQUE DU QUÉBEC, [En ligne], www.stat.gouv.qc.ca (Page consultée le 18 mars 2010)

Les facteurs psychologiques

Dans l'analyse du comportement d'achat, il importe de porter attention aux facteurs psychologiques. Les besoins, les motivations, la perception, l'apprentissage, la personnalité, les valeurs et le style de vie, les attitudes et le risque perçu déterminent le comportement quotidien du consommateur. Ces facteurs influent directement sur le choix des produits et sur la manière dont se déroule le processus d'achat.

Les besoins et les motivations

La motivation naît d'un besoin suffisamment puissant pour que l'individu cherche à le combler. La motivation est définie comme l'ensemble des forces dynamiques qui provoquent un comportement visant à satisfaire un besoin déterminé [6]. C'est principalement pour combler un besoin que le processus décisionnel d'achat se met en place, d'où la relation directe entre la motivation, les besoins et le processus décisionnel.

Tout individu éprouve, à un moment ou un autre, un ou plusieurs besoins. Le concept de besoin a été envisagé sous plusieurs points de vue en marketing. La théorie la plus appliquée est la hiérarchie des besoins selon Maslow, qui permet de connaître la nature de ceux-ci et de comprendre la façon dont ils naissent. Suivant cette hiérarchie, les besoins se divisent en cinq catégories que l'on peut classer par ordre d'importance : les besoins inférieurs doivent être satisfaits avant que les besoins supérieurs puissent être éprouvés. De plus, la satisfaction d'un besoin entraîne aussitôt la naissance d'un besoin supérieur.

La hiérarchie des besoins se présente comme suit :

- **Les besoins physiologiques** : la faim, la soif, le travail, les déplacements, etc. Ces besoins sont liés à la survie de l'individu et doivent être satisfaits avant tout autre besoin.

- **Les besoins de sécurité** : besoin d'épargner, de contracter une assurance responsabilité, d'installer un système d'alarme, et ainsi de suite.

- **Les besoins d'amour et d'appartenance** : besoin d'être aimé, d'être accepté par son entourage, d'appartenir à un groupe social… Par exemple, le besoin d'offrir un cadeau à une personne chère ou celui d'avoir des vêtements à la mode.

- **Les besoins d'estime** : besoin de bien paraître en société, d'avoir un statut social élevé ou d'avoir du prestige. Cela peut se traduire, entre autres, par le besoin d'acheter des produits de luxe et des marques de prestige, ou d'appartenir à un club de renom.

- **Le besoin de s'accomplir** : besoin de créer ou d'innover, de se cultiver, etc. Certains produits culturels, comme les expositions dans les musées et les pièces de théâtre, répondent à ce type de besoin.

Ainsi, selon la hiérarchie des besoins de Maslow, l'individu ne peut ressentir le besoin de se procurer des produits financiers d'épargne ou de placement (besoins de sécurité) que s'il travaille déjà et a suffisamment de quoi vivre (besoins physiologiques). Une fois qu'il a en sa possession les produits financiers, il sentira le besoin de manifester son amour pour ses enfants, par exemple en souscrivant à leur intention à un régime d'épargne-études (besoins d'amour et d'appartenance).

Le gestionnaire en marketing doit connaître ces différents besoins pour déterminer la façon dont il stimulera les consommateurs et dirigera leurs désirs de manière à leur procurer satisfaction [7]. L'info-marketing 4.5 énumère une série de besoins se rattachant à la hiérarchie de Maslow et indique des moyens de les stimuler.

Des exemples de besoins ayant rapport avec la hiérarchie de Maslow et de moyens utilisés en marketing pour les stimuler

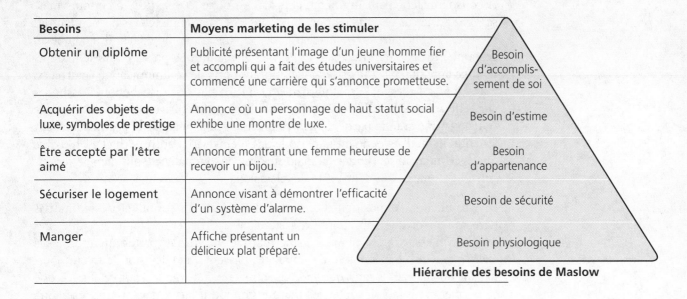

Besoins	Moyens marketing de les stimuler
Obtenir un diplôme	Publicité présentant l'image d'un jeune homme fier et accompli qui a fait des études universitaires et commencé une carrière qui s'annonce prometteuse.
Acquérir des objets de luxe, symboles de prestige	Annonce où un personnage de haut statut social exhibe une montre de luxe.
Être accepté par l'être aimé	Annonce montrant une femme heureuse de recevoir un bijou.
Sécuriser le logement	Annonce visant à démontrer l'efficacité d'un système d'alarme.
Manger	Affiche présentant un délicieux plat préparé.

Besoin d'accomplissement de soi
Besoin d'estime
Besoin d'appartenance
Besoin de sécurité
Besoin physiologique

Hiérarchie des besoins de Maslow

Non seulement les besoins, mais aussi les motivations d'achat peuvent différer d'un individu à l'autre. Ainsi, un consommateur peut acheter du dentifrice pour avoir une bonne haleine ou les dents blanches, alors qu'un autre l'utilisera pour combattre la carie dentaire. Un troisième consommateur pourrait utiliser du dentifrice par esprit d'imitation, parce que tout le monde le fait. Encore une fois, le gestionnaire en marketing doit connaître les utilités ou les avantages recherchés par chaque groupe de consommateurs pour leur suggérer une politique de produits, une communication, une distribution et un prix qui soient adaptés à leurs profils. Une entreprise comme Procter & Gamble a compris cela car, alors que son offre se limitait, à ses débuts, à la seule marque Crest, elle propose aujourd'hui sur les étalages plusieurs sous-marques, comme le Crest Expressions blancheur, le Crest Protection anticarie et antitartre, le Crest Pro-Santé, et ainsi de suite.

La perception

La perception se définit comme le processus mental par lequel l'individu sélectionne, organise et interprète l'information qu'il reçoit pour créer une image significative du monde qui l'entoure. La perception est donc un processus de filtrage et d'interprétation propre à chaque individu pour se représenter la réalité [8]. Ce qu'il importe de savoir en marketing, c'est que le processus perceptuel suit quatre grandes phases : l'exposition, l'attention, l'interprétation et la rétention (*voir la figure 4.3*). Ces étapes peuvent influer sur l'une ou l'autre des composantes cognitive, affective ou conative du processus décisionnel d'achat.

FIGURE 4.3 **La formation des perceptions**

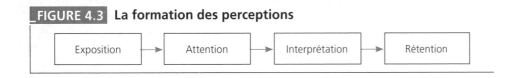

Exposition → Attention → Interprétation → Rétention

En ce qui concerne l'exposition, il est évident que l'individu ne peut être exposé à tous les stimuli de l'environnement. Un consommateur qui se déplace en automobile ne sera pas exposé à une annonce publicitaire affichée dans le métro, de même qu'il ne pourra connaître toutes les marques de margarine. Par ailleurs, le consommateur peut lui-même choisir de ne pas être exposé à certains messages ; c'est le cas de la personne qui change de chaîne de télévision pendant les messages publicitaires ou qui regarde des chaînes sans publicités. Il incombe au gestionnaire de marketing d'aller informer le client de sa présence sur le marché. Pour ce faire, il peut utiliser les différents supports de communication (journaux, magazines, affiches mobiles, Internet, etc.) et les canaux de distribution. Des études sur l'efficacité de la publicité ont convaincu plusieurs dirigeants d'entreprises de transférer une grande partie de leur publicité de la télévision vers l'affichage dans les endroits publics pendant la période de Noël (surtout entre 17 h et 21 h) parce que, à ce moment de l'année, la majorité des consommateurs sont dans les magasins plutôt que devant leur poste de télévision.

Par ailleurs, l'exposition d'un consommateur à un stimulus ne signifie pas nécessairement que son attention a été captée. En effet, c'est l'intérêt que présente un message publicitaire ou une marque qui lui fait prêter attention à ces éléments. Ainsi, bon nombre de publicités passent à la télévision, dans un journal ou un magazine sans que le consommateur s'en rende compte. Est-ce que ce dernier arrive à voir toutes les marques quand il passe devant les présentoirs d'un magasin ? Ces questions se rapportent à la barrière perceptuelle d'une personne. Cette barrière s'explique par les prédispositions de l'individu et aussi par ses capacités limitées d'absorption de l'information. L'un des rôles de tout gestionnaire de publicité ou de marque est de vaincre cette barrière perceptuelle. Il faut donc user de toutes sortes de techniques graphiques, de couleurs, de formes… Là encore, le consommateur peut choisir de prendre connaissance de certains messages seulement. Généralement, il a plus tendance à porter attention à une publicité concernant un produit donné lorsqu'il est engagé dans un processus décisionnel d'achat. Par exemple, un individu désireux d'acheter un ordinateur accordera plus d'attention aux annonces d'ordinateurs et se rendra plus fréquemment dans les magasins d'informatique. La stratégie publicitaire de la compagnie italienne de vêtements Benetton a souvent consisté à diffuser des publicités choquantes en vue d'attirer l'attention des consommateurs et de leur rappeler sa présence sur le marché. La figure 4.4 montre des exemples de publicités visant à vaincre la résistance perceptuelle des consommateurs.

Une fois attiré par un message ou par une marque, l'individu interprète l'information à sa manière ; c'est ce que l'on appelle la distorsion sélective. En effet, les stimuli sont traduits en fonction des valeurs et des croyances, d'où le risque de distorsion et de déformation. Le responsable du marketing doit connaître parfaitement son public cible s'il veut être capable de prévoir la manière dont celui-ci percevra un message ou associera une image particulière à une marque. On doit étudier cette question avec soin lorsque l'on commercialise des marques ou que l'on fait de la publicité dans des marchés étrangers qui ont une autre culture. Le shampoing Pert Plus introduit sur un marché francophone peut être vu par la clientèle comme un produit qui fait perdre les cheveux. General Motors a lancé au Mexique un modèle de voiture appelé Nova, mot qui signifie « ne fonctionne pas » en espagnol. Enfin, en raison des limites de ses capacités mentales, le consommateur ne peut retenir tous les messages qui le sollicitent quotidiennement. Il

© Copyright 1991 Benetton Group S.p.A.
Photo Oliviero Toscani.

© Copyright 1993 Benetton Group S.p.A.
Photo Oliviero Toscani.

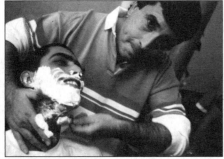

© Copyright 1998 Benetton Group S.p.A.
Photo Oliviero Toscani.

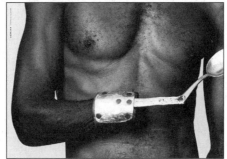

© Copyright 2003 Benetton Group S.p.A.
Photo James Mollison.

© Copyright 1989 Benetton Group S.p.A.
Photo Oliviero Toscani.

© Copyright 1991 Benetton Group S.p.A.
Photo Oliviero Toscani.

ne retiendra que ceux qui lui paraissent intéressants. D'un point de vue straté-gique, il est important, pour les annonceurs, de capter l'attention du consommateur au moment où ce dernier entame un processus décisionnel d'achat. L'étape de recherche interne précède souvent l'étape de recherche externe et, si l'information mémorisée est jugée suffisante, elle sera l'unique référence sur laquelle s'appuiera le consommateur pour effectuer son choix.

Tant pour les publicitaires que pour les gestionnaires de produits, l'ultime but des opérations de marketing est non seulement de communiquer leurs messages et de faire connaître leurs marques à leurs publics cibles, mais aussi et surtout de voir à ce que ces messages soient bien interprétés. Ce qui amène au concept d'image de marque d'un produit, c'est-à-dire les idées que le consommateur associe à cette marque, en particulier celles qui ont trait à l'utilité du produit. Assez souvent, c'est cette image que les spécialistes du marketing cherchent à faire connaître, car les consommateurs se baseront sur l'image de marque du produit dans leur décision d'achat plutôt que sur ses caractéristiques réelles. Ainsi, Jaguar s'est employée ces dernières années à repositionner sa marque en la rendant plus accessible (moins chère), mais les consommateurs continuent de croire que la Jaguar est une voiture très coûteuse et, la plupart du temps, ils ne l'incluent pas parmi les choix possibles. Par ailleurs, du point de vue de la recherche en marketing, les études de marché portent souvent sur l'évaluation de la notoriété des marques, de la mémorisation publicitaire et de l'utilité des cartes perceptuelles pour apprécier l'efficacité des opérations de marketing.

Notons que les courbes perceptuelles sont des représentations graphiques qui reflètent les perceptions de différence ou de similitude entre les différentes marques d'un produit. Ce concept sera expliqué davantage au chapitre 8, qui porte sur le positionnement et la différenciation.

L'apprentissage

L'apprentissage peut se définir comme tout changement dans la réponse ou le comportement d'une personne qui est dû à la pratique, à l'expérience ou à une association mentale [9]. C'est en somme l'expérience de consommation que chaque individu acquiert progressivement. L'apprentissage d'ordre comportemental se fait par stimulus-réponse. Par exemple, Claude, après une partie de tennis, a extrêmement soif. Sur place, le distributeur automatique contient des bouteilles de Gatorade, une boisson qu'il ne connaît pas, et il décide de l'essayer. Il trouve la boisson vraiment désaltérante. Satisfait du produit, il prend ainsi l'habitude, après chaque partie, de boire une bouteille de Gatorade et, peu à peu, il associe la marque à une sensation d'apaisement. On peut voir ici qu'un certain sentiment de récompense résultant de la satisfaction amènera un renforcement positif et donc une répétition du comportement. Si Claude n'avait pas été satisfait du produit, il n'aurait pas répété son achat. Une fois qu'un tel apprentissage est fait, il est assez difficile pour la concurrence d'amener le consommateur à établir une relation avec son produit. Mais lorsque le produit est de faible implication, il suffit de très peu de choses (par exemple, ne pas trouver sa marque préférée) pour que le consommateur essaie une autre marque et établisse un nouvel apprentissage.

L'apprentissage peut également comporter une activité cognitive : le consommateur bâtit un raisonnement, parfois après avoir observé les autres. Les annonceurs tirent souvent parti de ce mode d'apprentissage, comme en témoignent les publicités pour rince-bouche qui montrent le résultat obtenu par une personne ayant une mauvaise haleine ou utilisant une marque concurrente (rejet par l'entourage) et le résultat obtenu avec la marque annoncée (acceptation, joie et satisfaction). D'un point de vue stratégique en marketing, les entreprises doivent veiller à ce que les consommateurs connaissent leur marque (avoir de la notoriété), qu'ils l'évaluent comme il faut (donner une compréhension claire de ses attributs distinctifs) et, enfin, qu'ils l'apprécient (projeter une bonne image).

La personnalité

La personnalité est l'ensemble des caractéristiques propres à une personne qui déterminent sa façon d'agir. Selon les spécialistes en marketing, le comportement d'achat est souvent fonction de la personnalité de l'individu. Par exemple, les vêtements que l'on porte, les loisirs que l'on pratique ou la musique que l'on écoute reflètent notre personnalité. Il est difficile de déterminer comment se forme la personnalité. Certains pensent qu'elle s'acquiert, d'autres, qu'elle est innée [10]. Ce qu'il y a de certain, c'est qu'il s'agit d'une notion complexe et difficile à cerner. Par souci de simplification, pour pouvoir établir des rapports entre le comportement d'achat et la personnalité, on a souvent concentré l'attention sur certains traits importants, comme l'introversion, l'extraversion, l'émotivité et l'agressivité. Ainsi, la personnalité implique le concept de soi, lequel peut être décomposé en concept de soi idéal et en concept de soi effectif. Le dernier renvoie à la manière dont l'individu se voit, et le premier à ce à quoi il aspire (comment il voudrait se voir). Les annonceurs se réfèrent au concept de soi lorsqu'ils s'emploient à montrer dans leurs messages que leurs produits peuvent permettre au consommateur de réaliser ses aspirations. C'est le cas, par exemple, d'une publicité montrant une femme dans la cinquantaine, qui présente des rides au visage et qui, après avoir utilisé une crème antirides, se sent rajeunie et est même prise pour une amie de sa fille.

Les valeurs et le style de vie

Chaque consommateur a ses propres valeurs qu'il défend dans sa vie quotidienne. Ces valeurs peuvent être d'ordre social ; elles sont alors communes à tous les membres d'une société [11] – par exemple, le bien-être, la liberté, l'individualisme, l'égalitarisme et le matérialisme. Mais les valeurs peuvent aussi être individuelles [12] et se rapporter à des convictions profondes de l'individu – par exemple, le respect de soi, l'hédonisme, le conservatisme, la charité, l'amitié et l'amour. Plusieurs études en marketing ont montré que les valeurs influent grandement sur le comportement des consommateurs. L'info-marketing 4.6 illustre bien les rapports entre les valeurs et les tendances en habitation au Québec.

INFO MARKETING 4.6

Les valeurs et les tendances en habitation des consommateurs au Québec

« Les résultats du sondage réalisé [en 2007] auprès des ménages [du Québec pour le compte de la Société d'habitation du Québec (SHQ)] permettent de dégager six tendances actuelles en habitation.

1 – Un consommateur plus expérimenté
Le vieillissement de la population modifie radicalement et systématiquement le portrait du consommateur en habitation. [...]

[... L]'une des résultantes les plus importantes du vieillissement de la population [...] est l'arrivée d'acheteurs et de locataires de plus en plus expérimentés et donc de plus en plus exigeants. [... I]ls savent davantage ce qu'ils veulent et acceptent moins facilement les compromis.

2 – Un consommateur plus hédoniste
[... U]n des facteurs les plus distinctifs de la société québécoise [serait] le besoin de confort, d'amusement et de repos. D'ailleurs, selon le sondage [...], la santé (55 %), la jouissance de la vie (18 %) et la vie de famille (18 %) viennent aux trois premiers rangs des valeurs fondamentales [...], bien devant [...] l'argent (2 %) ou la vie sociale (1 %).

Le "cocooning" n'est certes pas un phénomène éphémère au Québec. Le sondage révèle que 88 % des gens [questionnés] se sentent généralement relax à la maison, qu'ils y passent près de 100 heures par semaine [...].

[...]

3 – Un consommateur plus stressé financièrement
Depuis le début des années 1990, les dépenses des ménages québécois n'ont cessé d'augmenter plus rapidement que le revenu annuel moyen. [...] Par conséquent, bien qu'il ne soit pas une valeur fondamentale pour les Québécois, l'argent demeure une préoccupation.

[...]

[... L]es propriétaires consacrent 27 % de leur budget à leur habitation et 15 % des propriétaires se disent stressés par le paiement de leurs frais. Seulement 5 % envisagent l'achat d'une résidence secondaire. On préfère investir dans la résidence actuelle.

[...]

4 – Un consommateur plus pressé

Les Québécois sont de plus en plus pressés par le temps. [...] Les sondages réalisés par Léger Marketing au cours des dernières années démontrent que 57 % des Québécois sont tendus par manque de temps, que 39 % disent qu'ils n'ont pas le temps pour s'amuser et que 35 % n'ont pas assez de temps pour leur famille. En somme, les gens cherchent, tout au long de leur journée, à gagner du temps pour mieux en jouir à la maison.

[...]

5 – Un consommateur plus écologique

La préoccupation de l'environnement et de la pollution est une autre tendance qui trouve écho au Québec. Le sondage démontre que les deux premières préoccupations des Québécois, la santé (44 %) et l'environnement (41 %), dépassent largement les autres sujets tels que l'éducation (24 %), la pauvreté (13 %) ou l'emploi (9 %).

[...]

Le sondage révèle que 47 % des Québécois estiment que le recyclage est le geste le plus important pour l'environnement. D'autre part, 33 % se disent prêts à payer plus pour une meilleure efficacité énergétique et 30 % pour une meilleure insonorisation.

Ce n'est plus seulement l'acquisition d'un logis qui compte, mais celle d'un *éco-logis*.

6 – Un consommateur plus mobile

Une des données les plus significatives du sondage démontre que 80 % des locataires [et 44 % des propriétaires] disent ne pas habiter la résidence qu'ils souhaitent.

[...]

Même si les gens ont la bougeotte et sont nettement plus mobiles qu'avant, 52 % de ceux qui veulent déménager pensent demeurer dans leur ville ou municipalité. On se déplace mais à proximité de son ancienne demeure. »

Source : LÉGER MARKETING, « Valeurs et tendances en habitation au Québec : volet auprès des ménages », étude réalisée pour le compte de la SHQ, septembre 2007. Voir www.habitation.gouv.qc.ca

---

Le style de vie d'un individu peut être défini comme sa façon de vivre, la manière dont il occupe son temps et agit dans la vie de tous les jours. Le style de vie reflète les valeurs ainsi que la personnalité de l'individu. Les concepts de valeur et de style de vie sont très utilisés en marketing ; ils servent souvent de base à la segmentation des marchés. Celle-ci permet à l'entreprise de mieux connaître ses consommateurs cibles et de modeler son offre sur les attentes de chaque segment. En ce qui concerne la segmentation selon les valeurs et les styles de vie, la méthode qui a connu le plus de succès est la méthode VALS[13] (*Values and Lifestyle*) conçue par le Stanford Research Institute (SRI International). Cette méthode distingue huit profils différents de consommateurs au sein de la société américaine. Pour définir les profils, les chercheurs se sont basés sur l'orientation personnelle, qui peut être vers les principes, le statut, l'action ou le dynamisme, ainsi que sur les ressources matérielles, physiques et psychologiques de l'individu. La figure 4.5 donne une idée des différents segments mis en évidence au moyen de cette méthode.

Les attitudes

L'attitude est définie comme une prédisposition à agir et à penser dans un certain sens, favorable ou défavorable, envers une personne, un objet ou un événement[14]. Les spécialistes en marketing affirment souvent que la formation des attitudes est une chose complexe. Au cours du processus décisionnel d'achat, les attitudes jouent un rôle très important dans la phase affective de l'examen des possibilités. Le choix de la marque dépend de l'attitude du consommateur. L'attitude est fonction des motivations de l'individu et de son opinion concernant la capacité du produit à satisfaire ses besoins. Alors que les motivations déterminent les attributs recherchés par le consommateur, les croyances ont rapport à sa perception

LES INNOVATEURS
Aiment les choses raffinées
• Réceptifs aux nouveaux produits
et aux technologies • Sont sceptiques
à l'égard de la publicité • Sont des
lecteurs assidus de plusieurs
publications • Regardent très
peu la télévision

**RESSOURCES ÉLEVÉES
INNOVATION ÉLEVÉE**

MOTIVATION PRIMAIRE

Idéalisme	Réalisation	Expression de soi

LES INTELLECTUELS
S'intéressent peu à l'image
et au prestige • Consomment
plus de produits pour la maison
• Aiment les programmes éducatifs
et d'affaires publiques
• Lisent de manière variée
et fréquente

LES PERFORMANTS
Recherchent les meilleurs
produits • Sont sceptiques à
l'égard de la pub • Sont les premières
cibles pour plusieurs produits
• Regardent moyennement la télé
• Lisent les publications
d'affaires, d'actualité
et de croissance
personnelle

LES PRAGMATIQUES
Suivent la mode
• Consacrent beaucoup d'argent
aux rapports sociaux • Achètent
de façon impulsive • Utilisent
beaucoup les produits et
les médias électroniques

LES CROYANTS
Achètent des produits
domestiques • Résistent au
changement • Cherchent souvent
à marchander • Regardent la télévision
plus que la moyenne des gens
• Lisent beaucoup les magazines
consacrés à la retraite, à la
maison, au jardinage et
d'intérêt général

**LES JEUNES
LOUPS**
Accordent beaucoup
d'attention à leur image
• Ont des revenus discrétionnaires
limités, mais disposent de marges
de crédit • Dépensent pour les
vêtements et les produits de
soins personnels
• Préfèrent la télévision
à la lecture

LES RÉALISATEURS
Dans leur magasinage,
ils cherchent le confort, la
durabilité et la valeur • Ne sont pas
impressionnés par le luxe • Écoutent
souvent la radio • Lisent les
magazines d'auto, de
bricolage, de pêche et
d'activités extérieures

LES LABORIEUX
Sont fidèles aux marques
• Utilisent les coupons et
recherchent les aubaines • Regardent
souvent la télévision • Lisent les
magazines féminins
et les tabloïds

**RESSOURCES FAIBLES
INNOVATION FAIBLE**

Source : STRATEGIC BUSINESS INSIGHTS, [En ligne], www.strategicbusinessinsights.com (Page consultée le 18 mars 2010) des attributs de la marque. Il importe de rappeler que ces croyances sont fondées sur les expériences passées et sur les informations recueillies, que celles-ci soient objectives ou subjectives. Les entreprises doivent donc tenir compte de l'attitude du consommateur à l'égard de leurs produits, car celle-ci joue un rôle déterminant dans le choix final. Il est peu probable qu'un consommateur achète un produit à l'égard duquel il a une attitude défavorable. Les professionnels du marketing doivent donc être capables de déterminer quelles seront les attitudes des consommateurs cibles, de les renforcer si elles sont positives (par la publicité de rappel, par exemple) ou de les modifier si elles sont négatives. Mais dans ce dernier cas, la tâche est ardue, car il s'agit de trouver la cause de cette attitude négative, puis de réfuter les croyances erronées relatives à certains attributs ou d'améliorer le produit pour que ces attributs deviennent intéressants. La figure 4.6 présente une publicité visant à changer les croyances des consommateurs relatives aux œufs.

_FIGURE 4.6 Une publicité visant à changer les croyances relatives aux œufs

Oubliez vos vieux préjugés : il n'y a aucune raison de vous priver d'œufs. Avec toutes les protéines, vitamines et tous les nutriments essentiels qu'ils contiennent, manger des œufs devrait même vous aider à rester en bonne santé.

B N

Source : FÉDÉRATION DES PRODUCTEURS D'ŒUFS DE CONSOMMATION DU QUÉBEC.

Le risque perçu

La notion de risque perçu renvoie souvent à l'incertitude que le consommateur éprouve au moment de la prise de décision finale et qui a rapport aux conséquences de son geste. Cet état d'incertitude dépend de trois facteurs : le degré d'implication, le goût du risque et la quantité d'information dont le consommateur dispose. En ce qui concerne l'implication, plus le consommateur attache de l'importance à son achat, plus il percevra le risque comme élevé. Le goût du risque est un trait de personnalité ; il se définit comme la propension du consommateur à hasarder des décisions sans attendre d'avoir toutes les informations utiles. La quantité d'information dont dispose le consommateur a toujours pour effet de réduire l'incertitude liée à sa prise de décision. Le gestionnaire en marketing doit déterminer l'importance subjective du risque ainsi que sa nature pour pouvoir le réduire. Jacob Jacoby et Leon Kaplan (1972) ainsi qu'Alain D'Astous et autres (2005) distinguent cinq types de risques [15]. Le premier concerne la fonctionnalité du produit, c'est-à-dire sa capacité à remplir sa tâche – par exemple, une voiture d'occasion qui tombe en panne à tout bout de champ. Le deuxième a rapport à l'importance de la somme d'argent dépensée : le consommateur qui fait une dépense considérable craint de ne pas être satisfait – par exemple, l'achat d'une maison. Le troisième a trait à la sécurité : le consommateur redoute qu'un accident ne survienne s'il utilise le produit – par exemple, l'achat d'une scie électrique. Le quatrième tient compte de l'opinion des autres : le consommateur a peur d'être mal perçu par les autres s'il utilise le produit – par exemple, l'achat d'un vêtement passé de mode. Le cinquième est relatif à l'image de soi : le consommateur craint les effets de l'utilisation du produit sur la perception qu'il a de lui-même – par exemple, une femme qui n'obtiendrait pas la couleur de cheveux souhaitée à la suite de l'application d'un produit colorant. Le gestionnaire de marketing doit s'efforcer d'atténuer l'effet négatif de la perception du risque sur la décision d'achat. Parmi les stratégies couramment utilisées, citons les garanties d'échange et de remboursement, le développement de l'image de marque et la fidélisation des clients.

4.2.2_Les influences environnementales

Le consommateur subit constamment l'influence de l'environnement. Les facteurs environnementaux qui influent sur le consommateur peuvent être socioculturels (culture, classe sociale, religion, amis, etc.) ou situationnels (aspect du magasin, moment de l'achat, etc.). La section qui suit décrit ces deux groupes de facteurs et souligne les plus importants de ceux-ci.

Les facteurs socioculturels

En complémentarité avec les facteurs psychologiques présentés dans la section précédente, le comportement d'achat des individus se trouve influencé par d'autres facteurs de nature socioculturelle. En effet, tout consommateur vit en société et partage avec ses membres une culture qui les distinguent des consommateurs d'autres cultures. La culture est un ensemble complexe englobant les connaissances, les croyances, l'art, les normes, les valeurs, la morale, les rituels et bien d'autres éléments qu'elle inculque à ceux qui la partagent, et qui les distinguent des autres sociétés.

Les lignes qui suivent décrivent l'influence sur le comportement des consommateurs qu'ont des facteurs tels que la culture, les sous-cultures, les classes sociales, les groupes de référence et la famille.

La culture

La culture est l'ensemble constitué par la langue, la religion, les connaissances, les croyances, la loi, la morale, les coutumes et toutes les autres capacités et habitudes acquises par l'homme en tant que membre d'une société [16]. La notion de culture est vaste et difficile à cerner. La culture a un effet déterminant sur le comportement du consommateur, car elle fournit aux individus les normes et les valeurs sur lesquelles ils régleront leur manière de vivre et, par voie de conséquence, leur comportement d'achat. De plus, elle est l'un des éléments les plus importants dont il faille tenir compte à l'heure actuelle, vu l'internationalisation croissante. Pour les constructeurs automobiles qui accèdent à de nouveaux marchés, l'étude de la culture du pays où ils introduisent leurs produits est capitale. Le nom d'un produit peut prendre une signification différente dans un autre pays, comme on l'a vu à la section portant sur la perception. La figure 4.7 montre l'étiquetage du produit Bon Départ Cultures naturelles de Nestlé, adapté en fonction d'un contexte où cohabitent deux groupes linguistiques. Outre le produit, le gestionnaire en marketing doit également prendre en compte les différences culturelles dans sa stratégie de communication, car les consommateurs désirent généralement s'identifier aux personnages présentés dans les

_**FIGURE 4.7** L'adaptation de l'étiquetage d'une marque de préparation pour nourrissons

Source: NESTLÉ CANADA, [En ligne], www.nestle-baby.ca (Page consultée le 22 février 2010)

publicités. Ainsi, il conviendrait de diffuser une publicité défendant des valeurs collectivistes dans les pays d'Asie et une publicité prônant des valeurs individualistes en Amérique du Nord. Les entreprises des secteurs de l'agroalimentaire et de la restauration doivent s'adapter aux marchés des pays où des préceptes religieux restreignent la consommation de leurs produits. La chaîne de restauration rapide McDonald's n'aurait pu s'établir en Israël (pays à majorité juive), au Maroc (pays à majorité musulmane) ou en Inde (pays à majorité hindouiste) si elle n'avait pas modifié la gamme des produits offerts. McDonald's propose des plats kascher en Israël, offre aux Marocains une viande conforme aux normes musulmanes et fait, en Inde, davantage la promotion du McPoulet ou du McPoisson que du Big Mac, fait de viande de bœuf.

Les sous-cultures

La culture correspond à l'ensemble des normes et des valeurs qui régissent le comportement des membres d'une société : « [La culture] est pour la collectivité humaine ce que la personnalité est pour l'individu [17]. » Une culture peut comprendre plusieurs sous-cultures, lesquelles peuvent se constituer sur la base de la nationalité, de la religion, de l'origine ethnique ou du lieu géographique [18]. Les entreprises s'adaptent de plus en plus à ces différences, tant sur le plan de la conception des produits que sur celui de la communication. Par ailleurs, on s'accorde à dire que la culture canadienne est une mosaïque ethnique dans laquelle chaque groupe tient à la fois à préserver son identité et à défendre des valeurs telles que la liberté, la démocratie ou le respect d'autrui. Les sous-cultures anglophone et francophone tiennent le haut du pavé au Canada. Des études récentes ont révélé qu'il existe des différences notables de valeurs et de style de vie entre les francophones du Québec et les Canadiens du reste du pays. La figure 4.8 indique les principales différences dégagées de ces études. On remarque à cet égard que les messages publicitaires sont de plus en plus adaptés à chaque culture. Les annonces véhiculent parfois des valeurs différentes. Ainsi, les stratégies publicitaires de Bell destinées au Canada francophone diffèrent totalement de celles qui visent le Canada anglophone.

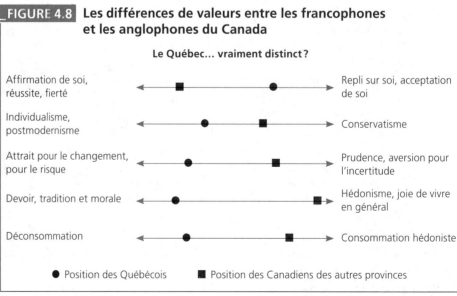

__FIGURE 4.8__ **Les différences de valeurs entre les francophones et les anglophones du Canada**

Le Québec... vraiment distinct ?

Affirmation de soi, réussite, fierté — Repli sur soi, acceptation de soi

Individualisme, postmodernisme — Conservatisme

Attrait pour le changement, pour le risque — Prudence, aversion pour l'incertitude

Devoir, tradition et morale — Hédonisme, joie de vivre en général

Déconsommation — Consommation hédoniste

● Position des Québécois   ■ Position des Canadiens des autres provinces

Source : Sophie LACHAPELLE, « Les cordes sensibles revisitées », *Infopresse,* juin 2001, p. 58.

Les classes sociales

La stratification sociale, bien qu'encore considérée par plusieurs comme quelque peu tendancieuse, est un concept dont les entreprises se servent souvent pour différencier et segmenter leur marché cible. La classe sociale se définit comme une division de la société fondée sur une certaine communauté d'intérêts et une conformité de niveaux de vie et d'idéologie [19]. Dans des pays comme l'Inde, les classes sociales sont totalement fermées les unes aux autres. Dans d'autres sociétés, la séparation peut être moins absolue, et le passage d'une classe à l'autre est admis. Mais, chose certaine, il existe des classes sociales dans toutes les sociétés.

Certains spécialistes considèrent que les informations découlant de l'appartenance à une classe sociale sont plus riches que celles obtenues par l'examen du seul revenu [20]. Selon eux, le comportement de consommation d'un individu reflète sa position sociale beaucoup plus que son revenu. Deux personnes qui ont le même revenu mais qui n'appartiennent pas à la même classe sociale peuvent avoir des comportements d'achat totalement différents.

Considérons le cas d'un individu de la classe moyenne qui a gagné une grosse somme d'argent. Il aura tendance à acquérir des produits de luxe tapageurs témoignant de sa richesse et de sa réussite. Ainsi, il sera enclin à s'acheter une voiture de sport très voyante, alors qu'une personne appartenant à la classe supérieure et aussi fortunée que lui sera portée à choisir un modèle plus sobre.

Pour déterminer la classe sociale à laquelle appartient un individu, on se base sur quatre critères, à savoir l'occupation professionnelle, la source de revenu, le type d'habitation et la zone de résidence. On distingue en général cinq classes sociales :

- **La classe supérieure.** Elle est constituée de personnes relativement riches qui habitent, le plus souvent, des résidences cossues dans des quartiers opulents ; elles achètent généralement des produits de luxe, mais ne cherchent pas à les exhiber.

- **La classe moyenne-supérieure.** Elle est composée de personnes ayant connu un certain succès sur le plan professionnel, tels les propriétaires d'entreprises de taille moyenne. Ces personnes sont généralement instruites. Leurs achats ont tendance à être voyants, à mettre en évidence leur statut social ainsi que leur réussite.

- **La classe moyenne-inférieure.** Elle est en général composée de fonctionnaires, de vendeurs, d'enseignants et d'autres salariés qui exercent des fonctions similaires.

- **La classe inférieure-supérieure.** Elle correspond à la classe ouvrière, constituée généralement d'individus peu instruits. Ces personnes se contentent le plus souvent de leur revenu et s'identifient à leur position sociale : la plupart ne cherchent pas à s'élever dans l'échelle sociale. En général, cette classe et la classe moyenne-inférieure combinées constituent une majorité au sein de la société.

- **La classe inférieure-inférieure.** Elle regroupe la plupart des ouvriers non spécialisés, les chômeurs et les assistés sociaux. Son niveau de vie est beaucoup plus bas que celui de la classe inférieure-supérieure.

En marketing, il est nécessaire de tenir compte du fait que le comportement du consommateur est en général fonction de la classe sociale à laquelle il appartient. Le tableau 4.5 montre l'influence exercée par la stratification sociale sur le comportement de consommation en ce qui concerne la fréquentation des magasins.

TABLEAU 4.5 **L'influence de la classe sociale sur la fréquentation des magasins**

Type de magasins \ Classe sociale	Inférieure-inférieure	Supérieure-inférieure	Inférieure-moyenne	Supérieure-moyenne	Inférieure-supérieure	Supérieure-supérieure
Boutiques des grands couturiers	4 %	7 %	22 %	34 %	70 %	67 %
Magasins de rabais	74 %	63 %	36 %	24 %	19 %	18 %
Grands magasins	22 %	30 %	42 %	42 %	11 %	15 %

Source : Stuart U. RICH et Subhash C. JAIN, « Social class and life cycle as predictors of shopping behavior », *Journal of Marketing Research,* vol. V, février 1968, p. 41-49.

Les groupes de référence

Lorsqu'un groupe de personnes, ou même une seule personne, exerce une influence sur l'attitude ou le comportement d'un autre individu, on le considère comme un groupe de référence pour ce dernier [21]. Ce groupe lui sert généralement de base d'évaluation et de comparaison. Ainsi, le consommateur aura tendance à comparer son statut, son comportement, ses normes et ses valeurs à ceux d'un groupe de référence et à faire des ajustements, le cas échéant. Pour pouvoir déterminer l'influence possible d'un groupe de référence, il faut prendre en considération trois éléments : la connaissance, les sanctions et l'affectivité [22]. Dans la communication avec les autres, l'individu prend connaissance des normes et des valeurs d'un groupe de référence et se les approprie. De la même manière, lorsque l'individu devient conscient de l'importance des récompenses (sentiment de reconnaissance, par exemple) et des sanctions (sentiment de rejet) liées à ses relations avec ce groupe, il commence à le considérer comme un guide pour son comportement. La dimension affective, quant à elle, se rapporte à la plus ou moins forte identification de l'individu au groupe de référence.

Les groupes de référence peuvent être très divers. Des auteurs les ont classés selon la forme d'influence qu'ils ont sur l'individu. Ils ont déterminé ainsi trois groupes d'influence :

- **Le groupe d'appartenance.** C'est le groupe auquel l'individu appartient et généralement celui qui a le plus d'influence sur lui. Ce groupe se décompose en groupes primaires et en groupes secondaires. Les groupes primaires sont ceux avec qui l'individu interagit le plus ; ils sont habituellement représentés par la famille, les amis et les collègues. Les groupes secondaires exercent une moindre influence sur l'individu, car celui-ci est en moins grande interaction avec eux ; en font partie, par exemple, les groupes associatifs et les clubs sportifs.

- **Le groupe d'aspiration.** Le consommateur peut être influencé par des groupes auxquels il n'appartient pas, mais désirerait appartenir. Il peut s'agir de groupes d'aspiration, c'est-à-dire de groupes auxquels l'individu projette de se joindre. Ainsi, la personne envisagera son appartenance et adoptera les normes et les valeurs du groupe en vue de s'en rapprocher. Une équipe professionnelle pourrait être, par exemple, le groupe d'aspiration d'un jeune sportif. Des groupes symboliques ou des groupes d'idoles peuvent être des groupes d'aspiration. L'individu cherche à être admis dans ces groupes tout en sachant qu'il n'en fera peut-être jamais partie. Ces groupes sont constitués la plupart du temps de célébrités qui sont des symboles de la réussite sociale. Les professionnels du marketing ont très vite su tirer parti de la très grande influence qu'ont les idoles sur leurs fans. Ils en font volontiers leurs porte-parole dans leurs publicités car, en cherchant à se rapprocher de leurs idoles, les consommateurs ont tendance à imiter leur comportement d'achat.

■ **Le groupe de dissociation.** Le groupe de dissociation est un groupe duquel l'individu cherche à se dissocier. Il rejette ses valeurs et veut le montrer par son comportement. En marketing, on table sur le rejet de tels groupes pour amener les consommateurs à abandonner des comportements comme celui qui consiste à boire de l'alcool au volant.

Les professionnels du marketing doivent donc déterminer quel groupe a le plus d'influence sur le comportement d'achat de leur consommateur cible (par exemple, la famille pour un voyage, les amis pour des vêtements, une idole pour un produit de luxe) et l'utiliser comme porte-parole. Il convient aussi de distinguer les leaders d'opinion de certains groupes, c'est-à-dire les personnes les plus expertes et les plus sociables, car, en agissant sur eux, on se trouve à agir sur le reste du groupe. L'info-marketing 4.7 montre la façon dont Coca-Cola utilise, en Indonésie, le poids des leaders d'opinion pour promouvoir ses nouveaux produits.

INFO MARKETING 4.7

Les leaders d'opinion et la promotion des nouveautés chez Coca-Cola

« À Singapour, l'entreprise Coca-Cola a diffusé un message prenant la forme d'un dessin animé dans lequel figure la mascotte du nouveau jus de fruits Qoo, à quelque 500 jeunes consommateurs désignés comme des leaders d'opinion, dont des capitaines d'équipes de football. Après la campagne, Coke a constaté que le message avait été transmis à 500 millions de consommateurs.

Qoo est le jus de fruits le plus vendu à Singapour. Les plus grands succès promotionnels seront toujours réservés à ceux qui comprennent le mieux comment les consommateurs se comportent. »

Source : John HOPPER, « Net changes who buys, but not why », *Marketing News*, vol. 36, n° 7, avril 2002, p. 24 ; traduction libre.

La famille

La famille peut avoir une forte influence sur le comportement d'achat. Il arrive que des membres de la famille forment une unité de décision et prennent part aux différentes étapes du processus[23]. Parfois, certains d'entre eux exercent seulement une influence, mais ils agissent alors à un niveau plus vaste et plus profond. Pour préciser quelle est cette influence, il convient de distinguer la famille d'orientation et la famille de procréation.

La famille d'orientation est la famille à laquelle appartient le consommateur. Elle a une influence considérable sur le comportement de ce dernier. En effet, les parents enseignent à leurs enfants des normes et des valeurs déterminées et ceux-ci se baseront par la suite sur ces normes et ces valeurs pour régler leur conduite. Les entreprises peuvent tirer parti de cette situation en associant, dans leurs communications, leurs produits aux valeurs et aux traditions transmises d'une génération à l'autre, comme l'a fait la compagnie Storck avec sa marque de bonbons Werther's Original.

La famille de procréation, constituée des deux conjoints, a pour sa part une influence plus ponctuelle. Un consommateur qui a fondé une famille va tenir compte des besoins et de l'avis de chacun de ses membres au moment de sa décision d'achat. Mais, du fait que sa famille est aussi une famille d'orientation, il inculquera à ses enfants des valeurs fondamentales. Certaines campagnes de sensibilisation, aux dangers de l'alcool par exemple, peuvent tenir compte de cet aspect.

L'info-marketing 4.8 aborde la question de l'influence des enfants sur les achats de la famille.

INFO MARKETING 4.8

L'influence des enfants sur les achats de la famille

À la question si c'est vrai, comme on l'entend souvent dire, que les enfants influencent de plus en plus les achats pour la famille, Michel Zins, un grand spécialiste de recherche en marketing au Québec, répond comme suit:

«[Les enfants] influencent beaucoup les achats dans plusieurs domaines, à commencer par la nourriture: céréales, jus, collations... Mais leur influence s'exerce également sur des choix aussi importants que la voiture. Les fabricants ont conçu leurs minifourgonnettes en partie pour plaire aux enfants. Des caractéristiques comme les petits sièges à l'arrière, les portes coulissantes et les porte-verres leur plaisent énormément. Et dans ce qu'ils préparent, les constructeurs vont encore plus loin: on peut désormais avoir des écrans de télévision dans les dossiers des sièges, avec des consoles de jeux. De telles options ciblent les enfants. »

Source: Isabelle BÉRUBÉ et Marie-Claude DUCAS, «Consommation», *Infopresse*, mars 2001, p. 36-38.

Les facteurs situationnels

Il arrive que le consommateur entre dans un magasin en ayant l'idée de se procurer une marque ou un produit précis et qu'il en sorte avec une tout autre marque ou un tout autre produit, en raison de facteurs situationnels. Ceux-ci peuvent être l'abandon d'un produit, la rupture des stocks en magasin, le manque de temps pour attendre l'arrivée d'une autre commande, une promotion très intéressante sur le lieu de vente, l'opinion du vendeur, et ainsi de suite. Les facteurs liés à la situation d'achat et susceptibles d'influer sur le comportement du consommateur peuvent être classés en cinq catégories: le motif d'achat, le cadre social, l'environnement physique, le facteur temps et l'état de la personne [24]. En effet, le consommateur agit selon ses motivations d'achat. Le vin que l'on achète pour soi n'est pas nécessairement le même que l'on se procure pour un repas en famille ou avec des amis, ou que l'on offre en cadeau à son supérieur. Des personnes présentes sur le lieu de vente peuvent aussi avoir une influence sur la décision finale d'achat. Par exemple, le fait d'être accompagné de ses enfants à l'épicerie peut avoir un effet notable sur les achats effectués. Le comportement d'achat peut être influencé par l'achalandage dans le magasin, entre autres par la longueur des files d'attente aux caisses. De nombreuses recherches de marketing ont établi que l'aménagement et l'ambiance du lieu de vente ont des répercussions sur le comportement d'achat. Ainsi, plusieurs magasins font jouer un style de musique qui correspond au goût des clients et non à celui du gérant. Certains supermarchés diffusent dans la section de la boulangerie des odeurs artificielles de vanille pour donner l'impression que leur pain sort tout juste du four. Autre facteur qui peut influer sur le comportement d'achat : le temps, qu'il s'agisse du moment d'achat ou du temps dont on dispose pour effectuer l'achat. Par exemple, quelqu'un dont le véhicule tombe en panne en fin de semaine n'ira pas nécessairement voir le même garagiste que d'habitude. Enfin, l'état d'esprit, l'humeur de la personne au moment de l'achat, peuvent influer sur sa décision. Des recherches sur le comportement du consommateur ont montré que la faim et la gaieté poussent les personnes à faire des achats impulsifs, alors que c'est le contraire pour la tristesse et l'anxiété.

Tous ces facteurs situationnels influencent grandement la décision finale d'achat. Les entreprises ne doivent donc pas sous-estimer l'importance de ces éléments. Elles doivent veiller constamment à ce que leurs produits soient en quantité suffisante afin d'éviter de perdre des ventes au profit de la concurrence. Il est important d'offrir au consommateur un environnement physique et social agréable (pour la vente de biens comme de services) : c'est pourquoi la plupart des entreprises accordent de l'importance au choix de la musique diffusée, à l'aménagement des lieux de passage, au décor des locaux. Le marchandisage se trouve donc au cœur de la stratégie marketing du commerce de détail.

_4.3 Le comportement d'achat des organisations

On a vu à quel point il est important pour l'entreprise de bien connaître ses consommateurs cibles et la façon dont ils se comportent afin de déterminer leurs attentes et de pouvoir ajuster l'offre en conséquence. Mais les entreprises elles-mêmes sont aussi des consommatrices : elles achètent soit de l'équipement, soit des matières premières, soit des services. C'est alors aux fournisseurs de prévoir les besoins de leurs clients de façon à pouvoir leur fournir les biens ou les services nécessaires. La section suivante montre comment fonctionne le processus d'achat organisationnel, en quoi il diffère du processus décisionnel du consommateur et quels sont les principaux facteurs qui l'influencent.

4.3.1_Les différences entre le marché des consommateurs et celui des organisations

Le marché organisationnel et le marché des consommateurs diffèrent grandement. Le nombre d'acheteurs sur le marché organisationnel est beaucoup plus restreint que sur le marché des consommateurs mais, en revanche, le volume des ventes est bien plus important. Par exemple, Bombardier Aéronautique ne compte qu'une soixantaine de clients pour ses avions régionaux, mais le montant des transactions est assez élevé. Pour ce qui est des matières premières, les entreprises vont généralement en acheter en grande quantité.

D'autre part, contrairement au consommateur individuel, l'acheteur d'une entreprise a tendance à agir de façon plus professionnelle : la décision est plus réfléchie et plus rationnelle du fait des exigences de l'entreprise et des leçons tirées des expériences d'achat passées. Étant donné qu'une erreur commise dans un achat serait lourde de conséquences, les pressions exercées sur l'acheteur sont considérables, et souvent l'on confie à une équipe le soin d'analyser l'offre et d'effectuer l'achat. Les relations avec le vendeur sont plutôt directes (alors que le consommateur entre assez rarement en contact avec le fabricant du produit acheté), et les négociations sont longues et complexes. Les relations entre le fournisseur et le client sont donc solides et durables. Souvent, il y a même une certaine réciprocité, c'est-à-dire que chacun achète les produits de l'autre [25].

4.3.2_Le processus d'achat des organisations

Le processus d'achat organisationnel est donc plus complexe que le processus d'achat du consommateur en raison du nombre de personnes prenant part à la décision et de sa durée. Mais les étapes du processus décisionnel sont sensiblement les mêmes que dans le processus décisionnel du consommateur.

Les étapes du processus d'achat des organisations

La figure 4.9 résume les différentes étapes du processus d'achat des organisations.

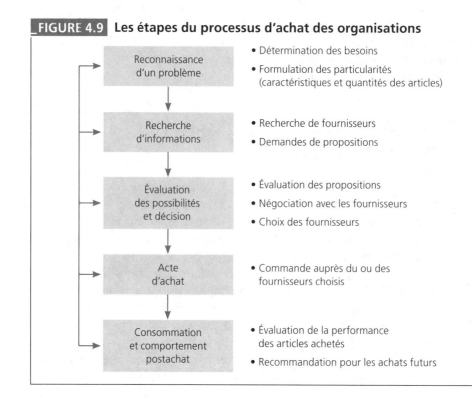

_FIGURE 4.9 **Les étapes du processus d'achat des organisations**

Reconnaissance d'un problème
- Détermination des besoins
- Formulation des particularités (caractéristiques et quantités des articles)

Recherche d'informations
- Recherche de fournisseurs
- Demandes de propositions

Évaluation des possibilités et décision
- Évaluation des propositions
- Négociation avec les fournisseurs
- Choix des fournisseurs

Acte d'achat
- Commande auprès du ou des fournisseurs choisis

Consommation et comportement postachat
- Évaluation de la performance des articles achetés
- Recommandation pour les achats futurs

Étape 1 : la reconnaissance d'un problème ou d'un besoin. Le fait de découvrir une insatisfaction chez les consommateurs, de nouvelles attentes, de nouveaux besoins ou de nouveaux produits mis sur le marché par les concurrents peut pousser une entreprise à vouloir améliorer ou modifier le produit déjà offert. S'amorce alors un processus de décision organisationnel relatif à l'acquisition d'une nouvelle technologie, d'une autre matière première ou de nouvel équipement. Ce processus peut également se déclencher de façon naturelle, comme lorsqu'il y a épuisement des stocks de matières premières ; on a affaire dans ce cas à un achat courant.

Étape 2: la recherche d'informations et des options disponibles. Une fois le besoin ou le problème reconnu, il faut préciser les caractéristiques du produit (prix, performance, qualité, etc.) et déterminer quels sont les fournisseurs possibles.

Étape 3: l'évaluation des possibilités et la décision. Les services de la production, de la recherche, du développement et des achats ainsi que la direction se chargent d'évaluer ensemble les différentes possibilités concernant les produits et les fournisseurs potentiels. Le choix se portera sur la possibilité qui répond le mieux aux critères recherchés et aux besoins de chacun.

Étape 4: l'acte d'achat. On choisit ensuite la meilleure solution. Il s'agit de déterminer les conditions de l'entente : négocier le prix, fixer la quantité à acheter, établir les conditions de livraison et régler tout autre détail. La décision, prise par les différents intervenants et suivie de la discussion d'un contrat entre les deux parties, doit être bien réfléchie, car elle peut avoir des conséquences à long terme.

Étape 5: le comportement postachat. L'entreprise évalue ensuite le rendement du produit ainsi que la qualité du travail du fournisseur. Si l'un et l'autre se révèlent satisfaisants, elle peut renouveler son achat, lequel deviendra alors courant (s'il s'agit de matières premières). Dans le cas contraire, un nouveau processus sera déclenché.

En pratique, les processus d'achat des organisations ne sont pas uniformes, car l'importance accordée à chaque étape du processus varie selon qu'il s'agit d'un nouvel achat, d'un simple réachat ou d'un réachat modifié. En outre, plusieurs facteurs tels que le risque financier ou le volume acheté ont une influence sur la durée et la complexité du processus.

4.3.3_Les facteurs d'influence

Comme dans le cas du consommateur, plusieurs éléments influent sur le processus d'achat des organisations. La décision finale dépend de plusieurs facteurs, notamment de la situation d'achat, du rôle des membres de la centrale d'achat, de l'importance de la relation acheteur-vendeur et d'autres caractéristiques individuelles.

Le type de décision

Le processus décisionnel est évidemment plus long et plus complexe dans le cas d'un premier achat que dans celui d'un réachat. On distingue donc trois types d'achat : le nouvel achat, le simple réachat et le réachat modifié.

Le nouvel achat

Dans le cas d'un nouvel achat, les risques sont généralement plus grands, puisqu'il s'agit d'acquérir un nouveau produit dont on connaît mal les qualités. L'entreprise concentre donc ses efforts sur l'établissement de critères de choix, comme les attributs recherchés, le budget accordé, les conditions de livraison et de paiement. La recherche d'informations concernant les différents choix possibles doit être poussée et minutieuse. Il en est de même de l'évaluation des produits offerts sur le marché et des fournisseurs potentiels, étant donné l'importance de la décision à prendre. Pour un constructeur d'automobiles qui a besoin d'une nouvelle chaîne de robots afin de fabriquer un nouveau modèle, un mauvais achat pourrait avoir des conséquences très lourdes, tant sur le plan financier (difficulté à vendre le nouveau modèle) que sur le plan du marketing (détérioration de l'image de l'entreprise due à la mauvaise qualité du produit) ; il lui sera donc nécessaire de faire intervenir un grand nombre de personnes et d'attribuer des ressources suffisantes à la prise de décision. En ce qui concerne l'entreprise qui a un produit à vendre, une situation de premier achat est cruciale ; elle doit alors mobiliser ses meilleurs vendeurs car, si la vente est conclue, les possibilités de réachat sont grandes.

Le simple réachat

Beaucoup d'entreprises doivent constamment renouveler leurs achats de matières premières : tissus pour une usine de vêtements, produits chimiques pour un laboratoire pharmaceutique, etc. Chaque entreprise se réfère en général à la liste des fournisseurs avec lesquels elle a fait affaire dans le passé. Si le client s'était montré satisfait, la recherche d'informations et l'évaluation seront moins importantes, puisqu'il choisira le même fournisseur. Les entreprises vendeuses devront donc surveiller les situations d'insatisfaction et saisir les occasions qui se présentent, sinon elles auront à faire des propositions plus alléchantes que celles du fournisseur actuel pour que le client puisse au moins essayer leur produit. Dans pareil cas, il sera difficile pour le fournisseur habituel de surmonter l'obstacle puisque généralement, si le client est satisfait de son nouveau fournisseur, la relation qu'il établira avec celui-ci sera à long terme, comme le montre l'exemple présenté dans l'info-marketing 4.9. Ce dernier met en évidence le fait que la satisfaction à la suite d'un premier achat est la condition essentielle pour qu'un réachat ait lieu.

INFO MARKETING 4.9

Bombardier : bon client d'Alstom

En 2002, la multinationale québécoise Bombardier confirmait la signature d'un contrat de 40 millions de dollars avec la société française Alstom, pour la construction d'une centaine de wagons et de voitures. Destinés aux Trains express régionaux (TER) « nouvelle génération », les ZTER, ces remorques et chariots porteurs ont été construits dans la principale usine française de Bombardier, à Crespin, puis livrés en 2003 et 2004 au client, la Société nationale des chemins de fer (SNCF).

Ce n'était pas la première collaboration entre les deux géants de la construction ferroviaire, puisque Bombardier et Alstom avaient déjà, en 1999, conclu une première entente pour produire des ZTER à l'intention de la SNCF.

Par ailleurs, en France, Bombardier participe au déploiement incessant du Train à grande vitesse (TGV) et a fourni plus de 500 trains régionaux à la SNCF. Elle conçoit des véhicules pour le transport en commun, dont des wagons de métro et des voitures pour le Réseau express régional (RER) du grand Paris. Elle a notamment construit les tramways des villes de Strasbourg, Nantes et Saint-Étienne, et même des véhicules sur pneus pour les villes de Nancy et Caen.

Source : SNCF, « Bombardier : commande de 40 millions d'Alstom », communiqué de presse, Presse canadienne, 4 avril 2002 ; adaptation libre.

Le réachat modifié

Le réachat modifié concerne le cas où les produits offerts à l'entreprise ont évolué (nouvelles performances, nouveaux modèles, etc.) ou celui où les besoins de cette dernière ont changé (caractéristiques du produit, délais de livraison, etc.). L'entreprise doit consacrer plus d'efforts à la recherche d'informations et à l'évaluation des possibilités que lorsqu'elle effectue un simple réachat, puisque plusieurs données ont changé, mais il ne s'agit tout de même pas d'une situation de premier achat. Dans ce cas, tout nouveau fournisseur doit profiter de cet examen pour présenter son offre et essayer de surpasser les concurrents.

Les influences des membres de la centrale d'achat

Lorsqu'il s'agit d'une situation de simple réachat ou d'achat de routine, il arrive qu'une seule personne se charge du processus décisionnel dans son ensemble. Mais, le plus souvent, les fournisseurs ont affaire à plus d'une personne, et l'on parle alors de centrale. Le fournisseur doit alors étudier le rôle de chacun des membres de cette centrale d'achat et savoir qui s'occupera des critères de choix, qui influencera l'évaluation, qui prendra la décision finale, et le reste.

Comme pour un achat familial, chacun des membres de la centrale d'achat peut jouer un rôle différent dans le processus décisionnel. Un même membre peut jouer plusieurs rôles différents dans un même processus, et un même rôle peut être joué par plusieurs membres différents. Cinq rôles sont possibles au sein d'une centrale d'achat [26] :

- **Les utilisateurs** sont les membres de l'entreprise qui utiliseront le produit ou le service acheté ; par exemple, l'équipe de réanimation d'un hôpital après l'achat d'un nouvel équipement de monitorage.

- **Les influenceurs** peuvent influencer le processus décisionnel directement ou indirectement en fournissant les informations et les critères d'évaluation nécessaires à la prise de décision. Souvent, ils connaissent bien le produit acheté.

- **Les décideurs** ont autorité pour choisir entre plusieurs possibilités. Une seule personne peut décider dans le cas d'un achat routinier ; un ou plusieurs membres de la direction se prononcent dans le cas d'un premier achat.

- **Les garde-barrières** dirigent le flot d'information circulant dans la centrale d'achat et entre celle-ci et les fournisseurs. Il peut s'agir de secrétaires empêchant les nouveaux fournisseurs d'entrer en contact avec les membres de la centrale d'achat.

- **Les acheteurs** ont pour fonction d'interagir et de négocier avec les fournisseurs en vue de la prise de décision. Ce rôle peut être joué par les membres du service d'achat mais, s'il s'agit d'un premier achat, également par un membre de la direction.

Étant donné le grand nombre d'intervenants et les différents intérêts en jeu, le risque de conflits au sein d'une centrale d'achat est souvent élevé [27]. C'est pourquoi il est important de prévoir les enjeux de façon à prévenir les conflits.

Les influences individuelles

Bien que l'achat organisationnel doive être rationnel et qu'il doive se faire d'après des critères objectifs et des calculs d'optimisation, on ne peut passer sous silence les diverses influences personnelles qui s'exercent [28]. Une seule personne – par elle-même ou en tant que membre d'un groupe – peut définir et analyser une situation d'achat, puis prendre une décision. De cette façon, chaque individu contribuera à réaliser une combinaison d'objectifs personnels et organisationnels. Chacun sera donc la cible des efforts de marketing des fournisseurs. Comme il lui faut tenir compte du comportement dans le cas des consommateurs, il est essentiel que le gestionnaire de marketing organisationnel connaisse bien les caractéristiques individuelles des personnes qui s'occupent de l'achat organisationnel. Il doit être renseigné notamment sur leurs profils sociodémographique et psychologique, leurs attitudes, leurs préférences, leur manière de traiter l'information et sur tous les autres aspects susceptibles d'influencer leurs décisions d'achat. Cela permet de présenter une offre d'achat qui réponde à leur attente et aux besoins de leurs organisations.

Comme chaque individu agit ici dans une centrale d'achat organisationnelle, il faut tenir compte non seulement de ses motivations purement personnelles (par exemple, réussite et promotion), mais aussi de ses relations interpersonnelles (par exemple, jeux de pouvoir) et des caractéristiques liées à l'entreprise (par exemple, recherche du meilleur rapport qualité-prix, recherche de l'efficacité).

La relation acheteur-vendeur

En marketing organisationnel, la nature de la relation entre l'acheteur et le vendeur a souvent un effet déterminant sur le comportement d'achat dans les organisations, notamment en ce qui a trait à la fidélité, à la quantité achetée, à la fréquence des achats et à la manière dont les achats sont effectués. Les spécialistes en marketing distinguent cinq aspects sous lesquels il est possible d'envisager la relation acheteur-vendeur.

- **Le degré de coopération entre les deux parties.** S'il y a échange de bons procédés entre les deux parties, la relation sera plus solide et plus durable, et il sera plus facile de dégager des compromis au moment de la conclusion de la transaction.

- **Le partage d'information.** La facilité de la communication et le partage d'information entre les deux parties favorisent la planification et contribuent à simplifier les échanges.

- **Les liens opérationnels.** Comme les transactions organisationnelles sont souvent complexes, une bonne coordination logistique (transport, stockage, manutention…) contribue à améliorer la relation entre les deux parties.

- **Les contrats.** Il s'agit de préciser dans un texte juridiquement valide les responsabilités de chacune des parties afin d'éviter tout désagrément et de bien gérer les situations conflictuelles.

- **Les adaptations particulières.** L'adaptation de l'offre aux besoins précis de l'acheteur organisationnel est de nature à renforcer les rapports entre les deux parties.

_Points saillants

_Le consommateur passe par différentes étapes avant d'effectuer un achat : une étape cognitive de reconnaissance d'un problème (ou d'un besoin) et de collecte d'informations, une étape affective d'évaluation des possibilités et de préparation de la décision, et une étape conative d'achat et de réactions postachat.

_Les choix de produits ou de marques possibles sont comparés à trois points de vue : les attributs du produit (ou les critères de comparaison), l'importance relative de chacun de ces attributs (ou les avantages recherchés) et l'évaluation de chacune des possibilités par rapport à chacun des attributs. Il existe plusieurs méthodes d'évaluation et elles diffèrent souvent selon le profil des consommateurs et le type d'achat.

_Les types de processus d'achat, qui sont au nombre de trois, diffèrent selon le degré d'implication : l'achat routinier, la résolution courte d'un problème et la résolution extensive d'un problème.

_Les habitudes d'achat du consommateur et son comportement quotidien diffèrent notamment selon l'âge, la profession, le niveau d'instruction, le lieu géographique et le revenu.

_Les principaux facteurs psychologiques qui affectent le comportement des consommateurs sont : les besoins, la perception, les motivations, les attitudes, le risque perçu, la personnalité, l'apprentissage, les valeurs, le style de vie et la dissonance cognitive.

_Le consommateur subit constamment l'influence de l'environnement. Les facteurs environnementaux qui influent sur le consommateur peuvent être socioculturels (culture, classe sociale, religion, amis, etc.) ou situationnels (aspect du magasin, moment de l'achat, etc.).

_Le processus d'achat organisationnel est plus complexe que le processus d'achat du consommateur en raison du nombre de personnes prenant part à la décision et de sa durée.

_Questions

_**1.** Expliquez pourquoi les gestionnaires d'une entreprise ont avantage à connaître le comportement du consommateur. Donnez des exemples précis.

_**2.** Qu'est-ce qui peut, selon vous, déclencher un processus décisionnel d'achat chez le consommateur ? Racontez une expérience d'achat que vous avez encore à l'esprit.

_**3.** Décrivez les différentes étapes du processus décisionnel franchies par un consommateur au moment de l'achat d'un téléphone-baladeur.

_**4.** Nommez un bien ou un service à forte implication, puis un bien ou un service à faible implication que vous avez acheté au cours du dernier mois. Dites à quel type de comportement ce bien ou ce service se rattache. Analysez les différentes étapes du processus d'achat pour chaque bien ou service et dites en quoi le processus d'achat d'un bien ou d'un service à forte implication ressemble à celui d'un bien ou d'un service à faible implication.

_**5.** Appliquez le modèle de Fishbein dans l'évaluation de vos attitudes envers quatre marques de voitures que vous connaissez. Indiquez la marque à l'égard de laquelle votre attitude est la plus favorable.

_**6.** Vous avez décidé d'acheter un téléviseur HD de marque LG. Dans quelles circonstances risquez-vous de faire face à la dissonance cognitive ? Que recommanderiez-vous à un vendeur pour atténuer les conséquences négatives de cette dissonance ?

_**7.** Nommez les trois types de processus décisionnels d'achat. Donnez un exemple d'achat pour chacun en vous référant à vos derniers achats.

_**8.** Quels principaux facteurs influencent le comportement du consommateur ? Donnez des exemples qui démontrent ce genre d'influences dans le cas où l'on a à choisir l'université où étudier.

_**9.** Donnez des exemples en rapport avec chaque niveau de la hiérarchie des besoins de Maslow en vous basant sur vos besoins propres ou sur ceux de votre entourage.

_10. Pensez-vous que la personnalité de l'individu détermine son comportement d'achat ? Éclairez votre réponse en vous appuyant sur des exemples tirés de votre propre expérience.

_11. La méthode VALS définit huit groupes de consommateurs sur la base de l'orientation personnelle et des ressources matérielles, physiques et psychologiques de l'individu. À quel segment diriez-vous que vous appartenez ?

_12. « Les professionnels du marketing doivent être capables de déterminer quelles seront les attitudes des consommateurs cibles, de les renforcer si elles sont positives ou de les modifier si elles sont négatives. » Commentez cet énoncé en vous référant à deux publicités qui se rapportent à ces attitudes.

_13. Décrivez les risques que le consommateur peut percevoir au moment d'un achat. Indiquez des stratégies de marketing qui ont pour but de limiter l'effet négatif de la perception de chacun de ces risques sur la décision finale d'achat.

_14. Déterminez, en donnant un exemple précis, l'influence de la culture et de la sous-culture sur le comportement du consommateur. Vous pouvez vous inspirer du contexte multiethnique canadien.

_15. Montrez, à l'aide d'un exemple tiré de votre expérience, comment les facteurs situationnels peuvent influencer la décision d'achat du consommateur.

_16. Choisissez un exemple de décision d'achat organisationnel et expliquez les rôles joués par les différents membres de la centrale d'achat dans chacune des étapes du processus décisionnel.

_17. Énumérez les cinq aspects sous lesquels les spécialistes en marketing peuvent envisager la relation acheteur-vendeur dans le cas d'un achat organisationnel.

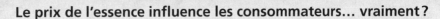
Plusieurs produits conditionnent le quotidien des consommateurs dans la mesure où la fluctuation de leurs prix influence grandement leur comportement d'achat vis-à-vis d'autres produits complémentaires ou substitut, notamment de produits énergétiques comme l'électricité et le pétrole. Ainsi, nul ne peut ignorer, par exemple, la flambée récente du prix du pétrole qui est passé de 20$ le baril de brut en 2002 à 150$, en 2007. Ce qui se traduit sur le marché de la grande consommation par une hausse conséquente des prix de l'essence à la pompe, qui sont passés de 0,60$ à 1,50$ durant la même période. Pour certains spécialistes, ce phénomène s'apparente à la crise énergétique majeure vécue dans les années 1970. En juin 2007, un sondage réalisé au Québec et au Canada pour le compte du groupe Investors rapporte ce qui suit:

- Trois Québécois sur quatre disent avoir changé la fréquence de leurs déplacements en voiture et la vitesse à laquelle ils conduisent à cause du prix de l'essence.

- Parmi les personnes sondées par Investors, 81 % affirment qu'elles choisiront un modèle qui consomme moins lorsque viendra le temps d'acheter ou de louer un nouveau véhicule.

Paradoxalement, les résultats de ce sondage se trouvent quelques peu nuancés par des données contradictoires portant sur l'évolution de certains comportements réels d'achat. Ainsi, selon les données publiées par Dennis Desrosiers, un expert de l'industrie automobile, les ventes de véhicules utilitaires sport (VUS) ont notamment enregistré une hausse de 19,6 % entre 2006 et 2007. Pour la même période, les ventes de voitures ont augmenté de 1,9 %, et les ventes totales, tous modèles confondus, de 5,4 %.

D'un autre côté, en 2007, l'achalandage dans les transports collectifs au Canada a augmenté pour la quatrième année consécutive. Cette tendance à la hausse est toutefois probablement liée à une offre améliorée des services de transports en commun beaucoup plus qu'à la hausse du prix de l'essence.

Comment alors réconcilier ces données fermes avec la hausse du prix du pétrole et les affirmations des consommateurs telles que rapportées dans le sondage du groupe Investors?

La même contradiction entre les attitudes des consommateurs et leur comportement réel d'achat est observée dans le cas de la consommation d'électricité. En effet, alors que le sondage du groupe Investors réalisé en 2007 indique que les Canadiens affirment faire davantage d'efforts afin de réduire leur consommation d'énergie en utilisant moins de climatisation et de chauffage, une province comme l'Ontario ne cesse depuis 2006 de battre annuellement des records de demande de pointe en électricité (source: Independent Electricity System Operator [IESO]).

Source: inspiré d'Alexis BEAUCHAMP, « Le prix de l'essence influence les consommateurs… vraiment? », *Vision Durable,* [En ligne], www.visiondurable. com, 27 juin 2007 (Page consultée le 18 mars 2010)

_1. En vous référant à l'article, et en vous basant sur la hiérarchie des besoins de Maslow, déterminez et expliquez quels besoins peuvent être comblés directement ou indirectement par le pétrole et par un produit complémentaire ou substitut, comme l'usage du transport en commun.

_2. Énumérez et décrivez les différentes étapes du processus décisionnel d'achat d'une voiture par un consommateur. Expliquez comment les fluctuations du prix du pétrole peuvent influencer les étapes d'un tel processus. Le processus sera-t-il le même pour tous les consommateurs et pour tous les types de véhicules? Expliquez les différences si jamais elles existent.

_3. Déterminez les facteurs qui influent sur le comportement d'achat d'un véhicule neuf. Distinguez les influences individuelles des influences environnementales en citant des exemples concrets.

_4. Le processus d'achat des véhicules par les organisations est-il différent de celui suivi par les individus? Expliquez les similarités et les différences.

_Notes

1. Marc FILSER, *Le comportement du consommateur,* Paris, Éditions Dalloz, 1994, 426 p.; Alain D'ASTOUS *et al., Comportement du consommateur,* 3e édition, Montréal, Chenelière Éducation, 2010, 520 p.; John A. HOWARD et Jagdish N. SHETH, *The Theory of Buyer Behavior,* New York, John Wiley & Sons, 1969, 458 p.

2. Martin FISHBEIN et Icek AJZEN, *Beliefs, Attitude, Intention, and Behavior: An Introduction to Theory and Research,* Reading (Massachusetts), Addison-Wesley, 1975, 578 p.

3. J. A. HOWARD et J. N. SHETH, *op. cit.,* p. 25-28.

4. Barbara E. KHAN, « Acte d'achat et trop-plein d'informations », *Les Échos,* 31 mai 2002, p. 23.

5. James F. ENGEL, Roger D. BLACKWELL et Paul W. MINIARD, *Consumer Behavior,* 8e édition, New York, The Dryden Press, 1995, 690 p.

6. Eric N. BERKOWITZ *et al., Marketing,* 4e édition canadienne, Toronto, McGraw-Hill Ryerson, 1999, 584 p.; A. D'ASTOUS *et al., op. cit.*

7. Abraham MASLOW, *Motivation and Personality,* 2e édition, New York, Harper and Row, 1970, 411 p.; E. N. BERKOWITZ *et al., op. cit.*; Montrose S. SOMMERS et James G. BARNES, *Fundamentals of Marketing,* 9e édition canadienne, Whitby (Ontario), McGraw-Hill Ryerson, 2001, 378 p.; A. D'ASTOUS *et al., op. cit.*

8. E. N. BERKOWITZ *et al., op. cit.*; Stanley J. SHAPIRO *et al., Basic Marketing: A Global Managerial Approach,* 10e édition canadienne, Whitby (Ontario), McGraw-Hill Ryerson, 2002, 864 p.

9. Jack A. ADAMS, *Learning and Memory: An Introduction,* Homewood (Illinois), Richard D. Irwin, 1980, 378 p.; Carole DUHAIME *et al., Le comportement du consommateur,* 2e édition, Boucherville, Gaëtan Morin Éditeur, 1996, 669 p.; A. D'ASTOUS *et al., op. cit.*; E. N. BERKOWITZ *et al., op. cit.*

10. A. D'ASTOUS *et al., op. cit.*; E. N. BERKOWITZ *et al., op. cit.*; M. FILSER, *op. cit.*

11. Geert HOFSTEDE, « National cultures in four dimensions: a research-based theory of cultural differences among nations », *International Studies of Management and Organization,* vol. 12, nos 1-2, hiver 1983, p. 46-75.

12. Milton ROKEACH, *The Nature of Human Values,* New York, Free Press, 1973, 438 p.

13. Arnold MITCHELL, *The Nine American Life Styles,* New York, Warner, 1983, 302 p.

14. James F. ENGEL, David T. KOLLAT et Roger D. BLACKWELL, *Research in Consumer Behavior,* New York, Holt, Rinehart & Winston, 1970, 767 p.; A. D'ASTOUS *et al., op. cit.*; E. N. BERKOWITZ *et al., op. cit.*; M. FILSER, *op. cit.*

15. Jacob JACOBY et Leon KAPLAN, « The Component of Perceived Risk », dans M. VENKATESAN (dir.), *Advances in Consumer Research,* vol. 3, Provo (Utah), Association for Consumer Research, 1972, p. 1-3; A. D'ASTOUS *et al., op. cit.*

16. Edward B. TYLOR, *Primitive Culture,* Londres, John Murray, 1871, 524 p.; A. D'ASTOUS *et al., op. cit.*; E. N. BERKOWITZ *et al., op. cit.*; M. FILSER, *op. cit.*

17. G. HOFSTEDE, *op. cit.*; A. D'ASTOUS *et al., op. cit.*

18. Michel LAROCHE *et al., Italian Ethnic Identity and Its Relative Impact on the Consumption of Convenience and Traditional Foods,* Montréal, Faculté de commerce et d'administration, Université Concordia, collection « Documents de travail », août 1997, 27 p.; Alain D'ASTOUS et Naoufel DAGHFOUS, « The effects of acculturation and length of residency on consumption-related behaviors and orientations of Arab-Muslim immigrants », annales du Congrès de l'Association des sciences administratives du Canada, Niagara Falls (Ontario), 1991, p. 91-101; Naoufel DAGHFOUS, Emmanuel CHÉRON et Isabelle HIÉ, « Pretest of a model of acculturation and grocery shopping behavior in five Canadian ethnic subcultures », dans Ajay K. MANRAI et H. Lee MEADOW (dir.), actes du 9e congrès international de marketing, The Academy of Marketing Sciences et The University of Malta, Qawra (Malte), vol. IX, 23-26 juin 1999, p. 245-246.

19. J. F. ENGEL, D. T. KOLLAT et R. D. BLACKWELL, *op. cit.*

20. Pierre MARTINEAU, « Social classes and spending behavior », *Journal of Marketing,* no 23, octobre 1958, p. 121-130.

21. J. F. ENGEL, D. T. KOLLAT et R. D. BLACKWELL, *op. cit.*

22. James E. STAFFORD, « Effects of group influences on consumer brand preferences », *Journal of Marketing Research,* vol. III, février 1966, p. 68-75.

23. Harry DAVIS et Benny RIGAUX, « Perception of marital roles in decision making processes », *Journal of Consumer Research,* vol. 1, 1974, p. 51-61; Kay M. PALAN et Robert E. WILKES, « Adolescent-parents interaction in family decision making », *Journal of Consumer Research,* vol. 24, septembre 1997, p. 159-169; A. D'ASTOUS *et al., op. cit.*

24. Russel W. BELK, « Situational variables and consumer behavior », *Journal of Consumer Research,* vol. 2, décembre 1975, p. 157-164; E. N. BERKOWITZ *et al., op. cit.*

25. S. J. SHAPIRO *et al., op. cit.*; Philip KOTLER, Pierre FILIATRAULT et Ronald E. TURNER, *Le management du marketing,* 2e édition, Boucherville, Gaëtan Morin Éditeur, 2000, 875 p.; M. S. SOMMERS et J. G. BARNES, *op. cit.*

26. Frederick E. WEBSTER et Yoram WIND, « A general model for understanding organizational buying behavior », *Journal of Marketing,* vol. 36, avril 1972, p. 12-19.

27. Jagdish N. SHETH, « A model of industrial buyer behavior », *Journal of Marketing,* vol. 37, octobre 1973, p. 50-56.

28. F. E. WEBSTER et Y. WIND, *op. cit.*

Le système d'information
et la recherche marketing

Sommaire

5

Les entreprises ont intérêt à surveiller l'évolution de leurs marchés si elles veulent être en mesure de répondre aux besoins et aux attentes de leurs clients. Pour que le plan de marketing soit adéquat, il est bon d'être parfaitement renseigné sur l'état du marché. Il faut pour cela acquérir, gérer et interpréter des renseignements de toutes sortes. L'information assure parfois la survie de l'entreprise ; elle est en tout cas le facteur de réussite le plus important, et ce, pour trois raisons. D'abord, elle permet de découvrir de nouveaux marchés, les occasions d'affaires étant devenues plus rares et plus difficiles d'accès. Ensuite, elle aide à comprendre le comportement des consommateurs, qui sont de nos jours plus exigeants et qui expriment des besoins et des désirs aussi variés que changeants. Enfin, elle permet de faire face à la pression concurrentielle, qui ne s'exerce plus uniquement par le prix, mais aussi et surtout par la différenciation des produits, le dynamisme de la communication et la bonne gestion de la distribution. L'entreprise est donc obligée d'être en mode de réaction prédictif plutôt que réactif et de se doter d'instruments plus complexes pour collecter et traiter l'information et en faire un outil de prise de décision.

On estime que le pourcentage d'échec de lancement de nouveaux produits, tous secteurs confondus, varie de 60 % à 90 %. Les spécialistes en marketing attribuent ce pourcentage relativement élevé à une carence flagrante de l'information commerciale souvent requise avant l'introduction de ces produits, sur des éléments tels que les besoins et les attentes des clients cibles, le prix qu'ils sont prédisposés à payer ou encore les caractéristiques du marché dans son ensemble. Aujourd'hui, plus que jamais, la recherche marketing apparaît comme un chaînon indissociable du processus de recherche et développement de nouveaux produits et services. La réussite manifeste du Viagra, la pilule bleue lancée par Pfizer en 1999, opposée à l'échec déclaré de Windows Vista, le système d'exploitation informatique lancé en grande pompe par Microsoft en janvier 2007 et remplacé en douceur en 2009 par le nouveau système Windows 7, confirme l'importance d'une telle association.

Depuis un certain nombre d'années, les instruments de collecte et de traitement de l'information connaissent une évolution fulgurante. Les ordinateurs, les logiciels, Internet et les nombreux appareils multimédia font partie de ces instruments. Cependant, le grand défi des entreprises consiste aujourd'hui à intégrer toute l'information recueillie au cours des processus stratégiques de prise de décision. Toutes les banques disposent de bases de données informatisées qui les renseignent sur le profil et l'historique de transactions des clients. Combien d'entre elles, toutefois, utilisent ces renseignements de manière à améliorer leurs relations avec la clientèle ? Pour répondre aux besoins d'information, toute une industrie de recherche commerciale s'est mise en place au Canada et ailleurs dans le monde. Elle apporte aujourd'hui un soutien très précieux aux entreprises et elle contribue grandement à l'amélioration de leur gestion du marketing.

Tout le monde admet que la mise en place d'un système d'information efficace et intelligent ne peut qu'améliorer le rendement de l'entreprise et lui procurer un avantage concurrentiel important. En effet, l'information recueillie et traitée permet à l'entreprise de mieux évaluer les occasions d'affaires, car elle lui donne une idée précise du marché actuel et potentiel, et l'aide à élaborer ses stratégies marketing. En fait, la recherche marketing produit de l'information ponctuelle qui s'intègre dans le système d'information marketing (SIM), lequel a pour objet d'organiser la collecte et le stockage d'un flux continu et ordonné de données concernant la demande et le marché. Les nouvelles techniques informatiques (bases de données, systèmes informatisés de caisses enregistreuses, forage de données, panels de consommateurs en ligne, etc.) permettent de mieux sonder les besoins du client. Le SIM doit fournir des renseignements complets sur les clients actuels et potentiels, et ainsi contribuer à personnaliser le marketing de l'entreprise.

Qu'est-ce qu'un système d'information marketing? Quel rôle la recherche marketing joue-t-elle? À quelles méthodes recourt-elle? Comment évaluer une étude de marché? Ce chapitre tentera de répondre à ces questions en mettant en évidence le rôle essentiel joué par le responsable du marketing.

_5.1_ Le système d'information marketing

Le système d'information marketing (SIM) est au cœur de la planification stratégique des entreprises. Il se compose d'une multitude de bases ou d'entrepôts de données opérationnelles et décisionnelles qu'il est nécessaire de relier pour obtenir un portrait fidèle des clients et mener des actions marketing cohérentes.

Il n'existe pas de recette infaillible pour gérer l'ensemble des bases de données marketing. Ce qu'il y a de certain, c'est que les solutions technologiques ne sont utiles que si l'entreprise a résolu de revoir sa manière d'agir. Pour certaines grandes entreprises, l'externalisation complète de leurs bases permet de se libérer de toutes les tâches liées à la gestion et à l'organisation des bases de données [1].

Les exemples de réussite dans l'implantation du SIM sont nombreux en marketing et concernent différents secteurs d'activité économique. L'une des premières initiatives dans ce domaine a émané de la compagnie de messagerie FedEx. Au début des années 1990, elle a mis sur pied un système de service à la clientèle nommé COSMOS afin de suivre les déplacements de chaque colis et de déterminer son emplacement dans le circuit de livraison à tout moment précis. FedEx a même offert à sa clientèle, composée en majorité d'entreprises, la possibilité d'accéder au système COSMOS et à l'information qu'il fournit. Le développement du système a reposé en grande partie sur l'utilisation d'ordinateurs de poche par les membres du réseau de livraison de même que sur l'informatisation croissante des entreprises et la diffusion d'Internet.

Plusieurs entreprises ont emboîté le pas à FedEx, tant dans le domaine de la livraison de colis (DHL avec son système Easyship) que de la distribution de produits pharmaceutiques (McKesson et son système Economost), de la grande distribution de détail (Continental Airlines et son système d'information Teradata) et des services financiers (la Banque Royale et son système PeopleSoft) (*voir la figure 5.1*). Même les ministères et organismes ont recours aux spécialistes en recherche marketing pour évaluer la satisfaction de leur clientèle. En 2009, la firme de recherche et de sondage SOM a mis au point une étude spécialisée, portant le nom PERISCOP, pour aider les institutions publiques québécoises à mesurer et à suivre jusqu'à quel point elles ont atteint ou pas les objectifs définis dans la déclaration de services aux citoyens [2].

Ces exemples montrent bien que les organisations désireuses de mieux servir leurs clients et d'en acquérir de nouveaux doivent porter beaucoup d'attention à la gestion du SIM et l'utiliser

FIGURE 5.1 Une publicité de système d'information marketing

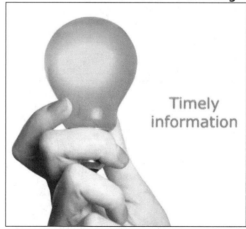

Timely information

Source: TERADATA, [En ligne], www.teradata.com (Page consultée le 1er juin 2010)

comme outil stratégique de différenciation par rapport à leurs concurrents. La partie suivante considère en détail la structure et le fonctionnement du SIM.

5.1.1_La structure du système d'information marketing

Dans le cadre de ses activités commerciales, l'entreprise est appelée à traiter une multitude d'informations. Le responsable du marketing doit en examiner tous les jours un très grand nombre, puisées à diverses sources. Le système d'information marketing lui est d'une grande utilité, car il permet de filtrer les données selon des règles rigoureuses, apportant à l'entreprise une information plus précise et plus utile, en temps propice. Le système d'information marketing peut se définir comme un réseau complexe de relations structurées qui fait intervenir des hommes, des machines et des techniques, et qui a pour but de générer un flux ordonné d'information pertinente provenant de sources internes et externes à l'entreprise et destiné à servir de base de décisions [3].

La figure 5.2 illustre le concept du SIM et la place qu'il occupe dans le processus de planification stratégique de l'entreprise. Afin de bien mener ses activités de planification, d'exécution et de contrôle, le responsable du marketing doit disposer d'un ensemble de renseignements sur l'environnement. Le rôle du SIM est de permettre de recueillir et de traiter l'information, puis de la communiquer aux responsables concernés. La tâche la plus épineuse pour le responsable du marketing est d'utiliser l'information au bon moment. Les problèmes à résoudre peuvent être multiples : l'information disponible n'est d'aucune utilité ; l'information est trop abondante et ne peut être traitée efficacement ; l'information est trop dispersée dans l'entreprise ; des informations importantes sont éliminées hâtivement ; le mode de présentation des informations est peu opérationnel ; l'information circule mal dans l'organisation ou arrive trop tard ; la validité des informations reçues est difficile à évaluer.

_FIGURE 5.2 **Le système d'information marketing**

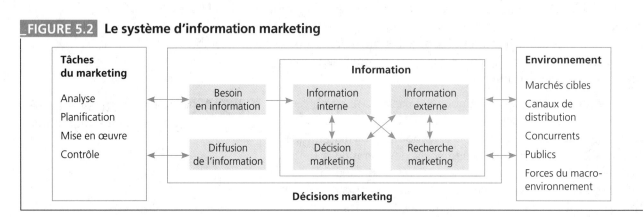

Le concept du SIM n'est pas récent [4]. Comme les outils informatiques étaient peu performants il y a une trentaine d'années, le SIM n'était alors véritablement lié qu'à la recherche marketing, ce qui avait des effets sur la prise de décision relative aux éléments du mix de marketing (produit, prix, promotion, distribution).

Notons que la recherche marketing est définie par les spécialistes comme le processus qui consiste à définir, recueillir et analyser de façon systématique des informations susceptibles d'aider à la prise de décision en marketing [5]. Aujourd'hui, la situation a évolué et le SIM est combiné à d'autres systèmes d'information de l'entreprise, notamment à ceux qui gèrent la production, les stocks, les ressources humaines et les finances.

On est passé d'un modèle systématique et coordonné qui visait à rendre la stratégie marketing de l'entreprise plus efficiente à un modèle plus ouvert qui a pour but de renforcer la chaîne de valeur de l'entreprise dans son ensemble [6]. Les systèmes d'information des établissements financiers doivent, par exemple, être capables d'apprécier les effets du réaménagement du service à la clientèle.

Le SIM représenté à la figure 5.2 comporte trois éléments essentiels : les environnements à surveiller ; le type d'information à collecter et à traiter ; les éléments de prise de décision auxquels se rapportera l'information. En ce qui concerne les environnements à surveiller, on s'intéresse principalement aux forces du macroenvironnement (*chapitre 3*), c'est-à-dire aux facteurs démographiques, socioculturels, économiques, naturels, technologiques et scientifiques ainsi que politico-juridiques, aux facteurs liés au comportement des consommateurs des différents marchés de l'entreprise (potentiel, actuel, cible, etc.) et à l'action des concurrents (immédiats et autres). Les données aussi bien quantitatives (données chiffrées) que qualitatives (données non chiffrées), les messages de même que les diverses rumeurs qui proviennent du macroenvironnement constituent l'information brute du système. Les flux d'information sont captés par un des sous-systèmes de collecte d'information (le système comptable interne, le système de renseignements marketing, le système de recherche marketing, etc.). Une fois triées et analysées par le système de traitement de l'information, ces données sont transmises aux responsables du marketing, qui les utilisent ensuite dans leur travail d'analyse, de planification (*chapitre 2*), de mise en œuvre ou de contrôle (*chapitre 14*). Les responsables du marketing examinent souvent une seconde fois l'information obtenue afin de s'assurer de son utilité, puis l'intègrent, le cas échéant, dans leur processus de planification stratégique.

Ainsi, la recherche marketing constitue un élément parmi d'autres du système d'information. Elle est une activité dont la durée est déterminée d'avance et elle sert à analyser un problème particulier. Le SIM, quant à lui, est une activité continue qui fournit en tout temps une information utile aux différents responsables.

On verra maintenant en détail les fonctions de chacun des sous-systèmes du SIM.

5.1.2_Le traitement de l'information environnementale

Le SIM comprend trois sous-systèmes : le système comptable interne, le système de renseignements marketing et le système de recherche marketing. Le type d'information géré ainsi que les modes de collecte, de traitement et de diffusion diffèrent d'un sous-système à l'autre.

Le système comptable interne

Le système comptable interne sert à enregistrer les données transactionnelles telles que les commandes, les ventes, les stocks et les effets à recevoir. L'enregistrement automatique des opérations de l'entreprise par le système comptable permet d'obtenir des renseignements importants. Les commandes confirmées, les ventes réalisées, les stocks disponibles, les paiements reçus, les effets à recevoir, les financements apportés font partie de ce qui est enregistré.

Les données transactionnelles gérées par le système comptable interne suivent le cycle classique des opérations de commande-livraison-facturation. En pratique, les clients, les distributeurs et les représentants inscrivent leurs commandes, le service de facturation prépare les factures correspondantes en plusieurs exemplaires et les achemine ensuite vers les différents services concernés. Les commandes d'articles en rupture de stock sont mises en attente ; concurremment, on expédie les autres commandes accompagnées des factures et des documents de transport, en autant d'exemplaires qu'il y a de destinataires. Ces derniers documents font état des quantités produites, des commandes enregistrées, des expéditions, des encaissements, et ainsi de suite.

L'entreprise s'assure que ces tâches sont accomplies promptement et, surtout, efficacement. L'informatisation raccourcit considérablement les délais, ce qui a pour effet d'uniformiser la collecte et le traitement de l'information et de les rendre plus intéressants pour le décideur. L'évolution des systèmes d'information de l'entreprise est marquée par l'intégration des systèmes informatiques. Le système comptable est au cœur de cette mutation : il est devenu une pièce maîtresse du système d'information de l'entreprise en assurant un rôle fédérateur et en garantissant la cohérence des données de gestion à usage aussi bien interne qu'externe.

Les données opérationnelles recueillies sont généralement groupées dans des états de situation standard portant sur une période ou une activité donnée qui seront par la suite ou bien publiés ou bien fournis sur demande à la clientèle. Ainsi, les états produits peuvent donner lieu à plusieurs opérations : la comparaison du chiffre d'affaires actuel avec ceux obtenus à d'autres périodes ; l'étude de la composition de la gamme de produits en fonction des ventes ; le classement des clients selon leur importance ; l'analyse des parts de marchés gagnées par territoire au regard d'un certain nombre d'indicateurs.

En résumé, le système comptable interne a pour rôle de fournir aux dirigeants des données sur les résultats obtenus. Mais cela ne suffit pas. Il faut un système qui donne plus de renseignements sur les événements qui se sont produits. C'est ce à quoi sert le système de renseignements marketing.

Le système de renseignements marketing

Les données transactionnelles collectées par le système comptable interne ont besoin d'être enrichies par des données provenant des environnements externes à l'entreprise, notamment celui de la concurrence, pour être transformées par la suite en données commerciales. On peut définir le système de renseignements marketing comme « le processus qui permet de comprendre, d'analyser et d'évaluer l'ensemble des environnements internes et externes liés aux clients d'une firme, à ses concurrents, à ses marchés et à son industrie, afin d'améliorer le processus de prise de décision [7] ». D'autres auteurs définissent ce système, appelé aussi système de renseignement marketing, comme « l'ensemble des sources et des moyens qui permettent aux dirigeants de se tenir continuellement informés de l'évolution de l'environnement économique, social et politique du domaine d'activité de l'entreprise et d'évaluer en permanence les forces et faiblesses de la position occupée sur le marché de référence [8] ».

L'analyse de l'évolution de l'environnement repose sur l'étude des journaux et des publications spécialisées, sur l'information recueillie dans les conférences et les colloques, auprès de groupements professionnels ou au cours de rencontres avec les fournisseurs, les distributeurs et les clients. Les nouvelles technologies de l'information, comme Internet, facilitent encore plus la constitution d'un système de surveillance de l'environnement. Des entreprises comme LexisNexis (*voir la figure 5.3*) ont d'ailleurs mis au point des systèmes informatiques de surveillance externe.

FIGURE 5.3 Un système de surveillance de l'environnement externe : la firme LexisNexis

Source : LEXISNEXIS CANADA, [En ligne], www.lexisnexis.com (Page consultée le 1er juin 2010)

Il est possible de distinguer quatre formes d'observation de l'environnement : l'observation courante, orientée, informelle et formelle [9]. L'observation courante et l'observation orientée impliquent toutes deux une exposition normale à une information ; dans le premier cas, cette exposition est générale, dans le second, elle est plus précise. L'observation informelle et l'observation formelle supposent une collecte de données ponctuelles. La principale différence entre les deux réside dans l'organisation et les objectifs de la collecte des données. Dans l'observation informelle, l'action est peu structurée et a pour but de collecter des informations sur un sujet particulier. Dans l'observation formelle, l'action suit un programme défini et vise à recueillir une information précise concernant un sujet. Pour effectuer ces diverses formes d'observation, les entreprises font appel à leur force de vente, établissent un système informatisé de surveillance des actions de la concurrence ou font appel aux services de firmes spécialisées en information commerciale. Par exemple, les concessionnaires d'automobiles Toyota se fient grandement à leurs vendeurs, qui sont en contact direct avec la clientèle, pour obtenir de l'information sur les marques concurrentes. Les entreprises qui commercialisent des produits complexes, comme des simulateurs de vol (c'est le cas de la compagnie CAE au Québec), comptent souvent dans leur service du marketing des ressources chargées de la collecte continue de l'information quantitative et qualitative et de la veille stratégique. Enfin, les entreprises de produits de grande consommation, comme Procter & Gamble et Unilever, font souvent appel à des firmes spécialisées en information commerciale telles que Nelson pour suivre l'évolution de la part de marché des dizaines de marques qu'elles commercialisent.

Les entreprises doivent compiler des données de diverses provenances (interne, externe, de vendeurs ou de firmes, etc.) et de diverses natures (qualitative, quantitative, données clients, fournisseurs, stocks, données financières, etc.) pour les intégrer ensuite dans le processus stratégique de prise de décision. Apparus il y a quelques années, les entrepôts de données (*data warehouses*), les outils d'exploration et de forage de données [10] (*data mining*) et les systèmes informatisés d'aide à la décision ont contribué à améliorer les systèmes d'information marketing des entreprises. Toutefois, les experts dans le domaine s'accordent pour dire que la réussite de l'intégration repose sur l'élaboration d'une vision unique qui consiste, par exemple, à mettre au premier plan le client et la bonne gestion de ses relations avec l'entreprise. Plusieurs entreprises, surtout du côté des services, se servent d'ores et déjà de leurs systèmes d'information marketing pour personnaliser la gestion de leur clientèle. La branche Solutions bancaires par Internet (*e-banking*) de la Banque Nationale et le service Flying Blue du consortium aérien SkyTeam constituent des exemples de succès dans ce domaine.

5.2 La recherche marketing

Le marketing joue un rôle de premier plan dans le système de gestion de l'entreprise. Il permet d'ajuster l'offre de celle-ci aux besoins du marché. D'où la nécessité non seulement de suivre soigneusement l'évolution des différents environnements, ce qui est le rôle du SIM, mais aussi de se baser, dans la résolution de problèmes particuliers, sur des renseignements précis et de concevoir des mesures répondant aux exigences de la situation, ce qui correspond au rôle de la recherche marketing. En plus de données comptables et d'informations de nature commerciale, l'entreprise a souvent besoin d'études portant sur des problèmes précis. Elle peut avoir besoin de faire une évaluation du potentiel d'un marché et des chances de succès d'un nouveau concept (produit, emballage, logo, etc.) ou de diagnostiquer un problème que le SIM a mis en évidence (baisse des ventes, taux de retour élevé, inefficacité de la publicité, etc.).

Les opérations liées à la recherche marketing viennent donc compléter celles du SIM et non les concurrencer. Plusieurs spécialistes en marketing ont critiqué ce type d'opérations et ont nié sa légitimité et même son utilité. Cependant, la réalité des marchés, la nature particulière des problèmes auxquels les entreprises font face et le caractère scientifique de la recherche marketing montrent qu'il y a une place pour cette dernière dans le domaine du marketing.

L'info-marketing 5.1 présente un extrait d'un article tiré d'un dossier spécial du journal *Les Affaires* qui brosse un tableau rapide de la recherche marketing au Québec.

INFO MARKETING | 5.1

Léger Marketing ouvre un bureau à New York

« À l'image d'une industrie qui explose sur tous les fronts, depuis une décennie, la firme québécoise de recherche marketing Léger Marketing se lance sur le marché américain et ouvre un bureau à New York. [...] "Il s'agira d'un bureau de professionnels, comme celui de Toronto. Pour commencer, nous envoyons là-bas une équipe de six experts de haut niveau comprenant des Canadiens et des Américains", explique J.-M. Léger. [...] "Dans cette industrie, soit tu restes petit et spécialisé, soit tu joues dans la cour des grands. C'est ce que nous avons choisi de faire, soutient M. Léger. Le changement de nom adopté l'an dernier n'est pas étranger au virage plus marketing entrepris par la firme." [...] "Nous n'aurons pas la même approche. Nous nous concentrerons dans des secteurs précis où nous sommes plus performants, comme les études de satisfaction de la clientèle, la recherche *on-line* ainsi que l'évaluation des publicités, des retombées médiatiques et de l'image corporative", explique le président de Léger Marketing. [...]

Croissance moyenne annuelle de 10 %

De façon générale, l'industrie de la recherche marketing et du sondage a connu une forte croissance durant la dernière décennie. En 2000, les revenus générés par les 25 plus gros acteurs au monde ont atteint 8,8 milliards (G $), soit une augmentation de 8,7 % par rapport à 1999, selon l'American Marketing Association. Au Canada seulement, les revenus ont atteint 200 M $ en 2000, une augmentation de 8 % par rapport à l'année d'avant. [...] Chez Saine Marketing, la première firme en importance au Québec selon le nombre d'employés (250), le conseil en marketing représente maintenant 40 % de l'ensemble des activités, par rapport à 60 % du temps consacré à la recherche. [...] "Plus que jamais, les entreprises veulent savoir ce qui se passe et si les gens continueront à acheter. Au lieu de lancer une quinzaine d'idées de nouveaux produits, elles vont y aller avec cinq ou six. Elles ne veulent pas se tromper car les erreurs coûtent cher", dit Stéphane Harris, associé chez Ad hoc recherche, le troisième acteur au Québec en termes d'employés (185).

L'investissement en recherche représente aussi des sommes importantes. Selon M. Harris, c'est au Québec que les prix sont les moins élevés en Amérique du Nord. À titre d'exemple,

le service pour organiser un groupe de discussion se vendra de 2500 $ à 3000 $ au Québec. Il coûterait 4500 $ à Toronto et 5000 $ aux États-Unis. [...] La maison SOM, par exemple, se positionne surtout comme un leader de la statistique et de la recherche purement quantitative, par opposition à ceux qui offrent aussi du conseil marketing (Léger Marketing et Saine Marketing) ou de l'analyse de valeurs sociologiques, économiques ou politiques (CROP). [...]

Une industrie appelée à se consolider

Les intervenants prévoient qu'il y aura des fusions et des acquisitions dans l'industrie de la recherche marketing au Québec. "La tempête va être forte", soutient M. Léger. [...] "Bientôt, il faudra payer les gens pour qu'ils répondent aux sondages. Le consommateur est aussi de plus en plus conscient de l'impact de son opinion." »

Source: Kathy NOËL, « L'industrie de la recherche marketing explose », *Les Affaires,* dossier spécial, samedi 19 janvier 2002, p. 47.

Cette partie du chapitre aura souvent l'occasion de révéler les liens étroits qui unissent la recherche marketing et le SIM. Elle précisera les rapports qui existent entre les problèmes de gestion et la recherche marketing. Puis, elle décrira les différentes étapes de la recherche marketing ainsi que les méthodes scientifiques employées à chacune de ces étapes.

5.2.1_Les problèmes de gestion et la recherche marketing

Les activités liées à la recherche marketing s'expliquent par les problèmes auxquels les gestionnaires de marketing font face dans leur travail quotidien. Le problème de marketing est défini au sens large et se rapporte aux décisions que doit prendre un gestionnaire de marketing dans une entreprise.

Généralement, un problème de marketing a rapport à un ou à plusieurs sujets à propos desquels une décision doit être prise : produit, prix, distribution ou communication. Il se présente sous la forme d'interrogations précises. Existe-t-il un marché potentiel pour ce nouveau produit ? Quel niveau de prix doit-on appliquer ? Quel circuit de distribution faut-il choisir ? Quelle information peut-on communiquer ? De toute évidence, les questions peuvent être complexes et même connexes, et il est parfois difficile d'y trouver réponse. Un responsable de magasin peut se demander pourquoi l'affluence des clients a diminué ou pourquoi son message publicitaire est inefficace. Dans le premier cas comme dans le second, les réponses peuvent être multiples, d'où la nécessité pour le chercheur de formuler des hypothèses afin d'orienter la recherche dans une direction déterminée.

Essentiellement, le travail de recherche marketing consiste à apporter des éléments de réponse aux questions que se pose le gestionnaire qui doit prendre une décision. Le problème de gestion a rapport à l'action, alors que le problème de la recherche marketing se rapporte à l'information. C'est au chercheur lui-même, souvent appelé « analyste marketing », qu'il revient d'examiner la situation pour y trouver des éléments d'information utiles concernant, par exemple, l'estimation de la taille d'un marché, le niveau de prix, le circuit de distribution ou la stratégie de communication. Il lui incombe aussi de déterminer les causes de la baisse d'achalandage d'un magasin ou d'évaluer l'efficacité d'une campagne de publicité.

La figure 5.4 explique brièvement les rapports qui unissent le problème de gestion, le problème de la recherche marketing et la prise de décision.

FIGURE 5.4 La recherche marketing et la prise de décision

La recherche marketing commence par un échange de renseignements entre le gestionnaire aux prises avec un problème de marketing et l'analyste qui a pour tâche de trouver des éléments d'information susceptibles d'aider à résoudre le problème. Le gestionnaire et l'analyste concluent ensemble un contrat relatif à celui-ci et comportant un mandat de recherche. Le problème de recherche est souvent défini conjointement par le gestionnaire et l'analyste.

Au moment de la préparation de sa proposition de recherche, l'analyste peut s'appuyer sur ses discussions avec les décideurs de l'entreprise, ses rencontres avec des personnes extérieures à l'entreprise (experts dans le domaine, clients ou autres) ou sur la documentation existante. Dans le premier cas, on part de l'idée que le problème de gestion concerne surtout les dirigeants de l'entreprise et que ce sont eux qui possèdent le plus d'information sur la situation qui fait problème. L'information qui sera générée en cours de recherche et qui leur sera communiquée à la fin de l'étude aura alors plus de chances de répondre à leurs attentes. Les rencontres avec des personnes extérieures à l'entreprise peuvent, quant à elles, aider l'analyste à cerner la question avec précision et le guider dans sa collecte d'information. Les rencontres individuelles ou de groupe avec les clients, souvent les premiers concernés par le problème marketing, orientent l'analyste sur le type d'information à rechercher. Enfin, la recherche documentaire est relative à des données déjà existantes (rapports de ventes, études, données statistiques) et sert à placer le problème dans son contexte. Parfois, elle indique aussi à l'analyste la voie à prendre dans sa recherche. Le tableau 5.1 donne des exemples de problèmes courants de recherche marketing, classés selon les domaines d'activité stratégiques.

Ainsi, la formulation d'un problème de recherche est très importante. Si ce problème est mal défini, les résultats ne seront d'aucune utilité pour le décideur ou ils conduiront à une mauvaise prise de décision. Le chercheur doit donc apporter une attention particulière à cette étape du processus de recherche.

5.2.2_Deux définitions de la recherche marketing

Il existe plusieurs définitions du processus de recherche marketing ; deux d'entre elles méritent d'être citées. Selon la première, la recherche marketing est : « La recherche systématique et objective ainsi que l'analyse d'informations pertinentes en vue de soulever et de résoudre des problèmes dans le domaine du marketing [11]. »

La seconde présente la recherche marketing comme suit : « L'ensemble des activités qui visent à définir, à recueillir et à analyser de façon systématique des informations permettant d'alimenter le processus de décision en marketing afin de le rendre plus efficace [12]. »

TABLEAU 5.1 Des exemples de problèmes de recherche marketing

Études économiques et industrielles	Analyse de la demande	Comportement d'achat	Produit	Distribution	Prix	Communication
Études sectorielles	Marché potentiel	Fidélité et préférences	Test de concept	Emplacement des entrepôts	Analyse des coûts	Études des médias
Profils et tendances	Potentiel de ventes	Analyse de l'attitude	Recherche de nom de marque	Études de réseaux	Analyse de la rentabilité	Tests de messages
Études d'acquisition ou diversification	Prévisions de ventes	Études de motivation	Test de conditionnement	Études de couverture	Élasticité-prix	Mesures d'efficacité
Analyse des parts de marché		Indices de satisfaction	Études des produits concurrents			Analyse de la publicité des concurrents
		Comportement d'achat				Études de l'image de la marque
		Intentions d'achat				Système de rémunération
		Notoriété des marques				Analyse des quotas
		Segmentation				Découpage des territoires
						Promotions, échantillons

Ces deux définitions montrent que la recherche marketing présente quatre fonctions différentes : diagnostic des besoins, définition des problèmes, production d'une information valide et communication des résultats. Le diagnostic des besoins en information implique qu'une étude de marché, quel qu'en soit le but, requiert un minimum de coordination entre le gestionnaire qui fait face à un problème de marketing et l'analyste qui, en examinant l'information fournie, l'aide à améliorer sa prise de décision.

La définition du problème de recherche suppose une orientation de l'étude dans un sens déterminé. L'orientation prise par l'analyste déterminera le type d'information qui sera fourni au décideur au terme de l'étude. La définition du problème exige de la part de l'analyste un jugement solide et des capacités éprouvées pour la recherche.

La fonction de production d'une information valide suppose l'emploi d'une méthode scientifique tout au long de l'étude. Cette méthode implique que l'information ne doit pas refléter l'opinion du chercheur ou du décideur, mais être plutôt la représentation fidèle de la réalité. D'où la nécessité pour l'analyste de bien maîtriser les différentes opérations de la recherche marketing : collecte d'information, échantillonnage, analyse des données...

La dernière fonction fait référence à la qualité de la présentation des résultats de la recherche et à l'intérêt qu'ils suscitent chez le décideur. Comme ce dernier n'est pas nécessairement un spécialiste de la recherche marketing, il a souvent besoin d'une information simple et claire. Des graphiques et des tableaux ayant directement rapport aux problèmes de gestion définis au début du processus de recherche sont à cet égard d'une grande utilité.

On ne doit jamais perdre de vue que la recherche marketing est l'un des trois piliers du marketing. En effet, celui-ci implique non seulement une philosophie de gestion orientée vers la satisfaction des clients et une démarche managériale débouchant sur une planification stratégique, mais aussi un ensemble d'outils de recherche. La recherche marketing est un élément opérationnel et instrumental indispensable pour mener à bien la planification stratégique dans une orientation client [13].

La recherche marketing est également indispensable en ce qu'elle permet de préparer les changements, voire de les provoquer. Cela est encore plus vrai aujourd'hui, car l'environnement des entreprises n'a jamais été aussi complexe, aussi compétitif et aussi incertain. Selon certains experts, le monde des affaires est entré depuis le début des années 1990 dans une ère où l'information, l'innovation et la mondialisation constituent les clés du succès des entreprises. Les nouvelles technologies de l'information et de la communication ont changé les façons de faire des entreprises. De nos jours, celles qui savent tirer parti de la masse d'information disponible maximisent leurs chances de réussite. Dans tous les domaines, les consommateurs veulent du nouveau et des prix faibles. La différenciation par le truchement de la recherche et du développement, la prévision des besoins et l'optimisation des coûts (y compris ceux de la recherche marketing) sont des moyens stratégiques de plus en plus appréciés. Enfin, la mondialisation des marchés, avec l'abolition des barrières commerciales et l'accroissement de la compétition qui l'accompagnent, a amené les entreprises à modifier leur vision. La multiplication des occasions d'affaires dans l'environnement international est contrebalancée par celle des menaces politiques, économiques, culturelles et autres. Pour bien comprendre cet environnement, il faut parfois employer d'autres outils que pour les marchés intérieurs. La recherche marketing, du fait qu'elle permet aux gestionnaires du marketing de pénétrer et de maîtriser des marchés plus complexes, est devenue une obligation, quel que soit le domaine d'activité économique considéré.

5.2.3_La méthode scientifique et la recherche marketing

Il est certain que la recherche marketing, dans la mesure où elle fait appel à la créativité et à l'appréciation subjective, relève d'une certaine forme d'art. La recherche comporte également, bien sûr, des aspects scientifiques. Elle doit fournir des connaissances valides et fiables susceptibles d'être intégrées dans le processus décisionnel. L'utilité des renseignements fournis est fonction de leur validité et de leur fidélité. Les règles de la méthode scientifique exigent une validité interne et externe. La validité interne se rapporte au processus de production de l'information et à la démarche rationnelle qu'elle comporte, alors que la validité externe implique la possibilité de généraliser les résultats de la recherche à l'ensemble du marché.

Pour être considérée comme scientifique, une méthode doit répondre aux six critères suivants [14] :

1. **L'objectivité.** L'information qui résulte d'une étude de marché doit non pas procéder de la seule subjectivité du chercheur, mais plutôt refléter fidèlement

la réalité. La définition du problème, le choix des techniques de collecte ou d'analyse ainsi que l'interprétation des résultats doivent suivre une logique d'objectivité et non une approche tautologique. L'objectivité doit donc découler de la reproductibilité des observations.

2. **L'irréfutabilité.** Les résultats doivent pouvoir être contrôlés. La méthodologie utilisée tout au long de l'étude de marché doit s'accorder avec les résultats de cette dernière.

3. **Le caractère analytique.** Les concepts et les méthodes employés doivent être opérationnels. Il faut non seulement décrire les phénomènes, mais aussi valider les mesures effectuées.

4. **La rigueur et la précision.** Il est nécessaire de suivre une procédure de collecte et de traitement des données afin d'éviter l'arbitraire et les préjugés systématiques.

5. **L'attitude critique.** Il est essentiel de faire constamment preuve d'esprit critique dans sa démarche et d'assigner des limites précises à sa recherche.

6. **La communicabilité.** Les résultats et la méthode de recherche doivent être présentés d'une manière complète et précise de façon à pouvoir permettre la reproduction de l'étude à des fins de vérification ou autres.

L'analyste assume la responsabilité du travail de recherche et en garantit la bonne exécution. La section qui suit considère, d'un point de vue opérationnel, les étapes de la recherche marketing. La description de ces étapes tient compte de la définition déjà donnée de la recherche marketing, de ce qu'elle représente pour le gestionnaire et de son caractère scientifique.

5.2.4_Les étapes du processus de recherche marketing

Une étude de marché est loin d'être une activité ponctuelle. C'est souvent un long processus qui compte plusieurs étapes. Celles-ci ne procèdent pas d'une théorie reconnue, elles découlent simplement des exigences de la méthode scientifique. La recherche marketing comprend cinq étapes[15], qui sont résumées à la figure 5.5.

FIGURE 5.5 **Les étapes du processus de recherche marketing**

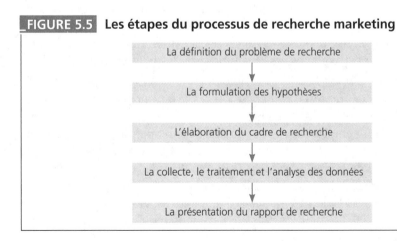

La définition du problème de recherche

↓

La formulation des hypothèses

↓

L'élaboration du cadre de recherche

↓

La collecte, le traitement et l'analyse des données

↓

La présentation du rapport de recherche

1. **La définition du problème de recherche.** C'est l'étape la plus importante, car elle détermine la nature des résultats de l'étude et, par conséquent, le type d'information qui sera fourni au terme de la démarche. On dit souvent qu'un problème bien défini est à moitié résolu. Il importe donc de cerner le problème de recherche en posant au préalable un certain nombre de questions et en déterminant les objectifs de la recherche. Une question de recherche est la

version technique du problème marketing soumis par le décideur. L'énoncé des questions de recherche nécessite une bonne communication entre le décideur et l'analyste. Le décideur doit savoir ce qu'il est possible d'obtenir de la recherche comme information. L'analyste, quant à lui, doit être capable de comprendre le problème du décideur et de discerner ses besoins d'information et les contraintes auxquelles il est soumis. Le tableau 5.2 présente des exemples de questions de recherche.

TABLEAU 5.2 Quelques exemples de questions de recherche se rattachant à des problèmes de recherche marketing

Problème de recherche	Questions de recherche
Segmentation du marché des arts et de la culture à Montréal	• Comment définir ce marché ? • Ce marché est-il hétérogène ? • Quelles sont les principales variables de segmentation de ce marché ? • Quel est le potentiel de chaque segment ?
Satisfaction des clients à l'égard des services d'une compagnie aérienne	• Quel est le profil des clients actuels ? • Quelles sont les principales composantes des services aériens ? • Quel est le degré de satisfaction globale ? • Quel est le degré de satisfaction à l'égard de chacune des composantes du service de la compagnie ?
Évaluation de l'efficacité d'une publicité	• Quel est le nombre de personnes qui ont vu la publicité ? • Quel est le degré de mémorisation de la publicité ? • Dans quelle mesure la publicité a-t-elle suscité l'intérêt des consommateurs pour le produit ? • Les objectifs fixés au départ ont-ils été atteints ?

2. **La formulation des hypothèses.** Une fois le problème clairement défini, il s'agit d'énoncer des hypothèses vérifiables expérimentalement. Une hypothèse est une proposition qui constitue une réponse conjecturale à la question de recherche. Pour émettre cette hypothèse, l'analyste s'appuie sur les connaissances dont l'entreprise dispose. Cette étape est importante parce qu'elle permet non seulement d'expliciter les présupposés et les liens entre les variables, mais aussi de déterminer le type de données à recueillir.

3. **L'élaboration du cadre de la recherche.** Après avoir énoncé les hypothèses, l'analyste précise la nature de la recherche, les méthodes de validation, les instruments qui seront employés et les conditions de leur application. La recherche pourra être exploratoire, descriptive ou causale. Le choix des méthodes, notamment en ce qui a trait à la collecte et à l'analyse des données, varie selon la nature de la recherche. Par exemple, une recherche exploratoire nécessite des techniques d'entrevue et des analyses qualitatives, alors qu'une recherche causale suppose l'élaboration de plans expérimentaux et la réalisation d'analyses statistiques.

4. **La collecte, le traitement et l'analyse des données.** On applique le programme de recherche défini à l'étape précédente. On collecte, classe et traite les données nécessaires à la vérification des hypothèses. L'analyste doit s'assurer de la validité interne et externe des résultats de son étude, apprécier la qualité des instruments de mesure utilisés, de même que vérifier l'adéquation des méthodes d'échantillonnage et des techniques d'analyse.

5. **La présentation du rapport de recherche.** La dernière étape du processus de recherche consiste à rédiger un rapport dans lequel on présente les résultats de l'étude de manière claire et précise. L'analyste doit aussi rappeler dans son rapport les objectifs de l'étude et les questions de recherche formulées au début. En outre, il lui faut préciser quelle a été la méthodologie employée ainsi que les outils de collecte et les techniques d'échantillonnage et d'analyse.

_5.3_ La typologie des études de marché en marketing

Les spécialistes de la recherche marketing distinguent trois types d'études selon les buts poursuivis : la recherche exploratoire, la recherche descriptive et la recherche causale [16]. L'étude exploratoire a pour principal but de découvrir la nature d'un problème qui se pose ou qui risque de se poser à l'entreprise, de formuler des hypothèses à propos de ce problème ainsi que des questions de recherche. Les méthodes sont souvent semi-structurées et concernent notamment la recherche documentaire et la recherche qualitative.

L'étude descriptive est plus quantitative et suppose une bonne définition du problème. Le but ici est d'obtenir un maximum de renseignements sur un phénomène précis, par exemple un marché, un mode de consommation ou réseau de distribution. Les méthodes se basent principalement sur la recherche quantitative à partir d'enquêtes par sondage ou panel. La grande majorité des études de marché sont de nature descriptive.

L'étude causale est la plus complexe des méthodes utilisées. Le but de ce type de recherche est de déterminer avec précision la relation de cause à effet entre deux concepts que le chercheur maîtrise très bien, de manière à formuler des prévisions ou à optimiser des actions marketing contrôlées telles que le niveau de prix, le type de promotion et le choix d'emballage. Les méthodes se basent principalement sur l'expérimentation en laboratoire ou dans des marchés tests.

Il est à signaler que ces trois types d'études se complètent mutuellement. En effet, l'étude exploratoire est souvent un préalable à l'étude descriptive qui, elle, fournit une base conceptuelle à l'étude causale.

Le tableau 5.3 (*voir p. 146*) présente des exemples de recherches marketing selon l'objectif poursuivi : exploratoire, descriptif ou causal. Les méthodes utilisées dans ces trois types d'études seront examinées en détail plus loin dans ce chapitre.

L'examen des recherches exploratoire, descriptive et causale qui suit insistera sur l'aspect pratique des opérations qu'elles comportent.

5.3.1_La recherche exploratoire

Lorsque le problème de recherche est très peu connu, nébuleux ou très vaste, la formulation des questions et des hypothèses de recherche devient une tâche difficile. Il convient alors de mener une étude exploratoire pour circonscrire le problème, afin de définir des questions de recherche précises et simples et d'avancer des hypothèses de recherche qui pourront être vérifiées par la suite dans des études plus poussées. Dans tout projet de recherche, une étape exploratoire de nature documentaire ou qualitative précède l'étape descriptive, souvent plus exigeante et méthodologiquement plus complexe. La recherche exploratoire est habituellement moins coûteuse et plus facile à réaliser. Toutefois, elle présente l'inconvénient de manquer de précision et il est impossible de généraliser les résultats.

Seront décrites successivement la recherche documentaire et la recherche qualitative en précisant la méthodologie qui convient à chacune d'elles.

_TABLEAU 5.3 Quelques exemples de problèmes de recherche marketing

Recherche exploratoire	Recherche descriptive	Recherche causale
Un magasin ouvert depuis peu qui a un faible taux d'achalandage.	Comment segmenter le marché des arts et de la culture à Montréal ?	Les clients préfèrent-ils le produit dans un emballage en plastique, en carton ou sans emballage ?
Les consommateurs québécois sont-ils prêts à acheter des produits équitables ?	Dresser la carte perceptuelle des principales bannières d'alimentation au Québec.	Quelle publicité convainc le plus le marché cible : celle qui fait appel à la peur, à la morale ou au rire ?
Quelle tarification un établissement financier peut-il imposer à ses clients démunis ?	Évaluation par une entreprise de son réseau de distribution actuel et étude des possibilités d'intégration des activités de commerce sur Internet.	Quelle musique d'ambiance convient-il de faire jouer pour augmenter l'achalandage d'un magasin de chaussures (douce, rock, populaire, etc.) ?

La recherche documentaire

La recherche documentaire puise à des sources de données secondaires. Celles-ci sont des données déjà existantes qui ont été recueillies à d'autres fins que celles de l'étude à réaliser. Les données primaires sont collectées dans le cadre et pour les besoins précis de l'étude en question. Par exemple, si les restaurants St-Hubert de la Rive-Sud demandent à leurs clients de répondre à un questionnaire en vue de connaître leur profil sociodémographique à des fins de segmentation, les données recueillies seront primaires. Par contre, si la même information est obtenue à partir des données d'un recensement de Statistique Canada, les données recueillies seront secondaires. Celles-ci servent souvent à mieux connaître l'environnement marketing, notamment en ce qui concerne les éléments économiques, sociodémographiques, culturels ou juridiques. Cela peut permettre à l'analyste d'améliorer la formulation des questions de recherche, de remanier ses hypothèses et parfois même de trouver des réponses définitives à des questions formulées. La plupart des études en marketing international se basent exclusivement sur des données secondaires en raison des coûts élevés et des difficultés méthodologiques qu'entraîne la collecte de données primaires. L'info-marketing 5.2 présente un cas d'utilisation de données secondaires dans la prospection de nouveaux marchés à l'étranger.

À elles seules, les données secondaires ne suffisent pas pour apporter des réponses définitives à un problème de recherche. Elles peuvent néanmoins aider à élargir les connaissances sur un sujet et à formuler des hypothèses inspirées de travaux déjà réalisés ou de tendances qui ressortent de données statistiques, ou encore à préparer un plan d'échantillonnage représentatif de la population cible d'une étude.

Les données secondaires peuvent être internes ou externes à l'entreprise[17]. Parmi les données internes, citons les résultats des ventes, les données financières et comptables, les rapports des vendeurs, les suggestions, réclamations ou commentaires des clients et, de plus en plus, les données de navigation recueillies à partir des sites Web. Les données externes sont plus variées ; elles proviennent notamment des publications de Statistique Canada et de l'Institut de la statistique du Québec, d'autres publications gouvernementales, des rapports d'associations de producteurs, de consommateurs ou de distributeurs, des rapports de compagnies, des études privées, des bases de données et des sites et moteurs de recherche sur Internet.

INFO MARKETING 5.2

La prospection de nouveaux marchés dans les pays de l'Europe de l'Est par un exportateur québécois de viande d'agneau

En 2008, avec l'aggravation de la crise économique aux États Unis et la hausse vertigineuse du dollar canadien, un exportateur québécois de viande d'agneau s'est intéressé aux marchés en émergence dans les pays de l'Europe de l'Est nouvellement admis ou en cours d'intégration au sein de l'Union européenne. Il voulait trouver le marché le plus attrayant, c'est-à-dire celui qui était le plus intéressant sous le rapport occasions d'affaires/menaces. Les pays à étudier étaient les suivants : Hongrie, Lituanie, Pologne, Slovaquie, République tchèque, Roumanie et Ukraine.

Comme son budget de recherche était limité et qu'il ne pouvait mener des enquêtes par sondage auprès des consommateurs dans chacun de ces pays, ni réaliser des entrevues avec les distributeurs actifs sur ces marchés, l'exportateur a décidé d'utiliser des données secondaires disponibles sur Internet. Il a d'abord défini six critères d'évaluation devant faire l'objet d'une comparaison entre les pays : fluctuation des taux de change, inflation, consommation d'agneau par habitant, abattage de moutons, taille de la population et revenu moyen. À chacun de ces éléments, il a attribué un pourcentage proportionnel à l'importance qu'il lui accorde. Ensuite, pour obtenir des données sur les différents pays, il a consulté de nombreuses sources : les publications du

ministère des Affaires étrangères et du Commerce international, les publications à caractère économique de chaque pays, les données d'organismes internationaux comme le Fonds monétaire international, la Banque mondiale, l'Organisation des Nations-unies pour l'alimentation et l'agriculture, etc.

À partir des données brutes rassemblées, le responsable de l'étude a utilisé une échelle à cinq niveaux pour l'examen de chaque critère d'évaluation. Le niveau 1 signifie que, pour tel élément, les occasions d'affaires dans le pays sont très peu nombreuses ou que le degré de menace est très élevé. Le niveau 5 signifie au contraire que les occasions d'affaires sont très nombreuses ou que le degré de menace est très faible.

Le tableau A résume les résultats de l'évaluation des sept pays.

Selon les résultats sommaires de cette étude, on peut croire que, *a priori* et en tenant compte des critères faisant l'objet d'une évaluation, du poids qui leur a été attribué et de l'appréciation chiffrée de chacun des éléments pour chaque pays, la Hongrie serait le marché le plus prometteur pour l'exportateur de viande d'agneau qui a commandé l'étude. C'est ce pays qui a obtenu les résultats les plus intéressants, avec une sommation pondérée de 380.

TABLEAU A Les résultats de l'évaluation de sept pays

Critère de sélection	Pondération (%)	Hongrie		Lituanie		Pologne		Slovaquie		République tchèque		Roumanie		Ukraine	
Fluctuation du taux de change	25	4	100	3	75	3	75	5	125	5	125	3	75	1	25
Inflation des prix	25	4	100	5	125	4	100	3	75	3	75	2	50	1	25
Consommation par habitant	20	5	100	1	20	4	80	1	20	1	20	1	20	1	20
Abattage national	15	2	30	5	75	1	15	5	75	5	75	5	75	5	75
Taille de la population	15	2	30	1	15	4	60	1	15	2	30	3	45	5	75
Revenu par habitant	5	4	20	2	10	3	15	4	20	5	25	1	5	2	10
Sommation pondérée	**100**		**380**		**320**		**335**		**330**		**350**		**270**		**230**

Les données secondaires internes sont souvent utiles aux études de diagnostic relatives à des activités marketing, telles que les performances d'une force de vente par rapport à des objectifs fixés et l'efficacité d'une action promotionnelle en magasin ou d'un circuit de distribution. Elles peuvent toutefois présenter l'inconvénient d'être incompatibles avec les besoins de l'analyse : données hebdomadaires plutôt que quotidiennes, données groupées par catégories de produits et non par produits, par marques, par vendeurs ou par magasins, et ainsi de suite. Un autre inconvénient est que les membres du personnel chargés de les recueillir peuvent être tentés de dissimuler celles qui vont à l'encontre de leurs intérêts. Ce pourrait être le cas, par exemple, d'un vendeur d'une grande marque d'équipement de sécurité qui reçoit une plainte concernant le service offert sur un territoire dont il est seul à s'occuper. Plusieurs entreprises soucieuses de savoir si leurs clients sont satisfaits ont recours à d'autres moyens de collecte d'information, tels les numéros de téléphone sans frais (1 800) ou les courriers électroniques.

Les données secondaires externes proviennent de sources extérieures à l'entreprise. On les utilise notamment à cause de leurs coûts moindres. Les données tirées des publications d'organismes gouvernementaux ou paragouvernementaux constituent des données secondaires externes. Les figures 5.6 et 5.7 montrent la page d'accueil de deux sites Web riches en données secondaires, auxquels le gestionnaire de marketing au Canada est souvent appelé à se référer : le site de Statistique Canada et celui du ministère de l'Industrie.

_FIGURE 5.6 Le site Web de Statistique Canada

Source : STATISTIQUE CANADA, [En ligne], www.statcan.gc.ca (Page consultée le 1er juin 2010)

Avec le développement des outils du Web interactif 2.0 tels que les réseaux sociaux, les blogues, les sites de partage de vidéos, d'images, de travaux et autres documents numérisés, le volume de données secondaires disponible pour les gestionnaires en marketing a atteint des proportions inégalées. Aujourd'hui, le défi des analystes en marketing est de tracer, à l'intérieur de cette forêt de données, le chemin le plus efficace pour aboutir à une information qui soit aussi crédible que pertinente.

FIGURE 5.7 Le site Web d'Industrie Canada

Source : INDUSTRIE CANADA, [En ligne], www.ic.gc.ca (Page consultée le 1er juin 2010)

Les entreprises doivent débourser d'importantes sommes pour avoir accès, par exemple, aux données recueillies auprès de panels de consommateurs ou de distributeurs. C'est le cas, par exemple, des données sur les produits de grande consommation publiées par la firme Nielsen et des données sur la segmentation du marché canadien PSYTE publiées par la firme de recherche Pitney Bowes. Le grand avantage, c'est de permettre au gestionnaire qui a besoin d'une information immédiate de l'obtenir facilement. Les inconvénients sont les mêmes que pour les autres types de données secondaires : l'impossibilité de contrôler la qualité de l'information, la difficulté d'apprécier son utilité pour résoudre des problèmes de recherche marketing particuliers à une entreprise, la multiplicité des sources externes et les risques de non-concordance entre les données provenant de sources différentes. Avant d'intégrer les données secondaires externes dans le processus de recherche marketing, l'analyste doit donc vérifier la crédibilité de la source et la validité de la méthodologie utilisée.

En raison de la complexité du processus de collecte de données secondaires, encore accrue aujourd'hui du fait de l'avènement d'Internet (avec ses ramifications intranet et extranet), des nouveaux outils du Web 2.0 et de la quantité d'informations auxquelles ils donnent accès, il est important de mener la recherche de façon méthodique. Pour ce faire, il est possible de diviser la recherche en quatre étapes distinctes :

1. Faire le point sur le problème de recherche et déterminer ce qu'il importe de savoir.

2. Dresser une liste d'outils de recherche et de mots clés utiles à la réalisation du projet.

3. Recueillir les données en se servant de ressources telles qu'Internet, les bibliothèques, les archives et les salles d'information des organismes publics, parapublics et privés.

4. Analyser les données secondaires en les rattachant aux questions de recherche appropriées.

L'étape de l'analyse des données secondaires doit comprendre une évaluation de la validité et de la fiabilité des données retenues. Ces dernières sont souvent évaluées sous les rapports suivants : la crédibilité de la source, les motifs de publication, la méthodologie employée, la définition des concepts, le moment de l'élaboration et celui de la publication et, enfin, la concordance des sources entre elles.

Les études qualitatives

En marketing, la recherche qualitative aide souvent à mieux connaître des phénomènes sur lesquels on dispose de très peu d'information. Ce type de recherche a un caractère exploratoire. L'accent, en effet, est mis sur la compréhension des phénomènes et des comportements plutôt que sur la généralisation des résultats à l'ensemble du marché. On procède à la recherche qualitative surtout quand on manque de données secondaires sur un phénomène précis. Le marché des produits dits équitables est un exemple de phénomène sur lequel on dispose aujourd'hui de très peu de données secondaires ; les statistiques de ventes, les études du comportement des consommateurs et les projections sont rares. On était dans la même situation avec les ventes-débarras au début des années 1990, le commerce électronique en 1995 et les marchés informels en 2007, puisqu'il s'agissait, dans ces années-là, de phénomènes commerciaux nouveaux, donc peu explorés par les spécialistes en marketing. Les premiers travaux consacrés à ces phénomènes ont été de nature qualitative et visaient à mieux les comprendre. La recherche qualitative sert de base à des recherches plus avancées de nature descriptive et causale et peut aussi remplacer dans certains cas les études quantitatives, surtout lorsque les phénomènes étudiés ne sont pas quantifiables. C'est le cas d'une étude portant sur les causes de l'échec de l'introduction des nouvelles technologies de l'information et de la communication dans une entreprise, ou d'une étude traitant de la consommation abusive d'alcool ou de l'achat compulsif.

La recherche qualitative s'appuie sur des outils méthodologiques tant de collecte que d'analyse de données, qui sont aussi de nature qualitative. En recherche qualitative, il est possible d'employer trois techniques : le groupe de discussion, l'entrevue personnalisée et les techniques projectives [18]. Du fait de la démarche suivie, la recherche qualitative n'est pas moins scientifique que la recherche quantitative. En réalité, ce qui peut se révéler non scientifique dans la recherche marketing en général, c'est de recourir exclusivement à l'intuition et au bon sens.

Habituellement, l'étude qualitative comporte trois éléments méthodologiques. D'abord, les données sont recueillies auprès d'un échantillon réduit, choisi sans souci de représentativité. Ensuite, d'autres données sont recueillies à l'occasion de discussions qui peuvent être structurées ou non. Enfin, les résultats obtenus sont rarement quantifiables et font l'objet d'une analyse de contenu.

Le groupe de discussion

Cette technique très utilisée en psychologie s'appuie sur la dynamique de communication de groupe pour obtenir des renseignements qu'un analyste ne pourrait recueillir facilement tout seul. En pratique, on réunit un petit groupe homogène de 7 à 12 personnes concernées par un sujet, et un animateur leur demande de parler librement, pendant une ou plusieurs séances, d'un problème d'intérêt commun. La discussion dure entre une et deux heures et a pour principal but de recueillir des renseignements auprès de chaque participant. Les renseignements bruts obtenus sont consignés par écrit, enregistrés sur magnétophone ou sur vidéo. L'enregistrement vidéo a l'avantage de montrer les gestes et les expressions faciales des participants. Il vaut mieux éviter les très petits groupes (2 ou 3 personnes) et les grands groupes (20 personnes, par exemple). Dans le premier cas, on n'obtient pas la dynamique de groupe recherchée et, dans le second cas, la gestion des rapports entre les membres du groupe risque d'être difficile.

Dans un groupe de discussion (*focus group*), l'animateur se cantonne dans le rôle de modérateur. Il amorce la discussion et note les propos, mais il ne donne jamais son opinion sur les sujets discutés. L'animateur doit bien connaître le sujet qui est débattu, avoir confiance en lui, de l'expérience dans le domaine, un jugement solide et être capable de neutraliser l'influence négative des leaders d'opinion sur les autres participants.

L'animateur doit établir un plan de la séance, aussi appelé « guide de discussion ». Ce plan s'articule sur un nombre défini de thèmes et sur des questions qui servent à amorcer les discussions. Le tableau 5.4 présente un exemple de plan de groupe de discussion portant sur la force de vente organisée par territoires (des vendeurs itinérants) d'une entreprise de produits cosmétiques. Le but est de comprendre la motivation de la force de vente.

_TABLEAU 5.4   Le déroulement d'un groupe de discussion

Étape 1	Tour de table avec présentation de chaque participant et détails donnés par celui-ci sur son territoire.
Étape 2	Discussion de groupe sur ce qui stimule un vendeur à fournir plus d'efforts dans la vente.
Étape 3	Discussion de groupe sur les actions à accomplir pour motiver les vendeurs sur la route.
Étape 4	Tour de table dans lequel chaque participant indique sa motivation actuelle.

Dans la recherche marketing, on fait fréquemment appel aux groupes de discussion pour reconnaître et évaluer des concepts de publicité, proposer puis mettre au point de nouveaux produits ou apprécier la gestion de la force de vente. Les nouvelles technologies de l'information et de la communication fournissent des outils de recherche pour gérer les groupes de discussion. L'info-marketing 5.3 donne un exemple d'utilisation d'un de ces outils.

INFO MARKETING 5.3

Les entrevues de groupe à l'ère d'Internet

Le géant des logiciels Microsoft a mis en place une application informatique qui permet de gérer des groupes de discussion en ligne. En pratique, cela implique l'organisation virtuelle d'une rencontre entre plusieurs personnes dirigées par un animateur et à laquelle le commanditaire de l'étude peut assister. L'activité exige l'accès de tous les participants à un ordinateur personnel et à une connexion Internet fiable. Un groupe de discussion en ligne se déroule suivant les mêmes étapes qu'une rencontre physique. On commence toujours par le recrutement des participants et la préparation du plan de déroulement de la discussion. La seule différence est que la rencontre entre les participants, l'animation des discussions ainsi que les échanges se feront par le moyen de l'ordinateur. Il y a trois écrans différents. D'abord, un écran client, réservé au commanditaire de l'étude, lui permet de suivre le déroulement des discussions et de communiquer, s'il le désire, avec l'animateur. Ensuite, un écran participant permet aux individus recrutés pour l'étude de suivre les discussions et ❯

d'y participer, entre eux et avec l'animateur. Enfin, un écran animateur permet au responsable de l'étude de diriger la discussion, d'intervenir en tout temps pour introduire un sujet, de donner la parole à un participant ou d'exclure un participant de la discussion. C'est l'animateur qui supervise les différents écrans.

Les groupes de discussion en ligne comportent trois avantages. D'abord, ils évitent les pertes de temps et d'argent occasionnées par les déplacements des participants. Ensuite,

ils donnent la possibilité à des personnes géographiquement éloignées de participer aux discussions. Enfin, ils permettent à l'animateur d'obtenir un enregistrement fidèle des discussions. Les inconvénients sont les aléas de la technique et l'absence d'échanges directs entre les participants.

Aujourd'hui, des entrevues de ce type peuvent être faites par vidéoconférence avec des logiciels comme, par exemple, Skype et Windows Live Messenger.

Source : ABC NETMARKETING, [En ligne] www.abc-netmarketing.com (Page consultée le 23 décembre 2002) ; adaptation libre.

L'entrevue personnalisée

L'objet de cette discussion individuelle, dirigée ou non, est de sonder implicitement l'inconscient des répondants et d'analyser en profondeur leurs opinions, leurs attitudes et leurs motivations. On parle donc aussi d'entrevue en profondeur. Cette méthode de recherche s'inspire des techniques de la psychanalyse et de la psychiatrie, dans la mesure où elle a pour but de faire ressortir la trame psychologique et d'inférer ce qui n'est pas manifeste, ce qui est inconscient ou ce qui est difficile à cerner dans le comportement d'une personne. En pratique, il s'agit d'organiser des rencontres avec chacune des personnes faisant partie d'un groupe. La rencontre dure entre 30 et 45 minutes, et l'intervieweur traite une série de sujets avec le répondant. Le plan des différentes rencontres peut s'articuler autour des mêmes thèmes, mais l'intervieweur doit avoir la possibilité d'aborder d'autres thèmes s'il le juge nécessaire ou de couper court à une entrevue s'il juge inutile l'information fournie par le répondant.

Contrairement à ce qui se passe dans les groupes de discussion, l'intervieweur n'est pas un simple animateur dans une entrevue personnalisée ; il doit dialoguer avec le répondant, éveiller son intérêt pour le sujet traité, le mettre en confiance et l'encourager à exprimer le fond de sa pensée de façon à obtenir une information aussi riche que détaillée.

L'étude basée sur les entrevues personnalisées comporte certaines limites et le responsable du projet de recherche marketing doit en être conscient, car la qualité de l'information recueillie dépend de certains facteurs. D'abord, le choix de la personne chargée de la collecte des données. L'intervieweur doit avoir des talents de communicateur et disposer d'un support technique d'enregistrement (avec l'accord du répondant) afin de réduire les risques de mauvaise interprétation des propos du répondant. Ensuite, le choix des personnes à interviewer, lesquelles constituent la seule source d'information dans une telle étude. Il importe de choisir des répondants qui soient les plus hétérogènes possible par rapport au sujet de l'étude, de manière à obtenir une information riche et variée. Les résultats de la recherche basée sur les entrevues en profondeur ne peuvent être généralisés, car ni l'outil de collecte ni les conditions d'échantillonnage ne se prêtent à une généralisation.

Les techniques projectives

Il s'agit là non pas d'une méthode de recherche, mais d'un ensemble d'outils empruntés à la psychanalyse et que l'on peut introduire dans un groupe de discussion ou dans une entrevue personnalisée. Les techniques projectives tirent parti du mécanisme de la projection, selon lequel l'individu a tendance à projeter ce qui constitue sa personnalité, son système de valeurs, ses attitudes et son comportement. Parmi les principales techniques projectives, il y a l'association de mots et d'images, la construction d'une histoire, l'achèvement de phrases, le test de la bulle vide, l'ordonnancement de stimuli, l'interprétation de dessins, la simulation de situations et les jeux de rôle. La difficulté de validation scientifique des méthodes projectives et la rareté des compétences dans ce domaine rendent leur utilisation dans la recherche marketing très limitée.

5.3.2_La recherche descriptive

La recherche descriptive, le type d'étude de marché le plus courant, vise fondamentalement à fournir l'image la plus précise et la plus complète possible d'un phénomène à un moment précis. Qu'il s'agisse d'étudier l'état d'un marché, un comportement d'achat, une approche stratégique ou toute autre question de recherche marketing, les notions de mesure et d'inférence se trouvent au cœur de la recherche descriptive. Dans celle-ci, la méthodologie de recherche a pour but la quantification des phénomènes étudiés et la généralisation des résultats à l'ensemble du marché. Les études descriptives ont des objectifs et des méthodes de collecte de données très bien structurées qui découlent d'objectifs de recherche, de questions de recherche et d'hypothèses précises. Ces questions et ces hypothèses de recherche proviennent parfois d'études exploratoires déjà réalisées. Le traitement des données fait souvent appel aux outils statistiques d'observation et d'inférence. La réalisation d'une étude descriptive suppose donc une bonne connaissance du problème étudié, de la rigueur dans la collecte des données et une grande maîtrise des techniques d'analyse statistique.

La recherche descriptive peut servir à diverses fins. Elle fournit une description détaillée de la taille, de l'organisation, du fonctionnement et de l'évolution d'un marché ou d'une industrie. Dans le processus de planification stratégique en marketing, cette description est souvent utile à l'étape de l'analyse des occasions d'affaires et des menaces. La recherche descriptive dépeint également les aspects cognitifs (par exemple, la notoriété et l'image), affectifs (par exemple, les attitudes et les préférences) ou conatifs (par exemple, l'acquisition, l'utilisation et la fidélité) du comportement d'achat. Ces informations sont généralement intégrées dans l'élaboration des politiques de produit, de distribution, de communication ou de prix.

La section qui suit s'attarde à la méthodologie de la recherche descriptive, en mettant en évidence les outils de collecte de données et les méthodes d'analyse quantitative.

Les méthodes de collecte de données

Deux méthodes peuvent être utilisées pour recueillir des renseignements dans une recherche descriptive : l'observation et l'enquête par sondage. Dans les deux cas, on a affaire à des données primaires, c'est-à-dire à des données collectées par le responsable de l'étude pour répondre à des besoins d'information déterminés. Les données primaires ont sur les données secondaires l'avantage de se rapporter directement aux questions de recherche et d'être précises. À cela s'ajoutent le contrôle méthodologique du processus de collecte et la possibilité de tester la validité et la fidélité des données. Par contre, les coûts considérables en temps et en argent qu'entraînent la collecte et le traitement des données primaires constituent un sérieux inconvénient.

Les méthodes d'observation

L'observation consiste à considérer avec une attention suivie le comportement non verbal des individus, de même que des événements, des situations d'achat ou de consommation, sans communiquer d'aucune manière avec les personnes observées. Les méthodes d'observation sont utiles lorsque les comportements des acheteurs ou des consommateurs ne peuvent être considérés de manière satisfaisante par d'autres moyens. C'est le cas par exemple de l'aménagement d'un magasin et du choix de la mise en place des soldes de la semaine, en se basant sur l'observation des consommateurs et de leur comportement en magasin : la direction qu'ils prennent lorsqu'ils franchissent les portes, ce qu'ils regardent en premier, ce qui les agace, et ainsi de suite.

On distingue deux formes d'observation : l'une s'appuie sur l'enregistrement du comportement, l'autre sur des mesures physiques. Dans le premier cas, on enregistre les comportements, les gestes et les paroles à l'aide d'une caméra. L'observation peut se faire dans un milieu naturel (par exemple, un supermarché) ou artificiel (simulation sur ordinateur) ; elle peut être cachée (par exemple, filmer des personnes à leur insu) ou manifeste (filmer des personnes en les avisant au préalable). L'avantage de l'observation en milieu naturel et de l'observation cachée est que les comportements enregistrés sont naturels et non altérés par la présence de la caméra.

Dans l'observation qui s'appuie sur des mesures physiques, on fait appel à des mesures quantitatives. Par exemple, on place à la porte d'entrée d'un magasin un détecteur de mouvement relié à un compteur qui enregistre le passage des personnes qui entrent et qui sortent. Le but de ce dispositif est d'obtenir des informations précises sur les périodes d'achalandage et d'organiser en conséquence l'effectif en magasin. La plupart des entreprises qui font du commerce électronique utilisent des logiciels appelés « routeurs » pour avoir de l'information sur les déplacements dans leur site Web et pour organiser ce dernier de manière à ce que le client optimise sa visite. Les musées évaluent la popularité des pièces d'une exposition par le degré de saleté de la partie du plancher à proximité de celles-ci.

La méthode de l'observation a l'inconvénient de ne pas fournir d'information sur le comportement actuel. En outre, elle exige du temps, puisqu'il faut attendre que les comportements à étudier apparaissent. Si l'on provoque le comportement, par exemple dans une situation artificielle du type laboratoire, la mesure cesse d'être objective.

L'enquête par sondage

Dans cette méthode, on demande directement ou indirectement au sujet étudié l'information recherchée. C'est la méthode de collecte de données la plus connue et la plus utilisée dans la recherche marketing. *Grosso modo,* elle consiste à recueillir de façon standardisée des données auprès d'un échantillon de répondants qui est représentatif de la population cible.

La méthode de l'enquête par sondage offre plus de flexibilité au chercheur que l'observation, car elle permet souvent d'aborder tous les problèmes, au moment qui convient au répondant, avec la garantie de l'anonymat. L'inconvénient majeur des enquêtes par sondage est le risque de partis pris liés aux instruments de collecte de données, aux utilisateurs ou aux répondants.

L'enquête par sondage comprend trois opérations : la construction d'un questionnaire, la sélection d'un échantillon et le choix d'un support pour l'administration du questionnaire[19]. On distingue deux genres d'enquêtes par sondage : l'étude longitudinale et l'étude en coupe instantanée. La première s'appuie sur des échantillons permanents de personnes et une collecte de données dynamique et continue, alors que la seconde porte sur des échantillons *ad hoc* et implique une collecte de données à un moment précis.

Dans le premier type d'étude, on trouve les panels, quelquefois appelés « échantillons permanents », qui sont des enquêtes permanentes par lesquelles on prélève des mesures répétées sur les mêmes variables auprès d'un échantillon représentatif de répondants, qui peuvent être des consommateurs, des distributeurs ou des organisations.

On trouve aussi les enquêtes omnibus, qui consistent à prélever de manière répétée des mesures sur des variables différentes. Le terme « omnibus » signifie que l'enquête peut porter sur plusieurs produits différents d'une période à l'autre, par opposition au terme « permanent », employé dans le cas des panels et impliquant que la collecte d'information porte toujours sur le même produit. Dans les panels comme dans l'enquête omnibus, il est nécessaire que les échantillons soient représentatifs.

Les entreprises de recherche marketing qui gèrent des panels ont de nos jours la possibilité d'utiliser Internet à cette fin. La figure 5.8 présente la page d'accueil de TNS Canadian Facts (www.monsondage.ca), une firme spécialisée dans les panels de consommateurs en ligne. L'info-marketing 5.4 (*voir p. 156*) présente un exemple de panel de consommateurs canadiens et le questionnaire utilisé pour la collecte des données.

FIGURE 5.8 **Une firme canadienne de sondage qui gère un panel de consommateurs**

Source : TNS CANADIAN FACTS, [En ligne], www.monsondage.ca (Page consultée le 1er juin 2010)

Panel des consommateurs du Canada d'Ipsos Reid
11032 Succursale Centre-Ville, Montréal, Québec H3C 4W8

Renseignement sur les membres 2009
Formulaire de recrutement

❏ *Veuillez indiquer ci-dessous tout changement à vos nom et adresse.*
Veuillez aussi indiquer comment vous joindre par téléphone ou courriel :

Prénom _____

Nom _____

Adresse _____

Ville _____

Province _____

Code postal _____

N° de téléphone principal (_____) _____ - _____

Adresse de courriel principale _____

INSCRIVEZ-VOUS EN LIGNE
1. Rendez-vous à notre site Web – http://www.ipsospanel.ca/household/
2. Cliquez sur Adhérez maintenant – Cela ne prend que quelques minutes !

09-002412-01
1009

MEMBRES DU FOYER

Soyez assuré(e) que tous les renseignements que vous nous donnerez seront tenus strictement confidentiels. Nous ne divulguerons jamais de renseignements personnels individuels. Tous les renseignements fournis seront compilés et présentés sous forme statistique.

Veuillez indiquer ci-dessous TOUS les membres permanents de votre foyer. Assurez-vous d'écrire chaque réponse à l'intérieur d'une case, sans dépasser.

MEMBRE #	PRÉNOM ET NOM DE FAMILLE (NOM DE FAMILLE si différent du nom de famille ci-dessus)	MOIS DE NAISSANCE	ÂGE	Sexe (M/F)	Lien vous unissant à la personne MARQUER D'UN « X » UNE SEULE CASE)		
1. Femme Chef				F ❏	Vous-même ❏ Conjoint(e) ❏	Enfant ❏ Autre ❏	Parent ❏
2. Homme Chef				M ❏	Vous-même ❏ Conjoint(e) ❏	Enfant ❏ Autre ❏	Parent ❏
3.				M ❏ F ❏	Vous-même ❏ Conjoint(e) ❏	Enfant ❏ Autre ❏	Parent ❏
4.				M ❏ F ❏	Vous-même ❏ Conjoint(e) ❏	Enfant ❏ Autre ❏	Parent ❏
5.				M ❏ F ❏	Vous-même ❏ Conjoint(e) ❏	Enfant ❏ Autre ❏	Parent ❏
6.				M ❏ F ❏	Vous-même ❏ Conjoint(e) ❏	Enfant ❏ Autre ❏	Parent ❏
7.				M ❏ F ❏	Vous-même ❏ Conjoint(e) ❏	Enfant ❏ Autre ❏	Parent ❏
8.				M ❏ F ❏	Vous-même ❏ Conjoint(e) ❏	Enfant ❏ Autre ❏	Parent ❏

1. Quelle est votre situation matrimoniale actuelle ? (MARQUER D'UN «X» UNE SEULE CASE)

   Jamais marié(e) ❏   Conjoint(e) de fait ❏   Marié(e) ❏   Divorcé(e)/séparé(e)/veuf(ve) ❏

2. Combien de chiens ou de chats avez-vous dans votre foyer? (MARQUER D'UN «X» UNE SEULE CASE POUR CHACUN)

   Nombre de chiens :   Nombre de chats :
   Aucun ❏   1 ❏   2 ❏   3 ❏   4 ou plus ❏   Aucun ❏   1 ❏   2 ❏   3 ❏   4 ou plus ❏

3. Êtes-vous propriétaire ou locataire de votre résidence principale?   4. Langue de correspondance préférée : (MARQUER D'UN «X» UNE SEULE CASE)

   Propriétaire ❏   Locataire ❏   Anglais ❏   Français ❏

5. Dans quel type de résidence habitez-vous ?
   (MARQUER D'UN « X » UNE SEULE CASE)

   Maison isolée/ jumelée ☐
   Appartement ☐
   Maison en rangée ☐
   Duplex/triplex/quadruplex ☐
   Autre ☐

6. Est-ce qu'un membre de votre foyer travaille pour… ?
   (MARQUER D'UN « X » UNE SEULE CASE)

   Une firme d'études de marché ☐
   Une agence de publicité, de relations publiques
      ou de marketing ☐
   Un fabricant de produits contre la toux ou le rhume ☐
   Un fabricant de produits de papier ☐

7. Le numéro de téléphone principal que vous avez indiqué
   à la première page est-il celui d'un téléphone cellulaire ?
   (MARQUER D'UN « X » UNE SEULE CASE)

   Oui ☐
   Non ☐

8. Est-ce que vous-même ou une autre personne de votre foyer utilisez un
   « téléphone intelligent » (un cellulaire avec des fonctions avancées telles
   que le courriel, des logiciels de navigation Internet, etc.) ?
   (MARQUER D'UN « X » UNE SEULE CASE)

   Oui ☐
   Non ☐

9. Quel a été le revenu combiné approximatif de TOUS les membres de votre maison en 2008 ? (MARQUER D'UN « X » UNE SEULE CASE)

   Jusqu'à 14 999 $ ☐   25 000 $ à 29 999 $ ☐   45 000 $ à 54 999 $ ☐   70 000 $ à 99 999 $ ☐
   15 000 $ à 19 999 $ ☐   30 000 $ à 34 999 $ ☐   55 000 $ à 59 999 $ ☐   100 000 $ à 149 999 $ ☐
   20 000 $ à 24 999 $ ☐   35 000 $ à 44 999 $ ☐   60 000 $ à 69 999 $ ☐   150 000 $ ou plus ☐

10. Est-ce que la femme chef de votre foyer est enceinte ?
    (MARQUER D'UN « X » UNE SEULE CASE)

    Oui ☐ → (CONTINUER À LA Q11)
    Non ☐ → (PASSER À LA Q12)

11. Félicitations ! Quand environ le bébé doit-il naître ?
    (MARQUER D'UN « X » UNE SEULE CASE)

    Octobre 2009 ☐   Janvier 2010 ☐   Avril 2010 ☐
    Novembre 2009 ☐   Février 2010 ☐   Mai 2010 ☐
    Décembre 2009 ☐   Mars 2010 ☐   Juin 2010 ☐

12. Situation d'emploi actuelle :
    (MARQUER D'UN « X » UNE SEULE CASE
    POUR CHAQUE PERSONNE)

	FEMME CHEF	HOMME CHEF
Employé(e) à temps plein	☐	☐
Employé(e) à temps partiel	☐	☐
Temporairement sans emploi (à la recherche d'un emploi)	☐	☐
À la maison	☐	☐
Aux études à temps plein	☐	☐
À la retraite	☐	☐
Ne travaille pas (invalidité permanente, etc.)		

13. L'un de vous exploite-t-il une entreprise dont
    il(elle) est propriétaire ? (MARQUER D'UN « X »
    UNE SEULE CASE POUR CHAQUE PERSONNE)

	FEMME CHEF	HOMME CHEF
Oui (Nombre d'employés, y compris soi-même = 1)	☐	☐
Oui (Nombre d'employés, y compris soi-même = plus de 1)	☐	☐
Non (Je n'exploite pas une entreprise dont je suis propriétaire)	☐	☐

14. Veuillez indiquer si vous souffrez de diabète de type 1 ou de type 2.
    (MARQUER D'UN « X » UNE SEULE CASE POUR CHAQUE PERSONNE)

	FEMME CHEF	HOMME CHEF
Type 1 (diabète juvénile)	☐	☐
Type 2 (diabète de l'adulte)	☐	☐

15. Plus haut niveau de scolarité complété :
    (MARQUER D'UN « X » UNE SEULE CASE
    POUR CHAQUE PERSONNE)

	FEMME CHEF	HOMME CHEF
École primaire (1re à 6e année)	☐	☐
École secondaire (1re à 5e secondaire)	☐	☐
Études collégiales ou universitaires en partie	☐	☐
Certificat/diplôme d'études collégiales (collège communautaire/cégep)	☐	☐
Diplôme d'études universitaires de premier cycle	☐	☐
Diplôme d'études universitaires supérieures	☐	☐

16. À quel groupe ethnique ou culturel vos
    ancêtres appartenaient-ils ? (MARQUER
    D'UN « X » TOUT CE QUI S'APPLIQUE)

	FEMME CHEF	HOMME CHEF
Anglais	☐	☐
Français	☐	☐
Italien	☐	☐
Chinois	☐	☐
Autre	☐	☐

17. Auquel des groupes démographiques suivants appartenez-vous ?
    (MARQUER D'UN « X » UNE SEULE CASE POUR CHAQUE PERSONNE)

	FEMME CHEF	HOMME CHEF
Asiatique :		
Chinois	☐	☐
D'Asie méridionale (p. ex., des Indes orientales, Pakistanais ou Sri lankais)	☐	☐
D'Asie du Sud-Est (p. ex., Cambodgien, Indonésien, Laotien ou Vietnamien)	☐	☐
Autre Asiatique	☐	☐
Noir	☐	☐
Amérindien/Inuit	☐	☐
Blanc	☐	☐
Autre groupe démographique	☐	☐

18. Quelle est l'occupation principale du chacun des chefs du foyer ? Veuillez indiquer le code d'occupation à 2 chiffres
    pour chacun des chefs du foyer. Veuillez vous reporter à la liste des codes d'occupation au verso de la lettre.

FEMME CHEF	HOMME CHEF
└─┴─┘	└─┴─┘

Source : PANEL DES CONSOMMATEURS DU CANADA D'IPSOS REID.

Les études en coupe instantanée sont des études pour lesquelles les données sont recueillies à un moment précis dans le temps. Elles font souvent appel à des échantillons de répondants constitués pour l'occasion et sélectionnés selon des méthodes rigoureuses qui visent la représentativité. Le but de telles études est généralement de valider empiriquement un ensemble d'hypothèses émises au cours d'une étude exploratoire. Le questionnaire est l'outil de collecte de données le plus souvent utilisé. L'info-marketing 5.5 résume une enquête par sondage de Léger Marketing portant sur les Canadiens et le prix de l'essence.

INFO MARKETING 5.5

Les Canadiens et le prix de l'essence : une enquête de Léger Marketing

Dans la semaine du 2 au 8 juin 2004, la firme Léger Marketing a réalisé un sondage téléphonique auprès d'un échantillon représentatif de 1500 consommateurs canadiens âgés de 18 ans et plus. Les appels ont été faits à partir des centrales téléphoniques de Montréal et de Winnipeg. Les questions portaient sur le comportement d'achat et la possession d'une automobile, sur l'attitude à l'égard de l'augmentation des prix de l'essence et sur l'effet de cette augmentation sur le comportement de consommation. Les principaux résultats de cette enquête peuvent se résumer comme suit.

La plupart des Canadiens possèdent ou louent une automobile.

Question : Possédez-vous ou louez-vous une automobile ?			
N=1500	Possède ou loue un véhicule	Ne possède pas ou ne loue pas d'automobile	Ne sait pas / Refus
Canada	80 %	19 %	1 %

Les deux tiers des Canadiens affirment que la hausse du prix de l'essence influencera leur prochain achat d'automobile.

Question : Le prix de l'essence a connu une hausse importante. Ceci aura-t-il un impact sur le type de véhicule que vous achèterez dans le futur ?			
N=1500	Oui	Non	Ne sait pas / Refus
Canada	66 %	29 %	4 %

Plus de la moitié des conducteurs interrogés déclarent avoir modifié leurs habitudes d'utilisation de leur véhicule à la suite de l'augmentation du prix de l'essence.

Question : En raison de la hausse des prix de l'essence, avez-vous modifié vos habitudes en ce qui concerne l'utilisation de votre véhicule ?			
N=1231	Oui	Non	Ne sait pas / Refus
Canada	55 %	45 %	0 %

Les Canadiens sont en faveur d'une réduction des taxes perçues sur l'essence et de l'utilisation d'une partie des taxes sur l'essence afin de réduire le coût du transport public. Ils sont également d'accord avec l'imposition d'un prix plafond pour l'essence à la pompe. Mais ils sont moins d'accord avec l'imposition d'une taxe spéciale sur les automobiles à haute consommation d'essence.

Question : Selon vous, les gouvernements devraient-ils...			
N=1500	imposer une taxe spéciale sur les automobiles à haute consommation d'essence ?	réduire les taxes perçues sur l'essence ?	verser une partie des taxes sur l'essence pour réduire le coût du transport en commun ?	imposer un plafond au prix de l'essence à la pompe aux compagnies pétrolières ?
Canada	Oui = 42 %	Oui = 79 %	Oui = 68 %	Oui = 72 %

Source : LÉGER MARKETING, « Les Canadiens et le prix de l'essence », rapport réalisé pour le compte de la Presse canadienne, 2004, 11 p.

On verra maintenant les éléments méthodologiques de l'enquête par sondage en se concentrant sur les trois opérations qu'elle comporte : la construction du questionnaire, la sélection d'un échantillon et le choix du support de l'enquête.

La construction du questionnaire

Le questionnaire est un instrument d'enregistrement et de stockage d'informations recueillies de manière systématique directement auprès de répondants. Il prend la forme d'un ensemble de questions, fermées ou ouvertes, selon que les réponses possibles sont données ou non. C'est probablement l'outil de collecte de données le plus utilisé dans la recherche descriptive. Le questionnaire diffère du guide d'entrevues (individuelles ou de groupe) utilisé dans la recherche qualitative en ce que son niveau de structuration est plus élevé et surtout par le fait que l'approche est quantitative. Il a pour but de mesurer des comportements, des attitudes, des préférences, des profils et des réactions. Le questionnaire est un instrument de collecte de données quantifiables.

En marketing, la construction d'un questionnaire pose souvent des problèmes de fond et de forme. Le questionnaire est d'abord et avant tout un outil de collecte d'information pour répondre aux questions et aux hypothèses de recherche avancées aux fins d'une étude. Par conséquent, les questions qui figurent dans un questionnaire doivent correspondre aux besoins d'information préalablement définis. Avant de procéder à l'administration d'un questionnaire, le chercheur doit s'assurer que les questions posées lui permettront d'obtenir les renseignements requis pour répondre à chacune de ses questions de recherche. Par ailleurs, le questionnaire est un moyen de communication entre le chercheur et les personnes qui lui fourniront des renseignements. Le chercheur doit donc s'assurer que le questionnaire motive ces personnes à participer à l'étude et à fournir spontanément l'information désirée, et que cette dernière est la plus complète possible. Le questionnaire doit donc être clair et précis, et concerner directement le sujet de la recherche.

L'info-marketing 5.6 présente le questionnaire utilisé par une compagnie aérienne pour évaluer la qualité de ses services. Il est à noter que, dans les questions de recherche énoncées au début de l'étude, l'analyste a distingué trois genres de services : le service de réservation et de billetterie, le service à l'aéroport et les services à bord.

INFO MARKETING 5.6

Un exemple de questionnaire : évaluation de la qualité des services d'un transporteur aérien

Chère cliente, cher client,

Bienvenue à bord et merci d'avoir choisi ce vol de notre compagnie.

Pour améliorer la qualité de nos services, nous souhaitons avoir votre opinion sur le vol que vous venez d'effectuer.

Merci de votre précieuse collaboration.

1. Quel est le principal motif de votre voyage ?

❑ Professionnel ❑ Tourisme ❑ Visite famille, amis, etc.

2. Dans quelle classe voyagez-vous ?

❑ Première ❑ Affaires ❑ Économique

3. Par rapport à votre lieu de résidence officiel, êtes-vous en sens :

❏ Aller   ❏ Retour   ❏ Transit

4. De façon générale, comment jugez-vous la qualité des services de notre compagnie sur les éléments qui sont présentés ci-dessous ? Donnez un chiffre qui reflète votre avis selon que vous êtes :

Pas du tout satisfait **(-2)**   Peu satisfait **(-1)**   Moyennement satisfait **(0)**   Assez satisfait **(1)**   Très satisfait **(2)**

4.1 Service de réservation et de billetterie

❏ L'accueil à l'agence   ❏ Les informations données

❏ La compétence du personnel   ❏ La rapidité du traitement

4.2 Service à l'aéroport

❏ L'accueil au comptoir   ❏ Les informations données

❏ La compétence du personnel   ❏ Les conditions de l'embarquement

4.3 Service à bord

❏ L'accueil à bord   ❏ La propreté des toilettes

❏ L'amabilité et l'empressement du personnel   ❏ Le fonctionnement de l'équipement mis à votre disposition

❏ Le confort des sièges   ❏ Les plats offerts

❏ La propreté de la cabine   ❏ Les boissons offertes

5. Prendriez-vous notre compagnie pour un prochain vol ?

❏ Certainement   ❏ Probablement pas

❏ Probablement   ❏ Certainement pas

6. Profil du passager

Sexe : ❏ Homme   ❏ Femme   Nationalité :

Âge :   Nombre de vols effectués durant les 12 derniers mois :

État civil : ❏ Célibataire   ❏ Marié   ❏ Autre

Il n'existe pas de recettes pour bâtir un questionnaire. Toutefois, le chercheur doit suivre un certain nombre de règles. Un bon questionnaire tient compte des problèmes de fond relatifs aux besoins d'information et des problèmes de forme qui concernent la facilité de la communication avec les répondants.

La plupart des spécialistes en recherche marketing suggèrent de suivre les étapes suivantes au moment de l'élaboration d'un questionnaire ; les trois premières visent à régler les problèmes de fond du questionnaire, et les suivantes portent sur des problèmes de forme.

- **Déterminer les informations à recueillir.** Il s'agit de dresser la liste des informations requises, de définir les présupposés et les hypothèses à tester et de choisir les méthodes de traitement des données. On prévoit aussi des questions de nature sociodémographique qui serviront à tester la représentativité de l'échantillon.

- **Définir si l'enquête sera autodéterminée ou si elle sera effectuée par un intervieweur.** Il s'agit de déterminer le type d'enquête à réaliser (par téléphone, par la poste, en personne, par Internet...) et d'évaluer les coûts de la collecte en ressources humaines et en argent.

- **Déterminer le contenu des questions.** Il s'agit de préciser, pour chaque question de recherche, si plusieurs questions sont nécessaires, si le répondant possède l'information recherchée et s'il est en mesure de la communiquer.

- **Formuler les questions.** Pour chacune des questions posées, on doit décider de la forme qui sera utilisée (questions ouvertes, fermées, dichotomiques ou fermées à choix multiples, directes ou indirectes) et choisir par la suite l'échelle de mesure qui convient (échelle d'évaluation, échelle d'importance, échelle de préférence, échelle de degré d'accord, échelle d'intention, échelle de classification, échelle de probabilité, etc.).

- **Rédiger les questions.** Il faut que le vocabulaire employé dans les questions soit simple, précis, neutre et accessible aux répondants.

- **Organiser le questionnaire.** Il s'agit d'ordonner les questions de manière à obtenir un enchaînement logique et naturel des réponses.

- **Prétester le questionnaire.** On administre une dizaine de questionnaires aux personnes ciblées par l'étude et on leur demande de faire une appréciation complète de la forme du questionnaire.

Il est certain que la préparation d'un questionnaire en marketing relève plus de l'art que de la science. C'est à force de bâtir, de valider et de tester des questionnaires que l'on devient habile dans ce domaine.

La sélection d'un échantillon représentatif

Pour mener une enquête par sondage, le chercheur a besoin de préciser l'échantillon auprès duquel se fera la collecte des données. Les éléments qui guident l'échantillonnage sont la représentativité et la précision. Tout d'abord, ces deux notions sont tout à fait distinctes : la représentativité se rapporte au degré de correspondance de la structure de l'échantillon avec celle de la population, alors que la précision renvoie à la notion de taille et d'erreur d'échantillonnage. Ensuite, d'un point de vue méthodologique, la question de la représentativité est beaucoup plus délicate que celle de la précision. Enfin, dans l'absolu, on ne peut parler de taille optimale d'un échantillon ; c'est la capacité de capturer de manière significative l'hétérogénéité des réponses d'un échantillon qui compte. Ainsi, plus une population est considérée comme hétérogène par rapport au phénomène étudié, plus la taille de l'échantillon sélectionné doit être importante. C'est là une condition essentielle pour pouvoir ensuite généraliser les résultats de l'étude à l'ensemble du marché.

Le chercheur en marketing n'est pas tenu d'apprécier la représentativité et la précision de l'échantillonnage s'il utilise les recensements exhaustifs de la population (par exemple, le recensement réalisé tous les cinq ans par Statistique Canada). Bien rare dans les études de marché en marketing, le recensement est toujours utile lorsque la population étudiée est petite, comme c'est souvent le cas dans les enquêtes industrielles ou lorsque tous les membres de la population cible peuvent être joints directement. Par ailleurs, vu les coûts exorbitants (en temps et en argent) qu'entraîne une enquête portant sur toute la population, et le risque de redondance dans l'information collectée (surtout lorsque la population est peu hétérogène), le recensement est parfois peu indiqué. Un échantillon qui est représentatif de la population et qui reflète ses caractères est alors un choix judicieux. Les économies de coûts réalisées ne nuisent pas à la qualité de l'information collectée.

Le processus d'échantillonnage comporte quatre étapes [20] :

1. **Définir la population visée.** Il s'agit de bien préciser les critères d'appartenance à la population concernée par l'étude. Dans certains cas, on fait la distinction entre les éléments d'échantillonnage, c'est-à-dire les objets à évaluer (par exemple, les ménages avec un enfant et plus) et les unités d'échantillonnage, c'est-à-dire les personnes contacts qui rempliront le questionnaire (par exemple, la personne qui achète habituellement les produits d'épicerie dans le ménage).

2. **Préciser le cadre d'échantillonnage.** Il s'agit de déterminer la meilleure manière de joindre les éléments d'échantillonnage. Les chercheurs se servent parfois de répertoires déjà existants (composition aléatoire de numéros de téléphone, choix du secteur géographique, de l'emplacement, etc.). Il est important de s'assurer que le cadre d'échantillonnage couvre bien toutes les caractéristiques de la population visée.

3. **Choisir la méthode de sélection.** Il s'agit de procéder à la sélection proprement dite des éléments qui composent l'échantillon. On distingue les méthodes probabilistes et non probabilistes. Les méthodes probabilistes impliquent que tout élément de la population cible peut figurer dans l'échantillon final, et ce, avec une probabilité connue ; l'échantillonnage aléatoire simple, l'échantillonnage systématique, l'échantillonnage stratifié et l'échantillonnage par grappes font partie des méthodes probabilistes. Dans les méthodes non probabilistes, la composition de l'échantillon procède d'un choix subjectif ; l'échantillonnage de convenance, l'échantillonnage par quotas, l'échantillonnage de jugement et l'échantillonnage de type « boule de neige » sont les principales méthodes non probabilistes. Le tableau 5.5 donne une définition des méthodes d'échantillonnage probabilistes et non probabilistes.

_TABLEAU 5.5 **Les méthodes d'échantillonnage dans les enquêtes par sondage**

Méthode d'échantillonnage	Principe de sélection
Échantillonnage probabiliste	
Aléatoire simple	Faire un tirage aléatoire à partir d'une liste préétablie.
Systématique	Faire un tirage systématique à partir d'une liste préétablie.
Stratifié	Diviser la population en groupes homogènes (strates) et faire une sélection aléatoire ou systématique à l'intérieur de chaque groupe.
Par grappes	Diviser la population en sous-populations (grappes) et faire une sélection aléatoire ou systématique à l'intérieur de chaque grappe.
Échantillonnage non probabiliste	
De convenance	Choisir les membres les plus facilement accessibles.

> **_TABLEAU 5.5** Les méthodes d'échantillonnage dans les enquêtes par sondage (*suite*)

Méthode d'échantillonnage	Principe de sélection
Selon le jugement	Choisir les membres en fonction de leur connaissance du sujet étudié.
Par quotas	Choisir les membres en fonction de quotas déterminés selon la structure de la population.
En boule de neige	Choisir des membres sur la recommandation d'autres membres déjà sélectionnés.

4. **Déterminer la taille optimale de l'échantillon.** Cette taille doit tenir compte du niveau d'erreur toléré, mais assez souvent aussi des coûts d'administration du questionnaire et du budget dont on dispose. En pratique, plusieurs techniques peuvent être employées, en particulier celle qui est basée sur la formule suivante : n = (B – Cf)/Cq (B : budget de l'étude ; Cf : coûts fixes de l'étude ; Cq : coût unitaire de l'administration du questionnaire).

Le support des enquêtes

Une fois le questionnaire bâti et l'échantillonnage planifié, la dernière décision à prendre dans une enquête par sondage concerne le support de l'enquête, c'est-à-dire la manière dont les questions seront posées. Il est évident qu'une telle décision dépend largement des choix antérieurs relatifs au questionnaire et à l'échantillonnage. En général, on distingue trois modes d'administration du questionnaire : l'enquête face à face, l'enquête par correspondance et l'enquête par téléphone.

L'enquête face à face implique une rencontre physique entre l'enquêteur et les répondants et un questionnaire qui peut se dérouler dans un endroit public (centre commercial, rue, université...) ou dans un endroit privé (domicile, bureau...). L'enquête par correspondance suppose l'envoi d'un questionnaire autoadministré par la poste, par télécopieur, par courriel ou sur le Web (voir www.surveymonkey.com) ou par télémessagerie. L'enquête par téléphone se fait par le moyen d'un téléphone fixe ou portable et même par Internet (téléphonie IP) en utilisant des applications comme Skype et Windows Live Messenger. En pratique, aucun mode d'administration de questionnaire n'est préférable à un autre ; le choix dépend des conditions de l'étude. Le tableau 5.6 compare les avantages et les inconvénients de chaque mode d'administration.

_TABLEAU 5.6 Une comparaison des modes d'administration de l'enquête par sondage

Critère de comparaison	Enquête face à face	Enquête par correspondance	Enquête par téléphone
Échantillon	Composition de l'échantillon connue	Dépend de la qualité des listes utilisées	Limité aux abonnés du téléphone
Taux de réponse	Favorable	Faible possibilité de relance	Moyen
Spontanéité	Bon contrôle de l'ordre des questions	Moins spontané, rythme propre au répondant	Maîtrise de l'ordre des questions
Sujets abordés	Flexibilité	Restreints à des thèmes factuels	Limités à des thèmes factuels

Critère de comparaison	Enquête face à face	Enquête par correspondance	Enquête par téléphone
Compréhension	Meilleure compréhension, aide visuelle et matérielle	Exigence de clarté absolue, légère aide visuelle	Brièveté et simplicité indispensables
Parti pris social	Influence de l'attitude ou de la personnalité de l'enquêteur	Aucun parti pris	Peu d'influence
Transcription des réponses	Possibilité d'imprécision	Possibilité de réponses incomplètes ou illisibles	Encodage direct, transcription limitée aux réponses brèves
Enquêteurs	Professionnels	Pas d'enquêteurs	Contrôle direct de l'analyse
Coût	Coûteux : encadrement, déplacements, suivi, contrôle	Économique : bonne couverture géographique à peu de frais	Très économique : bonne couverture sans déplacement ni envoi postal
Durée	Longue	Variable	Courte
Solutions de remplacement	Questionnaire autoadministré	Combinaison avec une enquête face à face, jury	–

Les méthodes quantitatives en marketing

Dans la recherche descriptive, la nature quantitative (chiffrée) de l'information collectée par observation ou par enquête impose le choix de méthodes quantitatives de saisie et de traitement. Une fois la collecte terminée, on procède à la saisie systématique des données chiffrées dans un format dit de base de données, puis on se sert des outils d'analyse statistique pour les traiter en conformité avec les objectifs et les questions de recherche énoncés au début de l'étude. Il est nécessaire d'utiliser des logiciels de traitement de données quantitatives tels qu'Excel (simple) et SPSS [21] (complexe). Le chercheur doit préparer ses analyses de données suivant un plan qui comprend quatre étapes [22] :

1. **Préparer la base de données.** Il faut codifier l'information collectée en attribuant des chiffres à toutes les réponses fournies. On intègre ensuite les informations dans une base de données selon le format du logiciel utilisé et l'on s'assure de leur validité. Le tableau 5.7 illustre la présentation des données d'une enquête sous forme de base de données.

2. **Réaliser des analyses descriptives univariées.** Il s'agit de prendre connaissance de l'information et de dégager les grandes tendances de l'échantillon sur les principaux éléments d'information collectés. L'utilisation de techniques statistiques simples, comme les fréquences brutes, les pourcentages et les moyennes, est recommandée. Un des objectifs de cette étape est de tester la représentativité de l'échantillon final en comparant celui-ci avec les données sur la population.

3. **Valider les hypothèses et les réponses aux questions de recherche.** Pour chacune des questions de recherche, on confronte une première fois de manière systématique les hypothèses avancées et les données observées dans l'échantillon. Ces observations doivent être par la suite inférées pour l'ensemble de la population afin de s'assurer de leur généralisation. À ce stade-ci, l'utilisation de techniques bivariées telles que les tableaux croisés, les lots de différence de moyennes à deux groupes ou à plusieurs groupes, les corrélations et les régressions simples est courante.

4. **Interpréter les résultats et rédiger le rapport.** Il s'agit, en se fondant sur les résultats de l'étape précédente, d'apporter des éléments de réponse précis à chacune des questions de recherche formulées au début du projet. À ce stade, l'utilisation de tableaux récapitulatifs et de graphiques pour illustrer les principales conclusions d'une étude de marché est fortement recommandée. La figure 5.9 (*voir p. 166*) donne un exemple de présentation des résultats d'une enquête par sondage portant sur l'utilisation d'Internet au Québec.

TABLEAU 5.7 **Un format de base de données sur SPSS sous Windows**

	Repondant	Motif	Classe	Direction	Accueilag	Personag	Informag	Rapidag	Accueillaer	Persnaer	Informaer	Embarqaer
1	1	1	3	1	-1	0	0	2	-2	0	1	2
2	2	2	3	1	-2	2	2	1	0	2	1	1
3	3	1	3	1	0	1	1	1	2	1	-2	1
4	4	2	3	2	2	1	1	1	1	1	0	1
5	5	3	3	2	1	1	1	-2	1	1	2	-2
6	6	1	3	1	1	2	-2	0	1	-2	1	0
7	7	3	1	1	1	2	0	2	-2	0	1	2
8	8	2	1	1	-2	1	2	1	0	2	1	1
9	9	1	2	1	0	1	1	2	2	0	1	1
10	10	2	2	2	2	2	1	1	1	2	1	1
11	11	3	2	1	1	1	1	1	1	1	1	-2
12	12	1	3	1	1	1	1	1	1	1	-2	0
13	13	1	3	1	1	1	1	-2	-2	1	0	2
14	14	1	3	1	2	-2	2	0	0	-2	2	1
15	15	2	3	2	2	0	1	2	2	0	1	1
16	16	3	3	2	1	2	1	1	1	2	1	1
17	17	1	3	2	1	1	1	-1	2	1	1	2

5.3.3_La recherche causale

Les études causales sont moins répandues que les études descriptives. Plus complexe forme d'étude en recherche marketing, elle est aussi la plus étroitement liée à la prise de décision, dans des domaines comme la gestion des nouveaux concepts ou de la force de vente et le choix des promotions. La recherche causale est souvent nécessaire quand le but de la recherche marketing est de démontrer qu'un ou plusieurs phénomènes constituent la cause directe d'un ou de plusieurs autres phénomènes observables. Dans ce type d'étude, on présume qu'il existe une association entre les phénomènes et l'on vise à prouver, d'une part, l'antériorité dans le temps de la cause par rapport à l'effet et, d'autre part, qu'il ne peut y avoir d'autres liens de cause. Par exemple, il est communément admis en marketing qu'il existe une relation positive entre l'ambiance en magasin et les ventes réalisées. Dans une recherche causale, il s'agirait d'examiner la relation entre le genre de musique d'ambiance (rock, douce, country, etc.) et l'achalandage. Le but serait alors de déterminer quelle est la musique d'ambiance qui contribue à attirer le plus de clients en magasin. Une enquête par sondage ou des entrevues qualitatives seraient dans ce cas tout à fait inappropriées.

En marketing, l'expérimentation apparaît comme la meilleure méthode pour gérer un processus de recherche causale. L'expérimentation est définie comme toute étude dont la réalisation nécessite une intervention autre que la simple mesure[23]. En d'autres termes, elle consiste à manipuler un phénomène (par exemple, varier le genre de musique en magasin ou modifier l'emballage d'un produit) et à observer l'effet produit sur un autre phénomène (par exemple, l'achalandage ou les ventes). Évidemment, l'expérimentation impose de prendre en compte d'autres facteurs

_FIGURE 5.9   La présentation des résultats d'une enquête

Au cours des trois derniers mois, dans le cadre de votre utilisation d'Internet, avez-vous… ?
(Base : les adultes québécois)

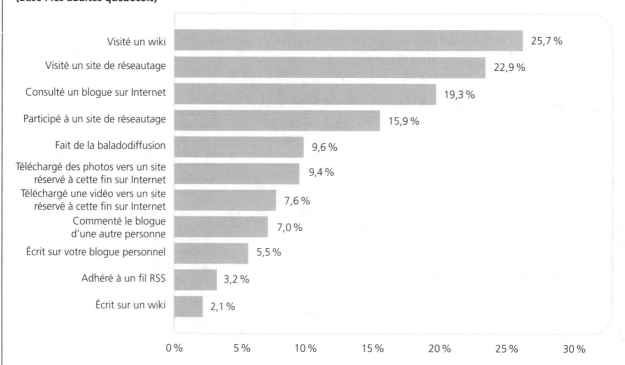

Au cours du dernier mois, avez-vous utilisé Internet pour effectuer les transactions financières suivantes?
(Base : les adultes québécois)

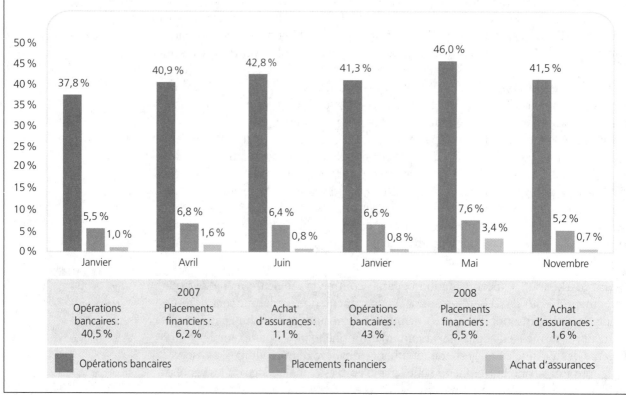

Source : CENTRE FRANCOPHONE D'INFORMATISATION DES ORGANISATIONS (CEFRIO) en collaboration avec LÉGER MARKETING, enquête *NETendances 2008 : évolution de l'utilisation d'Internet au Québec depuis 1999,* mars 2009, [En ligne], www.cefrio.qc.ca (Page consultée le 17 mars 2010)

qui peuvent influer sur le phénomène observé (par exemple, le choix des jours de la semaine où l'on fera varier la musique ou l'absence de promotions lorsque l'on cherchera à tester différents emballages).

L'expérimentation peut se faire dans un environnement naturel ou artificiel. Dans le premier cas, on parle de test de marché ; dans le second, de test en laboratoire. Le test de marché consiste à choisir un cadre réel, par exemple un magasin, à manipuler des phénomènes ou à attendre qu'ils se produisent, puis à observer les effets. L'avantage de ce type d'expérimentation sur le terrain, c'est qu'il est plus réaliste. Par contre, l'inconvénient majeur est le manque de contrôle des autres facteurs influents[24]. L'info-marketing 5.7 présente un exemple d'expérimentation sur le terrain visant à choisir la couleur et l'emballage pour un nouveau gadget ménager.

INFO MARKETING 5.7

Une forme d'expérimentation sur le terrain

La compagnie DAGN inc. a décidé de lancer un nouveau gadget ménager (tire-bouchon tendance). Pour ce produit, la gamme des couleurs comprend le blanc, le rouge et le bleu.

Quant à l'emballage, l'entreprise considère les trois possibilités suivantes : ne pas emballer le gadget ; l'emballer dans un sac en plastique ; l'emballer dans une boîte en carton.

Afin de tester la réaction du marché, l'entreprise a mis en vente le gadget dans 42 magasins jugés homogènes. Dans chaque magasin, le gadget n'était que d'une seule couleur et n'avait qu'une seule forme d'emballage. À la fin du mois, les résultats des ventes ont été colligés. Les données sont résumées dans le tableau A.

De ce test de marché, il ressort que les consommateurs réagissent beaucoup plus à la variation de la couleur qu'à la variation de l'emballage. Selon les résultats de cette expérimentation réelle en magasin, c'est la couleur rouge qui est la plus demandée. Les consommateurs se montrent quelque peu indifférents à l'emballage. D'un point de vue stratégique, on pourrait recommander le lancement du gadget ménager de couleur rouge sans aucun emballage. Il en résulterait plus de satisfaction (plus de ventes) et une réduction des coûts de conditionnement.

_TABLEAU A Les résultats des ventes

Couleur	Description de l'emballage			Moyenne des ventes par type de couleur
	Carton	Plastique	Sans emballage	
Blanc	1410*, 1080, 1110, 1390, 1120, 1200, 1218	1200, 1180, 1220, 1160, 1250, 1200, 1202	1050, 990, 1050, 990, 1500, 1200, 1130	1183
Rouge	1350, 1710, 1230, 1170, 840, 1380, 1280	1650, 1410, 1440, 1440, 1660, 1630, 1538	1530, 1440, 1660, 1700, 1400, 1540, 1545	1545
Bleu	900, 840, 960, 860, 900, 840, 883	900, 860, 920, 790, 900, 900, 850, 870	960, 810, 980, 920, 900, 1020, 932	895
Moyenne des ventes par type d'emballage	1167	1203	1143	

* : nombre de ventes mensuelles pour un magasin

Les tests en laboratoire cherchent à reproduire les conditions réelles dans un milieu artificiel, à manipuler des phénomènes parfaitement connus, puis à observer les effets. Par exemple, on affiche une présentation virtuelle de l'intérieur d'un magasin sur l'écran d'un ordinateur, dans laquelle le chercheur change l'emplacement de certains produits et étalages, puis observe l'effet de ces changements sur la rapidité et l'efficacité des achats. La méthode des tests en laboratoire est couramment utilisée dans le domaine de la communication pour déterminer le meilleur concept publicitaire. On place un groupe représentatif d'une population cible devant des écrans d'ordinateur. On fait défiler sous leurs yeux plusieurs concepts d'une même publicité (en variant la couleur, la musique, le thème, les personnages, et ainsi de suite) puis l'on évalue le degré d'attention et d'intérêt accordé à chaque concept. Le principal avantage de ce type d'expérimentation est la possibilité de contrôler étroitement les autres facteurs d'influence. Cependant, le cadre d'analyse risque d'être trop artificiel pour refléter la réalité du marché.

_5.4 L'exploitation des bases de données commerciales en marketing

Dans l'introduction de ce chapitre, on a précisé que des entreprises œuvrant dans des domaines variés, qui vont de la production industrielle (tubes d'acier, pièces d'automobiles, etc.) au secteur de la grande consommation (ventes d'entrepôt pour les produits de luxe, magasins à rayons, etc.), en passant par les services (banques, assurances, téléphonie, etc.), disposent aujourd'hui de systèmes d'information interne et externe afin de collecter un large éventail de renseignements sur leurs clients. Ces données sont archivées dans des systèmes informatiques communément appelés entrepôts de données (*data warehouses*). Ces nombreux renseignements tracent d'abord le profil sociodémographique des clients, avec des données comme le nom, l'adresse, le sexe, l'âge, le revenu, la taille du ménage et autres informations personnelles. Ensuite, et principalement, ces renseignements sont liés aux comportements d'achat. Ils retracent souvent l'historique de la relation de chaque client avec l'entreprise, notamment le détail de ses commandes antérieures, le type de ses transactions (point de vente, téléphone, Internet ou autres), le nombre et la raison de ses réclamations, les modes de paiement, le chiffre d'affaires, les appels de service, les retours de marchandise ou tout autre échange, qu'il soit important ou non. D'un point de vue stratégique en marketing, ces données transactionnelles, ainsi archivées, constituent la mémoire commerciale de l'entreprise, qu'elle se doit d'exploiter de façon intelligente pour une meilleure gestion de sa relation avec chaque client. C'est la raison d'être de ce domaine relativement nouveau et de plus en plus convoité en recherche marketing, connu sous les noms suggestifs de « veille économique » (*business intelligence* en anglais) ou de « forage de données » (*data mining* en anglais). Dans la pratique, cela consiste en l'exploitation des bases de données commerciales en vue d'améliorer la prise de décision en marketing [25].

Cette approche de recherche marketing cherche à explorer un nombre très élevé (plusieurs milliers) d'informations sur les clients en vue de comprendre le comportement de consommation de chacun et de le servir selon ses particularités. Cette approche rejoint le paradigme aujourd'hui dominant en marketing, soit la gestion de la relation avec le client (*chapitre 4*). Chaque client fait l'objet d'une évaluation dans le temps, selon l'historique de ses interactions avec la compagnie, afin de le convertir d'abord en bon client et de le fidéliser par la suite aux produits et services de l'entreprise. Avec l'exploitation des bases de données commerciales, le centre d'intérêt de la recherche marketing s'est déplacé de l'analyse des groupes de consommateurs (aussi appelée étude de marché) à l'analyse du profil des clients (ou profilage des clients). À son tour, ce déplacement d'intérêt dans la recherche commerciale a entraîné au sein des entreprises un changement profond dans la gestion des activités de marketing, des ventes et du service à la clientèle, qui est passée des approches traditionnelles de segmentation et de ciblage des clients aux nouvelles approches de mesure de la valeur client et de la personnalisation de masse.

La veille économique s'est surtout développée depuis la fin des années 1990 avec la croissance du commerce électronique et la prolifération des sites personnalisés (*login*). La personnalisation des sites commerciaux, ajoutée aux nouveaux outils du Web participatif (aussi appelé Web 2.0), offre aux entreprises la possibilité de recueillir sur chaque client de l'information variée, en ligne, et d'établir avec lui une relation plus directe. Les renseignements ainsi collectés sur le site personnalisé, par exemple, d'un magasin de disques (archambault.ca), d'une agence de voyages (expedia.ca) ou d'une institution financière (banqueroyale.com/endirect), peuvent aller de la visite simple de l'internaute aux détails de navigation les plus précis : nombre et moment des visites, durée de la navigation, pages visitées, offres consultées, produits et services commandés, payés ou retournés, et le reste. Ils peuvent même inclure jusqu'à ses réactions envers certaines actions marketing de masse ou ciblées, telles que les prix, les promotions ou les publicités.

Le forage de données recourt à des techniques statistiques avancées qui manipulent des données transactionnelles en vue, entre autres, de prédire des comportements d'achat (par exemple, prospection de nouveaux clients à partir du profil des clients actuels), de segmenter des marchés (par exemple, sur la base de la fidélité), d'établir la valeur économique de chaque client (par exemple, fidéliser les bons clients et se débarrasser des mauvais), de proposer des associations d'événements (par exemple, ventes croisées), d'analyser des séquences de comportements (par exemple, organiser l'architecture d'un site de ventes en ligne). En général, le *data mining* comporte six étapes : la connaissance du marché, la connaissance des données, la préparation des données, la construction du modèle, l'évaluation du modèle, les prédictions. Notons que le forage de données utilise des techniques d'analyse complexes telles que les réseaux de neurones, l'analyse des associations, les arbres de classification et les algorithmes de regroupement. Plusieurs logiciels d'analyse existent sur le marché ; certains sont publics et gratuits, comme Tanagra, alors que d'autres sont payants comme IBM SPSS Modeler, Enterprise Minor de SAS et Oracle. L'info-marketing 5.8 (*voir p. 170*) présente un exemple de forage de données employé pour résoudre un problème de regroupement de produits, comme le font souvent les gestionnaires de marketing pour établir leurs politiques de ventes croisées.

Au Canada comme ailleurs, plusieurs organisations sont aujourd'hui citées comme des exemples de réussite pour les performances remarquables de leur système de veille économique. À titre d'exemple, la Banque Royale du Canada a implanté un système de collecte d'informations transactionnelles qui lui permet d'estimer la valeur économique réelle et potentielle de chacun de ses 11 millions de clients individuels et organisationnels. Tout en s'assurant d'offrir à chacun de ses clients des produits et services financiers adéquats, ce système d'évaluation, aussi appelé *scoring,* a surtout permis à cette institution financière de rendre plus efficace la gestion de la relation avec ses clients. Trois ans après l'implantation de ce système, les revenus de la banque pour chaque dollar investi dans le marketing ont plus que doublés. Une campagne de marketing direct a eu un taux de retour de 40 %, comparativement à la moyenne de 2 % à 4 % obtenue par les autres institutions du même secteur. De plus, un programme de marketing ciblé à entraîné une croissance de 51 % des dépôts dans les REER. Enfin, le comportement proactif du personnel en contact avec les clients de la banque a généré plus de fidélité chez les clients les plus importants, grâce aux ventes croisées et à l'offre de produits et services adaptés.

INFO MARKETING 5.8

L'analyse d'un panier d'épicerie ou l'utilisation des règles d'association dans la gestion des ventes croisées dans le commerce de détail

Le responsable d'une grande chaîne d'alimentation au Québec veut comprendre les achats de ses clients en utilisant la technique des règles d'association, issue du domaine de l'exploitation des bases de données en marketing (*data mining*). L'information obtenue à partir de cette technique va lui permettre de réorganiser l'agencement des produits de son magasin et de proposer de nouvelles approches promotionnelles. Par exemple, il pourra mettre les produits fréquemment achetés ensemble à proximité l'un de l'autre. Il pourra aussi faire en sorte que les produits achetés ensemble ne font pas l'objet d'une promotion dans les mêmes périodes. En mettant en promotion un seul des produits achetés ensemble, il devrait lui être possible d'augmenter non seulement les ventes de ce produit mais aussi des autres produits associés.

La base de données fournie à l'analyste comprend la liste des 10 000 transactions concernant 8 articles (*items*), nommés A à H, et testés dans le cadre de cette consultation. Le tableau A montre des exemples de transactions prises au hasard dans la base de données, ici reproduite en anglais.

L'analyse des règles d'association est une technique qui permet de déterminer des profils, associations ou structures entre les articles qui figurent fréquemment dans les bases de données transactionnelles, relationnelles ou dans les entrepôts de données. Autrement dit, il s'agit de déterminer les articles qui apparaissent souvent conjointement dans un événement. Dans cet exemple de chaîne d'alimentation, ce seront les articles susceptibles d'être achetés ensemble au cours d'une visite en magasin.

Les résultats de cette analyse se présentent sous forme de règles d'association du type : articles I => articles J, où article I = l'antécédent et article J = le conséquent. Il est à noter que les articles I et J sont des sous-ensembles de l'ensemble global des articles testés et qu'ils sont mutuellement exclusifs. Cela signifie qu'en général, dans une même transaction, si le client achète le groupe d'articles I, il y a de fortes probabilités qu'il achète aussi le groupe d'articles J. On appelle cette probabilité « confiance de la règle ». Pour qu'une règle d'association soit pertinente, il faut que la confiance de la règle dépasse de manière significative la probabilité

d'achat du groupe d'articles J. En d'autres termes, le rapport entre ces deux probabilités, qualifié de levier, doit dépasser le seuil de 1, tout comme la probabilité d'observation de la règle, qualifiée de soutien, doit être assez significative.

En se basant sur un seuil de confiance (*confidence*) de 75 %, un soutien (*support*) de 35 % et un levier (*lift*) de 2, le logiciel Tanagra, utilisé pour cet exemple, a permis de faire ressortir 13 règles d'association. Le tableau B donne les caractéristiques de chacune de ces 13 règles, dont les plus importantes seront interprétées plus bas.

- Les règles 1 et 2 signifient que, lorsque le client achète les produits « F et G » ("F=true" - "G=true"), il achète alors « D et A » ("D=true" - "A=true"), et vice versa. Ces règles ont un soutien de 35 % et une confiance de 100 %, c'est-à-dire que 100 % des clients qui achètent les produits « F et G » achètent aussi les produits « D et A », et cette configuration se retrouve chez 35 % des acheteurs. Le levier de cette association est de 2,857, c'est-à-dire que la règle d'association permet de prédire environ 3 fois (2,857) mieux l'achat des produits « D et A » à partir de l'achat de « F et G » – elle est donc très pertinente.

- Les règles 3 et 4 signifient que, lorsque le client achète les produits « F et D », il achète alors « G et A », et vice versa. Ces règles ont un soutien de 35 % et une confiance de 87,5 %, c'est-à-dire que 87,5 % des clients qui achètent les produits « F et D » achètent aussi les produits « G et A », et cette configuration se retrouve chez 35 % des acheteurs. Le levier de cette association est de 2,5, c'est-à-dire que la règle d'association permet de prédire environ 2,5 fois mieux l'achat des produits « G et A » à partir de l'achat de « F et D » – elle est donc encore une fois très pertinente.

- Les règles 5 et 6 signifient que, lorsque le client achète les produits « F et A », il achète alors « G et D », et vice versa. Ces règles ont un soutien de 35 % et une confiance de 87,5 %, c'est-à-dire que 87,5 % des clients qui achètent les produits « F et A » achètent aussi les produits « G et D », et cette configuration se retrouve chez 35 % des acheteurs. Le levier de cette association est de 2,1, c'est-à-dire ⟩

que la règle d'association permet de prédire environ 2 fois mieux l'achat des produits « F et A » à partir de l'achat de « G et D » – elle est donc encore aussi pertinente.

La suite des règles d'association s'interprète de la même façon. On remarquera que plus on descend dans le tableau, plus la pertinence des associations baisse (le levier diminue).

L'ensemble des associations jugées pertinentes (c'est-à-dire de levier supérieur à 2) impliquent 4 produits sur les 8 retenus dans l'étude, à savoir : A, D, F et G. Ces produits présentent différentes configurations. Toutefois, la configuration qui apparaît comme la plus pertinente est celle que l'on trouve dans les règles 1 et 2, avec les regroupements « F et G » et « D et A ». En effet, en plus de son levier le plus élevé (2,857), elle permet : d'une part, de tirer simultanément les ventes de deux produits (ce qui n'est pas le cas des règles 7 et 8, par exemple) ; d'autre part, d'utiliser

l'effet de levier dans les deux sens (les deux regroupements de produits sont en même temps des antécédents [*antecedents*] et des conséquences [*consequents*]). Donc, d'un point de vue stratégique en marketing, le responsable du supermarché peut alterner les promotions sur les deux groupes de produits et l'effet sur les ventes sera dans tous les cas optimum.

Ainsi, des réductions appliquées pendant une semaine sur les produits « F et G » propulseront certainement les ventes de ces produits, mais aussi, par l'effet d'association décrit ci-dessus, elles feront hausser les ventes des produits « D et A ». Pour une autre semaine, le responsable du magasin d'alimentation commanditaire de cette étude pourra alterner ses promotions et les appliquer sur les produits « D et A », et l'effet positif sur les ventes de « F et G » se fera aussi ressentir.

TABLEAU A Des exemples de transactions

# TRANSACTION	Item A	Item B	Item C	Item D	Item E	Item F	Item G	Item H
879	1	0	1	1	1	1	1	0
880	1	1	0	1	1	1	1	1
881	1	1	0	1	0	1	1	0
892	0	0	1	1	1	1	0	1
893	0	1	1	1	0	0	0	1
894	1	0	0	1	0	1	1	0
895	1	0	1	1	1	1	1	1
896	1	0	1	1	0	1	1	0
897	0	1	1	1	1	0	0	1
898	1	0	0	1	0	1	1	1

TABLEAU B Les caractéristiques des 13 règles

N°	Antecedent	Consequent	Lift	Support	Confidence
1	"F=true" - "G=true"	"D=true" - "A=true"	2,857	0,350	1,000
2	"D=true" - "A=true"	"F=true" - "G=true"	2,857	0,350	1,000
3	"F=true" - "D=true"	"G=true" - "A=true"	2,500	0,350	0,875
4	"G=true" - "A=true"	"F=true" - "D=true"	2,500	0,350	1,000
5	"F=true" - "A=true"	"G=true" - "D=true"	2,188	0,350	0,875
6	"G=true" - "D=true"	"F=true" - "A=true"	2,188	0,350	0,875
7	"F=true" - "G=true"	"D=true"	2,000	0,350	1,000
8	"F=true" - "G=true"	"A=true"	2,000	0,350	1,000
9	"G=true" - "A=true"	"D=true"	2,000	0,350	1,000
10	"D=true" - "A=true"	"G=true"	2,000	0,350	1,000
11	"F=true" - "G=true" - "D=true"	"A=true"	2,000	0,350	1,000
12	"F=true" - "D=true" - "A=true"	"G=true"	2,000	0,350	1,000
13	"F=true" - "G=true" - "A=true"	"D=true"	2,000	0,350	1,000

_5.5 L'information commerciale et l'erreur

Que l'on parle de recherche quantitative ou de recherche qualitative, la probabilité d'erreur liée à l'information contenue dans une étude de marché est omniprésente. Le chercheur doit être conscient de la possibilité d'une erreur, et s'efforcer si possible d'en mesurer l'étendue et de la circonscrire. C'est souvent dans les enquêtes par sondage et dans les études de causalité que se pose la notion de marge d'erreur. En effet, la qualité inférentielle de telles études dépend directement de la confiance avec laquelle on peut accueillir les résultats obtenus, et cette confiance sera d'autant plus grande que l'erreur globale sera faible. D'où la nécessité, pour l'analyste, de réduire l'impact négatif des erreurs contenues dans les données pour la prise de décision. Dans une enquête par sondage, les risques de partis pris peuvent être de deux types. Le premier est lié aux choix des instruments de l'étude, alors que le second a rapport à la façon dont l'étude a été réalisée. Dans le premier cas, on parle d'erreur systématique, dans le second, d'erreur aléatoire [26]. Le tableau 5.8 propose une liste d'erreurs systématiques et aléatoires qui peuvent être commises à chacune des étapes d'une enquête par sondage.

Dans une étude de marché, l'erreur systématique est beaucoup plus grave que l'erreur aléatoire. La première a pour effet d'invalider les résultats de l'étude, alors que la seconde affecte leur stabilité. Les spécialistes en marketing parlent souvent de validité des résultats dans le premier cas, par opposition à la notion de fidélité. On évite les problèmes de validité en suivant une méthode rigoureuse. En ce qui concerne la fidélité, le mieux est de s'appliquer à la rendre la plus parfaite possible, car souvent les sources d'erreur sont difficilement décelables.

_TABLEAU 5.8 **Des exemples d'erreurs systématiques et aléatoires dans une enquête par sondage**

Étape de l'enquête par sondage	Erreurs systématiques	Erreurs aléatoires
Définition du problème	• Absence de concordance entre le problème de recherche et le problème de gestion.	• Imprécision dans la définition de la population de l'étude.
Formulation des questions et des hypothèses de recherche	• Questions de recherche ne permettant pas de répondre à la problématique posée. • Hypothèses énoncées de manière tautologique.	• Questions de recherche approximatives ou obscures. • Hypothèses imprécises ou invérifiables.
Construction du questionnaire	• Défaut d'accord entre les questions et les besoins de mesure. • Prétest réalisé auprès de personnes qui ne font pas partie de la cible. • Support convenant mal au type de questionnaire. • Ajout de questions inutiles.	• Parti pris dû à la présence du sondeur (administration directe ou par téléphone).
Choix de l'échantillonnage	• Échantillonnage non représentatif de la structure de la population cible. • Absence de réponses ou mauvaises réponses.	• Taille de l'échantillon très petite. • Parti pris dû à la motivation des répondants, à leur humeur, etc.
Analyse des données	• Techniques d'analyse s'accordant mal avec la nature des données collectées.	• Non-respect de certaines conditions d'application des techniques.

_La recherche marketing produit des données ponctuelles qui s'intègrent dans le système d'information marketing (SIM), lequel a pour objet d'organiser la collecte et le stockage d'un flux continu et ordonné d'information pertinente sur la demande et le marché.

_Le SIM est un réseau complexe de relations structurées où interviennent des personnes, des machines et des procédures. Il engendre un flux ordonné d'information pertinente provenant de sources internes et externes à l'entreprise et destiné à servir de base aux décisions de marketing.

_La recherche marketing se déroule à l'intérieur d'un intervalle limité et sert à analyser un problème précis. De son côté, le SIM est une activité constante et continue au sein de l'organisation ; il vise à fournir aux différents responsables une information utile en tout temps.

_La validité et la fidélité des données fournies par la recherche marketing sont les principaux garants de leur qualité et, partant, de leur pertinence. Pour qu'elle soit jugée scientifique, une étude de marché doit répondre à six critères : l'objectivité, la réfutabilité, le caractère analytique, le souci de méthode et de précision, l'attitude critique et la communicabilité.

_Cinq étapes principales caractérisent la recherche marketing : la définition du problème, la formulation des hypothèses, l'élaboration du cadre de la recherche, la collecte, le traitement et l'analyse des données, la présentation du rapport.

_Les spécialistes en recherche marketing se tournent souvent vers trois types de recherche, selon les objectifs poursuivis ; il s'agit des études exploratoire, descriptive et causale.

_L'enquête par sondage est la méthode de cueillette de données la plus connue et la plus employée dans la recherche marketing. Méthodologiquement, la réalisation d'une enquête implique l'élaboration d'un questionnaire, la sélection d'un échantillon et le choix d'un support pour l'administration du questionnaire.

_L'exploitation des bases de données commerciales est une approche de recherche marketing qui vise à explorer un nombre très élevé (plusieurs milliers) d'informations sur les clients en vue de comprendre le comportement de consommation de chacun et de le servir selon ses particularités.

_La probabilité d'erreur liée à l'information que génère une étude de marché est omniprésente. Le chercheur doit être conscient de cette possibilité d'erreur et tâcher, si possible, de l'évaluer pour pouvoir la minimiser.

_Questions

_**1.** Expliquez dans vos propres mots le fonctionnement du SIM tel que présenté à la figure 5.2 (*voir p. 134*). Nommez les différents sous-systèmes en expliquant comment l'information requise peut être obtenue différemment pour chaque partie du SIM.

_**2.** Les technologies de l'information et de la communication ont fait évoluer la notion du pouvoir de l'information. Commentez cet énoncé et expliquez comment ces technologies peuvent nuire ou être favorables à l'avantage concurrentiel d'une entreprise.

_3. Sur quoi repose l'analyse de l'évolution de l'environnement externe de l'entreprise ? Illustrez votre propos par des exemples tirés de votre expérience personnelle.

_4. Quelle est la différence entre un problème de gestion et un problème de recherche marketing ?

_5. Définissez la recherche marketing et illustrez votre définition par des exemples. En quoi la recherche marketing est-elle nécessaire ?

_6. Donnez des exemples de problèmes courants de gestion liés à votre travail qui nécessitent une recherche marketing.

_7. Unilever envisage de présenter son détergent Sunlight dans un nouvel emballage. L'entreprise a d'abord besoin de savoir comment le client perçoit ce nouvel emballage. Selon vous, est-ce que l'entreprise a avantage à conduire une recherche marketing ? Si oui, que suggéreriez-vous comme méthode de recherche ? Justifiez votre réponse.

_8. Décrivez brièvement chacune des étapes du processus de recherche marketing.

_9. Définissez les trois types de recherche : exploratoire, descriptive et causale. Comparez leurs caractéristiques, leurs objectifs ainsi que leurs avantages.

_10. Selon vous, sur quoi un chercheur désireux de recueillir de l'information doit-il se baser pour décider entre une recherche qualitative et une recherche quantitative ?

_11. Une entreprise veut organiser un groupe de discussion en vue de déterminer quelles principales caractéristiques les clients recherchent dans une automobile. Elle vous charge de diriger le groupe de discussion. Indiquez les différentes étapes que vous suivrez ainsi que les différents points de vue que vous mettrez en évidence dans la discussion. Quel est le rôle de l'animateur ? Quelles qualités doit-il posséder ?

_12. Rédigez un bref questionnaire structuré en vue d'un sondage face à face qui sera mené auprès des étudiants de votre classe et qui aura pour but de connaître leur attitude et leur satisfaction à l'égard du cours de marketing.

_13. Quelle est la méthode d'échantillonnage la plus appropriée pour sélectionner des répondantes en vue d'une étude qui traite des effets d'un médicament X sur la santé de la femme enceinte ? Justifiez votre réponse.

_14. Expliquez, en donnant des exemples précis, l'utilité de l'exploitation des bases de données en marketing.

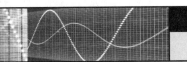
Une firme de recherche canadienne a effectué un sondage par téléphone auprès de 2000 consommateurs canadiens, sélectionnés aléatoirement du 20 au 30 août 2009. Le sondage avait pour objectif de tester la confiance des consommateurs dans l'économie canadienne au mois d'août et de la comparer avec celle du mois de juin pour voir s'il y avait un changement de perception ou non. Les résultats ont montré que :

« [...] l'optimisme face à l'économie est à la hausse, puisque le pourcentage de personnes qui entrevoient des jours meilleurs pour la prochaine année est de 29 %, alors qu'il était de 20 % en juin.

[...]

Le pourcentage de Canadiens qui déclarent que leur situation financière personnelle est pire cette année que l'année dernière a légèrement chuté et s'établit maintenant à 25 %, par rapport à 29 % en juin dernier. [...] 52 % d'entre eux croient que c'est un bon moment pour effectuer un achat important [comme une maison, une automobile neuve ou un voyage]. Une légère hausse de l'optimisme par rapport aux chiffres enregistrés en juin, soit 49 %.

En ce qui concerne les perspectives économiques des cinq prochaines années, 58 % des personnes interrogées s'attendent à une amélioration de la situation économique au cours des cinq prochaines années et 28 % d'entre elles, à une détérioration. En juin, la répartition était de 51 % et 36 %. »

Source : « Les consommateurs canadiens reprennent confiance », *La Presse Affaires,* 4 septembre 2009, [En ligne], http://lapresseaffaires.cyberpresse.ca (Page consultée le 23 février 2010)

_1. Qu'est ce qui pourrait justifier, du point de vue du gestionnaire en marketing, le recours à une enquête sur la confiance des consommateurs ?

_2. Les données collectées dans cette étude sont-elles primaires ou secondaires ? Justifiez votre réponse.

Énumérez un avantage et un inconvénient liés à la collecte de ce type de données.

_3. À quel type de recherche (exploratoire, descriptif ou causal) cette étude a-t-elle procédé ? Expliquez cette démarche et évaluez la pertinence de ce choix.

_4. Déterminez l'unité d'échantillonnage de cette étude, ainsi que la méthode d'échantillonnage utilisée. Donnez votre avis sur la pertinence d'une telle méthode.

_5. Les interviewés ont été sondés à partir d'un questionnaire administré par téléphone. Nommez les avantages et inconvénients d'un tel choix.

_6. Selon vous, aurait-il été envisageable de recourir à Internet pour mener cette même étude ? Si oui, décrivez brièvement les principales lignes de la méthodologie à adopter, et les avantages et inconvénients d'un tel choix par rapport à celui proposé dans le cas. Sinon, quelles contraintes majeures y voyez-vous ?

_7. Pour parfaire son analyse de la situation, la même firme de sondage compte réunir un groupe de discussion formé de quelques consommateurs du marché concerné. Croyez-vous que la réalisation d'une telle étude complémentaire soit pertinente ? Proposez les principales étapes méthodologiques à suivre pour assurer le bon déroulement de ce groupe de discussion.

_Notes

1. Leonard FULD, « A recipe for business intelligence success », *The Journal of Business Strategy*, vol. 12, n° 1, 1991, p. 6, 12-17 ; Rashi GLAZER, « Marketing in an information-intensive environment : strategic implications of knowledge as an asset », *Journal of Marketing*, vol. 55, n° 4, 1991, p. 1-19.

2. Pour plus de détails : *Études de satisfaction,* SOM, [En ligne], www.som.ca (Page consultée le 17 février 2010)

3. Guy DEMOUY et Robert SPIZZICHINO, *Les systèmes d'information en marketing*, Paris, Dunod, 1969, p. 2.

4. Robert D. BUZZELL, Donald F. COX et Rex V. BROWN, *Marketing Research and Information Systems*, New York, McGraw-Hill, 1969, 788 p.

5. Alain D'ASTOUS, *Le projet de recherche en marketing*, 3e édition, Montréal, Chenelière/McGraw-Hill, 2005, 432 p.

6. Philippe KOTLER, Pierre FILIATRAULT et Ronald E. TURNER, *Le management du marketing*, 2e édition, Boucherville, Gaëtan Morin Éditeur, 2000, 875 p.

7. David A. AAKER, V. KUMAR et George S. DAY, *Marketing Research,* 9e édition, San Francisco, John Wiley & Sons, 2007, p. 4 (traduction libre).

8. David A. AAKER et George S. DAY, *Marketing Research,* 4e édition, San Francisco, John Wiley & Sons, 1980, p. 10 (traduction libre).

9. Francis J. AGUILAR, *Scanning the Business Environment*, Boston, Harvard Business School, coll. « Publishing Division », 1967, 239 p.

10. René LEFÉBURE et Gilles VENTURI, *Data mining,* Paris, Eyrolles, 2001, 392 p.

11. Scott M. SMITH et Gerald S. ALBAUM, *Fundamentals of Marketing Research*, Thousand Oaks (Californie), Sage Publications, 2005, p. 4 ; traduction libre.

12. A. D'ASTOUS, *op. cit.*, p. 12.

13. P. KOTLER, P. FILIATRAULT et R. E. TURNER, *op. cit.*

14. Robert BARTELS, « Can marketing be a science ? », *Journal of Marketing*, 15 janvier 1995, p. 319-328 ; Gerald ZALTMAN et Philip BURGER, *Marketing Research : Fundamentals and Dynamics,* Hinsdale, The Dryden Press, 1975, 744 p. ; Jean-Jacques LAMBIN, *La recherche marketing*, Montréal, McGraw-Hill, 1990, 1035 p. ; Yves EVRARD, Bernard PRAS et Elyette ROUX, *Market : études et recherches en marketing*, 3e édition, Paris, Nathan, 2003, 699 p.

15. A. D'ASTOUS, *op. cit.*

16. Gilbert A. CHURCHILL, Jr., *Marketing Research : Methodological Foundations*, 7e édition, Forth Worth (Texas), Dryden Press, 1999, 1018 p. ; A. D'ASTOUS, *op. cit.*

17. C. AAKER et G. S. DAY, *op. cit.* ; David W. STEWART, *Secondary Research : Information Sources and Methods*, Newbury Park (Californie), Sage Publications, 1984, 135 p.

18. François FRISCH, *Les études qualitatives*, Paris, Éditions d'Organisation, 1999, 192 p. ; Paul PELLEMANS, *Recherche qualitative en marketing : perspectives psychoscopiques,* Bruxelles, De Boeck, 1999, 462 p.

19. A. D'ASTOUS, *op. cit.* ; C. AAKER et G. S. DAY, *op. cit.* ; J.-J. LAMBIN, *op. cit.* ; Y. EVRARD, B. PRAS et E. ROUX, *op. cit.*

20. Seymour SUDMAN, *Applied Sampling,* New York, Academic Press, 1975, 256 p. ; A. D'ASTOUS, *op. cit.* ; J.-J. LAMBIN, *op. cit.* ; C. AAKER et G. S. DAY, *op. cit.*

21. Michel PLAISENT *et al.*, *Introduction à l'analyse des données de sondage avec SPSS*, Québec, Presses de l'Université du Québec, 2009, 110 p.

22. Ronald E. FRANK, William F. MASSY et Alfred KUEHN, *Quantitative Techniques in Marketing Analysis,* Homewood (Illinois), Irwin, 1962, 556 p. ; A. D'ASTOUS, *op. cit.* ; Y. EVRARD, B. PRAS et E. ROUX, *op. cit.*

23. R. E. FRANK, W. F. MASSY et A. KUEHN, *op. cit.* ; A. D'ASTOUS, *op. cit.* ; Y. EVRARD, B. PRAS et E. ROUX, *op. cit.*

24. Joseph O. EASTLACK Jr. et Ambar G. RAO, « Conducting advertising experiments in the real world : the Campbell Soup Company experience », *Marketing Science,* vol. 8, n° 1, hiver 1989, p. 72-73.

25. Michael J. A. BERRY et Gordon S. LINOFF, *Data Mining : techniques appliquées au marketing, à la vente et aux services clients,* Paris, InterEdition, 1997, 300 p. ; Stéphane TUFFÉRY, *Data mining et statistiques décisionnelles*, Paris, Éditions Technip, 2007, 736 p.

26. Earl R. BABBIE, *The Practice of Social Research*, 8e édition, Belmont (Californie) et Toronto, Wadsworth, 1992, 493 p. ; Y. EVRARD, B. PRAS et E. ROUX, *op. cit.*

L'analyse du marché
et de la concurrence

Sommaire

La préparation d'un plan de marketing implique que l'entreprise a la possibilité de commercialiser un bien ou un service et de le fournir à un groupe de clients potentiels. L'entreprise se trouve devant ce que l'on appelle une occasion d'affaires. Du point de vue de la stratégie, une entreprise qui a la capacité de déceler les occasions d'affaires et d'en tirer parti plus rapidement que ses concurrents a toutes les chances de connaître le succès. Ainsi, les circonstances favorables inséparables des occasions d'affaires, si elles sont conciliables avec les objectifs et les ressources de l'entreprise, pourront être utilisées de manière rentable. Pour pouvoir saisir une occasion d'affaires, l'entreprise doit constamment étudier l'environnement externe et savoir y apprécier sa propre situation, comme on l'a vu au chapitre 2. C'est là l'une des opérations essentielles de la planification stratégique. Par ailleurs, dans la pratique, les analystes s'occupent avant tout de découvrir des occasions d'affaires, puisqu'elles donnent à l'entreprise sa raison d'être. L'absence d'occasions d'affaires rend inutiles le plan de marketing ainsi que l'analyse des sources de menaces présentes dans l'environnement concurrentiel, politique, juridique, technologique, démographique, etc.

L'info-marketing 6.1 décrit la façon dont Google, le titan d'Internet, gère ses activités stratégiques d'analyse du marché et de la concurrence en se rapportant à son nouveau téléphone Nexus One, destiné à concurrencer simultanément et sur leurs marchés respectifs aussi bien le iPhone du géant américain Apple que le BlackBerry de la compagnie canadienne Research In Motion.

Toutes les entreprises, quelle que soit leur taille, sont à l'affût de nouvelles occasions d'affaires. Google, avant de se lancer sur le marché de la téléphonie mobile, a dû étudier ce nouvel environnement pour y voir les possibilités et les menaces. L'entreprise a dû également considérer la demande actuelle sur ce marché et son évolution probable, évaluer son potentiel ainsi que les occasions d'affaires. De plus, il lui a fallu examiner la concurrence sur ce marché, occupé jusque-là par de grands joueurs comme le colosse finlandais de la téléphonie mobile Nokia (39 % de part de marché mondial en 2010), ou le roi de la téléphonie ludique grand public, l'américain Apple (13 % de part de marché), ou encore l'innovateur canadien Research In Motion avec son BlackBerry (13 % de part de marché). Google est ainsi arrivée à la conclusion que la demande sur le marché de la téléphonie cellulaire, notamment celle liée aux modèles dits « intelligents » – les *smartphones* (3G) –, est en croissance, offrant de nouvelles occasions d'affaires à de nouveaux entrants. D'une part, le contenu innovateur de son modèle Nexus One et, d'autre part, son image forte dans le secteur des technologies de l'information laissent croire que Google possède des avantages concurrentiels considérables et une chance inouïe de devenir un autre grand joueur dans le domaine de la téléphonie 3G. Encore une fois, ces opérations sont la condition du succès de toute nouvelle stratégie de l'entreprise.

Ce chapitre s'attardera à deux éléments essentiels de l'environnement externe de l'entreprise, à savoir le marché et la concurrence. Étant donné la complexité de ces éléments, l'analyse se basera sur la modélisation, qui donne des représentations simplifiées de la réalité.

Google et Apple, plus que jamais engagées dans une lutte à l'innovation

« Une nouvelle rivalité qui oppose deux icônes de Silicon Valley, Google et Apple, voit le jour dans l'univers des technos. [...]

Qu'importe la multitude de films et de téléviseurs 3D qui sortiront dans les prochains mois, 2010 semble être l'année d'Apple et de Google. [...]

Un téléphone aux fonctions inédites

[...] L'entreprise [Google] a dévoilé le 7 janvier [2010], à son siège social de Mountain View, en Californie, le Nexus One, un téléphone intelligent doté de la plus récente version de son système d'exploitation Android. Un rival enfin capable de faire la vie dure au iPhone, croient certains analystes.

"Ce téléphone est supérieur dans tous ses aspects, estime Trip Chowdhry, analyste chez Global Equities Research. Pour la première fois de son histoire, le iPhone fera face à une véritable concurrence." [...]

Dans le secteur de la mobilité, Apple et Google sont les nouveaux maîtres de l'innovation. Même Steve Ballmer, le grand patron de Microsoft, n'a pas réussi à susciter autant d'enthousiasme lorsqu'il a présenté ses nouveaux produits (tablettes électroniques et téléphone intelligent) de 2010.

Grâce à la cartographie, aux livres numériques et aux nouveautés comme Google Voice, un service qui permet de rassembler tous ses numéros de téléphone et boîtes vocales en un seul endroit, Google se positionne stratégiquement, tant au sein du grand public, où le iPhone domine, qu'auprès des gens d'affaires, où le BlackBerry, de Research In Motion, règne. [...]

Les chances de succès de Google sont bonnes : Gartner prédit que la part de marché mondial des téléphones Android passera de 2 à 14 % d'ici 2012. [...]

Toutefois, l'impact potentiel du Nexus One sur le marché ne fait pas l'unanimité. Plusieurs analystes croient que Google tente de court-circuiter le processus normal de mise en vente de téléphones mobiles aux États-Unis, où les opérateurs de réseaux sans fil contrôlent tout.

Google veut forcer l'innovation

[...] Peu importe, Google a deux objectifs : profiter de la croissance prévue du marché des téléphones intelligents, établie à 20 % en 2010, et accroître sa part de marché dans le secteur de la téléphonie face à ses concurrents, y compris Apple.

C'est un peu le monde à l'envers : alors qu'Apple était perçue comme l'éternel numéro deux de l'informatique de bureau après Microsoft il y a deux ans à peine, voilà que c'est à son tour d'être talonnée par un rival, Google, qui mise sur l'innovation pour la détrôner.

"Apple et Google ont longtemps eu une relation de coopétition. Mais depuis un an, il y a plus de concurrence", explique Charles Golvin, de Forrester Research. [...] »

Source : Alain McKENNA, « Google et Apple, plus que jamais engagées dans une lutte à l'innovation », *Les Affaires*, 16 janvier 2010, p. 12, [En ligne], www.lesaffaires.com (Page consultée le 9 mars 2010)

_6.1_ L'analyse du marché en marketing

Le marché est un concept depuis longtemps employé en économie pour désigner le lieu de rencontre entre les fournisseurs et les utilisateurs d'un même produit. Pour les économistes, l'étude du marché consiste ainsi à analyser l'offre et la demande, et à décrire l'équilibre qui s'établit entre les deux [1]. Dans le domaine du marketing, le marché est défini différemment, puisque l'on tient compte uniquement de la demande. Pour les gestionnaires de marketing, analyser le marché, c'est donc analyser la demande. L'analyse du marché permet d'évaluer les occasions d'affaires que fournit le marché et de décider, selon le cas, d'en tirer parti ou, au contraire, de les écarter [2].

6.1.1_Une définition de la demande

En marketing, on considère le marché sous le rapport de la demande, donc des consommateurs. On écarte par conséquent tout ce qui concerne l'offre, laquelle émane essentiellement des fournisseurs, c'est-à-dire de l'industrie. Ainsi, le marché est défini comme l'ensemble des acheteurs actuels ou potentiels d'un produit ou d'un service donné. Il s'ensuit que le marché, soit la demande, est un concept non pas absolu, mais relatif. En effet, pour le gestionnaire en marketing, le marché de la téléphonie cellulaire n'existe pas en soi ; il doit être précisé et relativisé par rapport à plusieurs dimensions telles que la catégorie de produit et le type d'utilisateurs, sans oublier les horizons spatiaux et temporels [3].

Le concept de marché et la dimension produit

On a vu que le produit constitue une réponse aux besoins des consommateurs. Or, comme le marché en marketing renvoie à la demande et aux consommateurs, on ne peut dissocier la notion de marché de celle de produit. De nos jours, les produits commercialisés sont de moins en moins homogènes et les consommateurs deviennent de plus en plus exigeants. Il en résulte une plus grande différenciation des produits ; on crée constamment de nouvelles sous-catégories de produits. Dans les années 1970, le domaine de l'informatique se résumait presque uniquement à l'ordinateur, alors qu'aujourd'hui il comprend trois catégories : les ordinateurs, les logiciels et les services informatiques. De plus, chacune de ces catégories se subdivise : par exemple, les ordinateurs de table, les ordinateurs portables et les ordinateurs de poche, ainsi que les logiciels de bureautique, les logiciels de gestion, les logiciels de multimédia et les logiciels de jeu.

En pratique, la bonne marche de l'analyse de la demande dépend de la précision avec laquelle est cernée la sous-catégorie du produit. Dans son analyse du marché, l'entreprise qui produit des logiciels de jeu accorde plus d'importance aux ventes potentielles de ces derniers qu'au potentiel de vente des logiciels en général ou des produits informatiques dans leur ensemble.

Le concept de marché et le type d'utilisateurs

Une fois que l'on s'est assuré de la précision de l'analyse et que la sous-catégorie de produit a été clairement définie, il faut déterminer quels sont les utilisateurs qui constituent le marché.

La définition du marché et l'analyse de la demande varieront selon que l'on a affaire à des consommateurs qui s'intéressent au produit, à des consommateurs qui font usage du produit ou à des consommateurs qui utilisent une marque déterminée. Les spécialistes en marketing rangent les consommateurs dans différentes catégories, chaque catégorie correspondant à un type de marché et chacune d'elles pouvant se combiner avec une ou plusieurs autres. Cette classification permet de pousser plus loin l'analyse de la demande. Il est à noter que, dans l'examen des catégories existantes, on distinguera les marchés d'une marque ou d'une entreprise déterminées de ceux de l'ensemble de l'industrie. De plus, pour définir un marché, on se basera sur le nombre d'utilisateurs ou bien sur le chiffre d'affaires (chiffre des ventes). La figure 6.1 illustre les catégories de marchés selon les types de consommateurs.

Ces catégories de marché se définissent comme suit :

■ **Le marché actuel d'une marque (MAM).** Ce sont les clients qui ont déjà acheté le produit ou le service (ou les ventes réalisées) d'une entreprise en particulier. Ce marché procure la majeure partie des ventes, et l'entreprise fera tout son possible pour l'élargir.

- Le marché cible d'une marque (MCM). Ce sont les clients (ou les ventes) que l'entreprise cherche à recruter pendant un temps donné à l'aide d'un plan de marketing. Ce marché dépend souvent des moyens commerciaux, financiers, humains, techniques ou autres, mis en œuvre par l'entreprise dans sa planification stratégique.

- Le marché actuel de l'industrie (MAI). Ce sont les clients qui ont déjà acheté les différentes marques d'un même produit (ou les ventes). Toutes les entreprises cherchent à dominer ce marché et à mieux y performer que leurs concurrents.

- Le marché potentiel de l'industrie (MPI). Ce sont tous les consommateurs qui s'intéressent à un produit. L'étude de ce marché donne une idée des occasions d'affaires possibles.

FIGURE 6.1 La catégorisation des marchés selon les types d'utilisateurs

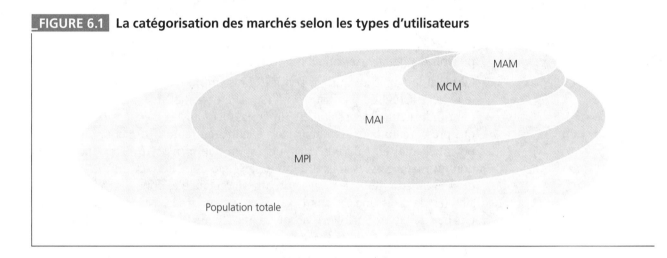

Certains spécialistes prennent en considération, dans leur définition du marché potentiel, outre l'intérêt, divers aspects liés à l'accessibilité tels que le revenu, la géographie ou le climat, ou à l'admissibilité comme les lois, les normes ou les coutumes.

Considérons un produit touristique consistant en une journée d'aventure extrême au Québec. Le marché actuel d'une marque serait le nombre de clients ayant acheté ce produit auprès d'une agence touristique X au cours de l'année 2010 (par exemple, 900 personnes). Le marché cible de la même agence touristique serait le nombre de personnes qu'elle prévoit atteindre avec ce type de produit au cours de 2010 (par exemple, 1000 personnes). Le marché actuel de l'industrie offrant le produit aventure extrême au Québec serait constitué de tous les Québécois qui ont acheté ce produit en 2010, toutes agences confondues (par exemple, 30 000 personnes). Enfin, le marché potentiel de l'industrie serait formé de l'ensemble des Québécois susceptibles de s'intéresser à une telle activité (par exemple, 300 000 personnes). Par ailleurs, si l'on voulait être plus réaliste et tenir compte de l'accessibilité (par exemple, avoir un revenu annuel brut d'au moins 50 000 $) et de l'admissibilité (par exemple, être âgé de plus de 12 ans et de moins de 60 ans), le marché potentiel serait alors plus petit (par exemple, 100 000 personnes).

La quantification de ces marchés aide le gestionnaire dans ses décisions stratégiques. Les outils d'aide à la décision qu'il peut utiliser sont constitués des indices d'évaluation qu'il pourrait calculer en se basant sur ses estimations. Trois indices méritent d'être mentionnés : le taux de réalisation des objectifs, la part de marché de l'entreprise et le taux de pénétration du produit.

- **Le taux de réalisation des objectifs** : c'est le rapport entre le marché actuel et le marché cible de l'entreprise (I_1 = MAM/MCM). Cet indice permet d'évaluer la performance interne de l'entreprise en comparant les moyens engagés avec les résultats obtenus. Un indice proche de 1 indique un taux d'atteinte des objectifs très élevé. Si l'on reprend l'exemple ci-dessus, on peut dire que le taux de réalisation des objectifs de l'agence touristique X pour sa journée d'aventure extrême pendant l'année 2010 est de 0,9 ou 90 % (900/1000), ce qui correspond à une très bonne performance.

- **La part de marché d'une entreprise** : c'est le rapport entre son marché actuel et le marché actuel de l'industrie (I_2 = MAM/MAI). Cet indice de performance externe de l'entreprise compare les résultats de cette dernière à ceux de ses concurrents. Un indice proche de 1 signifie de meilleurs résultats que ceux des concurrents, donc un pouvoir de marché plus élevé. Dans l'exemple, la part de marché de l'agence touristique X pour une journée d'aventure extrême au Québec en 2010 est de 0,03 ou 3 % (900/30 000), ce qui correspond à un pouvoir de marché très faible de l'agence.

- **Le taux de pénétration d'un produit dans un marché** : c'est le rapport entre le marché actuel de l'industrie et le marché potentiel (I_3 = MAI/MPI). Il s'agit d'un indicateur des possibilités de croissance ou des menaces de saturation que présente un marché. L'analyste a le choix entre une estimation du marché potentiel total et, s'il veut avoir une appréciation plus réaliste, une estimation du marché accessible et admissible. Dans tous les cas, un indice proche de 0 signifie un taux de couverture du marché faible, donc d'excellentes possibilités de croissance. Dans l'exemple d'une journée d'aventure extrême au Québec, le taux de pénétration du marché pour l'année 2010 est de 0,01 ou 10 % (30 000/300 000) si l'on considère le marché total et de 0,3 ou 30 % (30 000/100 000) si l'on considère le marché accessible et admissible. Dans les deux cas, les possibilités de croissance pour une telle activité au Québec sont très grandes.

6.1.2_L'analyse de la demande

Dans l'analyse de la demande, il est bon de distinguer celle qui provient du marché total, aussi appelée « demande primaire », d'avec celle qui est dirigée vers le ou les produits d'une entreprise en particulier[4].

La demande primaire est la quantité totale d'un produit ou d'un service acheté par un groupe de consommateurs déterminé, en un lieu, à une période et dans un environnement macromarketing donnés. La demande à l'entreprise pourrait se définir comme la part de la demande primaire d'un produit ou d'un service donné prise par l'entreprise.

Par ailleurs, d'un point de vue méthodologique, analyser la demande revient à examiner les facteurs qui influent sur elle, facteurs appelés aussi « déterminants de la demande ». Il s'agit en d'autres termes d'expliquer les variations de la demande en se basant sur les comportements d'achat et de faire des prédictions. Les analystes font alors souvent appel à la modélisation, laquelle consiste à construire un modèle qui représente la réalité de manière simplifiée, en faisant abstraction des éléments secondaires. Ce modèle doit être validé avant de devenir un outil de prise de décision. La modélisation peut prendre trois formes : conceptuelle (texte suivi), graphique (figures) ou formelle (équations mathématiques).

Les prochaines sections étudieront à tour de rôle la modélisation de la demande primaire et celle de l'entreprise.

La modélisation de la demande primaire

D'une manière générale, l'importance de la demande primaire varie principalement en fonction des dépenses marketing engagées par l'ensemble des entreprises d'un même secteur de l'industrie (par exemple, l'innovation, la communication, la distribution) et en fonction de divers facteurs imprévisibles de l'environnement (économique, politique, démographique, etc.). Il peut y avoir une demande primaire même si aucune dépense marketing n'est engagée ; c'est le niveau de demande minimum. La demande primaire atteint un plafond lorsque toute nouvelle opération de marketing n'amène aucune augmentation des ventes et que l'évolution de l'environnement est sans effet. C'est le niveau de demande primaire maximum, qui correspond au marché potentiel.

La figure 6.2 illustre la variation de la demande primaire selon les dépenses marketing globales de l'industrie. Le gestionnaire de marketing peut alors prévoir le niveau des ventes pour l'ensemble du marché en se fondant sur les budgets marketing des entreprises et l'état de l'environnement.

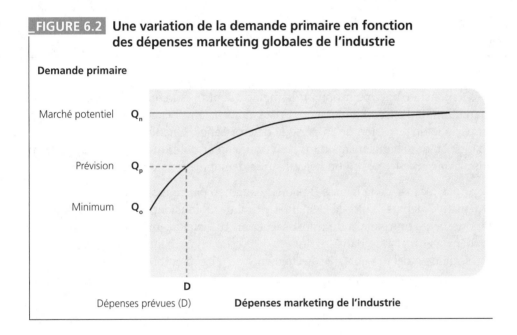

FIGURE 6.2 Une variation de la demande primaire en fonction des dépenses marketing globales de l'industrie

Par ailleurs, les changements dans l'environnement peuvent avoir un effet appréciable sur l'évolution de la demande primaire dans son ensemble, et ce, aussi bien dans ses niveaux minimum que maximum. Ainsi, des conditions de récession économique entraîneront souvent une baisse de la demande globale, comme ce fut le cas du marché de l'immobilier au Canada au début des années 1990 ou plus récemment avec l'avènement de la crise énergétique en 2006 et la crise financière en 2007. En effet, alors qu'en 2006 le nombre de mises en chantier au pays était de 227 395, ce nombre a chuté à 209 500 en 2007 et à 195 500 en 2008, soit une baisse annuelle respective de -8 % et de -6,7 %. Parallèlement, les ventes de logements existants ont connu les mêmes tendances à la baisse, avec des taux de -3,9 % en 2007 et de -3,3 % en 2008. Pour le Québec, qui a été touché par la crise économique plus tard que le reste du Canada, la croissance des ventes de propriétés a été de l'ordre de -4,8 % en 2008 et de 3,0 % en 2009 [5].

La figure 6.3 (*voir p. 184*) montre l'effet d'un changement dans l'environnement économique (récession ou croissance) sur la demande primaire d'une industrie.

FIGURE 6.3 **Les effets des changements survenus dans l'environnement économique sur la demande primaire**

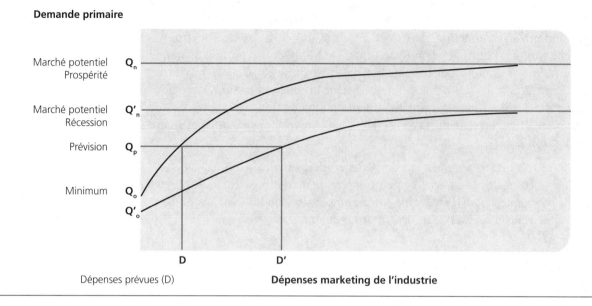

On constate que, pour obtenir la même quantité demandée, les opérations de marketing de l'ensemble des entreprises doivent être beaucoup plus énergiques en période de récession qu'en période de croissance. Une fluctuation des taux de change ou des changements dans l'environnement politique et juridique peuvent aussi avoir un effet positif ou négatif sur la demande dans un marché donné.

Ainsi, à cause de la hausse du dollar canadien par rapport au dollar américain enregistrée depuis 2006, la demande primaire a considérablement baissé dans l'industrie du tourisme et du transport aérien au Canada, après la croissance phénoménale enregistrée dans les années 1990. Le revirement de la tendance dans ces secteurs a débuté après les événements du 11 septembre 2001, et l'instabilité règne depuis, aggravée par la crise économique et financière qui en 2007 a frappé les États-Unis, notre principale source de revenus touristiques.

Les économistes ont été les premiers à s'intéresser à la demande primaire. Ils ont créé un modèle dans lequel le prix constitue le principal déterminant de la demande pour un produit sur un marché. C'est la fameuse loi de la demande. Suivant celle-ci, la demande pour un produit sur un marché évolue dans un sens opposé à celui du prix [6].

On a perfectionné par la suite ce modèle en prenant en compte les effets respectifs de plusieurs autres facteurs tels que le prix des produits substituts, le prix des produits complémentaires, le revenu de la population et les dépenses publicitaires. Cela a donné lieu à beaucoup de modélisation graphique et formelle. Dans la modélisation la plus simple, brièvement décrite dans l'info-marketing 6.2, la demande est inversement proportionnelle au prix, ce qui se traduit par une droite descendante.

L'analyse de la demande pour un produit ou un service de l'entreprise

L'analyse de la demande pour un produit ou un service conduit aussi à distinguer deux sortes de facteurs : les facteurs endogènes et les facteurs exogènes. Les facteurs endogènes concernent les moyens mis en œuvre par l'entreprise dans son plan de marketing, c'est-à-dire ses plans d'action relatifs au produit, à la distribution, à la communication et au prix. Les facteurs exogènes concernent tous les éléments de l'environnement externe sur lesquels l'entreprise n'a pas de prise : l'environnement économique, politique, démographique, concurrentiel, le comportement des consommateurs, et le reste. En marketing, les facteurs endogènes et exogènes sont souvent qualifiés respectivement de contrôlables et d'incontrôlables. *Grosso modo*, si une entreprise désire connaître l'efficacité de ses actions marketing, elle peut comparer, pour une période donnée, les fluctuations de la demande pour ses produits et marques avec celles du marché dans son ensemble. Un écart positif est alors un signe de réussite relative, et un écart négatif, un signe d'échec. Par exemple, si la croissance annuelle de la demande enregistrée par l'entreprise est de l'ordre de 7 % et que le marché total présente une croissance sur la même période de 20 %, il est possible de conclure à une mauvaise évaluation des performances commerciales. Si, par contre, le taux de croissance de la demande du marché est de 3 %, la performance de l'entreprise est, à première vue, très bonne, puisqu'elle dépasse celle de l'industrie dans son ensemble. La stratégie adoptée a donc permis à l'entreprise d'augmenter sa part de marché aux dépens de ses concurrents.

INFO MARKETING 6.2

La loi de la demande : une modélisation graphique et formelle

La loi de la demande postule que, toutes choses égales d'ailleurs, le facteur qui influe le plus sur la demande pour un produit dans un marché est le prix. La demande est inversement proportionnelle au prix : si le prix du produit diminue, la demande augmente, et vice versa.

Graphiquement, cela se traduit par une droite descendante avec une pente $b = \Delta q/\Delta p$ et une ordonnée à l'origine (b_0), (*voir la figure A, p. 186*).

La loi de la demande peut se résumer dans l'équation linéaire suivante : $Q = b_0 + bp$

où

b_0 est le niveau de la demande quand le prix est nul (cela correspond à la demande maximale ou au marché potentiel) ;

$b = \Delta q/\Delta p$ est la variation de la demande si le prix augmente d'une unité.

À la suite de la modélisation de la demande, on a introduit la notion d'élasticité. Celle-ci se définit comme la sensibilité de la demande à la variation d'un de ses facteurs déterminants, tels que le prix ou le revenu. L'élasticité se mesure par le rapport entre le taux de variation en pourcentage de la demande et le taux de variation en pourcentage du facteur en question. Par exemple, une élasticité de la demande par rapport au facteur prix de -5 signifie que, si le niveau du prix augmente de 1 %, la demande diminuera de 5 %.

L'élasticité-prix de la demande se calculerait comme suit :

$$e_{D/p} = \frac{\Delta Q/Q}{\Delta p/p}$$

où

$\Delta Q/Q$ est le taux de variation de la demande au cours d'une période donnée ;

$\Delta p/p$ est le taux de variation du prix au cours de la même période.

La notion d'élasticité-prix de la demande a conduit à distinguer trois types de produits :

- les produits pour lesquels la demande est élastique ($e_{D/p} < -1$) – par exemple, les produits de loisirs et les textiles ;

- les produits pour lesquels la demande est inélastique ($-1 \leq e_{D/p} \geq 0$) – par exemple, produits de première nécessité comme les médicaments et l'électricité ;

- les produits pour lesquels l'élasticité est positive ($e_{D/p} \geq 1$) – par exemple, les voitures de collection, les œuvres d'art.

Plusieurs autres facteurs peuvent contribuer à rendre la demande pour un produit moins élastique, notamment le nombre limité de produits substituts, le nombre peu élevé de concurrents, le comportement d'achat très prudent et la facturation complexe.

D'un point de vue managérial, si la demande est inélastique, l'entreprise n'a pas intérêt à livrer des guerres de prix, par contre elle peut adopter une stratégie de prix élevé (écrémage) sans risquer de perdre des revenus. Si la demande est élastique, l'entreprise peut jouer sur les prix pour attirer plus de consommateurs.

Enfin, le raisonnement tenu pour l'élasticité-prix de la demande peut aussi s'appliquer à des facteurs tels que le revenu, les dépenses de publicité, le prix des produits concurrents, et bien d'autres.

FIGURE A   La demande en fonction du prix

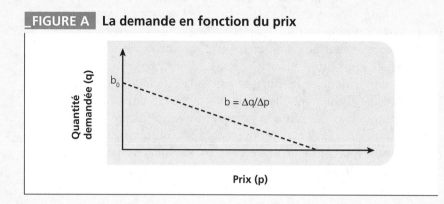

Dans l'analyse de la demande pour le produit de l'entreprise, on peut toujours se fonder sur la loi de la demande, selon laquelle le prix est le seul facteur déterminant de l'achat d'un produit. Cela peut être utile si l'entreprise agit seule sur son marché, ce qui n'est généralement pas le cas aujourd'hui. La réalité est qu'elle partage le marché avec d'autres entreprises. Ses ventes dépendent souvent de ses actions et des facteurs liés à son environnement.

D'un point de vue stratégique, toute entreprise doit avoir son propre modèle d'analyse de la demande. Ce modèle lui permet de discerner les facteurs qui conduisent à sa réussite et d'utiliser les différents moyens dont elle dispose (marketing, finance, production, ressources humaines, technologie, etc.) pour atteindre ses objectifs de ventes ou de parts de marché. Méthodologiquement, cela signifie que le responsable de l'analyse doit d'abord chercher quels sont les facteurs déterminants, établir en quoi ils expliquent la variation observée dans les ventes et, par la suite, valider le tout en utilisant les données réelles du marché.

L'info-marketing 6.3 présente le cas d'une entreprise de logiciels de jeu qui a mis au point un modèle d'analyse de la demande pour ses produits.

INFO MARKETING 6.3

Un modèle d'analyse de la demande conçu par une entreprise de logiciels de jeu

SEI Canada est une filiale d'une entreprise américaine spécialisée dans la production et la commercialisation de logiciels bureautiques, éducatifs et ludiques.

Ce créateur de logiciels occupe, depuis sa fondation en 1990, une part de marché non négligeable au Canada. Au début de 2010, la directrice marketing de l'entreprise, Mme Mirnesa Amela, s'est fixé comme but d'améliorer les méthodes de suivi des ventes des ludiciels. Elle voulait notamment avoir un système qui lui permette de mieux évaluer l'efficacité de son programme marketing opérationnel, en particulier pour ce qui touche la publicité, ainsi que la convenance des prix.

À titre de test, Mme Amela a voulu connaître l'évolution de la demande pour ses logiciels sur le marché canadien envisagée du point de vue de la part de marché. Elle a donc demandé au service de recherche marketing de recueillir toutes les informations directement accessibles et nécessaires à la construction du système de prévision de la part de marché. Les données recueillies portent sur 63 périodes (mois) de vente et concernent les différents facteurs susceptibles d'avoir une influence sur la part de marché de ses produits, tels que la part de marché de l'ensemble de ses logiciels vendus au Canada, le degré de nouveauté de ses produits et les politiques de prix et de promotion relatives aux ludiciels qui ont été suivies au Canada. Les variables mesurées dans les 63 périodes sont les suivantes :

- la part de marché de SEI Canada pour les logiciels de jeu au Canada (PMLJC, en pourcentage);

- la part de marché de SEI Canada pour l'ensemble de ses logiciels au Canada (PMLC, en pourcentage);

- l'âge du logiciel de jeu (ÂGE, en nombre de mois depuis son lancement);

- le prix du logiciel de jeu (PRIX, en dollars canadiens);

- les dépenses mensuelles en publicité engagées pour les logiciels de jeu au Canada (PUB, en milliers de dollars canadiens).

L'estimation provenant de l'application du modèle se formule comme suit :

$$PMLJC = 0,98 + 0,23 \times PMLC - 0,19 \times \text{ÂGE} - 0,86 \times PRIX + 0,15 \times PUB$$

où

0,98 est la constante quand les variables de l'équation sont mises à zéro;

0,23 est l'augmentation (en pourcentage) de la part de marché de SEI pour les logiciels de jeu si sa part de marché globale au Canada augmente de 1 % ;

-0,19 est la diminution de la part de marché (en pourcentage) quand le logiciel de jeu vieillit d'un mois;

-0,86 est la diminution de la part de marché (en pourcentage) quand le prix du logiciel de jeu augmente de 1 $;

0,15 est l'augmentation de la part de marché (en pourcentage) quand les dépenses de publicité engagées pour les logiciels de jeu pendant la période considérée augmentent de 1000 $.

SEI Canada peut aussi utiliser ce modèle pour établir ses prévisions de part de marché (objectifs stratégiques) en vue de la planification de son mix de marketing en matière de lancement de nouveaux produits, de politique de prix ou de politique de dépenses publicitaires.

6.1.3_L'estimation de la demande

L'analyse de la demande est une étape importante de la planification stratégique en marketing, car elle permet de définir les objectifs ainsi que les moyens à mettre en œuvre pour les atteindre. L'estimation du marché potentiel pour les biens ou les services qu'une entreprise offre ou envisage d'offrir est un élément fondamental pour l'appréciation de l'intérêt et des occasions d'affaires d'un marché. L'importance du marché potentiel, mise en relation avec les ressources à la disposition de l'entreprise, détermine la part de marché que cette dernière peut obtenir. Les stratégies qu'elle envisage de mettre en œuvre influent sur les prévisions de ventes et les résultats qui en découleront.

En pratique, l'estimation du marché potentiel de l'industrie est la première étape de l'analyse de la demande. Elle vise à évaluer de manière approximative, en se basant sur l'analyse de l'environnement externe, les ventes maximales réalisables pour une catégorie de biens ou de services, dans une région géographique donnée, au cours d'une période donnée. Cette estimation sera fusionnée par la suite avec des informations relatives aux capacités et aux moyens dont dispose l'entreprise de façon à pouvoir prévoir les ventes qui seront réalisées au cours d'une période déterminée, sur un marché donné et selon un plan de marketing défini. On s'attardera maintenant aux principales méthodes d'estimation du potentiel de marché de l'industrie et de prévision des ventes de l'entreprise [7].

Les méthodes d'estimation du potentiel de marché de l'industrie

Les méthodes employées dans l'estimation du marché potentiel exigent le plus souvent l'utilisation de sources de données secondaires. Quelle que soit la méthode adoptée, les chiffres obtenus concernant le maximum des ventes possible sur un marché doivent être considérés comme approximatifs.

Les méthodes d'estimation du potentiel de marché qui retiennent particulièrement l'attention sont la méthode des ratios successifs, la méthode des indices de pouvoir d'achat relatif, la méthode de la variable indicative et la méthode de sondage.

La méthode des ratios successifs

Cette méthode utilise des informations provenant d'analyses statistiques, d'études sectorielles ou d'autres sources secondaires fiables. Le tableau 6.1 présente une estimation du potentiel de marché d'un logiciel de gestion du routage au Québec.

TABLEAU 6.1 **Une utilisation de la méthode des ratios successifs pour l'estimation du potentiel de marché d'un logiciel de gestion du routage**

Nombre d'entreprises ayant des activités de livraison	50 000
Dépenses annuelles moyennes par entreprise pour l'achat de logiciels	10 000 $
Total des dépenses engagées dans l'achat de logiciels par les entreprises ayant des activités de livraison	500 000 000 $
Proportion des dépenses engagées dans l'achat de logiciels de gestion par rapport à l'ensemble des achats de logiciels (bureautique, etc.)	40 %
Proportion des dépenses engagées dans les opérations de livraison par rapport aux dépenses globales effectuées en gestion (marketing, finance, ressources humaines, etc.)	30 %
Marché potentiel pour un logiciel de routage estimé en dollars (500 000 000 $ × 40 % = 200 000 000 $; 200 000 000 $ × 30 % = 60 000 000 $)	60 000 000 $
Prix approximatif d'un logiciel de routage	4 000 $
Marché potentiel pour un logiciel de routage estimé en unités (60 000 000 $ ÷ 4 000 $/unité = 15 000 unités)	15 000

La méthode des indices de pouvoir d'achat

Le marché potentiel peut aussi être estimé à l'aide de l'indice de pouvoir d'achat relatif ou de l'indice de chiffres de ventes relatifs par catégories de produits ou de services. Au Canada, le calcul de ces indices est basé sur les données statistiques relatives aux différentes régions et provinces. Par exemple, l'indice du pouvoir d'achat pour la Nouvelle-Écosse en 2004 était de 86. Cela signifie que le pouvoir d'achat par habitant de cette province représentait 86 % du pouvoir d'achat moyen du Canada. Mais, en ce qui concerne les ventes au détail, l'indice de la Nouvelle-Écosse était de 99 en 2004 ; les ventes au détail par habitant étaient donc presque égales à la moyenne canadienne.

L'écart entre les deux indices s'explique en partie par la péréquation fiscale entre les provinces canadiennes. À l'intérieur des provinces, les indices peuvent être très utiles au gestionnaire qui veut répartir les efforts marketing par région en fonction de l'indice du pouvoir d'achat ou de l'indice de ventes relatif à la catégorie de produit. Pour mettre à jour ses estimations, il peut se baser sur les chiffres de ventes projetées pour les quatre prochaines années.

La méthode de la variable indicative

Cette méthode est surtout employée sur les marchés organisationnels. L'estimation de la demande potentielle consiste à définir d'abord une variable indicative de la consommation des entreprises clientes. On peut utiliser, par exemple, le nombre total d'employés, le nombre d'employés affectés à la production, le volume de production, le chiffre d'affaires, le nombre de machines ou le niveau des investissements. Ensuite, une fois évalués les besoins requis en moyenne par employé, par unité fabriquée, par machine ou par dollar investi, on peut déduire la demande maximale qui pourrait provenir des entreprises d'un secteur ou de tous les secteurs, selon les besoins de l'analyse. Ainsi, une entreprise qui fabrique des tubes d'acier pourrait, dans son estimation de la demande potentielle, d'abord déterminer les différentes professions qui utilisent ce produit : fabricants, plombiers, installateurs… Ensuite, en consultant les annuaires économiques, elle pourrait obtenir des données sur le nombre d'employés par entreprise et par type d'activité. Enfin, en multipliant le nombre total des employés par les besoins moyens par employé, elle pourrait obtenir une évaluation globale du marché potentiel pour son produit.

La méthode du sondage sur l'intérêt

La méthode de sondage est la seule méthode d'estimation du potentiel de marché qui requiert une collecte de données primaires. Elle consiste à questionner un échantillon représentatif de la population sur son intérêt pour un produit ou un service. Le pourcentage de ceux qui montrent un intérêt élevé sera alors généralisé à l'ensemble de la population. Par exemple, si, sur une échelle d'intérêt allant de 1 (pas du tout intéressé) à 5 (très intéressé), 30 % ont répondu 4 ou 5, on peut affirmer avec un certain pourcentage d'erreur que le marché potentiel pour le produit sondé représente 30 % de la population de l'étude.

Il est à noter que les méthodes décrites ci-dessus sont toutes également valables. Dans tous les cas, la fiabilité des données collectées et la bonne application de la méthode assurent la validité des estimations.

Les méthodes de prévision des ventes

L'estimation des ventes futures d'une entreprise suppose une connaissance préalable des limites du marché dans son ensemble, donc une estimation du marché potentiel. Il s'agit en fait d'évaluer approximativement la part de ce marché potentiel que l'entreprise peut ou espère occuper en tenant compte de ses moyens commerciaux et de l'état de son environnement externe. L'information sur les ventes futures permet à l'entreprise de formuler des objectifs réalistes auxquels elle peut se référer par la suite dans les opérations de contrôle et d'audit de ses activités marketing. La prévision des ventes est le plus important outil de planification ; elle est utile à toutes les opérations de l'entreprise, depuis la production jusqu'à la distribution, en passant par la communication et l'établissement des tarifs. Grâce à elle, l'entreprise peut déterminer le moment où elle atteint son seuil de rentabilité ou son point mort.

Il existe plusieurs méthodes de prévision des ventes. On distingue les méthodes subjectives et les méthodes objectives. Les méthodes subjectives font appel à l'appréciation de l'individu, qu'il soit consommateur, vendeur, responsable ou expert. Les méthodes objectives se basent sur des données réelles du marché. Quelle que soit la méthode employée, on obtient une approximation des résultats futurs, et il existe toujours une certaine probabilité d'erreur. Voici une description des différentes méthodes de prévision des ventes.

La méthode du sondage sur les intentions d'achat

La méthode du sondage sur les intentions d'achat s'appuie sur le principe que les utilisateurs potentiels d'un produit sont les mieux placés pour donner de l'information sur leurs prédispositions à acheter un produit, à en acquérir une quantité déterminée à l'intérieur d'une période donnée. Elle consiste à questionner un échantillon représentatif de la population cible sur ses intentions d'achat concernant un produit ou un service à un moment précis. Le pourcentage de ceux qui manifestent une prédisposition assez forte sera alors généralisé à l'ensemble de la population. Par exemple, si, sur une échelle de probabilité d'achat allant de 1 (« il est très peu probable que j'achète ») à 5 (« il est très probable que j'achète »), 10 % ont répondu 4 ou 5, on peut affirmer avec un certain pourcentage d'erreur que le marché susceptible d'être atteint pour le produit sondé représente environ 10 % de la population étudiée. En effet, certains de ceux qui ont énoncé une probabilité d'achat de 4 ou 5 n'achèteront pas, mais certains qui ont énoncé une probabilité de 3 pourraient acheter. S'il s'agit d'un produit à achat répété, on peut questionner les mêmes répondants sur leur fréquence d'achat et sur les quantités moyennes qu'ils achètent à la fois. On obtient alors le nombre approximatif d'unités que l'entreprise pourrait vendre dans une période donnée. Signalons que cette méthode demeure approximative, car elle ne tient compte ni des circonstances de l'achat (par exemple, rupture de stock au moment de l'achat) ni des opérations marketing des concurrents (par exemple, campagne promotionnelle d'une entreprise concurrente).

La méthode d'estimation par les représentants

La méthode d'estimation par les représentants s'applique dans les cas où les ventes d'une entreprise sont organisées par territoires et où chaque territoire a un unique représentant pour un type de produit. Puisqu'il est constamment en contact direct avec les clients demeurant sur son territoire, le représentant est susceptible d'être bien informé de leurs besoins futurs et peut donc fournir une estimation fiable. Le groupement des estimations de tous les représentants permet à l'entreprise d'obtenir une prévision globale de ses ventes futures. Cette méthode comporte cependant des inconvénients : elle est tributaire de la place occupée par le vendeur dans la hiérarchie du secteur des ventes, et les conflits d'intérêts sont toujours à craindre au moment de l'évaluation. Si le représentant risque de perdre son territoire, il pourrait en effet être tenté de gonfler les résultats des ventes afin de redorer son blason. Les chiffres pourraient aussi être diminués si l'évaluation devait servir par la suite au calcul de la rémunération du représentant.

La méthode d'évaluation par les experts

Aussi appelée « méthode Delphi », la méthode d'évaluation par les experts consiste à demander à un groupe de spécialistes indépendants de fournir une estimation des ventes d'une entreprise. Cette méthode est souvent employée quand il est peu avantageux de questionner les consommateurs (par exemple, s'ils sont très éparpillés géographiquement) ou de consulter les représentants (par exemple, s'il y a risque trop élevé de conflits d'intérêts), ou encore quand le marché est flou (par exemple, le marché du tourisme et de l'hôtellerie). En pratique, il s'agit de choisir un certain nombre d'experts dans un domaine précis et de leur demander de faire individuellement une première évaluation des ventes futures. Les évaluations obtenues sont groupées, on calcule une moyenne, puis on communique les chiffres aux experts pour qu'ils révisent leurs estimations en conséquence. Chaque expert remet ensuite une nouvelle estimation qui tient compte de l'estimation moyenne des autres experts. L'échange de documents prend fin seulement lorsqu'il y a un consensus, c'est-à-dire lorsque l'écart entre les estimations fournies est très faible. Cette méthode implique que les experts se prononcent en toute impartialité et en toute indépendance. Par ailleurs, elle ne permet pas toujours d'arriver à une estimation précise. Elle fournit souvent des résultats assez fiables, surtout quand on souhaite obtenir des prévisions à moyen et à long terme.

Le test de marché

La méthode du test de marché consiste en une expérimentation dans un cadre réel, dans laquelle on manipule certains facteurs et on en contrôle d'autres en vue d'observer les effets produits sur les ventes réalisées. L'avantage de cette méthode est que les prévisions sont basées sur des données réelles et non sur des promesses ou des appréciations subjectives. Par exemple, une entreprise de distribution de produits alimentaires a voulu effectuer un test de marché pour évaluer l'effet de sa politique de prix – élevé, moyen ou faible – sur le chiffre d'affaires par magasin. Dix-huit supermarchés de la chaîne ont été choisis pour faire partie de la recherche. En début d'année, on a adopté une politique de prix faible (service réduit) dans six magasins, une politique de prix moyen (service étendu) dans six autres, et une politique de prix élevé (service complet) dans les six derniers. Les groupes de magasins étaient homogènes, donc comparables. À la fin de l'expérimentation, qui a duré un an, on a rassemblé les données de ventes hebdomadaires pour chaque magasin, et une moyenne hebdomadaire a été calculée pour chacun des trois groupes de magasins. Les résultats obtenus ont indiqué que la politique de prix moyen (service étendu) est celle qui aboutit au chiffre d'affaires le plus élevé. Cette politique de prix a donc été imposée à tous les magasins de la chaîne. L'info-marketing 6.4 présente l'exemple d'une compagnie de transport de personnes qui teste une nouvelle forme d'abonnement à ses services.

INFO MARKETING 6.4

Une estimation du marché potentiel pour un nouveau produit : la carte de trois jours d'une société de transport

En 2010, une société de transport urbain (métro et autobus) a élargi sa gamme de produits en mettant sur le marché une nouvelle carte à puce utilisable durant trois jours sur tout son réseau. Afin de tester la réaction du marché, l'entreprise a mis en vente la nouvelle carte dans 25 stations jugées homogènes. Cependant le prix de vente de la nouvelle carte variait d'une station à l'autre.

Un mois plus tard, les résultats des ventes ont été calculés. La figure A résume les ventes mensuelles réalisées dans chaque station en fonction du prix appliqué.

Si l'on applique le modèle de régression linéaire qui met en relation les ventes mensuelles par station et le prix de la carte de trois jours, on a alors :

Ventes = 5795 – 491 × PRIX

où

5795 est le maximum de cartes à puce vendues si le prix est égal à zéro et -491 représente le nombre de cartes vendues en moins si le prix d'une carte augmente de un dollar.

Ce paramètre correspond à une estimation du potentiel de ventes mensuelles par station. Pour connaître le potentiel mensuel de tout le réseau de transport, on multiplie ce chiffre estimé par le nombre de stations où la carte a été vendue.

FIGURE A **Les ventes mensuelles par station (en unités)**

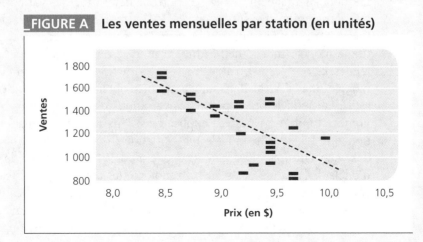

L'analyse des séries chronologiques

L'analyse des séries chronologiques s'appuie sur l'historique des ventes réalisées. Elle part du postulat que le passé est garant de l'avenir si les conditions globales de l'environnement restent inchangées. Cette méthode de prévision s'applique souvent dans le cas où le marché, arrivé au stade de la maturité, a une croissance faible. En pratique, l'analyse des séries chronologiques a pour but de dégager la tendance générale de l'évolution des ventes. Comme les données collectées reflètent la saisonnalité de la demande, laquelle entraîne une fluctuation cyclique (*voir la figure 6.4*), il faut d'abord désaisonnaliser les données historiques (éliminer les fluctuations en ayant une donnée des ventes par cycle) pour pouvoir par la suite dégager la tendance et faire les projections des ventes futures. Il existe plusieurs méthodes statistiques d'analyse des séries chronologiques, dont la méthode de la décomposition, la méthode naïve, les moyennes mobiles et le lissage exponentiel.

_FIGURE 6.4 Un exemple des séries chronologiques des ventes d'une entreprise

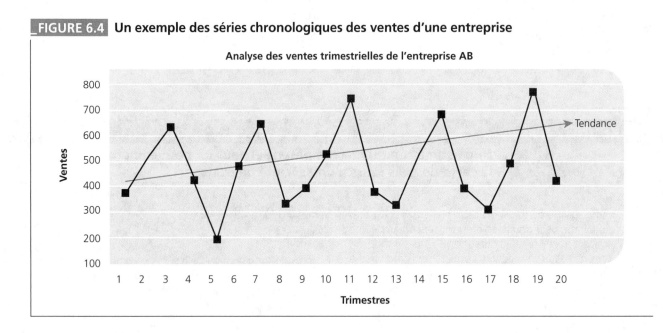

L'analyse de la régression

L'analyse de la régression consiste à construire un modèle mathématique qui met en relation une variable dépendante, en l'occurrence les ventes de l'entreprise, avec plusieurs autres variables dites explicatives de la fluctuation de ces ventes. Méthodologiquement, il s'agit d'abord de déterminer les variables qui influent de manière significative sur les ventes de l'entreprise. Par la suite, on émet des hypothèses sur l'effet produit par chacune de ces variables sur les ventes, ce qui constitue le modèle conceptuel. Enfin, ce modèle doit être validé à l'aide de données réelles, ce qui permet d'arriver à une estimation pour chacun des paramètres du modèle final. L'idéal dans ce cas serait d'obtenir un modèle économique, c'est-à-dire un modèle qui explique les variations des ventes, mais qui comprend un nombre limité de variables explicatives. Une fois les estimations faites, l'équation qui découle du modèle mathématique pourra servir d'outil de prédiction des ventes futures. Il est à noter que le modèle basé sur la loi de la demande et le modèle de l'analyse des séries chronologiques constituent des cas particuliers de l'analyse de la régression. Dans le premier, la variable explicative est le prix et, dans le second, c'est le temps. L'info-marketing 6.5 présente un exemple de prévision des ventes effectuée au moyen de l'analyse de la régression.

Un exemple de prévision des ventes effectuée au moyen de l'analyse de la régression

Un consultant en marketing a été chargé par le directeur d'une entreprise textile canadienne qui fabrique des sous-vêtements pour femmes de concevoir un outil de gestion pour comprendre, expliquer et prédire les ventes de sa compagnie. Le consultant a recueilli des données sur 38 semestres portant sur :

1. le marché total du secteur des sous-vêtements pour femmes au Canada (MT ; 000 000 $) ;

2. les remises accordées aux grossistes (RG ; 000 $) ;

3. les prix unitaires moyens (P ; $) ;

4. les investissements (I ; 000 $) ;

5. le budget de publicité (PUB ; 000 $) ;

6. les ventes (V ; 000 $).

Selon le consultant, le modèle de régression linéaire multiple, où la variable ventes est la variable dépendante et où les huit autres variables recueillies sont des variables indépendantes, est le modèle qui convient le mieux.

Le modèle estimé s'écrit alors comme suit :

$$\text{Ventes} = 3125 + 4{,}4 \times \text{MT} + 1{,}6 \times \text{RG} - 13{,}5 \times \text{P} + 1{,}9 \times \text{I} + 8{,}5 \times \text{PUB}$$

Ce modèle pourrait prédire les ventes d'une période future. Il suffirait de remplacer les valeurs de la période relative à MT, RG, P, I et PUB.

Supposons que, pour une période donnée, on prévoit que le marché total atteindra 50 000 000 $, que, selon le plan de marketing, les remises accordées aux grossistes seront fixées à 150 000 $, que le prix moyen sera de 90 $, que le budget de publicité atteindra 100 000 $ et que le plan d'investissement en machinerie coûtera 100 000 $; l'estimation des ventes pour la période se calculerait comme suit :

$$\text{Ventes} = 3125 + 4{,}4 \times (500) + 1{,}6 \times (15) - 13{,}5 \times (90) + 1{,}9 \times (100) + 8{,}5 \times (100)$$

Ce modèle pourrait être employé comme outil de planification des politiques marketing moyennant un agencement des ressources (RG, P, I, PUB) et la prise en compte des objectifs de ventes (V) et de l'évolution du secteur (MT).

Pour conclure sur les méthodes de prévision des ventes des entreprises, signalons que toutes les méthodes comportent des limites méthodologiques. Certaines d'entre elles ne sont valables que pour une prévision à court terme ; c'est le cas de l'analyse des séries chronologiques et des estimations des représentants. D'autres ne s'emploient que pour une prévision à long terme ; c'est le cas de la méthode d'estimation par les experts. Pour la plupart d'entre elles, une collecte préalable de données est nécessaire, et c'est de la qualité de cette information que dépend surtout la validité des prédictions. Toutefois, quelle que soit la méthode utilisée et les prédictions qui sont faites, il faut considérer ces dernières avec une certaine prudence, car elles comportent toujours une marge d'erreur. De plus, des changements survenant inopinément dans l'environnement externe ou dans la situation de l'entreprise peuvent rendre ces prédictions complètement caduques. On n'a qu'à penser, par exemple, aux prédictions des compagnies aériennes avant et après les événements du 11 septembre 2001, aux prédictions de plusieurs constructeurs d'automobiles en Amérique du Nord avant et après la hausse brutale des prix du pétrole en 2005, ou encore aux prédictions des entrepreneurs en immobilier après le déclenchement de la crise économique et financière en juillet 2007 et dont les effets néfastes pourraient ne pas se dissiper avant 2011.

6.1.4_L'analyse des réponses du marché

Dans le passé, l'analyse de la demande, pour l'industrie en général comme pour une entreprise en particulier, consistait seulement à recueillir auprès des consommateurs de l'information afin de déterminer les quantités vendues (demande réelle), la quantité à vendre (prévision des ventes futures) ou les quantités maximales à vendre (demande potentielle). Ce type d'analyse, décrit dans la section précédente, demeure toutefois incomplet, car les nouvelles connaissances acquises sur le comportement du consommateur ont permis d'intégrer dans les outils d'analyse des éléments complexes mais souvent très utiles. Ceux-ci reposent sur l'idée que le comportement d'achat ne se limite pas à l'acte d'achat, mais qu'il est un processus comportant trois étapes : une étape cognitive, une étape affective et une étape conative. Il faut donc tenir compte, dans l'analyse de la demande, des réponses du marché, que celles-ci soient cognitives (les informations détenues par les consommateurs), affectives (les attitudes, les jugements et les évaluations) ou conatives (l'acte d'achat et les réactions postachat [8]). On doit préciser qu'il existe d'autres mesures que celles appliquées ici à un type précis de réponse.

La mesure de la réponse cognitive

La réponse cognitive a un lien avec les connaissances acquises par les consommateurs appartenant à un marché déterminé. Ces connaissances sont fonction de la perception du consommateur, c'est-à-dire de sa façon de sélectionner et d'interpréter les stimuli qu'il reçoit. Pour le gestionnaire de marketing, la mesure des réponses cognitives dans un marché donné est surtout utile pour vaincre la résistance perceptuelle des consommateurs et leur faire enregistrer l'information qu'il veut communiquer. Quatre mesures sont généralement utilisées pour évaluer la réponse cognitive des individus : la mesure de la notoriété des marques, la mesure de la mémorisation publicitaire, la mesure des perceptions de similarités et la mesure de l'image.

La mesure de la notoriété

L'évaluation la plus simple de la réponse cognitive d'un marché consiste à mesurer le degré de connaissance des marques commerciales. On voit mal en effet comment un consommateur pourrait juger une marque ou encore l'acheter s'il ignore son existence. La notoriété concerne donc le fait de connaître suffisamment une marque pour pouvoir l'évaluer, la choisir ou l'utiliser. On distingue deux formes de notoriété : la notoriété souvenir et la notoriété reconnaissance. La première se rapporte à la capacité de se rappeler spontanément une marque quand la catégorie de produits est évoquée ; on parle alors également de notoriété spontanée, ou non aidée. La seconde, aussi appelée notoriété assistée, a rapport à la capacité de reconnaître une marque quand elle est présentée. Dans ce second cas, on peut éventuellement chercher à évaluer le degré de connaissance de la marque ou à connaître la façon dont le consommateur a découvert celle-ci ; on parle alors de notoriété assistée-qualifiée, ou aidée. Le tableau 6.2 présente une série de questions servant à mesurer ces deux grandes formes de notoriété.

_TABLEAU 6.2 La mesure de la notoriété

Notoriété spontanée
Nommez s.v.p. les marques de margarine que vous connaissez : _____
Notoriété assistée et notoriété assistée-qualifiée
Parmi les marques mentionnées ci-dessous, encerclez celles que vous connaissez et indiquez à côté si elles vous sont peu familières (1), assez familières (2) ou très familières (3) : Marque A __ Marque B __ Marque C __ Marque D __ Marque E __ Marque F __ Marque G __
Dans les deux cas, pour mesurer la notoriété d'une marque, on calcule la fréquence relative ou le pourcentage du nombre de citations faites par les répondants.

La mesure de la mémorisation

Mesurer la mémorisation sert surtout à évaluer l'effet de la publicité sur le public cible. Parmi les nombreux scores de mémorisation que l'on peut établir, il y a le score spontané-total, le score décrit-prouvé et le score de reconnaissance. Pour obtenir le premier, on calcule dans un échantillon représentatif du public cible le pourcentage de personnes qui se rappellent spontanément l'annonce quand on mentionne la marque. Le deuxième score complète le premier : il s'agit de calculer le pourcentage de personnes capables de décrire en détail le message qu'elles peuvent se rappeler spontanément. Le score de reconnaissance correspond au pourcentage de personnes qui reconnaissent la publicité quand elle leur est présentée. Le tableau 6.3 donne une série de questions servant à mesurer la mémorisation des annonces publicitaires.

_TABLEAU 6.3 Une mesure de la mémorisation des annonces publicitaires
Score de mémorisation spontané-total
Vous rappelez-vous la publicité de la marque X diffusée depuis un mois ?   OUI __ NON __
Score de mémorisation décrit-prouvé
Si vous avez répondu OUI à la première question, pouvez-vous décrire correctement l'annonce en question ?   OUI __ (Donnez des détails) NON __
Score de mémorisation de reconnaissance
Vous rappelez-vous la publicité qui vous est actuellement présentée ?   OUI __ NON __
Dans les trois cas, pour mesurer le score de mémorisation de l'annonce publicitaire, on calcule le pourcentage des participants qui ont répondu OUI.

La mesure de la perception des similarités

La mesure de la perception des similarités est souvent utilisée dans les études de positionnement de marques. Elle sert principalement à dégager les ressemblances et les différences que les consommateurs établissent entre plusieurs marques. Les résultats sont habituellement présentés sous la forme d'une carte perceptuelle qui comprend des axes de différenciation et des positions relatives de marques. Elle correspond à une reconstruction mentale des connaissances que les consommateurs possèdent sur les marques d'un produit donné. En marketing, la mesure de la perception des similarités est généralement employée pour déterminer sur quels critères et attributs les consommateurs se fondent pour comparer différentes marques d'un même produit. L'info-marketing 6.6 (*voir p. 196*) présente un exemple de collecte de données et de résultats d'une mesure de la perception des ressemblances entre les sites Web de cinq épiceries en ligne.

La mesure de l'image

La mesure de l'image permet d'évaluer la perception globale d'une marque par les consommateurs d'un marché déterminé. Elle peut être bonne ou mauvaise selon que ceux-ci croient que le produit atteint parfaitement ou pas du tout son but. Du point de vue des consommateurs, un produit est un ensemble d'utilités liées à la satisfaction de différents genres de besoins. Les utilités peuvent être de nature fonctionnelle si elles répondent à des besoins de base ; c'est le cas du transport pour une voiture et de l'étanchement de la soif pour un jus de fruit. Les utilités d'un produit peuvent être aussi du type service. Elles assurent un meilleur usage du produit, mais leur absence n'empêche pas le fonctionnement de celui-ci ; c'est le cas d'un manuel d'utilisation, d'une garantie ou de l'installation d'un électro-ménager. Enfin, les utilités sont de nature symbolique si elles répondent à un besoin psychologique ou social ; c'est le cas d'un nom de marque connue, comme Mercedes pour les voitures, ou de l'origine, comme l'Italie dans le domaine de la chaussure. L'évaluation de chacune des utilités, aussi appelées attributs, sert de base à l'évaluation générale de l'image de la marque. L'importance accordée à ces attributs varie en fonction des besoins du consommateur.

INFO MARKETING 6.6

La construction d'une carte perceptuelle des sites Web de chaînes de magasins d'alimentation

Une gestionnaire de marketing d'une chaîne de magasins d'alimentation du Québec désire connaître en quoi l'image de son site Web (site Web 5) diffère des quatre autres épiceries en ligne très visitées par les nombreux internautes de la province. Cette gestionnaire construit pour ce faire une carte perceptuelle en suivant ces étapes :

Étape 1: évaluation des ressemblances et des différences entre les sites Web établies par un groupe d'internautes représentatif de la population cible.

La question posée est la suivante : « Pour chacune des paires de sites Web indiquées, évaluez sur une échelle allant de 0 (exactement les mêmes) à 5 (complètement différents) le degré de similarité et de différence. »

Exemples : Site 1/Site 2 ; Site 1/Site 3 ; etc. (*voir le tableau A*).

_TABLEAU A Les résultats

	Site 1	Site 2	Site 3	Site 4	Site 5
Site 1	0,0	1,7	4,2	4,5	3,5
Site 2	1,4	0,0	4,5	3,9	3,1
Site 3	4,2	4,5	0,0	1,3	2,7
Site 4	4,5	3,9	1,3	0,0	3,0
Site 5	3,5	3,1	2,7	3,0	0,0

Étape 2: construction d'une matrice de différences (ou distances).

Il s'agit d'une matrice symétrique carrée qui résume les scores moyens des différences perçues entre les paires de sites Web évaluées.

Étape 3: construction d'une carte perceptuelle.

Cette étape consiste à utiliser la technique d'analyse statistique des échelles multidimensionnelles (MDS : *multidimensional scaling*) pour tracer un graphique qui positionne les différents sites Web dans un espace de référence caractérisé par deux axes orthogonaux. Avec les données de la matrice présentée ci-dessus, on obtient la figure A.

Étape 4: interprétation des résultats.

Les résultats de l'analyse montrent que les internautes considèrent les groupes de sites Web 1 et 2 d'une part et 3 et 4 d'autre part comme semblables. Le site Web 5, qui est l'objet principal de la présente étude, est différent de tous les autres et n'est associé ni au premier groupe de sites ni au second. Il reste à répondre à la question suivante : les gestionnaires ont-ils cherché à différencier leur site Web d'épicerie en ligne des autres sites concurrents ? Si tel est le cas, leur stratégie a eu du succès. Or, pour sa part, le site Web 5 avait pour objectif stratégique de rapprocher son image de celle du site Web 1 (le leader du marché) ; on peut donc parler dans son cas d'échec de positionnement.

_FIGURE A La matrice

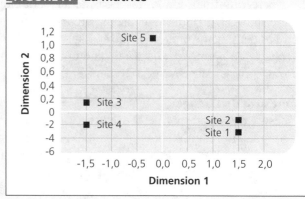

La figure 6.5 décrit l'image résultant de l'évaluation de la qualité de trois sites Web transactionnels d'épiceries en ligne sur la base de sept critères. L'évaluation fournie par les internautes découle de leurs opinions concernant la qualité de leur expérience de navigation sur chacun de ces sites d'achat en ligne. Dans la figure en question, l'évaluation de chacun des critères repose sur une échelle sémantique différentielle à cinq niveaux allant de -2 (très mauvais) à +2 (excellent), 0 étant une évaluation moyenne. Les attributs retenus dans cet exemple sont tirés d'un modèle d'évaluation de la qualité des sites Web, appelé aussi modèle des 7C, couramment utilisé en commerce électronique et qui sera abordé en détail au chapitre 13.

FIGURE 6.5 Une image de trois sites Web d'épiceries en ligne

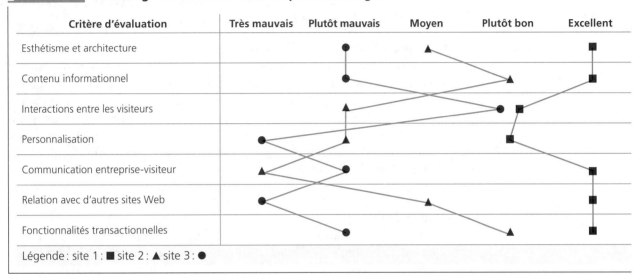

Légende : site 1 : ■ site 2 : ▲ site 3 : ●

La représentation graphique de la figure 6.5 provient d'une évaluation effectuée auprès d'un groupe de consommateurs représentatif de la population cible. Le tableau 6.4 présente les résultats se rapportant à l'exemple de la figure 6.5 relatif à l'image de trois sites d'épiceries en ligne. En plus de l'évaluation des différents attributs du service, l'analyste a mesuré l'importance moyenne accordée à chacun de ces attributs par les internautes interrogés. L'importance est mesurée sur une échelle à cinq niveaux allant de 1 (pas du tout important) à 5 (très important).

TABLEAU 6.4 L'évaluation des opinions d'un groupe d'internautes concernant trois sites Web d'épiceries en ligne

Critère d'évaluation	Importance de chaque critère	Évaluation de chaque site Web		
		Site 1	Site 2	Site 3
Esthétisme et architecture	5[a]	2[b]	0	-1
Contenu informationnel	4	2	1	-1
Interactions entre les visiteurs	2	1	-1	1
Personnalisation	4	1	-1	-2
Communication entreprise-visiteur	3	2	-2	-1
Relation avec d'autres sites Web	2	2	0	-2
Fonctionnalités transactionnelles	5	2	1	-1

a. Échelle d'importance allant de 1 (pas du tout important) à 5 (très important).
b. Échelle sémantique allant de -2 (très mauvais) à +2 (excellent), 0 étant une évaluation moyenne.

D'un point de vue analytique, l'entreprise se base sur les résultats de l'évaluation de l'image de ses produits et marques pour ajuster ses politiques marketing de façon à ce que les consommateurs la considèrent comme celle qui répond le mieux à leurs besoins et à leurs désirs. La prise en considération de l'importance des attributs dans un marché conduit les entreprises à déterminer quelles sont les qualités recherchées par les consommateurs et, par la suite, à concevoir des marques qui satisfont pleinement ces derniers. Les attributs constituent le principal élément que l'entreprise utilise pour persuader les consommateurs et orienter leurs choix. Comme les consommateurs ne recherchent pas toutes les mêmes qualités dans un produit, il en résulte une segmentation du marché. Il s'agit donc de regrouper les consommateurs qui ont les mêmes attentes et de les distinguer de ceux qui ont des attentes différentes. Cela permet d'accroître l'efficacité des opérations de marketing. Cette question sera traitée en détail dans le chapitre 7.

La mesure de la réponse affective

La réponse affective a rapport aux sentiments, aux jugements, aux attitudes et aux préférences des individus relativement aux marques. Il est évident que la réponse affective des consommateurs dépend en grande partie des connaissances acquises, donc de la réponse cognitive. Le gestionnaire de marketing mesure principalement la réponse affective pour améliorer sa marque afin qu'elle soit choisie de préférence à celles des concurrents. Pour évaluer la réponse affective des individus, on a généralement recours à trois sortes de mesure : la mesure de l'attitude, la mesure des préférences et la mesure des intentions d'achat.

La mesure de l'attitude

Une attitude est la tendance ou la prédisposition à évaluer d'une certaine manière un objet ou le symbole qui représente cet objet. La mesure de l'attitude des consommateurs à l'égard d'un objet (une marque, un magasin, une publicité, un circuit de distribution, etc.) comporte trois étapes : la détermination des critères de choix, l'évaluation de l'objet sur la base de ces critères, l'agrégation.

- Étape 1 : la détermination des critères de choix et de leur importance relative. Il s'agit d'établir quels sont les critères ou les attributs que les consommateurs considèrent comme importants pour choisir une marque.

  Dans la pratique, la recherche se fait par le moyen de groupes de discussion composés de consommateurs du marché cible fortement attachés au produit. Le critère est évalué sous le rapport de la saillance, de l'importance et de la discrimination. La saillance est la présence du critère au moment de l'achat. L'importance est le rôle déterminant du critère dans l'appréciation d'une marque. La discrimination est la capacité de distinguer la marque des autres marques présentes sur le marché. Par exemple, les critères déterminants dans le choix d'une boisson gazeuse sont : le goût, l'arrière-goût, le pétillement, le taux de sucre, l'étanchement de la soif, l'image de marque, le prix et la disponibilité.

  Pour mesurer l'importance de chaque critère, on utilise soit une échelle à somme constante, soit une échelle d'importance. Dans le premier cas, on demande aux répondants de répartir, par exemple, une note de 100 points sur les attributs retenus proportionnellement à l'importance qu'ils accordent à chaque critère. Dans le second cas, on évalue chaque critère sur une échelle à plusieurs niveaux, le niveau le plus bas correspondant à une très faible importance et le niveau le plus élevé, à une importance considérable.

■ **Étape 2** : l'évaluation de l'objet selon chacun des critères. Il s'agit de savoir quelles sont les croyances des consommateurs concernant la capacité de chaque marque à bien répondre à chacun des critères considérés comme essentiels.

Pour mesurer les croyances, deux échelles de mesure sont employées couramment : l'échelle de Likert et l'échelle sémantique différentielle d'Osgood. L'échelle de Likert consiste en une série de propositions au sujet desquelles le répondant exprime son accord ou son désaccord. L'échelle sémantique différentielle est une mesure bipolaire qui présente les qualificatifs opposés d'un même critère. Le tableau 6.5 donne des exemples de mesures faites grâce à ces deux échelles.

_TABLEAU 6.5 **Des exemples d'évaluation de la qualité du service offert par un magasin d'alimentation selon des critères donnés**

Échelle de Likert					
Critère d'évaluation	Tout à fait en désaccord	Plutôt en désaccord	Neutre	Plutôt d'accord	Tout à fait d'accord
Fruits et légumes toujours frais					
Prix des produits bas					
Service de très bonne qualité donné par le personnel					
Magasin toujours très propre					

Échelle sémantique différentielle d'Osgood								
Critère d'évaluation	Extrême-ment	Très	Assez	Ni l'un ni l'autre	Assez	Très	Extrême-ment	
Fruits et légumes non frais								Fruits et légumes frais
Prix des produits élevés								Prix des produits bas
Qualité du service donné par le personnel du magasin mauvaise								Qualité du service donné par le personnel du magasin bonne
Magasin malpropre								Magasin propre

■ **Étape 3** : l'agrégation et la mesure de l'attitude. Il s'agit de combiner les évaluations des attributs de chaque marque avec l'importance relative de ceux-ci pour obtenir une mesure globale de l'attitude.

Le modèle le plus souvent employé pour évaluer l'attitude des consommateurs vis-à-vis de plusieurs marques est le modèle de Fishbein. Ce dernier consiste à calculer pour chaque marque une sommation pondérée des scores obtenus pour chacun des critères, en prenant en compte l'importance relative de chaque critère. La marque qui obtient la sommation la plus élevée est celle à l'égard de laquelle l'attitude est la plus favorable. Souvent, les marques qui ont obtenu des scores élevés au sujet de critères importants sont dans cette situation. Les mesures calculées ne prennent leur signification qu'une fois mises en relation avec les mesures faites aux deux premières étapes. D'un point de vue analytique, le calcul des attitudes permet à l'entreprise de connaître, d'une part, le jugement global ou le positionnement de sa marque par rapport aux autres marques et, d'autre part, les raisons qui expliquent son positionnement. Puisque l'évaluation des différentes marques se fonde sur des perceptions, le gestionnaire peut intervenir pour renforcer son positionnement lorsque celles-ci sont à l'avantage de l'entreprise ou, dans le cas inverse, les modifier – on parle alors de repositionnement, un concept qui sera examiné au chapitre 7. Le tableau 6.6 présente un exemple de mesure d'attitude suivant le modèle compensatoire de Fishbein pour trois bannières de magasins d'alimentation.

_TABLEAU 6.6 **La mesure des attitudes à l'égard de trois magasins d'alimentation**

Critère d'évaluation	Importance de chaque critère	Score pour chaque magasin		
		Magasin 1	Magasin 2	Magasin 3
Fraîcheur des fruits et légumes	5	2	-2	0
Variété des produits offerts	4	2	1	-1
Prix des produits offerts	2	1	-1	0
Qualité du service donné par le personnel du magasin	2	2	-1	1
Qualité du service donné par le personnel à la caisse	3	1	-1	1
Aménagement interne des rayons	3	2	-2	-1
Propreté du magasin	5	2	0	0
Accessibilité du magasin	5	2	-1	0
Attitude globale (Sommation pour chaque magasin des scores obtenus pour chaque critère, pondérée par l'importance de ce dernier.)		53	-24	-2

La mesure des préférences

La mesure des préférences s'emploie souvent pour déterminer les concurrents prioritaires, c'est-à-dire les marques qui sont engagées dans la plus vive compétition. L'entreprise doit prendre en considération ces concurrents prioritaires dans son plan d'action marketing. En pratique, la mesure des préférences peut se faire de plusieurs façons, notamment par les échelles de classement, les comparaisons par paires ou la méthode du premier, deuxième et troisième choix.

■ **Les échelles de classement.** On remet aux répondants une liste de marques et on leur demande de les classer par ordre croissant ou décroissant de préférence.

■ **Les comparaisons par paires.** On dispose les marques par paires et on demande aux répondants d'indiquer, pour chacune, leur marque préférée. On peut compiler les résultats et classer les marques par ordre de préférence relative.

■ **La méthode du premier, deuxième et troisième choix.** On demande à chaque répondant d'indiquer quelle marque constitue son premier choix. Puis, on lui demande de dire le choix qu'il ferait si la marque qu'il avait d'abord choisie n'était plus sur le marché ; ce serait alors son deuxième choix. Enfin, on lui demande de dire quel choix il ferait si les deux marques qu'il a déjà choisies n'étaient plus sur le marché ; cela révèle son troisième choix.

La mesure des intentions d'achat

La mesure des intentions d'achat est la mesure la plus proche de l'acte d'achat lui-même ; elle permet d'évaluer la prédisposition des consommateurs à acquérir une marque. La méthode couramment employée est celle des probabilités d'achat. Elle évalue sur une échelle à plusieurs niveaux la prédisposition à l'achat de chacune des marques considérées ; par exemple, le niveau le plus faible pourrait correspondre à l'affirmation « En aucun cas je n'achèterai cette marque » et le niveau le plus élevé, à l'affirmation « J'achèterai certainement ». Ou encore, on mesure sur une échelle de 0 % à 100 % la probabilité d'achat ou d'utilisation.

La mesure de la réponse conative

L'analyse de la réponse conative des consommateurs d'un marché implique la mesure des habitudes d'achat et des réactions postachat. On met en œuvre, dans l'un et l'autre cas, des mesures spécifiques.

L'analyse des habitudes d'achat

L'analyse des habitudes d'achat a pour but d'établir le profil des utilisateurs d'un produit. Les renseignements recherchés concernent l'acquisition, l'utilisation et la possession. Pour chacun de ces aspects du comportement d'achat, on veut connaître les marques couramment achetées, les quantités, le moment, l'endroit, la manière et la personne qui a fait l'achat.

Le tableau 6.7 résume les principaux éléments à connaître en relation avec les habitudes d'achat des consommateurs sur un marché [9].

TABLEAU 6.7 L'analyse du comportement d'acquisition, d'utilisation et de possession des consommateurs sur un marché

Question	Comportement d'acquisition	Comportement d'utilisation	Comportement de possession
Quoi ?	• Marques habituelles • Dernière marque achetée	• Type d'utilisation du produit • Produit substitut	• Marques actuellement possédées
Combien ?	• Quantité achetée par achat	• Quantité consommée par semaine • Usage principal	• Nombre de produits en main
Comment ?	• Conditions d'acquisition	• Forme d'utilisation du produit	• Mode de conservation
Où ?	• Lieux d'achat habituels et occasionnels	• Lieux de consommation	• Lieu où est déposé le produit
Quand ?	• Date du dernier achat • Durée de l'intervalle entre les achats	• Moment habituel d'utilisation	• Période et durée de possession
Qui ?	• Personne qui achète habituellement le produit	• Personne qui consomme le plus régulièrement le produit	• Personne à qui appartient le produit

D'un point de vue stratégique, les informations relatives au comportement d'achat, que celui-ci soit d'acquisition, d'utilisation ou de possession, permettront à l'entreprise de mieux connaître le profil des utilisateurs d'un produit.

L'entreprise pourra alors segmenter le marché en se basant sur l'examen du comportement réel d'achat et adopter de nouvelles politiques de produit (positionnement, format, marque, etc.), de distribution (point de vente, stratégie intensive/sélective, etc.), de communication (auditoire cible, axe de communication, types de promotion, fréquences et moments de diffusion, etc.) et de prix (bas prix/écrémage, etc.).

Toutefois, les données recueillies sur le comportement réel d'achat ne permettent pas à elles seules de bien comprendre le comportement des consommateurs dans un marché. Il est nécessaire d'y ajouter des données concernant les réponses préalables à l'achat, comme les réponses cognitives et conatives abordées dans les sections précédentes, ainsi que des données sur les sentiments qui surviennent après l'achat, comme la satisfaction et la fidélité, aussi appelés les réactions postachat.

L'analyse des réactions postachat

L'analyse des réactions postachat a pour but de préciser les finalités des activités marketing d'une entreprise : satisfaire les consommateurs ciblés, gagner leur confiance et s'assurer leur fidélité, ou faire mieux que les concurrents. Ces trois finalités sont évidemment liées entre elles, car l'accroissement du pouvoir de marché dépend de la capacité à fidéliser les consommateurs, et la fidélité n'est possible que si les besoins et les attentes de ceux-ci sont satisfaits.

Pour apprécier les réactions postachat dans un marché, deux sortes de mesures conviennent particulièrement : la mesure de la satisfaction et la mesure de la fidélité à la marque.

■ **La mesure de la satisfaction.** Comme on l'a vu au chapitre 4 portant sur le comportement des consommateurs, la satisfaction à l'égard d'une marque se définit comme l'accord entre les attentes et les désirs du consommateur au moment d'acheter la marque ainsi que le profit qui est tiré de l'utilisation de cette marque. Les attentes et les désirs dépendent des besoins des consommateurs et de leurs croyances, alors que le profit est fonction des performances du produit. D'un point de vue pratique, pour pouvoir évaluer la satisfaction à l'égard d'une marque, il est nécessaire de savoir quelles sont les attentes du consommateur. En outre, du point de vue stratégique, il convient dans certains cas de considérer le produit comme un agrégat d'utilités, et non comme un tout, et de mesurer le degré de satisfaction à l'égard de chacune de ces utilités. Le tableau 6.8 présente un questionnaire servant à l'évaluation de la satisfaction des clients d'une banque à l'égard des services fournis en succursale et en ligne.

■ **La mesure de la fidélité à la marque.** Pour qu'il y ait fidélité, il doit y avoir satisfaction à l'égard de la marque et constance dans le choix lorsque le besoin se fait de nouveau sentir. On parle alors de confiance et de loyauté à la marque. Bien sûr, toute entreprise serait ravie que tous les acheteurs de sa marque restent fidèles à celle-ci et que leur achat devienne comme un réflexe. Du point de vue de la rentabilité commerciale, une clientèle fidèle est beaucoup plus intéressante qu'une clientèle nouvelle. Les frais de marketing nécessaires pour recruter de nouveaux clients sont souvent plus élevés (prospection, communication, persuasion, motivation) et les prix adoptés sont plus bas. Il existe plusieurs façons de mesurer la fidélité. La manière la plus souvent employée se base sur l'historique des achats des consommateurs. Il s'agit de revenir sur l'échelonnement des achats sur une période suffisamment longue et de demander les marques choisies. On peut alors calculer pour chaque marque le nombre de fois qu'elle figure deux fois de suite. Plus ce nombre est élevé, plus le consommateur est fidèle. À ce propos, les spécialistes en marketing distinguent trois catégories de consommateurs : les personnes fidèles à une marque, les personnes fidèles à un groupe de marques et les personnes qui ne sont fidèles à aucune marque.

_TABLEAU 6.8 Une mesure de la satisfaction à l'égard des services fournis en succursale et en ligne par une banque

En vous appuyant sur votre expérience avec votre banque, indiquez votre degré de satisfaction à l'égard des éléments liés d'abord aux services fournis en succursale et ensuite à ceux fournis en ligne sur son site de services bancaires électroniques.

Section 1. Satisfaction à l'égard des services fournis en succursale

Dans quelle mesure êtes-vous satisfait(e) ou insatisfait(e) des aspects suivants des services de votre banque ?

	Tout à fait satisfait(e)	Plutôt satisfait(e)	Plutôt insatisfait(e)	Pas du tout satisfait(e)
La qualité du personnel d'une façon générale	02	01	-01	-02
L'attente au guichet, lorsque vous venez à votre succursale	02	01	-01	-02
La considération que vous porte le personnel	02	01	-01	-02
La discrétion des interlocuteurs	02	01	-01	-02
La disponibilité de vos interlocuteurs	02	01	-01	-02
L'information que la banque vous fournit sur ses produits et services	02	01	-01	-02
Les moyens de paiement qui sont mis à votre disposition par la banque	02	01	-01	-02
Les services de crédit et de paiement qui sont mis à votre disposition	02	01	-01	-02
Les conseils qui vous sont donnés pour gérer votre activité	02	01	-01	-02
Les prix des produits et services que la banque met à votre disposition	02	01	-01	-02
Les heures d'ouverture de votre succursale	02	01	-01	-02
La tenue de votre compte (écritures, dépôts, frais...)	02	01	-01	-02
La facilité d'obtention d'une carte bancaire (si vous avez une carte bancaire)	02	01	-01	-02
La facilité d'utilisation de la carte (si vous avez une carte bancaire)	02	01	-01	-02

Section 2. Satisfaction à l'égard des services fournis en ligne

Dans quelle mesure êtes-vous satisfait(e) ou insatisfait(e) des aspects suivants du site Web des services en ligne de votre Banque ?

	Tout à fait satisfait(e)	Plutôt satisfait(e)	Plutôt insatisfait(e)	Pas du tout satisfait(e)
La vérification et la gestion en ligne des soldes des différents comptes	02	01	-01	-02
La virement de fonds en ligne d'un de mes comptes à un autre	02	01	-01	-02
La paiement de factures en ligne	02	01	-01	-02
La paiement interac en ligne à partir de mon compte bancaire	02	01	-01	-02
La virement de fonds en ligne dans d'autres comptes d'un client à un autre	02	01	-01	-02
La réception et la consultation des relevés électroniques de comptes	02	01	-01	-02
La vérification et la gestion en ligne des comptes de placement	02	01	-01	-02
La vérification et la gestion en ligne de mes cartes de crédit	02	01	-01	-02
La commande en ligne de chèques bancaires	02	01	-01	-02
L'achat et la demande en ligne de prêts personnels	02	01	-01	-02
Le conseils qui vous sont donnés en ligne pour gérer votre activité	02	01	-01	-02
Le téléchargement de données sur d'autres logiciels	02	01	-01	-02
L'attrait visuel du site Web	02	01	-01	-02
L'ergonomie et l'organisation du site Web	02	01	-01	-02
La pertinence des informations fournies sur le site	02	01	-01	-02
La facilité d'accès et de navigation sur le site	02	01	-01	-02
La fiabilité des opérations réalisées à partir du site Web	02	01	-01	-02
La sécurité perçue du site Web	02	01	-01	-02

La notion de fidélité à été formellement introduite dans la gestion commerciale des entreprises, principalement dans le domaine des services, à la suite de l'adoption de la méthode relationnelle. Se basant sur une connaissance exacte des particularités du client, cette méthode cherche à répondre à ses besoins particuliers de manière personnalisée. Cette personnalisation de l'offre dépend de la plus ou moins grande loyauté du client envers l'entreprise. Les banques et les commerces de détail ont été les premières entreprises à tabler sur la fidélisation ; les premières ont ainsi créé le poste de directeur des comptes, et les dernières, la carte de fidélité (par exemple, La Baie, Sears, Esso). La fidélisation est maintenant chose courante dans le transport aérien, les assurances et la restauration. L'avènement des technologies de l'information et de la communication au début des années 1990, en particulier l'apparition d'Internet, d'intranet, des entrepôts de données, de l'exploration de données (*data mining*) et des outils informatiques d'aide à la décision, a grandement favorisé l'établissement de stratégies marketing orientées vers la fidélisation des clients.

6.2 L'analyse de la concurrence en marketing

Le concept de concurrence est issu du domaine de l'économie. Il se définit comme l'ensemble des pressions que les entreprises se font subir les unes aux autres en faisant usage de différents moyens [10]. Les spécialistes en stratégie et en marketing ont introduit le concept de compétitivité dans le but de faciliter la planification stratégique [11]. Pour illustrer l'importance de l'analyse de la concurrence dans la gestion du marketing des entreprises, le cas du fabricant de céréales Nabisco, aux États-Unis, fournit un bon exemple. En 2002, Nabisco a baissé le prix de ses marques de céréales pour petit-déjeuner afin de faire mousser ses ventes et de gruger des parts de marché, ce qui a vraiment eu lieu.

La réaction de ses concurrents directs Kellogg's, General Mills et Quaker, qui ont baissé leur prix de 20 % après avoir constaté la baisse de leur chiffre d'affaires, a rapidement annulé les effets positifs de la baisse de prix chez Nabisco et rétabli les parts de marché initiales de chaque fabricant.

La baisse de prix généralisée a entraîné pour tous les fabricants, Nabisco la première, une baisse de leurs recettes, donc de leurs profits – d'où la nécessité pour une entreprise de prévoir la riposte de ses concurrents et d'en évaluer le risque avant de prendre une décision.

6.2.1_L'environnement concurrentiel

Certains économistes définissent le marché comme l'espace où s'exercent les pressions concurrentielles des entreprises. Pour délimiter cet espace, on fait intervenir deux éléments : le produit et l'horizon géographique. Le produit se rapporte ici au produit de base et aux produits qui le remplacent. L'horizon géographique désigne les limites du champ d'action territoriale de l'entreprise. Les économistes distinguent quatre situations concurrentielles : la concurrence pure et parfaite, l'oligopole, la concurrence monopolistique et le monopole. Ces situations déterminent la nature et le contenu des opérations stratégiques en marketing [12].

La concurrence pure et parfaite

Cette situation se caractérise par la présence d'un grand nombre de vendeurs et d'acheteurs de produits homogénéisés, c'est-à-dire de produits parfaitement interchangeables. Les entreprises ne sont pas assez puissantes pour influencer le prix qui sera fixé par le marché, selon l'équilibre entre l'offre et la demande. Ce modèle de marché repose donc sur trois hypothèses : le produit est parfaitement homogène, la mobilité de l'information est parfaite et le nombre d'entreprises est très élevé. Cette situation assez hypothétique s'observe dans un très petit nombre de marchés, notamment dans celui des matières premières où le produit est assez homogène. Pour se sortir d'une situation où elle n'a aucune influence sur le prix, l'entreprise peut différencier son produit d'avec celui de ses concurrents, mais ceux-ci ne tarderont pas à l'imiter ; il faudra donc innover souvent.

L'oligopole

Dans un oligopole, le marché est concentré, les concurrents sont peu nombreux et les barrières à l'entrée, assez élevées. Les quelques concurrents se connaissent et sont interdépendants. Toute nouvelle action d'une entreprise serait immédiatement détectée et entraînerait une réaction très rapide de la part de la concurrence. Du fait de leur forte interdépendance, les concurrents sont quelque peu limités dans leur action ; l'effet d'une action accomplie par une entreprise dépend étroitement de celui des actions des autres. Par exemple, si une entreprise, dans une situation oligopolistique, décide de baisser ses prix, le résultat dépendra des concurrents : si ces derniers ne réagissent pas, la quantité de produits vendue par l'entreprise augmentera fortement ; mais si les concurrents, peu nombreux, décident de rapprocher leurs prix de ceux de l'entreprise, la quantité vendue par celle-ci n'augmentera que très peu. Pour remédier aux inconvénients de cette interdépendance, les quelques vendeurs peuvent décider de collaborer afin de maximiser le profit de l'ensemble des entreprises concurrentes, appliquant ainsi un modèle de cartel.

La concurrence monopolistique

La concurrence monopolistique se caractérise par la présence sur le marché de nombreux concurrents capables de se différencier nettement. Du fait de leurs caractères distinctifs, les concurrents peuvent s'attaquer à différents segments. Comme chaque entreprise est en position de force sur son segment cible, elle peut y pratiquer des prix élevés. Chaque entreprise tentera d'avoir le contrôle ou le monopole de son segment cible, mais la concurrence continuera d'exister car les consommateurs ont encore la possibilité de remplacer un produit par un autre malgré les différences. Le succès dans un tel environnement dépend du degré de différenciation et de l'impossibilité d'imiter les caractéristiques distinctives du produit.

Le monopole

On est en présence d'un monopole lorsqu'une seule entreprise fait une offre sur le marché. Bien que rare, cette situation est intéressante à étudier, car elle montre les effets d'une absence de pressions concurrentielles. Il est à noter que le monopole est une création de l'État et est souvent régi par des lois. Les raisons qui incitent à créer un monopole peuvent être sociales (par exemple, Loto-Québec pour le contrôle des jeux) ou économiques, étant liées très souvent à des coûts d'investissement trop élevés pour une entreprise privée (par exemple, Hydro-Québec pour l'exploitation et la distribution d'électricité).

Il peut aussi exister des situations de monopole qualifiées de « naturelles ». C'est le cas lorsque le marché est petit ou qu'une technologie est protégée par un brevet qui empêche son utilisation par d'autres entreprises. Étant la seule à offrir le produit sur le marché, l'entreprise en situation de monopole n'est pas poussée par la concurrence à améliorer la qualité de son produit ou à chercher à comprimer les coûts de production pour en réduire le prix.

Au contraire, l'entreprise en situation de monopole a tendance à fixer les prix qu'elle veut et à les augmenter lorsque ses coûts de production augmentent. Afin d'éviter ce genre de dérapage, le monopole est souvent encadré par des organismes de réglementation et de contrôle (par exemple, la Régie des services publics du Québec). Ayant les garanties du marché, les entreprises en situation de monopole se soucient peu d'avoir une approche marketing, d'étudier les besoins des consommateurs, de chercher à les satisfaire et à les fidéliser. La loyauté est chose acquise.

L'évolution d'une situation de monopole vers une situation plus concurrentielle dépend souvent des barrières à l'entrée, généralement assez élevées à cause des économies d'échelle, et du degré d'intervention de l'État, car certains monopoles sont protégés et d'autres seront démantelés, selon l'intérêt de la société. La tendance d'un marché concurrentiel à aller vers une situation de monopole est contrée par les lois antitrusts, et la loi punit tout monopole reconnu comme tel. Dans les années 2000, les ambitions monopolistiques de Microsoft ont suscité de grands débats dans l'opinion publique aux États-Unis et ailleurs. Les démêlés de l'entreprise avec la justice américaine ont conduit à un accord à l'amiable qui a obligé Microsoft à révéler des informations techniques à ses concurrents, afin qu'ils puissent concevoir des programmes sous Windows.

6.2.2_La concurrence directe et la concurrence indirecte

Les spécialistes en marketing ont élaboré le concept d'analyse de la concurrence en tenant compte du rôle central des consommateurs dans la définition de la rivalité entre entreprises. Alors que, dans l'approche économique, l'analyse de la concurrence est limitée aux entreprises qui offrent des produits identiques ou comparables, dans l'approche marketing, on demande aux consommateurs de reconnaître les différents rivaux. Cette approche découle de la définition du marché en marketing, dont les limites sont tracées par les besoins à satisfaire et les bénéfices à tirer des produits ou des services[13]. Elle a ouvert l'analyse de la concurrence aux entreprises qui offrent des produits substituts, c'est-à-dire qui répondent aux mêmes besoins, mais qui utilisent d'autres méthodes de production et d'autres technologies. C'est la concurrence indirecte, laquelle s'oppose à la concurrence directe, qui met en présence des entreprises offrant des produits identiques ou des produits comparables. À titre d'exemple, il est évident que les chaînes Metro, Provigo et IGA se trouvent en concurrence directe. Cependant, il est légitime d'inclure, dans l'analyse de la concurrence, des entreprises de distribution de détail en agroalimentaire telles que les magasins d'alimentation spécialisés: boucheries, boulangeries, fruiteries et dépanneurs. Que dire alors des restaurants situés près de ces magasins ou des pharmacies qui ressemblent de plus en plus à des supermarchés et où les médicaments n'occupent qu'un rayon parmi d'autres?

De la même façon, Internet, dès son apparition, a pu être considéré comme un substitut du télécopieur, du courrier postal et même, dans une certaine mesure, du téléphone. Internet peut être vu comme un substitut potentiel des moyens traditionnels d'information, comme les journaux, les magazines, la radio et la télévision. L'info-marketing 6.7 présente le cas du livre électronique et la concurrence féroce qu'il est en train de livrer à la publication papier en tout genre. De la même manière, en tant que moyen de divertissement, il peut concurrencer la télévision, le magasinage ou encore certains guides touristiques. Si l'on considère le transport intracontinental, Air Canada doit tenir compte des concurrents directs, comme Delta Air Lines ou Continental Airlines, mais aussi de la concurrence indirecte de produits substituts comme les voyages en train, en autocar et en voiture (ces produits substituts ont pris de l'importance après les événements du 11 septembre 2001).

INFO MARKETING 6.7

Le livre électronique en plein essor

« Les visionnaires et les simples accros à la technologie prédisent depuis des années que le livre ou le papier électronique sera une révolution. Ils commencent à avoir raison, car l'essor est bien amorcé. En effet, la firme de recherche de marché Forrester Research, du Massachusetts, estime que trois millions de *e-readers* trouvent preneurs en 2009. C'est une hausse de prévisions de 50 % qui tient compte de 900 000 ventes attendues pour la période de Noël.

Forrester prédit aussi qu'en 2010 les ventes cumulatives de lecteurs électroniques auront atteint 10 millions aux États-Unis. L'Association of American Publishers avance que cette année, les revenus liés aux téléchargements de livres électroniques bondiront de 149 %.

Qu'en est-il des appareils et des livres ? Jusqu'ici, le chef de file est le Kindle, commercialisé par le numéro un mondial du magasinage en ligne Amazon.com. Le Kindle détient à peu près 60 % du marché.

[...]

Amazon ne révèle pas de chiffres, mais prétend que 48 % des livres vendus sur son site sont électroniques.

[...]

Amazone défiée

Devant une telle domination du Kindle, les concurrents commencent déjà à fourbir leurs armes. [...]

Le rival le plus connu est le Sony Reader. [...]

Contrairement à Amazon, Sony fait le pari de l'universalité et de l'ouverture pour aller chercher des parts de marché. »

Source : AGENCE QMI, *Le Journal de Montréal,* lundi 12 octobre 2009, p. 55.

Selon l'approche marketing, c'est au consommateur de déterminer si la substitution peut lui permettre de satisfaire tel besoin précis. Il existe plusieurs méthodes pour définir la rivalité dans une orientation consommateur. La première est l'analyse de l'élasticité croisée, qui consiste à apprécier la sensibilité de la demande pour un produit ou un service en fonction de la variation du prix d'autres produits ou services. On peut également étudier les préférences des consommateurs grâce à la méthode du premier, deuxième et troisième choix. L'analyse des cartes perceptuelles permet quant à elle d'établir quels sont les produits ou les services que les consommateurs considèrent comme identiques, donc comme interchangeables.

Dans l'approche marketing, l'analyse de la concurrence sur un marché n'est pas standardisée. Elle dépend souvent de la position occupée par l'entreprise et de ses objectifs. L'entreprise ne peut rivaliser avec tous les autres concurrents directs ou indirects sur son marché. Il s'agit, par conséquent, de désigner les concurrents les plus dangereux, qui sont concernés par ses orientations stratégiques et que l'on qualifie souvent de concurrents prioritaires. C'est à ses concurrents prioritaires que l'entreprise doit se comparer pour faire ressortir ses forces et ses faiblesses et pouvoir en tenir compte au moment de fixer ses objectifs et d'élaborer son plan d'action marketing. Il serait alors logique qu'une entreprise désireuse de devenir chef de file sur son marché se compare d'abord au chef de file actuel, puisqu'elle cherche à le remplacer.

6.2.3_La compétitivité et l'avantage concurrentiel

L'avantage concurrentiel peut être défini comme un ou plusieurs éléments qui donnent aux produits ou services d'une entreprise une certaine supériorité sur ceux des concurrents prioritaires[14]. L'avantage concurrentiel peut provenir d'une source externe ou interne. D'abord, la supériorité d'une entreprise peut être liée à la qualité de son produit et à sa capacité à satisfaire pleinement les besoins des consommateurs cibles : c'est le pouvoir de marché. Elle peut aussi résulter de la capacité à fabriquer le produit à moindre coût : c'est le pouvoir de productivité. La position vis-à-vis d'un concurrent immédiat détermine le type de stratégie à adopter. L'idéal pour une entreprise serait de disposer d'une double supériorité, celle du marché et celle de la productivité. Elle pourrait alors adopter une stratégie de différenciation (*chapitre 8*) et fixer des prix élevés, ce qui lui permettrait de dégager une grande marge de profit. La pire des situations serait de ne posséder aucun de ces deux avantages ; l'entreprise serait alors dans une zone de décrochage. Elle devrait donc chercher à améliorer sa position si elle voulait continuer à être présente sur ce marché. On considère que, dans pareil cas, l'amélioration de la productivité est la solution la moins risquée. Les deux autres situations correspondent à l'une ou à l'autre des supériorités. Si l'entreprise dispose uniquement d'une supériorité de productivité, la stratégie recommandée est celle du bas prix. Par contre, si elle détient uniquement une supériorité de qualité, la stratégie de différenciation, qui consiste à renforcer son image dans l'esprit des consommateurs cibles, est recommandée.

Il faut toutefois savoir que l'avantage concurrentiel peut se révéler éphémère : il suffit qu'un concurrent se dote lui aussi de la technologie avancée utilisée par l'entreprise ou qu'il acquière une nouvelle structure de coûts lui permettant de baisser ses prix. Toute entreprise doit donc surveiller l'évolution de la concurrence et surtout appliquer des stratégies lui assurant une continuelle avance sur elle ; c'est pour cette raison que la plupart des entreprises chefs de file sur leur marché ne se contentent pas de leur avantage concurrentiel actuel et qu'elles investissent constamment dans la recherche et le développement afin de garder une certaine supériorité sur leurs concurrents.

De la même manière, en cas d'internationalisation, il est essentiel de revoir la position de l'entreprise par rapport à son environnement concurrentiel. En effet, les données sont tout autres sur ce nouveau marché, et une entreprise bénéficiant d'un certain avantage concurrentiel sur un marché local serait mal avisée de croire qu'elle continuera de jouir du même avantage sur ce nouveau marché : les coûts peuvent augmenter, la concurrence peut devenir plus féroce et le concurrent peut être doté d'une meilleure technologie. Pour illustrer la notion d'avantage concurrentiel et des stratégies à appliquer, l'info-marketing 6.8 décrit le cas d'une marque de café qui fait face à la concurrence.

Le cas du café MJB

Que doit faire une marque qui fait face à une multitude de concurrents dont la part de marché est beaucoup plus grande et qui disposent de ressources beaucoup plus considérables ? Dans le cas de MJB, la réponse a été particulière.

Au centre-ville de Vancouver, vous ne pouvez faire 10 pas sans tomber sur un café Starbucks. Sur une même rue, plusieurs cafés se font concurrence pour attirer la même clientèle.

Mais, contrairement à ce que l'on pourrait penser, près de 70 % des cafés sont consommés à la maison. Seulement 20 % de la population boit du café à l'extérieur. La majorité des Canadiens affirment : « Le café Starbucks, ce n'est pas pour moi. » Ils préfèrent le vrai goût du café torréfié comme celui offert par MJB.

Mais MJB n'est pas le seul à fournir ce type de café, sa part de marché dans le secteur des supermarchés est d'ailleurs relativement petite.

Cette marque, qui appartient à la division Café et thé de la Sara Lee Corporation de New York, n'a pu s'imposer que dans l'Ouest canadien et certaines régions de l'ouest des États-Unis. Les marques dominantes sur ce marché sont Nabob et Maxwell House, appartenant toutes deux à Kraft et couvrant plus de la moitié du marché canadien de café. Les deux marques ont toujours bénéficié d'une grande visibilité et d'une forte publicité.

Pour différencier leur marque, les annonceurs ont décidé de la comparer aux produits des cafés Starbucks. À première vue, cette stratégie peut paraître inhabituelle. Après tout, le concurrent principal de MJB est Kraft et non pas Starbucks. Après de longues discussions, les annonceurs ont conclu qu'il était inutile de se comparer à leurs concurrents directs, les différences rationnelles et concrètes étant trop faibles, et les ressources de l'entreprise trop limitées pour s'attaquer à de tels géants. Ils ont donc choisi d'exploiter leur avantage concurrentiel sur leurs concurrents indirects, les cafés Starbucks.

Source : Tom SHEPANSKY, « Coffee without all the hype », *Marketing Magazine,* 9 septembre 2002, p. 18 ; traduction et adaptation libres.

6.2.4_Le concept de rivalité élargie

Tous les spécialistes en marketing s'accordent sur le fait que l'analyse de la concurrence est une étape capitale de la planification stratégique. Certains auteurs proposent de ne pas limiter cette analyse à l'évaluation de la rivalité entre les entreprises d'un même secteur et de prendre en compte d'autres facteurs qui peuvent influer sur cette rivalité. Pour Michael E. Porter, le niveau de concurrence d'une industrie dépend de cinq éléments, qui constituent ce qu'il appelle la rivalité élargie[15]. Ainsi, un avantage concurrentiel sur un concurrent immédiat pourrait être affaibli ou renforcé par des facteurs tels que l'arrivée de nouveaux concurrents, l'existence de produits substituts, le pouvoir des fournisseurs et celui des clients (*voir la figure 6.6*).

_FIGURE 6.6 **Le concept de rivalité élargie de Porter**

Premièrement, rien ne garantit que d'autres entreprises ne pénétreront pas le marché, surtout si des occasions d'affaires se présentent. Le danger peut provenir d'entreprises qui exploitent d'autres secteurs, mais qui disposent de ressources financières suffisantes ou d'entreprises établies dans des secteurs complémentaires – par exemple, Sony et Microsoft avec leurs consoles de jeu, Coca-Cola avec son eau embouteillée. L'analyse concurrentielle doit comprendre une mesure de l'accessibilité au marché, laquelle consiste à examiner les barrières que les entrants potentiels affrontent. Celles-ci peuvent être, entre autres, une taille minimale pour entrer en activité, un niveau de coût à ne pas dépasser ou une certaine image qu'il faut projeter. Pour être compétitif sur le marché du transport de marchandises, un nouvel entrant doit disposer d'un grand parc de camions pour pouvoir rivaliser avec les autres transporteurs du secteur. La productivité de ces derniers est souvent accrue du fait des économies d'échelle que le volume d'activité permet de réaliser.

Deuxièmement, il importe de tenir compte de la menace que représentent les produits substituts, lesquels constituent des concurrents indirects. Ces menaces sont souvent liées à un changement dans le rapport performance-prix à l'avantage des produits substituts. Étant donné la hausse du prix du pétrole, plusieurs constructeurs d'automobiles travaillent à mettre au point des véhicules à hydrogène, qui devraient bientôt être mis en marché. Du point de vue stratégique, c'est le rapport performance-prix des produits substituts et son amélioration progressive qu'il faut considérer dans l'évaluation de la menace.

Enfin, le danger peut provenir de la relation de l'entreprise avec ses concurrents et ses fournisseurs. Un faible pouvoir de négociation avec ces derniers peut rendre l'avantage concurrentiel fragile. Le pouvoir de négociation avec les autres intermédiaires, qu'ils soient clients ou fournisseurs, dépend de la concentration de ces derniers, de leur importance pour l'entreprise, de l'importance de l'entreprise dans leurs activités, de leurs capacités d'intégration et de l'information dont ils disposent. Ainsi, une entreprise qui aurait un avantage de productivité sur un concurrent pourrait voir sa situation ébranlée du fait qu'elle a un seul fournisseur. Celui-ci pourrait facilement lui demander davantage pour ses produits et ainsi affecter directement sa structure de coûts.

_Points saillants

_L'entreprise doit être à l'affût de toute nouvelle occasion d'affaires. Elle doit examiner constamment l'environnement externe afin de découvrir les occasions d'affaires et les menaces, et de mettre en évidence ses propres forces et faiblesses.

_Dans le domaine du marketing, la manière de considérer le marché diffère de celle des économistes, car on se concentre uniquement sur la demande. Celle-ci doit être précisée et relativisée en tenant compte de dimensions telles que la catégorie de produits et le type d'utilisateur, sans oublier les horizons spatiaux et temporels.

_Du point de vue méthodologique, analyser la demande, c'est examiner les facteurs qui influent sur celle-ci. Dans ce type d'analyse, la modélisation est souvent l'outil utilisé par les analystes.

_De manière générale, la demande primaire varie principalement en fonction des dépenses marketing engagées par l'ensemble des intervenants dans l'industrie et en fonction des facteurs de l'environnement économique, politique, démographique, etc. Par ailleurs, les changements dans l'environnement externe peuvent également avoir un effet appréciable sur l'évolution de la demande primaire dans son ensemble.

_Du point de vue de la stratégie, toute entreprise doit se doter d'un modèle d'analyse de la demande pour ses propres produits et marques.

_L'estimation du marché potentiel de l'industrie constitue la première étape de l'analyse de la demande. Elle vise à calculer de manière approximative, en s'appuyant sur l'analyse de l'environnement externe, le nombre de ventes maximales réalisables pour une catégorie de biens ou de services dans une région géographique donnée au cours d'une période donnée.

_Sur un autre plan, l'information sur les ventes futures des produits et des marques est une autre étape essentielle de l'analyse de la demande.

_L'élargissement des connaissances relatives au comportement du consommateur a permis d'améliorer les outils d'analyse de la demande en intégrant des dimensions nouvelles qui découlent des étapes cognitive, affective et conative du comportement d'achat.

_L'avantage concurrentiel peut être défini comme un ensemble d'éléments permettant aux produits ou services d'une entreprise d'avoir une certaine supériorité sur ceux des concurrents prioritaires.

_L'analyse de la concurrence ne doit pas se limiter à l'évaluation de la rivalité entre les entreprises d'un même secteur. Elle doit prendre en considération des éléments tels que les nouveaux entrants, les produits substituts, le pouvoir des clients et celui des fournisseurs, qui peuvent influencer cette rivalité.

Questions

_**1.** Qu'est-ce qu'une occasion d'affaires pour un responsable du marketing?

_**2.** Expliquez ce qu'est le marché selon l'approche économique et l'approche marketing.

_**3.** Expliquez en quoi la notion de produit est étroitement liée à celle de marché. Donnez un exemple concret.

_**4.** Pour le territoire d'une grande ville du Québec, on dispose des informations suivantes: le marché actuel de la voiture Focus du constructeur Ford pour l'année 2010 est d'environ 800 personnes; le marché cible pour ce modèle, au dire du responsable du territoire, est de 1500 personnes; le marché de tous les constructeurs dans ce territoire en 2010 pour le même type de voiture est évalué à 9000 personnes; enfin, le potentiel de marché pour ce type de voiture est estimé à 20 000 ventes. En vous fondant sur ces données, évaluez le taux de réalisation des objectifs pour la marque Focus ainsi que la part de marché et le taux de pénétration obtenus par celle-ci dans le territoire choisi. Interprétez ensuite les résultats et faites des recommandations au constructeur Ford.

_5. Qu'entend-on par la demande primaire ? Quels sont ses deux plans ?

_6. La demande primaire évolue principalement en fonction des dépenses marketing et des facteurs imprévisibles de l'environnement. Commentez cet énoncé en prenant pour exemple une industrie de votre choix.

_7. Définissez l'élasticité-prix de la demande. Quelle est son utilité pour les gestionnaires en marketing ?

_8. Quelles sont les deux catégories de facteurs qui émergent systématiquement de l'analyse de la demande de l'entreprise ?

_9. Quelle est, selon vous, la nature de la relation qui existe entre la demande pour de l'essence et son prix ? Quels sont les autres facteurs qui peuvent influencer cette demande ?

_10. Décrivez les étapes de l'estimation de la demande. Quelles sont les principales méthodes pour faire cette estimation ?

_11. Énumérez les différentes méthodes d'estimation du potentiel de marché de l'industrie de la bière et indiquez quelles sont les techniques dont on se sert pour les appliquer.

_12. Comparez la notoriété souvenir et la notoriété reconnaissance. Donnez des exemples de questions qui peuvent servir à les mesurer.

_13. Expliquez en donnant un exemple précis les principales mesures de mémorisation d'annonces publicitaires.

_14. Expliquez brièvement quelle est l'utilité pratique de la mesure de perception des similarités.

_15. Du point de vue des consommateurs, un produit est un ensemble d'utilités qui vise à satisfaire différents genres de besoins. Commentez cet énoncé en donnant un exemple réel.

_16. Choisissez un produit quelconque et indiquez les critères que vous jugez déterminants dans le choix de ce dernier. Mesurez à l'aide de l'échelle de Likert et de l'échelle sémantique différentielle d'Osgood les croyances des consommateurs relatives à la capacité de deux marques de votre choix à répondre à chacun des critères que vous avez définis pour ce produit.

On peut considérer deux marques de shampoing, par exemple Pert et Suave, et les critères d'évaluation suivants : fait beaucoup de mousse, enraye les pellicules, a une odeur agréable, a un prix abordable, conditionne les cheveux.

_17. Quelle est l'utilité de la mesure des préférences pour les gestionnaires en marketing ? Quelles sont les principales méthodes de mesure des préférences ?

_18. La réponse conative renvoie à deux dimensions : les habitudes d'achat et les réactions postachat. Décrivez ces deux dimensions ainsi que les mesures proposées.

_19. Les situations concurrentielles dans lesquelles une entreprise peut se trouver conditionnent la manière dont celle-ci établit ses actions stratégiques en marketing. Commentez cet énoncé en donnant des exemples concrets.

_20. Choisissez une entreprise dans un secteur que vous connaissez bien. Indiquez quels sont ses concurrents directs et indirects. Dites si cette entreprise dispose ou non d'un avantage concurrentiel. Si oui, en quoi consiste-t-il? Sinon, proposez des stratégies qui lui permettraient d'acquérir un avantage concurrentiel.

_21. Expliquez ce qu'est la rivalité élargie. Faites une analyse de la concurrence de la société de téléphone mobile Nokia.

ÉTUDE DE CAS

Toyota et Volkswagen : une lutte sans merci

La production mondiale de voitures particulières en 2008 par constructeur est la suivante: Toyota: 7,7 millions; Volkswagen: 6,21 millions; GM: 6,01 millions; Honda: 3,88 millions; Hyundai: 3,75 millions; Ford: 3,35 millions. Ces résultats montrent la réussite remarquable de certains constructeurs comme le japonais Toyota et le groupe allemand Volkswagen, qui depuis 2008 ont détrôné le géant traditionnel du secteur automobile, l'américain General Motors (GM). L'une des raisons qui explique ces résultats renvoie à la stratégie internationale adoptée par chacun de ces constructeurs au cours des trente dernières années.

En 2009, la nouvelle bataille entre Toyota et Volkswagen pour occuper la place de leader mondial de l'automobile a été de plus en plus féroce. Le secteur de l'automobile a quant à lui subi une succession de crises. D'abord, la récession économique mondiale qui a commencé en 2007, et dont le début de la fin n'a pu être ressenti qu'au début de 2010. Ensuite, la flambée du prix du pétrole qui perdure depuis 2003, ajoutée aux pressions des écologistes, qui sont venues influencer le comportement des conducteurs d'automobiles, entraînant la chute de la demande mondiale pour plusieurs modèles comme les voitures utilitaires sport. Enfin, les problèmes de gestion et de survie qui ont conduit les trois constructeurs d'automobiles américains vers une faillite déguisée que les pouvoirs publics ont su gérer avec beaucoup de doigté.

Alors que, pour le Groupe Volkswagen, l'année 2010 débutait par l'annonce d'une alliance stratégique (peut-être même une fusion) avec le constructeur japonais Suzuki, après l'acquisition en août 2009 de l'allemand Porsche, pour Toyota les nouvelles étaient tout autres. Le rappel, en janvier 2010, de huit millions de véhicules en circulation pour un problème de blocage de la pédale d'accélération a été suivi de la suspension par la direction de la fabrication de cinq modèles. Et comme un malheur n'arrive jamais seul, des centaines de plaintes liées à son modèle phare, l'hybride Prius, ont laissé planer le doute sur des poursuites éventuelles pour dissimulation de défaut de fabrication, après que le constructeur japonais eut avoué avoir eu connaissance du problème sans en informer les usagers. Tout cela place Toyota dans une véritable tourmente et ramène à l'avant-plan la lutte que se font Volkswagen et Toyota pour le titre de numéro un mondial de la production d'automobiles.

Selon une analyse de la revue *Automotive News* publiée au début de 2009, Volkswagen a fait des progrès et grugé une partie de l'avance de Toyota, augmentant ses ventes mondiales pour 2008 de 1,3 % et sa production totale de 2,1 %. Dans la même période, Toyota a subi une baisse de 4,2 % de ses ventes et de 2,9 % de sa production (à 9 225 000 unités). Le directeur général de Volkswagen a clairement affirmé son ambition de voir le géant allemand au sommet mondial des unités vendues dès 2018.

_1. Utilisez les données du cas et celles obtenues auprès de sources secondaires pour faire une analyse de la demande du marché des voitures particulières au Québec, au Canada et dans le monde d'ici 2015. Reliez votre analyse aux décisions managériales du Groupe Volkswagen dans sa stratégie d'expansion par fusion et acquisition.

_2. Proposez un outil d'évaluation de l'image pour les six marques d'automobiles suivantes: Toyota, Volkswagen, GM, Honda, Hyundai et Ford.

_3. Dans le contexte de la lutte concurrentielle que se livrent Toyota et Volkswagen, décrite dans le cas, faites une analyse de la position concurrentielle qui caractérise chacun de ces constructeurs sur le marché de l'automobile au Québec.

_4. En vous appuyant sur le concept de la rivalité élargie de Porter, évaluez et analysez les différentes menaces à long terme qui pourraient peser sur ces deux constructeurs au Québec, au Canada et dans le reste du monde. Pensez-vous que les ambitions du directeur général de Volkswagen sont réalisables ?

(Sources utiles sur Internet: www.autoexpert.ca; www.autonews.com; www.oica.net)

_Notes

1. Jean-Pierre LE GOFF, *Économie managériale: marchés, soutien à la décision, concurrence,* Sainte-Foy, Presses de l'Université du Québec, 1993, 472 p.

2. Philip KOTLER, Pierre FILIATRAULT et Ronald E. TURNER, *Le management du marketing,* 2e édition, Boucherville, Gaëtan Morin Éditeur, 2000, 875 p.

3. Jean-Paul SALLENAVE et Alain D'ASTOUS, *Le marketing: de l'idée à l'action,* 2e édition, Boucherville, Éditions G. Vermette, 1996, 540 p.

4. P. KOTLER, P. FILIATRAULT et R. E. TURNER, *op. cit.*; Jean-Jacques LAMBIN, *Le marketing stratégique: du marketing à l'orientation-marché,* 4e édition, Paris, Ediscience International, 1999, 737 p.; Pierre AMEREIN, *Marketing: stratégies et pratiques,* Paris, Nathan, 1996, 384 p.; Stanley J. SHAPIRO *et al., Basic Marketing: A Global Managerial Approach,* 9e édition canadienne, Toronto, McGraw-Hill Ryerson, 2001, 832 p.; J.-P. SALLENAVE et A. D'ASTOUS, *op. cit.*

5. Données provenant de l'article d'Éric DESROSIERS, «Immobilier: les statistiques canadiennes perdront de leur lustre», *Le Devoir,* 6 février 2007, section «Économie», [En ligne], www.ledevoir. com; BLOGUE DU COLLÈGE DE L'IMMOBILIER, *Les années 2000 – une croissance marquée pour l'immobilier au Québec,* [En ligne], http://blogue.collegeimmobilier.com (Pages consultées le 3 mars 2010)

6. J.-P. LE GOFF, *op. cit.*

7. Alain D'ASTOUS, *Le projet de recherche en marketing,* 3e édition, Montréal, Chenelière/McGraw-Hill, 2005, 432 p.; Jean PERRIEN, Emmanuel J. CHERON et Michel ZINS, *La recherche en marketing,* Boucherville, Gaëtan Morin Éditeur, 1984, 217 p.; P. KOTLER, P. FILIATRAULT et R. E. TURNER, *op. cit.*; Jean-Jacques LAMBIN, *La recherche marketing: analyser, mesurer, prévoir,* Paris, Ediscience International, 1994, 424 p.; J.-J. LAMBIN, *Le marketing stratégique, op. cit.*; P. AMEREIN, *op. cit.*; S. J. SHAPIRO *et al., op. cit.*; J.-P. SALLENAVE et A. D'ASTOUS, *op. cit.*

8. Alain D'ASTOUS *et al., Le comportement du consommateur,* 2e édition, Montréal, Chenelière/McGraw-Hill, 2006, 510 p.; J.-J. LAMBIN, *La recherche marketing, op. cit.*; J.-J. LAMBIN, *Le marketing stratégique, op. cit.*; J. PERRIEN, E. J. CHERON et M. ZINS, *op. cit.*; P. KOTLER, P. FILIATRAULT et R. E. TURNER, *op. cit.*; A. D'ASTOUS, *Le projet de recherche en marketing, op. cit.*.

9. J.-J. LAMBIN, *Le marketing stratégique, op. cit.*

10. J.-P. LE GOFF, *op. cit.*

11. P. KOTLER, P. FILIATRAULT et R. E. TURNER, *op. cit.*; J.-J. LAMBIN, *Le marketing stratégique, op. cit.*; Michael E. PORTER, *Competitive Strategy,* New York, Free Press, 1980, 397 p.

12. J.-P. LE GOFF, *op. cit.*

13. George S. DAY, Allan D. SHOCKER et Rajendra K. SRIVASTAVA, «Customer-oriented approaches to identifying product-markets», *Journal of Marketing,* vol. 43, n° 4, automne 1979, p. 8-19.

14. Michael E. PORTER, *Competitive Advantage: Creating and Sustaining Superior Performance,* New York, Free Press, 1985, 557 p.; P. KOTLER, P. FILIATRAULT et R. E. TURNER, *op. cit.*; J.-J. LAMBIN, *Le marketing stratégique, op. cit.*; Eric N. BERKOWITZ *et al., Marketing,* 7e édition, Toronto, McGraw-Hill Ryerson, 2008, 587 p.

15. M. E. PORTER, *Competitive Strategy, op. cit.*; Michael E. PORTER, *Choix stratégiques et concurrence,* Paris, Economica, 1982, 426 p.

La segmentation du marché et le ciblage

Les spécialistes en marketing, qu'ils soient théoriciens ou praticiens, s'accordent à dire que les concepts stratégiques de la segmentation du marché et le ciblage constituent l'un des fondements du marketing moderne. Depuis l'introduction du concept de segmentation du marché par Wendell Smith en 1956[1], les chercheurs et les praticiens n'ont cessé d'étudier cette segmentation et de définir des concepts, des méthodes de recherche et des applications en rapport avec elle.

On a ainsi établi des paradigmes et des modes de gestion des marchés qui ont influencé directement la stratégie marketing des entreprises. On entend souvent parler, par exemple, de marketing de masse, de marketing ciblé ou de marketing relationnel.

Le concept de segmentation repose sur l'idée que le comportement d'achat des sujets qui composent un marché quel qu'il soit présente une certaine hétérogénéité. Cette condition implique qu'une stratégie de mix de marketing uniforme (produit, prix, distribution et communication) peut difficilement satisfaire les besoins variés des différents consommateurs. Les entreprises doivent, par conséquent, diviser le marché en plusieurs sous-marchés homogènes, pour ensuite adapter le mix de marketing aux particularités de chacun. D'un point de vue opérationnel, l'homogénéité suppose des besoins, des intérêts ou des actions spécifiques en relation avec un comportement général ou particulier de consommation.

La segmentation des marchés apparaît comme un outil important de gestion et de planification des activités marketing d'une entreprise. D'une part, elle permet de mieux connaître les besoins des clients et, par conséquent, de mieux les satisfaire. D'autre part, elle permet d'élaborer un plan d'action marketing adapté aux particularités de chaque groupe visé, aussi appelé « segment cible[2] ».

La segmentation et le ciblage constituent la première phase de tout processus de planification stratégique. Ils servent souvent à définir les objectifs de marché et les politiques commerciales de produit, de distribution, de communication et de prix.

L'info-marketing 7.1 montre l'évolution d'une entreprise québécoise spécialisée dans la distribution et la vente de produits de rénovation et de quincaillerie, en l'occurrence le Groupe RONA inc. Il y a plus de 10 ans, cette entreprise organisait ses activités de commerce de détail autour de deux concepts standards, Ro-Na Le Quincaillier et Dismat. Aujourd'hui, en plus de son concept classique, elle propose d'autres magasins conçus pour satisfaire aux exigences de segments particuliers du marché relativement aux produits, aux marques, aux heures d'ouverture et à l'emplacement géographique.

Ce chapitre examine en détail la notion de segmentation du marché et décrit son utilité en marketing. Il considère ensuite la manière dont une entreprise peut l'intégrer dans l'étude de marché faisant partie de son plan stratégique. Enfin, il se penche sur la stratégie de ciblage et sur les choix qui s'offrent à une entreprise compte tenu de ses ressources et de la situation du marché.

La segmentation du marché canadien des produits de rénovation et de quincaillerie selon le Groupe RONA inc.

En 1998, l'entreprise québécoise Ro-Na Dismat, spécialisée dans la distribution et la vente de produits de rénovation et de quincaillerie partout au Canada, a fait un virage stratégique et a même changé de nom pour devenir le Groupe RONA inc. Avec ce virage, l'entreprise est passée d'un concept de deux bannières spécialisées par produits, Ro-Na Le Quincaillier pour les produits de quincaillerie et Dismat pour les matériaux de rénovation, à celui de magasins multiples conçus pour répondre aux besoins très variés des différents groupes de clientèle cible issus des marchés urbains, semi-urbains et ruraux. L'objectif stratégique de RONA est d'offrir aux consommateurs canadiens le meilleur des deux mondes: le service personnalisé que l'on obtient dans les petits magasins et l'efficacité d'un grand réseau national. Le tableau A illustre la segmentation du marché sur laquelle s'appuie, en 2010, RONA pour servir sa clientèle individuelle et organisationnelle.

_TABLEAU A La segmentation du marché sur laquelle s'appuie RONA en 2010

GRANDES SURFACES (78 magasins)	MAGASINS DE PROXIMITÉ (325 magasins)	SPÉCIALISÉS-CONSOMMATEURS (238 magasins)	SPÉCIALISÉS-MARCHÉ COMMERCIAL ET PROFESSIONNEL (40 magasins)
– Grands magasins de type entrepôt où il est facile de circuler. – Grande variété de produits offerts à des prix intéressants: quincaillerie, outils, matériaux de construction, articles de jardinage, peinture, articles de décoration et produits saisonniers. – Superficie qui varie entre 5 500 et 15 300 m².	– Magasins spécialisés dans les matériaux de construction et la peinture. – Gamme étendue de produits saisonniers et assortiment complet d'articles de rénovation et de quincaillerie. – Superficie qui varie entre 450 et 5 500 m². – Les magasins TOTEM (établis exclusivement en Alberta) offrent des produits pour la rénovation domiciliaire et ont une superficie d'environ 2 800 m².	– Magasins de quartier à petite ou moyenne surface conçus pour répondre aux besoins des consommateurs en quincaillerie et en produits saisonniers, en plus d'une gamme étendue de produits liés à la peinture. – La bannière STUDIO s'adresse tant aux particuliers qu'aux designers d'intérieur et aux peintres professionnels. Superficie d'environ 750 m². – La bannière BOTANIX offre aux particuliers des conseils sur le choix de plantes, l'entretien et l'aménagement paysagers, en plus d'une variété de plantes et d'articles de jardinage.	– Magasins destinés particulièrement à une clientèle commerciale et professionnelle. – Surtout des matériaux de construction et des produits de quincaillerie (COUPAL au Québec et DICK'S LUMBER en Colombie-Britiannique), des articles de plomberie (NOBLE TRADE en Ontario).

Source: RONA, [En ligne], www.rona.ca (Données au 30 mars 2010)

_7.1_ Le concept de segmentation en marketing

Cette section définira d'abord le concept de segmentation comme on l'entend en marketing. Elle expliquera par la suite son utilité stratégique pour l'entreprise. Suivra un bref aperçu des autres applications de ce concept, notamment la segmentation de produit et la segmentation stratégique.

7.1.1_Une définition

Wendell Smith a défini la segmentation comme « la stratégie servant à déterminer avec précision les produits d'une firme qui peuvent satisfaire aux exigences de plusieurs segments de marché distincts [3] ». Cette définition comporte trois postulats :

1. l'hétérogénéité du marché potentiel de l'entreprise, avec notamment la présence de groupes de consommateurs, appelés aussi segments de marché, ayant chacun des besoins de consommation particuliers;
2. la capacité de l'entreprise à satisfaire certains groupes, dénommés segments cibles, avec des produits adaptés;
3. le fait que la distinction entre les segments cibles repose essentiellement sur la correspondance qui existe entre les produits de l'entreprise et les besoins particuliers des différents groupes.

Cette première définition envisageait la segmentation uniquement du point de vue du produit. Par la suite, la définition de la segmentation a pris en compte d'autres éléments du mix de marketing. On a alors considéré les réactions des consommateurs à la communication, leurs comportements en matière de distribution et leur sensibilité au prix. La segmentation apparaît donc comme une démarche systématique permettant de déterminer les segments de marché les plus importants du point de vue stratégique et de concevoir des politiques de produit, de prix, de distribution et de communication adaptées à ces segments [4]. La fixation des objectifs de marché se trouve ainsi considérablement simplifiée.

En marketing, la segmentation est à la fois une méthode analytique, un outil de planification et une stratégie de marché. D'abord, la segmentation sert à comprendre le comportement d'achat des consommateurs dans un marché donné. On l'utilise pour étudier les facettes cognitives, affectives et conatives de façon à mettre en évidence des analogies ou des différences entre des groupes. Ensuite, la segmentation du marché aide le gestionnaire de marketing à déceler ses forces et ses faiblesses en tenant compte des moyens commerciaux dont il dispose. Enfin, cette stratégie a pour rôle de guider le gestionnaire dans le choix d'activités stratégiques telles que le positionnement ou la différenciation.

Cela conduit à donner une définition de la segmentation aujourd'hui admise par la plupart des spécialistes en marketing. La segmentation est le découpage d'un marché hétérogène en sous-marchés homogènes ou segments distincts, détaillés, significatifs et susceptibles d'être l'objet d'opérations de marketing de produit, de distribution, de communication et de fixation de prix spécifique [5].

Il découle de cette définition que la segmentation est une opération orientée vers le marché, plus particulièrement vers le profil des clients qui le composent. L'hétérogénéité initiale du marché est une condition nécessaire, autrement la segmentation n'aurait pas sa raison d'être. Par ailleurs, le découpage en question doit reposer sur une base déterminée et se fonder sur un ou plusieurs critères d'ordre géographique, sociodémographique, comportemental ou autre. Les critères doivent être pertinents (importants et discriminants), mesurables (quantifiables) et vérifiables (que l'on peut valider). De plus, les segments à définir doivent répondre à deux conditions indissociables. D'une part, il faut qu'il y ait une homogénéité entre les éléments de chaque segment, c'est-à-dire que les comportements d'achat des clients qui le composent présentent plus d'analogies que de différences ; autrement, il faut procéder à un autre niveau de découpage. D'autre part, il faut que les segments du marché soient hétérogènes, donc que les comportements des clients qui les composent soient assez différents les uns des autres ; sinon, il y aurait lieu de les fusionner. Enfin, le découpage doit logiquement déboucher sur le choix de segments cibles susceptibles de faire l'objet de politiques de mix de marketing, sans quoi toute la démarche devient vaine. Ce sont là les conditions de base de la segmentation du marché.

Il n'est pas toujours nécessaire de segmenter ou de découper le marché en plusieurs sous-marchés. Tout dépend du degré initial d'homogénéité du marché et de la rentabilité de la segmentation. Si le marché est homogène, c'est-à-dire qu'il s'y trouve un comportement unique – comme pendant une forte récession, alors que la majorité des consommateurs est très sensible au prix et prête à sacrifier ses préférences pour se tourner vers un prix très bas –, les entreprises ont intérêt à réduire leurs opérations et même à faire des économies d'échelle en offrant un seul concept standard. Le produit sera davantage accessible sur le marché et répondra mieux aux besoins des clients. Dans un cas comme celui-là, on parle souvent de contre-segmentation [6]. Les hypermarchés Walmart peuvent servir à illustrer ce genre de choix stratégique. Avec une gamme de produits répondant aux besoins essentiels des clients, avec des lignes limitées à un petit nombre de marques procurant le nécessaire, un bon fonctionnement en magasin, la simplicité dans l'approche marketing des clients et, surtout, le respect de la règle fondamentale du commerce de détail qui est d'offrir des bas prix tous les jours, Walmart a pu devenir le magasin de tout le monde. Selon un sondage Omnibus réalisé au Québec en 2002, 67 % de la population considère que Walmart s'adresse à tout le monde et 90 % juge que ses prix sont comparables sinon inférieurs à ceux de la concurrence [7]. Il est à noter que ce géant de la distribution de détail, quelquefois critiqué, est néanmoins aujourd'hui la plus grande entreprise mondiale du point de vue des ventes réalisées, tous secteurs confondus. Cette réussite n'a pourtant pas incité Walmart à rendre son concept plus sophistiqué ni à l'adapter davantage. Au contraire, l'entreprise a renforcé sa stratégie d'uniformisation en cherchant toujours à offrir à ses clients le meilleur rapport qualité-prix sur le marché.

Par contre, lorsque le marché est très fragmenté et que les besoins des consommateurs ainsi que leurs sensibilités à l'offre varient considérablement, l'entreprise a intérêt à fragmenter le plus possible le marché. On parle alors d'hypersegmentation, de microsegmentation ou de personnalisation de masse. À la limite, chaque client devient un segment en soi. Cette méthode est de plus en plus employée dans le secteur des services, comme les transports, les télécommunications et les services financiers, ou encore dans le domaine du commerce électronique en général, et du commerce interentreprises en particulier (*chapitre 13*). Souvent, du fait de leur profil et de l'évolution de leurs relations d'affaires, les clients reçoivent une offre qui est unique et qui diffère de celle qui est présentée à d'autres clients. L'hypersegmentation a l'avantage de satisfaire au mieux chacun des clients. Cependant, elle constitue pour l'entreprise un risque financier considérable, car les coûts qu'elle entraîne sont très élevés. Comme toujours, une stratégie de segmentation du marché ne peut réussir que si les coûts restent inférieurs aux revenus générés [8]. Le tableau 7.1 illustre la segmentation du marché des cartes de crédit de la Banque Royale, qui offre des cartes adaptées au statut des clients et à l'usage qu'ils en font (achats courants, achats occasionnels, billets d'avion…).

_TABLEAU 7.1 La segmentation du marché dans le domaine des cartes de crédit à la Banque Royale

Type de carte	Avantage
	RBC
Visa Classique II	Achats courants
Visa Platine Voyages	Réservation de billets d'avion
Visa Or Privilège	Assurance-voyage
Visa Or en dollars US	Opérations en dollars américains
Visa Infinite* Voyages	Choix du transporteur et du vol
Visa Or RBC Récompenses	Vaste choix de primes
Visa Classique II pour étudiant	Achats courants

Source : BANQUE ROYALE DU CANADA, [En ligne], www.rbc.com (Page consultée le 1er juin 2010)

À ce stade-ci, il importe de comprendre que, dans le processus de planification stratégique, la segmentation n'est pas une fin en soi. Ce qui rend la segmentation indispensable dans la planification stratégique, c'est le fait qu'elle aide à cibler le marché avec précision, à définir le positionnement, à différencier le produit et à optimiser les opérations de marketing.

La figure 7.1 résume les conditions de base de la segmentation et les relations existant entre celle-ci et d'autres concepts stratégiques essentiels en marketing, comme le ciblage, le positionnement et la différenciation. Les concepts de positionnement et de différenciation seront expliqués en détail dans le chapitre 8, de même que ce qui les unit et les différencie de la segmentation. Pour le moment, il est important de retenir que la segmentation et le ciblage sont des stratégies de demande qui découlent de l'analyse du marché, alors que le positionnement et la différenciation sont des stratégies d'offre et qu'ils concernent les produits et les marques. Le positionnement est la stratégie par laquelle l'entreprise construit l'offre et l'image du produit de façon que les consommateurs cibles soient amenés à considérer la position de ce produit comme compétitive et distinctive. La différenciation est le processus par lequel l'entreprise détermine les attributs susceptibles de procurer un supplément de valeur au consommateur et modifie les activités liées à ces attributs, de manière à proposer une offre plus attrayante aux yeux de celui-ci que celles de la concurrence. Si l'on reprend l'exemple des cartes de crédit donné plus haut, la banque CIBC a voulu se différencier de la Banque Royale en offrant, par exemple, la carte Visa Aéro Or au segment des clients à fort potentiel de crédit, et la carte Visa Sélecte au segment des clients à potentiel limité. De son côté, pour riposter et se différencier de la CIBC, la Banque Royale a proposé à son tour au premier segment la carte Visa Platine Privilège, et au second, la carte Visa Classique II pour étudiant.

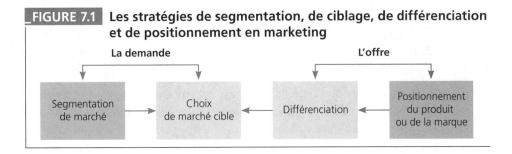

_FIGURE 7.1 Les stratégies de segmentation, de ciblage, de différenciation et de positionnement en marketing

7.1.2_L'utilité de la segmentation

Le recours à la segmentation comme concept stratégique s'explique par l'évolution de l'environnement économique au cours de la seconde moitié du XXe siècle. L'ère de la production, qui a commencé au XVIIIe siècle et qui a conduit à la crise économique mondiale de 1929 – essentiellement une crise de surproduction –, a favorisé l'émergence d'un marketing de masse. Celui-ci se caractérise par l'unicité de l'offre et la présentation de produits standards qui répondent la plupart du temps à des besoins de base souvent homogènes, surtout d'ordre physiologique. Par exemple, à ses débuts, Ford, le premier constructeur mondial de voitures, offrait un seul modèle d'automobile (modèle T) et d'une seule couleur (noir), puisque le prix était alors le seul critère sur lequel se basaient les consommateurs pour ce produit. Il en était de même à cette époque dans le marché des réfrigérateurs (Frigidaire), des boissons gazeuses (Coca-Cola) et des ascenseurs (Otis). Après la Deuxième Guerre mondiale, l'économie a subi de nombreux changements. On a assisté notamment à un accroissement de la concurrence avec l'arrivée de nouveaux fabricants. En même temps est apparue la société dite « de consommation », dans laquelle l'achat n'a plus seulement pour but d'assurer la subsistance, mais a aussi pour fonction de répondre à des besoins sociaux d'appartenance, d'estime ou d'épanouissement de la personnalité. Face à de tels changements, les entreprises de production ont cherché de plus en plus à se distinguer les unes des autres en proposant des produits qui se démarquaient de ceux de la concurrence, surtout en les faisant percevoir comme étant supérieurs. Ils ont pour ce faire conçu et mis en œuvre des stratégies de différenciation (*chapitre 8*). Ainsi, des entreprises comme le constructeur d'automobiles allemand Mercedes-Benz, le fabricant de produits électroniques Sony et le chef de file dans le domaine des engins de génie civil Caterpillar ont orienté leurs stratégies marketing vers la construction d'une image de marque forte. De leur côté, les consommateurs ont eux aussi commencé à exprimer des besoins et des désirs de plus en plus précis et à avoir des comportements d'achat de plus en plus variés (d'où la nécessité de la segmentation). Par exemple, dans le marché de l'automobile, certains consommateurs désirent un véhicule solide, d'autres privilégient la sécurité, d'autres encore cherchent à projeter une image ou à exprimer une appartenance, d'autres enfin recherchent une voiture économique et écoénergétique. Il est évident qu'un produit unique ou un mix de marketing standard ne peuvent plus satisfaire de tels marchés, de plus en plus fragmentés, et surtout, de plus en plus complexes.

La segmentation, apparue dans les années 1960, s'inscrit donc logiquement dans l'évolution de l'économie des pays industrialisés. Elle représente un nouveau modèle de gestion dans le domaine du marketing. Elle suppose que, moyennant une analyse approfondie du marché, on peut satisfaire différents groupes cibles en adaptant les politiques de mix de marketing à leurs besoins. D'où découlent les deux principales utilités de la segmentation en marketing: la maximisation de la satisfaction des clients d'un côté et l'optimisation des actions de marketing des entreprises de l'autre [9].

En ce qui concerne la première utilité, il est évident que la segmentation d'un marché implique une analyse détaillée des caractéristiques des clients qui le composent ainsi que des besoins exprimés et des réactions suscitées tout au long du processus décisionnel d'achat. Par exemple, les études de marché montrent que les consommateurs ont des motivations différentes au moment d'acheter un dentifrice. Ils peuvent vouloir avoir des dents blanches, prévenir la carie, avoir bonne haleine ou simplement rechercher un produit peu coûteux. De même, lorsqu'ils envisagent l'achat d'un réfrigérateur, d'un four ou d'un téléviseur HD, certains consommateurs seront plus sensibles à la valeur de la marque qu'au prix, ou inversement. *Grosso modo,* les consommateurs préféreront les marques connues soit parce qu'ils croient qu'elles leur donneront une plus grande satisfaction que les autres, soit parce qu'ils veulent être en sécurité et réduire au minimum le risque perçu. Dans l'utilisation de certains produits et services, les comportements diffèrent aussi, notamment du point de vue de la fréquence d'achat et de la fidélité à la marque. En ce qui concerne la fréquence d'achat, on distingue les consommateurs réguliers, les occasionnels et les non-utilisateurs. Pour la fidélité à la marque, on distingue les clients qui sont fidèles à une seule marque, ceux qui sont fidèles à un groupe de marques et ceux qui ne sont fidèles à aucune marque. Comme le but de la segmentation est de constituer des groupes de personnes assez semblables entre elles sous tel ou tel angle, il est évident que ce qu'il s'agit de dégager comme ressemblances concerne des éléments de comportement déterminants au moment de l'achat. Il faut donc examiner les différents aspects du comportement des consommateurs dans un marché, rassembler les consommateurs qui ont le même genre de comportement et apporter des réponses adaptées à leurs besoins. On doit arriver à accroître le niveau de satisfaction des différents groupes de consommateurs et, par conséquent, le niveau de satisfaction général du marché dans son ensemble.

La seconde utilité de la segmentation de marché est qu'elle accroît l'efficacité des actions marketing de l'entreprise. Qu'il se rapporte au produit à offrir, au mode de communication ou de distribution, ou encore au prix à demander, le concept unique peut constituer le meilleur moyen de réduire les coûts d'opération de l'entreprise. Encore faut-il se demander si le choix que l'on a fait est le meilleur. D'où la nécessité, dans la prise de décision en marketing, de tenir compte de la notion d'efficacité, c'est-à-dire des résultats obtenus (les ventes d'un produit, la notoriété de la marque, la valeur de l'image, le taux de fidélisation, etc.) par rapport aux coûts des opérations (conception d'un produit, dépenses de publicité et de promotion, coûts de la force de vente, niveau de prix, etc.).

La vente à bas prix d'un pot de yogourt nature avec un taux de sucre moyen dans les hypermarchés du genre Costco peut apparaître, de prime abord, comme un choix très intéressant à cause de la modicité des coûts entraînés. Cependant, un tel concept ne rejoint pas les consommateurs atteints de diabète, ceux qui aiment les yogourts très sucrés, ceux qui préfèrent certaines saveurs de fruits, ceux qui font attention à leur ligne, ceux qui ne vont jamais dans les hypermarchés, et tous les autres. Cet exemple simple montre bien que l'économie de coûts que permet de réaliser le concept unique ne doit pas être le seul aspect à considérer au moment de déterminer les actions marketing relatives au produit, à la distribution, à la communication ou au prix.

La segmentation du marché permet donc à l'entreprise de choisir les groupes de consommateurs ou segments cibles qu'elle s'attachera à satisfaire avec une offre adaptée. Il importe toutefois de garder à l'esprit que l'adaptation de l'offre en fonction des besoins de chacun des segments doit être, elle aussi, évaluée de façon à ce que l'on soit raisonnablement certain qu'elle produira le résultat commercial escompté, donc qu'elle n'entraînera pas de coûts supplémentaires. Les gestionnaires de marketing doivent d'abord rechercher l'efficacité.

7.1.3_La segmentation du marché et les autres types de segmentation

La segmentation en marketing n'est pas limitée au découpage des marchés et au regroupement des clients. Elle s'applique aussi aux produits et aux activités stratégiques, d'où les appellations de segmentation de produits et de segmentation stratégique. On ne s'attardera ici qu'à décrire en quoi ces deux types de segmentation se distinguent de la segmentation du marché, qui constitue l'objet principal de ce chapitre.

La segmentation de produit sert à connaître les structures perceptuelles de l'offre dans un marché [10], à évaluer l'utilité d'un changement de positionnement de la marque et à trouver des créneaux pour de nouveaux produits. Elle repose sur des cartes perceptuelles, lesquelles sont des représentations graphiques indiquant la façon dont les consommateurs perçoivent les ressemblances et les différences entre diverses marques d'un produit ainsi que les dimensions sous-jacentes à ces perceptions. Elle est souvent utile pour établir les stratégies de positionnement ou de repositionnement. Celles-ci seront étudiées en détail au chapitre 8.

La segmentation stratégique consiste à déterminer quels sont, au sein d'une firme, les domaines d'activité stratégique (DAS ou encore SBU pour *strategic business units*). Ainsi, un domaine d'activité stratégique correspond à un ensemble d'activités assez homogènes entre elles et très différentes de celles des autres domaines d'activité stratégique de la firme.

Une stratégie d'entreprise sera conçue pour chaque domaine d'activité stratégique, et des ressources lui seront attribuées [11]. La figure 7.2 (*voir p. 224*) présente les cinq domaines d'activité stratégique de la compagnie Procter & Gamble au Canada : hygiène personnelle et beauté ; soins du foyer ; santé et bien-être ; soins pour bébés et pour la famille ; nutrition et soins des chiens et des chats.

Pratiquer la segmentation stratégique implique de se fonder sur un certain nombre de critères. On distingue principalement des critères d'offre tels que la technologie utilisée et les capacités de production, et des critères de demande tels que le genre de clientèle visée, les circuits de distribution empruntés et les besoins fondamentaux auxquels répondent les produits et les services relevant du domaine d'activité stratégique considéré. La segmentation stratégique peut recouper la segmentation du marché lorsque les critères considérés dans la segmentation stratégique sont uniquement des critères de demande [12].

Dans la plupart des publications traitant de marketing, le terme « segmentation » est toutefois normalement employé en relation avec le marché et les clients qui le composent. Le présent ouvrage fera de même.

FIGURE 7.2 Les cinq domaines d'activité stratégique (DAS) de la compagnie Procter & Gamble Canada

Source : PROCTER & GAMBLE, [En ligne], www.pg.com (Page consultée le 2 mars 2010)

_7.2 Les étapes de la segmentation du marché

Cette section nous présente tout d'abord un aperçu global des principales phases du processus de segmentation. Elle s'attarde ensuite aux principales bases et aux principaux critères de segmentation géographique, sociodémographique, psychographique et comportementale de la seconde phase.

7.2.1_Le processus de segmentation

Les chercheurs en marketing proposent souvent un processus de segmentation du marché en sept phases[13] : la définition du marché à segmenter ; le choix du modèle de segmentation ; le choix des critères de segmentation ; le choix des unités d'observation (unité d'analyse et échantillonnage) ; le choix de la méthode d'analyse des données ; la description des segments ; la validation des segments. La figure 7.3 résume les différentes phases du processus.

Dans les études de segmentation, les spécialistes en marketing se posent généralement quatre questions liées à des fondements conceptuels. Premièrement, quels marchés segmenter ? Deuxièmement, quelle approche de segmentation privilégier ? Troisièmement, quelles variables de segmentation utiliser ? Quatrièmement, quelles variables de description retenir ? Les lignes qui suivent reprennent une à une ces questions en explicitant davantage les problèmes qu'elles posent et en présentant les principales solutions suggérées par les spécialistes du marketing.

La définition du marché

Dans une étude de segmentation, l'établissement des limites du marché dépend des objectifs du gestionnaire de marketing. Selon Yoram Wind, la segmentation comporte trois principaux objectifs[14] :

1. déterminer les possibilités offertes par un nouveau produit de façon à mieux satisfaire les besoins des consommateurs ;

2. connaître le profil sociodémographique, l'attitude et le comportement des utilisateurs et des non-utilisateurs d'un produit déjà existant;

3. classer les individus en fonction de leurs réponses aux activités marketing (produit, prix, communication et distribution) [15].

FIGURE 7.3   Les phases du processus de segmentation du marché

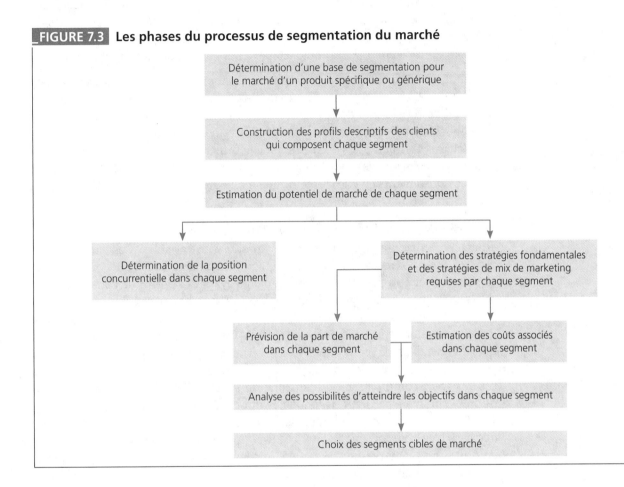

Le choix du modèle de segmentation

On distingue trois approches conceptuelles de segmentation: l'approche *a priori*, l'approche *a posteriori* et l'approche normative. Dans la segmentation *a priori*, le responsable de l'étude détermine lui-même une ou plusieurs variables sur la base desquelles il divisera le marché en plusieurs sous-marchés homogènes. Les variables retenues sont souvent des variables dont l'effet direct sur le comportement de consommation est déjà connu. C'est le cas, par exemple, des variables sociodémographiques, comme l'âge, le sexe ou le revenu, sur lesquelles on se fonde pour segmenter le marché des cosmétiques. L'approche *a priori* fournit une configuration particulière du marché selon les variables retenues qui permet de préciser les cibles et les actions marketing. Elle fait souvent appel à des techniques statistiques simples, comme l'analyse de tableau croisé.

La segmentation *a posteriori* ne comporte aucun choix de variables de segmentation. On prend en compte les différentes variables qui sont susceptibles de différencier des groupes de clients homogènes appartenant à un marché déterminé. Le découpage se fait souvent à la suite de l'observation directe de certains aspects du comportement d'achat, comme la motivation, la fréquence, la sensibilité au prix, la préférence à l'égard d'une marque et la fidélité. Dans ce type de segmentation, on emploie souvent des techniques d'analyse multivariée, comme l'analyse factorielle, l'analyse discriminante et l'analyse typologique. Pour être valable, la segmentation *a posteriori* doit aboutir à l'établissement de groupes facilement reconnaissables dans le marché réel et pouvant être rejoints par des stratégies de mix de marketing exécutables. La segmentation par avantages recherchés, étudiée plus loin dans ce chapitre, est un exemple d'application de cette approche.

Enfin, l'approche normative implique l'emploi de modèles mathématiques d'optimisation en vue de trouver une combinaison optimale d'éléments de mix de marketing qui permette de constituer des groupes assez homogènes de consommateurs assurant des revenus élevés et n'entraînant que de faibles coûts. Cette approche est très peu utilisée en raison de la difficulté liée à la fixation *a priori* du nombre de segments de marché. Il est souvent impossible, avec cette approche, de faire des ajustements en vue d'obtenir une meilleure combinaison des éléments du mix de marketing.

Le choix des variables de segmentation

Toute étude de segmentation implique un choix de variables. Ces variables servent à décomposer les marchés en segments homogènes. Chaque variable doit être pertinente (propre à établir des segments ayant des profils de consommation différents), mesurable (quantifiable) et opérationnelle (susceptible de conduire à une action marketing spécifique). Historiquement, dans les premiers travaux de segmentation, les chercheurs ont surtout utilisé des variables générales telles que les variables géographiques [16], les variables sociodémographiques [17] et les variables psychographiques de personnalité et de style de vie [18]. Le recours à ces variables comme base de segmentation s'est révélé peu avantageux à cause du faible pouvoir prédictif des modèles qui en découlent [19]. À la fin des années 1960, on a commencé à adopter des approches de segmentation reposant sur des variables comportementales [20]. Celles qui sont le plus largement employées de nos jours en marketing se fondent sur les avantages recherchés et les variables situationnelles [21]. Ces diverses approches de segmentation (géographique, sociodémographique, psychographique et comportementale) seront expliquées en détail plus loin dans le chapitre.

La description du profil des segments

On utilise généralement des variables de description pour dresser le profil de chaque segment. Elles servent à établir les caractéristiques distinctives de chaque groupe de consommateurs en vue d'optimiser les actions marketing d'une entreprise. Le choix des variables de description est généralement plus difficile à effectuer que le choix des variables de segmentation. La difficulté tient au nombre élevé de variables possibles et à la nécessité de prendre en compte les problèmes managériaux qui pourraient résulter de l'emploi de variables inutiles et inefficaces [22].

Dans certains cas, les variables de segmentation servent aussi à décrire le profil des segments qui ont été constitués. C'est généralement le cas de la segmentation comportementale, dans laquelle les consommateurs sont groupés sur la base de leur comportement de consommation. Cependant, dans tous les cas, on doit ajouter des variables descriptives liées aux profils sociodémographique et géographique des clients (âge, revenu, lieu de domicile, etc.) pour pouvoir évaluer le potentiel économique de chaque segment. Le critère d'utilisation d'une variable serait alors sa capacité de discriminer les différents segments [23].

7.2.2_Les bases et les critères de la segmentation

Dans un processus de segmentation, le découpage du marché en plusieurs segments homogènes représente une phase critique. Il est nécessaire de trouver la base, les critères et les techniques qui permettent de réaliser un tel découpage.

Il existe de multiples bases de segmentation, et chacune présente des avantages et des inconvénients. L'analyste en marketing doit savoir comment choisir une base et, de là, établir les critères qui lui seront associés.

Les critères de segmentation envisageables sont eux aussi très nombreux. Ceux décrits dans les études de marketing sont souvent groupés autour des quatre principales bases de segmentation : géographique, sociodémographique, psychographique et comportementale. Le tableau 7.2 présente ces bases et des exemples de critères qui leur sont associés, et la suite du texte les décrit à tour de rôle.

_TABLEAU 7.2 Les principales bases de la segmentation avec des exemples de critères

Base de segmentation	Exemples de critères de segmentation
Géographique	Climat, pays, région, lieu d'habitation, densité de la population, groupe de pays
Sociodémographique	Âge, sexe, revenu, catégorie socioprofessionnelle (CSP), niveau d'instruction, région, race, nationalité, classe sociale, cycle de vie familiale
Psychographique	Personnalité et caractère, attitudes, style de vie
Comportementale	Occasions d'achat, avantages recherchés, circonstances de l'usage, type et degré d'usage, niveau de fidélité, image de soi, sensibilité aux actions marketing, restrictions économiques

La segmentation géographique

La segmentation géographique suppose que le comportement d'achat des consommateurs appartenant à un même marché varie d'une région géographique à une autre. Les différences de comportement peuvent s'expliquer par des éléments comme le climat, les caractéristiques de la population, la langue, la religion ou le lieu géographique.

Cette base de segmentation est la première à avoir été utilisée en marketing pour constituer des groupes homogènes et pour adapter les actions marketing des entreprises aux besoins de ces groupes. Lorsqu'elle est apparue, cette méthode de segmentation est devenue très populaire en marketing international et dans les pays culturellement hétérogènes comme le Canada et les États-Unis, du fait que des critères géographiques expliquent souvent les besoins et le comportement d'achat des clients.

Le géomarketing, un domaine d'application très en vogue, tient compte des innovations apportées par les technologies de l'information et de la communication, et permet de combiner des données de comportement de consommation avec des données géographiques et sociodémographiques provenant des recensements. Les principaux secteurs qui utilisent aujourd'hui le géomarketing sont le commerce et la distribution, les services financiers de même que les industries. Cette méthode de segmentation, en se fondant sur l'emplacement géographique des clients, permet d'améliorer les stratégies marketing des entreprises, notamment la prospection de nouveaux clients, l'amélioration de la productivité par réduction des coûts de distribution et enfin la fidélisation de la clientèle par des offres adaptées aux clients selon leur localisation. L'info-marketing 7.2 donne des précisions sur les fondements et les applications du géomarketing au Québec.

INFO
MARKETING 7.2

Le géomarketing : fondements et applications au Québec

Le géomarketing est défini comme étant une technique de segmentation de marché qui consiste à jumeler les données issues des systèmes d'information géographique, notamment le lieu de résidence avec d'une part des données sociodémographiques des clients qu'ils soient individus ou entreprises, comme l'âge, le sexe, le nombre d'enfants, le secteur d'activité, le chiffre d'affaires et d'autre part des données de comportement d'achat. Le géomarketing retrace les clients jusque chez eux, les fiche d'après leur quartier, ville et province et prédit leur comportement et suggère aux gestionnaires des actions marketing très adaptées. Pour l'entreprise, il ne s'agit plus de connaître ses clients potentiels et leurs comportements, mais surtout de savoir où ils résident exactement. Ce qui facilite la façon de les rejoindre physiquement.

L'implantation du géomarketing passe par quatre principales étapes : définir géographiquement le marché (provenance de la clientèle) ; analyser ce que contient le marché (données démographiques habituellement fournies par Statistique Canada) ; segmenter le marché ; évaluer le potentiel et la part de marché.

Bien que cette technique, née au début des années 1960, soit très populaire aux États-Unis et en France, les experts en marketing jugent qu'elle demeure très peu utilisée, voire méconnue au Québec comme au Canada. Deux systèmes de segmentation existent au Canada, PSYTE et MOSAIC, et un au Québec, FOCUS, pour relier l'information client à l'information marché.

Le système géomarketing d'Optima, appelé FOCUS, divise la population québécoise en plus de 20 groupes de consom-

mateurs. Chacun est affublé d'un nom évocateur. Par exemple, les "Beaux gazons" sont les jeunes familles scolarisées, avec des revenus supérieurs à la moyenne, qui résident entre autres dans les quartiers Collectivité nouvelle de Longueuil ou Vimont à Laval. Les "Mieux nantis" habitent dans la banlieue ouest de Montréal. "Les temps sont durs", la classe des plus démunis, constituent le plus grand groupe (près de 10 % de la population). Les habitants des tours des centres-villes de Montréal, Québec et Gatineau forment le groupe baptisé "Le septième ciel".

Parmi les entreprises québécoises qui ont utilisé avec succès les résultats d'une telle segmentation, on peut citer Gaz Métropolitain et la Fédération des caisses populaires Desjardins de Montréal et de l'Ouest du Québec. Pour Gaz Métropolitain, le géomarketing a permis d'accroître son marché par l'acquisition de nouveaux clients. Elle a pu grâce à ce système étudier les types de ménages et de commerçants qui vivaient le long des réseaux et, selon leurs caractéristiques sociodémographiques, quelle stratégie marketing était en mesure de les rejoindre.

Pour Desjardins, le géomarketing est venu en 1999 remplacer la batterie d'études de marché, souvent pointues, visant à améliorer les services de leurs 525 succursales. Devant le constat sur l'échec des résultats de ces études, l'approche géomarketing a permis d'acquérir une vision globale de l'offre de services de toutes les caisses pour les positionner et revoir la stratégie de vente. En plus de cette vision globale, Desjardins a aussi défini plusieurs micromarchés pour lesquels elle a proposé de nouveaux concepts de vente adaptés à leurs besoins.

Source : M. GUAY, « Le géomarketing rejoint le consommateur dans son logis », *La Presse,* mercredi 24 juillet 2002, p. D4 ; adaptation libre.

Selon de nombreux spécialistes en marketing, la segmentation géographique est des plus simples à réaliser, du fait des frontières naturelles qui existent déjà entre les différents segments et de la facilité à les déceler au moment d'entreprendre des actions marketing. Par contre, son utilisation est très coûteuse en raison de la quantité énorme d'information qu'elle requiert et de la nécessité de mettre à jour continuellement les données collectées. Au Canada, la segmentation PSYTE, de la firme Compusearch, illustre bien la segmentation géographique. En s'appuyant sur les données sociodémographiques recueillies par Statistique Canada et sur ses propres informations relatives au comportement de consommation, l'entreprise a dégagé 60 segments jugés représentatifs de la société canadienne, puis les a distribués dans 15 groupes selon leurs caractéristiques. Le tableau 7.3 présente la liste des 60 segments ainsi que leur importance relative parmi les ménages au Canada.

TABLEAU 7.3 **La liste des 60 segments PSYTE de la firme Compusearch avec leur nom, leur importance relative au Canada et leur profil démographique**

R1 Familles à l'aise rurales	Ménages	S1 Banlieue opulente	Ménages
R1 Segment 11 L'élite boréale	0,15 %	S1 Segment 3 Les cadres de banlieue	0,98 %
R1 Segment 22 Nouvelle frontière	0,24 %	S1 Segment 6 Hypothéqués en banlieue	0,20 %
R1 Segment 26 Rustiques et prospères	0,09 %	S1 Segment 7 Technocrates et bureaucrates	1,82 %
R1 Segment 34 Moto-cross et 4 X 4	0,04 %	S1 Segment 9 Asiatiques aisés	0,06 %
R1 Segment 37 Le cœur agricole du Québec	4,06 %	**S2 Familles aisées de banlieue**	**Ménages**
R1 Segment 38 Fermes des Prairies	0,01 %	S2 Segment 5 *Boomers* et ados	0,07 %
U2 Ethnies urbaines	**Ménages**	S2 Segment 8 Banlieue familiale stable	0,97 %
U2 Segment 21 Europa	1,28 %	S2 Segment 15 Notables de la place	0,31 %
U2 Segment 25 Mosaïque asiatique	0,02 %	S2 Segment 16 Les *bungalows*	0,79 %
U2 Segment 41 Tours multiethniques	0,12 %	**S3 Gens seuls et couples âgés de banlieue**	**Ménages**
U3 Gens seuls et couples âgés urbains	**Ménages**	S3 Segment 10 Parents seuls en banlieue	0,47 %
U3 Segment 28 Sédentaires et traditionalistes	0,28 %	S3 Segment 12 Brie et chablis	0,44 %
U3 Segment 33 Les tours dorées	0,91 %	S3 Segment 17 Intellectuels aux tempes grises	0,94 %
U4 Jeunes célibataires urbains	**Ménages**	**S4 Jeunes familles de banlieue**	**Ménages**
U4 Segment 20 Jeunes professionnels urbains	1,94 %	S4 Segment 14 Banlieues satellites	0,04 %
U4 Segment 29 La bougeotte en ville	0,40 %	S4 Segment 23 Jardins d'enfants	0,17 %
U4 Segment 36 Jeune intelligentsia urbaine	1,01 %	**T1 Aisés des petites villes**	**Ménages**
U4 Segment 40 Enclaves universitaires	1,03 %	T1 Segment 13 La crème des cols bleus	0,04 %
U4 Segment 51 Jeunes célibataires en ville	0,32 %	T1 Segment 19 Les *boomers* des villes	0,08 %
U4 Segment 56 La vie de bohème	2,80 %	T1 Segment 27 Nouvelles périphéries des villes	0,14 %
T2 Cols gris de petites villes	**Ménages**	**S5 Banlieues du Québec**	**Ménages**
T2 Segment 31 Villes victoriennes	0,35 %	S5 Segment 18 Participaction Québec	3,03 %
T2 Segment 35 Locataires en région	0,49 %	S5 Segment 24 Les maisons de ville du Québec	5,36 %
T2 Segment 39 Jeunes et moins jeunes locataires	0,00 %	S5 Segment 30 Mélange Québec	10,50 %
T2 Segment 44 Jeunes cols gris	0,31 %	S5 Segment 32 Familles traditionnelles francophones	9,34 %
T2 Segment 46 Petites villes paisibles	0,22 %	**U5 Cols gris du Québec**	**Ménages**
R2 Le bas de l'échelle rurale	**Ménages**	U5 Segment 42 Euro-Québec	4,02 %
R2 Segment 43 Le *blues* de l'agriculture	0,45 %	U5 Segment 45 Les escaliers extérieurs du Québec	7,31 %
R2 Segment 47 Chasse et pêche	0,33 %	U5 Segment 53 Aînés des petites villes du Québec	8,28 %
R2 Segment 49 Villages des Maritimes	0,07 %	U5 Segment 54 Citadins vieillissants du Québec	1,33 %
R2 Segment 50 Familles nombreuses campagnardes	1,12 %	U5 Segment 57 Mosaïque urbaine du Québec	7,07 %
R2 Segment 52 Le *blues* du Québec rural	5,56 %	**U6 Le bas de l'échelle urbaine**	**Ménages**
R2 Segment 55 Vieilles fermes canadiennes	0,02 %	U6 Segment 48 Survie au centre-ville	0,02 %
U1 Élite urbaine	**Ménages**	U6 Segment 58 Pensionnés âgés	1,02 %
U1 Segment 1 L'*establishment* canadien	0,11 %	U6 Segment 59 Défavorisés du centre-ville	1,69 %
U1 Segment 2 Les opulents	0,27 %	U6 Segment 60 Tours grisonnantes	0,46 %
U1 Segment 4 La bourgeoisie urbaine	1,08 %		

Sources : COMPUSEARCH MICROMARKETING DONNÉES ET SYSTÈMES, BLACKBURN/POLK VEHICLE INFORMATION SERVICES, PRINT MEASUREMENT BUREAU, STATISTIQUE CANADA.

Le tableau 7.4 montre un exemple d'information propre à un segment déterminé, Participaction Québec.

_TABLEAU 7.4 Des exemples de renseignements relatifs à un segment PSYTE

Segment 18 : Participaction Québec (3,03 % des ménages)			
Chefs du ménage jeunes ou d'âge moyen, à la tête de familles franco-canadiennes nombreuses. Fréquemment détenteurs de diplômes d'études collégiales. Occupations variées, mais dans la couche supérieure. Souvent deux revenus par foyer. Généralement propriétaires de maisons de ville ou unifamiliales récentes, situées en banlieue. Physiquement et socialement très actifs.			

Démographie	Moyenne segment (%)	Moyenne canadienne (%)	Indice
Éducation			
Diplôme universitaire	15,8	14,0	113
Cours universitaires	9,2	11,8	78
Collégial	29,9	23,6	127
Secondaire	34,9	35,3	96
Moins que secondaire	10,2	14,1	72
Occupation			
Administration	14,3	11,0	130
Autres cols blancs	28,0	24,9	113
Cols bleus	27,9	32,0	87
Cols gris	41,5	38,8	107
Sans emploi	7,7	10,8	71
Femmes au travail	66,0	58,7	113
Type de famille			
Ménage 1 personne	9,2	22,8	41
Ménage avec enfants	58,2	37,3	156
Enfants (0-5)	24,9	25,4	98
Enfants (6-14)	42,6	36,0	118
Enfants (15 +)	32,5	37,5	87
Parents seuls	9,0	13,2	68
Chef du ménage			
15-24 ans	2,2	4,6	47
25-34 ans	25,4	21,8	116
35-54 ans	56,1	40,0	140
55-64 ans	9,9	14,1	70
65 ans et +	6,4	19,3	33
Langue parlée à la maison			
Anglais	6,7	69,6	10
Français	91,9	22,4	410
Autre	1,4	7,7	18
Immigration	9,6	15,2	24
% immigration après 1981	11,0	10,1	109

Démographie	Moyenne segment (%)	Moyenne canadienne (%)	Indice
Revenu par ménage 1991			
< 20 000 $	9,6	19,3	50
20 000 $ à 34 999 $	14,1	17,2	82
35 000 $ à 49 999 $	22,2	15,5	143
50 000 $ et +	50,6	29,2	173
Revenu moyen (1994) ($)	57 081,9	46 206,1	124
Revenu personnel > 100 000 $	0,2	0,7	29
Habitation			
Bungalows	79,1	69,7	132
App. 5 + étages	0,3	9,5	3
Autres	20,3	28,0	72
Loués	14,2	35,3	40
Propriétaire occupant	85,9	63,5	135
Mobilité			
A déménagé après 1990	11,1	16,8	66

Préférences	Indice	Préférences	Indice
Automobile		**Automobile**	
Pontiac Le Mans	403	Toyota Tercel	297
Hyundai Sonata	349	Volkswagen Passat	269
Chevrolet Lumina APV	324		
Produit		**Produit**	
Mélange à gâteau	187	Bière en fût	147
Vin	185	Yogourt	143
Shampoing Sélection Salon	178	Jeux vidéo	135
Détergent lave-vaisselle	149	Billets de loterie	120
Repas congelés diététiques	136		
Média		**Média**	
Filles d'aujourd'hui	160	Regardent ski à la télé	134
Téléromans	155	Écoutent le palmarès	138
Musique rock classique	150		
Activité		**Activité**	
Ski alpin	228	Tennis	165
Cyclisme	189	Natation	160
Restaurants haut de gamme	165	Couture	154

Sources : COMPUSEARCH MICROMARKETING DONNÉES ET SYSTÈMES, BLACKBURN/POLK VEHICLE INFORMATION SERVICES, PRINT MEASUREMENT BUREAU, STATISTIQUE CANADA.

Les variables sociodémographiques

La segmentation sociodémographique repose sur l'hypothèse que les différences dans les caractéristiques sociodémographiques des clients expliquent en grande partie les différences dans leurs comportements de consommation[24]. Dans ce type de segmentation, le marché est divisé sur la base de variables de profil telles que le statut, l'âge, le sexe, le revenu, la catégorie socioprofessionnelle, le niveau d'instruction, la classe sociale ou le cycle de vie familiale. Les compagnies de produits cosmétiques comme L'Oréal, Estée Lauder et NIVEA utilisent souvent la segmentation sociodémographique pour gérer leur clientèle d'après des variables comme la catégorie d'âge, le sexe et le niveau de revenu. De cette segmentation, il ressort que les besoins, les motivations d'achat et la sensibilité au prix du segment des femmes à faible revenu âgées de 15 à 29 ans sont différents de ceux du segment des femmes ayant un revenu élevé et âgées de 50 ans et plus. Les politiques de produit, de communication, de distribution et de prix en ce qui a trait à l'offre de cosmétiques sont donc adaptées aux besoins et aux comportements propres à chacun de ces segments.

Le tableau 7.5 présente un exemple de segmentation sociodémographique faite dans le domaine des services financiers au Québec par les Caisses Desjardins. Pour segmenter son marché et définir ses actions marketing, l'institution québécoise se fonde sur des variables comme la nature de la clientèle (particuliers ou entreprises), la catégorie d'âge (adolescents, jeunes, parents, aînés), le statut au Canada (nouveaux arrivants, résidents permanents ou citoyens), la catégorie socioprofessionnelle (étudiants, jeunes travailleurs, professionnels, chefs d'entreprise, propriétaires d'immeubles locatifs), le statut organisationnel (travailleurs autonomes, professionnels, PME, grandes entreprises) et la nature des activités (commerce de détail, hôtellerie et restauration, agriculture, services publics ou parapublics).

TABLEAU 7.5 **Un exemple de segmentation sociodémographique dans le domaine des services financiers au Québec**

Segment des entreprises et ses sous-segments	Segment des particuliers et ses sous-segments
◈ Desjardins	
Travailleurs autonomes	Ados
Professionnels	Jeunes travailleurs
Petites et moyennes entreprises	Étudiants
Jeunes entrepreneurs	Professionnels
Commerces de détail, hôtellerie et restauration	Parents
Entrepreneurs agricoles	Investisseurs autonomes
Organismes publics et parapublics	Enseignants
Propriétaires d'immeubles locatifs résidentiels	Propriétaires d'immeubles locatifs résidentiels
	Aînés
	Chefs d'entreprise
	Nouveaux arrivants au Canada

Source : MOUVEMENT DES CAISSES DESJARDINS, [En ligne], www.desjardins.com (Page consultée le 23 avril 2010)

En raison de sa facilité d'utilisation, la segmentation sociodémographique est largement utilisée par les professionnels du marketing. Elle est néanmoins peu efficace et a un faible pouvoir prédictif pour plusieurs marchés.

Avec l'évolution de la société, il est plus difficile de nos jours de déceler des différences de comportements entre les hommes et les femmes qu'il y a trente ans, même qu'apparaissent de nouvelles catégories, comme les gais, les lesbiennes et les transsexuels. Il devient également difficile dorénavant de dégager des différences entre les catégories d'âge. Les jeunes, par exemple, ont souvent tendance à imiter les adultes et à modeler leur comportement sur eux. De leur côté, plusieurs adultes cherchent à ressembler aux jeunes pour avoir l'impression de vieillir moins vite et ajustent leur comportement en conséquence[25].

La figure 7.4 montre comment Pampers offre aux parents des couches pour bébés et des culottes d'entraînement qui ont été adaptées selon l'âge (nouveau-né, 1 an, 2 à 3 ans, 4 ans et plus), le sexe et la taille (1, 2, 3, 4, 5 et 6). Cette adaptation selon l'âge est allée jusqu'à offrir, sur le marché, des couches pour personnes âgées aux prises avec des problèmes d'incontinence.

_FIGURE 7.4 **Une adaptation de produit en fonction de l'âge, du sexe et du poids**

Source : PAMPERS, [En ligne], www.pampers.com (Page consultée le 18 mars 2010)

La segmentation psychographique

La segmentation psychographique part de l'hypothèse que les différences entre les individus qui sont relatives à la personnalité, à l'attitude et au style de vie expliquent beaucoup mieux les différences dans le comportement de consommation que des éléments tels que le lieu de domicile et le profil sociodémographique. Ce type de segmentation décrit la façon de vivre d'un individu ou d'un groupe et concerne : les activités ; les attitudes ; les opinions des personnes.

Du point de vue opérationnel, la nature plus ou moins subjective de ces éléments rend la segmentation psychographique complexe à réaliser, et ses résultats, difficiles à interpréter. Cette segmentation a cependant pour avantage de livrer une analyse en profondeur du consommateur, chose presque indispensable pour comprendre son comportement et apprécier la stabilité des critères étudiés. De grands spécialistes en psychologie du consommateur considèrent d'ailleurs que l'idée fondamentale sur laquelle repose la recherche sur la segmentation par les styles de vie est que, plus on connaît les consommateurs, plus on les comprend et plus on peut communiquer efficacement et faire des affaires avec eux[26].

En ce qui concerne la division du marché sur la base de la personnalité, une étude de marketing a révélé que les choix des consommateurs en matière d'habillement s'expliquent en grande partie par le désir d'affirmer leur personnalité selon le contexte social. Leurs choix peuvent traduire une volonté d'autonomie liée à un refus des normes sociales, une dépendance à l'égard de ces contraintes ou une recherche d'équilibre entre l'affirmation de la personnalité et l'acceptation des contraintes sociales. Dans ce cas, on pourrait grouper les consommateurs selon leurs personnalités et faire de ces groupes l'objet de stratégies de marketing adaptées. Il faut préciser que la segmentation des marchés d'après des éléments de la personnalité pose le problème de la mesure. Celle-ci est souvent basée sur des tests cliniques qu'il est difficile de réaliser dans une étude de marché comportant de vastes échantillons.

Pour l'utilisation des variables d'attitude dans les études de segmentation, les chercheurs se basent souvent sur les trois niveaux de réaction des consommateurs (niveau cognitif, niveau affectif et niveau conatif) pour expliquer les comportements d'achat. Les attitudes sont des dispositions acquises qui amènent l'individu à réagir de telle ou telle façon à l'égard d'un objet. Cette dimension est prise en considération, par exemple, lorsqu'il s'agit de segmenter le marché de nouveaux produits et services envers lesquels il est établi que les consommateurs ne réagissent pas de la même façon. La tendance à adopter les innovations est plus ou moins forte selon les individus et, du point de vue stratégique, il convient souvent de rechercher d'abord le groupe chez lequel cette tendance est la plus forte pour l'étudier en premier. Ce groupe, appelé « groupe des innovateurs », s'emploiera par la suite à convaincre les autres consommateurs, appelés « groupe des imitateurs », d'adopter l'innovation. Cela assurera la diffusion rapide du produit ou du service sur le marché. En matière de communication, le groupe des innovateurs se montre davantage sensible aux moyens commerciaux, comme la publicité, les promotions et la force de vente, alors que le groupe des imitateurs est surtout sensible à la communication interpersonnelle, notamment le bouche à oreille et la pression sociale. Le tableau 7.6 présente un questionnaire de mesure de l'attitude à l'égard de l'innovation pour la nouvelle console de jeu PS3 Slim de Sony, lancée en septembre 2009. La mesure se base sur une série d'énoncés qui correspondent à des réactions cognitives, affectives et conatives du consommateur. Le groupe innovateur est composé des consommateurs qui répondent de manière très positive à ces différents énoncés, par le moyen, par exemple, de l'échelle de Likert avec des scores qui varient de 1 (pas du tout d'accord) à 5 (tout à fait d'accord).

TABLEAU 7.6 Une échelle de mesure du sens de l'innovation des consommateurs appliquée à une nouvelle console de jeu

Indiquez votre degré d'accord ou de désaccord avec chacun des énoncés suivants :	Pas du tout d'accord				Tout à fait d'accord
1. En général, je suis parmi les premiers dans mon cercle d'amis à acheter une nouvelle console de jeu.	1	2	3	4	5
2. Si l'on m'informe qu'une nouveauté en rapport aux consoles de jeu est arrivée en magasin, je serai sûrement prêt à l'acheter.	1	2	3	4	5
3. Je possède beaucoup plus de produits ayant rapport aux consoles de jeu que mes amis.	1	2	3	4	5

> **_TABLEAU 7.6** Une échelle de mesure du sens de l'innovation des consommateurs appliquée à une nouvelle console de jeu (*suite*)

Indiquez votre degré d'accord ou de désaccord avec chacun des énoncés suivants :	Pas du tout d'accord				Tout à fait d'accord
4. En général, je suis le premier, dans mon cercle d'amis, à être informé des nouveautés au sujet des consoles de jeu.	1	2	3	4	5
5. Je vais m'acheter une nouvelle console de jeu même si je n'ai pas eu beaucoup d'information à son sujet ou si je ne l'ai pas essayée.	1	2	3	4	5
6. J'aime acheter une nouvelle console de jeu avant les autres.	1	2	3	4	5

Source : Ronald E. GOLDSMITH et Charles F. HOFACKER, « Measuring consumer innovativeness », *Journal of the Academy of Marketing Science,* vol. 19, n° 3, été 1991, p. 209-221 ; traduction libre.

Le troisième type de segmentation psychographique, très populaire de nos jours, se rapporte aux valeurs et aux styles de vie des consommateurs. Le style de vie d'un individu se définit comme la résultante globale de son système de valeurs, de ses attitudes, de ses activités et de son mode de consommation. Les valeurs se définissent, quant à elles, comme des croyances permanentes de l'individu selon lesquelles un mode donné de conduite ou d'existence paraît personnellement et socialement préférable à tout autre [27].

Les valeurs et les styles de vie comme base de segmentation présentent l'avantage d'être plus stables et plus globaux que la personnalité et les attitudes. C'est ce qui explique leur large utilisation dans le domaine professionnel. Ainsi, la segmentation VALS (*Values and Lifestyles*), conçue en 1983 par la firme de consultation américaine SRI International, est maintenant couramment employée aux États-Unis [28]. Il s'agit d'une grille de 34 questions établies pour mesurer les attitudes générales et particulières des individus ainsi que certaines de leurs caractéristiques démographiques, de manière à les rattacher à l'un ou l'autre des huit segments de consommateurs ayant des valeurs et des styles de vie différents : les laborieux, les réalisateurs, les jeunes loups, les conservateurs, les pragmatiques, les performants, les satisfaits et les accomplis. La figure 4.5 (*voir p. 113*) donne une idée des différents segments utilisés dans ce mode de segmentation.

La segmentation psychographique trouve couramment son application dans le domaine du marketing social, pour traiter des problèmes de comportement citoyen comme le recyclage, le réchauffement climatique, la dépendance aux jeux de hasard ou la consommation d'alcool, de cigarette et de drogue. L'info-marketing 7.3 (*voir p. 236*) décrit comment Santé Canada, une institution publique, fait de la segmentation psychographique pour améliorer ses actions stratégiques.

La segmentation comportementale

La segmentation comportementale repose sur des variables liées directement au comportement d'achat des individus. On distingue cinq variables de comportement : les avantages recherchés, le type d'usage, le degré de fidélité, le degré d'usage et la sensibilité aux actions marketing (prix, publicité, promotion…). Ces variables sont les plus souvent utilisées en marketing pour segmenter les marchés, qu'ils soient individuels ou organisationnels.

La segmentation psychographique au service du marketing social

En 2010, Santé Canada rapporte sur son site Web, entre autres, deux exemples qui illustrent le recours à la segmentation des marchés pour mieux traiter certaines questions de société, notamment les habitudes alimentaires et l'activité physique de la population de même que la consommation de drogue.

Les habitudes alimentaires et l'activité physique

« En 2005, Santé Canada a réalisé un sondage sur les attitudes et les comportements liés aux bonnes habitudes alimentaires, l'activité physique et la participation à des activités sportives afin de préparer une campagne sur un mode de vie sain. La recherche comprenait entre autres une analyse psychographique qui a permis de segmenter le marché selon :

- Le comportement actuel
- Les perceptions relatives aux avantages d'une alimentation saine et de l'activité physique
- Le besoin d'information concernant les thèmes relatifs à un mode de vie sain
- Les mesures actuelles prises pour améliorer la santé des membres de la famille, ou les intentions à cet égard

On a déterminé quatre segments distincts caractérisés par des niveaux d'engagement différents en ce qui a trait aux habitudes de vie saines et aux besoins d'information. Ces quatre segments sont les suivants :

- Médaillés d'or – Besoins d'information faibles, le niveau d'engagement le plus élevé concernant les habitudes de vie saines
- *Statu quo* – Besoins d'information moyens, niveau élevé d'engagement concernant les habitudes de vie saines
- Chercheurs d'information – Besoins d'information élevés, niveau élevé d'engagement en ce qui a trait aux habitudes de vie saines
- Sceptiques – Besoins d'information moyens, le niveau d'engagement le plus faible concernant les habitudes de vie saines

Les deux groupes que Santé Canada a choisis comme publics cibles sont les *Statu quo* et les Chercheurs d'information, car ceux-ci étaient en mesure de réaliser des progrès et étaient réceptifs au changement. »

Problème de consommation de drogue

« Une analyse plus récente réalisée sur des jeunes de 12 à 18 ans a permis de déterminer trois groupes psychographiques selon les attitudes et les comportements envers l'usage de drogues, particulièrement l'usage de la marijuana. »

Groupe	Particularités
Segment actif	Pourcentage plus élevé de jeunes plus âgés
	Veulent faire l'expérience des drogues
	Proportion plus élevée des amis qui font l'usage de drogues
Segment contemplation	Proportions égales de jeunes et de vieux adolescents
	Quelques-uns consomment de la marijuana, mais peu fréquemment
	Moins tendance à être des meneurs
Segment inactif	Moins grande proportion qui a déjà consommé de la marijuana
	Croient que l'usage de drogues est dangereux
	La majorité préfère ne pas fréquenter des consommateurs de drogues

Source : SANTÉ CANADA, [En ligne], www.hc-sc.gc.ca (Page consultée le 19 mars 2010)

La segmentation par avantages recherchés s'appuie sur les préférences des consommateurs et les avantages dérivés ou désirés qui expliquent ces préférences [29]. Pour cette segmentation, trois éléments sont à déterminer : la liste des attributs (avantages) désirés par les consommateurs pour un produit donné ; le type d'individus qui recherchent un attribut particulier ; la concordance entre les attributs recherchés et ceux que présentent les marques offertes.

Les principaux inconvénients de la segmentation par avantages recherchés sont la difficulté de déterminer la taille des groupes en fonction des avantages recherchés et de saisir le sens précis de l'énoncé de ces avantages. Le tableau 7.7 illustre l'application de la segmentation par avantages recherchés au marché de la pâte dentifrice.

_TABLEAU 7.7 Une application de la segmentation par avantages recherchés au marché de la pâte dentifrice

Nom du segment / Caractéristique	Les sensitifs	Les sociables	Les anxieux	Les indépendants
Principal avantage recherché	Saveur/apparence du produit	Éclat des dents	Prévention de la carie	Prix
Caractéristique démographique	Enfants	Adolescents/ jeunes gens	Familles nombreuses	Hommes
Caractéristique comportementale spéciale	Utilisateurs de dentifrice au goût de menthe	Fumeurs	Grands utilisateurs	Grands utilisateurs
Caractéristique de la personnalité	Égocentriques	Très sociables	Hypocondriaques	Très autonomes
Caractéristique des styles de vie	Hédonistes	Actifs	Conservateurs	Économiques

Source : *Journal of Marketing,* juillet 1968, p.33.

La segmentation situationnelle se fonde sur les circonstances d'achat ou le type d'usage d'un produit [30]. Elle est généralement employée concurremment avec d'autres types de segmentation, en particulier avec la segmentation par avantages recherchés. En effet, l'utilisation d'un produit résulte d'un besoin. Ainsi, la segmentation établie par la Société des alcools du Québec considère la bannière SAQ Signature pour le groupe de clients désireux d'offrir un vin ou un spiritueux en cadeau à quelqu'un, la bannière SAQ Express, pour les clients qui cherchent à faire des économies et la bannière SAQ.com pour ses clients en ligne. C'est aussi le cas de la segmentation établie par la Banque Royale en vue de déterminer son offre de cartes de crédit (*voir le tableau 7.1, p. 220*).

La segmentation par niveau de fidélité cherche quant à elle à grouper les consommateurs en fonction de leur degré de loyauté à une marque ou à un produit : les fidèles inconditionnels, les fidèles non exclusifs et les infidèles. Cette méthode est la plus populaire de nos jours et l'on s'en sert dans les domaines de la grande consommation (par exemple, le concept de carte de fidélisation chez Costco, La Baie ou Sears) ou du transport aérien (par exemple, les programmes de fidélisation d'Air Canada ou du groupe Air France-KLM).

Ce type de segmentation est très utile pour les firmes soucieuses d'entretenir une approche relationnelle avec leurs clients ou d'attirer les consommateurs qui sont fidèles aux concurrents. C'est la méthode qui s'est le plus développée sur le plan méthodologique ces dix dernières années : on y a intégré des données transactionnelles ainsi que des données sur les profils, et l'on a mis au point des logiciels d'exploration de données destinés à gérer l'analyse quantitative de celles-ci.

L'info-marketing 7.4 illustre le concept de fidélisation dans la segmentation du marché du transport aérien.

Le programme de fidélisation Flying Blue d'Air France-KLM et de son alliance SkyTeam

En 1995, la compagnie Air France a entamé, à l'instar de toutes les grandes compagnies aériennes du monde comme KLM, American Airlines ou Air Canada, un programme de fidélisation de sa clientèle en lançant son programme Fréquence Plus. Ce programme vise à segmenter ses clients en fonction de leur utilisation des services de la compagnie et, par conséquent, à donner plus d'avantages aux clients les plus fidèles.

À la suite de la fusion avec la compagnie néerlandaise KLM, formant ainsi le groupe Air France-KLM, ce programme a été révisé en 2005 pour donner naissance à Flying Blue. Ce système de fidélisation réserve des services exclusifs supplémentaires aux clients (par exemple, billets en prime, réservation garantie, enregistrement au comptoir de la classe Affaires, accès aux salons VIP, surclassement, etc.) en fonction de leur fréquence annuelle d'utilisation des services de l'une ou l'autre des deux compagnies et même des autres compagnies de l'alliance SkyTeam.

Quatre catégories de clients ont été définies. Le client reçoit automatiquement ou sur demande une carte d'adhésion qu'il doit présenter à chaque enregistrement. Les quatre cartes, par ordre croissant d'importance du client et des services supplémentaires offerts, sont: Ivory, Silver, Gold et Platinum.

■ La carte Flying Blue Ivory est accordée automatiquement à tout client qui voyage au moins une fois avec la compagnie ou qui en fait lui-même la demande. Cette carte ne donne aucun avantage à son détenteur.

■ La carte Flying Blue Silver est remise lorsque le client effectue un nombre de voyages pendant une année qui lui permet d'accumuler 25 000 points (un voyage de 7500 km équivaut à 3500 points). Les avantages pour les détenteurs de cette carte sont multiples: 50 % de points de bonus, place garantie en réservant au moins sept jours à l'avance, priorité sur liste d'attente, choix du siège, priorité aux comptoirs d'enregistrement et de correspondance, forfait excédent de bagages, embarquement prioritaire, et ainsi de suite.

■ La carte Flying Blue Gold est obtenue lorsque le client effectue assez de voyages pendant une année pour accumuler 40 000 points. Les avantages sont les mêmes que ceux offerts aux détenteurs de la carte Silver, avec un ajout d'autres services: 75 % de points de bonus, place garantie en réservant 24 heures à l'avance, accès aux salons VIP, livraison prioritaire des bagages, etc.

■ La carte Flying Blue Platinum va au client qui accumule 60 000 points dans une année. Les avantages sont les mêmes que ceux de la carte Gold, avec un ajout d'autres services: 100 % de points de bonus, Platinum à vie, etc.

La classification d'un client par rapport à l'une ou l'autre de ces catégories est révisée continuellement. Elle peut aller à la hausse comme à la baisse selon l'accroissement ou la réduction de l'utilisation par le client des services du groupe Air France-KLM ou de l'un des neuf autres membres de l'alliance SkyTeam.

Source: AIR FRANCE, [En ligne], www.airfrance.com (Page consultée le 19 mars 2010); adaptation libre.

La segmentation comportementale par le degré d'usage d'un produit se base principalement sur le niveau de consommation de la clientèle, dont l'intérêt varie au moment de l'achat. Pour la bière, pour les cigarettes ou pour tout autre produit ou service de grande consommation, il est possible de distinguer trois groupes importants de consommateurs: les acheteurs réguliers, les acheteurs occasionnels et les non-utilisateurs. Il est évident que ces groupes diffèrent dans leur comportement et qu'ils doivent être abordés avec des politiques de produit, de distribution, de communication et de prix adaptées à leurs comportements. Une étude réalisée en 2007 a cherché à segmenter le marché de l'habitation au Québec sur la base des perceptions et des attentes des ménages. L'info-marketing 7.5 présente cette étude.

La segmentation du marché de l'habitation au Québec

En juillet 2007, Léger Marketing a réalisé, pour le compte de la Société de l'habitation du Québec, une étude portant sur les valeurs et tendances en habitation au Québec. Un sondage, par questionnaire autoadministré, a été réalisé auprès d'un échantillon représentatif de 1602 résidents du Québec âgés de 18 ans et plus choisis dans le panel Web de Léger Marketing.

Le sondage révèle que, à partir de leurs perceptions et de leurs attentes en matière d'habitation, on peut regrouper les Québécois en quatre grands segments nettement différents : les engagés, les sédentaires, les sans-attaches et les mobiles. Voici brièvement le profil de ces quatre segments.

Les engagés (36%)

« Ils ont récemment, souvent depuis moins de 5 ans, fait l'acquisition de leur première résidence et comptent y demeurer au cours des prochaines années. Ils habitent généralement une maison individuelle ou en rangée, située en banlieue ou en zone rurale. Disposant de bons revenus, les frais d'habitation occupent une faible proportion de leur budget. L'augmentation des frais d'intérêt les préoccupe tout de même. Ayant de jeunes enfants, ils valorisent la vie de famille. Leur vie tourne essentiellement autour de leur résidence et ils aiment dépenser pour l'aménager à leur goût. Ils profitent pleinement de leur résidence, bien qu'ils soient toujours à la course. Ils sont majoritairement satisfaits de la ville où ils demeurent, appréciant leur terrain et le calme. Toutefois, ils se déplacent en voiture et aimeraient habiter plus près de leur lieu de travail.

Les sédentaires (29%)

Ils habitent une maison individuelle ou un condo qu'ils possèdent depuis souvent plus de 20 ans. Leurs frais d'habitation ne mobilisent qu'un faible pourcentage de leurs revenus. Couples retraités, leur vie tourne autour de leur résidence et ils en profitent pleinement : ils y passent tous leurs temps libres, apprécient l'espace naturel et l'intimité de leur maison et dépensent pour aménager leur demeure. Ils sont globalement très satisfaits de leur situation, habitant la demeure qu'ils ont toujours souhaitée, dans une municipalité qui leur plaît. Il est donc très improbable qu'ils déménagent au cours

des prochaines années, mais, s'ils le faisaient, ce serait pour une résidence moins grande ou adaptée à une incapacité physique. L'adaptation des logements à la population vieillissante est d'ailleurs, pour eux, un défi de taille en habitation, alors que le vieillissement de la population, la santé et la sécurité sont des enjeux qui les préoccupent.

Les sans-attaches (21%)

Ce dernier segment est composé de personnes seules et locataires dans des duplex, triplex ou des immeubles à logements. Dépensant déjà une proportion importante de leur budget pour les frais d'habitation, l'accès à la propriété résidentielle n'est pas envisagé, bien que souhaité. À défaut de mieux (un environnement moins bruyant, un logement en meilleur état, etc.), elles se contentent de leur logement actuel et disent tout de même en profiter pleinement. Leur vie tourne toutefois principalement autour de leurs lieux de sports et loisirs, et elles avouent qu'elles ne passeraient pas plus de temps à la maison. Habitant en zone urbaine, elles se déplacent en transport en commun ou à pied. Étant donné leur situation, le coût des logements et la rénovation des vieux bâtiments sont, selon elles, des défis importants en habitation. Le chômage, la pauvreté et les inégalités sociales sont des enjeux qui les touchent particulièrement.

Les mobiles (14%)

Ayant souvent des revenus limités, ces jeunes adultes sont actuellement locataires. Les frais d'habitation occupent une part importante de leur budget, mais ils épargnent afin d'accéder à la propriété résidentielle. N'habitant pas la résidence désirée (ils aimeraient avoir un plus grand espace et un terrain) et étant souvent insatisfaits de leur ville, il est très probable qu'ils achètent une résidence au cours des prochaines années. Pour le moment, leur vie tourne surtout autour de leur milieu de travail et, même avec plus de temps libre, ils ne seraient pas davantage à la maison. Se déplaçant en transport en commun ou à pied, ils apprécient la proximité des services et pensent demeurer en zone urbaine. Ils sont très sensibles aux questions environnementales et valorisent le développement durable. »

Source : LÉGER MARKETING, « Valeurs et tendances en habitation au Québec : volet des ménages du Québec », sondage réalisé pour la Société d'habitation du Québec, septembre 2007, p. 11-12, [En ligne], www.habitation.gouv.qc.ca (Page consultée le 15 mars 2010)

La dernière variable comportementale pour segmenter un marché porte sur la sensibilité des acheteurs potentiels à des actions marketing comme le prix, le niveau de service, la promotion des ventes et la distribution. En ce qui a trait au prix, on peut déceler des groupes de consommateurs très sensibles au prix alors que d'autres le sont moins. Une entreprise a avantage à baisser les prix pour inciter les consommateurs très sensibles à ce critère à acheter. Le prix ne peut en aucun cas être utilisé comme moyen de persuasion avec ceux qui sont peu sensibles à cet élément. Il faut, au contraire, maintenir des prix élevés, mais rechercher d'autres arguments persuasifs comme le service et la disponibilité. C'est ce qui a amené, par exemple, le géant mythique du commerce de détail au Canada, le groupe Hbc (Hudson's Bay Company ou Compagnie de la Baie d'Hudson), fondé en 1670, à gérer simultanément trois concepts distincts de chaînes de magasins à rayons, avec des bannières et des clientèles très différentes. D'abord, la chaîne traditionnelle des magasins de prestige La Baie (600 magasins au Canada en 2010), destinée aux clients peu sensibles au prix, mais très soucieux de l'image de marque et de la qualité des produits. Ensuite, la chaîne Zellers (279 magasins), spécialisée dans le commerce à rabais et qui dessert une clientèle très sensible au prix. Enfin, le dernier-né du groupe et le moins répandu, la chaîne Déco Découverte (62 magasins), spécialisée dans les articles de cuisine, de chambre à coucher et de salle de bain, et qui vise une clientèle à la recherche de produits de marque mais à bas prix.

Ce type de segmentation est aussi utilisé dans les marchés organisationnels, comme on le verra un peu plus loin.

Le principal avantage des variables de segmentation basées sur la sensibilité est leur lien direct avec la prise de décision en marketing. Ce type de segmentation aide l'entreprise à mieux distribuer ses ressources. L'inconvénient majeur est la difficulté de trouver des variables pertinentes. Comme on l'a expliqué dans le chapitre portant sur la recherche en marketing, les méthodes le plus souvent utilisées pour évaluer la sensibilité des consommateurs en ce qui a trait aux actions marketing sont l'expérimentation ou les données de panel [31].

Pour conclure sur les bases et les critères de segmentation, on peut préciser que de nombreux auteurs en marketing partagent l'idée que le choix des variables de segmentation dépend généralement des objectifs managériaux de la firme [32]. Ainsi, dans le cas du lancement d'un nouveau produit, la segmentation sur la base de la propension d'adoption est plus appropriée que les autres types de segmentation, surtout si la firme ne dispose d'aucune information sur les préférences du marché. De plus, on recommande souvent de sélectionner des variables de segmentation qui peuvent se traduire facilement en actions marketing, par exemple les avantages recherchés ou la fidélité à la marque [33].

7.2.3_Le choix de la méthode d'analyse dans les études de segmentation

En pratique, le processus de segmentation des marchés entre souvent dans un projet de recherche marketing qui suit globalement les étapes de la recherche descriptive présentées dans le chapitre 5. En plus du cadre d'échantillonnage et de la méthode de mesure des données, il faut aussi choisir les méthodes d'analyse statistique appropriées. Dans les études de segmentation, les méthodes d'analyse des données sont distribuées en deux grandes catégories : les méthodes de classification et les méthodes de discrimination. Les premières décomposent le marché en segments homogènes alors que les secondes différencient les segments et valident les résultats de la segmentation. Ce qui suit présente brièvement ces deux catégories de méthodes.

Les méthodes de classification

Plusieurs méthodes statistiques permettent de décomposer un marché en plusieurs segments. On en retiendra trois : la méthode du tableau croisé, les mesures multidimensionnelles de similarité (MDS) et l'analyse de groupement.

Dans une analyse de tableau croisé (aussi appelé « tableau de contingence »), on met en relation deux ou plusieurs variables discrètes (nominales ou ordinales). Cette technique entre souvent dans les études de segmentation *a priori* pour déterminer la composition et la taille de chaque segment et aider le gestionnaire à choisir les segments cibles. Il est à noter que les résultats du croisement sont plus sûrs lorsque les variables de segmentation sont du type géographique ou sociodémographique, en raison de leur nature discrète. Le tableau croisé perd un peu de sa validité inférentielle lorsque le nombre de catégories pour une ou pour plusieurs variables est élevé.

L'analyse des mesures multidimensionnelles de similarité considère les relations psychographiques entre des objets, comme les relations géométriques entre des points dans un espace de référence multidimensionnel. Dans cette méthode, l'homme agit comme s'il disposait d'un schéma perceptuel [34]. Les résultats de l'analyse se présentent sous la forme d'une configuration multidimensionnelle des objets (marques, message publicitaire, etc.) tels que les individus les perçoivent. Deux objets qui sont proches sont perçus comme similaires, et deux objets éloignés, comme différents. Un marché pourra alors être fractionné de façon à ce que chaque segment représente un groupe de répondants ayant les mêmes points idéaux basés sur les dimensions étudiées. Les principales limites de l'analyse MDS concernent l'interprétation des axes, qui est parfois difficile, l'homogénéité de l'échantillon, qui est souvent nécessaire pour avoir une bonne configuration, et le calcul des distances/similarités dans la matrice de données, qui influencent directement les résultats de l'analyse.

L'analyse de groupement classe des objets ou des individus en plusieurs groupes, sur la base d'un ensemble de variables, de façon à maximiser l'homogénéité intragroupe et l'hétérogénéité intergroupe. Cette méthode entre souvent dans le modèle de segmentation *a posteriori* pour réunir les individus qui présentent un comportement de consommation similaire [35]. Il existe plusieurs méthodes de groupement, que l'on peut classer selon deux approches : l'approche hiérarchique et l'approche non hiérarchique. L'approche hiérarchique, une méthode de groupement progressive, consiste à partir d'un seul groupe et à procéder à sa décomposition progressive en éliminant les éléments qui sont de moins en moins éloignés du centroïde du groupe, jusqu'à ce que chaque élément forme à lui seul un groupe. Le nombre de groupes retenus en fin d'analyse sera fixé par le chercheur en fonction de la distance maximale qu'il tolère entre deux éléments d'un même groupe. Dans l'approche non hiérarchique, le nombre de groupes est défini *a priori* et l'on cherche alors à augmenter l'homogénéité intragroupe et l'hétérogénéité intergroupe. Le principal inconvénient des méthodes de groupement est la difficulté de déterminer le nombre optimal de segments et d'apprécier leur homogénéité et leur stabilité dans le temps [36].

Les méthodes de discrimination

Les méthodes de discrimination servent généralement à faire ressortir les différences de comportement entre les différents segments et à dresser le profil de chaque segment. C'est une façon de valider les résultats de la segmentation. Contrairement aux méthodes de classification, les méthodes de discrimination ne varient pas en fonction du type de segmentation. Trois méthodes de discrimination méritent de retenir l'attention : l'analyse discriminante, les modèles logit-probit et l'analyse des structures latentes.

L'analyse discriminante met en évidence la nature des différences observées entre les segments. Il s'agit de déterminer la ou les dimensions selon lesquelles ces segments se distinguent le mieux ainsi que les variables qui permettent de faire la meilleure discrimination entre elles [37].

Les analyses logit-probit sont généralement utilisées pour modéliser, sous forme de probabilité, l'appartenance d'un objet à un segment particulier sur la base d'un ensemble de variables descriptives de type quantitatif [38].

L'analyse des structures latentes permet d'extraire et de mesurer les structures qui sous-tendent des phénomènes étudiés, comme les préférences, lorsque ceux-ci sont liés de façon probabiliste à des comportements tels que l'achat [39].

7.3 **Les stratégies de ciblage**

Dans la planification stratégique, la stratégie de segmentation n'a d'utilité que si elle permet à l'entreprise d'établir des objectifs de marché prioritaires. En effet, une fois le marché divisé en sous-marchés homogènes, il faut procéder à la sélection des segments avec lesquels l'entreprise désire traiter en priorité. L'attrait d'un segment est souvent évalué sur une base économique en comparant son potentiel commercial par rapport aux coûts des actions marketing à entreprendre pour le rejoindre, actions qui intègrent les politiques de produit, de distribution, de communication et de prix adaptées à chaque segment. Comme le montre la figure 7.3 (*voir p. 225*), le ciblage est donc la dernière étape du processus de segmentation d'un marché. Il faut préciser que l'estimation du potentiel commercial de chaque segment se fait dans la quatrième phase du processus alors que celle des dépenses marketing a lieu dans la cinquième phase.

Les spécialistes en marketing distinguent quatre stratégies de ciblage : la stratégie de marketing concentré, la stratégie de marketing indifférencié, la stratégie de marketing différencié et la stratégie de marketing personnalisé [40]. La figure 7.5 schématise ces quatre stratégies. Chacune présente des avantages et des inconvénients, et seul un diagnostic interne et externe de la situation d'une entreprise permet de faire un choix judicieux.

7.3.1_Le marketing concentré

Le marketing concentré, appelé aussi stratégie de créneau, consiste, pour une entreprise, à se concentrer sur un seul segment parmi ceux définis dans l'étude de segmentation. L'entreprise cherche donc à devenir le spécialiste de ce segment de marché. Cette stratégie est souvent utilisée lorsque le produit est dans sa phase de lancement ou que les ressources de l'entreprise sont limitées. C'est le cas, par exemple, de la compagnie française d'avions-taxis et de location de jets privés Aéro Charter Darta, qui a choisi de se concentrer sur le segment du transport aérien de luxe, composé de personnalités importantes, comme les stars de la chanson ou du cinéma ou les présidents de compagnie, qui désirent un service haut de gamme et qui sont prêts à payer des prix très élevés pour la location d'avions, de jets privés, d'hélicoptères ou les services d'avions-taxis, ou encore pour des services de rapatriement sanitaire ou de messagerie express. D'ailleurs, Aéro Charter Darta n'a jamais songé à servir les autres segments de consommateurs, comme ceux qui désirent des vols réguliers, recherchent des tarifs économiques ou font de longs voyages en avion.

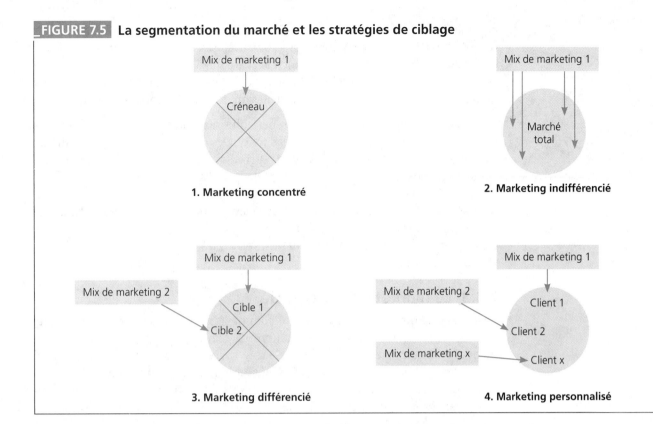

FIGURE 7.5 **La segmentation du marché et les stratégies de ciblage**

Les coûts de marketing associés à la stratégie de marketing concentré sont souvent beaucoup plus bas que ceux des autres stratégies du fait que les options de produit, de distribution, de communication et de prix sont limitées au seul segment sélectionné. Par contre, on risque beaucoup en concentrant tous ses efforts sur un seul segment : l'échec du plan de marketing sur ce segment, l'arrivée d'un concurrent plus performant ou la disparition même de ce segment entraînent la faillite de l'entreprise.

Parmi les entreprises qui ont fait le choix d'une stratégie de créneau, on peut mentionner, dans le domaine de la quincaillerie, Quincaillerie Richelieu, un distributeur et importateur québécois. Cette entreprise a choisi de viser le marché de la rénovation plutôt que celui de la construction et de se spécialiser uniquement dans les produits importés moyen et haut de gamme, ce qui est loin d'être la stratégie adoptée par d'autres concurrents directs plus puissants, comme les quincailliers RONA, Réno-Dépôt et Home Depot.

7.3.2_Le marketing indifférencié

Le marketing indifférencié, appelé aussi marketing agrégé ou marketing de masse, consiste à s'attaquer à tout le marché ou à sa quasi-totalité avec un seul mix de marketing et des politiques de produit, de distribution, de communication et de prix standardisées. Le marché est alors considéré comme un grand segment regroupant des consommateurs dont les comportements se ressemblent beaucoup plus qu'ils ne diffèrent. Cette stratégie est couramment employée lorsque le marché est homogène ou que le produit est standard. L'entreprise vise alors à rejoindre le maximum de consommateurs au minimum de coûts. C'est le cas, par exemple, du géant de la distribution Walmart, qui a choisi d'adopter une stratégie d'uniformisation pour rejoindre le marché de la grande consommation dans son ensemble, en cherchant toujours à offrir à ses clients le meilleur rapport qualité-prix du marché. Par exemple, la compagnie Bic, avec ses lames de rasoir, ses stylos et ses briquets, aborde le marché canadien avec un mix unique de produits de grande consommation, qu'elle présente comme étant utiles pour tout le monde, sans faire de distinction sur l'âge, le niveau d'instruction, le type d'emploi, le revenu, etc.

La stratégie de marketing indifférencié offre l'avantage d'entraîner des coûts marketing souvent très bas, dans la mesure où des options uniques de produit, de distribution, de communication et de prix sont appliquées à l'ensemble des consommateurs d'un même marché. Cela permet à l'entreprise de bénéficier d'économies d'échelle et d'économies d'envergure. Par contre, l'inconvénient majeur de cette stratégie demeure le risque élevé de perdre des occasions d'affaires, car l'offre de l'entreprise n'arrive pas à satisfaire des besoins spécifiques de certains groupes de consommateurs qui sont relatifs à l'un ou l'autre des éléments du mix de marketing.

7.3.3_Le marketing différencié

Le marketing différencié est considéré comme la plus logique des stratégies. Elle consiste à s'attaquer à un certain nombre de segments de marchés potentiellement intéressants avec un mix de marketing adapté aux particularités de chacun d'eux. Les politiques de produit, de distribution, de communication et de prix sont alors fixées en fonction des caractéristiques des consommateurs qui composent chaque segment. Cette stratégie est souvent privilégiée lorsque le marché est dans sa phase de croissance ou de maturité. L'entreprise cherche à renforcer simultanément sa position sur plusieurs segments d'un même marché. C'est le cas, par exemple, de la Fédération des Caisses Desjardins, présentée plus haut dans ce chapitre (*voir le tableau 7.5, p. 232*), qui organise son offre de services financiers en tenant compte des particularités de deux segments distincts, à savoir les entreprises et les particuliers.

La stratégie de marketing différencié offre l'avantage de couvrir efficacement plusieurs segments de marché étant donné que les politiques de produit, de distribution, de communication et de prix sont adaptées aux caractéristiques de chaque segment. Cela permet à l'entreprise de satisfaire le maximum de consommateurs et ainsi de s'imposer dans un marché. Par contre, l'inconvénient majeur de cette stratégie est les coûts élevés entraînés par le fait que l'offre de l'entreprise est adaptée aux besoins particuliers de plusieurs groupes de consommateurs. L'entreprise est donc appelée à gérer un mix de marketing très varié, mais le risque est modéré du fait que l'échec sur un segment peut être compensé par une réussite sur d'autres segments.

7.3.4_Le marketing personnalisé

Le marketing personnalisé, appelé aussi marketing intime, connaît une grande vogue actuellement. Cette stratégie consiste à pousser la segmentation de marché et la stratégie de marketing différencié à l'extrême en proposant à chaque consommateur un mix de marketing adapté à ses besoins particuliers. Les politiques de produit, de distribution, de communication et de prix sont alors définies en fonction des caractéristiques propres à chaque consommateur. Cette stratégie est souvent utilisée dans le milieu organisationnel et, surtout, dans le commerce électronique. Elle vise à renforcer la relation avec chaque client ainsi que sa loyauté à l'égard des produits et des services de l'entreprise. Ce sujet sera traité en détail au chapitre 13.

Par exemple, la compagnie de téléphonie cellulaire Fido personnalise sa communication avec chaque client en l'organisant selon la valeur économique, les besoins et les désirs de ce dernier. Pour rendre le message plus persuasif, le message transmis, aussi bien dans les mots que dans les symboles, est souvent intime, tendre et touchant. Ainsi, lorsqu'un client se départit des services de téléphonie cellulaire de l'entreprise, il reçoit de celle-ci une lettre personnalisée ayant pour titre : « Nous sommes tristes sans vous ». L'image du chien Fido dépité illustre cette lettre.

La stratégie de marketing personnalisé offre l'avantage de couvrir très efficacement le marché, car les politiques de produit, de distribution, de communication et de prix sont adaptées à chaque consommateur. Par contre, les coûts très élevés qu'entraîne l'adaptation de l'offre aux besoins particuliers des différents clients constituent un inconvénient sérieux. L'entreprise doit alors s'assurer que ces dépenses sont contrebalancées par les gains qui résultent de cette adaptation.

Le tableau 7.8 énumère les principales caractéristiques des quatre stratégies de ciblage mentionnées ci-dessus.

_TABLEAU 7.8 **Les stratégies de ciblage en marketing**

Type de stratégie	Marketing concentré	Marketing indifférencié	Marketing différencié	Marketing personnalisé
Principe	Cibler un seul segment (créneau) avec un mix de marketing qui lui est adapté	Cibler tout le marché avec un seul et même mix de marketing	Cibler quelques segments avec des mix de marketing adaptés à chacun	Cibler chaque client avec un mix de marketing particulier
Objectif	Assurer un bon positionnement sur un seul segment et maximiser les bénéfices	Rejoindre le maximum de clients avec des coûts peu élevés	Assurer une bonne pénétration de marché (chiffre d'affaires) par une bonne présence sur plusieurs segments	Établir une relation étroite avec chaque client afin de gagner sa loyauté
Contexte d'utilisation	Marché très compétitif ou ressources limitées	Produits ou marchés homogènes au stade de lancement d'un produit	Produit au stade de maturité	Marché organisationnel et commerce électronique
Avantage	Coûts marketing très bas	Coûts marketing très bas et possibilité de faire des économies d'échelle	Meilleure couverture du marché	Maximum de satisfaction pour chaque client
Inconvénient	Risque commercial très élevé	Risque d'insatisfaction et de perte d'occasions d'affaires	Coûts marketing très élevés	Coûts marketing très élevés

_7.4 La segmentation des marchés organisationnels

Cette dernière partie du chapitre se penche sur le cas particulier de la segmentation dans les marchés organisationnels. Il est à noter que la définition, les objectifs et le processus de segmentation demeurent les mêmes, qu'il s'agisse de consommateurs individuels ou organisationnels. La principale différence réside dans les critères de découpage, lesquels dépendent souvent de la nature même des éléments qui composent chaque type de marché (les individus et les entreprises) et leur comportement d'achat.

Selon la littérature en marketing, il existe de nombreux critères pour segmenter les marchés organisationnels. Les principaux sont les suivants :

- **Les variables de profil.** Des caractéristiques comme la taille, l'importance ou l'industrie d'appartenance [41].

- **L'utilisation du produit.** Le champ d'application du produit commercialisé. Par exemple, le marché de l'acier touche aussi bien les constructeurs de véhicules de transport et les fabricants de tubes et de raccordements que les entreprises de quincaillerie ou tout autre utilisateur de l'acier [42].

- **La situation d'achat.** Les circonstances dans lesquelles l'entreprise se procure les produits (achat planifié ou commande ponctuelle ou imprévue) [43].

- **Les bénéfices recherchés.** L'importance des utilités fonctionnelles, de services ou symboliques recherchées dans le produit ou le service (la sécurité d'un équipement, sa rapidité, son efficacité, sa capacité ou ses coûts [44]).

- **Le comportement d'achat du client.** Ce critère global intègre plusieurs dimensions du comportement d'achat dans les organisations, entre autres la structure de la fonction achat, la répartition des pouvoirs au sein de la centrale d'achat, la politique d'approvisionnement, les critères pour sélectionner les produits et les fournisseurs, la nature de l'achat, les quantités à commander et le type d'utilisation [45].

- **La sensibilité du client.** Les exigences des entreprises clientes relativement au prix et à la qualité du service [46].

Dans la pratique, ces critères sont souvent utilisés concurremment de façon à assurer le succès de la segmentation des marchés organisationnels et de son intégration dans les choix stratégiques de l'entreprise. La figure 7.6 présente un modèle pratique conçu par deux spécialistes en marketing pour segmenter les marchés organisationnels. Il comprend une phase de segmentation de type macro, qui intègre des variables liées au profil organisationnel, et une phase de type micro qui utilise les caractéristiques de la centrale d'achat des entreprises clientes.

Plus récemment, on a élaboré un autre modèle de segmentation organisationnelle, qu'illustre la figure 7.7, pour diviser les marchés industriels arrivés à maturité en se basant sur des dimensions du comportement d'achat.

D'après ce modèle, les clients d'un marché à maturité peuvent être positionnés selon deux critères : le prix qu'ils sont disposés à payer (faible/élevé) et le niveau de service exigé (faible/élevé). On obtient ainsi quatre groupes de clients potentiels. Le premier segment, formé de « clients accommodants », est composé d'acheteurs qui sont prêts à payer un prix bas, mais qui se limitent à des exigences de service de niveau équivalent. Le deuxième groupe, composé de « clients à fort potentiel », suit la même logique que le premier sauf que, dans ce cas, les acheteurs exigent un niveau de service élevé et sont prêts à payer un prix élevé. On dit de ces deux premiers groupes – les clients accommodants et les clients à fort potentiel – qu'ils suivent l'axe de l'équité, dans la mesure où la relation entre l'offre de prix par rapport à l'offre de service est équitable tant pour le fournisseur que pour l'acheteur. Le client paie le prix minimum pour le produit de base et accepte aussi de payer un prix supérieur pour un produit assorti d'un service supplémentaire. Le troisième groupe est celui des « clients à potentiel limité », qui sont disposés à payer un prix bas, mais exigent un niveau de service élevé.

Le quatrième groupe, composé de « clients relationnels », réunit les acheteurs qui vont payer un prix élevé pour un service limité. Ces deux derniers groupes – les clients à potentiel limité et les clients relationnels – suivent l'axe de pouvoir, car dans ce cas la relation entre l'offre et la demande est basée sur le pouvoir relatif du fournisseur et de l'acheteur. Lorsque le pouvoir est du côté du fournisseur, celui-ci peut demander un prix élevé pour un produit de base et l'assortir d'un service limité. C'est ce qui arrive dans le cas des clients relationnels. Par contre, si le pouvoir est du côté de l'acheteur, celui-ci peut exiger un niveau de service élevé et acheter un produit de base à un prix relativement bas ; c'est le cas des clients à potentiel limité.

_FIGURE 7.6 Le modèle de segmentation à deux niveaux de Wind et Cardozo (1974)

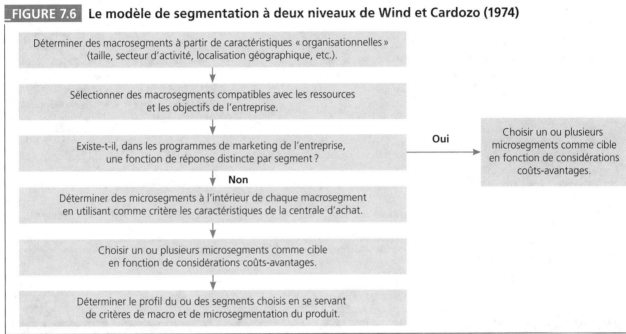

Source : Bertrand SAPORTA, *Marketing industriel,* Paris, Eyrolles, 1989, p. 71.

_FIGURE 7.7 Le modèle de segmentation du marché sur la base de l'importance de la concession entre les dimensions prix et service

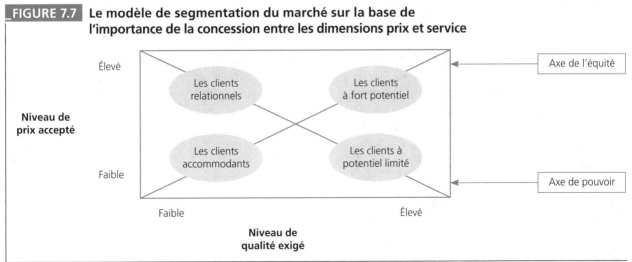

Source : V. Kasturi RANGAN, Rowland T. MORIARTY et Gordon S. SWARTZ, « Segmenting customer in mature industrial markets », *Journal of Marketing,* vol. 56, octobre 1992, p. 72-82.

Une application de ce modèle de segmentation auprès de l'ensemble des fabricants de tubes d'acier au Québec a permis de confirmer l'existence des quatre groupes de clients théoriquement déterminés par le modèle mentionné ci-dessus. Le tableau 7.9 dresse le profil de chaque groupe de clients du point de vue de la taille, de l'industrie d'appartenance et de l'emplacement géographique.

_TABLEAU 7.9 **Les résultats de la segmentation du marché des tubes d'acier au Québec : le profil des segments**

Variable de profil	SEGMENT 1 Les clients accommodants	SEGMENT 2 Les clients à potentiel limité	SEGMENT 3 Les clients relationnels	SEGMENT 4 Les clients à fort potentiel	TOTAL
Taille	11 clients (11,5 %)	43 clients (44,8 %)	15 clients (15,6 %)	27 clients (28,1 %)	96 clients (100 %)
Industrie d'appartenance	• Centres de service (5) • Plomberie (4) • Protection contre l'incendie (2)	• Plomberie (34) • Centres de service (3) • Manufacturiers (3) • Puits d'eau (2) • Protection contre l'incendie (1)	• Plomberie (15)	• Plomberie (15) • Manufacturiers (5) • Clôtures (4) • Conduits (2) • Protection contre l'incendie (1)	• Plomberie (68) • Centres de service (8) • Manufacturiers (8) • Clôtures (4) • Protection contre l'incendie (4) • Conduits (2) • Puits d'eau (2)
Emplacement géographique	• Québec (8) • Ontario (3)	• Ontario (12) • Québec (11) • États-Unis (7) • Maritimes (7) • Ouest canadien (6)	• États-Unis (8) • Ontario (4) • Québec (3)	• Ontario (11) • Québec (10) • Ouest canadien (6)	• Québec (32) • Ontario (30) • États-Unis (15) • Ouest canadien (12) • Maritimes (7)

Source : Emmanuel CHÉRON, Naoufel DAGHFOUS et Denis HÉROUX, « Maturité des marchés industriels et segmentation : l'arbitrage prix/services », *Décisions Marketing*, n° 8, mai-août 1996, p. 31-40.

_Points saillants

_La segmentation se présente comme le découpage d'un marché en sous-marchés homogènes, appelés segments, qui sont significatifs et accessibles à des actions marketing de produit, de distribution, de communication et de prix.

_La segmentation n'est pas une fin en soi. Elle est indispensable dans la planification stratégique parce qu'elle fournit des occasions de ciblage de marché et qu'elle aide à définir le positionnement, à différencier le produit et à optimiser les actions marketing de l'entreprise. La segmentation en marketing sert principalement à satisfaire les clients et à optimiser les actions de mix de marketing.

_La segmentation de marché comporte un processus de recherche marketing qui comprend généralement sept phases : la définition du marché à segmenter ; le choix d'un modèle de segmentation ; le choix des critères de segmentation ; le choix des unités d'observation (unité d'analyse et échantillonnage) ; le choix de la méthode d'analyse des données ; la description des segments ; la validation des segments.

Toute étude de segmentation nécessite la sélection de certaines variables qui serviront par la suite à décomposer les marchés en plusieurs segments homogènes. Pour qu'elle soit retenue, une variable doit être pertinente, mesurable et opérationnelle.

Les critères de segmentation sont souvent groupés autour de quatre principales bases de segmentation : géographique, sociodémographique, psychographique et comportementale.

Le ciblage est la dernière étape du processus de segmentation d'un marché et, selon les spécialistes en marketing, quatre stratégies de ciblage sont possibles : la stratégie de marketing concentré, la stratégie de marketing indifférencié, la stratégie de marketing différencié et la stratégie de marketing personnalisé.

Il existe de nombreux critères pour segmenter les marchés organisationnels. Les principaux sont les variables de profil, l'utilisation du produit, la situation d'achat, les bénéfices recherchés, le comportement d'achat du client et la sensibilité du client.

Questions

1. En quoi la segmentation des marchés est-elle une stratégie fondamentale dans la planification stratégique en marketing ?

2. Définissez le concept de segmentation de marché, et illustrez votre réponse par des exemples réels tirés de votre entourage de consommation.

3. Faites ressortir les principales utilités de la segmentation des marchés en marketing.

4. En quoi la segmentation de marché diffère-t-elle de la segmentation des produits et de la segmentation stratégique ?

5. Quelles sont les principales étapes d'une étude de segmentation de marché ? Expliquez.

6. Expliquez la notion de critère de segmentation et son impact sur les résultats d'une segmentation de marché.

7. Quelles sont les principales caractéristiques d'une variable de segmentation ? Expliquez à l'aide d'exemples.

8. Une entreprise vous demande, en votre qualité d'analyste, de segmenter le marché du transport au Québec. Décrivez les différentes étapes du processus de segmentation en proposant les grandes lignes de la méthodologie de l'étude à faire.

9. Donnez quelques règles à suivre pour un gestionnaire de marketing désireux de personnaliser son site Internet en fonction de chaque client.

10. Définissez la segmentation géographique et soulignez ses avantages et ses inconvénients. Illustrez votre réponse par un exemple pratique tiré de la réalité.

11. Définissez la segmentation sociodémographique et décrivez ses avantages et ses inconvénients. Illustrez votre réponse par un exemple pratique tiré de la réalité.

_12. Définissez la segmentation psychographique ainsi que ses variantes et faites ressortir ses avantages et ses inconvénients. Illustrez votre réponse par des exemples pratiques tirés de la réalité.

_13. Définissez la segmentation comportementale ainsi que ses variantes et précisez ses avantages et ses inconvénients. Illustrez votre réponse par des exemples pratiques tirés de la réalité.

_14. Discutez des problèmes méthodologiques d'analyse des données qui surviennent pendant la réalisation d'une étude de segmentation.

_15. En quoi le ciblage est-il important dans les activités stratégiques en marketing ?

_16. Certains spécialistes en marketing affirment que la qualité d'un ciblage dépend en grande partie de la qualité de la segmentation du marché. Discutez d'une telle affirmation en appuyant vos commentaires par des exemples.

_17. Définissez les quatre types de ciblage, soit le ciblage concentré, le ciblage indifférencié, le ciblage différencié et le ciblage personnalisé. Pour chacun d'eux, précisez les avantages et les inconvénients, et donnez des exemples pratiques tirés de la réalité.

_18. Discutez des principales bases de segmentation d'un marché organisationnel. Illustrez votre réponse par des exemples.

_19. Présentez la méthode de segmentation de marché organisationnel basée sur l'importance de la concession entre les dimensions prix et service. Expliquez en quoi ces résultats pourraient être utiles à une entreprise travaillant dans le transport de marchandises.

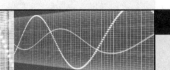

ÉTUDE DE CAS

La segmentation du marché ethnique des arts et de la culture à Montréal

Au Canada, des villes comme Montréal, Toronto ou Vancouver affichent aujourd'hui une diversité culturelle qui contraint les entreprises à chercher à mieux comprendre les comportements des consommateurs qui y vivent, afin d'adapter en conséquence leurs actions commerciales. Les deux tableaux ci-contre résument les résultats d'une étude de segmentation du marché ethnique des arts et de la culture à Montréal réalisée sur la base de l'intensité de consommation de plusieurs produits artistiques et culturels. L'étude a porté sur 1000 personnes issues des 7 principaux groupes ethniques de la ville de Montréal. La segmentation obtenue donne, pour le groupe 1 (les dévoués), un intérêt relativement élevé pour tous les types de produits. Dans le groupe 2 (les pratiquants), on remarque, d'une part, un intérêt relativement faible pour les produits d'interprétation traditionnelle tels que les symphonies, les ballets et l'opéra et, d'autre part, un intérêt élevé pour les produits

d'interprétation populaire et visuelle tels que les concerts, le théâtre, le musée et les galeries. Enfin, le groupe 3 (les indifférents) se caractérise par un intérêt relativement faible pour tous les produits artistiques.

_1. Relevez et expliquez la base de segmentation utilisée dans cette étude.

_2. Décrivez le profil spécifique de chaque segment de marché ainsi déterminé.

_3. Au vu des résultats de cette étude, quelles recommandations managériales feriez-vous à une entreprise de votre choix qui travaille dans ce marché ?

_4. Pensez-vous qu'une autre méthode de segmentation du marché des arts et de la culture à Montréal aurait pu être employée ? Justifiez votre réponse. ⟩

TABLEAU A   Un profil descriptif des groupes issus de la segmentation du marché ethnique des arts et de la culture à Montréal

Variable de segmentation	Segment 1 Les dévoués (n = 312)		Segment 2 Les pratiquants (n = 299)		Segment 3 Les indifférents (n = 349)		Total de l'échantillon (n = 960)	
Groupe ethnique								
• Vietnamiens	1	(1,2 %)[a]	8	(9,6 %)	74	(89,1 %)	83	(8,3 %)
• Français	66	(52,3 %)	53	(42 %)	7	(5,5 %)	126	(12,6 %)
• Haïtiens	34	(20,6 %)	55	(33,3 %)	76	(46 %)	165	(16,5 %)
• Libanais	21	(21 %)	17	(17 %)	62	(62 %)	100	(10 %)
• Portugais	53	(72,6 %)	12	(16,4 %)	8	(10,9 %)	73	(7,3 %)
• Maghrébins	32	(22,5 %)	51	(35,9 %)	59	(41,5 %)	142	(14,2 %)
• Italiens	105	(38,7 %)	103	(38 %)	63	(23,2 %)	271	(27,1 %)
Expérience antérieure de consommation artistique	3,40	(1,77)[b]	3,21	(1,51)	2,19	(1,57)	2,90	(1,71)
Degré d'acculturation	66,67	(12,3)[b]	67,86	(13,6)	64,05	(13,4)	66,09	(13,2)
Valeurs personnelles								
• Hédonisme	3,83	(0,7)[b]	3,83	(0,7)	3,60	(0,8)	3,75	(0,7)
• Empathie	4,06	(0,6)	4,08	(0,6)	4,13	(0,7)	4,09	(0,6)
• Autoréalisation	4,25	(0,6)	4,10	(0,7)	3,96	(0,8)	4,10	(0,7)
Sexe								
• Femme	183	(37,7 %)[a]	145	(29,8 %)	157	(32,3 %)	485	(50,5 %)
• Homme	127	(26,8 %)	154	(32,5 %)	192	(40,5 %)	473	(49,5 %)
État civil								
• Célibataire	156	(31,2 %)[a]	178	(35,6 %)	165	(33 %)	499	(52 %)
• Marié(e)	122	(32,7 %)	100	(26,8 %)	151	(40,4 %)	373	(39 %)
• Autres	28	(36,8 %)	17	(22,3 %)	31	(40,7 %)	76	(9 %)
Taille du ménage	3,25	(1,6)[b]	3,65	(1,7)	4,03	(2,0)	3,66	(1,8)
Âge	35,44	(13,7)[b]	32,10	(14,1)	34,18	(14,4)	33,94	(14,1)
Niveau de scolarité								
• Primaire-secondaire	75	(24,8 %)[a]	78	(25,8 %)	149	(49,3 %)	302	(31,5 %)
• Collégial-baccalauréat	176	(33,5 %)	174	(33,2 %)	174	(33,2 %)	524	(54,5 %)
• Maîtrise-doctorat	56	(47 %)	40	(33,6 %)	23	(19,3 %)	119	(14,0 %)
Revenu brut du ménage								
• Moins de 20 000$	46	(18,4 %)[a]	82	(32,8 %)	122	(48,8 %)	250	(26 %)
• De 20 001 à 40 000$	124	(34,4 %)	106	(29,4 %)	130	(36,1 %)	360	(37,5 %)
• 40 001 $ et plus	102	(40,3 %)	81	(32 %)	70	(27,6 %)	253	(36,5 %)
Pays de naissance								
• Canada	117	(33,7 %)[a]	116	(33,4 %)	114	(32,8 %)	347	(36 %)
• Pays d'origine	186	(32,4 %)	89	(15,5 %)	245	(42,6 %)	574	(59,8 %)
• Autre	5	(20 %)	9	(36 %)	11	(44 %)	25	(4,2 %)
Âge d'arrivée	21,28	(12,2)[b]	21,04	(10,5)	22,58	(12,4)	21,75	(11,8)
Durée de résidence	22,07	(14,0)[b]	20,10	(12,6)	17,97	(10,9)	19,95	(12,6)

a. Pourcentage calculé sur la ligne   b. Moyenne et écart-type du groupe   c. Pourcentage calculé sur la colonne

Source : Naoufel DAGHFOUS et Sophie NDIAYE, « La nouvelle réalité cosmopolite des métropoles mondiales : une analyse du marché ethnique des arts et de la culture à Montréal », *Gestion : revue internationale de gestion*, vol. 26, n° 3, automne 2001, p. 63-74.

_TABLEAU B   La segmentation du marché ethnique des arts et de la culture à Montréal

Variable de segmentation	Segment 1 Les dévoués (n = 312)		Segment 2 Les pratiquants (n = 299)		Segment 3 Les indifférents (n = 349)		Total de l'échantillon (n = 960)	
Niveau de consommation des arts d'interprétation traditionnelle (symphonies, ballets et opéras)	3,33	(0,56)[a]	1,77	(0,53)	1,26	(0,44)	2,09	(1,02)
Niveau de consommation des arts d'interprétation populaire (théâtre et concerts)	3,95	(0,76)	3,88	(0,72)	2,11	(0,83)	3,26	(1,11)
Intérêt pour les arts visuels (galeries, musées, expositions et cinéma)	3,77	(1,13)	3,38	(1,03)	2,07	(1,03)	3,09	(1,33)

a. Moyenne et écart-type du groupe du niveau de consommation exprimé sur une échelle allant de 1 (niveau de consommation très faible) à 5 (niveau de consommation très élevé).

Source : Naoufel DAGHFOUS et Sophie NDIAYE, « La nouvelle réalité cosmopolite des métropoles mondiales : une analyse du marché ethnique des arts et de la culture à Montréal », *Gestion : revue internationale de gestion*, vol. 26, n° 3, automne 2001, p. 63-74.

_Notes

1. Wendell R. SMITH, « Product differentiation and market segmentation as alternative marketing strategies », *Journal of Marketing,* vol. 21, n° 1, juillet 1956, p. 3-8.

2. Yoram WIND, « Issues and advances in segmentation research », *Journal of Marketing Research,* vol. XV, août 1978, p. 317-337 ; Philippe AURIER, « Segmentation : une approche méthodologique », *Recherche et applications en marketing,* vol. IV, n° 3, 1989, p. 53-75.

3. W. R. SMITH, *op. cit.* ; traduction libre.

4. Y. WIND, *op. cit.* ; P. AURIER, *op. cit.*

5. Philip KOTLER, Pierre FILIATRAULT et Ronald E. TURNER, *Le management du marketing,* 2ᵉ édition, Boucherville, Gaëtan Morin Éditeur, 2000, 875 p.

6. Alan J. RESNICK, Peter B. B. TURNEY et J. Barry MASON, « Découverte de la contre-segmentation », *Harvard-L'Expansion,* n° 16, printemps 1980, p. 46-54.

7. Jean-Marc LÉGER et Serge LAFRANCE, « Wal-Mart : tous pour un et un pour tous ! », *Commerce,* vol. 103, n° 11, novembre 2002, p. 51.

8. William RUDELIUS, John R. WALTON et James C. CROSS, « Improving the managerial relevance of market segmenta-tion », *Review of Marketing,* AMA, 1987, p. 385-403.

9. Y. WIND, *op. cit.* ; P. AURIER, *op. cit.*

10. Joseph T. PLUMMER, « The concept and application of lifestyle segmentation », *Journal of Marketing,* vol. 38, janvier 1974, p. 33-37.

11. Henri DE BODINAT, « La segmentation stratégique », *Harvard-L'Expansion,* n° 16, printemps 1980, p. 95-104 ; Dominique SIEGEL, *Le diagnostic stratégique et la gestion de la qualité,* Paris, L'Harmattan, 2004, 251 p.

12. *Ibid.*

13. P. AURIER, *op. cit.* ; T. P. BEANE et D. M. ENNIS, « Market segmentation : a review », *European Journal of Marketing,* vol. 21, n° 5, 1987, p. 20-42 ; W. RUDELIUS, J. R. WALTON et J. C. CROSS, *op. cit.* ; Y. WIND, *op. cit.*

14. Y. WIND, *op. cit.*

15. P. AURIER, *op. cit.* ; Rajendra K. SRIVASTAVA, Robert P. LEONE et Allan D. SHOKER, « Market structure analysis : hierarchical clustering of products based on substitution-in-use », *Journal of Marketing,* vol. 45, 1981, p. 38-47.

16. Del I. HAWKINS, Don ROUPE et Kenneth A. CONEY, « The influence of geographic subcultures in the United States », *Advances in Consumer Research,* vol. 8, 1980, p. 713-717.

17. Frank M. BASS, Douglas J. TIGERT et Ronald T. LONSDALE, « Market segmentation : groups vs. individual behaviour », *Journal of Marketing Research,* vol. V, août 1968, p. 264-270.

18. Ruth ZIFF, « Psychographics for market segmentation », *Journal of Advertising Research,* vol. 11, n° 2, avril 1971, p. 3-9 ; J. T. PLUMMER, *op. cit.* ; William D. WELLS, « Psychographics : a critical review », *Journal of Marketing Research,* vol. XII, mai 1975, p. 196-213.

19. T. P. BEANE et D. M. ENNIS, *op. cit.* ; Y. WIND, *op. cit.*

20. Russell I. HALEY, « Benefit segmentation : a decision-oriented research tool », *Journal of Marketing,* vol. 32, juillet 1968, p. 30-35 ; Michael D. HUTT, William V. MUSE et Robert J. KEGERREIS, « Market segmentation using behavioural variables », *Southern Journal of Business,* vol. 7, 1972, p. 55-64.

21. T. P. BEANE et D. M. ENNIS, *op. cit.*

22. Y. WIND, *op. cit.*

23. *Ibid.* ; P. AURIER, *op. cit.*

24. F. M. BASS, D. J. TIGERT et R. T. LONSDALE, *op. cit.*

25. T. P. BEANE et D. M. ENNIS, *op. cit.* ; W. RUDELIUS, J. R. WALTON et J. C. CROSS, *op. cit.* ; Y. WIND, *op. cit.*

26. J. T. PLUMMER, *op. cit.*

27. Milton ROKEACH, *The Nature of Human Values,* New York, Free Press, 1973, 438 p.

28. Arnold MITCHELL, *The Nine American Lifestyles,* New York, Warner, 1993, 302 p.

29. Roger J. CALANTONE et Alan G. SAWYER, « The stability of benefit segments », *Journal of Marketing Research,* vol. XV, août 1978, p. 395-404 ; R. I. HALEY, *op. cit.* ; Michel WEDEL et Jan-Benedict E. M. STEENKAMP, « A clusterwise regression method for simultaneous fuzzy market structuring and benefit segmentation », *Journal of Marketing Research,* vol. XVIII, novembre 1991, p. 385-396.

30. David L. LOUDON et Albert J. DELLA PITTA, *Consumer Behavior : Concepts and Applications,* New York, McGraw-Hill, 1979, 727 p.

31. P. AURIER, *op. cit.*

32. T. P. BEANE et D. M. ENNIS, *op. cit.* ; W. RUDELIUS, J. R. WALTON et J. C. CROSS, *op. cit.* ; Y. WIND, *op. cit.*

33. W. RUDELIUS, J. R. WALTON et J. C. CROSS, *op. cit.*

34. Paul E. GREEN, Donald S. TULL et Gerald ALBAUM, *Research for Marketing Decisions,* 5ᵉ édition, Englewood Cliffs (New Jersey), Prentice-Hall, 1988, 784 p.

35. James H. MYERS et Edward TAUBER, *Market Structure Analysis,* Chicago, AMA, 1977, 159 p.

36. Y. WIND, *op. cit.* ; W. RUDELIUS, J. R. WALTON et J. C. CROSS, *op. cit.*

37. P. E. GREEN, D. S. TULL et G. ALBAUM, *op. cit.* ; Donald G. MORRISON, « On the interpretation of discriminant analysis », *Journal of Marketing Research,* vol. VI, mai 1969, p. 156-163.

38. P. AURIER, *op. cit.* ; Imran S. CURRIM, « Using segmentation approaches for better prediction and understanding from consumer mode choice models », *Journal of Marketing Research,* vol. XVIII, août 1981, p. 301-309 ; W. A. KAMAKURA et G. RUSSEL, « A probabilistic choice model for market segmentation and elasticity structure », *Journal of Marketing Research,* vol. XXVI, novembre 1989, p. 379-390.

> _Notes (*suite*)

39. Y. WIND, *op. cit.*; Paul E. GREEN, Frank J. CARMONE et David P. WACHSPRESS, « On the analysis of qualitative data in marketing research », *Journal of Marketing Research,* vol. XIV, février 1977, p. 52-59.

40. P. KOTLER, P. FILIATRAULT et R. E. TURNER, *op. cit.*

41. James D. HLAVACEK et B. Charles AMES, « Segmenting industrial and high-tech markets », *Journal of Business Strategy,* vol. 7, n° 2, printemps 1986, p. 39-50.

42. Yoram WIND et Richard N. CARDOZO, « Industrial market segmentation », *Industrial Marketing Management,* vol. 3, mars 1974, p. 153-166.

43. Patrick J. ROBINSON, Charles W. FARIS et Yoram WIND, *Industrial Buying & Creative Marketing,* Boston, Allyn and Bacon, 1967, 288 p.

44. Jean-Marie CHOFFRAY et Gary L. LILIEN, « A new approach to industrial market segmentation », *Sloan Management Review,* vol. 3, printemps 1978, p. 17-29.

45. Thomas V. BONOMA, Gerald ZALTMAN et Wesley J. JOHNSON, *Industrial Buying Behavior,* rapports nos 70-177, Cambridge, Marketing Science Institute, décembre 1977, 28 p.

46. V. Kasturi RANGAN, Rowland T. MORIARTY et Gordon S. SWARTZ, « Segmenting customer in mature industrial markets », *Journal of Marketing,* vol. 56, octobre 1992, p. 72-82.

La différenciation
et le positionnement

8

Dans le chapitre 7, on a mentionné que, dans le processus de planification stratégique en marketing, les stratégies de segmentation et de ciblage des marchés diffèrent des stratégies de différenciation et de positionnement. Les premières sont souvent considérées uniquement comme des stratégies de demande, alors que les dernières prennent en compte à la fois la demande actuelle, ou prévue, mais aussi l'offre, en ce sens que les choix, dans ce cas, expriment souvent la volonté et le désir de l'entreprise de faire valoir ses produits aux yeux de ses publics cibles et de leur associer une certaine image en fonction des marchés retenus.

La segmentation et le ciblage de marché, d'une part, et la différenciation et le positionnement des produits, d'autre part, sont des concepts fondamentaux en marketing et constituent les éléments moteurs de l'action stratégique, comme on l'a vu au chapitre 2. Bien que la manière de les appliquer varie beaucoup, ces différentes stratégies visent toutes à répondre aux problèmes liés à l'hétérogénéité des marchés et à la diversité des besoins des consommateurs. Historiquement, les approches stratégiques de la demande (segmentation et ciblage) comme celles de l'offre (différenciation et positionnement) constituent les réponses des spécialistes en marketing à l'hypothèse économique néoclassique de l'homogénéité de l'offre et de la demande, qui fait partie intégrante de la théorie de la concurrence pure et parfaite.

Après avoir traité dans le chapitre précédent des stratégies de segmentation et de ciblage, il nous reste, pour compléter le volet stratégique, à décrire les stratégies de positionnement et de différenciation.

_8.1 La différenciation

Dans cette première partie du chapitre, on définira d'abord le concept de différenciation et son utilité pour les gestionnaires en marketing. Par la suite, on découvrira les principaux outils de différenciation, illustrés par des exemples réels. Enfin, on expliquera la façon dont les stratégies de différenciation sont implantées dans la pratique et les critères de choix qui les accompagnent.

8.1.1_La différenciation et la segmentation

Le passage de la pénurie à l'abondance de l'offre après la crise économique mondiale de 1929 a forcé de nombreux fabricants à différencier leurs produits de façon à s'adapter aux besoins des consommateurs [1]. Considérés dans cette optique de différenciation, les besoins en question restent cependant homogènes. Les entreprises qui appliquent une stratégie de différenciation partent en effet du principe que les besoins des consommateurs demeurent les mêmes, seulement ils cherchent à les satisfaire d'une autre manière. Les façons d'y répondre sont variées : on peut considérer soit la nature même du besoin, soit les capacités de l'entreprise selon les outils et les méthodes de production qu'elle a à sa disposition. Il en résulte que, si la perception des besoins des consommateurs reste homogène, l'offre de produits et de services peut, elle, être hétérogène.

La segmentation, quant à elle, provient du fait que les consommateurs n'ont pas tous les mêmes besoins ni la même conception du produit idéal. Pour mieux répondre à la demande de la clientèle, il est donc nécessaire de considérer celle-ci non pas comme un groupe homogène, mais comme un ensemble de segments ayant des besoins différents et nécessitant des politiques de mix de marketing adaptées. Chaque segment est alors regardé comme un marché à part entière présentant des particularités du point de vue de l'offre et de la demande.

L'info-marketing 8.1, qui explique les raisons, les conditions et les choix adoptés par le constructeur automobile japonais Nissan lorsqu'il a introduit sur le marché sa marque haut de gamme, Infiniti, aidera à comprendre ce que sont ces deux stratégies.

INFO MARKETING 8.1

Les 20 ans d'Infiniti, la marque de luxe de Nissan

« Il y a 20 ans, le 8 novembre 1989, Infiniti démarrait aux États-Unis avec un premier réseau de 51 concessionnaires et une gamme de deux modèles exposés et mis en valeur dans des conditions résolument hors normes. La branche luxe de Nissan était née.

Officiellement, les ventes d'Infiniti ont débuté le 8 novembre 1989 aux États-Unis. En réalité, le projet Infiniti a véritablement démarré en 1985 avec la création au sein même de Nissan d'un groupe de travail top secret appelé "Horizon Task Force" formé dans le but de créer de toutes pièces une nouvelle marque mariant luxe et performances.

À l'époque, les marques de luxe nord-américaines et européennes étant déjà bien établies sur le marché américain, les investissements et les risques promettaient donc d'être élevés. C'est pourquoi, profitant de cette opportunité de créer une marque *ex nihilo* [en partant de rien], l'équipe "Horizon Task Force" a choisi de prendre du recul et d'étudier le segment des voitures de luxe à la fois sous l'angle du produit et sous celui de l'ensemble du cycle d'acquisition et de possession de ce produit.

L'équipe "Horizon Task Force" s'est notamment attachée à étudier un nombre restreint de grandes sociétés de services étrangères au monde automobile, telles que Federal Express, Four Seasons Hotels et la chaîne de grands magasins Nordstrom. Les conclusions de la Task Force ont directement influencé la marque dans son ensemble, de la conception des premières concessions Infiniti, plus proches d'un hôtel de luxe que d'un distributeur automobile, jusqu'à la mise en place de l'identité de la marque dans ses moindres détails (comme par exemple, la création de cartes de visite et le conditionnement des accessoires).

Cette nouvelle philosophie axée sur le client, appelée plus tard "Infiniti Total Ownership Experience" ("une expérience unique de conduite"), sera également appliquée à la politique de services de la Marque, politique incluant alors le prêt gratuit de véhicules pendant les entretiens et réparations, une première à l'époque.

Le nom de cette nouvelle marque de luxe, choisi en juillet 1987, symbolise le désir de toujours regarder vers l'avant, vers l'infini. Forte de son orthographe innovante et de son emblème à deux lignes centrales se rejoignant vers un point à l'horizon, la marque Infiniti – avec quatre "i" – était née. Aux États-Unis, Infiniti a donc commencé avec deux modèles : une berline d'avant-garde, l'Infiniti Q45, et un coupé sportif et luxueux très performant, le M30. Par le biais de ces deux modèles, Infiniti proposait au monde de l'automobile une philosophie basée sur l'originalité, les performances, la qualité et la passion de la conduite.

Au cours de ces premières années nord-américaines, la gamme et le réseau de concessionnaires Infiniti poursuivirent leur croissance pas à pas, selon le rythme prévu. [...] À la fin de sa première décennie d'existence, Infiniti écoulait quelque 75 000 voitures par an.

[...] Chaque nouveauté reçut un accueil des plus enthousiastes de la part des médias, Infiniti étant régulièrement comparé aux plus grands noms européens pour son design et ses performances.

[...]

Si, dans un premier temps, l'activité d'Infiniti n'a concerné que le marché nord-américain, la marque est entrée en 1996 dans une période d'expansion géographique, d'abord au Moyen-Orient, puis à Taiwan en 1997, en Corée du Sud en 2005, en Russie en 2006 ainsi qu'en Ukraine et en Chine en 2007. Fin 2008, ce fut au tour de l'Europe occidentale d'accueillir Infiniti. Aujourd'hui, les produits Infiniti sont commercialisés dans 35 pays couvrant 93 % du marché du luxe mondial. »

Source : LESANNONCES.FR, « Les 20 ans d'Infiniti, l'historique », *Annonces automobiles,* 13 novembre 2009, [En ligne], www.annonces-automobiles.com (Page consultée le 15 avril 2010)

Pour le gestionnaire du marketing, les stratégies de différenciation et de segmentation sont complémentaires. En effet, pour un même segment de marché, chaque entreprise s'efforcera toujours de se différencier de ses concurrents en offrant le produit qui se rapproche le plus de l'idéal désiré par le groupe de consommateurs ciblé. L'utilisation conjointe des deux stratégies, dans la mesure où elle est cohérente, demeure une condition essentielle de la réussite de la stratégie marketing dans son ensemble. Une segmentation du marché qui vise des cibles que l'offre de l'entreprise (produits, prix, distribution et communication) ne saura satisfaire, ou encore, une différenciation des produits faite selon des critères qui ne correspondent pas aux attentes du marché aboutissent fatalement à un échec. Dans la pratique, la stratégie de segmentation et de ciblage du marché doit précéder celle de la différenciation si l'on veut maximiser les chances de réussite.

D'un point de vue opérationnel, il importe de connaître les limites de ces deux stratégies. La principale a trait aux coûts engendrés par la différenciation des produits et la segmentation des marchés. Les coûts sont liés notamment aux opérations nécessaires pour informer et persuader un groupe de consommateurs que le produit offert présente une différence significative par rapport à tel autre, ou qu'il répond mieux aux besoins du segment dont il fait partie. Le gestionnaire du marketing doit évaluer les coûts de toute stratégie éventuelle de différenciation ou de segmentation, puis comparer ces coûts aux bénéfices supplémentaires que l'entreprise pourrait en tirer. Il s'agit de déterminer la valeur ajoutée que cette nouvelle offre peut représenter pour un groupe de consommateurs, combien ceux-ci sont prêts à payer, et de confronter ce prix aux coûts de la différenciation du produit. La section suivante examine les principaux outils pratiques pour mettre en œuvre la stratégie de différenciation.

8.1.2_Les outils de différenciation en marketing

La firme qui cherche à différencier son offre de celle de ses concurrents doit connaître d'abord et avant tout les principaux attributs des produits auxquels les consommateurs de son marché cible attachent de l'importance, afin de pouvoir baser sa stratégie sur ces attributs et ainsi procurer aux acheteurs une satisfaction plus complète que ne leur donnerait un produit concurrent. Il est à noter que la différenciation en elle-même n'entraîne pas une meilleure perception du produit de la part du consommateur. Il faut que les attributs retenus soient valorisés par le consommateur lui-même et que ce dernier soit prêt à payer le prix pour obtenir satisfaction.

Les caractéristiques physiques du produit ne sont pas les seuls outils de différenciation possibles. Toutes les activités de l'entreprise qui peuvent augmenter la satisfaction des consommateurs sont des outils potentiels de différenciation. Certains spécialistes font valoir que, pour comprendre la différenciation, il faut non pas regarder l'entreprise dans son ensemble, mais analyser ses différentes activités et la façon dont celles-ci influent sur la satisfaction des clients. L'entreprise qui veut se démarquer de la concurrence doit donc analyser l'ensemble de ses activités qui sont liées à l'offre adressée à un segment de marché donné et évaluer les effets qu'une modification apportée à l'une ou l'autre de ces activités aura sur la valeur attribuée au produit par le consommateur. On a ici affaire à la notion de chaîne de valeur telle que proposée par Michael E. Porter, laquelle s'associe à la notion de qualité totale, appartenant au domaine de la gestion de la production.

La différenciation pourrait donc se définir comme le processus par lequel l'entreprise détermine les attributs susceptibles de procurer au produit un supplément de valeur aux yeux du consommateur et modifie les activités liées à ces attributs, de manière à proposer une offre qui paraît au consommateur plus attrayante que celles de la concurrence [2].

Les spécialistes en marketing s'accordent pour dire que les outils de différenciation sont multiples. Ceux-ci couvrent plusieurs éléments de l'offre de l'entreprise, qui ont des effets variables sur le comportement du consommateur. Souvent, la force de l'impact est mise en relation avec le caractère tangible du critère de différenciation utilisé. Par exemple, le fait que les capacités analytiques du coprocesseur et celles de stockage du disque dur d'une marque particulière d'ordinateur sont supérieures à celles d'une marque concurrente persuadera davantage les consommateurs de la valeur du produit qu'une livraison plus rapide, l'ajout de fonctions plus ou moins utiles ou le sourire du vendeur [3]. Le tableau 8.1 résume les principaux outils de différenciation en marketing. Ces outils sont présentés par ordre décroissant d'efficacité ; il s'agit du produit, du service, du personnel de vente, du point de vente et de l'image de marque.

TABLEAU 8.1 **Les principaux outils de différenciation de l'offre**

Produit	Service	Personnel de vente	Point de vente	Image
• La fonctionnalité • La performance • La conformité • La durabilité • La fiabilité • La réparabilité • Le style • Le design	• Les délais de livraison • L'installation • La formation • Le conseil • La réparation • Les autres services connexes	• La compétence • La courtoisie • La crédibilité • La fiabilité • La communication	• La couverture • L'expertise • La performance	• La marque • Les symboles • Les médias • Les atmosphères • Les événements

La différenciation par le produit

Le produit lui-même est l'élément le plus tangible de l'offre d'une entreprise. Cependant, il n'est pas toujours facile de se différencier par cet élément. Par exemple, les compagnies pétrolières auraient de la difficulté à se différencier par le carburant qu'elles vendent. Pour le consommateur, elles doivent toutes se conformer aux mêmes normes et seuls un écart de prix, un meilleur emplacement, un meilleur service ou un programme de fidélisation peuvent l'inciter à revenir à une compagnie particulière. Le carburant lui-même et l'utilité qu'il procure sont équivalents pour le conducteur de voiture, qu'il fasse le plein d'essence chez Esso, Petro-Canada ou Ultramar.

D'autres produits sont plus facilement différenciables. C'est le cas des voitures, des vêtements ou des chaussures de sport. Généralement, les possibilités de différenciation sont directement proportionnelles à la complexité du produit. Elles ont toutefois tendance à diminuer avec le temps. En effet, l'innovation technologique, souvent le principal moyen de différenciation, perd de sa valeur avec le temps ou devient accessible aux concurrents. Les entreprises s'attachent à rendre leurs produits uniques en concentrant leur attention sur les fonctionnalités du produit, ses performances, sa qualité, sa durabilité, sa fiabilité, sa facilité de réparation et son style. Toshiba avec ses ordinateurs portables, Palm avec ses ordinateurs de poche, Sony avec ses baladeurs, Frigidaire avec ses réfrigérateurs, Research In Motion (RIM) avec son BlackBerry, et Apple avec son iPod ou encore avec son iPhone étaient des têtes de file dans leurs marchés respectifs, mais ils ont peu à peu perdu leur avantage compétitif au profit d'autres entreprises qui se sont petit à petit équipées du matériel nécessaire pour fabriquer des produits comparables. En pratique, la différenciation du produit peut se faire sur plusieurs dimensions physiques liées aux utilités de base du produit telles que la fonctionnalité, la performance, la durabilité, la conformité aux normes, la facilité d'utilisation, le style et le design.

La fonctionnalité

Il est rare qu'un produit serve uniquement à l'usage pour lequel il a été conçu. Un magnétoscope peut non seulement enregistrer des émissions de télévision sur une bande magnétique mais, entre autres fonctions, afficher l'heure sur un écran numérique et escamoter les messages publicitaires. Une voiture comprend, en plus d'un châssis, de quatre roues et d'un moteur, un certain nombre de dispositifs de sécurité (système de freinage antiblocage, coussins gonflables, détecteurs d'obstacle…) et d'éléments de confort (climatisation, chaîne stéréo, vitres électriques, GPS…).

Les fonctionnalités du produit sont des éléments ajoutés qui augmentent la satisfaction du client ainsi que la valeur qu'il attribue au produit.

Lorsqu'elle envisage d'ajouter des fonctionnalités à un produit de base, l'entreprise doit accorder une attention particulière à deux éléments importants : le choix des nouveaux attributs et leurs coûts. En ce qui concerne les attributs à ajouter, elle doit garder à l'esprit qu'un attribut non valorisé par le consommateur est inutile ; il ne lui procure aucun avantage concurrentiel, mais lui fournit un motif de plus pour critiquer le produit et lui donne l'impression d'avoir payé cher pour rien. Par ailleurs, un attribut ajouté au produit de base entraîne nécessairement un coût supplémentaire que l'entreprise doit supporter et qui devra être reporté en totalité ou en partie sur le prix de vente. Or, le consommateur peut valoriser un attribut, mais il n'est pas toujours disposé à payer le surplus qu'impose son ajout. L'entreprise doit donc évaluer non seulement l'attrait pour le consommateur, mais aussi le surplus de prix que ce dernier est prêt à payer. Il est évident que l'utilité de base d'un téléphone cellulaire est la communication. Et l'ajout à partir des années 2000 d'options telles que l'appareil photo, la vidéo, le lecteur MP3, la navigation sur Internet, l'écran tactile n'a pas apporté les profits escomptés, surtout si l'on considère les coûts que ces options engendrent.

On observe parfois, à l'intérieur d'un même segment où les besoins de base des consommateurs sont généralement homogènes, des attitudes différentes vis-à-vis d'un attribut supplémentaire. Certains acheteurs sont, par exemple, prêts à payer un surplus de 100 $ pour un ordinateur qui dispose d'une ardoise électronique et d'un stylet (*tablet PC*), alors que d'autres ne manifestent aucun intérêt pour cette option. En général, les entreprises qui font face à ce genre de situation optent pour un produit de base qui présente les caractéristiques unanimement désirées par les consommateurs faisant partie du segment, et offrent en option, moyennant un surplus, les caractéristiques qui ne font pas l'unanimité.

L'info-marketing 8.2 présente un exemple d'ajout d'options par le fabricant d'articles de sport Nike, qui offre à ses clients internautes la possibilité de personnaliser leur paire de chaussures. Il est évident que cette nouvelle possibilité contribue à accroître la satisfaction des clients, dans la mesure où les frais supplémentaires qu'entraîne la personnalisation sont considérés comme acceptables. Il appartient dans ce cas au consommateur de choisir entre un achat standard et un achat personnalisé.

NIKE iD : une offre de produit personnalisé

En permettant à ses clients de se distinguer et d'afficher leur personnalité, Nike offre une nouvelle idée du produit de consommation personnalisé. La tendance de la personnalisation de masse s'est accélérée avec le développement d'Internet. Le consommateur, devant son écran, peut sélectionner son modèle préféré, en choisir la couleur et même écrire son nom ou un slogan à certains endroits sur la chaussure. Grâce à Internet, le client peut visualiser les palettes de couleurs disponibles, concevoir sa chaussure et passer une commande sans sortir de chez lui. Ce qui était réservé aux consommateurs de voitures haut de gamme et d'autres produits très coûteux est maintenant à la portée d'un plus grand nombre de personnes.

Source : NIKE ID, [En ligne], http://nikeid.nike.com (Page consultée le 15 avril 2010)

Par ailleurs, outre les coûts de production et de commercialisation qu'il génère, l'ajout d'attributs à un produit de base entraîne aussi parfois des coûts de recherche et de développement considérables. D'où la nécessité de s'assurer au préalable que ces attributs sont acceptés et que le nombre de personnes qui les achèteront permettra au moins d'amortir les coûts de production.

Le risque couru par les entreprises qui ajoutent des attributs non désirés par le consommateur amène à se poser une question très importante : comment une entreprise doit-elle s'y prendre pour déterminer les fonctionnalités à haute valeur ajoutée pour le client ? La meilleure façon de s'y prendre consiste à présenter aux consommateurs cibles, par le moyen de groupes de discussion ou de questionnaires, les différentes combinaisons d'attributs envisageables et de leur demander d'indiquer leurs préférences ainsi que le prix qu'ils sont prêts à payer pour ce produit. Les présentations multimédias et l'animatique facilitent énormément la tâche des responsables de marketing et réduisent les coûts de design des modèles à présenter aux consommateurs. De plus, ils donnent aux consommateurs une meilleure idée du produit final que si ce dernier était décrit sur une simple fiche technique.

La performance

L'étudiant qui désire acheter un ordinateur pour réaliser ses travaux scolaires ou avoir accès à Internet n'aura pas les mêmes attentes ni les mêmes exigences qu'un architecte ou un décorateur qui, eux, sont souvent appelés dans leur métier à réaliser des présentations et des animations complexes en trois dimensions. Alors que l'étudiant recherchera la simplicité d'utilisation à un prix abordable, l'architecte exigera une machine qui a d'énormes capacités de traitement ainsi qu'une carte graphique aux possibilités techniques très vastes.

La performance ou la qualité d'un produit est donc un concept relatif qui varie selon la clientèle cible de l'entreprise. Ainsi, celle-ci doit analyser les besoins du consommateur cible, le résultat auquel il s'attend en achetant le produit à un prix déterminé, puis établir l'offre et la performance du produit en fonction des attentes de ce consommateur.

La performance du produit est définie comme la capacité de satisfaire le consommateur par sa fonction principale. Plus la performance du produit est élevée, plus la satisfaction du consommateur est grande. La figure 8.1 montre comment Crest vante les performances de son dentifrice Pro-Santé en le présentant comme le premier et le seul à offrir une protection contre les éléments les plus couramment surveillés par les dentistes, notamment la gingivite. Toute entreprise est cependant obligée de suivre une politique de coûts relatifs et, par conséquent, sa politique de prix doit répondre aux attentes de son marché cible. Une entreprise qui met sur le marché un produit coûtant deux fois plus cher que ce que le client est prêt à payer va tout droit à un échec commercial, même si ce produit est beaucoup plus performant que ceux des concurrents.

_FIGURE 8.1 Une différenciation portant sur les performances du produit

Source : *Châtelaine*, vol. 50, n° 2, février 2009, p. 145.

La conformité

L'un des avantages de la production industrielle par rapport à la production artisanale est de pouvoir offrir à tous les consommateurs un produit identique et livrant la même performance. Les normes de contrôle de la qualité appliquées par les entreprises, qu'elles soient internes (normes de Microsoft ou d'IBM, par exemple) ou externes (normes ISO 9000 ou ISO 9001), visent souvent à assurer aux clients que toutes les unités d'un même produit offriront la même performance.

Du point de vue du marketing, la conformité se définit comme le degré auquel les unités d'un même produit sont conformes à des indications de performance préétablies. Quand, par exemple, un constructeur automobile promet des voitures qui résistent pendant de nombreuses années à la corrosion, les acheteurs sont en droit de s'attendre à ce que la promesse soit tenue pour tous les modèles de voitures de ce constructeur. Si la promesse est violée pour certaines unités, l'image et la crédibilité de la marque risquent d'en souffrir. Pareillement, lorsqu'un fabricant de meubles affiche sur tout son matériel promotionnel son accréditation ISO 9000, les clients qui achètent ses meubles sont en droit de s'attendre à ce que les normes se rattachant à cette accréditation internationale soient respectées pour tous les produits offerts par l'entreprise.

La durabilité

L'achat d'une voiture, de meubles à usage domestique ou d'un bateau de plaisance représente un investissement important. L'acheteur n'est donc pas disposé à remplacer immédiatement le produit acheté et il s'attend à ce que celui-ci soit suffisamment durable pour justifier son prix. Par contre, lorsqu'il s'agit de l'achat de vêtements, de chaussures et de tout autre produit sujet à se démoder, ou encore de produits dont la technologie est en constante évolution, tels que les logiciels, les ordinateurs ou les téléphones cellulaires, le client est conscient que la durée d'utilisation du produit est généralement inférieure à sa durée de vie physique. Dans ce cas, les entreprises doivent assurer à la clientèle que les produits qu'elles commercialisent auront une durée de vie acceptable eu égard au prix demandé. La durabilité désigne la durée pendant laquelle le produit satisfait le besoin du consommateur quant à sa fonction principale, sans qu'il y ait une baisse de performance qui nécessiterait son remplacement total ou partiel.

En ce qui concerne les produits à très longue durée d'utilisation, les entreprises doivent prévoir les effets du marché des produits d'occasion sur leurs ventes futures, comme c'est le cas pour les avions ou les voitures. Elles doivent aussi évaluer l'effet du marché des pièces détachées et des pièces de rechange et celui des services après-vente, comme c'est le cas pour le matériel agricole ou la machinerie lourde utilisée dans les travaux publics.

La fiabilité

Quand on achète un réfrigérateur, on s'attend à ce que la température de chacun des compartiments soit la même et qu'elle demeure constante, car un changement affecterait la qualité des aliments et serait par là même préjudiciable à la santé. Il en va de même lorsque l'on achète une voiture ou un système de chauffage ou de climatisation : la performance de ces produits doit être constante, quelles que soient les conditions climatiques.

Ces exemples concernent la fiabilité du produit. La fiabilité est la capacité du produit d'offrir une performance constante au fil du temps. L'entreprise qui ne veut pas connaître les désagréments d'un taux de retour important ni avoir à payer les coûts élevés que cela entraîne, pas plus que voir la réputation de ses produits et son image de marque se dégrader, doit assurer la constance de la performance de ses produits pendant toute leur durée de vie. Par exemple, dans l'une de ses publicités, la marque de piles Duracell mise sur la confiance que lui accorde un commerçant de jouets éducatifs, en l'occurrence LeapFrog, pour valoriser la fiabilité de ses piles. Le slogan dit ceci, en parlant des enfants : « Donnez-leur la puissance d'être ce qu'ils veulent. » Et la publicité se termine ainsi : « Duracell, on s'y fie partout. »

La facilité de réparation

Quelles que soient les précautions dont s'entoure l'entreprise, le produit peut malgré tout montrer des défaillances dues à des causes extrinsèques. Une variation soudaine de la tension électrique, une chute accidentelle ou un déversement de boisson gazeuse sur un livre électronique (*e-book*) peuvent entraver le fonctionnement de l'appareil, notamment la sensibilité de son écran tactile, même si, par ailleurs, celui-ci est d'excellente qualité. La facilité de réparation se rapporte à la facilité et à la rapidité avec lesquelles le consommateur peut retrouver un usage normal à la suite d'une défaillance dans le fonctionnement du produit.

Des incidents comme ceux mentionnés ci-dessus n'influencent habituellement pas l'idée que le consommateur a de la qualité du produit ou de l'image de marque du fabricant si le produit est rapidement réparé. Les entreprises ne peuvent épargner des désagréments à leurs clients mais disposent de plusieurs moyens pour en atténuer les effets négatifs. Certaines mettent à la disposition de leur clientèle un service d'assistance téléphonique jour et nuit ou un service en ligne, d'autres remplacent le produit défectueux le temps de la réparation. C'est le cas de concessionnaires d'automobiles qui prêtent une voiture de courtoisie à leurs clients pendant la durée de réparation ou d'entretien de leur véhicule.

Le style

Le style est l'un des éléments essentiels de la différenciation physique d'un produit. Il donne souvent une coloration émotive au produit, et les formes et les couleurs peuvent lui conférer une personnalité déterminée, difficile à imiter. Pour les spécialistes en marketing, le style est l'expression physique de la personnalité du produit. Il se rapporte à son apparence distinctive et aux sentiments qu'il suggère.

Autrefois réservé aux produits à caractère ostentatoire tels que les bijoux, les vêtements et les voitures, le style est de nos jours un élément très important dans la quasi-totalité des produits. Le cas des micro-ordinateurs est très révélateur à cet égard. Conçus au début des années 1970 pour répondre aux besoins professionnels des scientifiques, ils sont devenus par la suite des outils indispensables pour les gestionnaires et ils sont dorénavant présents dans la majorité des foyers nord-américains. Les fabricants ont longtemps considéré l'ordinateur comme une machine à usage exclusivement scientifique, et son style, dans la forme comme dans la couleur, devait refléter le sérieux et la solidité de sa conception, de ses performances et de son usage. À la fin des années 1990, l'ordinateur iMac d'Apple, avec sa teinte bleu translucide et sa forme singulière, a mis au rancart la forme carrée standard et les couleurs beige et noir, et ainsi allié le sérieux de la performance au plaisir des yeux, ce qui a permis à la marque de se différencier de façon très prononcée de ses concurrents. D'autres marques lui ont emboîté le pas depuis, notamment Hewlett-Packard et Dell. En 2006, Apple lançait l'ordinateur le plus mince sur le marché, le MacBook, dont le style et la minceur ont largement séduit la clientèle cible et permis à cette machine de connaître le succès espéré. En janvier 2010, Apple lançait en grande pompe la tablette multimédia à écran tactile iPad, premier véritable mariage entre l'ordinateur portable et le téléphone intelligent. L'info-marketing 8.3 présente le iPad et décrit le désir historique d'Apple de différencier ses produits par le style.

Le conditionnement des produits par l'étiquetage, l'emballage ou la forme des contenants est considéré comme l'un des principaux éléments qui font vendre les produits de grande consommation. D'ailleurs, on y fait appel de plus en plus comme outil de différenciation. Depuis quelques années, il y a une surenchère dans la manière d'emballer les produits de grande consommation. Des fromages dont l'étiquette suggère l'authenticité du terroir, des confitures fabriquées industriellement mais dont les pots évoquent le produit maison, des bouteilles de parfum dont la forme rappelle le corps humain : voilà autant d'exemples de styles de conditionnement qui ajoutent de la valeur au produit.

La tablette tactile d'Apple : tout un style

« Apple a dévoilé [le] mercredi [27 janvier 2010] sa tablette multimédia à écran tactile iPad, nouveauté très attendue qui se veut le chaînon manquant entre ordinateur portable et *smartphone*.

Cet appareil, qui permet de visionner des films, de naviguer sur Internet ou de jouer à des jeux vidéo, sera commercialisé à un prix moins élevé que prévu. Il affiche un clavier tactile de grande taille sur son écran de 9,7 pouces [24,25 cm]. Son épaisseur ne dépasse pas 1,3 cm et son poids avoisine 700 grammes.

Steve Jobs, directeur général et cofondateur d'Apple, a procédé à une démonstration de l'iPad sur la scène d'une salle bondée de San Francisco, faisant défiler sur l'écran photos, courriers électroniques et sites Internet. Il a également visionné un clip sur le site de partage de vidéo YouTube.

"Ce qui occupait jadis la moitié de votre salon peut maintenant tenir dans un sac", s'est enthousiasmé Ned May, analyste pour Outsell. L'iPad "rassemble toute une variété de besoins dans un appareil de divertissement universel".

Vêtu de son traditionnel col roulé noir, Steve Jobs a déclaré que la navigation Web sur la tablette, équipée par défaut de connexions Wi-Fi et Bluetooth, était "bien meilleure" que sur un ordinateur portable.

[...]

Moyennant un supplément de 130 dollars, l'appareil pourra être compatible avec la norme de téléphonie mobile 3G et devrait par conséquent faire l'objet d'abonnements auprès des opérateurs pour télécharger des données.

[...]

Après la présentation de l'iPad et surtout la publication de cet éventail de prix, l'action Apple s'est retrouvée à la hausse, prenant jusqu'à 5,5 % avant de clôturer sur un gain de 0,94 % à 207,88 dollars.

[...]

L'iPad est l'appareil le plus emblématique lancé par la marque à la pomme depuis l'iPhone, il y a trois ans. Sa présentation a mis un terme à plusieurs mois de rumeurs et de spéculations à Wall Street et sur Internet.

Steve Jobs a estimé qu'il manquait un appareil d'un nouveau type, à mi-chemin entre un combiné multimédia (ou *smartphone*) et un ordinateur portable, permettant de naviguer sur Internet ou de jouer à des jeux vidéo.

"Si des appareils d'une troisième catégorie émergent, il faudra qu'ils soient meilleurs sur ces fonctions-là", a déclaré le cofondateur d'Apple.

Certains analystes estiment que l'iPad est un concurrent sérieux pour le Kindle, la liseuse de livres électroniques d'Amazon. Mais d'autres soulignent que le prix de cette dernière, vendue à partir de 259 dollars, est moindre et que son ergonomie est meilleure pour les lectures longues.

L'iPad "n'est pas une liseuse électronique – c'est un appareil qui peut être utilisé pour lire des livres", a déclaré James Friedland, de Cowen & Co. Apple a annoncé en outre le lancement d'un kiosque iBook consacré aux livres électroniques, inspiré de sa boutique iTunes pour les titres musicaux.

[...]

L'iPad disposera d'une autonomie de dix heures et de plus d'un mois en mode veille.

La tablette comportera notamment des fonctions calendrier et carnet d'adresses intégrées, a ajouté Steve Jobs. L'appareil a été conçu de manière à ce que les applications créées pour l'iPhone soient également utilisables sur l'iPad. »

Source : Gabriel MADWAY et Alexei ORESKOVIC, « Apple dévoile sa tablette tactile iPad », *L'Express,* 24 janvier 2010, [En ligne], www.lexpress.fr (Page consultée le 20 mars 2010)

Le design

Les notions de style et de design sont souvent confondues. Selon les spécialistes en art, le style est une composante du design d'un produit. La notion de design englobe toutes les caractéristiques esthétiques et fonctionnelles de la forme et des composantes du produit. Contrairement au style, le design n'a pas pour seul but de provoquer une réaction émotionnelle chez le consommateur, il doit améliorer l'utilisation du produit, en faciliter la fabrication et la réparation, en simplifier le stockage et la mise au rebut. Le design groupe donc les aspects fonctionnels et esthétiques du produit. Son but est à la fois de fournir une meilleure réponse aux attentes des clients et de faciliter la production, le stockage, la réparation et la mise au rebut du produit.

Le design d'un produit poursuit parfois des fins contradictoires et exige souvent de faire des compromis. Ainsi, un changement de forme ou de couleur en vue de séduire davantage le consommateur peut compliquer le processus de production, entraîner une augmentation des coûts et donc une hausse du prix de vente. En proposant une pizza de forme carrée, Pizza Hut a dû prendre en considération le fait qu'elle était deux fois plus longue à préparer qu'une pizza ronde. La figure 8.2 montre comment un fabricant d'électroménagers fait appel au design pour différencier ses produits.

Le dernier objectif du design, prévoir la mise au rebut, représente aujourd'hui un aspect important pour le consommateur. La société est davantage soucieuse de l'environnement, donc consciente des conséquences que la consommation actuelle entraîne pour l'avenir de la planète. Les entreprises sont donc obligées de tenir compte des normes écologiques de recyclage et de prévoir la façon d'éliminer les produits à la fin de leur durée de vie. C'est pourquoi les fabricants d'emballages emploient de plus en plus de matières recyclées et recyclables, et les fabricants de produits électroniques, mécaniques ou informatiques offrent aux consommateurs de reprendre leurs vieux appareils au moment d'un achat de remplacement.

_FIGURE 8.2 **Une différenciation portant sur le design du produit**

Source : *Châtelaine,* vol. 50, n° 10, octobre 2009, p. 167.

La différenciation par le service

Comme on l'a déjà mentionné, il est de plus en plus difficile de différencier certains produits d'après leur seul aspect physique lorsque leurs éléments proprement technologiques sont devenus standards et donc accessibles à tous les fabricants de tels produits. C'est le cas des ordinateurs et de la plupart des électroménagers. Le service associable au produit physique lui-même devient alors très important car, en différenciant son offre par l'ajout d'une plus-value, comme une livraison rapide, un financement intéressant ou un service-conseil, l'entreprise peut plus facilement attirer et fidéliser la clientèle[4].

Dans un contexte où la concurrence va en s'accentuant, où les améliorations apportées aux caractéristiques physiques du produit sont très vite imitées et où les clients sont de plus en plus exigeants et conscients de pouvoir jouer sur la concurrence entre les entreprises, l'innovation en matière de services est un outil important de différenciation. Parmi les principaux éléments de la différenciation par le service, citons les délais et les facilités de commande, l'installation, la formation, le conseil, la réparation et l'entretien, qui seront exposés en détail dans ce qui suit. Le terme générique « service à la clientèle » est également abordé au chapitre 11 dans le contexte de la logistique.

Les délais et les facilités de commande

La facilité avec laquelle un client peut placer une commande et le délai nécessaire à son exécution peuvent constituer une forme de différenciation. Dans le marché de l'échange commercial interentreprises, les contraintes de réduction des coûts et d'accroissement de la flexibilité poussent les entreprises clientes à exiger de leurs fournisseurs des temps de réponse de plus en plus courts et des systèmes de commande qui fournissent une information immédiate sur l'état des stocks. L'échange de données informatisées (EDI) par le truchement du réseau Internet ou de réseaux intranet et extranet réduit ces délais et facilite l'enregistrement des commandes. Par exemple, dans une chaîne d'hypermarchés dont les ordinateurs sont reliés à ceux de ses fournisseurs, dès que les stocks d'un produit dans un lieu donné tombent au-dessous d'un seuil déterminé d'avance, une commande indiquant la quantité voulue et l'adresse de livraison est automatiquement passée au fournisseur.

Avec le déploiement du commerce électronique, la demande pour des commandes rapides et faciles à passer s'est étendue au marché de la consommation de masse. Que ce soit pour commander un livre ou un DVD (par exemple, sur www.archambault.ca), un ordinateur (par exemple, sur www.dell.ca) ou tout simplement des produits d'épicerie (par exemple, sur www.iga.net), les sites Internet offrent aujourd'hui la possibilité de créer des profils personnalisés qui évitent au client d'avoir à se déplacer pour passer une commande ou à fournir les mêmes renseignements chaque fois qu'il le fait. Le commerce électronique et le cyber-marketing seront étudiés en profondeur au chapitre 13.

L'installation

L'installation se rapporte aux opérations nécessaires pour mettre en état de marche le produit à l'endroit où il sera utilisé. Afin de faciliter les opérations de transport et de stockage et de réduire leurs coûts, bon nombre de fabricants offrent à la clientèle des prêts-à-monter, surtout dans le cas des meubles, des électroménagers et de certains appareils électroniques. Le client pourrait toutefois éprouver de la difficulté à installer le produit, aussi les entreprises proposent-elles, outre la notice technique, des services d'assistance à domicile, par téléphone ou par Internet. Du fait de la complexité de plus en plus grande des produits et, parfois, du profil particulier de la clientèle cible, certaines entreprises mettent à la disposition des clients un technicien spécialisé dans l'installation (par exemple, pour un lave-vaisselle ou un climatiseur central).

Souvent, la disponibilité, la qualité et l'efficacité du service d'installation peut influer sur la décision du consommateur au moment d'un second achat. Pour des produits tels que de l'équipement industriel, l'installation est un élément déterminant dans le choix du fournisseur, car elle requiert des connaissances particulières.

La formation

La formation s'applique surtout aux achats industriels. Elle désigne le fait de renseigner parfaitement les futurs techniciens sur les caractéristiques et le fonctionnement du matériel vendu par l'entreprise. Comme le fonctionnement de l'équipement industriel varie d'un constructeur à l'autre, il importe que le personnel le connaisse bien de façon à assurer la productivité de l'entreprise acheteuse. D'ailleurs, les contrats d'achat d'équipement accordent une grande importance à la formation initiale du personnel et à des stages de mise à niveau lorsque des modifications sont apportées aux machines.

Le conseil

Le service de conseil consiste à mettre l'expertise de l'entreprise à la disposition du client. Cela peut être compris dans le prix du produit ou facturé séparément. Très présent dans le domaine du marketing industriel, le conseil prend de plus en plus d'importance dans celui de la grande consommation. Les publicités de certaines chaînes de magasins d'alimentation mettent en évidence que les chefs de rayon ont été formés pour fournir des conseils aux consommateurs en ce qui concerne, par exemple, le choix des condiments et la façon d'apprêter la viande.

Les sites Internet consacrés à la vente de livres et de disques proposent aux internautes différentes rubriques destinées à les aider dans leur choix et à connaître l'avis d'autres acheteurs sur les articles mis en vente. La figure 8.3, tirée du site Web d'Amazon, montre une rubrique qui révèle les choix d'autres internautes aux goûts communs et permet de lire leurs commentaires. De nombreuses salles de cinéma ont emboîté le pas en offrant à leur clientèle la possibilité de consulter, sur leur site Web non seulement l'horaire des films projetés mais aussi une évaluation de ces films par d'autres clients qui les ont déjà vus.

FIGURE 8.3 **Un site Internet offrant un service de conseil à ses clients**

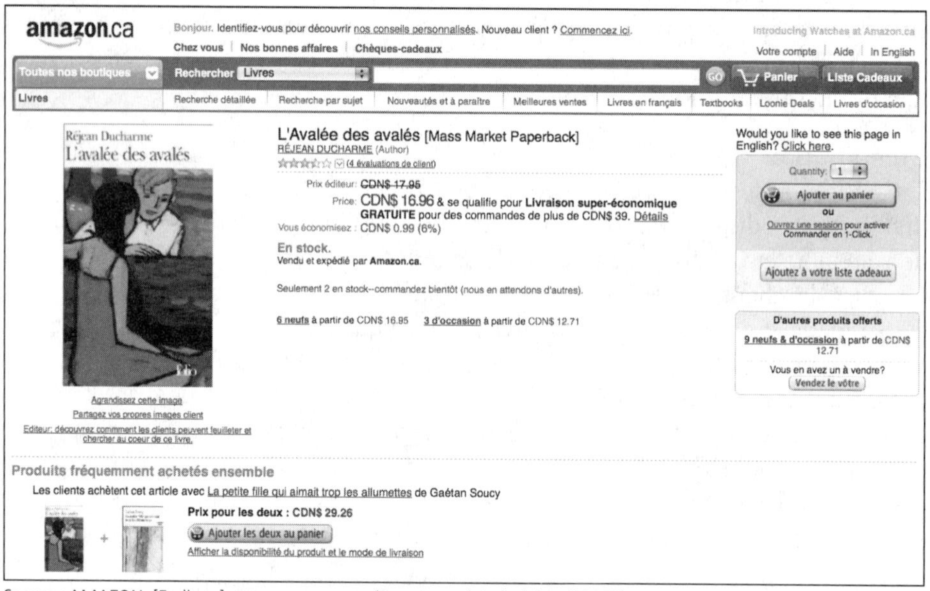

Source : AMAZON, [En ligne], www.amazon.ca (Page consultée le 16 avril 2010)

La réparation et l'entretien

L'offre de réparation et d'entretien qui est jointe au produit renvoie à la possibilité d'obtenir sans difficulté des services pour remettre le produit en bon état en cas de défaillance technique et pour effectuer les opérations d'entretien nécessaires à son bon fonctionnement. La réparation et l'entretien sont déterminants surtout dans l'achat de biens d'équipement, comme une voiture, et de machines industrielles.

L'étendue du réseau de distribution et de service après-vente, la facilité d'accès à ce dernier et les garanties concernant la fiabilité des agents sont des éléments de différenciation importants, et les clients en tiennent souvent compte au moment de choisir un fournisseur.

Conscientes de leur importance, la plupart des entreprises proposent des services d'entretien et de réparation accessibles en tout temps ainsi que des garanties de remplacement par un produit équivalent pendant la durée de la réparation ou de l'entretien.

Les autres services

Il existe quantité d'autres outils de différenciation que ceux constitués par les services décrits plus haut. Les entreprises doivent sonder les besoins de leurs clients pour déterminer les meilleures façons d'accroître la valeur de ce qu'elles leur proposent et faire preuve de créativité et d'innovation pour pouvoir se différencier réellement de leurs concurrents.

Par exemple, plusieurs institutions bancaires offrent à leurs clients la prise en charge de l'annulation de toutes leurs cartes de crédit et de débit en cas de vol, y compris celles émises par d'autres institutions. Les magasins IKEA, quant à eux, mettent à la disposition des parents accompagnés de leurs enfants des espaces de jeu surveillés afin qu'ils puissent faire leurs achats en toute tranquillité. La firme allemande BMW propose à ses clients canadiens le programme « carte de service BMW », qui comprend notamment une planification personnalisée des voyages aux États-Unis et au Canada, des services de remorquage et de dépannage d'urgence, une assurance d'interruption de voyage qui couvre les dépenses imprévues et le transport d'urgence dans l'éventualité où la voiture tomberait en panne à plus de 80 km du domicile du conducteur.

La différenciation par le personnel

Quel que soit l'outil de différenciation qu'emploie l'entreprise pour démarquer son produit de ceux de ses concurrents directs, le personnel demeure l'élément clé de sa réussite. Cela est encore plus vrai dans le cas de services purs tels que le tourisme et l'hôtellerie, les services financiers ou les services d'ingénierie ou de conseil en management. Toute différenciation par les caractéristiques physiques du produit ou par les services qui lui sont associés peut, à plus ou moins long terme, être imitée par les concurrents, à moins que cette différenciation ne soit basée sur des compétences ou des ressources propres à l'entreprise et dont la propriété intellectuelle est très bien protégée. Par exemple, les compagnies de produits pharmaceutiques ou de logiciels informatiques protègent leurs nouveaux produits au moyen de brevets qui leur assurent une exploitation exclusive. Or, souvent, cette garantie entraîne des coûts et, dans la plupart des cas, cette exclusivité a une durée déterminée par la loi et, à l'expiration, le produit tombe dans le domaine public. Dans le secteur des boissons gazeuses, la firme Coca-Cola, qui garde jalousement le secret de fabrication de sa boisson, a aussi protégé la forme de sa bouteille originale contre toute imitation. Cela n'a pas empêché d'autres fabricants de colas d'utiliser la couleur rouge vif de la boisson reine ou une partie de son nom de marque (on n'a qu'à songer à la marque PC Cola de Loblaw ou à Virgin Cola, American Cola, Mecca Cola, etc.). La différenciation par le personnel constitue un excellent moyen d'acquérir un avantage concurrentiel et un pouvoir de marché qu'il sera difficile d'égaler. L'avantage concurrentiel réside dans la relation étroite qui s'établit au fil du temps entre les clients et les employés d'une entreprise, relation qui s'explique par le fait que ces derniers connaissent parfaitement les besoins et les goûts de la clientèle et savent comment y répondre.

L'approche relationnelle (*relationship marketing*), qui mise sur un marketing personnalisé selon le profil sociodémographique et l'historique des transactions des clients avec la compagnie, apparaît aujourd'hui comme le meilleur moyen de s'assurer une satisfaction élevée et, par conséquent, une fidélisation des clients. Une étude portant sur la rotation (*turnover*) de son personnel a montré à Taco Bell que ses restaurants qui ont le taux de rotation de personnel le plus faible (20 % du total) réalisent deux fois plus de ventes et 55 % plus de profits que les restaurants qui ont le taux de rotation le plus élevé (20 % du total) [5].

Il est donc important que l'entreprise qui veut se démarquer de ses concurrents et procurer une plus grande satisfaction à ses clients soit prête à engager toutes ses ressources, spécialement le capital humain. L'approche client prônée par plusieurs entreprises est parfois entravée par le fait que le personnel en contact avec les clients est démotivé ou ignore quelles sont ses tâches et ses responsabilités. On parle alors d'une défaillance du marketing interne, qui devrait être orienté vers le personnel et refléter la ligne d'action suivie par l'entreprise en vue de satisfaire sa clientèle cible.

L'utilisation optimale du personnel comme élément de différenciation de l'offre globale par rapport à la concurrence suppose de tenir compte de cinq points importants :

- Recruter du personnel compétent et le garder au service de l'entreprise. Les stratégies visant l'amélioration de la qualité des produits et des services et la satisfaction des consommateurs n'augmenteront le rendement de l'entreprise que si le personnel est capable de les mettre en œuvre.

- Inculquer les notions de création de valeur et d'orientation client non seulement aux personnes en contact direct avec la clientèle mais aussi à l'ensemble du personnel. Ces notions ne doivent pas rester théoriques, les employés doivent les assimiler et connaître les actions auxquelles elles doivent aboutir.

- Informer le personnel, le motiver et le faire participer à la réalisation des objectifs de satisfaction de la clientèle. Les employés doivent être tenus au courant des performances de l'entreprise du point de vue de la satisfaction de la clientèle, de leurs contributions personnelles à ces résultats, et mis à contribution dans la recherche de solutions en vue de les améliorer.

- Donner au personnel une formation continue afin qu'il puisse accomplir au mieux ses tâches. Une entreprise n'arrivera à satisfaire ses clients que si elle ajuste ses moyens de production et de gestion en fonction de l'évolution des marchés. Il en va de même pour le personnel, qui doit recevoir une formation continue pour pouvoir continuer d'être compétitif.

- Veiller à ce que la satisfaction des employés soit l'un des principaux éléments de la stratégie de l'entreprise. Un employé satisfait est davantage porté à s'intéresser aux besoins du consommateur et à s'efforcer de les combler.

La différenciation par les points de vente

Les points de vente représentent le quatrième élément qu'une entreprise peut utiliser dans ses efforts marketing pour se différencier de ses principaux concurrents. Ils impliquent la présence des intermédiaires de la distribution de détail qui acheminent directement les produits de l'entreprise vers le consommateur final. Par leur organisation, leur structure ou leurs compétences particulières, ces intermédiaires peuvent contribuer de deux façons à la stratégie de différenciation de l'entreprise : soit en étant l'élément central de la différenciation, soit en faisant partie d'une stratégie de différenciation intégrée [6].

La densité et l'étendue de la distribution de détail sont les premiers éléments qui peuvent contribuer à la différenciation des produits offerts par une entreprise. La densité est définie comme le nombre de points de vente où sont desservis les clients d'un marché. L'étendue désigne l'espace couvert par la distribution. Une forte densité, jointe à une large couverture du marché, constitue un avantage concurrentiel. En 2010, la bannière des cafés-bistros Van Houtte, qui a perdu sa place de leader au Québec, a entrepris de la récupérer en doublant le nombre de ses établissements en l'espace de cinq ans. Cette expansion géographique pourrait contribuer à renforcer le positionnement stratégique et la popularité de la marque de café Van Houtte elle-même vendue en épicerie, à l'instar des rôtisseries St-Hubert avec leur marque de sauces barbecue [7].

La compétence des vendeurs travaillant dans le commerce de détail peut constituer un autre bon moyen de se différencier de la concurrence, puisqu'elle véhicule une image de savoir-faire et que les clients peuvent bénéficier de services-conseils. Certains distributeurs de produits informatiques et électroniques, comme Future Shop ou Best Buy, ainsi que des concessionnaires d'automobiles, comme Honda ou Toyota, font preuve, sur ce plan, d'un dynamisme qui les distingue nettement de leurs concurrents.

Le réseau de distribution peut lui aussi être un élément différenciateur. Il est utile à la fois pour transmettre aux clients de l'information sur les produits de l'entreprise et pour s'informer sur les besoins et, surtout, sur le niveau de satisfaction de la clientèle.

Enfin, la différenciation par les points de vente doit faire partie d'une stratégie intégrée cherchant à souligner cette différence sur tous les plans. Ainsi, les points de vente doivent eux aussi véhiculer l'image que l'entreprise veut donner de la qualité de ses produits et de son service. Cela renvoie à cet élément fondamental de l'action stratégique qu'est le mix de marketing. La réussite de l'action marketing dépend du degré d'harmonie entre les quatre volets de la prise de décision (produit, distribution, communication et prix), et une lacune dans l'un ou l'autre de ces volets, la distribution par exemple, entraîne l'échec complet de la stratégie commerciale. Le cas de Toyota, avec sa marque de voiture haut de gamme Lexus, illustre cette assertion. En plus d'établir un circuit de distribution indépendant de celui des autres voitures Toyota, Lexus a procédé avec une approche très sélective au choix de ses concessionnaires. Cela fait partie de la stratégie de positionnement haut de gamme voulue pour la marque et reflète le désir de différenciation par l'offre d'un service hautement satisfaisant pour ses clients. La même stratégie a été adoptée par le constructeur japonais Nissan, avec sa marque Infiniti, comme on l'a décrit dans l'info-marketing 8.1 (*voir p. 257*).

La différenciation par l'image

Quelle que soit la qualité de la différenciation par le produit, par le service, par le personnel ou par les canaux de distribution, la stratégie d'offre ne peut réussir que si le consommateur perçoit cette différence. Les entreprises doivent comprendre que la véritable différenciation n'est pas celle voulue par les ingénieurs qui ont conçu le produit, par les responsables commerciaux qui ont défini les grandes lignes du plan marketing et par les vendeurs qui sont en contact avec les clients, mais plutôt celle perçue par le client visé. Il faut donc tenir compte de l'image que les consommateurs se font d'une entreprise, de ses produits ou de ses marques, et de son utilité comme outil de différenciation [8].

La différenciation par l'image ne doit pas être considérée comme indépendante des autres moyens de différenciation déjà décrits, car elle fait partie intégrante de la stratégie de différenciation dans son ensemble. La différenciation par le produit, par les services, par le personnel et par les canaux de distribution est nécessaire pour donner une plus-value à l'offre de l'entreprise par rapport à celle de ses concurrents mais, pour s'assurer que le consommateur perçoit cette plus-value et surtout la juge positivement, il faut ajouter autre chose. À cette fin, on fait souvent appel à la communication, plus particulièrement à la publicité. Par exemple, quand Colgate-Palmolive a lancé sa marque de dentifrice Colgate Total qui devait tout à la fois combattre la carie, détruire les bactéries pouvant causer la plaque et la gingivite, rafraîchir l'haleine, renforcer l'émail et blanchir les dents, l'entreprise savait qu'il ne lui suffirait pas de décrire les caractéristiques intrinsèques de son produit pour persuader le consommateur et surtout le convaincre de la qualité de ce dentifrice. L'image que les consommateurs ont des produits Colgate-Palmolive en général, de la marque Colgate en particulier ou des marques dérivées (Colgate Fraîcheur confiance, Colgate Protection contre la carie, Colgate Dents sensibles Blanchissant, Colgate Antitartre, Colgate Luminous, Colgate Herbal Blancheur, et autres), jointe à l'efficacité de la communication montrant la star du cinéma Brooke Shields et une spécialiste de la santé, en l'occurrence une dentiste, a permis de persuader les consommateurs que ce dentifrice était supérieur à ceux de ses concurrents Procter & Gamble ou Unilever.

L'entreprise doit au départ déterminer ce qui la rend unique, établir quelles sont ses forces et ses compétences particulières. Elle doit ensuite comparer les résultats de cet « audit interne » avec la perception que les consommateurs ont d'elle, puis supprimer ou du moins réduire les écarts qui peuvent exister.

Dans sa stratégie intégrée de différenciation, l'entreprise doit considérer deux choses : la compatibilité entre les différents éléments faisant partie de l'image de l'entreprise et leurs effets négatifs sur les autres éléments de différenciation de l'entreprise. En ce qui concerne la compatibilité, il est important de garder à l'esprit que l'image que le client se fait de l'entreprise se base sur des éléments tels que le logo, la communication publicitaire et les commandites, l'aménagement et l'atmosphère du siège social et des points de vente, le comportement des représentants, la présentation du site Internet. Tous ces éléments doivent concorder entre eux et exprimer les qualités distinctives de l'entreprise.

Par ailleurs, la croissance d'une entreprise ne doit en aucun cas affecter son caractère distinctif. Les exigences des actionnaires et les pressions des marchés financiers poussent souvent les entreprises à étendre continuellement leurs activités. Cette volonté perpétuelle d'expansion peut nuire grandement à l'image de l'entreprise et à son caractère unique [9]. Une entreprise qui recherche la croissance peut altérer son caractère différenciateur soit par distraction, soit par désir d'étendre une ligne de produits. La distraction fait référence au cas des entreprises qui construisent leur image en se fondant sur un segment déterminé : quand au bout d'un certain temps ce segment n'offre plus le potentiel de croissance désiré, l'entreprise se tourne vers d'autres segments du marché. Cela peut détruire son image si les nouveaux segments ont des besoins très différents des autres segments. Le cas de Silicon Graphics qui, à une certaine époque, fut le chef de file dans le segment des ordinateurs à haute performance, est éloquent à cet égard. Sous la pression des financiers, cette firme a élargi ses activités pour fabriquer des ordinateurs personnels, ce qui a entraîné l'effritement de son image de spécialiste de la « haute performance ».

Le piège de l'extension de ligne guette l'entreprise qui est peu à peu parvenue à créer une marque très différenciée et qui décide d'étendre ses activités à d'autres domaines ou de se concentrer sur d'autres gammes de produits en tablant sur sa forte notoriété et la bonne réputation de sa marque. Si elle n'est pas bien contrôlée, l'extension de ligne peut non seulement rater mais aussi entraîner la disparition de l'aspect différenciateur de la marque et faire rater le produit initial. Le cas de General Motors qui, avec cinq marques bien différenciées, était le numéro un mondial de l'automobile et contrôlait 50 % du marché américain illustre bien ce type d'erreur stratégique. La recherche de la croissance a conduit chacune des marques à concurrencer les autres par des extensions hasardeuses, ce qui a fait perdre 20 % de la part de marché à l'entreprise, l'a reléguée au troisième rang mondial en 2008 et lui a fait frôler la faillite totale en 2009.

8.1.3_Les critères de choix d'un axe de différenciation

La section précédente a décrit les différents moyens dont dispose l'entreprise pour différencier son offre de celle de ses concurrents. Elle a aussi montré que ces moyens se complètent souvent et qu'ils n'ont pas nécessairement tous le même degré d'efficacité. C'est pourquoi l'entreprise doit choisir avec soin les moyens qu'elle mettra en œuvre pour se différencier. Elle doit établir ce que l'on appelle un « axe de différenciation ». Pour déterminer cet axe, les responsables du marketing doivent tenir compte de trois éléments : les attentes des consommateurs, le positionnement des concurrents et les avantages concurrentiels du produit.

Les attentes des consommateurs

Un élément qui rend, aux yeux des consommateurs, un produit particulier différent de celui des concurrents n'est pas forcément un bon élément de différenciation, sauf s'il est à l'avantage du produit en question et surtout s'il est recherché par les consommateurs cibles. En effet, si ces derniers n'expriment pas le besoin d'un attribut particulier, même si cet attribut est lié à une performance technologique supérieure à celle des concurrents ou à une percée importante en matière de design, le produit ne sera pas perçu comme supérieur à ceux de la concurrence.

Il importe donc de commencer par analyser les besoins des consommateurs. L'analyse ne doit pas être superficielle car, comme un besoin manifeste est souvent connu des concurrents, il ne peut pas servir de base pour la différenciation. Il faut donc examiner les besoins latents, que les consommateurs n'expriment pas directement et qu'il est difficile aux concurrents de connaître rapidement. Par exemple, dans le domaine pharmaceutique, plusieurs médicaments génériques (comme les analgésiques ou les sirops contre la toux de la marque Personnelle de Jean Coutu) ont beaucoup de difficulté à s'imposer par rapport aux produits de marques connues (par exemple, Tylenol, Advil, Robitussin ou Benylin). Le prix, principal élément de différenciation de ces produits, ne semble pas faire le poids dans l'esprit des consommateurs, alors que la renommée de la marque reste une garantie d'efficacité et de fiabilité du médicament. L'info-marketing 8.4 (*voir p. 274*) montre comment la marque québécoise de détersifs et de produits ménagers Lavo a réussi, en écoutant ses clients et en cherchant à respecter leur sensibilité environnementale, à accaparer la deuxième place sur le marché québécois et à concurrencer sérieusement le leader mondial dans ce domaine, Procter & Gamble, et sa marque Tide.

La base du virage vert de Lavo : l'écoute du client

« En 2001, le fabricant québécois de détersifs et de produits ménagers Lavo s'est arrêté pour réfléchir à son positionnement.

"Il fallait ramener de nouvelles forces dans Lavo. Nous avons étudié les tendances du marché, écouté nos consommateurs et à partir de là, nous avons préparé un plan d'action, affirme Richard Arsenault, vice-président principal et directeur général. Depuis 10 ans, l'équipe Lavo a fait des pas de géant dans sa croissance. Pourquoi ? Parce que l'offre de produits écologiques a beaucoup évolué."

Le changement de cap de l'entreprise s'est fait au sein même des procédés de fabrication et des produits. Après avoir fait figure de précurseur avec ses nettoyants biodégradables de marque Hertel, Lavo innove en 2006, sous sa marque La Parisienne, avec des détergents liquides qui se dégradent à 60 % en 28 jours ou moins.

Deux ans plus tard, Lavo se lance dans la compaction des détersifs liquides, soit les formules 2x concentrées. En permettant de laver le même nombre de brassées avec le savon contenu dans un contenant deux fois moins gros, le fabricant a pu considérablement réduire les quantités de matières premières utilisées.

[...]

Plusieurs produits sont certifiés ÉcoLogo, une certification indépendante lancée par Environnement Canada en 1988. "On ne peut pas tout changer du jour au lendemain, mais ce qui est important pour nous, c'est de faire un pas de plus à chaque fois. Nous sommes plus verts qu'il y a cinq ans et nous le serons davantage dans cinq ans", résume [la directrice du marketing, Sylvie] Jenneau.

[...]

À l'écoute des consommateurs

Pourquoi une telle démarche ? "En tant que bon citoyen corporatif, cela fait partie de notre responsabilité de réduire notre empreinte écologique, affirme Sylvie Jenneau. D'autre part, si on veut vendre des produits, il faut répondre aux besoins des consommateurs, c'est notre première vocation."

Pour ses produits nettoyants à venir, l'entreprise a organisé des groupes de discussion animés par un représentant d'ethiquette.ca, un organisme qui aide les consommateurs à faire des choix responsables. "On leur a demandé ce qu'est un produit vert pour eux. Et ces gens nous ont vraiment bien guidés", affirme Richard Arsenault.

Une stratégie gagnante

Avoir une préoccupation environnementale s'est avéré payant pour Lavo. En plus d'avoir trouvé des façons de réduire ses coûts grâce à des mesures d'efficacité énergétique et de recyclage, Lavo gagne des parts de marché depuis le lancement de ses détergents biodégradables de marque La Parisienne.

"On est au deuxième rang, derrière Tide. Plusieurs ont essayé de concurrencer ce géant pendant des années avec peu de succès. Nous y parvenons parce que nous avons un positionnement vert", dit Richard Arsenault.

Lavo est sollicitée par les grandes chaînes pour la confection de leur marque privée. "Nous pouvons leur concocter des recettes gagnantes", assure M. Arsenault.

Le respect de l'environnement n'est pas une notion creuse chez Lavo. L'entreprise en a fait le levier de son image de marque. "Quand on regarde une tablette, peu importe la catégorie de produit, la différenciation vient du fait que La Parisienne fait un produit de qualité, abordable et à l'empreinte écologique réduite", résume Richard Arsenault. »

Source : Aude Marie MARCOUX, « Lavo lave vert et bio », *Les Affaires*, 21 novembre 2009, [En ligne], www.lesaffaires.com (Page consultée le 19 avril 2010)

Le positionnement des concurrents

Dans la détermination de l'axe de différenciation, l'analyse de l'offre des concurrents est tout aussi importante que l'analyse des besoins des consommateurs, car l'idée que ces derniers ont du produit de l'entreprise résulte d'une comparaison avec les produits offerts par les concurrents.

Tenter de se différencier par des caractéristiques que des concurrents estiment posséder eux aussi peut conduire à l'échec. Même en cas de réussite, il faudra investir des efforts de communication et des sommes considérables pour amener les consommateurs à adopter le produit. Il peut parfois être utile d'abandonner certains axes de différenciation importants au profit d'autres qui sont un peu moins importants, mais qui permettront à l'entreprise de se distinguer réellement de ses concurrents.

Les avantages concurrentiels du produit

Il ne suffit pas de baser la stratégie de différenciation sur un attribut important pour le consommateur, il faut en outre que le produit présente vraiment un avantage par rapport à la concurrence sur le critère de choix. Il convient donc non seulement d'analyser les besoins latents des consommateurs et le positionnement des concurrents mais aussi d'évaluer les atouts dont le produit dispose ou dont il pourrait éventuellement disposer.

_8.2_ Le positionnement

Bien que « positionnement » soit un mot très populaire en marketing et que les gestionnaires l'emploient couramment dans leurs conversations, dans leurs plans d'affaires et dans leurs rapports annuels, son sens est difficile à saisir et ce qu'il désigne est difficile à mettre en œuvre.

Les auteurs d'ouvrages de marketing ne semblent pas s'accorder sur la place du positionnement dans le processus de planification stratégique en marketing[10]. Pour certains, il fait suite à la décision de segmenter le marché, pour d'autres, il est en rapport avec l'image du produit où une sélection d'attributs est à mettre en valeur. En fait, rares sont les gestionnaires qui prennent en compte tous ces éléments. Bien que ce concept soit fondamental en marketing, il a été difficile, jusqu'à maintenant, d'établir une typologie des modèles de positionnement efficaces et empiriquement vérifiés. L'info-marketing 8.5 présente un exemple de positionnement d'une nouvelle marque de barre de collation.

INFO MARKETING 8.5

La conception d'un nouveau produit : les tablettes Frulix

Au début des années 1990, Culinar, le principal fabricant de pâtisseries et de confiseries au Québec, décide d'emboîter le pas à de grandes multinationales comme Kraft Foods et Procter & Gamble et de procéder lui aussi à un virage stratégique majeur dans la conception des produits : la création selon les désirs des clients. Une de ses premières expériences a été Frulix, une nouvelle marque choisie pour se positionner dans un segment de marché qu'aucune autre marque n'était parvenue jusque-là à satisfaire. Son processus de recherche et développement a duré 3 ans et a mis à contribution 10 000 clients potentiels.

Ce processus a commencé par une segmentation de marché par avantages recherchés, ce qui a permis de distinguer cinq groupes de consommateurs selon leur recherche du bon goût et leurs exigences en matière de santé. Les fanatiques de la santé et les gourmands purs constituent les groupes extrêmes. Les trois autres groupes ont des exigences plus modérées.

Il a fallu, à partir de plusieurs groupes de discussion validés par des sondages réalisés à Montréal et à Toronto, établir une carte perceptuelle des produits existant sur le marché en les faisant correspondre à chacun des cinq groupes définis à la première étape de la segmentation du marché. Les résultats sont résumés dans la figure A (*voir p. 276*).

De cette carte perceptuelle, il ressort premièrement que les consommateurs trouvent que les produits sains, tels que les produits naturels, le yogourt et les biscuits secs, n'ont pas bon goût, et, deuxièmement, que les produits qui ont bon goût (croustilles, chocolat, gâteaux, etc.) ne sont pas nécessairement bons pour la santé. Par ailleurs, il y a aussi, sur le marché, une absence manifeste de produits pouvant être considérés à la fois comme ayant bon goût et comme étant sains. Des produits de ce genre pourraient très bien convenir aux groupes intermédiaires.

La troisième étape du processus a ciblé les trois segments les plus modérés pour la mise en marché d'un nouveau produit positionné comme répondant aux exigences en matière de santé et de goût. Comme le montre la figure A, Frulix était destiné particulièrement aux mères de famille désireuses d'offrir à leurs enfants des collations attrayantes par leur bon goût et non nuisibles à la santé. Du point de vue stratégique, Culinar a dû différencier Frulix de ses autres marques comme les biscuits Viau et les gâteaux Vachon afin d'éviter toute cannibalisation du marché.

_FIGURE A Une carte perceptuelle pour la création d'une collation

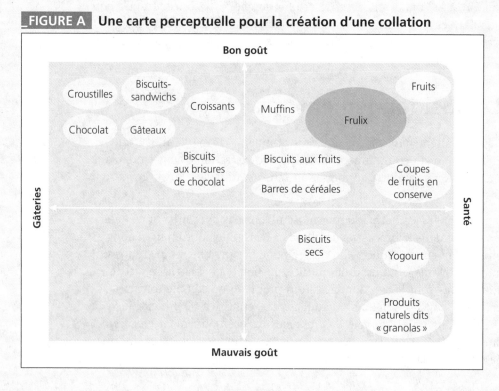

Source: Marie-Claude DUCAS, « Le test du goût », *Infopresse,* octobre 1992, p. 45-49; adaptation libre.

Cette section tentera d'abord de définir ce qu'est le positionnement et de mesurer son importance pour le gestionnaire de marketing. Elle décrira ensuite les principales qualités d'un bon positionnement, les erreurs les plus fréquemment commises par les décideurs ainsi que les principales stratégies de positionnement. Pour terminer, il sera question d'une notion connexe, le repositionnement de produit.

8.2.1_Une définition du positionnement

Pour Roger Brooksbank, la stratégie de positionnement consiste en la détermination du segment cible que l'entreprise servira et de l'avantage concurrentiel qu'elle exploitera dans sa lutte contre les concurrents sur ce même segment [11]. Cette manière de considérer la stratégie de positionnement peut paraître complète, puisqu'elle réunit trois facteurs clés de toute stratégie de positionnement, à savoir la cible, la concurrence et les attributs différenciateurs. Toutefois, elle néglige de prendre en considération le rôle actif du consommateur.

De leur côté, Philip Kotler, Pierre Filiatrault et Ronald E. Turner définissent le positionnement comme «l'acte par lequel l'entreprise construit son offre et son image afin d'occuper une position compétitive et distinctive dans l'esprit des consommateurs cibles [12]». Cette définition donne une plus large place au consommateur dans la conception et la mise en œuvre de la stratégie de positionnement. Dans les faits, le positionnement a plus à voir avec la perception réelle que le consommateur a de l'offre de l'entreprise qu'avec la construction de l'image voulue par l'entreprise. Cela est d'ailleurs conforme à la définition déjà donnée à ce concept en 1972 par Al Ries et Jack Trout, qui voulaient amener la publicité à laisser de côté l'étalage de superlatifs et à se concentrer sur les comparatifs marketing [13]. Selon ces auteurs, en passant au stade des comparatifs, on se trouve à raviver la lutte entre les produits et les marques pour gagner la faveur des consommateurs. Ainsi, une bonne définition du positionnement devrait mettre en évidence le rôle du consommateur et de la perception qu'il a d'un produit, d'une marque ou d'une entreprise.

Le mot «positionnement» implique une situation relative, une comparaison des distances entre les produits et les marques. On ne peut positionner un produit que d'une manière relative, en se fondant sur une comparaison avec les produits de la concurrence. Cependant, cette comparaison ne doit pas être menée selon des critères subjectifs fixés par le décideur ou l'analyste, mais selon des critères qui ont rapport avec ceux que les consommateurs du marché cible utilisent eux-mêmes pour juger ces produits.

Le positionnement d'un produit se rapporte donc à la perception qu'a le consommateur cible de l'offre de l'entreprise et à l'image qu'il a du produit comparativement à celui de la concurrence. La stratégie de positionnement consiste à graver dans l'esprit du consommateur une image qui, du point de vue de la création de valeur, efface celle des concurrents.

Le rôle du consommateur ou du segment cible est déterminant dans la stratégie de positionnement, car la manière dont sont perçus une entreprise, un produit ou une marque varie selon les individus. L'entreprise doit ainsi examiner les critères sur lesquels se base le segment cible pour définir avec précision le contenu de son offre et de celle des concurrents, et ensuite élaborer une image donnée. Cette image doit se rapprocher le plus possible du produit idéal que se sont forgé les consommateurs du segment cible.

8.2.2_Le positionnement et la différenciation

Puisque le positionnement est fonction de la perception qu'ont les consommateurs cibles de l'offre de l'entreprise par rapport à celle des concurrents, il échappe en partie au contrôle de l'entreprise. Cette dernière a seulement la possibilité de décider du contenu du message diffusé. La compréhension qu'en aura le consommateur dépend alors des signaux qu'il reçoit et de ses critères de jugement pour l'analyse et le décodage du message. On parle souvent de positionnement voulu par opposition au positionnement réel. Le premier résulte de l'action de l'entreprise et fait généralement partie de son plan marketing, alors que le second résulte de l'examen de la demande des consommateurs et fait suite à des études de marché.

La différenciation et le positionnement cherchent donc à répondre à une même question : comment convaincre le consommateur que l'offre de l'entreprise est meilleure que celle de la concurrence et répond le mieux à ses besoins ? La différenciation consiste à proposer au consommateur une offre plus intéressante que la concurrence, tandis que le positionnement est le résultat de la proposition faite au consommateur. Comme on l'a vu dans la section précédente, il vaut mieux, pour les entreprises, éviter de mettre en valeur des éléments qui risquent de ne pas être perçus ou de ne pas être valorisés par le consommateur. Une stratégie de différenciation ne peut réussir que si elle contribue à établir un bon positionnement dans l'esprit du consommateur cible. En pratique, cela signifie qu'il faut faire coïncider le positionnement voulu par l'entreprise dans son plan marketing avec le positionnement réel qui correspond à son image dans le marché. Tout décalage entre les deux entraîne l'échec de la stratégie de différenciation. Si l'on fait valoir que telle petite voiture est belle et pratique et que, finalement, elle est considérée comme économique et bon marché, on aura avantage à supprimer l'écart entre l'image que l'on désire projeter et l'image qui s'est imposée dans le marché.

Outre les critères de choix d'un axe de différenciation efficace présentés à la section 8.1.3 (*voir p. 273*), un bon positionnement dépend de l'aptitude de l'entreprise à montrer cette différenciation ainsi que la supériorité de son offre au consommateur cible. Cette aptitude est néanmoins limitée, à cause de la surexposition du consommateur aux communications de tout genre et de ses mécanismes de perception sélective qui lui font supprimer tout message jugé inintéressant ou incompatible avec son schème de pensée [14].

Pour qu'il soit possible d'arriver à un bon positionnement des produits de l'entreprise, l'axe de différenciation doit posséder certaines qualités qui seront expliquées en détail un peu plus loin.

8.2.3_L'importance du positionnement

Dans l'environnement actuel, le consommateur dispose d'une multitude de produits et de services pour satisfaire chacun de ses besoins. Il est donc évident qu'il ne peut considérer toutes les composantes de l'offre au moment de la décision d'achat.

Quand vient le temps de faire son choix, selon l'importance de l'achat et de son désir d'acheter un certain produit, il pèse généralement les avantages et les inconvénients des biens et des services susceptibles de répondre à ses besoins. L'examen peut aboutir à un choix définitif ou à la décision de chercher davantage d'information concernant certains biens ou services jugés équivalents. Quel que soit le résultat de cet examen, il est clair que, si l'entreprise n'a pas positionné son produit ou son service de manière à le faire apparaître comme la réponse tout indiquée à tel besoin précis, le consommateur rejettera le produit ou le service en question ou lui attribuera un positionnement aléatoire sans aucun avantage compétitif.

Ainsi, le positionnement est ce qui assure la cohérence de l'offre de l'entreprise et de son mix de marketing. En effet, si le positionnement n'est pas explicite et considéré comme la base de toute décision concernant le produit, le prix, la communication et la distribution, on risque d'aboutir à un ensemble d'actions marketing désordonnées et à une image de produit, de marque ou d'entreprise qui sera perçue comme floue par les consommateurs. Or, une marque floue ne capte pas suffisamment l'attention et ne peut en aucun cas constituer un choix final pour le consommateur.

8.2.4_Les qualités d'un bon positionnement

Comme on l'a déjà mentionné, une stratégie de différenciation ne peut aboutir à un bon positionnement que si elle réussit à vaincre la perception sélective des consommateurs et à percer le brouillard médiatique. Les principales qualités d'un positionnement sont donc la simplicité, l'originalité, la crédibilité et la pertinence[15].

Premièrement, le positionnement doit être simple. Il doit se limiter aux principaux atouts du produit, à ceux qui sont déterminants dans le choix du consommateur. Il faut dès lors éliminer les sources d'ambiguïté pouvant résulter de la mise en évidence d'un trop grand nombre d'avantages du produit, car elles rendent le positionnement complexe et diminuent la probabilité que le consommateur se souvienne des avantages au moment de prendre sa décision. Supposons qu'un message vantant les mérites d'un climatiseur individuel contienne l'énoncé suivant : « Le climatiseur le plus intelligent, le plus fiable, le plus économique, le plus performant et le plus écologique. » Si l'on regarde de près l'énoncé, en se mettant dans la peau de monsieur Tout-le-monde, on est amené à se demander à quoi se rapportent l'intelligence, la fiabilité, l'économie, la performance et l'écologie quand on parle d'un climatiseur. Personne ne peut nier que ces critères sont essentiels dans la différenciation d'un climatiseur. Cependant, seul un spécialiste en climatisation sait que l'intelligence est la capacité de programmer la machine, que la fiabilité est sa capacité de fonctionner par temps très chaud, que l'économie a rapport à la consommation modeste d'électricité, que la performance est la capacité de rafraîchir convenablement et que l'écologie se rapporte à la réduction des émissions de gaz à effet de serre.

Deuxièmement, le positionnement doit être original. Choisir un attribut déterminant pour le consommateur, mais mis en évidence par tous les concurrents est contraire au principe même du positionnement voulant que l'on confère à l'entreprise et à son produit une image distinctive qui s'imprimera dans la mémoire de l'acheteur. Il est préférable, dans certains cas, de se positionner en tablant sur des attributs moins déterminants, mais qui se distinguent de ceux de la concurrence. Un avantage concurrentiel durable est souhaitable. Ces attributs doivent toutefois être suffisamment importants pour que le produit ait une plus grande valeur que ceux des concurrents. C'est ce par quoi la stratégie de positionnement se joint à la stratégie de différenciation.

Troisièmement, le positionnement doit être crédible. En mettant en évidence des attributs distinctifs qui ne concordent pas avec l'image que les consommateurs ont du produit, on s'expose à l'échec. À l'heure actuelle, il serait, par exemple, très difficile pour une nouvelle boisson gazeuse, peu importe la marque, de se positionner comme « bénéfique pour la santé ».

Quatrièmement, le positionnement doit être pertinent, c'est-à-dire qu'il doit correspondre à des attributs recherchés par le consommateur cible. Positionner une huile à moteur comme celle qui a la meilleure odeur ou une voiture de sport comme celle qui dispose du coffre le plus spacieux de sa catégorie ne peut constituer un bon moyen de valoriser le produit. Il en va de même pour une entreprise de service, une banque par exemple, qui, en 2010, met l'accent sur son site Web transactionnel pour communiquer en ligne avec ses clients ; cela ne peut servir à positionner l'entreprise, puisque ce support a dépassé le stade de la nouvelle technologie de l'information et de la communication (NTIC) et est devenu une simple technologie de l'information et de la communication (TIC) dont toutes les entreprises disposent déjà.

8.2.5_L'élaboration d'une stratégie de positionnement

Dans le processus de planification stratégique, le positionnement est la suite logique de la stratégie de segmentation et de ciblage appliquée par l'entreprise. La première étape dans l'élaboration d'une stratégie de positionnement consiste à bien définir le segment cible, ses besoins, ses critères de choix et sa façon de voir le produit ou le service idéal. On détermine ensuite le nombre et la nature des différences à valoriser, puis on met en œuvre les moyens de communication nécessaires pour les promouvoir auprès des clients cibles [16], comme on le verra au chapitre 12. En pratique, l'outil de recherche communément utilisé dans les études de positionnement est la carte perceptuelle.

Le nombre de différences à promouvoir

Comme on l'a déjà dit, la simplicité est un élément déterminant de la réussite du positionnement. Un positionnement trop complexe est difficile à comprendre et, de plus, il risque d'être considéré comme peu crédible. Mais où se situe la frontière entre un positionnement complexe et un positionnement simple ?

Pour répondre à cette question, certains spécialistes en marketing ont proposé le concept de l'argument unique [17], comme on le verra au chapitre 12, idéalement basé sur un avantage concurrentiel durable. L'entreprise doit offrir un bénéfice unique qui la distingue de la concurrence, et ce bénéfice doit être suffisamment important pour que le segment cible demande le produit ou le service en question [18]. Le principe de l'argument unique a séduit les gestionnaires de marketing, surtout les publicitaires. En effet, se prévaloir d'être le meilleur sur la base d'un seul attribut et le répéter le plus fréquemment possible est une technique de communication souvent très efficace, car elle a pour effet de graver une image dans l'esprit du consommateur. C'est à la fois plus simple à réaliser pour le publicitaire et plus facile à retenir pour le client.

Par contre, comment réagir quand un attribut est déterminant pour le choix du produit par le segment ciblé et qu'il est invoqué par plusieurs entreprises concurrentes ? Il est évident qu'une entreprise désireuse d'exploiter les ressources de ce segment ne peut se permettre de négliger un attribut aussi important. Mais il est tout aussi évident que, du fait qu'il est commun à plusieurs produits ou services, le bénéfice ne peut être assez puissant pour attirer les consommateurs. C'est le principe de base de la différenciation, et l'entreprise qui se trouve dans une telle situation peut alors prendre, en plus du premier attribut, un ou plusieurs autres pour définir son positionnement.

En pratique, il est impossible d'établir avec précision à partir de quel nombre d'attributs un positionnement devient complexe. Comme toute décision en marketing, la réponse à cette question dépend des caractéristiques du bien ou du service, de la composition du segment cible et de la force de la concurrence. Il est cependant clair que plus le positionnement est simple, plus grande est la probabilité qu'il se grave dans la mémoire du consommateur, qu'il soit perçu comme crédible et qu'il influe sur la décision d'achat.

Le choix du positionnement voulu est une décision importante qui détermine le succès ou l'échec du produit. L'entreprise doit s'assurer, avant d'entreprendre toute action, que le positionnement qu'elle envisage sera bien compris des consommateurs, qu'il lui procurera l'avantage concurrentiel désiré et surtout qu'il n'entraînera pas de confusion d'images dans le segment cible.

Sachant que la majorité des nouveaux produits lancés sur les marchés ne vivent souvent pas longtemps et que le repositionnement est coûteux à tous les points de vue, l'entreprise devrait, avant le lancement de son produit ou de son service, analyser en profondeur le positionnement envisagé en mettant à contribution la première personne qui est concernée : le consommateur. Différents scénarios de positionnement peuvent alors être testés dans le cadre d'entrevues approfondies, effectuées individuellement ou en groupe. De là, on pourra déterminer le nombre et la nature des attributs. Malgré les grands frais qu'entraînent de telles études, ils seront toujours moins élevés que ceux qu'occasionneraient la recherche et le développement, la production et la mise en marché d'un nouveau produit en cas d'échec.

La nature des différences à promouvoir

Comme on l'a dit précédemment, la sélection des différences à promouvoir doit se baser sur des critères de choix importants pour le consommateur cible. Deux autres facteurs qui conditionneront ce choix doivent également être pris en compte : l'avantage que l'entreprise possède ou pourrait posséder par rapport aux concurrents sur les critères de positionnement potentiels et la durée possible de cet avantage.

Sélectionner un critère très déterminant pour le consommateur est une condition nécessaire mais non suffisante pour garantir la réussite d'une stratégie de positionnement. En effet, la réussite dépend de la capacité de l'entreprise à montrer qu'elle surclasse la concurrence sur l'attribut en question. Elle doit analyser la perception qu'a le segment cible de son offre relativement à celle de la concurrence, puis choisir les attributs d'après lesquels elle est perçue ou pourrait être perçue comme chef de file.

Une fois que sont établis ces attributs essentiels pour le consommateur et d'après lesquels l'entreprise pourrait être perçue comme supérieure à la concurrence, il est nécessaire d'évaluer la durée possible de l'avantage. L'entreprise doit éviter de positionner son offre en se basant sur des critères faciles à imiter, car elle s'exposerait ainsi à voir diminuer ou disparaître, à court ou à moyen terme, son avantage concurrentiel.

L'info-marketing 8.6 énumère une série d'éléments en relation avec le cerveau humain que l'entreprise doit prendre en considération si elle veut réussir le positionnement de ses produits.

INFO MARKETING 8.6

Les nouvelles lois du positionnement : comprendre le cerveau humain

Dans sa tentative de revoir et de mettre à jour le positionnement des produits en marketing, Jack Trout, le créateur de ce concept, le revisite afin de définir encore davantage les conditions de succès de son implantation. Trout précise que le positionnement d'un produit chez le consommateur est conditionné par cinq mécanismes mentaux.

1. **Les capacités du cerveau sont limitées.** Les stimulations extérieures sont infinies, mais l'être humain n'arrive à en traiter qu'une certaine quantité. Inconsciemment, l'esprit fait une sélection parmi tout ce qu'il perçoit, et la poursuit afin de décider ce qu'il va en retenir. Pour percer cette réticence mentale, on recommande des techniques faisant appel aux émotions, à l'expérience antérieure, à l'analogie et à l'effet d'annonce.

2. **La confusion est l'ennemie du cerveau.** L'humain fonde ses actions et ses réactions sur ce qu'il a appris et ce ›

qu'il a retenu. Il faut donc rester simple, ne pas chercher la complexité par une stimulation excessive du consommateur et des messages publicitaires surchargés, éviter les concepts alambiqués (mal pensés), donner une information facilement assimilable et ne pas chercher à tout dire. Pour imposer un produit, il convient de se concentrer sur un seul attribut crucial.

3. **La peur tenaille l'esprit.** La passion davantage que la raison anime l'être humain, qui par ailleurs se sent beaucoup plus à l'aise en terrain connu. Pour susciter l'adhésion des consommateurs, il serait pertinent de réduire leurs craintes par des communications faisant appel aux témoignages d'autres consommateurs, à l'effet boule de neige (*bandwagon*) et, enfin, à la tradition et à la culture.

4. **L'habitude pousse à résister à tout changement.** Il est très difficile, voire impossible de convaincre quelqu'un dont l'idée est arrêtée. Donc, pour modifier l'attitude des consommateurs, on doit en général commencer par influencer les convictions, en éliminant les anciennes ou en en introduisant de nouvelles. Une autre stratégie consiste à chercher à récupérer des concepts et des messages anciens.

5. **Le cerveau se déconcentre facilement.** Étendre à n'en plus finir une gamme de produits a pour seul effet de semer la confusion chez les consommateurs. Au lieu d'accroître les ventes et de diversifier le marché, cela peut nuire à l'image de marque et freiner l'expansion commerciale. Des marques durables, un conditionnement « aéré » et des produits remarquables retiendront bien mieux l'attention des clients potentiels.

Source: Jack TROUT, *Les nouvelles lois du positionnement*, Paris, Village Mondial, 1996, p. 7-61; adaptation libre.

La communication du positionnement

Une fois les critères de positionnement déterminés, il reste à les communiquer aux consommateurs cibles. Cette communication du positionnement ne repose pas seulement sur la publicité et la promotion. Dans une approche de marketing intégré, un bon positionnement doit se refléter dans tout ce qui fait l'objet d'une prise de décision: en premier lieu dans le produit, ensuite dans les autres éléments d'appui que sont le prix (*chapitre 10*), la distribution (*chapitre 11*) et la communication (*chapitre 12*). Il est difficile de positionner une marque de voiture sur un segment haut de gamme si, par rapport aux marques concurrentes, le prix de vente affiché est relativement bas, les attributs de la voiture sont considérés comme inférieurs ou encore la distribution de la marque en question n'est pas assez sélective.

Outre le produit, qui est le fondement même de la stratégie de positionnement, le prix est très important dans la mise en œuvre de cette stratégie. Le parfum Boucheron a largement profité au moment de son lancement du fait qu'il était le plus cher sur le marché. Qu'un stylo de marque Montblanc se vende 800 $ et que seuls quelques exemplaires soient offerts en magasin contribuent à rehausser son image de produit très distingué.

La politique de distribution est une autre composante de l'action marketing que l'entreprise peut utiliser pour renforcer le positionnement de sa marque. L'exemple de la Lexus déjà cité ou celui de l'Infiniti présenté dans l'info-marketing 8.1 (*voir p. 257*) en illustrent bien l'importance. En effet, il serait difficile pour ces marques de se positionner sur le segment des voitures de luxe si elles partageaient le même réseau de distribution et les mêmes concessionnaires que les autres voitures de la gamme moyenne de Toyota et de Nissan. Dans sa perception, le consommateur applique souvent le principe de la proximité en considérant comme similaires les produits qui sont exposés ensemble dans un même lieu de vente.

Ces exemples témoignent de l'importance d'outils de marketing tels que le prix et la distribution pour assurer la réussite du positionnement d'un produit. Cependant, c'est avant tout sur la communication que l'entreprise doit bâtir sa stratégie de positionnement. Celle-ci permet à l'entreprise de parler à ses clients, et la publicité, la promotion des ventes et les relations publiques, par exemple, servent d'abord et avant tout à construire l'image que l'entreprise veut associer à sa marque. C'est encore plus vrai lorsque les attributs de différenciation ne sont pas tangibles (comme dans le domaine des services), que les concurrents sont très présents sur le marché ou que le produit est nouveau. Au Québec, les boissons énergisantes ont fait des choix de communication différents selon le positionnement voulu et la clientèle visée. Le leader mondial Red Bull s'est associé aux sports extrêmes avec des événements comme Crashed Ice, tenu à Québec, pour renforcer son image sportive auprès des jeunes. De son côté, la marque montréalaise Guru – un nom faisant référence à la sagesse parentale – a choisi de projeter une image de santé et de culture émergente axée sur l'accomplissement personnel et un mode de vie holistique pour cibler un segment de clientèle plus âgée et plus féminine. Conquise par une telle image, la star mondiale de la musique Madonna a préféré Guru à toutes les autres boissons énergisantes pour l'accompagner dans tous ses spectacles.

Un outil de positionnement : la carte perceptuelle

La carte perceptuelle représente un outil fondamental dans l'élaboration, la mise en œuvre et l'évaluation d'une stratégie de positionnement. Il s'agit d'une représentation graphique de la perception des similarités et des différences existant entre les diverses marques d'un même produit présentes sur un marché donné[19]. La carte perceptuelle reflète, d'une part, les différences perçues entre ces marques et, d'autre part, les principales dimensions ou les principaux axes de différenciation sur lesquels se fondent les consommateurs pour établir ces différences. Cet outil d'analyse relativement simple s'avère très efficace pour étudier la perception qu'ont les consommateurs de plusieurs marques en concurrence. Trois informations doivent y être analysées : la distance entre les marques, les axes de différenciation et les options stratégiques possibles.

La figure 8.4 (*voir p. 284*) présente un exemple fictif de carte perceptuelle pour des bannières de magasins de produits de quincaillerie. On y remarque que les consommateurs distinguent trois groupes de magasins. Le premier groupe comprend les bannières A et B, le deuxième, les bannières D et E, et le troisième, les bannières F et C. Il est à noter que les magasins à l'intérieur de chaque groupe sont perçus comme semblables entre eux, mais différents de ceux des autres groupes. La classification repose principalement sur deux dimensions : la qualité des produits offerts et l'organisation du magasin. La première dimension englobe la variété des produits, l'importance des lignes et le prix, alors que la seconde dimension renvoie à des attributs tels que l'aménagement du magasin, l'ordre, l'emplacement et le personnel du magasin.

La carte perceptuelle permet de voir en un coup d'œil l'image que les consommateurs associent à une marque par rapport à des marques concurrentes, de déterminer avec précision ce qui la différencie ou ce qui la rend moins intéressante. Elle révèle quelles marques sont en concurrence immédiate, lesquelles se trouvent groupées et sont interchangeables aux yeux des consommateurs, puisqu'elles leur paraissent en tous points semblables.

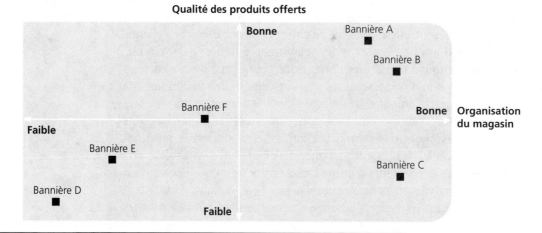

FIGURE 8.4 **Un exemple fictif de carte perceptuelle de bannières de magasins de quincaillerie**

En pratique, la construction d'une carte perceptuelle comprend trois étapes. La première étape, d'un caractère qualitatif, consiste à interroger un groupe de consommateurs du marché cible sur les critères de choix qu'ils considèrent comme déterminants dans l'achat du produit en question. La deuxième étape consiste à demander à un échantillon représentatif de la population cible d'évaluer chacune des marques concernées selon chaque critère déterminé à la première étape. La troisième étape est réservée au traitement des données obtenues au moyen de techniques statistiques. Les attributs corrélés sont réunis, ce qui fait apparaître un certain nombre de dimensions (idéalement deux) qui formeront les principaux axes de la carte perceptuelle. Ensuite, on calcule les scores de chacune des marques sur les dimensions ainsi établies. Ceux-ci serviront à définir la position de chaque marque par rapport aux axes du graphique.

L'analyse d'une carte perceptuelle pourrait ainsi amener l'entreprise à découvrir une faiblesse de positionnement de sa marque par rapport aux critères de choix importants pour les consommateurs et la pousser à repositionner son offre. L'entreprise pourrait aussi déceler des positions intéressantes qui étaient passées inaperçues, ce qui la conduirait à positionner avec exactitude un nouveau produit ou à repositionner un produit déjà existant.

Du point de vue stratégique, l'analyse du positionnement au moyen des cartes perceptuelles pourrait être associée à la détermination des segments qui composent le marché en question. Dans ce cas, la méthode de segmentation recommandée se base sur les avantages recherchés par les consommateurs et résulte de l'application des critères définis à la première étape de l'élaboration de la carte perceptuelle. Du point de vue méthodologique, il s'agit tout simplement de s'enquérir auprès des mêmes personnes sondées de l'importance relative qu'ils attachent à chacun des critères. Les personnes seront par la suite groupées en fonction de la ressemblance entre les avantages qu'ils recherchent et, de là, on définira les segments du marché. Cette méthode a été détaillée davantage au chapitre 7. L'analyse du positionnement par les cartes perceptuelles confirme encore une fois l'existence de liens étroits entre les stratégies de segmentation et de ciblage, d'une part, et la stratégie de positionnement, d'autre part. La figure 8.5 présente une segmentation fictive qui vient compléter la carte perceptuelle présentée à la figure 8.4. Cette figure montre l'existence de trois principaux segments de marché.

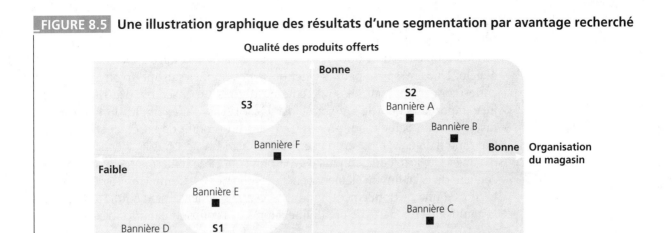

FIGURE 8.5 Une illustration graphique des résultats d'une segmentation par avantage recherché

Le premier segment (S1), celui de la plus grande taille, groupe les consommateurs qui ne montrent pas d'exigences élevées concernant la qualité des produits offerts et l'organisation des magasins de quincaillerie. Le deuxième segment (S2), le plus petit des trois, regroupe des consommateurs très exigeants tant pour la qualité des produits offerts que pour l'organisation des magasins. Les consommateurs du troisième segment (S3) font peu attention à l'organisation des magasins de quincaillerie, mais attachent beaucoup d'importance à la qualité des produits offerts. L'analyse conjointe des résultats de la segmentation et de ceux de la carte perceptuelle révèle plusieurs choses intéressantes. Du point de vue de la réussite commerciale, seules les bannières des magasins de quincaillerie A et E réussissent parfaitement à faire coïncider leur image avec celles des besoins des segments S2 et S1 respectivement. Les autres bannières échouent. On peut les répartir en deux groupes. D'une part, il y a celles qui n'arrivent pas à faire coïncider parfaitement l'image de leurs magasins avec les besoins précis de certains segments ; c'est le cas des bannières B, D et F. D'autre part, il y a celles qui sont très loin de tous les segments du marché et ne répondent aucunement aux besoins des consommateurs. C'est le cas de la bannière C. Pour les premières, un léger ajustement suffit, alors que, pour la dernière, il est nécessaire de changer complètement de positionnement.

Les choix stratégiques du positionnement

Dans le processus de planification stratégique, le positionnement des produits et des marques sera considéré à deux niveaux : le positionnement voulu et le positionnement réel. Le premier est préalable au second, il découle souvent des objectifs de l'entreprise, des caractéristiques de son segment cible et de son avantage concurrentiel. Le second résulte de l'analyse des perceptions des consommateurs. Les deux doivent coïncider, sinon l'entreprise doit procéder à des ajustements. Les paragraphes qui suivent se concentreront sur le positionnement voulu et décriront brièvement quelques-uns des choix stratégiques possibles.

On peut distinguer six modes de positionnement : le positionnement par les attributs, le positionnement par le rapport qualité-prix, le positionnement par rapport à l'usage, le positionnement par rapport à l'utilisateur du produit, le positionnement par rapport à la classe de produit et le positionnement par rapport à la concurrence [20].

Le positionnement par les attributs

C'est l'une des stratégies de positionnement les plus utilisées. Il s'agit d'associer le produit à un attribut, à une caractéristique ou à un avantage apporté au consommateur. Une entreprise peut décider de se positionner suivant un attribut que les autres concurrents ont laissé de côté ou d'après un ensemble d'attributs qu'elle juge importants pour le segment cible. C'est le cas, par exemple, du fabricant du rasoir féminin Schick, qui propose, en plus du produit de base, un support pratique muni d'une ventouse, en vue de simplifier le rasage sous la douche. Ou du jus d'orange Tropicana qui, en plus d'avoir bon goût et de renfermer de la vitamine C, contient du calcium, un élément bénéfique pour les os. Comme on l'a déjà indiqué, le choix d'un positionnement multiple doit être soigneusement étudié afin d'éviter la confusion et la perte de crédibilité auprès des consommateurs ciblés.

Le positionnement par le rapport qualité-prix

On distingue deux types de positionnement selon le rapport qualité-prix. Le premier est propre aux entreprises qui offrent des caractéristiques de produit, un service ou une performance supérieurs à la concurrence et qui fixent en conséquence un prix plus élevé de façon à bien marquer la qualité supérieure de leur offre. C'est le cas, par exemple, des stylos Montblanc ou des voitures sport Ferrari. Le second type est utilisé par les entreprises qui promettent aux consommateurs des produits et services d'une qualité égale ou supérieure à la concurrence, mais qui demandent un prix moins élevé. C'est ce que font, par exemple, des institutions financières, comme ING Direct, qui exercent leurs activités exclusivement sur Internet, ou la chaîne de distribution Maxi qui promet toujours à ses clients le panier d'épicerie le moins cher au Québec. Dans ce domaine, il est très important d'examiner la sincérité de la promesse et d'évaluer la capacité de l'entreprise à l'honorer.

Le positionnement par rapport à l'usage

Le positionnement par rapport à l'usage consiste à associer le produit à une utilisation ou à une application particulières. L'entreprise qui adopte une telle stratégie court le risque d'aboutir à un positionnement restreint qui peut avoir pour effet de limiter sa croissance.

Le positionnement par rapport à l'utilisateur du produit

L'entreprise associe dans ce cas son produit à un utilisateur ou à une catégorie d'utilisateurs types. De la même façon que pour le positionnement par rapport à l'usage, l'entreprise doit faire attention de ne pas aboutir à un positionnement restreint.

Le positionnement par rapport à la classe de produits

Certaines marques se positionnent par rapport à une classe de produits. C'est le cas de Sprite Diète qui, comme boisson gazeuse faible en sucre, se positionne par rapport aux autres colas du même type tels que Coke Diète ou Pepsi Diète.

Le positionnement par rapport à la concurrence

Dans cette forme de positionnement, la référence aux concurrents peut être explicite ou implicite. C'est logique dans la mesure où le positionnement est souvent le résultat d'une comparaison de l'offre de l'entreprise avec celles de la concurrence. Par ailleurs, la référence aux compétiteurs peut, pour diverses raisons, devenir le principal élément de la stratégie de positionnement. Une entreprise pourrait ainsi tirer profit de l'image d'un concurrent déjà installé en y faisant référence dans sa communication de l'image du nouveau produit. Elle pourrait positionner son produit en faisant valoir qu'il est supérieur à celui d'un compétiteur donné. Dans le cadre d'une stratégie de positionnement, la publicité comparative peut être avantageuse pour la nouvelle marque. Il faut s'assurer qu'elle est autorisée par la loi et que les informations communiquées sont factuelles, donc facilement vérifiables. Historiquement, des marques rivales comme Pepsi et Coke dans le domaine des boissons gazeuses, Duracell et Energizer du côté des piles, ou encore Maxi et Provigo dans la distribution agroalimentaire se sont souvent livrés plusieurs guerres commerciales par l'usage de la publicité comparative.

Quelle que soit la stratégie de positionnement adoptée, il est nécessaire de veiller à ce que celui-ci ne soit ni flou, ni restreint, ni confus, ni douteux. Le positionnement flou désigne un positionnement trop complexe pour pouvoir être assimilé par les consommateurs. La marque perd alors tout caractère distinctif et devient une marque indifférenciée. Le positionnement restreint est établi selon des critères qui placent le produit en situation de supériorité en ce qui concerne la satisfaction des besoins d'un segment du marché. Cependant, la croissance de l'entreprise peut être entravée du fait que le positionnement initial ne permet pas d'accroître la clientèle. Le positionnement confus résulte d'un manque de concordance dans les actions relatives aux différents éléments du mix de marketing. Il est donc essentiel que les décisions concernant le produit, le prix, la communication et la distribution soient en accord avec le positionnement désiré. Enfin, le positionnement douteux se rapporte aux cas où les clients ne croient pas aux caractères différenciés d'un produit et sont d'avis que ses caractéristiques techniques, son prix, son circuit de distribution, et ainsi de suite, sont différents de ce que l'entreprise affirme qu'ils sont.

Le repositionnement

Certains changements dans les caractéristiques du segment cible ou dans le marché ainsi que certaines innovations technologiques peuvent rendre caduc le positionnement sur un marché donné. L'entreprise a alors le choix entre repositionner la marque ou la remplacer par une autre[21]. Introduire une nouvelle marque coûte très cher et le résultat n'est nullement garanti, surtout si le marché est très concurrentiel. Aussi, sauf en cas de graves erreurs de marketing ou d'une sérieuse perte de réputation, une marque déjà positionnée conserve un potentiel de marché important. À titre d'exemple, à la fin des années 1990, la chaîne de magasins de discompte Zellers, qui fait partie du groupe Hbc, a profité de la dichotomie du marché de la grande distribution pour se repositionner en milieu de gamme. Zellers a voulu éviter la concurrence directe avec Walmart en proposant des marques exclusives, surtout de vêtements, censées offrir un supplément de valeur au consommateur tout en gardant un rapport qualité-prix avantageux. Des marques telles que les vêtements américains Cherokee, les vêtements Gloria Vanderbilt pour femmes actives ou les vêtements Delta Burke pour tailles fortes seraient distribuées exclusivement par Zellers. L'info-marketing 8.7 (voir p. 288) traite d'un repositionnement réussi dans le domaine des produits cosmétiques, celui de Nivea.

Le repositionnement de la marque de produits cosmétiques Nivea

La marque Nivea a été lancée en Allemagne en 1911. La crème blanche et onctueuse, composée d'émulsion d'huile dans l'eau, d'essences d'agrumes et de fleurs, porte un nom qui signifie « neige » en latin. Elle n'a pu entreprendre son expansion en dehors de l'Allemagne avant que sa maison mère, Beiersdorf, ne rachète la marque possédée alors par Guerlain, ce qui a été fait au début des années 1920. L'expansion de la marque a une nouvelle fois été bloquée après la Seconde Guerre mondiale. En tant qu'entreprise allemande, Beiersdorf était obligée de céder ses filiales à l'étranger, à titre de dommage de guerre. L'entreprise commença à recouvrer les droits internationaux sur sa marque à partir des années 1950. Cela allait durer jusqu'en 2000, date à laquelle l'entreprise récupéra le droit d'utiliser la marque dans les pays du Commonwealth (possédée jusqu'alors par Smith & Nephew). Cette enfilade de contraintes n'empêcha pas Beiersdorf de faire de sa marque phare le leader mondial pour les soins du visage et l'une des marques les plus connues et appréciées. Le positionnement original de la boîte bleue de la crème familiale à usage multiple, même s'il a contribué au succès de la marque, devenait trop restreint pour son développement. À la fin des années 1970, Beiersdorf décida de s'attaquer à l'ensemble du marché de la beauté. Le départ fut donné avec les laits démaquillants, pour passer ensuite aux antirides et aux maquillages. Avec ses sous-marques dont Nivea Visage, Nivea Vital, Nivea Beauté, Nivea est devenue une marque ombrelle avec un chiffre d'affaires de plus de deux milliards d'euros (soit 2,8 milliards de dollars canadiens) en 2000. Le *success story* de Nivea est présenté par l'entremise des diverses campagnes de publicité de la marque, de 1911 jusqu'à aujourd'hui, sur le site Web de la compagnie.

Sources : « Case study : Nivea », *Marketing*, 30 août 1990, p. 18-19 ; NIVEA, [En ligne], www.nivea.ca (Page consultée le 11 mai 2010)

Le positionnement et le repositionnement comportent tous deux des décisions concernant le nombre et la nature des différences à promouvoir et la manière de communiquer à la clientèle le positionnement choisi. Il existe cependant une différence importante entre les deux. Le positionnement d'une nouvelle marque oblige les responsables du marketing à créer une nouvelle image, tandis que le repositionnement les contraint à tenir compte des croyances et des attitudes des consommateurs constatées dans le segment cible. Les mercaticiens doivent être conscients qu'il est plus facile d'inspirer des attitudes ou des croyances que de les changer. Les difficultés liées au repositionnement concernent non seulement les consommateurs mais aussi l'entreprise, car les décideurs peuvent dans certains cas ne pas être convaincus du bien-fondé du changement stratégique proposé.

_Points saillants

_La différenciation se définit comme le processus par lequel l'entreprise détermine les attributs susceptibles de procurer au produit un supplément de valeur aux yeux du consommateur et modifie les activités liées à ces attributs, de manière à pouvoir proposer une offre que le consommateur considérera comme plus intéressante que celles de la concurrence.

_Les outils de différenciation couvrent plusieurs composantes de l'offre de l'entreprise. Leurs effets sur le comportement du consommateur varient selon les composantes suivantes : caractéristiques physiques du produit, service, personnel de vente, point de vente et image de marque.

_En pratique, la différenciation par le produit peut se baser sur des éléments physiques liés aux utilités de base du produit, notamment la fonctionnalité, la performance, la conformité, la durabilité, le respect des normes, la facilité d'utilisation, le style et le design.

_Parmi les variables les plus importantes de la différenciation par le service, on peut mentionner les délais et la facilité de commande, l'installation, la formation, le conseil, la réparation et l'entretien.

_Au moment de choisir l'axe de différenciation, les responsables du marketing doivent considérer trois éléments importants : les attentes des consommateurs, le positionnement des concurrents et les avantages concurrentiels du produit.

_La stratégie de positionnement se rapporte à un ensemble d'actions visant à construire une offre et une image qui permettront d'occuper une position compétitive et distinctive dans l'esprit des consommateurs cibles.

_La différenciation et le positionnement cherchent donc à répondre à une même question : comment convaincre le consommateur que l'offre de l'entreprise est meilleure que celle de la concurrence et répond le mieux à ses besoins ?

_La simplicité, l'originalité, la crédibilité et la pertinence sont les principales qualités d'un bon positionnement.

_La carte perceptuelle est un outil essentiel dans l'élaboration, la mise en œuvre et l'évaluation d'une stratégie de positionnement.

_Dans le processus de planification stratégique, le positionnement des produits et des marques sera considéré à deux niveaux : le positionnement voulu et le positionnement réel.

_Certains changements dans les caractéristiques du segment cible ou dans le marché, ainsi que certaines innovations technologiques peuvent rendre caduc le positionnement sur un marché donné et obliger l'entreprise à repositionner le produit.

_Questions

_**1.** Quelles sont les similitudes et les différences entre les stratégies de segmentation et de ciblage et les stratégies de différenciation et de positionnement ?

_**2.** Indiquez quels sont les critères de choix d'un axe de différenciation.

_**3.** Définissez brièvement le concept de positionnement.

_**4.** Quels sont les deux types de positionnement ? En quoi diffèrent-ils ? Pourquoi est-il important qu'ils concordent ?

_**5.** Nommez les sept dimensions sur lesquelles l'entreprise peut différencier son produit.

_**6.** Comparez, en donnant des exemples concrets, les principaux outils de différenciation.

_**7.** Quelle différence y a-t-il entre le positionnement et la différenciation ?

_8. Quelles sont les qualités d'un bon positionnement? Donnez des exemples précis pour justifier votre opinion.

_9. Vous êtes engagé comme spécialiste en marketing chez Rogers Communications, et l'on vous charge de concevoir une stratégie de positionnement. Décrivez les principales étapes que vous devrez suivre.

_10. Pour un spécialiste en marketing, quel avantage pourrait présenter le principe de l'argument unique de vente dans une stratégie de différenciation? Donnez un exemple de publicité qui illustre ce principe.

_11. La communication relative au positionnement ne repose pas seulement sur la publicité et la promotion. Commentez cet énoncé en donnant des exemples précis.

_12. Qu'est-ce qu'une carte perceptuelle? Expliquez son utilité dans l'élaboration d'une stratégie de positionnement.

_13. Dressez une carte perceptuelle à deux dimensions pour un certain nombre de marques d'un produit de votre choix. En vous appuyant sur cette carte, faites une segmentation par avantages recherchés sur un échantillon de 30 personnes.

_14. Indiquez ce qui pourrait ressortir d'une analyse conjointe des résultats de la carte perceptuelle et de ceux de la segmentation que vous avez faite à la question 13.

_15. En donnant des exemples réels ou fictifs, décrivez les six modes de positionnement.

_16. En donnant un exemple précis, expliquez le concept de repositionnement.

_17. Comparez brièvement les concepts de positionnement et de repositionnement en vous appuyant sur un exemple concret.

Au Québec comme ailleurs, la guerre du café bat son plein et des marques mondiales, à côté de marques plus locales et, depuis une décennie, de marques de café équitable, se livrent une concurrence impitoyable où tous les moyens commerciaux sont mis à contribution.

Dès son lancement à Montréal par Albert-Louis Van Houtte et Jean-Yves Monette en 1919, la marque Van Houtte a choisi un positionnement de café gourmet de qualité supérieure à d'autres marques plus populaires comme Nescafé de Nestlé, Maxwell House de Kraft ou Folgers de Procter & Gamble. Depuis 1976, Van Houtte possède au Québec une chaîne de cafés-bistros, aussi appelés «cafés européens», portant le même nom pour contribuer à mieux faire connaître sa marque de café auprès des Québécois. En 2007, Van Houtte a été reprise par la firme américaine Littlejohn & Co.

En 2009, Van Houtte, réputé pour ses cafés gourmets, aromatisés, biologiques et équitables, a affiché des revenus d'un demi-milliard de dollars, réalisés en grande partie au Québec. Seuls 20 millions provenaient des ventes dans les épiceries du reste du Canada, soit 4 % des ventes totales. Jugeant la croissance des ventes de la marque de café Van Houtte, jusque-là lente quoique soutenue, le nouveau président et chef de la direction, Gérard Geoffrion, s'est fixé comme objectif de faire un saut quantitatif en faisant boire 100 millions de tasses de café de plus aux amateurs d'espresso, de moka et de *latte*, par année et pour les trois prochaines années. Pour y arriver, la stratégie adoptée par Van Houtte consiste à renforcer son positionnement haut de gamme au Québec et à affirmer son positionnement hors Québec (par exemple, miser sur son propre réseau de ventes, établir des partenariats, acheter des entreprises spécialisées dans les services de pause-café, etc.). Plusieurs actions commerciales ont été entreprises, notamment:

- Recruter une nouvelle équipe ayant beaucoup d'expérience pour la mise en marché et le développement des marques, l'accroissement des ventes au détail et l'expansion nord-américaine, et gérer les équipes de vente en place dans l'Ouest canadien.

- Poursuivre l'effort de promotion de la marque au Québec par l'entremise de services de pause-café dans les entreprises, les dépanneurs, les épiceries et les stations-service et par l'implantation de nouveaux services de pause-café dans toutes les universités québécoises et dans les stations de ski.

- Doubler le nombre de cafés-bistros au Québec pour les faire passer de 53 à 103 d'ici 2015, tout en ouvrant une quinzaine d'établissements en Ontario et une dizaine dans les Maritimes.

- Intensifier la distribution dans l'Ouest canadien par l'ajout de nouveaux points de vente à côté de ceux déjà existants dans les supermarchés Safeway et Calgary Coop et élargir la gamme des produits vendus.

Sources: Réjean BOURDEAU, «Van Houtte: cent millions de tasses de plus!», *La Presse Affaires,* 31 août 2009, [En ligne], http://lapresseaffaires. cyberpresse.ca; André DUBUC, «Van Houtte veut redevenir le leader québécois des cafés-bistros,» *Les Affaires,* 12 décembre 2009, [En ligne], www.lesaffaires.com (Pages consultées le 21 avril 2010)

_1. Décrivez, expliquez et évaluez le positionnement voulu par Van Houtte sur le marché du café au Québec.

_2. Quels sont les outils de différentiation utilisés par Van Houtte pour rivaliser avec les multinationales comme Nestlé, Kraft et Procter & Gamble? En tenant compte du marché québécois du café, estimez-vous que le recours en 1976 à des cafés-bistros fut un choix adéquat?

_3. Que pensez-vous des choix stratégiques faits en 2009 par la nouvelle direction en ce qui a trait à l'accroissement des ventes de la marque au Québec et dans le reste du Canada? Quel risque potentiel présentent ces choix sur le positionnement actuel de la marque au Québec?

_4. Selon les caractéristiques d'une bonne différenciation, croyez-vous que Van Houtte a choisi les bons outils pour se différencier? Expliquez votre point de vue.

_Notes

1. Al RIEST et Jack TROUT, *Le positionnement,* Montréal, McGraw-Hill, 1987, 215 p.; A. RIEST et J. TROUT, *Le marketing guerrier,* Montréal, McGraw-Hill, 1988, 182 p.; Wendell R. SMITH, « Product differentiation and market segmentation as alternative marketing strategies », *Journal of Marketing,* vol. 21, n° 1, juillet 1956, p. 3-8; James F. ENGEL, Henry F. FIORILLO et Murray Alexander CAYLEY, *Market Segmentation: Concepts and Applications,* New York, Holt, Rinehart and Winston, 1972, 486 p.; Michael E. PORTER, *L'avantage concurrentiel,* Paris, Dunod, 1999, 647 p.

2. A. RIES et J. TROUT, *Le positionnement, op. cit.*; A. RIES et J. TROUT, *Le marketing guerrier, op. cit.*; W. R. SMITH, *op. cit.,* p. 3.

3. J. F. ENGEL, H. F. FIORILLO et M. A. CAYLEY, *op. cit.*; Philip KOTLER, Pierre FILIATRAULT et Ronald E. TURNER, *Le management du marketing,* 2e édition, Boucherville, Gaëtan Morin Éditeur, 2000, 875 p.; M. E. PORTER, *op. cit.*

4. Larissa S. KYJ et Myroslaw J. KYJ, « Customer service: product differentiation in international markets », *International Journal of Physical Distribution and Logistics Management,* vol. 24, n° 4, 1994, p. 49.

5. Sybil F. STERSHIC, « Leveraging your greatest weapon », *Marketing Management,* vol. 10, n° 2, juillet-août 2001, p. 40-43.

6. Steven WHEELER et Evan HIRSH, « Channel management: a framework for revolution », *Brandweek,* vol. 40, n° 43, 15 novembre 1999, p. 28.

7. André DUBUC, « Van Houtte veut redevenir le leader québécois des cafés-bistros », *Les Affaires,* 12 décembre 2009, [En ligne], www.lesaffaires.com (Page consultée le 21 avril 2010)

8. Gregory S. CARPENTER, Rashi GLAZER et Kent NAKAMOTO, « Meaningful brands from meaningless differentiation: the dependence on irrelevant attributes », *Journal of Marketing Research,* vol. XXXI, août 1994, p. 339-350; Subodh BHAT et Srinivas K. REDDY, « Symbolic and functional positioning of brands », *Journal of Consumer Marketing,* vol. 15, n° 1, 1998, p. 32-43.

9. Jack TROUT, « How growth destroys differentiation », *Brandweek,* 24 avril 2000, vol. 44, n° 17, p. 42-47.

10. David A. AAKER et J. Gary SHANSBY, « Positioning your product », *Business Horizons,* vol. 25, n° 3, mai-juin 1982, p. 56-62; Roger BROOKSBANK, « The anatomy of marketing positioning strategy », *Marketing Intelligence and Planning,* vol. 12, n° 4, 1994, p. 10-14; Stavros P. KALAFATIS, Markos H. TSOGAS et Charles BLANKSON, « Positioning strategies in business markets », *Journal of Business and Industrial Marketing,* vol. 15, n° 6, 2000, p. 416-437.

11. R. BROOKSBANK, *op. cit.*

12. P. KOTLER, P. FILIATRAULT et R. E. TURNER, *op. cit.,* p. 314-315.

13. A. RIES et J. TROUT, *Le positionnement, op. cit.,* p. 2-3.

14. *Ibid.,* p. 6-7.

15. *Ibid.*

16. D. A. AAKER et J. G. SHANSBY, *op. cit.*; R. BROOKSBANK, *op. cit.*

17. Rosser REEVES, *Reality in Advertising,* New York, Alfred Knopf, 1961, 147 p.

18. T. KIPPENBERGER, « Remember the USP? », *The Antidote,* vol. 5, n° 6, 2000, p. 6-8.

19. S. BHAT et S. K. REDDY, *op. cit.*

20. D. A. AAKER et J. G. SHANSBY, *op. cit.*

21. Glenda SHASHO JONES, « The secrets of repositioning », *Catalog Age,* juin 1997, p. 83; Jack TROUT, *The New Positioning,* 1re édition, New York, McGraw-Hill, 1997, p. 67.

La gestion des produits

9

Sommaire

La stratégie de produit est un élément crucial du mix de marketing. C'est une réalité, on l'a déjà dit : le produit est la pierre angulaire de la stratégie de marketing. C'est souvent à partir d'un produit qu'une entreprise se développe : la reconnaissance du besoin d'avoir un nouveau moyen de transport dans la neige a amené Joseph-Armand Bombardier à concevoir la première motoneige et à fonder la compagnie L'Auto-Neige Bombardier Limitée en 1942. Bombardier est aujourd'hui une multinationale diversifiée qui est active dans plusieurs secteurs de l'industrie du transport aérien et terrestre. Elle offre des avions commerciaux, des avions d'affaires, des avions amphibies, ainsi que des services dans le secteur aéronautique comme Flexjet (multipropriété d'avions d'affaires, gestion d'avions en propriété exclusive, services de courtage de vols nolisés), divers services à la clientèle (entretien, pièces d'avion, soutien technique et publications) et des programmes de formation. Elle fabrique aussi plusieurs produits destinés au transport terrestre : des véhicules sur rail, des produits de propulsion et de contrôle, des bogies, des systèmes de transport, des systèmes de signalisation ferroviaire, des systèmes d'entretien, d'exploitation et de remise à neuf pour les véhicules ferroviaires, et bien d'autres (www.bombardier.com).

9.1 Qu'est-ce qu'un produit ?

Comme l'expliquait le chapitre 1, un produit se définit comme tout ce qui est offert pour satisfaire un besoin ou un désir. Il peut donc prendre la forme d'un bien, d'un service, d'une idée ou d'une personne. Dans une optique produit, on considère le produit comme un ensemble d'attributs, ou de caractéristiques, réunis entre eux pour former une entité. Du point de vue du marketing, un produit est plus qu'un ensemble d'attributs ; il comporte des avantages qui répondent à des besoins de clients, que ceux-ci soient des consommateurs ou des industriels. Ainsi, Clark, un fabricant de chariots élévateurs industriels, offre des capacités de manutention de matériel. Mais un produit qui procure des avantages peut être autre chose qu'un bien tangible ; ce peut aussi être un service. Les Hôtels Gouverneur fournissent des services d'hôtellerie et de restauration. Un centre infotouriste relevant de Tourisme Québec propose des paysages et des événements culturels, et Air Canada offre aux gens d'affaires la possibilité de poursuivre des activités économiques partout dans le monde et aux autres catégories de passagers un dépaysement ou des rencontres familiales.

Voici maintenant quelques définitions du produit afin de mieux en saisir la nature. La première est très générale : un produit est une offre émanant d'une entreprise qui a pour but de satisfaire un besoin [1].

D'une façon plus précise, on peut affirmer qu'un produit est tout ce qui peut être offert à un marché pour attirer son attention, en favoriser l'acquisition, l'utilisation ou la consommation et qui peut satisfaire un désir ou un besoin [2].

On peut aussi définir un produit comme un ensemble d'attributs tangibles et intangibles tels que le conditionnement, la couleur, le prix, la qualité et la marque, sans compter les services du vendeur et sa réputation [3].

Ou encore, on peut dire qu'un produit est « un bien ou un service, ou une idée consistant en un ensemble d'attributs tangibles et intangibles qui satisfont les consommateurs et qui sont reçus en échange d'une somme déterminée d'argent ou d'une autre unité de valeur [4] ».

Il faut retenir de ces définitions qu'un produit peut être un bien, un service, une idée, une organisation, un endroit ou une personne et que les caractéristiques, ou les attributs, qu'il comporte peuvent être tangibles ou intangibles. En fin de compte, en quelques mots : « Un produit est tout ce qui est offert sur le marché en vue de satisfaire un besoin ou un désir [5]. »

Dans le langage courant, quand on parle de produit, on fait la plupart du temps référence à un bien matériel et tangible, comme un ordinateur, un téléviseur, une automobile, des skis ou une planche à voile. Un produit peut aussi être un service. Les services, comme on l'a vu au chapitre 1, se différencient des biens de plusieurs façons. Ils sont, entre autres, de nature intangible. C'est le cas du diagnostic d'un médecin, des services bancaires, du transport aérien ou des services fournis par une firme de conseillers en management. Une idée ou une cause, comme la sécurité routière, le conditionnement physique ou une saine alimentation, est aussi un produit. Par conséquent, on peut faire du marketing d'organisations, pour que le public ait une image positive de celles-ci et soutienne, par exemple, les œuvres de Centraide ou les collectes de sang d'Héma-Québec. On peut également faire du marketing d'endroits, par exemple, le Québec pour les touristes potentiels d'Europe ou des États-Unis, ou le Centre de villégiature du mont Tremblant pour les visiteurs et les investisseurs. Enfin, une personne peut être un produit ; on peut faire du marketing de personnalités sportives, politiques ou artistiques, telles que Garou ou Céline Dion. Le terme « produit » peut donc désigner une infinité de choses.

Les produits possèdent des caractéristiques qui comportent des avantages correspondant à des besoins particuliers des consommateurs. Les consommateurs achètent donc plus qu'un bien ou un service, ils achètent les avantages liés au produit qui leur permettent de satisfaire des besoins et des désirs.

▊9.2▊ La hiérarchie des produits

Pour mieux saisir la complexité de la nature des produits, on peut les classer selon un ordre hiérarchique [6]. La hiérarchie comprend six niveaux, que l'on illustrera à partir d'exemples s'appliquant aux services financiers.

1. **La famille de besoins.** Il s'agit de l'ensemble des besoins fondamentaux regroupés sous un même thème générique – par exemple, la sécurité financière.

2. **La famille de produits.** Il s'agit de l'ensemble des produits qui satisfont un besoin fondamental – par exemple, l'épargne.

3. **La classe de produits.** Il s'agit de l'ensemble des produits d'une même famille de produits et qui possèdent une certaine cohérence fonctionnelle – par exemple, des produits financiers d'épargne, comme un compte d'épargne libre d'impôt (CELI).

4. **La gamme de produits.** Il s'agit de l'ensemble des produits appartenant à une même classe de produits qui présentent des caractéristiques similaires, qui sont vendus au même genre de clients, qui sont mis en marché par les mêmes circuits ou qui sont offerts dans des zones de prix similaires – par exemple, l'assurance-vie.

5. **Le type de produits.** Il s'agit de l'ensemble des produits appartenant à une même gamme et susceptibles de revêtir différentes formes – par exemple, l'assurance-vie temporaire.

6. **L'article.** Il s'agit de l'unité de base distincte d'une marque ou d'une gamme de produits, reconnaissable notamment à sa taille, à son prix, à ses caractéristiques, ou à son apparence – par exemple, l'assurance-vie à terme Desjardins.

Deux autres expressions se rattachent à la hiérarchie des produits : le système de produits et l'assortiment de produits. Un système de produits est un ensemble d'articles complémentaires. Par exemple, pour le cinéma maison, Sony offre sur le marché le téléviseur ACL Bravia HD ainsi que des magnétoscopes, des récepteurs stéréo et des lecteurs Blu-ray Disc ; on peut ajouter à cela un récepteur satellite numérique de Bell Télé et un limiteur de surtension Monster Power. Naturellement, on peut utiliser conjointement le caméscope numérique Sony et le téléviseur Bravia pour regarder la vidéo de l'anniversaire de naissance de la benjamine. L'assortiment de produits se définit comme l'ensemble des produits mis sur le marché par une même entreprise. Par exemple, Garant offre tout un assortiment d'outils de jardinage ergonomiques appelés Nature Expert.

_9.3_ Les trois typologies des produits

Pour que les stratégies de mix de marketing soient efficaces, l'entreprise doit bien connaître la nature des produits qu'elle offre. Le classement des produits peut alors aider à saisir une réalité complexe. En marketing, on divise habituellement les produits en trois groupes relativement homogènes selon la durabilité et la tangibilité des produits, les habitudes d'achat des produits de consommation et l'utilisation des produits industriels et organisationnels [7] (*voir la figure 9.1*).

FIGURE 9.1 La typologie des produits

Durabilité et tangibilité des produits	Biens non durables
	Biens durables
	Services

Habitudes d'achat des produits de consommation	Produits d'achat courant	Biens / Services
	Produits d'achat réfléchi	Biens / Services
	Produits de spécialité	Biens / Services
	Produits non recherchés	Biens / Services

Utilisation des produits industriels	Matériaux et composants	Matières premières / Pièces et matériaux manufacturés
	Biens d'équipement	Installations / Équipement accessoire
	Fournitures	Exploitation / Entretien et réparation
	Services	Services de réparation / Services auxiliaires / Services professionnels

9.3.1_La durabilité et la tangibilité des produits

On peut classer les produits en trois catégories selon leur durabilité et leur tangibilité.

1. **Les biens non durables**: il s'agit de biens tangibles dont l'usage amène la destruction plus ou moins immédiate – par exemple, le lait, le pain, la bière et le savon. Comme ces produits sont achetés fréquemment et consommés rapidement, la stratégie appropriée est de les rendre facilement accessibles dans des commerces comme les dépanneurs et les supermarchés, en demandant une faible marge bénéficiaire et en faisant de la publicité de façon à inciter à l'essai et à accroître la préférence pour la marque.

2. **Les biens durables**: il s'agit de biens matériels qui peuvent être normalement utilisés de nombreuses fois, parfois pendant plusieurs années – par exemple, des automobiles, des motoneiges, des réfrigérateurs, des machines-outils ou des ordinateurs. La vente de biens durables exige souvent la présence de représentants de commerce. Ces biens requièrent généralement le soutien d'un service à la clientèle ainsi que des garanties, et quelquefois des mises à jour à la suite de rappels par le manufacturier. La marge bénéficiaire est plus élevée que celle des biens non durables.

3. **Les services**: il s'agit essentiellement d'activités. Comme on l'a vu au chapitre 1, les services se distinguent des produits à quatre points de vue: l'intangibilité, la simultanéité, la variabilité et la périssabilité. Ils nécessitent normalement un contrôle continu de la qualité ainsi qu'une grande crédibilité et une forte capacité d'adaptation de la part de l'individu ou de l'entreprise qui les fournit. Le personnel joue un rôle crucial dans la prestation d'un service. Le domaine des services est fort varié: on y trouve notamment le transport, la restauration, le tourisme, les loisirs, les soins de santé, l'hébergement, les services professionnels, les services financiers et l'éducation.

Le terme « produit » sert parfois à désigner des services, comme dans le cas des produits touristiques ou des produits financiers. Par ailleurs, la plupart des entreprises manufacturières fournissent aussi des services d'entretien ainsi que, bien entendu, les services liés aux garanties. Dans certains secteurs, comme l'aéronautique, pour des entreprises comme Bombardier et Pratt & Whitney, le service à la clientèle est crucial. C'est aussi un facteur de différentiation dans le secteur de l'automobile. Les figures 9.2, 9.3, 9.4 et 9.5 (*voir p. 299*) donnent des exemples de messages publicitaires pour des biens et services de consommation et des biens et services industriels.

9.3.2_Les habitudes d'achat des produits de consommation

Du point de vue des habitudes d'achat des consommateurs, les produits de consommation peuvent être classés en quatre catégories: les produits d'achat courant, les produits d'achat réfléchi, les produits de spécialité et les produits non recherchés [8].

Les produits de consommation peuvent être des biens ou des services. L'habitude d'achat a rapport à la fréquence d'achat, au temps et à l'effort consacrés à l'achat, et au niveau de prix du produit.

Les produits d'achat courant

Ce sont des produits que le consommateur connaît bien en général et qu'il achète fréquemment, rapidement, avec un minimum d'effort. Normalement, le consommateur juge inutile de comparer les prix et la qualité, qui sont souvent similaires. La distribution de ces produits est intensive et ceux-ci sont offerts dans de nombreux commerces, par exemple, dans les dépanneurs. Les prix sont bas. On mise, dans la communication, sur la disponibilité ou l'accessibilité ainsi que sur la notoriété du produit ou du commerce de détail. On peut mentionner parmi les produits d'achat courant le lait, le pain et la bière ou des services de consommation comme un dépanneur, un nettoyeur, un guichet automatique et un coiffeur.

Les produits d'achat réfléchi

Le processus d'achat des produits d'achat réfléchi est plus complexe que pour les produits d'achat courant. Leur achat est relativement peu fréquent et peut exiger des efforts importants : c'est le cas, par exemple, des automobiles, des chaînes stéréo, des ordinateurs, des appareils ménagers, des vêtements, des caméscopes. Ces produits sont offerts dans de nombreux magasins, mais pas dans autant de magasins que les produits d'achat courant ; de plus, leurs prix sont assez élevés et peuvent varier beaucoup. La promotion mise sur l'image de marque et la différenciation, en particulier par la qualité. Par exemple, pour l'achat d'un cinéma maison, le consommateur compare des attributs tels que la qualité de l'image, la facilité d'utilisation, le prix, la garantie et le service à la clientèle. Les acheteurs d'un produit d'achat réfléchi considèrent aussi l'image de marque du produit, la crédibilité et la réputation du fabricant ainsi que l'image et la réputation du magasin où est vendu le produit. La compétence du personnel peut aussi influencer le choix, de même que des recommandations faites dans certaines émissions télévisées ou dans des revues spécialisées comme *Protégez-Vous*.

Les produits de spécialité

Ce sont des produits pour lesquels les acheteurs ont une préférence marquée et sont prêts à faire des efforts considérables afin de les acquérir. Ces produits d'achat peu courant possèdent habituellement des caractéristiques et des avantages concurrentiels uniques. Ce sont souvent des produits de luxe, des produits spécialisés ou des marques particulières. Les prix sont très élevés. La distribution est exclusive. La promotion est centrée sur l'exclusivité et le prestige, et l'image de marque est fort importante. Parmi les biens, on peut citer les cosmétiques et les parfums, les vêtements et les sacs à main griffés, les montres de prix et certaines automobiles ; parmi les services, on peut mentionner les services de traiteur ou de gestion bancaire privée.

Une Ferrari est un produit de spécialité parce qu'il est unique. Cette voiture est onéreuse, et les acheteurs potentiels sont prêts à faire un voyage à l'étranger pour s'en procurer une. Les complets L'Uomo et Hugo Boss, les montres Rolex, les valises Louis Vuitton et les sacs à main Gucci sont tous des produits de spécialité pour lesquels le nom de la marque est important. Dans la plupart des cas, il s'agit de produits ostentatoires. Il en va de même pour les services de certains coiffeurs dont la clientèle est surtout composée de vedettes et de nantis.

Les produits non recherchés

Un produit non recherché est un produit que le client ne connaît pas parce qu'il est nouveau, ou qu'il ne pense pas normalement à acheter, ou encore qu'il ne désire pas acheter. L'achat d'un tel produit est peu fréquent et exige un effort modéré.

FIGURE 9.2 Un message publicitaire pour un bien de consommation

Source : *Coup de pouce*, vol. 26, n° 5, juillet 2009, p. 28.

FIGURE 9.3 Un message publicitaire pour un service de consommation

Source : *L'actualité*, vol. 35, n° 6, 15 avril 2010, p. 2.

FIGURE 9.4 Un message publicitaire pour un bien industriel ou organisationnel (matériaux)

Source : *Plan, la revue de l'Ordre des ingénieurs du Québec*, vol. 46, n° 4, mai 2009, p. 39.

FIGURE 9.5 Un message publicitaire pour un service industriel ou organisationnel (services professionnels)

Source : *Les Affaires, édition spéciale annuelle*, été 2009, p. 59.

Ainsi, peu de gens savent qu'il existe des ordinateurs qui peuvent lire les textes manuscrits. On ne voit pas nécessairement l'intérêt ni la nécessité de rédiger un testament ni de souscrire à une police d'assurance-vie. Et l'on est peu ou pas intéressé à faire ses propres arrangements funéraires ou à acheter une niche de columbarium.

La distribution est forcément limitée, et les prix varient selon le type de produit. La promotion mise sur la notoriété et la réputation du produit ou de la firme.

La manière dont un produit de consommation est classé dépend de chaque personne. En général, la plupart des consommateurs ont tendance à classer les produits de la même manière. Comme le montre le tableau 9.1, les éléments du mix de marketing varient suivant le type de produit [9].

_TABLEAU 9.1 La classification des produits de consommation en fonction du mix de marketing

Types de produits de consommation		Achat courant	Achat réfléchi	Spécialité	Non recherché
Caractéristiques		Fréquent, rapide, minimum d'effort	Peu fréquent, processus d'achat complexe, effort important	Peu fréquent, effort considérable	Peu fréquent, effort modéré
Mix de marketing	Produit	Lait, pain, bière	Cinéma maison, automobile	Ferrari, montre Rolex	Testament, columbarium
	Prix	Bas	Assez élevé	Très élevé	Variable
	Place	Distribution intensive	Distribution sélective	Distribution exclusive	Distribution limitée
	Promotion	Disponibilité, notoriété	Image de marque, différenciation, qualité	Exclusivité, prestige, image de marque	Notoriété, réputation

9.3.3_L'utilisation des produits industriels et organisationnels

Les organisations achètent elles aussi des biens et des services. En fait, le marché des produits industriels et organisationnels occupe une place importante dans l'économie d'un pays. Une caractéristique essentielle de ce marché est que ses ventes dépendent souvent des ventes des produits de consommation. On dit alors que la demande est dérivée, c'est-à-dire que la demande pour plusieurs produits industriels dépend de celle des biens de consommation.

En vue d'obtenir des stratégies de marketing parfaitement adaptées à ce genre de marché, on a établi une classification des produits industriels. Celle-ci se fonde sur la façon dont les produits industriels entrent dans le processus de production et servent dans les opérations. On distingue quatre catégories de produits industriels : les matériaux et les composants, les biens d'équipement, les fournitures et les services.

Les matériaux et les composants

Les matériaux et les composants sont des biens servant à la fabrication des produits destinés au marché des consommateurs (B2C pour *business-to-consumer*), à d'autres entreprises manufacturières ou de services, ou à des organisations (B2B pour *business-to-business*). Ils se divisent en deux grands groupes : les matières premières et les pièces et matériaux manufacturés [10].

Les matières premières se divisent elles-mêmes en deux catégories : les ressources naturelles et les produits agricoles. Les ressources naturelles existent en quantité importante néanmoins limitée, et sont donc épuisables. Ce sont, par exemple, le minerai de fer, la bauxite, le bois, le pétrole et le poisson. Ces ressources font parfois l'objet de revendications de la part de groupes et d'individus soucieux du développement durable (on n'a qu'à penser à l'entente historique conclue entre l'industrie forestière canadienne et des groupes environnementaux en 2010, entente d'ailleurs accueillie froidement par l'auteur-compositeur-interprète Richard Desjardins, qui avait pris fait et cause pour la forêt boréale). Les ressources naturelles sont transformées en composants – par exemple, de la bauxite, on extrait l'aluminium –, ou vendues aux consommateurs après traitement – par exemple, le pétrole qui, une fois raffiné, devient de l'essence, ou le bois qui, après usinage, sert pour la construction. Les ressources naturelles occupent souvent beaucoup d'espace, elles ont une faible valeur unitaire et leur transport entraîne des coûts importants. À cause de leur homogénéité, il est difficile de différencier les matières premières. Le prix, les délais de livraison et la réputation de l'entreprise sont des éléments importants à considérer au moment du choix du fournisseur. Par ailleurs, comme les entreprises manufacturières dépendent de ces matériaux, elles exigent fréquemment l'établissement de contrats à long terme qui sont difficiles à rédiger, car les prix de matières premières comme le pétrole, le nickel et le cuivre ont tendance à grandement fluctuer.

Les produits agricoles tels que le blé, le coton, le café, le lait, les fruits et les légumes sont fournis par des producteurs. Ceux-ci font généralement partie de coopératives comme La Coop fédérée, à laquelle les agriculteurs du Québec vendent leur production. Les coopératives agricoles assurent la collecte, le classement, l'entreposage, le conditionnement, la mise en marché et le transport des produits.

Les pièces et les matériaux manufacturés sont des composants. Les matériaux composants sont transformés – par exemple, le minerai de fer devient de l'acier, et le coton, du tissu. Ils sont ensuite vendus à des manufacturiers. Comme ces produits sont relativement homogènes, et donc peu différenciés, ce sont surtout le prix de même que la réputation et la fiabilité du fournisseur qui entrent en ligne de compte au moment de l'achat. Les matériaux composants entrent directement dans la fabrication d'autres produits (le plastique sert à fabriquer des contenants), ou encore dans la fabrication de pièces composantes (un moteur d'avion ou un moteur d'aspirateur). Les clients des fabricants de pièces composantes sont des entreprises. Les attributs le plus souvent pris en considération dans le choix d'un fournisseur peuvent différer des attributs considérés par les consommateurs. Ce sont la valeur (le rapport qualité-prix), la réputation de la marque, la fiabilité (surtout celle de la livraison) et le service à la clientèle.

Les biens d'équipement

Les biens d'équipement servent à la fabrication et à la distribution des produits. Ils sont de deux types : les installations et l'équipement accessoire [11].

Les installations représentent des investissements majeurs et de longue durée. Ils se composent de bâtiments, comme les usines, les entrepôts et les bureaux, ainsi que des équipements fixes importants et nécessaires aux opérations, comme les ordinateurs de grande taille, les chaînes de montage, les génératrices et les machines-outils. La valeur pécuniaire des installations est élevée, mais proportionnelle à la taille des opérations d'une entreprise et, de nos jours, ces installations peuvent être distribuées dans différents lieux. Les entreprises qui fabriquent des installations suivent des spécifications précises inscrites aux cahiers des charges, souvent le résultat de longues négociations portant sur le contenu, les échéances et les budgets.

L'équipement accessoire est constitué de produits matériels qui ont une valeur substantielle relative et qui servent à la production de biens et de services. Il comprend le matériel mobile de l'entreprise (automobiles, chariots élévateurs, etc.), les outils (microscopes électroniques, calibreurs, foreuses, perceuses, etc.), le matériel de bureau (micro-ordinateurs, photocopieurs, bureaux, etc.), les accessoires personnels (ordinateurs portatifs, téléphones cellulaires, etc.). Sa durée de vie est plus courte et ses coûts sont moindres que ceux des installations, mais sa durée de vie est plus longue et ses coûts sont plus élevés que ceux des fournitures. La qualité, la fiabilité, le service après-vente et les prix sont les principaux éléments pris en considération au moment de l'achat de ces produits.

Les fournitures

Les fournitures sont des produits courants nécessaires au fonctionnement des usines et des bureaux, mais elles n'entrent pas directement dans la fabrication du produit ou la prestation du service. Les deux principales catégories sont les fournitures d'exploitation (papier à lettres, stylos, ruban adhésif, lubrifiants...) et les fournitures d'entretien et de réparation (peinture, ampoules électriques, clous...). Ces produits peuvent être achetés auprès d'intermédiaires spécialisés ou chez un quincaillier local. Dans ce dernier cas, certains employés peuvent utiliser des cartes de crédit de leur entreprise, jusqu'à concurrence d'une somme d'argent déterminée.

Les services

Les entreprises ont de plus en plus recours à des services en tout genre. Afin d'obtenir un service, elles signent des contrats avec des firmes spécialisées pour des motifs de nécessité ou d'efficacité. Il est possible de distinguer trois types de services aux entreprises : les services auxiliaires, les services de réparation et les services professionnels. Les services auxiliaires peuvent prendre plusieurs formes ; ils comprennent notamment les services de messagerie, d'entretien ménager, de gardiennage et de sécurité, d'alimentation et de distributeurs automatiques. Les services d'entretien sont souvent fournis par de petits entrepreneurs, mais aussi de grandes entreprises, qui peuvent s'occuper de travaux aussi spécialisés que l'entretien des plantes dans les immeubles de bureaux. Certains services, tels les services de messagerie, peuvent être offerts par des entreprises de toutes tailles, alors que d'autres, comme les services de sécurité, sont confiés surtout à de grandes entreprises.

Les services de réparation peuvent être offerts par de petites entreprises spécialisées ou par de grandes entreprises, comme les fabricants de l'équipement défectueux. Les réparations concernent, par exemple, l'équipement de production (comme une presse à injection) ou de bureau (comme un photocopieur). Dans un domaine comme l'aéronautique ou l'informatique, la rapidité des réparations est essentielle. Les services peuvent être rendus dans le contexte de l'application de la garantie ou d'un contrat de service.

Enfin viennent les services professionnels. Certains sont obligatoires, comme les services de vérificateurs, et d'autres, non recherchés, comme les services de syndics ou de juricomptables. Les entreprises font affaire, par exemple, avec des firmes d'ingénieurs-conseils, des firmes d'avocats et des agences de publicité. La décision de faire appel aux services de l'une ou l'autre de ces firmes peut avoir des conséquences importantes pour une entreprise. De plus, les services professionnels sont souvent très coûteux.

Maintenant que l'on connaît mieux la nature des produits grâce à cette description typologique, on peut aborder la présentation des éléments essentiels de la gestion des produits : la gestion de la marque, la gestion des nouveaux produits et la gestion des produits actuels.

_9.4_ La gestion de la marque

La marque peut être un élément déterminant de la stratégie de marketing d'un produit, car bâtir le capital d'une marque peut impliquer des coûts importants. L'American Marketing Association en donne cette définition : « Une marque est un nom, un terme, un signe, un symbole ou un dessin, ou tout autre trait distinctif qui différencie les biens et services d'un vendeur de ceux des autres vendeurs [12]. »

9.4.1_La nature d'une marque

Une marque forte est un actif pour une entreprise. Elle désigne un vendeur, un produit ou un service, ou encore une famille ou une gamme de produits et services. Elle est souvent, aux yeux des consommateurs, une promesse de qualité, voire de valeur, comme le sont Sony, Gucci, Rolex et Mercedes. La marque contribue à forger l'image de l'entreprise. Elle met en évidence les attributs ou les avantages concurrentiels du produit – par exemple, la qualité de conception, la performance et le prestige des véhicules Mercedes. Pour les consommateurs, l'image de marque d'un produit réduit le risque à l'achat, impute au manufacturier une certaine responsabilité liée à sa réputation et les rassure au sujet d'un éventuel recours. La marque contraint aussi le manufacturier à offrir un bien ou un service de qualité à sa clientèle s'il veut maintenir sa réputation et la notoriété du produit.

En gérant bien sa marque, l'entreprise peut bâtir son capital de marque, c'est-à-dire la valeur que celle-ci ajoute au produit ou service. Un capital de marque élevé offre de nombreux avantages concurrentiels : un levier puissant pour négocier avec les intermédiaires, une marge plus élevée, une communication marketing plus efficace, une moins forte vulnérabilité en temps de crise, une plus grande fidélité des clients, etc. C'est à la fois un atout et un actif qui peuvent devenir importants pour une entreprise. Récemment, la valeur du capital de marque pour Google était évaluée à 114,3 milliards de dollars, pour IBM, à 86,4 milliards, pour Apple, à 83,2 milliards, pour Microsoft, à 76,3 milliards, et pour Coca-Cola, à 68,0 milliards [13].

9.4.2_Les stratégies de marque

La première décision que toute entreprise doit prendre dans la gestion d'une marque est évidemment de créer ou non un ou des sigles, logos, symboles ou noms de marques. Si elle choisit de le faire, la prochaine décision pour l'entreprise concernera le choix de ce ou ces noms, sigles ou logos. Il y a essentiellement quatre possibilités :

1. Un nom ou symbole individuel pour chaque produit, comme l'ont fait Procter & Gamble avec Tide, Dawn et Camay, ou General Motors, avec Chevrolet, Buick et Cadillac. Un avantage majeur de cette stratégie est que l'entreprise ne lie pas directement sa réputation à celle du produit. De plus, un nouveau nom peut créer une nouvelle image. Par contre, le nouveau produit bénéficie moins de l'image de marque de l'entreprise.

2. Un seul nom générique pour tous les produits, comme General Electric et Heinz. Cette stratégie offre aussi ses avantages : si la marque est forte, le nouveau produit obtiendra une reconnaissance immédiate et les ventes pourraient

en bénéficier, donc le coût de lancement pourrait s'avérer moindre. Toutefois, cette stratégie est peu indiquée si les produits sont fort différents; et si le nouveau produit présente des problèmes, toute la marque pourrait en souffrir.

3. Des noms génériques pour chaque gamme de produits, comme l'a fait Bombardier avec Ski-Doo et Sea-Doo. Cette approche permet de donner une personnalité propre à chaque gamme et de la différencier. Chaque gamme bénéficiera de l'image de marque positive de l'entreprise, et même des autres gammes. Cependant, la réputation de ces autres gammes, voire de toute l'entreprise, pourrait être entachée si l'une d'elles rencontre des problèmes.

4. La marque déposée de l'entreprise combinée à des noms de marque individuels, comme les céréales Kellogg's Rice Krispies et Raisin Bran deux pelletées, ou les bières Labatt Bleue et Labatt 50. Le principal avantage de cette stratégie est de faire bénéficier les produits de l'image de marque de l'entreprise, tout en la renforçant. Par contre, un mauvais produit pourrait nuire à la réputation de l'entreprise.

La troisième décision de l'entreprise consistera à déterminer si elle doit étendre la gamme ou pas. L'extension de la gamme est l'ajout de nouveaux articles à un même type de produits qui portent tous le même nom de marque. La plupart des nouveaux produits constituent des extensions de gamme – jusqu'à 89 % dans le cas de produits alimentaires. Ensuite, un gestionnaire de marketing pourrait avoir à prendre une quatrième décision, celle d'étendre ou pas la marque. L'extension de la marque utilise le nom d'une marque pour lancer une nouvelle gamme de produits. Par exemple, Honda offre sous le même nom, à des marchés fort différents, des automobiles, des camions, des motocyclettes, des motomarines, des tondeuses, des moteurs hors-bord, des génératrices, et ainsi de suite. Enfin, une compagnie peut souhaiter lancer des marques additionnelles pour un même type de produits. C'est le cas de Seiko, qui commercialise des montres moins chères sous le nom de Pulsar [14].

_9.5_ La gestion des nouveaux produits

Cette section traitera de la gestion des nouveaux produits, que ce soit des biens ou des services, une opération essentielle à la croissance et même à la survie des entreprises. On y proposera un modèle de gestion des nouveaux produits comprenant quatre composantes: le soutien organisationnel à la gestion des nouveaux produits, les caractéristiques des nouveaux produits, l'élaboration des nouveaux produits et leur diffusion (*voir la figure 9.6*). Une gestion efficace de chacune de ces quatre composantes augmente les probabilités de succès des nouveaux produits.

9.5.1_Le dilemme posé par les nouveaux produits

Les entreprises se doivent de lancer de nouveaux produits, même si le coût de leur élaboration est élevé, de même que le risque d'échec. En effet, les organisations doivent parer aux changements sociaux, à l'évolution des goûts et des besoins des consommateurs et des clients de l'entreprise, aux innovations continuelles en matière de technologie, de même qu'à la concurrence usuelle mais quelquefois féroce des concurrents locaux ou nationaux. La concurrence croissante résultant de la mondialisation des marchés et des économies émergentes comme la Chine, l'Inde et le Brésil force elle aussi les entreprises à mettre au point de nouveaux produits. De plus, la multitude de nouveaux produits qui envahissent le marché chaque année et qui constituent souvent des ripostes de la part des concurrents raccourcit le cycle de vie des produits existants. Cela oblige encore davantage les entreprises à lancer de nouveaux produits, et la recherche et le développement doivent par conséquent se faire rapidement.

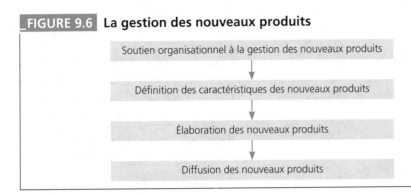

FIGURE 9.6 La gestion des nouveaux produits

Soutien organisationnel à la gestion des nouveaux produits

Définition des caractéristiques des nouveaux produits

Élaboration des nouveaux produits

Diffusion des nouveaux produits

Une autre difficulté réside dans le phénomène de la fragmentation des marchés. Les fabricants d'automobiles ont multiplié ces dernières années les modèles de voitures destinés à des segments de marché de plus en plus petits. Cela a pour effet de réduire la taille des marchés et les volumes de vente et, du même coup, de rendre plus problématique l'atteinte du point mort. Même lorsque le seuil de rentabilité est atteint, les profits ne sont pas très élevés à cause de la modeste taille des micromarchés. Il n'y a pas si longtemps, General Motors et Chrysler ont payé cher pour ne pas avoir constaté à temps les effets négatifs de multiplier les segments de marché.

D'autre part, le coût de lancement d'un nouveau produit est très élevé, notamment en ce qui a trait aux produits aéronautiques et pharmaceutiques. Le lancement d'un nouveau modèle d'avion chez Airbus, Boeing ou Bombardier, ou la commercialisation de nouveaux médicaments chez GlaxoSmithKline et Sanofi-aventis peut coûter des centaines de millions de dollars. En fait, le coût moyen de la mise au point d'un médicament est de 800 millions; le temps moyen entre la découverte d'une molécule et la mise en marché d'un nouveau médicament est de 14 ans; la probabilité qu'une technique ou un médicament se rende à la mise marché une fois qu'a été franchie la première phase des études cliniques est inférieure à 10 % [15]. Même pour une petite ou moyenne entreprise, le développement et la commercialisation d'un nouveau produit coûtent relativement cher. À cela s'ajoute le fait que le taux d'échec des nouveaux produits est assez élevé. Par ailleurs, il est difficile de définir ce qu'est le taux d'échec : parle-t-on d'un échec par rapport à la réalisation des objectifs de rentabilité, aux objectifs de vente ou aux objectifs d'occupation d'une part déterminée du marché? Ces objectifs ont-ils été atteints partiellement? Quand peut-on véritablement parler d'échec? Quoi qu'il en soit, les études s'entendent pour dire que le taux d'échec au Canada pour les produits de consommation destinés aux consommateurs est de 80 %, alors que seulement 20 % des produits se trouvent encore sur les tablettes 2 ans après leur lancement [16].

9.5.2_Les causes d'échec

Pourquoi tant de nouveaux produits échouent-ils? Les causes sont nombreuses et, au dire des spécialistes, les plus fréquentes sont la ressemblance du nouveau produit avec les produits déjà sur le marché, un mauvais positionnement et une mauvaise stratégie de marketing. Pour Eric N. Berkowitz et ses collègues [17], il faut ajouter une mauvaise définition du produit et du marché, le manque d'intérêt du marché pour le produit, la mauvaise qualité des attributs critiques, un faible facteur d'attractivité, un mauvais synchronisme du lancement et la difficulté d'accès au marché. Philip Kotler et ses collègues [18] indiquent d'autres raisons : une mauvaise utilisation de la recherche marketing, ou pire, l'absence de recherche marketing, la surestimation de la demande, des coûts de développement plus élevés que prévu, une réaction de la concurrence plus vive que prévu, une mauvaise conception du produit, un soutien inadéquat du réseau de distribution, une mauvaise décision de prix ou une stratégie de communication inefficace. De plus, des changements imprévus, et quelquefois imprévisibles, dans le macroenvironnement peuvent contribuer à l'échec d'un produit qui était autrement promis à un certain succès.

Étant donné toutes ces difficultés, que doit-on faire pour augmenter les chances de succès des nouveaux produits ? Il faut mieux gérer le processus de gestion des nouveaux produits, ce que l'on étudiera maintenant en détail.

9.6 Le soutien organisationnel à la gestion des nouveaux produits

Le soutien organisationnel à la gestion des nouveaux produits est la première composante de la gestion des nouveaux produits. Cette composante consiste en trois éléments : la vision de la direction, le budget de recherche et de développement, et la structure organisationnelle.

9.6.1_La vision de la direction

C'est la haute direction de l'entreprise qui doit engager le processus de gestion des nouveaux produits et stimuler la créativité et la recherche dans l'entreprise. Pour que la culture organisationnelle puisse s'ouvrir au milieu et valoriser le changement, que l'entreprise ajuste son offre en fonction des changements sociaux et technologiques et des pressions exercées par la concurrence, et qu'elle considère comme nécessaire de concevoir de nouveaux produits, il faut un leadership engagé et éclairé de la part de la direction générale envers l'innovation. La direction doit exprimer cette volonté dans la mission de l'entreprise, dans ses stratégies, dans ses politiques et dans ses budgets. Il lui appartient de déterminer le champ d'activité de l'entreprise, les objectifs à atteindre, les types de produits à élaborer et les fonds à attribuer à la recherche et au développement de nouveaux produits. En d'autres mots, la direction générale de l'entreprise doit être convaincue qu'il est nécessaire de concevoir de nouveaux produits pour assurer la réussite à long terme de l'entreprise et qu'il faut employer tous les moyens nécessaires pour y arriver.

9.6.2_Le budget de la recherche et du développement

L'une des principales responsabilités de la direction est d'approuver les budgets annuel et prévisionnel de l'entreprise dont, évidemment, ceux de la recherche-développement (R et D) pour les prochaines années. C'est donc à la direction qu'incombe de déterminer le pourcentage du budget que l'entreprise doit consacrer à la recherche, au développement et au lancement de nouveaux produits. Les fonds affectés à la recherche et au développement varient selon le type d'industrie et le type de produits. Dans des industries de pointe comme l'aéronautique, la pharmaceutique ou les communications, les fonds investis dans la recherche-développement sont considérables ; et la partie des fonds de R et D qui est dégagée pour la conception de nouveaux produits d'achat réfléchi est normalement plus élevée que pour les produits d'achat courant. Par contre, les budgets de lancement et de commercialisation des produits d'achat courant sont souvent plus considérables que pour les produits d'achat réfléchi.

9.6.3_La structure organisationnelle

Une entreprise dispose de nombreux moyens pour gérer de façon efficace la mise au point de nouveaux produits. Une chose est certaine, la haute direction est responsable d'instituer une culture organisationnelle qui encourage et soutient la recherche et le développement de nouveaux produits. La responsabilité de la recherche et la conception de nouveaux produits peuvent relever d'individus, de comités, d'équipes ou de services. Dans de nombreuses entreprises, on trouve un comité de nouveaux produits composé de membres de la haute direction et de représentants des services du marketing, de la production, de la recherche et des finances. Ce comité est chargé de prendre des décisions stratégiques relativement aux marchés et aux champs d'activité à exploiter ainsi qu'aux fonds à investir dans l'ensemble des activités de recherche et de développement. Ce comité peut aussi avoir pour fonction d'organiser le processus d'élaboration de nouveaux produits, d'en préciser les étapes et d'indiquer le contrôle requis au terme de chacune de celles-ci. À la fin de chaque étape, on évalue le déroulement du projet et l'on décide s'il est possible de passer à l'étape suivante. Le rôle de ce comité est donc essentiel du point de vue stratégique.

On peut aussi former des équipes de gestion de projet, ou instaurer un service des nouveaux produits ou encore un service de recherche. L'élaboration de nouveaux produits se prête très bien au mode de gestion de projet. L'entreprise confie alors la responsabilité du développement du nouveau produit à une équipe constituée spécialement à cette fin, et nomme à sa tête un directeur. L'équipe est composée d'employés des divers services qui possèdent des compétences complémentaires. Ces personnes sont déchargées partiellement ou totalement de leurs fonctions habituelles. On alloue à l'équipe un budget et l'on établit les conditions de travail ainsi que l'échéancier. Le projet prend fin dès que le produit est lancé, et l'on assigne alors d'autres tâches aux membres de l'équipe.

Le service des nouveaux produits est une forme d'organisation plus permanente que la gestion par projets. Ce service a la responsabilité générale de la conception et du lancement de nouveaux produits. Il travaille en étroite collaboration avec le service de R et D de l'entreprise. Il a souvent pour tâches de rechercher et d'analyser des idées, puis de mener des études de marché. Une fois franchie l'étape du développement technique ou opérationnel d'un produit, il s'occupe de réaliser des tests de terrain et des tests de marché, et d'assurer la commercialisation. Après le lancement, c'est au service du marketing ou à un directeur de produit que revient la responsabilité de la gestion du nouveau produit.

Une autre forme d'organisation mise sur des personnes, en l'occurrence un directeur de produit ou un directeur de nouveaux produits. L'organisation par produit est une structure organisationnelle fort populaire qui sera décrite en détail au chapitre 14. Le directeur de produit est normalement responsable de la plupart des tâches qui regardent la gestion marketing d'un ou de plusieurs produits. Dans certaines entreprises, il est également responsable des nouveaux produits. Cette forme organisationnelle offre certains avantages. Le directeur de produit connaît bien ses produits et ses marchés actuels. Un nouveau produit qui vient élargir une gamme ne devrait pas lui poser de problèmes. Par contre, il concentre normalement ses efforts sur la gestion des produits actuels. L'addition d'une nouvelle tâche pourrait avoir pour effet de limiter l'attention qui doit être portée au nouveau produit ou aux produits déjà existants. Et le directeur de produit ne possède peut-être pas les compétences nécessaires pour mener à bien le lancement d'un nouveau produit. Lorsqu'une entreprise propose une large gamme de produits, elle peut juger utile de charger une personne de voir à la gestion de ceux qui sont nouveaux. Les directeurs de nouveaux produits deviennent de plus en plus compétents à mesure qu'ils lancent de nouveaux produits. Cette structure paraît convenir surtout dans les cas où les nouveaux produits résultent de modifications aux produits actuels ou viennent élargir la gamme de ces derniers.

Enfin, une autre structure organisationnelle a été mise de l'avant par Procter & Gamble. En plus de la R et D, cette compagnie utilise avec succès la C et D (*Connect and Develop*). Pour Procter & Gamble, l'élaboration de nouveaux produits passe par la R et D au sein d'unités stratégiques et par la R et D entre ses unités stratégiques, mais aussi par la C et D, accomplie grâce à des partenariats avec d'autres entreprises. En fait, plus du tiers des innovations de P&G sont maintenant réalisées avec d'autres organisations, souvent de petites et moyennes entreprises [19].

_9.7 Les caractéristiques des nouveaux produits

On vient de le voir, la première composante de la gestion des nouveaux produits consiste à mettre en place des modes de soutien organisationnel à la gestion de nouveaux produits. La deuxième composante a trait aux caractéristiques que tous les nouveaux produits de l'entreprise devraient posséder pour accroître les probabilités de succès.

D'une manière générale, si l'on se place dans l'optique du marketing, les nouveaux produits devraient répondre à des besoins actuels ou potentiels du marché. Le chapitre 1 a révélé qu'il ne suffit pas d'utiliser le concept du marketing pour assurer le succès d'un nouveau produit et que les mercaticiens doivent aussi faire du marketing sociétal. En d'autres mots, il faut non seulement répondre aux besoins du marché, mais aussi s'efforcer d'améliorer le bien-être des clients et de la société à long terme. Les entreprises ont des responsabilités sociales dont elles doivent tenir compte lorsqu'elles mettent de nouveaux produits sur le marché. Dans toutes ses décisions relatives à l'élaboration de nouveaux produits, une entreprise doit montrer qu'elle a le souci du développement durable, qu'elle est déterminée à se conformer aux normes environnementales et à respecter dans sa commercialisation des règles d'éthique.

En effet, certaines décisions concernant la conception ou la mise en marché des nouveaux produits peuvent avoir des conséquences sur le plan éthique. Le marché accueille avec de plus en plus de réticence certaines stratégies utilisées par les vendeurs. Des modes de mise en marché plus ou moins sécuritaires, de la publicité trompeuse (particulièrement, depuis quelque temps, les prétentions écologiques fallacieuses) et des moyens de financement douteux sont le propre d'entreprises qui n'assument pas leurs responsabilités sociales. Les entreprises doivent donc s'assurer de toujours agir de façon responsable.

Plusieurs caractéristiques de l'innovation elle-même semblent influer sur la manière de concevoir les nouveaux produits[20]. La première est l'avantage relatif que le produit a sur les produits concurrents, appelé l'avantage concurrentiel. Celui-ci a d'autant plus d'effet s'il est relativement permanent. Les produits qui ne sont que de simples imitations d'autres produits (ce que les anglophones appellent *me-too products*) ont peu de chances de réussir. Dans le cas des biens, une bonne façon d'obtenir un avantage concurrentiel qui dure plus longtemps consiste, lorsque cela est possible, à obtenir un brevet. Mais un service ne peut être breveté et, comme il est toujours possible de l'imiter, il peut difficilement jouir d'un avantage concurrentiel pérenne. La deuxième caractéristique qu'une innovation devrait posséder est la compatibilité, c'est-à-dire le degré d'accord ou d'harmonie avec les valeurs et les expériences passées des individus et des organisations, et avec les systèmes existants. La troisième caractéristique est la simplicité, c'est-à-dire l'utilisation ou la compréhension aisée du nouveau produit. Plus celui-ci est facile à comprendre ou à utiliser, plus sa pénétration de marché se fait aisément.

La quatrième caractéristique qui contribue à faire accepter un nouveau produit est sa divisibilité, c'est-à-dire la possibilité qu'il offre d'être essayé sur une base limitée ou encore d'être acheté par modules. Par exemple, on peut louer certains produits avec une option d'achat ou encore faire l'acquisition d'un cinéma maison en achetant d'abord un téléviseur et en se procurant plus tard un système audio compatible. La cinquième caractéristique est la communicabilité, qui est le degré de facilité à expliquer et à faire comprendre les caractéristiques, le fonctionnement ou l'utilisation du produit.

La sixième caractéristique d'une innovation est le coût d'acquisition. Plus le coût est élevé, plus on tarde à adopter le produit. Ainsi, un téléviseur OLED offre une image presque parfaite, mais le coût retardera l'acquisition du produit tant qu'il sera aussi élevé qu'il l'est présentement. La septième caractéristique est l'approbation sociale. Une nouvelle cigarette ou une nouvelle motomarine ne seront pas bien accueillies par bon nombre de consommateurs. Enfin, d'autres caractéristiques peuvent avoir un effet sur l'adoption d'un nouveau produit : la réputation de l'entreprise, la qualité reconnue de la marque, la garantie offerte ou le service après-vente proposé, et ainsi de suite.

Il est évident que le responsable de l'élaboration d'un nouveau produit en augmente les chances de succès s'il prend en considération ces diverses caractéristiques dans sa conception et dans les stratégies de marketing mises en œuvre au moment de son lancement.

_9.8_ L'élaboration de nouveaux produits

Une composante cruciale de la gestion des nouveaux produits est le processus d'élaboration de ceux-ci. Parmi les nombreux modèles d'élaboration de nouveaux produits proposés par les spécialistes, on peut citer le modèle à cinq étapes[21], le modèle à six étapes avec étape préliminaire[22], le modèle à sept étapes[23], et finalement, le modèle à huit étapes[24]. Ce dernier paraît logique, facile à comprendre et relativement complet. On le privilégiera donc, en y ajoutant toutefois une neuvième étape, le choix de la marque. Avant de décrire étape par étape le processus d'élaboration de nouveaux produits, il est impératif de définir ce qu'est un nouveau produit.

9.8.1_Qu'est-ce qu'un nouveau produit?

Tout d'abord, voici les diverses définitions du mot «nouveau» selon *Le Petit Robert*: «Qui apparaît pour la première fois [...]. Qui est depuis peu de temps ce qu'il est [...]. Qui tire de son caractère récent une valeur de création, d'invention [...]. Qui apparaît après un autre qu'il remplace [...]. Qui a succédé, s'est substitué à un autre[25]. »

Ainsi, un nouveau produit peut être un produit qui apparaît pour la première fois, qui n'a jamais existé auparavant et qui répond donc à un besoin nouveau ou pas encore comblé – par exemple, un nouveau traitement contre le cancer. Un nouveau produit peut aussi offrir de la nouveauté par rapport aux autres produits actuellement sur le marché – par exemple, un téléphone cellulaire avec écran tactile, GPS, caméra, lecture de MP3 et clavier coulissant spécialement conçu pour faciliter l'écriture de textos. Ou bien, le produit peut être nouveau par rapport aux autres produits fabriqués par la même entreprise – par exemple, les bandes Whitestrips de Crest, destinées à blanchir les dents. Ou encore, le nouveau produit peut tout simplement être un produit qui a été modifié ou amélioré – par exemple, le «nouveau» détersif Tide. Il va sans dire que plus un produit se démarque des autres et offre un avantage concurrentiel important et relativement permanent, plus il est probable qu'il aura du succès.

9.8.2_Le processus d'élaboration de nouveaux produits

Le processus d'élaboration de nouveaux produits comprend neuf étapes: la recherche d'idées, l'analyse des idées, l'élaboration et le test du concept, l'élaboration de la stratégie préliminaire de marketing, l'analyse financière, le développement du produit, le choix de la marque, le test de marché et le lancement du nouveau produit (*voir la figure 9.7*).

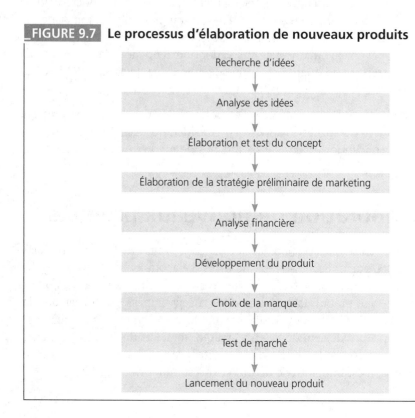

_FIGURE 9.7 Le processus d'élaboration de nouveaux produits

Recherche d'idées

Analyse des idées

Élaboration et test du concept

Élaboration de la stratégie préliminaire de marketing

Analyse financière

Développement du produit

Choix de la marque

Test de marché

Lancement du nouveau produit

De nombreuses entreprises suivent un modèle opérationnel au cours de ce processus : à chaque étape, un point de contrôle est établi, et l'on détermine si le projet mérite d'être exécuté. Si l'évaluation à une étape donnée est positive, on donne le feu vert pour passer à l'étape suivante. Si à une étape les résultats sont non concluants, on allume un feu orange, et l'étape doit être reprise. Dernière possibilité, un feu rouge indiquera que le projet doit être mis de côté pour un certain temps ou qu'il doit être carrément abandonné. Les décideurs doivent savoir que les coûts liés à l'élaboration d'un produit augmentent de façon considérable à chaque étape. Ce qui suit analyse en détail chaque étape du processus d'élaboration de nouveaux produits.

La recherche d'idées

L'élaboration d'un nouveau produit débute par une idée. L'entreprise doit donc favoriser l'éclosion des idées. Pour ce faire, elle peut mettre en place un système qui encourage de telles initiatives. Les nouvelles idées peuvent avoir différentes provenances : le marché, les clients, les scientifiques, les autres employés, les représentants, les cadres, les membres de la haute direction, les intermédiaires, les concurrents, et même le grand public.

Le marché peut, en effet, être une source importante d'idées pour de nouveaux produits. Le système de veille de l'entreprise peut indiquer un changement social ou économique, un besoin ou un désir auxquels il serait possible de répondre par la création d'un nouveau produit ou d'un nouveau service. Mais la clientèle, en particulier industrielle et organisationnelle, est de loin la source la plus importante d'idées pour de nouveaux produits[26]. Les clients peuvent faire des suggestions pour de nouveaux produits, ils peuvent aussi favoriser l'épanouissement de nouvelles idées en relevant les points faibles des produits existants.

Les scientifiques et les ingénieurs sont d'autres sources appréciables d'idées, à cause de leur formation et de la nature de leur travail. Beaucoup d'entreprises font des efforts pour tirer parti de leurs compétences. Elles sollicitent aussi les suggestions des autres employés. Ces entreprises valorisent l'innovation, accueillent favorablement les idées et les suggestions des employés et les récompensent d'une manière ou d'une autre pour leur collaboration. Les représentants de commerce, s'ils ont été formés et mobilisés en ce sens, peuvent apporter beaucoup de nouvelles idées s'ils écoutent attentivement les suggestions et les plaintes des clients et s'ils observent les concurrents. Les cadres et les membres de la haute direction peuvent aussi émettre des idées nouvelles. Ils peuvent puiser à de nombreuses sources du fait qu'ils voyagent et participent à des foires et à des congrès. Mais leur rôle le plus important est de promouvoir une culture organisationnelle qui favorise l'innovation et de faciliter le travail de ceux qui ont de nouvelles idées ou qui élaborent et lancent les nouveaux produits.

Les nouvelles idées peuvent aussi émaner de l'extérieur de l'entreprise ; elles proviennent alors principalement des intermédiaires et des concurrents. Les intermédiaires, c'est-à-dire les grossistes et les détaillants, sont continuellement en contact avec les clients. Ils sont donc bien placés pour écouter leurs plaintes et leurs suggestions, ou pour définir leurs besoins. Ils connaissent les nouveautés ainsi que le comportement des concurrents.

Ainsi, nombreuses sont les sources d'inspiration pour de nouveaux produits. La haute direction doit encourager la recherche d'idées et mettre en place un système pour les recueillir et les évaluer et pour récompenser ceux qui ont fait les meilleures suggestions.

L'analyse des idées

Le but de la première étape était de susciter le plus grand nombre d'idées possible ; celui de la suivante est de trier les idées pour ne retenir que celles qui méritent un examen en profondeur. Les idées ne sont pas toutes judicieuses ; il s'agit donc de ne garder que celles qui paraissent fécondes. D'entrée de jeu, il est nécessaire d'écarter celles qui ne conviennent pas du tout. Puis, il faut s'assurer de ne pas rejeter de bonnes idées ou, au contraire, de ne pas en conserver qui comportent des risques d'échec.

Le tri terminé, on passe à l'analyse des idées retenues. On peut, pour apprécier les mérites respectifs de ces dernières, utiliser une grille semblable à celle qui est présentée au tableau 9.2. Prenons, par exemple, Nautisme écologique, une compagnie fictive qui conçoit et construit des pédalos. Un pédalo est une petite embarcation à flotteurs, quelquefois moulés, mue par une roue à aubes actionnée par des pédales. L'entreprise veut évaluer trois idées ou concepts relatifs à un nouveau pédalo : le produit A, un modèle de base à deux passagers ; le produit B, un modèle à trois places plus soigné ; le produit C, un modèle à quatre places avec moteur électrique d'appoint.

TABLEAU 9.2 **L'analyse de l'attrait de trois idées pour un nouveau pédalo**

Facteurs d'attrait du produit A	Importance relative	Évaluation (1 à 10)	Valeur pondérée
Avantage concurrentiel du produit	0,15	4	0,60
Demande prévue	0,25	4	1,00
Facilité de fabrication	0,10	8	0,80
Rentabilité	0,25	5	1,25
Concurrence	0,15	6	0,90
Distribution	0,10	6	0,60
Total	**1,00**		**5,15**
Facteurs d'attrait du produit B	**Importance relative**	**Évaluation (1 à 10)**	**Valeur pondérée**
Avantage concurrentiel du produit	0,15	6	0,90
Demande prévue	0,25	7	1,75
Facilité de fabrication	0,10	7	0,70
Rentabilité	0,25	8	2,00
Concurrence	0,15	7	1,05
Distribution	0,10	8	0,80
Total	**1,00**		**7,20**
Facteurs d'attrait du produit C	**Importance relative**	**Évaluation (1 à 10)**	**Valeur pondérée**
Avantage concurrentiel du produit	0,15	8	1,20
Demande prévue	0,25	5	1,25
Facilité de fabrication	0,10	4	0,40
Rentabilité	0,15	4	1,00
Concurrence	0,25	9	1,35
Distribution	0,10	7	0,70
Total	**1,00**		**5,90**

La première étape de l'analyse consiste à définir les facteurs d'attrait de l'idée, comme l'avantage concurrentiel du produit, la demande prévue, la facilité de fabrication et la faible concurrence. Ensuite, on détermine l'importance ou le poids relatif de chaque facteur. Il faut s'assurer que la somme est égale à 1,00. Le comité des nouveaux produits pourrait se charger, par exemple, de faire cette analyse. Puis, il faut évaluer chaque idée (dans l'exemple, les trois modèles de pédalos) en fonction des facteurs d'attrait retenus sur une échelle de 1 à 10 (10 indiquant que l'idée est parfaite sous le rapport du facteur considéré). Il faut ensuite calculer la valeur pondérée de chaque facteur. On multiplie ainsi, pour le modèle A, l'importance relative de la demande prévue (0,25) par l'évaluation (plutôt faible, 4) faite du modèle A par rapport à ce facteur d'attrait. On obtient ainsi une valeur pondérée de 1,00 pour ce facteur. Pour mesurer l'attrait de l'idée, on fait la somme de toutes les valeurs pondérées. Dans le cas du modèle A, la valeur pondérée totale est de 5,15. Comme c'est l'idée du modèle B qui est la mieux notée (7,20), c'est celle à retenir. Le modèle C (5,90) semblait relativement intéressant à cause de sa nouveauté, mais la demande potentielle est faible et le pédalo serait difficile à produire. Le modèle A est de loin le moins intéressant : c'est un modèle de base peu différencié, la demande est faible et il y a de la concurrence. L'idée retenue doit maintenant être transformée en concept et testée.

L'élaboration et le test du concept

La prochaine étape s'inscrit dans l'optique marketing. Une idée a été retenue ; il faut maintenant la définir dans ses moindres détails, en faire un concept puis le présenter au marché cible. Un concept est une « représentation mentale générale et abstraite d'un objet [27] ». Cette description détaillée de l'idée du produit est formulée de manière à pouvoir être comprise des acheteurs éventuels. Dans l'exemple donné plus haut, le modèle B à trois places a été retenu. On peut ainsi se demander qui utiliserait ce pédalo, quelles caractéristiques le rendraient attrayant et dans quelles circonstances on s'en servirait. On pourrait alors proposer de tester le concept suivant : un pédalo de bonne qualité, plutôt haut de gamme, avec un toit pliable à trois branches, un gouvernail escamotable et des bancs amovibles en polystyrène expansé.

La recherche en marketing entre ensuite en jeu. On soumet le concept à l'appréciation de groupes de discussion composés d'acheteurs cibles, par exemple des groupes de consommateurs cibles et des groupes de distributeurs. Le concept peut être présenté uniquement sous forme verbale. On peut aussi adjoindre à la description verbale des dessins, des modèles réduits ou des simulations sur ordinateur, ou même un prototype. On tiendra compte des suggestions au moment de l'élaboration du concept final du nouveau produit.

L'élaboration de la stratégie préliminaire de marketing

Le produit prend forme. Il faut commencer à penser à sa mise en marché et concevoir une stratégie préliminaire de marketing. Cette stratégie sera corrigée aux étapes ultérieures, selon les données que l'analyse financière, les diverses opérations liées à la fabrication du produit et les tests de marché auront permis de recueillir.

Le chapitre 2 a décrit le processus de planification stratégique du marketing. La conception de la stratégie préliminaire de marketing d'un nouveau produit suit le même processus, mais abrégé. L'analyse de l'environnement permettra de préciser le marché cible et de choisir les stratégies de différenciation et le positionnement du produit. On s'occupera ensuite d'élaborer les stratégies préliminaires de mix de marketing. Avec cette information de base supplémentaire, on est prêt à passer à l'analyse financière.

L'analyse financière

L'étape suivante consiste à évaluer l'attrait financier du nouveau produit. L'analyse financière est cruciale et comprend trois volets : l'estimation de la demande, l'estimation des coûts et l'estimation de la rentabilité. Ces estimations permettront de connaître le point mort et la rentabilité possible à divers niveaux de vente. L'estimation de la demande, comme on l'a vu au chapitre 6, est complexe. Il s'agit d'estimer les ventes pour le modèle proposé selon divers scénarios. On passe ensuite à l'estimation des coûts. Tous les services (R et D, production, marketing, finances) peuvent être invités à fournir une estimation des changements de coûts à différents volumes de production en se fondant sur l'évaluation qui a été faite de la croissance des ventes. Il faudra prendre en compte les coûts de développement, les coûts de production, les coûts de marketing et les frais généraux entraînés par le nouveau produit. Cela permettra de calculer la marge brute, la contribution aux profits et le rendement cible des investissements. Il convient aussi de calculer le point mort, c'est-à-dire le seuil de vente requis pour couvrir les frais fixes et les frais variables occasionnés par la conception, la production et la mise en marché du produit. Si l'on juge probable que le point mort sera atteint, on passe alors à l'étape du développement du produit.

Le développement du produit

Le développement du produit implique des investissements considérables. La démarche devient alors plus concrète. Dans le cas d'un bien matériel, il faut fabriquer un prototype et tester en laboratoire et sur le terrain ses caractéristiques fonctionnelles. On vérifiera l'apparence, le fonctionnement, l'efficacité, la sécurité et la facilité d'utilisation du prototype. On étudiera l'effet des caractéristiques physiques du produit (matériau, taille, fini, couleur, poids, etc.) sur les clients potentiels et les intermédiaires. On recueillera les commentaires des sujets qui auront accepté de tester le produit et, au besoin, on apportera les modifications qui s'imposent.

Dans le cas d'un service, on étudiera les effets de diverses caractéristiques telles que la compétence et la tenue vestimentaire du personnel, l'emplacement du point de service, les plages horaires, l'apparence des locaux, de l'ameublement et de l'équipement ainsi que la décoration. On définira les normes qui régiront la prestation du service. On veillera à la sélection et à la formation du personnel ainsi qu'à la vérification des équipements et des systèmes informatiques. On modifiera ou adaptera le service en fonction de l'information recueillie.

Le choix de la marque

Le bien ou le service est prêt à être testé sur le marché, ou presque. Il faut décider si l'on assigne une marque au produit. C'est là une décision importante, car la marque contribue à forger l'image du produit et de l'entreprise, et cela implique des coûts. Si la décision est positive, il faut choisir la forme que prendra la marque : un nom, un sigle, un symbole, ou une combinaison de ces possibilités. On doit également déterminer, selon le cas, s'il s'agit d'une extension de la gamme ou d'une extension de la marque. Cette décision aura évidemment de nombreuses incidences, entre autres sur le conditionnement. Il faudra alors, dans le cas d'une nouvelle marque, tester le concept de la marque avec l'aide de groupes de discussion, par exemple. Quand le choix de la marque est arrêté, l'entreprise est alors prête pour l'importante étape du test de marché du bien ou du service.

Le test de marché

Lorsque le développement du bien ou du service est terminé et que les décisions concernant la marque ont été prises, on lui fait passer le test de marché. Le produit est alors lancé sur le marché d'une manière contrôlée. On veut tester sa fonctionnalité et sa fiabilité dans un environnement plus réaliste, et vérifier le programme de marketing préliminaire. On mesurera, selon la nature du produit, la notoriété, le taux d'essai et le taux de réachat de celui-ci. L'un des tests de marché les plus couramment utilisés consiste à lancer le produit auprès d'un segment de marché donné ou dans une zone géographique déterminée, comme une ville. Par exemple, les villes de Sherbrooke, au Québec, de London, en Ontario, et de Calgary, en Alberta, servent souvent de villes tests. Un bon test de marché permet de préciser les estimations des ventes avant le lancement à grande échelle et de prétester divers programmes de marketing. D'abord et avant tout, c'est une façon de recueillir de l'information supplémentaire en vue de la décision finale : le test aide à déterminer si le produit est prêt à être lancé, si l'on doit retourner à l'étape précédente et réviser le produit ou le programme de marketing, ou si l'on doit abandonner le produit. Le test de marché peut, par contre, causer un problème en révélant à la concurrence l'arrivée du nouveau produit et lui permettre déjà de préparer sa contre-attaque.

En ce qui concerne les services, comme on peut facilement les imiter, l'étape du test de marché traditionnel est quelquefois omise. En effet, si le test de marché dure trop longtemps, une entreprise concurrente pourrait prendre connaissance du nouveau service, en mettre un semblable au point et l'offrir rapidement. Cette entreprise concurrente pourrait même lancer ce service sur le marché avant que la première entreprise ne lance le sien à grande échelle. Pour remédier à ce problème, deux stratégies sont possibles. La première consiste à lancer le service à une échelle réduite auprès des employés de l'entreprise. Autrement dit, on fait un test de marché, relativement confidentiel, auprès d'un marché cible bien informé. Par exemple, un nouveau compte d'épargne est testé par une banque auprès de ses employés. On mesure la satisfaction, on recueille les commentaires et on fait les ajustements nécessaires, puis on lance le service sur le marché. La seconde stratégie consiste à procéder au lancement à grande échelle et à mettre en place un système de veille raffiné qui permet de recueillir rapidement de l'information et d'apporter promptement des correctifs.

Le lancement du nouveau produit

Le lancement constitue la dernière étape du processus d'élaboration de nouveaux produits. Quand on en arrive là, le service de marketing dirige toutes les opérations. Il lui faut déterminer avec précision quel sera le marché cible et qui sera ciblé, quand aura lieu le lancement, où et comment[28]. Le mix de marketing (« quoi ») doit être finalisé, c'est-à-dire que l'on doit décider du circuit de distribution, du prix et du soutien communicationnel. Il faut définir précisément le marché cible idéal (« qui ») et le profil des clients les plus susceptibles d'acheter le produit. Le moment du lancement (« quand ») est une décision majeure. Lancer tôt un nouveau produit peut présenter à la fois des avantages et des inconvénients. Il y a souvent un avantage stratégique appréciable à être l'un des premiers à lancer un produit ; par contre, il faut que sa fiabilité et sa qualité soient excellentes, autrement la réaction du marché pourrait être très négative. On doit donc tenir compte en même temps du désir d'éliminer tous les problèmes avec le produit, des échéanciers préétablis et de la menace que font peser les concurrents. Une autre décision importante concerne la stratégie géographique (« où »). Faut-il commercialiser le produit à l'échelle nationale ou procéder à un déploiement progressif? Le choix dépend largement des ressources de l'entreprise. Enfin, il est nécessaire de préparer le plan d'action en vue de l'établissement et de la coordination des divers programmes de marketing se rapportant au lancement (« comment »).

9.9 La diffusion de nouveaux produits

La dernière composante de la gestion des nouveaux produits est leur diffusion sur le marché. Le processus de diffusion d'un nouveau produit suit immédiatement le lancement de celui-ci. Il s'enclenche lorsque les premiers clients adoptent le produit.

La probabilité de succès d'un nouveau produit augmente si les membres de la direction et les mercaticiens comprennent les processus d'adoption et de diffusion de l'innovation. On entend par « processus d'adoption » toutes les étapes que chaque personne franchit avant d'adopter une innovation, c'est-à-dire avant d'acheter un nouveau produit. Ces étapes sont au nombre de cinq.

1. **La prise de conscience.** Le client potentiel prend connaissance de l'innovation, apprend l'existence du nouveau produit, mais possède peu d'information sur celui-ci.

2. **L'intérêt.** Il s'intéresse suffisamment au produit pour rechercher de l'information à son sujet.

3. **L'évaluation.** Il pèse les avantages et les inconvénients du produit.

4. **L'essai.** Il fait l'essai du produit.

5. **L'adoption.** Il achète le produit ou en renouvelle l'achat.

Le mercaticien qui sait à quelle étape du processus d'adoption se trouve le marché ciblé peut adapter son mix de marketing de façon à inciter les clients, qu'ils soient des consommateurs ou des clients industriels ou institutionnels, à passer à l'étape de l'adoption. Lorsque les premières personnes achètent le produit, le processus de diffusion décrit par Everett M. Rodgers est enclenché (*voir la figure 9.8*). C'est par ce processus qu'une innovation se répand progressivement à l'intérieur d'un système social.

Certaines personnes accueillent favorablement l'innovation et l'adoptent rapidement, tandis que d'autres sont lentes à l'adopter ou même ne l'adoptent jamais. Selon Rodgers[29], il existe cinq catégories d'adopteurs, basées sur le temps mis à adopter l'innovation: les innovateurs, les adopteurs précoces, la majorité précoce, la majorité tardive et les retardataires. Les non-adopteurs ne sont pas inclus dans cette classification.

Les innovateurs, qui ne représentent que 2,5 % du marché, sont des gens qui ont l'esprit d'aventure, ou dans certains cas, qui cherchent à être différents. Ils peuvent même être des contestataires. Par rapport aux autres adopteurs, ils ont tendance à être plus jeunes, ou à être plus scolarisés et plus riches, à voyager davantage, à occuper un rang social plus élevé et à avoir un réseau social étendu. Ils sont plutôt portés à tenir compte des sources impersonnelles (revues, Internet) que des sources personnelles (famille, amis) dans leur recherche d'information. Ils sont prêts à prendre des risques.

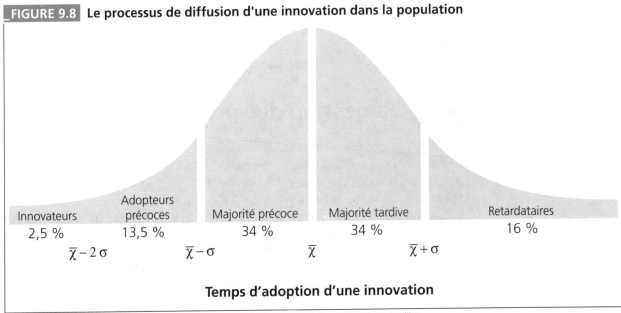

FIGURE 9.8 **Le processus de diffusion d'une innovation dans la population**

Innovateurs	Adopteurs précoces	Majorité précoce	Majorité tardive	Retardataires
2,5 %	13,5 %	34 %	34 %	16 %
$\overline{\chi} - 2\sigma$	$\overline{\chi} - \sigma$	$\overline{\chi}$	$\overline{\chi} + \sigma$	

Temps d'adoption d'une innovation

Source : Everett M. RODGERS, *Diffusion of Innovation*, New York, Free Press, 1962, p. 162 ; adaptation libre.

Le profil sociodémographique des adopteurs précoces (13,5 % du marché) est assez semblable à celui des innovateurs. Leur réseau social est surtout concentré dans des communautés proches. Ils sont généralement réceptifs à l'innovation. Ils adoptent de nouvelles idées relativement tôt, mais avec une certaine prudence. Ils sont influencés par les innovateurs. Ils agissent comme des leaders d'opinion dans leur communauté. Ils sont très influents dans les réseaux sociaux. Ils sont donc intéressants pour les mercaticiens, parce qu'ils peuvent influencer leur milieu et devenir des agents de changement lorsqu'ils adoptent un nouveau produit ou un nouveau service. Les adopteurs précoces peuvent exercer une grande influence sur la majorité précoce, composée des gens les plus réceptifs du marché de masse. La majorité précoce (34 % du marché) est formée de gens dont le profil sociodémographique est un peu plus élevé que l'ensemble de la population. Ces adopteurs prudents achètent de façon réfléchie et sont influencés par des sources d'information tant personnelles qu'impersonnelles.

La majorité tardive (34 %) et les retardataires (16 %) occupent la dernière portion du marché. La majorité tardive est composée de consommateurs qui ont un profil socioéconomique moins élevé, qui sont plutôt conservateurs ou méfiants. Leur information provient surtout des gens de leur entourage, souvent de la majorité précoce ; le bouche à oreille est donc un moyen de transmission de l'information fort important et efficace. Ils peuvent aussi avoir épousé les valeurs de la simplicité volontaire et résister à la surconsommation ou à l'innovation abusive. Les retardataires sont des individus circonspects qui se méfient des changements ou des innovations. Ces personnes sont souvent attachées à la tradition et ont un profil socioéconomique plutôt faible. Les mercaticiens, ordinairement, ne leur portent pas une grande attention, excepté pour les questions d'ordre social, comme l'alcool au volant ou la conduite dangereuse, où le marché cible est justement composé de gens qui sont réticents à changer leurs comportements.

Il est essentiel de bien connaître les processus d'adoption et de diffusion si l'on veut que les stratégies de lancement soient efficaces. C'était là la dernière composante de la gestion des nouveaux produits, un outil essentiel pour accroître de façon notable les chances de succès du nouveau produit.

_9.10 La gestion des produits actuels

Un nouveau produit vient s'ajouter au portefeuille des produits actuels d'une entreprise. Les produits sont les éléments fondamentaux de son offre. Chaque jour, le directeur du marketing gère un portefeuille de produits dont certains sont nouveaux et d'autres sont en circulation depuis plusieurs années. Ils sont à des phases différentes de leur cycle de vie. Le cycle de vie des produits est un concept important en marketing, car il permet de comprendre la dynamique stratégique du produit et le portefeuille des produits actuels d'une entreprise. Jusqu'à un certain point, le cycle de vie du produit est une représentation managériale du modèle sociologique de la diffusion de l'innovation, que l'on vient de voir.

Le concept de cycle de vie d'un produit peut s'appliquer à une classe de produits (par exemple, le téléviseur), à un type de produits (par exemple, le téléviseur HD) et à une marque précise (par exemple, Sony Bravia). Il représente les ventes et les profits du produit sur le marché. La durée du cycle de vie d'un produit peut être relativement courte pour un produit à la mode, comme un vêtement ou un disque compact, ou longue, comme un réfrigérateur ou un téléphone cellulaire de base.

9.10.1_Les phases du cycle de vie des produits

Le cycle de vie comporte quatre phases : l'introduction, la croissance, la maturité et le déclin, c'est-à-dire à partir du lancement du produit sur le marché jusqu'à son retrait du marché. La figure 9.9 montre les courbes des ventes et des profits propres aux différentes phases du cycle de vie d'un produit. À chacune des phases correspondent des caractéristiques, des objectifs et des stratégies de mix de marketing, permettant de tirer avantage des occasions d'affaires qui se présentent (*voir le tableau sous la figure 9.9*).

L'introduction
L'introduction commence au moment du lancement du produit, à la dernière étape du processus d'élaboration du nouveau produit. Le produit est acheté d'abord par les innovateurs, et les ventes démarrent lentement. Les profits sont négatifs : la production n'est pas encore efficace, les coûts unitaires sont élevés, les systèmes ne sont pas rodés, les coûts de promotion et de mise en marche de la distribution sont élevés. Le point mort n'est pas atteint. La concurrence est généralement limitée. Plus le produit est nouveau sur le marché, moins la concurrence sera vive. Les objectifs de marketing sont de donner de la notoriété au produit, de stimuler l'intérêt à son égard et d'en favoriser l'essai. On offre un produit de base à un prix qui peut être élevé (écrémage) ou bas (pénétration) selon la stratégie, la distribution est sélective et l'on mise sur la publicité pour amener le marché, surtout les innovateurs et les adopteurs précoces, à prendre conscience de l'existence du produit. La promotion encourage l'essai, selon le cas.

FIGURE 9.9 **Le cycle de vie des produits**

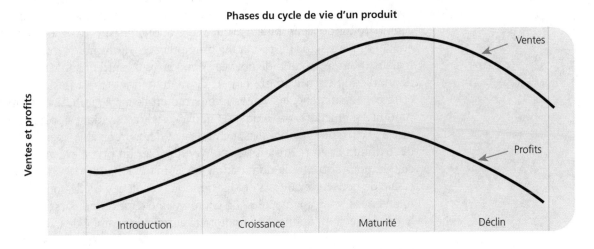

Phases du cycle de vie d'un produit

Caractéristiques	Introduction	Croissance	Maturité	Déclin
Ventes	Faibles	Croissantes	Maximales	Déclinantes
Coût unitaire	Élevé	Moyen	Faible	Faible
Profits	Négatifs	Croissants	Élevés	Déclinants
Clients	Innovateurs	Adopteurs précoces	Marché de masse	Retardataires
Concurrence	Limitée	Croissante	Stable	Déclinante

	Introduction	Croissance	Maturité	Déclin
Objectifs de marketing	Créer de la notoriété et favoriser l'essai du produit ou du service	Accroître la part de marché	Accroître la rentabilité en maintenant la part de marché	Réduire les dépenses et récolter les profits

Stratégies de mix de marketing	Introduction	Croissance	Maturité	Déclin
Produit	Produit de base	Garantie, service à la clientèle	Qualité et style des produits	Élagage
Prix	Pénétration ou écrémage	Domination par coûts ou par différenciation	Prix concurrentiel	Réduction de prix
Distribution	Sélection	Extension	Plus grande extension	Sélection
Publicité	Créer la notoriété chez les innovateurs puis parmi les adopteurs précoces et les vendeurs	Créer la notoriété et l'intérêt parmi les adopteurs précoces et commencer à informer le marché de masse	Mettre l'accent sur les différences et les avantages de la marque	Réduire pour retenir les clients les plus fidèles
Promotion	Utiliser une promotion énergique pour favoriser l'essai	Réduire pour profiter de la forte demande	Accroître pour encourager le changement de marque	Réduire au minimum

Sources : Chester R. WASSON, _Dynamic Competitive Strategy and Product Life Cycles,_ Austin, Austin Press, 1978 ; John A. WEBER, « Planning corporate growth with inverted product life cycles », _Long Range Planning_, octobre 1976, p. 12-29 ; Peter DOYLE, « The realities of the product life cycle », _Quarterly Review of Marketing_, été 1976, p. 1-6 ; adaptation libre.

La croissance

La deuxième phase du cycle de vie est la croissance. Les ventes et le taux de croissance des ventes augmentent, le seuil de rentabilité est atteint et les profits commencent à croître de façon plus marquée. Les adopteurs précoces achètent le produit, auquel s'intéresse peu à peu la majorité précoce. Ayant noté l'intérêt des consommateurs pour le produit, de nouveaux concurrents entrent sur le marché. L'objectif de marketing est d'accroître la part de marché, car, s'il est possible de maintenir cette part de marché, les ventes monteront en flèche à la phase de la maturité. Le produit est amélioré, on le dote de nouvelles caractéristiques, la garantie et le service à la clientèle sont bonifiés. Le prix peut demeurer stable, mais on peut décider de le diminuer en réduisant les coûts ou de fixer un prix élevé grâce à la différenciation pour accroître la domination sur le marché. La distribution est élargie, on essaie de nouveaux circuits de distribution. Les dépenses de communication sont maintenues, voire augmentées ; on cherche à inciter les adopteurs précoces à adopter le produit et à lui donner de la notoriété auprès du marché de masse.

La maturité

Les clients proviennent d'abord de la majorité précoce, puis de la majorité tardive. On atteint ainsi le marché de masse. Le point d'inflexion de la courbe des ventes indique que celles-ci augmentent toujours, mais que leur taux de croissance commence à diminuer. C'est là le début de la phase de maturité, phase qui dure assez longtemps et où se situe la majorité des produits offerts sur le marché. Après avoir augmenté pendant un certain temps, les ventes se stabilisent lorsqu'elles atteignent leur niveau maximal, puis elles commencent insensiblement à diminuer. Les profits sont normalement plutôt élevés au début de la phase de maturité, mais commencent à décliner avant que le sommet des ventes ne soit atteint. Car, même si les coûts unitaires sont relativement faibles, les pressions de la concurrence sont plus intenses et forcent l'entreprise à diminuer les prix, ce qui contribue ainsi à réduire la rentabilité. En pratique, l'ensemble des opérations de marketing dans les entreprises concerne les produits matures. Afin de contrecarrer ces tendances, les principaux objectifs de marketing sont de conserver la part de marché et de maintenir et même augmenter si possible la rentabilité. Pour ce faire, on mise sur la différenciation pour présenter des modèles haut de gamme dotés des plus récentes innovations technologiques ou de caractéristiques plus luxueuses. On cherche à créer de nouveaux avantages concurrentiels pérennes. On améliore la qualité et le style des produits, on s'attaque à de nouveaux marchés, on trouve de nouvelles utilisations pour les produits. Les prix diminuent et deviennent très concurrentiels. On utilise le maximum de circuits de distribution. La stratégie de communication met l'accent sur les avantages concurrentiels, on accorde beaucoup d'importance à la fidélité à la marque.

Le déclin

Lentement ou rapidement, les ventes du produit, du type de produits ou même de la classe de produits vont baisser. La diminution des ventes est inévitable pour plusieurs raisons : les besoins et les goûts changent, de même que les préoccupations du marché, les technologies évoluent et la concurrence nationale et mondiale s'accroît. Les profits sont à la baisse et peuvent devenir négatifs même si la concurrence diminue et que les coûts unitaires sont bas. L'objectif principal du marketing est de maximiser les profits en réduisant les dépenses. On élimine des produits, on réduit les prix. La distribution est sélective. Les dépenses de communication sont réduites à un niveau qui permet uniquement d'atteindre les objectifs fixés. On commence à penser à éliminer le produit ou l'on se résigne à le supprimer.

9.10.2_L'utilité du concept de cycle de vie

Le concept de cycle de vie est fort utile pour gérer les produits d'une entreprise. Tout d'abord, il aide à concevoir des stratégies de mix de marketing efficaces, stratégies qui varieront suivant les phases du cycle de vie. En outre, il permet de contrôler l'évolution de chacun des produits et de balancer le portefeuille des produits de l'entreprise. Une entreprise dont tous les produits seraient arrivés à la phase du déclin serait potentiellement en difficulté. Il est même probable qu'elle ne pourrait survivre, car, comme ses ressources financières seraient restreintes, elle ne pourrait lancer suffisamment de nouveaux produits pour compenser les effets négatifs des produits sur leur déclin. Idéalement, une entreprise devrait avoir des produits à chacune des phases du cycle de vie, et les profits tirés de la vente des produits à maturité devraient servir en partie à l'élaboration de nouveaux produits. La théorie du cycle de vie, même si elle est bien connue et généralement acceptée, n'est pas sans failles. En effet, elle ne permet pas toujours de suggérer les bonnes stratégies à définir. De plus, la durée de chaque phase n'est pas connue, la progression des profits et des ventes selon les phases varie d'un produit à un autre et elle peut encourager exagérément la volonté de créer de nouveaux produits, au point d'en venir à négliger la gestion de ceux qui existent déjà. Le cycle de vie demeure néanmoins un excellent outil d'analyse de gestion de portefeuille des produits existants, et il sensibilise le gestionnaire à la nécessité d'adapter ses stratégies aux différentes phases de ce cycle.

_Points saillants

_La stratégie de produit est l'élément de base de toute stratégie de marketing. Les définitions du terme « produit » sont nombreuses, mais il importe de retenir qu'un produit peut être un bien ou un service, ou même une idée. Par ailleurs, une hiérarchie des produits a été établie.

_On classe les produits selon leur durabilité et leur tangibilité, et l'on fait la distinction entre les produits de consommation et les produits industriels et organisationnels. Du point de vue de la durabilité et de la tangibilité, on distingue les biens durables, les biens non durables et les services. Les produits de consommation peuvent être d'achat courant, d'achat réfléchi, de spécialité ou non recherchés. On range dans la catégorie des produits industriels les matériaux et les composants, les biens d'équipement, les fournitures et les services.

_Les trois éléments essentiels à la gestion des produits sont la gestion de la marque, la gestion des nouveaux produits et la gestion des produits actuels. Une marque peut être un élément majeur de la stratégie de marketing d'un produit. Une marque forte est un actif pour une entreprise, c'est pourquoi le choix des bonnes stratégies de marque est crucial.

_La gestion des nouveaux produits est essentielle pour assurer la croissance et même la survie de l'entreprise. Pour accroître les probabilités de succès dans l'élaboration et la commercialisation des nouveaux produits, on applique un modèle de gestion comportant quatre composantes : le soutien organisationnel à la gestion des nouveaux produits, les caractéristiques de ces nouveaux produits, leur élaboration et leur diffusion.

_Le soutien organisationnel à la gestion des nouveaux produits comprend trois éléments : la vision de la direction envers l'innovation, le budget de recherche-développement et la structure organisationnelle. Les caractéristiques à considérer dans l'élaboration du produit sont : l'avantage concurrentiel relatif du produit, la compatibilité, la simplicité, la divisibilité, la communicabilité, le coût d'acquisition et l'approbation sociale. On peut ajouter à cela la réputation de l'entreprise, la qualité reconnue de la marque et le type de garantie ou de service après-vente.

_Le processus d'élaboration des nouveaux produits comprend neuf étapes : la recherche d'idées, l'analyse des idées, l'élaboration et le test du concept, l'élaboration de la stratégie préliminaire de marketing, l'analyse financière, le développement du produit, le choix de la marque, le test de marché et le lancement du nouveau produit. La dernière composante de la gestion des nouveaux produits est leur diffusion sur le marché. Le processus de diffusion compte cinq catégories d'adopteurs, basées sur le temps d'adoption : les innovateurs, les adopteurs précoces, la majorité précoce, la majorité tardive et les retardataires.

_Le cycle de vie d'un produit se définit comme les phases que traverse le produit une fois qu'il est sur le marché. Ce cycle comporte quatre phases : l'introduction, la croissance, la maturité et le déclin. À chacune de ces phases correspondent des caractéristiques, des objectifs et des stratégies de mix de marketing. Le cycle de vie est un outil pratique pour évaluer le portefeuille des produits d'une entreprise et pour déterminer s'il est nécessaire d'en élaborer de nouveaux. Il faut toutefois être conscient des lacunes de ce concept.

_Questions

_**1.** Que signifient les termes « bien non durable », « bien durable » et « services » ? Sur quelles stratégies le mercaticien devrait-il miser pour chacune de ces trois catégories de produits ?

_**2.** Définissez brièvement la nature et les caractéristiques des produits d'achat courant, des produits d'achat réfléchi, des produits de spécialité et des produits non recherchés. Donnez un exemple, dans chaque cas, pour un bien et pour un service.

_**3.** Vous devez expliquer à des ingénieurs les quatre catégories de produits industriels, à savoir : les matériaux et les composants, les biens d'équipement, les fournitures et les services. Que leur direz-vous ? Pour faciliter leur compréhension, donnez des exemples précis pour chacune des catégories.

_**4.** Quels sont les avantages et désavantages des quatre possibilités quant au nom pour une marque ?

_**5.** Pourquoi les entreprises voient-elles un intérêt à lancer de nouveaux produits et services ? À quels obstacles font-elles face ? Quelles sont les principales causes d'échec des nouveaux produits et services ? Que faut-il faire pour augmenter les chances de succès de ces derniers ?

6. Quelles sont les principales formes de structures organisationnelles pour gérer l'élaboration de nouveaux produits?

7. Quelles sont les étapes du processus d'élaboration d'un nouveau produit? En quoi ce processus diffère-t-il de la gestion d'un nouveau produit?

8. Quelles sont les cinq étapes du processus d'adoption? Quel rapport voyez-vous entre le processus d'adoption et le processus d'élaboration de nouveaux produits?

9. Expliquez la nature du processus de diffusion d'une innovation dans la population en vous référant aux cinq catégories d'adopteurs et à leurs caractéristiques.

10. Qu'est-ce que le cycle de vie d'un produit? Quelles sont les phases du cycle de vie ainsi que les caractéristiques propres à chacune?

ÉTUDE DE CAS
La Bavaria

La brasserie Molson, fondée en 1786 à Montréal, est la plus ancienne brasserie au Canada. En 1989, elle était la plus grande brasserie du pays et la cinquième dans le monde. Molson a fait l'acquisition de la marque Bavaria de la compagnie brésilienne Ambev pour 98 millions de dollars, en novembre 2000. Du même coup, elle acquérait les cinq brasseries d'Ambev et l'accès à son réseau de distribution. En lançant au Canada la bière Bavaria, Molson voulait apporter un « goût du Brésil » aux buveurs de bière canadiens. Ce produit a été choisi par un membre de la haute direction de l'entreprise, qui désirait rentabiliser l'investissement d'un milliard de dollars fait par Molson au Brésil, entre autres dans Cervejarias Kaiser de São Paulo.

Molson importait déjà les bières Corona et Heineken. La Corona était à l'époque une bière « exotique » fort prisée sur le marché. La décision de Molson de mettre sur le marché canadien une bière qui faisait concurrence à la Corona ne fut guère appréciée par son partenaire mexicain. En plus, la Bavaria fut boudée par le marché canadien, malgré une publicité « chaude » (une sirène plantureuse qui sortait de la mer en bikini et dont les gestes étaient dirigés par un homme qui manipulait une bouteille de Bavaria). En fait, la campagne publicitaire, étalée sur plusieurs années, a manqué de créativité et de cohérence. Le produit était mal positionné dans un segment où l'on retrouvait déjà la Corona de Molson et la Sol de Labatt. La Bavaria fut retirée du marché en 2006.

1. Molson a-t-elle appliqué convenablement le processus d'élaboration de nouveaux produits?

2. Quelle a été son erreur?

3. Qu'aurait-elle dû faire autrement?

4. Analysez la démarche de Molson en vous appuyant sur le concept de cycle de vie des produits, et dans l'optique des stratégies fondamentales de marketing et de mix de marketing.

_Notes

1. William D. PERREAULT *et al., Basic Marketing : A Global-Managerial Approach*, 12ᵉ édition canadienne, Toronto, Richard D. Irwin, 2007, p. 237.

2. Gary ARMSTRONG *et al., Marketing, An Introduction*, 2ᵉ édition canadienne, Toronto, Pearson Prentice Hall, 2007, p. 294.

3. Montrose S. SOMMERS *et al., Fundamentals of Marketing*, 8ᵉ édition canadienne, Toronto, McGraw-Hill Ryerson, 1998, p. 217.

4. Eric N. BERKOWITZ *et al., Le marketing*, 2ᵉ édition, Montréal, Chenelière/McGraw-Hill, 2007, p. 250.

5. Philip KOTLER, Pierre FILIATRAULT et Ronald E. TURNER, *Le management du marketing*, 2ᵉ édition, Boucherville, Gaëtan Morin Éditeur, 2000, p. 465.

6. Adapté de P. KOTLER, P. FILIATRAULT et R. E. TURNER, *op. cit.*, p. 466-467 ; Philip KOTLER *et al., Marketing Management*, 13ᵉ édition canadienne, Toronto, Pearson Canada, 2009, p. 354-355.

7. P. KOTLER *et al., op. cit.*, p. 348.

8. M. S. SOMMERS *et al., op. cit.*, p. 217-219 ; P. KOTLER, P. FILIATRAULT et R. E. TURNER, *op. cit.*, p. 467-468 ; P. KOTLER *et al., op. cit.*, p. 348.

9. E. N. BERKOWITZ *et al., op. cit.*, p. 250.

10. P. KOTLER, P. FILIATRAULT et R. E. TURNER, *op. cit.*, p. 469-470 ; P. KOTLER *et al., op. cit.*, p. 348-349.

11. M. S. SOMMERS *et al., op. cit.*, p. 222.

12. AMERICAN MARKETING ASSOCIATION, [En ligne], www.marketingpower.com ; traduction libre.

13. « Investir », *Les Affaires,* vol. LXXXII, nᵒ 19, 15 au 21 mai 2010, p. 45.

14. Adapté de P. KOTLER, P. FILIATRAULT et R. E. TURNER, *op. cit.*, p. 480-491 ; P. KOTLER *et al., op. cit.*, p. 262-266.

15. Pascale BRETON, « La crise frappe les pharmaceutiques », *La Presse,* 6 juillet 2009, p. A2.

16. DELOITTE et TOUCHE, *Vision in Manufacturing Study*, Deloitte Consulting et Keenan-Flager Business School, mars 1998 ; Arthur C. NEILSEN, *New Product Introduction-Successful Innovation : Fragile Boundary*, A. C. Neilsen Bases et Ernst and Young Global Client Consulting, juin 1999 ; P. KOTLER *et al., op. cit.*, p. 603.

17. E. N. BERKOWITZ *et al., op. cit.*, p. 259-262.

18. P. KOTLER *et al., op. cit.*, p. 603

19. Larry HUSTON et Nabil SAKKAB, « Connect and develop : inside Procter & Gamble's new model for innovation », *Harvard Business Review,* vol. 84, nᵒ 3, mars 2006, p. 58-66.

20. P. KOTLER, P. FILIATRAULT et R. E. TURNER, *op. cit.*, p. 360.

21. W. D. PERREAULT *et al., op. cit.*, p. 279-284.

22. M. S. SOMMERS *et al., op. cit.*, p. 226-229.

23. E. N. BERKOWITZ *et al., op. cit.*, p. 264.

24. P. KOTLER *et al., op. cit.*, p. 607.

25. *Le Nouveau Petit Robert de la langue française*, Paris, Dictionnaires Le Robert, 2010, p. 2121.

26. Eric VON HIPPEL, « Lead users : a source of novel product concepts », *Management Science,* juillet 1986, p. 791-805.

27. *Le Nouveau Petit Robert de la langue française, op. cit.*, p. 493.

28. P. KOTLER *et al., op. cit.*, p. 623-625.

29. Everett M. RODGERS, *Diffusion of Innovation*, New York, Free Press, 1962, p. 162.

La politique
de prix

Dans le processus de planification stratégique, la fixation du prix de vente final d'un bien ou d'un service est l'une des décisions les plus cruciales à prendre, tant dans la phase d'introduction sur le marché que dans les autres phases du cycle de vie. Cette variable du mix de marketing est critique dans la mesure où ses effets sont directs sur la profitabilité, la compétitivité, la part de marché, l'image, le positionnement – en un mot, sur le succès ou l'échec du produit ou du service en question. Un prix trop élevé aux yeux des consommateurs par rapport au prix des concurrents pour une offre analogue entraînera inéluctablement une fuite des clients. Par ailleurs, un prix jugé trop faible nuira à la profitabilité de l'entreprise et pourra, dans certains cas, amener les clients qui associent bas prix et mauvaise qualité à se tourner vers la concurrence. L'info-marketing 10.1 décrit le rôle du prix dans la stratégie marketing des voyagistes au Québec et ses effets sur leur position concurrentielle.

L'info-marketing 10.1 intègre un certain nombre de concepts que l'on examinera dans ce chapitre. On y étudiera notamment le concept de prix et son rôle dans la stratégie marketing de même que son effet sur la situation de l'entreprise dans son marché. Il y sera également question des principaux déterminants de la rentabilité financière, des mesures législatives en vue d'empêcher la concurrence déloyale, des choix stratégiques en matière de politique de prix, des méthodes de fixation des prix et des techniques de modulation.

▌10.1 Une définition du concept de prix

Avant de discuter de la fixation du prix, de ses objectifs et de ses stratégies, il est primordial de donner une définition précise et surtout adéquate de cette variable critique en gestion du marketing. Une façon simple et concise de définir le prix serait de dire, par exemple, qu'il s'agit de la somme d'argent payée par l'acheteur au vendeur en vue d'acquérir un produit ou un service donné. Cette définition ramène la notion de prix à ses aspects strictement pécuniaires, lesquels sont liés aux caractéristiques et aux attributs intrinsèques du produit. Or, on a vu au chapitre 2 que le prix total comprend non seulement le prix monétaire, mais aussi le prix non monétaire. En plus, selon l'analyse du comportement d'achat des consommateurs (*chapitre 4*) et des stratégies de différenciation et de positionnement des entreprises (*chapitre 8*), les attributs du produit font partie de l'évaluation que le consommateur fait de l'offre d'une entreprise et de ses concurrents. De surcroît, par souci de se différencier de la concurrence, les entreprises s'efforcent d'ajouter des éléments de service ou des attributs de nature symbolique à leur offre globale pour la faire paraître plus avantageuse que celle des concurrents.

Par exemple, une personne désire faire l'acquisition d'un téléviseur à écran plat de grand format. Elle a à choisir entre deux points de vente, l'un situé tout près de son domicile, l'autre à une distance assez éloignée. Même si le prix demandé au second point de vente est relativement plus bas, la personne pourrait décider de faire son achat dans le premier, car elle bénéficierait alors d'utilités supplémentaires telles que l'économie de temps liée au court déplacement ou l'économie d'argent résultant de l'absence de frais supplémentaires de transport et de livraison.

Comme le montre cet exemple, une définition du prix tenant uniquement compte des conditions pécuniaires liées aux caractéristiques intrinsèques du produit escamote d'autres éléments importants et parfois même déterminants du processus décisionnel d'achat. Ces éléments autres que les attributs tangibles

La politique de prix : l'arme par excellence des voyagistes

Au début de l'année 2006, on peut lire, dans plusieurs quotidiens québécois, que la guerre des prix dans le domaine du voyage de plaisance bat son plein et que cette pression concurrentielle par le prix s'accentuera avec l'arrivée sur le marché de nouveaux grands liquidateurs ontariens. La baisse des prix moyens au détail est tellement grave que plusieurs grossistes et même des détaillants (des agences de voyages) souhaitent une politique de prix fixe pour empêcher ce maraudage dont le seul bénéficiaire est le client. Par ailleurs, les gros perdants demeurent les voyagistes, qui voient leurs marges bénéficiaires fondre petit à petit. Selon les estimations des spécialistes, presque la moitié des 830 agences de voyages au Québec préfèrent voir baisser leurs commissions plutôt que d'offrir, par exemple, plus de services-conseils pour se différencier des concurrents et séduire une clientèle québécoise réputée sensible au prix des produits de loisir. Certaines agences ont même fait du prix bas leur principale image de marque et leur unique argument de vente. C'est le cas d'agences de voyages classiques comme Club Good Buy, Voyages à rabais ou Vacances Escompte. À ces agences s'ajoutent de nouveaux voyagistes actifs uniquement sur le Web tels que Go Travel Direct (www.gortraveldirect.com), Voyages en Direct (http://voyagesendirect.com) et Voyage Vasco (www.voyagevasco.com). Ces nouveaux voyagistes préfèrent supprimer complètement la commission des agents de voyages, ce qui contribue encore plus à la réduction des prix au détail. À titre d'exemple, dans la région d'Ottawa, et en l'espace de 4 années de fonctionnement, le grossiste Go Travel Direct a pu occuper à lui seul 40 % du marché des destinations soleil. En annonçant qu'il avait l'intention d'élargir ses opérations vers les régions de Montréal et de Québec, Go Travel Direct a fait réagir le leader du marché, le groupe Transat A.T., qui a immédiatement informé ses agents de voyages qu'il baisserait ses prix de façon substantielle en réduisant leurs commissions. En fait, même si la loi canadienne, que le Bureau de la concurrence du Canada est chargé d'appliquer, interdit aux entreprises de contrôler les prix de leurs intermédiaires, le groupe Transat tente, à travers une faille juridique, d'imposer une politique de prix à ses détaillants. Le principe légal de la relation « mandant-mandataire » pourrait alors permettre à un grossiste comme Transat A.T. d'imposer un prix de vente fixe à ses mandataires, c'est-à-dire aux agents de voyages, ce qui aurait un effet direct sur leur marge. Si une telle procédure s'avère légalement possible, les principaux voyagistes, surtout ceux qui font du prix bas leur outil de vente, ne pourront plus agir librement et se verront imposer une politique de prix raisonnable, sensiblement la même pour tous, ce qui changerait fondamentalement la donne.

Sources : André DÉSIRONT, « Le prix en baisse pour les vols nolisés, mais en hausse pour les vols réguliers », *La Presse,* 7 janvier 2006, cahier Vacances-Voyage, p. 3 ; André DÉSIRONT, « Guerre de prix dans le domaine du voyage ? », *La Presse,* 15 octobre 2005, cahier Vacances-Voyage, p. 17 ; adaptation libre.

du produit font, par ailleurs, partie intégrante du mix de marketing, et les gestionnaires utilisent souvent pour bonifier leur offre les attributs de services et les attributs symboliques du produit, la distribution efficace, la communication adaptée et le niveau de prix comme indicateurs de la qualité. Dans son processus décisionnel d'achat, le consommateur compare globalement la valeur perçue des différents marques et produits offerts avec les efforts pécuniaires ou autres qu'il doit fournir pour obtenir le bien ou le service. Le prix pourrait donc se définir comme l'ensemble des efforts pécuniaires ou autres que le consommateur est prêt à consentir pour acquérir dans une situation donnée la valeur attachée à un produit, à un service ou à une combinaison des deux [1].

Outre qu'elle fait entrer en ligne de compte les efforts autres que pécuniaires, cette dernière définition se distingue de la première par deux éléments essentiels. D'abord, la fixation du prix dépend d'autre chose que des considérations internes de coûts ou de profitabilité de l'entreprise ; elle est aussi fonction de ce que le consommateur est prêt à payer en échange de la satisfaction que le produit ou le service offert lui procure. Ensuite, le consommateur paie non pas le produit ou le service proprement dit, mais la valeur globale que ce dernier, tel qu'il est commercialisé, peut lui apporter [2]. Aussi, la valeur accordée à un produit nouveau, par exemple le dernier CD de musique pop, est différente de la valeur de ce même produit quelques années plus tard. Aussi, la valeur d'un appareil d'air conditionné pour un acheteur résidant dans un pays à climat tempéré n'est pas la même que pour un consommateur résidant dans un pays à climat tropical. Bien qu'il s'agisse du même produit, le prix demandé dans chaque situation d'achat différera, dans la mesure où les consommateurs n'auront pas la même perception de la valeur d'utilité du produit. La situation d'achat joue donc un rôle essentiel dans la fixation du prix, à tel point que parfois elle est plus importante que les caractéristiques intrinsèques du produit. C'est ce qui explique que certains consommateurs sont prêts à payer 7 $ pour une carte de vœux ou 300 $ pour un stylo Montblanc, bien que les coûts de production soient largement inférieurs au coût d'achat. La même raison fait que le consommateur accepte de payer au cinéma des prix élevés pour un jus de fruits, un sac de croustilles ou une crème glacée, même s'il sait que ces produits coûtent moins cher au supermarché. L'aspect économique et comptable des coûts n'explique pas à lui seul le niveau de prix d'un produit. Des aspects psychologiques jouent parfois un rôle déterminant ; on parle alors de valeur d'utilité, de valeur émotionnelle, de sensibilité au prix et de situation d'achat.

Cette définition du prix permet de mieux comprendre certaines situations d'achat complexes. Face à deux produits similaires, le consommateur peut être prêt à investir des ressources supplémentaires pour acquérir celui qui lui apporte la plus grande valeur. Ce supplément de valeur peut être constitué par un ensemble de services ou de caractéristiques extrinsèques tels que la courtoisie des vendeurs, la rapidité et l'efficacité du service après-vente, la réputation de la marque ou du point de vente, ou tout autre élément que les entreprises proposent à leurs clients pour se différencier de leurs concurrents directs.

10.1.1_L'importance stratégique du prix

Malgré l'importance de la politique de prix dans la réussite du mix de marketing des entreprises, les décisions qui la concernent sont souvent prises de manière intuitive. En effet, rares sont les entreprises qui mènent des recherches exhaustives au moment de fixer ou de modifier des prix, et plusieurs le font de manière simpliste en ajoutant une marge bénéficiaire standard à la somme des coûts de production et de commercialisation.

Plusieurs raisons expliquent cette façon de faire des responsables du marketing. D'abord, certains en sont restés à une manière d'agir qui était très courante avant les années 1990. Les gouvernements se chargeaient alors de contrôler les prix dans des secteurs stratégiques. En dépit de la déréglementation observée dans plusieurs secteurs économiques (les télécommunications, l'agroalimentaire, les services financiers, etc.) et de la libéralisation des prix qui en a résulté, certaines grandes entreprises ont mis beaucoup de temps à saisir l'importance stratégique de ces innovations. Ensuite, la croissance économique soutenue des années 1980 et la richesse qui s'en est suivie ont amené les consommateurs à reléguer le prix au second plan et à concentrer leur attention sur des éléments tels que la performance du produit, l'image de marque et la disponibilité. Enfin, contrairement aux autres éléments du mix de marketing que sont le produit, la distribution et surtout la communication, les décisions relatives aux prix étaient souvent négligées par les responsables du marketing parce qu'elles exigeaient moins d'effort, d'imagination et de créativité [3].

Au début des années 1990, certains changements dans l'environnement économique et concurrentiel ont conduit les entreprises, et plus particulièrement leurs responsables du marketing, à revoir leurs conceptions et leurs modes d'action en matière de politique de prix. Parmi ces changements il y a eu la diminution sensible du pouvoir d'achat des consommateurs, au Québec comme ailleurs dans le monde. L'évolution du taux de pauvreté au Québec (*voir la figure 10.1*) montre clairement un progrès soutenu de la situation économique des Québécois dans les années 1970 et 1980, suivi d'un affaiblissement entre 1990 et 1994, ensuite une amélioration considérable entre 1995 et 2002, suivie d'une certaine stabilité, sans amélioration notable depuis 2003. Notons que l'affaiblissement du début des années 1990 s'explique par la gravité de la crise économique de cette époque, par la mise en application du nouveau système de taxation à la consommation (taxe sur les produits et services et taxe de vente du Québec) et par la récession économique au pays. La situation économique stagnante depuis 2002 s'explique surtout par le contexte international difficile à cause des effets néfastes du 11 septembre 2001, la guerre du Golfe en 2003, la hausse considérable du prix du pétrole et les autres problèmes dont les effets directs sur les finances des Québécois se sont fait sentir.

_FIGURE 10.1 L'évolution du taux de pauvreté des familles et des personnes seules au Québec

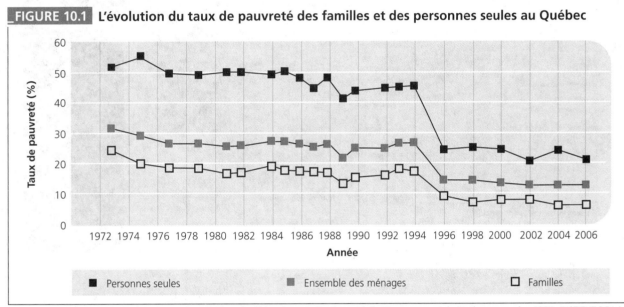

Sources : MINISTÈRE DU REVENU, *La pauvreté au Québec : bref historique et situation actuelle,* Gouvernement du Québec, novembre 1994 ; INSTITUT DE LA STATISTIQUE DU QUÉBEC, [En ligne], www.stat.gouv.qc.ca (Page consultée le 5 mai 2010)

Par ailleurs, le début des années 1990 a été marqué par la déréglementation dans plusieurs secteurs et par la prolifération de marques peu différenciées à cause de technologies de plus en plus standardisées, ce qui a entraîné une intensification de la concurrence par le prix. À titre d'exemple, le démantèlement du monopole de Bell Canada et l'entrée en scène de concurrents comme Sprint, Rogers ou AT&T, conjugués à la multiplication des marques de distributeurs dans le commerce de détail, ont eu un effet sur les prix des services téléphoniques à l'avantage des clients. À cela se sont ajoutées l'évolution rapide des nouvelles technologies de l'information et de la communication (NTIC) (ordinateurs, Internet, codes à barres, etc.) et leur utilisation par les entreprises comme outils de commercialisation des produits et services (sites Web, commerces électroniques, publicité en ligne, etc.) et par les consommateurs comme outils de recherche d'information et même comme support d'achat. En pratique, les NTIC ont rendu plus faciles la comparaison des diverses possibilités et la recherche de l'offre la moins chère. Cet aspect sera exposé en détail au chapitre 13, qui porte sur le commerce électronique. L'exemple d'achat de billets d'avion sur Internet présenté à la figure 10.2 (*voir p. 330*) illustre cette nouvelle manière de faire.

_FIGURE 10.2 L'achat de billets d'avion sur Internet

Source : EXPEDIA, [En ligne], www.expedia.ca (Page consultée le 31 mai 2010)

Ces changements d'ordre économique et concurrentiel ont rendu les entreprises plus conscientes de l'importance stratégique du prix et de son rôle déterminant dans leur succès. Pour certaines d'entre elles, la politique de bas prix constitue le principal axe de différenciation et sur elle repose une bonne partie de leur image. C'est le cas dans le domaine de l'alimentation au Québec avec les chaînes de magasins Maxi et Maxi & Cie, dont le slogan est « Le panier le moins cher », ou encore dans le domaine du transport aérien avec la plus jeune compagnie canadienne, CanJet. Par ses effets directs sur la demande, sur la profitabilité de l'activité commerciale, sur l'image même du produit et sur la position concurrentielle de l'entreprise, le prix est devenu un élément d'importance à considérer dans la planification des activités marketing [4].

10.1.2_L'importance du prix dans le mix de marketing

En pratique, la politique de prix pour un bien ou un service doit découler principalement de l'analyse de l'environnement interne et externe de l'entreprise, en particulier de l'examen des forces et des faiblesses ainsi que des occasions d'affaires et des menaces. En outre, cette politique ne doit pas être décidée à part, mais doit plutôt s'harmoniser avec les autres volets du mix de marketing. Seule une bonne combinaison de choix relatifs au produit, au prix, à la communication et à la distribution est capable de procurer un avantage compétitif à l'entreprise, c'est-à-dire une valeur supérieure à ses concurrents immédiats.

Premièrement, la relation entre le prix et le produit s'avère la plus évidente. La fabrication d'un bien ou l'offre d'un service requièrent l'utilisation de matières premières, d'équipements, de ressources humaines ou de capitaux, entraînant des coûts que l'entreprise doit couvrir pour rentabiliser ses investissements. Cependant la relation entre le prix et le produit va plus loin que la couverture des coûts de production, car le prix doit correspondre aussi à la satisfaction que le consommateur prévoit tirer d'un bien ou d'un service, à un moment donné. Comme on l'a vu dans le chapitre 4, au cours du processus d'achat, le consommateur évalue les différents produits ou services qui lui sont offerts en vue de déterminer si chacun d'eux lui apporte une valeur en rapport avec le prix affiché. Par ailleurs, la relation entre le produit et le prix est essentielle dans le cas des produits ou services complexes dont les consommateurs ont tendance à évaluer la qualité en se basant sur le niveau de prix proposé.

Deuxièmement, il faut tenir compte de la relation entre la politique de prix et les choix en matière de communication. Ainsi, le niveau de prix d'un produit positionné comme haut de gamme doit être élevé afin que son image soit renforcée dans l'esprit du consommateur, même si son coût de production est très bas. C'est la stratégie adoptée par des fabricants de produits de luxe comme Armani, Rolex, Montblanc ou Omega, qui vendent leurs produits à des prix tellement élevés que seul un petit segment du marché est capable de les acheter. Parallèlement, pour les produits très coûteux, les entreprises préfèrent souvent utiliser des moyens de communication comme les publicités d'image plutôt que de recourir aux promotions des ventes telles que les soldes et les bonus. On dit d'ailleurs souvent que les promotions des ventes tuent l'image de marque d'un produit. De plus, comme la communication servant à la commercialisation de ses produits entraîne des coûts, il est normal que l'entreprise en tienne compte au moment de fixer le niveau de prix. Un produit haut de gamme destiné à un segment précis du marché nécessite souvent des dépenses très élevées en communication, notamment en publicités créatives faisant appel à des stars très appréciées de leurs publics cibles pour diffusion dans des magazines spécialisés. Ces dépenses, inévitablement, se répercutent sur le prix du produit lui-même, car l'entreprise veut s'assurer une marge et un profit raisonnables.

Troisièmement, il existe forcément une relation entre le prix et la distribution. Un produit destiné à un segment fortuné du marché et vendu à un prix élevé doit idéalement être commercialisé par une distribution plus exclusive (*chapitre 11*) que pour les produits économiques. De plus, les distributeurs ont souvent tendance à mettre un produit à prix élevé très en évidence sur les rayons, car celui-ci leur apporte une marge supérieure à celle des produits concurrents. Cela reste vrai tant que le produit procure au consommateur une valeur de satisfaction équivalente au prix demandé et tant qu'il est soutenu par une stratégie de communication qui démontre sa supériorité. Autrement, le prix élevé devient un frein à l'achat et limite le roulement du produit, ce qui diminue alors son attrait pour les distributeurs. Enfin, dans un circuit de distribution, le nombre d'intermédiaires et les marges de profit qu'ils appliquent entraînent souvent une escalade du prix de vente final qui risque d'affecter la compétitivité du produit sur le marché.

_10.2 Les principaux déterminants de la politique de prix

Dans le processus décisionnel lié à la politique de prix, l'entreprise doit prendre en considération cinq facteurs : les objectifs généraux de la stratégie marketing, la structure des coûts, les politiques de prix des concurrents et des distributeurs, l'élasticité de la demande par rapport au prix et le cadre réglementaire (*voir la figure 10.3*). Les deux premiers facteurs se rapportent à la situation interne de l'entreprise, alors que les autres dépendent de l'environnement externe. Les pages suivantes présentent successivement chacun de ces facteurs afin de voir dans quelle mesure ils influent sur les décisions relatives au prix.

_FIGURE 10.3__ Les déterminants de la politique de prix

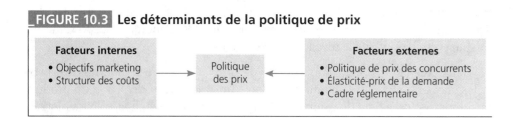

10.2.1_Les objectifs généraux de la stratégie marketing

À l'instar des trois autres composantes du mix de marketing, le prix doit contribuer à la réalisation des objectifs de la planification stratégique du marketing. Par ailleurs, la question du profit n'est pas la seule qui doit être prise en compte dans l'élaboration des objectifs. Il est nécessaire d'énoncer, par exemple, des objectifs de vente et de part de marché, d'image et de gamme.

Les objectifs de rentabilité et de profit

Les objectifs de rentabilité et de profit peuvent varier au sein d'une même entreprise selon la situation du marché et les délais fixés pour leur réalisation. Une entreprise peut avoir un objectif de profit à court terme différent de l'objectif à moyen ou à long terme. L'objectif peut être alors de réaliser un profit maximum, un profit minimum, un profit satisfaisant ou un profit raisonnable. Ce dernier objectif est celui que l'on s'assigne le plus souvent dans la planification stratégique en marketing.

L'objectif de profit maximum consiste à toucher les revenus les plus élevés possible. Il apparaît de prime abord comme le plus souhaitable pour l'entreprise mais, dans la pratique, il est difficile à réaliser. Hormis les lancements de nouveaux produits dans des situations quasi monopolistiques, où la demande excède largement l'offre, cet objectif demeure hors d'atteinte et non durable. Dans ce genre de situation, le prix fixé est souvent disproportionné par rapport aux coûts unitaires, ce qui risque d'attirer de nouveaux concurrents impatients de saisir des occasions de profit ou de faire fuir les consommateurs qui jugeront les prix excessifs. Cependant, l'objectif de profit maximum peut être atteint à long terme par l'obtention de parts de marché importantes et de marges supérieures sur des produits complémentaires. L'info-marketing 10.2 illustre la stratégie adoptée par Sony, l'un des grands intervenants dans le marché des consoles de jeu, pour le lancement de sa PS3 Slim à la fin de l'année 2009. La compagnie a alors choisi, dans sa stratégie, de renoncer à des revenus immédiats afin de retrouver la place de leader qu'elle a perdue au profit de ses deux concurrents immédiats, Microsoft et Nintendo, avec leurs consoles respectives de la même génération que la PS3, en l'occurrence la Xbox 360 et la Wii.

INFO MARKETING 10.2

La baisse du prix n'est certainement pas étrangère au succès de la PS3 Slim de Sony

Pour reprendre sa position de leader incontesté du marché des consoles de salon, perdue au profit de Nintendo et sa Wii, le géant japonais Sony a lancé en 2009 une nouvelle version de la PlayStation 3, la PS3 Slim, dotée de plus d'options et d'avantages que la version précédente, mais à un prix très compétitif. L'objectif stratégique adopté par Sony dans la phase de lancement de cette nouvelle console était de faire mousser au maximum les ventes en profitant de la période favorable des fêtes de Noël. En offrant la PS3 Slim à un prix très bas, Sony a choisi de renoncer à des profits immédiats qu'elle aurait pu réaliser grâce à la console, pour miser plutôt sur les jeux vidéo qu'elle allait vendre ensuite en exclusivité. Cette stratégie contraste complètement avec celle adoptée en 2000 pour le lancement de la PlayStation 2. En effet, à

ce moment-là, profitant d'une concurrence quasi absente et d'un produit techniquement très avancé, Sony avait préféré lancer sa console de jeu avec une stratégie d'écrémage, en adoptant une politique de prix très élevé associée à une distribution sélective. Le principal objectif avait été de générer en un temps record des profits considérables en plus de diffuser une image forte sur le marché.

Après le lancement de la PS3 Slim de Sony, la réaction de son concurrent direct ne s'est pas fait attendre. Microsoft a ramené au même moment le prix de sa Xbox 360 au même niveau. La réaction de Nintendo est à prévoir, d'autant plus que les ventes de la Wii commencent à s'essouffler quatre années après le succès flamboyant qui a accompagné son lancement un peu partout dans le monde.

Source : Jérôme MARIN, « Les ventes de PlayStation 3 multipliées par dix en France », *La Tribune,* 7 septembre 2009, [En ligne], www.latribune.fr (Page consultée le 5 mai 2010); adaptation libre.

En général, l'entreprise se fixe un objectif de profit minimum quand ses contraintes internes ou les pressions de la concurrence sont telles qu'elle est obligée de lutter pour sa survie. Le prix est alors à son plus bas niveau, jusqu'à sacrifier la marge de profit. L'entreprise préfère réaliser un profit minimum plus ou moins assuré plutôt qu'un profit élevé difficile à atteindre, autrement elle s'exposerait à d'inextricables difficultés financières ou risquerait même la faillite. Par exemple, dans le domaine pétrolier au Canada, les marges de profit entre 2001 et 2003 étaient minimes, variant de 2 %, selon les affirmations de compagnies comme Petro-Canada et Shell, à 4 % selon les estimations des organismes spécialisés. La structure de prix d'un litre d'essence au Québec se décompose comme suit : taxes (44 %), coûts du brut (37 %), coûts de raffinage et de marketing (17 %), bénéfice moyen (2 %) [5]. Avec une telle marge, il est difficile pour les compagnies pétrolières de se différencier par les prix ou de mener des guerres de prix, ce qui nuirait à toute l'industrie. Néanmoins, il faut préciser que l'augmentation des coûts d'exploitation dans le domaine pétrolier et la recherche d'économies d'échelle par la concentration du raffinage ont poussé la plupart des compagnies pétrolières au Québec à hausser graduellement leurs marges de profit qui, en 2010, dans certaines régions comme Sherbrooke ou Québec, dépassaient les 10 %, soit environ 10 ¢ le litre au détail.

L'objectif de profit satisfaisant, sans doute le plus flexible, s'adapte mieux aux contraintes et aux imprévus auxquels l'entreprise peut faire face. Il consiste à fixer un intervalle à l'intérieur duquel le profit peut varier selon les contraintes internes de l'entreprise et les conditions concurrentielles du marché et, en même temps, à veiller à maintenir l'équilibre financier nécessaire à la prospérité de l'entreprise. Le prix peut dans ce cas être celui que l'entreprise juge bon de demander au moment précis de la vente, de façon à obtenir un profit compris dans l'intervalle déterminé. Cette manière de faire est très intéressante dans le cas des stratégies de marketing personnalisé et elle est largement appliquée, entre autres, dans l'industrie du transport aérien et de l'hôtellerie. Elle nécessite cependant, d'une part, un échange de données en temps réel afin que le prix de vente corresponde bien aux conditions du marché et, d'autre part, un suivi continu afin d'éviter tout dérapage.

Par ailleurs, pour fixer leur objectif de profit, de nombreuses firmes se basent sur le rendement du capital investi que les actionnaires et le marché financier jugent raisonnable. Ce profit est alors réparti entre les différents produits de l'entreprise selon les conditions de marché. Ainsi, on attend d'un produit qui a l'avantage d'être chef de file qu'il génère plus de profit qu'un produit évoluant sur un marché hautement concurrentiel. La notion de profit a ceci d'intéressant qu'elle tient compte des contraintes particulières des produits et des marchés et qu'elle fournit une norme permettant de comparer les performances des différents produits. Cependant, il est nécessaire de tenir compte des conditions de plus en plus changeantes des marchés et de s'assigner des objectifs qui puissent s'ajuster facilement aux changements survenant dans l'environnement.

Les objectifs de volume de ventes

La politique de prix de certaines entreprises est parfois dictée par le souci d'atteindre un chiffre d'affaires précis, exprimé soit en volume de ventes, soit en part de marché. Toutefois, de tels objectifs peuvent parfois aller à l'encontre d'autres objectifs de profit, notamment celui du profit maximum. En effet, l'une des stratégies de volume consiste à adopter une politique de bas prix qui garantit une part de marché appréciable mais qui, en revanche, dégage une marge faible, donc une rentabilité limitée. Dans le cas de cette stratégie, il est nécessaire que l'entreprise établisse ses priorités en matière d'objectifs. Elle peut, de ce fait, décider que son objectif à court terme est d'amener une large clientèle à adopter son produit et de favoriser en conséquence les objectifs de volume. Elle pourrait alors gêner la concurrence en adoptant un prix bas qui attire de nouveaux consommateurs. Par la suite, en appliquant une stratégie de fidélisation, elle pourra modifier sa politique de prix et persuader ses clients que leur satisfaction sera garantie s'ils acceptent de payer un prix plus élevé. Elle abandonnera alors l'objectif de volume au profit d'un objectif de maximisation de profit. C'est la stratégie de prix adoptée par certaines marques de distributeurs de produits d'épicerie, comme le Choix du Président et Nos Compliments, qui ont commencé par séduire les consommateurs avec une politique de bas prix et qui se sont taillé ainsi des parts de marché appréciables. Après que les consommateurs eurent essayé les produits et qu'ils eurent été convaincus de leur qualité, ces marques de distributeurs ont augmenté progressivement leurs prix et, aujourd'hui, les produits en question sont présentés comme offrant le meilleur rapport qualité-prix du marché plutôt que le prix le plus bas. Il est important ici de retenir qu'il existe deux types d'objectifs de volume : les objectifs de part de marché et ceux de maximisation des ventes.

Une compagnie peut se fixer comme principal objectif marketing le maintien ou l'augmentation de sa part de marché. Cet objectif est surtout visé par des entreprises qui évoluent dans des marchés en forte croissance et qui cherchent à élargir leur clientèle de façon à pouvoir amortir les coûts de recherche et développement, de production et de commercialisation de leurs produits et services. Il peut être aussi adopté par certaines entreprises qui sont présentes sur des marchés au stade de maturité et dont le seul moyen d'augmenter leur part de marché consiste à accroître leur volume d'affaires par client. Des prix inférieurs à ceux de la concurrence peuvent amener une augmentation de la part de marché, donc un accroissement du profit à terme. L'objectif de maintien ou d'augmentation de la part de marché peut être intéressant dans la mesure où il oblige les responsables du marketing à tenir compte des actions de la concurrence au moment de fixer les prix. Cependant, les firmes qui adoptent cet objectif et cette stratégie de prix doivent prêter une attention particulière à l'élasticité-prix de la demande, aux réactions des concurrents ainsi qu'au contrôle des organismes gouvernementaux. En effet, une demande non fluctuante, une réaction d'alignement de la concurrence ou des mesures antidumping appliquées par le gouvernement empêcheraient toute augmentation de la part de marché et réduiraient les marges de l'activité commerciale. Surtout lorsque la demande est non fluctuante, l'entreprise doit se rappeler que les escomptes accordés aux distributeurs permettent, plus que les baisses de prix, d'accroître ou de maintenir la part de marché. Par exemple, le géant américain de l'informatique Intel a procédé en 2009 à une réduction considérable du prix de ses microprocesseurs, qui est passé à moins de 200 $ alors qu'ils se vendaient jusque-là entre 1000 $ et 3000 $. Cette décision radicale avait pour but de barrer la route à son rival direct montant, AMD (Advanced Micro Devices), qui avait réussi à gruger trois points de part de marché durant les quatre derniers mois de 2008. Dans un marché où les ventes d'ordinateurs sont en chute libre, et celles des mini-PC avec microprocesseurs bon marché ou encore celles des solutions de mobilité comme les consoles portables ou les téléphones intelligents sont en hausse, la stratégie radicale de réduction de prix adoptée par Intel doit être contrôlée de très près.

D'autres entreprises se donnent pour objectif marketing la hausse des ventes réalisées sur une période donnée. À la différence de l'objectif de maintien ou d'augmentation de la part de marché, cet objectif est déterminé sans égard au taux de croissance des ventes des produits concurrents. Il peut s'expliquer par la volonté de renforcer l'acceptation d'une nouvelle offre par le marché, d'accroître rapidement les ventes en vue d'améliorer l'amortissement des coûts fixes ou de décourager des concurrents potentiels d'entrer sur le marché. La maximisation des ventes est dans ce cas choisie de préférence à la maximisation des profits, car les responsables de l'entreprise estiment qu'un volume de ventes plus élevé est plus important et, à terme, plus bénéfique qu'un profit élevé. Par contre, les responsables de l'entreprise peuvent rater la cible si leur course à l'augmentation des ventes entraîne une escalade des coûts qui dépasse celle des revenus. Cela s'observe notamment dans les secteurs où l'on croit pouvoir faire des économies d'échelle, mais qu'en réalité les coûts moyens s'accroissent de façon exponentielle en même temps que le volume de ventes ou de production, et ce, en raison d'un processus de production inadapté, ou encore, d'une augmentation des nouveaux coûts de commercialisation liés à des grands volumes, tels que ceux qu'entraînent la gestion des réclamations et les services après-vente personnalisés.

Les objectifs d'image

Le prix, comme les trois autres composantes du mix de marketing, contribue au positionnement du produit dans l'esprit du consommateur. Ainsi, pour des produits positionnés comme haut de gamme, un prix élevé est nécessaire pour fabriquer, maintenir et renforcer une image de prestige dans l'esprit du consommateur. Les fabricants des stylos Montblanc, des lunettes Gucci ou des montres Omega suivent une politique de prix très élevé pour entretenir une image exclusive et différenciée auprès de leur clientèle cible. Lorsque, à la fin des années 1980, la marque de vêtements Tommy Hilfiger est apparue sur le marché nord-américain, elle a adopté une politique de prix extrêmement élevés afin de construire autour de la marque une image distinguée et de l'associer aux marques de vêtements haut de gamme déjà connues des consommateurs de l'époque. Pour leur part, les produits destinés à des marchés de masse doivent s'appuyer sur une image de popularité et de prix abordables. Les marques de distributeurs qui ont envahi le secteur de l'alimentation ou les produits génériques dans l'industrie pharmaceutique correspondent à ce type de produits.

Les objectifs de gamme

Les objectifs de gamme consistent à fixer le prix d'un produit de manière à soutenir la vente des autres produits de l'entreprise. Ils peuvent être atteints de différentes façons. Premièrement, un distributeur peut offrir des articles en vedette appelés « produits d'appel » (ou d'appât) qui sont vendus à bas prix, en vue d'attirer les clients et de leur vendre par la même occasion d'autres produits ayant des marges plus élevées. C'est le mode d'action adopté par des bannières de détail telles que les supermarchés Maxi ou IGA, qui proposent constamment certains produits à des prix très bas afin d'attirer les clients et de les amener à se procurer d'autres produits offrant une meilleure marge (*voir la figure 10.4*).

_FIGURE 10.4 **L'offre de produits d'appel**

Source : IGA, [En ligne], www.iga.net (Page consultée le 31 mai 2010)

Deuxièmement, on peut miser sur les produits dits « à élasticité croisée », c'est-à-dire dont les ventes sont mutuellement influencées par les prix de chacun : le prix d'un produit a une influence non seulement sur les ventes de ce produit, mais aussi sur celles des autres produits de substitution de la gamme. Par exemple, une entreprise qui commercialise trois produits destinés respectivement aux segments haut, moyen et bas de gamme doit veiller à maintenir une différence sensible de prix entre les trois catégories de produits. Autrement, une baisse notable du prix du produit destiné au segment haut de gamme pourrait avoir pour effet d'augmenter les ventes de ce produit, ce qui se ferait au détriment des autres, lesquels se vendraient moins, entraînant un phénomène de cannibalisation. Cette stratégie s'observe parfois dans le domaine de l'immobilier, où l'on vend à la fois des condominiums, des maisons jumelées et des maisons indépendantes. Les promoteurs immobiliers adoptent alors une politique de prix intégré, selon laquelle le prix moyen de chaque type d'habitation est fonction de ceux des deux autres, ce qui permet de bien différencier les maisons indépendantes.

Troisièmement, on peut utiliser les produits dits « complémentaires ». Dans ce cas, une baisse du prix de vente d'un produit peut avoir un effet positif sur les ventes des autres produits connexes de la même entreprise. C'est ainsi que les fabricants d'imprimantes vendent leurs appareils généralement à bas prix et avec de faibles marges, mais s'assurent de bons profits grâce, notamment, à la vente de cartouches d'encre dont les prix sont relativement élevés. Du côté des consoles de jeu, Nintendo fait la même chose avec sa console de base, la Wii, qu'elle commercialise à un prix relativement bas, mais se rattrape avec la vente des accessoires comme Wii Fit Plus, Wii Music, Wii Play ou Wii Sports Resort.

10.2.2_La structure des coûts

La structure des coûts est un élément important à considérer au moment de déterminer des prix. Pour fixer convenablement le prix d'un produit, le responsable du marketing doit non seulement tenir compte de ce que le consommateur est prêt à payer, mais aussi connaître parfaitement la structure des coûts de son entreprise. Il ne suffit pas d'avoir une comptabilité analytique qui donne une bonne estimation du prix de revient et indique les montants de chaque poste de coûts, il faut aussi et surtout être renseigné sur l'origine de ces coûts, être à l'affût des changements qui peuvent survenir lorsqu'il y a variation des prix des matières premières et déterminer les incidences de ces variations sur la rentabilité de l'entreprise.

La typologie des coûts

Le domaine de l'économie a été le premier à donner une bonne définition du coût de production. On y établit plusieurs distinctions : coûts fixes/coûts variables, coûts totaux/coûts moyens/coûts marginaux, coûts directs/coûts indirects. Dans son analyse de la structure des coûts, un gestionnaire se doit d'employer à bon escient ces différents concepts [6].

Les coûts fixes et les coûts variables

En général, les coûts liés à l'amortissement des machines, aux charges salariales du personnel permanent, aux loyers et à l'amortissement des immeubles sont qualifiés de coûts fixes, dans la mesure où ils sont indépendants du volume de ventes de l'entreprise. Ces coûts restent constants à court terme mais, avec l'augmentation du volume des ventes à long terme, ils peuvent s'accroître à cause des nouveaux investissements à faire dans l'équipement ou de la nécessité de recruter du personnel permanent supplémentaire. Comme le montre la figure 10.5 (*voir p. 338*), l'augmentation des coûts fixes en fonction du volume de ventes se fait par paliers. Les salaires et les commissions des représentants commerciaux, les achats des matières premières et les dépenses de télécommunication sont, quant à eux, considérés comme des coûts variables, car ils fluctuent en fonction des quantités produites (coûts variables de production) ou vendues (coûts variables totaux) et ils peuvent être éliminés par un arrêt des activités de vente ou de production. Il est à noter que l'évolution des coûts variables totaux peut être linéaire (taux de croissance proportionnel à la quantité), curvilinéaire (taux de croissance régressif) ou exponentielle (taux de croissance progressif).

FIGURE 10.5 **L'évolution des coûts fixes et des coûts variables**

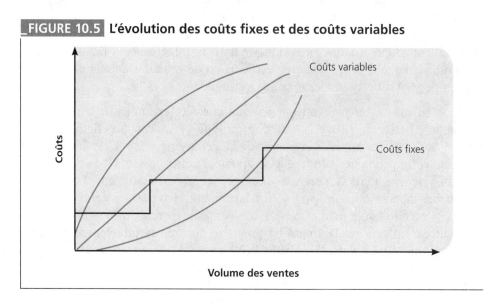

Les coûts totaux, les coûts moyens et les coûts marginaux

Les coûts totaux correspondent à la somme des coûts fixes et des coûts variables pour une quantité produite (coût total de production) ou vendue. Les coûts moyens s'obtiennent en divisant les coûts totaux par le nombre d'unités produites (on parle dans ce cas de coût total moyen de production) ou vendues (coût total moyen). Dans le calcul des coûts moyens, on peut aussi faire la distinction entre le coût fixe moyen, qui correspond au total des coûts fixes divisé par le nombre d'unités produites, et le coût variable moyen, qui correspond à la somme des coûts variables divisée par le nombre d'unités produites (coûts variables de production) ou vendues (coûts variables totaux). Enfin, le coût marginal est le supplément de coût variable que subirait l'entreprise à la suite de la vente d'une unité supplémentaire de son produit. Ce coût marginal varie selon le niveau de production. Il peut être décroissant, ce qui indique à l'entreprise qu'il est nécessaire d'augmenter la production (on parle souvent de zone de productivité croissante), ou croissant, ce qui correspond à la zone normale de production où une entreprise doit aligner le niveau de sa production par rapport à ses recettes marginales. La figure 10.6 montre l'évolution du coût total moyen, du coût variable moyen et du coût marginal en fonction de la quantité produite.

Les coûts directs et les coûts indirects

Les coûts directs sont uniquement imputables au produit. Sont considérés comme directs les coûts des matières premières, les coûts de communication et de publicité liés directement au produit, les coûts des machines servant exclusivement à la production, et ainsi de suite. Les coûts indirects concernent plusieurs

produits de l'entreprise. Leur partage est alors effectué à l'aide de clés de répartition. Les coûts des équipements partagés, les coûts des publicités institutionnelles
et les coûts d'administration de l'entreprise constituent des exemples de coûts
indirects. Les coûts directs comme les coûts indirects peuvent être fixes, c'est-
à-dire invariables quelle que soit la quantité fabriquée, ou variables.

FIGURE 10.6 **L'évolution des coûts unitaires**

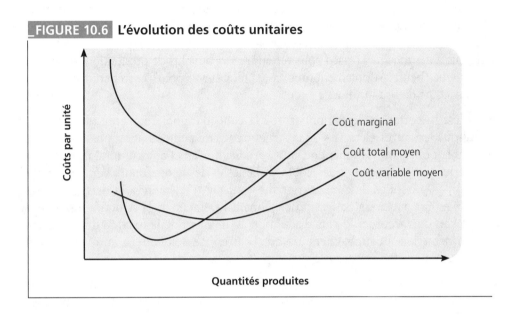

Le tableau 10.1 donne un exemple de calcul des coûts fixes/coûts variables, des
coûts totaux/coûts moyens et des coûts directs/coûts indirects.

TABLEAU 10.1 **Le calcul du coût total et du coût moyen unitaire**

Nombre d'unités produites (1)	200 000
Coûts fixes directs (2)	180 000 $
Coûts fixes indirects imputés au produit (3)	40 000 $
Coûts variables directs (4)	80 000 $
Coûts variables indirects imputés au produit (5)	20 000 $
Coûts fixes (2 + 3)	220 000 $
Coûts variables (4 + 5)	100 000 $
Coûts directs (2 + 4)	260 000 $
Coûts indirects (3 + 5)	60 000 $
Coûts totaux du produit (6) = (2 + 3 + 4 + 5)	**320 000 $**
Coût moyen unitaire (7) = (6/1)	**1,60 $**

La relation entre les coûts et le volume de ventes

L'un des éléments importants à prendre en considération concernant la structure
des coûts est la relation entre cette dernière et le volume de ventes. Comme le
montre la figure 10.6, les différentes composantes de la structure des coûts ont
tendance à baisser d'abord et à croître ensuite lorsque le volume de production

augmente. Cela est principalement dû au fait que l'augmentation des coûts variables proportionnellement aux quantités produites et à la stabilité à court terme des coûts fixes entraînent un accroissement des coûts totaux d'une manière moins proportionnelle au volume de production, donc une baisse du coût total moyen.

Par la suite, aux différents niveaux de la production, ces éléments augmentent du fait de la hausse du volume de production. Cette hausse est caractéristique d'une entreprise qui atteint ou dépasse sa capacité optimale de production et peut être due à des mesures prises pour répondre à ce surplus de production (nécessité de faire des heures supplémentaires, coûts plus élevés pour l'entretien des équipements, coûts de sous-traitance, etc.).

Il est important de mentionner que le coût marginal augmente plus rapidement que les autres éléments de la structure. Cette augmentation plus rapide est liée au fait que, contrairement au coût variable moyen et au coût total moyen, qui résultent d'une répartition des coûts variables et des coûts totaux sur l'ensemble des unités produites, le coût marginal est affecté totalement à la dernière unité produite. Le coût marginal est probablement l'élément de la structure des coûts auquel on doit accorder le plus d'attention au moment de la fixation des prix, car il représente le coût supplémentaire que l'entreprise doit couvrir en réalisant des ventes et en produisant des revenus supplémentaires.

La variation des coûts unitaires en fonction du volume de production, schématisée à la figure 10.6 (*voir p. 339*), concerne le court terme et exceptionnellement le moyen terme. En effet, à long terme, les coûts unitaires moyens ont généralement tendance à baisser avec l'accroissement considérable du volume de ventes, donc de production.

Cette baisse est due à un phénomène communément appelé « courbe d'expérience » ou « courbe d'apprentissage », mis en évidence par le Boston Consulting Group au cours des années 1970. Ce phénomène, illustré à la figure 10.7, consiste dans le fait que le coût moyen optimal de fabrication d'un produit diminue à long terme au fur et à mesure que l'entreprise acquiert de l'expérience, améliore son processus de production, développe les compétences de ses employés et accroît son pouvoir de négociation vis-à-vis de ses fournisseurs.

FIGURE 10.7 **L'évolution du coût unitaire moyen à court et à long terme**

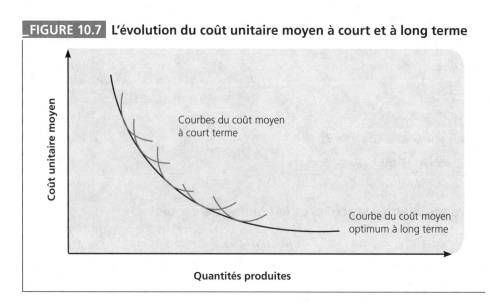

Il faut noter que le coût moyen optimal est le coût moyen minimum à court terme. On parle souvent d'économies d'échelle. Toutefois, il importe de savoir que ce phénomène s'observe surtout dans des secteurs d'activité tels que la téléphonie fixe, l'énergie ou le transport de marchandises, dans lesquels les investissements en infrastructure sont très élevés et le passage d'un niveau de production à un autre permet souvent de réduire le coût moyen optimal.

La courbe d'expérience est importante dans la mesure où elle permet de prévoir la fixation des prix à long terme ainsi que les décisions relatives à la politique de prix à court et à moyen terme. Ainsi, une entreprise qui prend en considération l'évolution de ses coûts à long terme pourrait décider de fixer un prix plus bas au moment du lancement du produit afin de créer une demande importante, d'obtenir des parts de marché élevées et de réaliser de plus gros profits à la suite de la baisse des coûts à long terme. À titre d'exemple, dans l'industrie aéronautique, le lancement d'un nouveau modèle d'avion exige d'énormes investissements tant en recherche et développement que dans la production proprement dite, et l'amortissement doit se faire à très long terme. D'autant plus que le cycle de vie des avions est estimé en moyenne à 40 ans. Dans le cas de l'avion A380 du consortium européen Airbus, les coûts en recherche et développement se sont élevés à eux seuls à 40 milliards de dollars américains. En plus, Airbus a dû se baser sur l'expérience acquise et sur l'évaluation de la complexité du processus de production pour prédire l'évolution des coûts de fabrication de cet appareil tout au long de son cycle de vie (approximativement jusqu'en 2050). Ces prévisions ont eu une influence majeure sur la fixation du prix de vente du nouvel appareil au moment de son lancement, sur le nombre d'unités à vendre afin d'atteindre le seuil de rentabilité et, par conséquent, sur l'échec ou la réussite du projet. Car un prix trop élevé allait pouvoir affecter les ventes au moment de la phase de lancement et un prix trop faible aurait pu entraîner, pour l'entreprise, des pertes irréparables. Airbus devait donc fixer un prix suffisamment bas pour encourager les compagnies aériennes à adopter le nouvel appareil. Ce prix devait également lui permettre de récupérer ses investissements et de réaliser le profit escompté dans un temps déterminé.

10.2.3_La politique de prix des concurrents et des intermédiaires de la distribution

Pour établir sa politique de prix, en plus des objectifs généraux de sa stratégie marketing et de sa structure de coûts, l'entreprise doit impérativement prendre en considération les concurrents et les intervenants dans le circuit de distribution.

Il importe de tenir compte de la concurrence au moment de fixer un prix. Aucune entreprise ne peut se dispenser de le faire, même dans le cas d'une protection légale, par exemple contre une situation monopolistique ou pour une innovation technologique (brevet). Dans ce dernier cas, la concurrence directe est absente, mais non pas la concurrence indirecte des produits de substitution (par exemple, prendre l'autocar ou le train plutôt que l'avion pour faire le trajet Montréal-Toronto) ni la concurrence transversale d'un produit qui ne répond pas au même besoin mais qui est plus facilement accessible (par exemple, une sortie au cinéma au lieu d'un dîner au restaurant). Dans tous les cas, les clients potentiels de l'entreprise établissent des comparaisons entre les valeurs d'utilité apportées par les différentes offres concurrentes et leurs prix respectifs, et ces comparaisons jouent généralement un rôle déterminant dans le processus de décision du consommateur.

L'entreprise doit, par conséquent, surveiller constamment les prix des concurrents à l'aide de relevés dans les magasins, d'études auprès des clients, d'analyses des offres de prix des concurrents dans le cas des marchés industriels et publics, et ainsi de suite. Elle doit également suivre et prédire leur évolution dans le temps par des études des coûts des concurrents, des examens de l'évolution de leurs politiques de prix, et ainsi de suite. L'exemple de Sony avec la mise en marché de ses consoles de jeu est révélateur en ce sens (*voir l'info-marketing 10.2, p. 333*).

Sur un autre plan, les entreprises commercialisent souvent leurs produits en passant par les intermédiaires de la distribution, comme les grossistes, les agents et les détaillants. Le prix payé par le consommateur sur le marché risque d'être très différent de celui pratiqué par l'entreprise à la sortie du produit de ses usines, et cette différence s'explique par l'intervention des intermédiaires qui se chargent de l'acheminement des produits de l'entreprise vers les consommateurs. À leur tour, ces intermédiaires essaieront de couvrir leurs frais et d'obtenir une certaine marge de profit. Aussi, les entreprises doivent-elles contrôler les différents aspects de la distribution afin de s'assurer de leur efficacité et d'éviter que ce service qui, théoriquement, doit soutenir le produit ne le fasse plutôt échouer.

La figure 10.8 donne un exemple d'escalade de prix liée à l'intervention des intermédiaires dans la distribution.

_FIGURE 10.8 La fixation du prix dans le circuit de distribution**

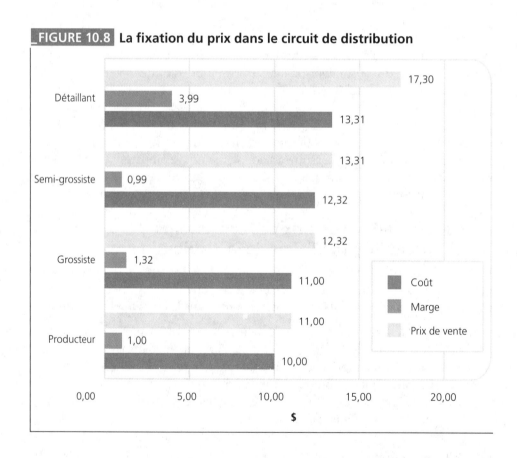

Dans cet exemple, le produit coûte 10 $ à l'entreprise, laquelle applique une marge de 10 % et le vend donc 11 $ au grossiste. Ce dernier applique à son tour une marge de 12 %, et le prix de vente au semi-grossiste s'élève à 12,32 $. Le semi-grossiste applique alors une marge de 8 %, et vend le produit 13,31 $ au détaillant qui, à son tour, l'offre au consommateur final au prix de 17,30 $, après avoir prélevé une marge de 30 %. Le prix de vente final a presque doublé par rapport au prix de revient. Une entreprise ne peut ignorer une telle escalade, car le consommateur final base son jugement sur ce qu'il observe sur le marché et non sur ce que l'entreprise est capable de faire à l'intérieur de son usine.

Si l'entreprise parvient à passer par-dessus l'un des intermédiaires, par exemple le grossiste, ou à convaincre ses intermédiaires de réduire chacun leurs marges de 3 %, elle pourrait alors obtenir pour son produit un prix de vente final plus compétitif que celui de son rival.

En somme, l'entreprise doit absolument prévoir la succession de marges qui viendront s'ajouter au prix qu'elle aura fixé initialement. La prévision de ces marges est généralement à la portée de l'entreprise car, dans la plupart des cas, la concurrence que les distributeurs d'un même secteur se livrent entre eux les amène à établir des marges standardisées.

10.2.4_L'élasticité de la demande par rapport au prix

Au moment d'établir sa stratégie de prix, l'entreprise doit tenir compte de son environnement interne, lié aux objectifs stratégiques et à la structure de coûts, et de son environnement externe, constitué des concurrents, des intermédiaires de la distribution et des consommateurs. On examinera ce dernier élément avec la notion d'élasticité-prix de la demande. Ce qui suit reviendra sur la notion d'élasticité qui a été introduite au chapitre 6, dans l'analyse de la demande, puis décrira la façon de l'utiliser dans la détermination du prix.

L'élasticité-prix de la demande est un concept économique qui a rapport à l'effet du taux de variation du prix d'un produit sur le taux de variation des quantités demandées. L'élasticité-prix est communément définie comme le pourcentage de changement dans le nombre d'unités d'un produit vendues à la suite d'un changement du prix de 1 %.

L'élasticité se calcule selon la formule suivante :

$$\frac{\text{Taux de variation des quantités vendues en \%}}{\text{Taux de variation du prix de vente en \%}} = \frac{\Delta Q/Q}{\Delta P/P}$$

L'élasticité-prix de la demande pour un produit peut être qualifiée de positive (supérieure à 0), négative (inférieure à -1) ou quasi nulle (comprise entre -1 et 0). Une élasticité-prix positive est exceptionnelle, car elle signifie qu'une augmentation du prix entraîne une augmentation de la demande. Cette situation est caractéristique des produits de luxe, mais elle peut aussi s'expliquer, dans certains cas, par la tendance des distributeurs à favoriser les produits ayant les prix les plus élevés et permettant d'obtenir les plus grandes marges [7]. Par ailleurs, une élasticité-prix de la demande proche de 0 signifie qu'un changement positif ou négatif dans le prix n'entraîne pas nécessairement un changement des quantités demandées qui soit plus prononcé que celui du prix ; on parle alors de demande inélastique au prix. Ce cas se rapporte à la demande pour certains produits indispensables, comme l'électricité, le lait ou le pain, ou des produits dont l'achat est remboursé au consommateur, tels que les médicaments vendus sur ordonnance. Enfin, une élasticité-prix très négative implique qu'une augmentation du prix entraîne une forte diminution des quantités achetées, et vice versa ; on parle alors de demande élastique au prix. Cette dernière s'applique à la majorité des produits de consommation : voyages, cinéma, repas au restaurant, téléphone, produits électroniques, et le reste. La figure 10.9 illustre par un graphique la demande élastique et la demande inélastique au prix.

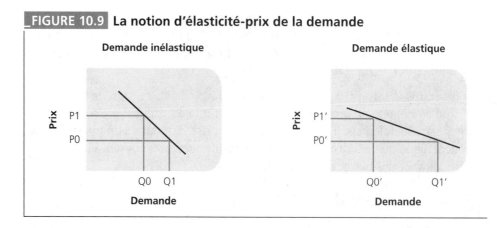

_FIGURE 10.9 La notion d'élasticité-prix de la demande

En se basant sur le concept d'élasticité, une entreprise peut mesurer l'effet d'un changement de prix sur les quantités demandées. Ainsi, une élasticité de -2 indique qu'une augmentation du prix de 1 % entraînerait une diminution de 2 % des quantités demandées. Il est cependant indispensable de faire la distinction entre l'élasticité-prix de la demande pour un produit et l'élasticité-prix de la demande pour une marque. Dans l'exemple précédent, l'effet pourrait être différent si l'entreprise était la seule sur le marché à augmenter son prix et si la demande globale, par ailleurs, ne changeait pas. L'entreprise s'exposerait alors à perdre, au profit de ses concurrents, certains clients sensibles au prix.

En pratique, il existe plusieurs méthodes pour mesurer l'élasticité-prix de la demande et la courbe de la demande pour un produit ou une marque. Ces méthodes ont été présentées dans le chapitre 6, portant sur l'analyse du marché et de la concurrence. À titre de rappel, on peut mentionner l'analyse des réponses aux changements de prix dans le passé, les tests de marché, les audits de magasins, l'estimation des spécialistes, l'expérimentation, la réaction des vendeurs et des équipes de vente, les questionnaires et les estimations de la valeur apportée par le produit.

Pour le gestionnaire de marketing, plusieurs facteurs pouvant influencer l'élasticité-prix de la demande doivent alors être pris en considération au moment de la politique de fixation des prix [8]. Ces facteurs seront explicités dans ce qui suit.

■ **L'effet des produits de substitution.** Plus le prix d'un produit est élevé par rapport à des produits considérés comme des substituts, plus le consommateur est sensible au prix. L'élément clé de cet effet est la perception. En effet, la perception des produits de substitution disponibles varie largement selon les consommateurs et les situations d'achat. Il en va donc de même pour la sensibilité au prix.

■ **L'effet de la valeur unique ou effet de la différenciation.** Étant donné l'importance de la perception des produits de substitution, l'entreprise peut s'attacher à différencier son offre pour réduire l'effet de cette perception, donc réduire la sensibilité des consommateurs au prix. Le but est d'offrir un produit que le consommateur sera prêt à acheter malgré l'existence d'offres moins coûteuses.

- **L'effet des coûts de transfert.** Les acheteurs sont moins sensibles au prix lorsque les frais pécuniaires et non pécuniaires de changement de fournisseur sont élevés. En effet, l'utilisation de certains produits nécessite des investissements particuliers. Lorsque le changement de fournisseur oblige l'acheteur à renouveler ces investissements, celui-ci devient moins sensible aux offres concurrentes même si elles sont moins coûteuses.

- **L'effet des difficultés de comparaison.** Plus il est difficile de comparer les prix des produits de substitution, moins les consommateurs sont sensibles au prix.

- **L'effet du rapport qualité-prix.** Plus les acheteurs attachent au prix une notion d'exclusivité du produit ou du service, moins ils sont sensibles au prix.

- **L'effet de l'importance de la dépense.** Plus la dépense est élevée par rapport au revenu, plus l'acheteur est sensible au prix.

- **Les effets du bénéfice final.** Ils se basent sur le fait que le produit acheté n'est souvent qu'un parmi ceux que le consommateur se procure pour le même bénéfice. Il est possible de distinguer deux effets du bénéfice final : la demande dérivée et la part dans le coût total. Suivant le premier, plus l'acheteur est sensible au coût du bénéfice final, plus il est sensible aux prix des différents produits qui permettent de l'obtenir. Suivant le second, plus le coût du produit se rapproche du coût total du bénéfice final, plus l'acheteur est sensible au prix de ce produit.

- **L'effet des coûts partagés.** Moins la portion du coût total du produit qui doit être payée par le consommateur est grande, moins ce dernier est sensible au prix du produit.

- **L'effet de la justesse du prix.** Les consommateurs sont plus sensibles aux prix qu'ils considèrent comme excédant la limite du raisonnable. Ils peuvent juger qu'un prix est démesuré dans plusieurs cas. D'abord, lorsque le prix est plus élevé que les prix notés ailleurs pour le même produit. Ensuite, lorsque le prix est plus élevé que les prix payés pour des produits du même genre ou dans des situations d'achat similaires. Enfin, lorsque le produit qui augmente de prix est jugé essentiel et non pas accessoire.

- **L'effet de stockage.** Les consommateurs sont moins sensibles aux prix des produits qu'ils ne peuvent stocker.

10.2.5_Le cadre réglementaire et les politiques de prix

En raison de l'effet direct du prix sur l'accessibilité des produits et par souci d'empêcher toute concurrence déloyale ou tout comportement monopolistique de la part des entreprises d'un même secteur ou de secteurs connexes, les gouvernements se sont toujours intéressés de très près au processus de fixation de prix et se sont attachés à le réglementer. Au Canada, la *Loi sur la concurrence,* présentée au chapitre 3, définit un certain nombre de règles concernant les politiques de prix des entreprises. Les règles les plus importantes se rapportent aux ententes illicites, aux prix discriminatoires, à la vente à perte et aux prix de revente.

La règle portant sur les ententes illicites interdit les accords préalables entre des producteurs indépendants sur des niveaux de prix à appliquer dans le marché. Les entreprises canadiennes sont totalement libres de fixer les prix de leurs produits (à l'exception des industries réglementées). Toutefois des compétiteurs ne peuvent décider d'un commun accord d'augmenter, de baisser ou de stabiliser les prix. Les ententes illicites sont particulièrement tentantes pour les entreprises lorsque les produits offerts sur le marché sont très similaires et que le succès de la stratégie marketing dépend principalement du facteur prix. Les entreprises qui concluent ce genre d'entente sont passibles d'amendes très lourdes, et leurs dirigeants risquent la prison. À titre d'exemple, en 2002, la firme japonaise Nintendo et 7 de ses distributeurs en Europe ont été condamnés par la Commission européenne à une amende de plus de 250 millions de dollars pour abus de position concurrentielle, collusion et entente illicite pour maintenir des prix artificiellement élevés.

La loi interdit aussi aux entreprises de favoriser certains clients aux dépens d'autres en pratiquant des prix discriminatoires, plus bas ou plus élevés. Ainsi, une entreprise doit accorder les mêmes escomptes à tous ses clients si les quantités achetées sont les mêmes. Les escomptes doivent donc être proportionnels aux quantités achetées. La loi vient ainsi protéger l'achat en grande quantité.

La vente à perte est également prohibée par la loi. Certaines entreprises peuvent être tentées de fixer des prix très bas afin d'éliminer des concurrents vulnérables sur le plan financier ou de dissuader d'éventuels concurrents d'entrer sur le marché. Une fois qu'elles ont le champ libre, elles augmentent leurs prix afin de récupérer leurs pertes. Cette politique de prix est désignée sous le nom de « dumping ». Par exemple, en 2001, Air Canada a été obligé d'expliquer devant le Tribunal de la concurrence sa politique de prix jugée abusive par ses principaux concurrents, les transporteurs à bas tarifs WestJet et CanJet. On a reproché à Air Canada de demander des prix inférieurs à ses coûts (carburant, repas et rémunération du personnel), ce qui nuisait gravement à ses concurrents sur le marché canadien.

Enfin, la loi interdit à toute entreprise ou à tout fournisseur d'imposer un prix de revente obligatoire aux détaillants qui commercialisent ses produits. Les détaillants doivent être libres de fixer le prix qu'ils estiment être juste, et l'entreprise ne doit pas exercer sur eux des pressions directes ou indirectes pour qu'ils ajustent leurs prix selon ses convenances. Par ailleurs, l'entreprise peut toujours suggérer un prix de revente qualifié de « prix de détail suggéré ». Cependant, le détaillant reste totalement libre de suivre la suggestion ou de la modifier pour l'adapter à ses propres objectifs.

Sur un autre plan, et pour certains produits sensibles, la législation peut intervenir directement pour homologuer une politique de prix et l'imposer aux entreprises d'un secteur déterminé. C'est le cas au Québec pour des produits comme le lait, l'électricité ou les médicaments. Souvent, un organisme sera formellement créé par l'intermédiaire d'un texte de loi pour gérer la politique de prix dans les secteurs réglementés, notamment en ce qui a trait à la fixation de prix minimums, maximums ou justes, ou encore pour autoriser les augmentations ou les diminutions de prix. On peut citer à titre d'exemples la Régie des marchés agricoles et alimentaires du Québec, la Régie de l'énergie et le Conseil d'examen du prix des médicaments brevetés (un organisme parapublic). La principale raison invoquée pour réglementer les prix dans un secteur donné est d'assurer une mise en marché ordonnée d'un produit sensible, en conciliant les intérêts souvent divergents des consommateurs, des producteurs et des intermédiaires. Il est évident que l'intervention directe de l'État par une homologation des prix prive les entreprises de leur politique de prix, laquelle représente pour elles un outil stratégique de taille. Ces entreprises font souvent des représentations auprès des organismes intéressés pour obtenir plus de flexibilité. Ainsi, Hydro-Québec fait valoir qu'il lui est nécessaire d'entretenir ses réseaux pour demander une augmentation des tarifs de l'électricité.

Des entreprises pharmaceutiques comme Merck Frosst Canada soutiennent auprès du gouvernement que les pratiques de bas prix sur les médicaments peuvent nuire à leur rentabilité, donc à leurs dépenses en recherche et développement.

_10.3 Les choix stratégiques en matière de politique de prix

Les choix stratégiques liés à la politique de prix tournent autour de deux dimensions majeures : l'uniformité-flexibilité et la phase dans le cycle de vie du produit. Ces dimensions orientent souvent la politique de prix que l'entreprise doit adopter dans le cadre de son plan d'action marketing.

10.3.1_La politique de prix uniforme ou flexible

La première décision relative au prix que doit faire la direction marketing concerne le choix de sa politique générale de prix. Il lui faut choisir entre une politique de prix uniforme et une politique de prix flexible [9].

La politique de prix uniforme

La politique de prix uniforme est sûrement la plus utilisée par les entreprises du secteur des produits de grande consommation, comme les produits sanitaires et les produits alimentaires. En effet, il s'agit d'offrir le produit ou le service à un prix unique pour les clients l'achetant dans les mêmes conditions et aux mêmes quantités. Des entreprises comme Coca-Cola, Procter & Gamble, Colgate-Palmolive, Gillette ou Cascades appliquent souvent une politique de prix uniforme sur le marché québécois, quel que soit le lieu de distribution de leurs marques. Toutefois, ces entreprises s'organisent pour avoir des activités de promotion de ventes selon les régions, les types de distributeurs et les saisons.

Plusieurs raisons expliquent la prédominance de cette orientation stratégique, notamment :

- la facilité d'application d'une politique de prix uniforme ;
- la conformité de cette politique aux objectifs comptables qui consistent à se concentrer sur la structure des coûts au moment de la fixation des prix de vente, pour arriver à ce qu'il y ait un prix unique pour une structure de coûts unique ;
- la conformité de cette politique aux objectifs économiques de maximisation des profits à court terme.

Cependant, cette recherche de la facilité peut conduire les entreprises à adopter des politiques de prix rigides, faciles à imiter, donc à concurrencer par une guerre de prix, et les exposer à perdre une partie de leurs clients potentiels ou des occasions d'affaires.

La figure 10.10 (*voir p. 348*) a pour but d'expliquer les pertes d'occasions d'affaires que peut subir une entreprise pratiquant une politique de prix unique [10]. Dans cet exemple, l'entreprise commercialise un produit dont le nombre maximum de clients potentiels est 100. Le coût total de son produit est de 20 $, et le profit maximum, si l'on se base sur la courbe de la demande et sur le coût total du produit, est de 60 $.

Comme le montre la figure, en ayant un prix de vente unique de 60 $, l'entreprise peut perdre sur deux plans, illustrés par les triangles A et B :

- le triangle A correspond au profit qu'aurait pu réaliser l'entreprise en vendant son produit aux clients qui sont prêts à payer un prix variant entre 20 $ et 60 $;
- le triangle B correspond à la perte d'occasions d'affaires attribuable au fait que l'entreprise vend son produit 60 $ à des clients qui sont prêts à payer jusqu'à 100 $.

FIGURE 10.10 **Les pertes d'occasions d'affaires dues à une politique de prix uniforme**

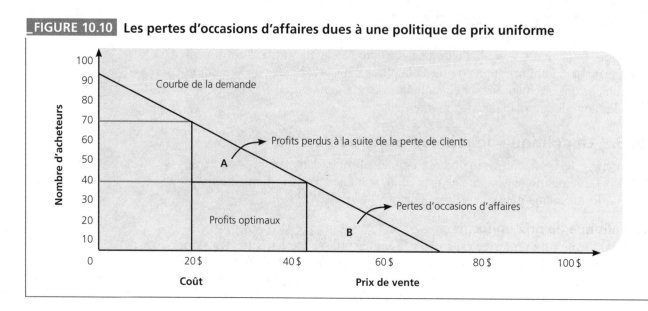

Pour montrer les inconvénients de la stratégie uniforme et les contraintes qu'elle exerce, on peut citer l'exemple de Toyota Canada qui, en janvier 2001, a exigé de tous ses concessionnaires de toutes les provinces canadiennes, à l'exception de l'Ontario et de la région de l'Outaouais, qu'ils suivent une politique de prix uniforme sans marge de négociation. Une enquête anonyme réalisée par l'Association pour la protection des automobilistes (APA) a révélé que cette politique avait fait monter les prix des véhicules de Toyota au Québec de 200 $ à 1500 $ comparativement aux prix des mêmes véhicules vendus en Ontario, ce qui a fait perdre à Toyota des clients qui auraient pu se procurer ses véhicules si le prix avait été plus bas [11].

La politique de prix flexible

La politique de prix flexible consiste, quant à elle, à offrir le même produit pour les mêmes quantités, à différents prix et pour différents groupes de consommateurs. Elle se justifie par le fait que plusieurs segments de consommateurs peuvent différer sur la sensibilité au prix, le revenu, l'intensité de la concurrence, et ainsi de suite. L'entreprise doit alors fixer pour chacun de ces segments des prix différents qui lui permettent de maximiser globalement son profit tout en évitant de perdre des occasions d'affaires. Les prix flexibles sont généralement fixés à la suite d'études de marché réalisées auprès de segments cibles et de négociations avec des distributeurs. Ces prix peuvent donc varier en fonction des prix déjà fixés par les concurrents sur les mêmes marchés, selon la sensibilité des consommateurs au prix ou selon l'habileté en affaires des négociateurs de l'entreprise et leur pouvoir vis-à-vis des distributeurs.

Cependant, la politique des prix flexibles présente des inconvénients sérieux [12]. D'abord, le client est insatisfait lorsqu'il découvre qu'il a payé plus que d'autres clients pour un même mix de marketing. Ensuite, lorsque les acheteurs découvrent qu'ils ont intérêt à négocier les prix, les durées des négociations augmentent, ce qui conduit l'entreprise à augmenter les prix de vente et à réduire les profits. En plus, les vendeurs peuvent parfois réduire les prix sans motif véritable, pour accélérer le processus de vente, ce qui peut avoir pour effet de réduire considérablement les profits de l'entreprise. Enfin, l'entreprise ou ses partenaires dans la distribution peuvent être réprimandés par une disposition de la loi qui empêche les traitements différenciés des intermédiaires.

À la différence de la politique de prix flexible traditionnelle, qui se base sur la négociation, la politique de prix flexible actuelle se base sur une automatisation de la personnalisation des prix. En effet, les prix ne sont plus fixés à la suite d'une négociation entre le vendeur et l'acheteur, mais d'après un ensemble de critères de tarification inclus dans des bases de données actualisées en temps réel. Parmi ces critères, mentionnons la période d'achat (par exemple, haute saison et basse saison, jour de la semaine et fin de semaine, période de la journée), le profil du client (par exemple, tarif spécial pour les étudiants ou pour l'âge d'or), le lieu de l'achat (par exemple, segmentation géographique reflétant la sensibilité au prix, l'intensité de la concurrence), la quantité achetée, la loyauté du client et la valeur économique du client.

L'info-marketing 10.1 (*voir p. 327*) décrit un cas d'application de la politique du prix flexible dans le domaine du voyage et fait ressortir les inconvénients qui en résultent pour les voyagistes. En raison de la guerre de prix que se livrent les agences de voyages, notamment sur les destinations soleil, les offres des grossistes relatives aux mêmes destinations sont commercialisées à des prix différents. Il s'ensuit que les prix baissent et que les grossistes du voyage sont forcés de réduire soit leurs marges, soit leurs services. Ainsi, le groupe Transat, qui exploite les bannières Vacances Transat et Nolitours, a trouvé une faille juridique et est parvenu à imposer une politique de prix uniforme et immuable. Il en résulte des prix fixes pour les mêmes forfaits de voyage du grossiste, quelle que soit l'agence [13].

10.3.2_Les politiques de prix et les phases du cycle de vie d'un produit

Les politiques de prix de l'entreprise dépendent de plusieurs facteurs, en particulier des objectifs généraux de la stratégie marketing, de la structure de coûts, du comportement des concurrents et des distributeurs, de la sensibilité au prix de ses clients et du cadre réglementaire. Or, ces différents facteurs varient au cours du cycle de vie d'un produit : lancement, croissance, maturité, saturation et déclin.

Il est donc évident que la politique de prix de l'entreprise doit changer avec chacune de ces phases afin de mieux répondre aux exigences des environnements interne et externe de l'entreprise, comme on l'a vu au chapitre précédent. Ce qui suit présente la politique de prix idéale à adopter à chacune des phases du cycle de vie du produit.

La tarification en phase de lancement

À la phase de lancement, le produit est inconnu des consommateurs, la concurrence directe est souvent faible, voire inexistante, et les coûts supportés par l'entreprise sont généralement élevés (investissements en recherche et développement, promotion du produit, etc.). L'entreprise fait face à une décision importante qui peut mener à l'échec ou au succès de son produit. Elle peut décider de commercialiser le produit à des prix très élevés pour amortir rapidement ses investissements, puis de les baisser à moyen terme. On parle alors de stratégie d'écrémage. L'entreprise peut choisir, au contraire, de fixer un prix relativement bas afin d'assurer une diffusion rapide de son produit, de se tailler une plus grosse part du marché, d'augmenter progressivement le prix et de tabler ainsi sur des profits futurs. C'est ce qui constitue une stratégie de pénétration[14]. La figure 10.11 illustre ces deux choix stratégiques en matière de politique de prix.

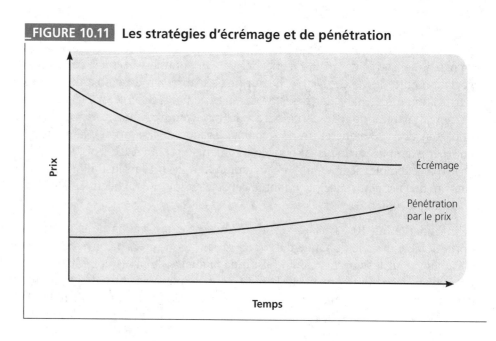

_FIGURE 10.11 Les stratégies d'écrémage et de pénétration

La stratégie d'écrémage cible, au moment du lancement du produit, un segment de clients innovateurs, moins sensibles au prix, qui représente généralement un faible pourcentage du marché total visé. Une fois ce segment de marché conquis, l'entreprise a fait connaître son produit et possède une meilleure maîtrise de son processus de production et de commercialisation. Elle s'adresse alors successivement aux segments inférieurs, plus larges et plus sensibles au prix, et réduit progressivement les prix. Cette stratégie peut s'avérer très profitable pour une entreprise qui désire amortir rapidement ses investissements en recherche et développement, mais qui demeure tout de même menacée par la concurrence. En effet, cette stratégie ne peut réussir que si l'entreprise est protégée contre l'arrivée de nouveaux concurrents par des barrières élevées telles qu'un brevet, une image forte ou des coûts fixes considérables. Si elle n'est pas protégée, d'autres entreprises pourraient être tentées par les marges de profit élevées et décider alors de pénétrer le marché avec des produits équivalents offerts à des prix plus compétitifs.

La plupart des nouveaux films qui sortent sur support DVD ou Blu-ray sont lancés à des prix très élevés en raison des coûts de production exorbitants, des risques constants d'imitation et de l'existence de groupes d'innovateurs à la recherche de l'inédit et qui tiennent à être parmi les premiers à se procurer et à regarder ces films. Progressivement, l'amortissement des coûts, l'apparition de copies et la banalisation du film entraînent une baisse du prix. Ainsi, le DVD du film *Avatar* à son lancement en mai 2010 se vendait autour de 25 $. Quatre mois plus tard, on pouvait l'acheter pour 14 $ dans les mêmes magasins.

D'autres produits sont lancés à des prix très élevés, puis leurs prix baissent peu à peu, soit parce qu'ils sont revendus, soit parce qu'ils sont démodés. C'est le cas des montres de grand luxe Roger Dubuis, faites sur mesure et sur commande, et dont le prix peut atteindre une centaine de milliers de dollars. Même chose pour des marques de vêtements telles que Ralph Lauren, Hugo Boss et Nine West, dont les nouveaux modèles sont commercialisés à leur sortie dans des magasins très spécialisés et à des prix élevés. En fin de saison ou plus tard dans l'année, ces mêmes modèles sont écoulés dans des magasins d'escompte comme Winners à des prix relativement bas, avec des réductions de 50 % et plus.

La stratégie de pénétration cherche à conquérir l'ensemble du marché par des bas prix, à obtenir rapidement des volumes de ventes, considérables et à réaliser d'éventuelles économies d'échelle. Par ces économies d'échelle, l'entreprise espère monopoliser ou dominer suffisamment le marché pour empêcher un nouveau concurrent d'atteindre des volumes de ventes, qui lui permettrait de pratiquer un prix concurrentiel. Cette stratégie comporte cependant un risque important si les économies d'échelle escomptées ne se réalisent pas, à la suite d'une mauvaise estimation du potentiel du marché ou du temps à mettre pour imposer le produit. Dans ce cas, des concurrents peuvent s'attaquer au marché avec des moyens d'opération plus adaptés au volume réel et moins coûteux, pour ainsi parvenir à le dominer en profitant des investissements qu'ils ont réalisés et qui avaient pour but de faire connaître leur nouveau produit aux clients.

SM Canada est une entreprise spécialisée dans l'offre de trousses de premiers soins qui répondent aux exigences des divers marchés et des divers secteurs d'activité régis par des lois strictes en matière de santé et de sécurité au travail. Elle adopte une stratégie de pénétration par le prix pour faire face à des concurrents directs comme Medique, Stelmagel et Secours RM. Dans sa « Politique de bas prix » affichée sur son site Web, l'entreprise annonce clairement à ses clients : « Si vous trouvez un produit comparable à un prix inférieur, SM Canada vous vend celui-ci à 10 % moins cher. Aussi, si dans les 30 jours suivant votre achat et que vous trouviez un produit comparable à prix moins élevé, nous vous rembourserons la différence plus 10 %. » (SM CANADA, [En ligne], www.smcanada.org)

La tarification pendant la phase de croissance

Une fois le produit établi sur le marché, la concurrence aura tendance à s'accroître avec le temps, sauf dans le cas d'une innovation protégée par des brevets à durée déterminée. Par conséquent, l'entreprise doit adapter son offre globale à la conjoncture du marché et opter pour une stratégie se situant quelque part entre une stratégie de produit différencié et une stratégie de domination par les coûts[15].

L'entreprise qui opte pour une stratégie de différenciation s'attache à définir les caractéristiques et les attributs distinctifs de son produit et à s'affirmer comme chef de file au moyen de ces attributs. Lorsque cette position est acquise, l'entreprise pourra créer autour de son produit un effet de valeur qui rende les acheteurs moins sensibles au prix et qui lui permette alors de fixer des prix relativement élevés en dépit d'une plus forte concurrence. En pratique, cette stratégie peut se réaliser de deux façons. Premièrement, l'entreprise peut décider de différencier son produit afin de viser un segment particulier du marché qui serait prêt à payer un prix plus élevé en vue d'obtenir des attributs distinctifs. Deuxièmement, l'entreprise peut décider de différencier son produit tout en gardant des prix plus bas afin de cibler le marché global et d'attirer le maximum de clients. La firme de produits informatiques Apple a souvent adopté une stratégie de différenciation pour ses produits dans leur phase de croissance, que ce soit pour ses ordinateurs (iMac), ses téléphones (iPhone) ou ses baladeurs (iPod), en revêtant chacun de ces produits de nouveaux attributs distinctifs sans chercher à réduire leurs prix. Dans le cas du iPod, son lecteur MP3 lancé en 2001, Apple a proposé, outre son produit original, le iPod mini en 2004 à ceux qui cherchent un lecteur plus fin et plus compact, le iPod shuffle en 2005 à ceux qui désirent un lecteur pratique et aléatoire, le iPod nano lancé en 2006 à ceux qui préfèrent un lecteur discret, le iPod classic en 2007 à ceux qui aiment regarder des vidéos, et le iPod touch la même année à ceux qui penchent pour une interface à écran tactile. Tout cela sans compter des accessoires tels que le branchement autoradio, les haut-parleurs externes (iPod Hi-Fi), la télécommande, les cartes de téléchargement de musique (iTunes). Sans oublier le iPhone qui, dès 2007, est venu manger le baladeur iPod, et le iPad, lancé en 2010, et qui pourrait en fin de compte dévorer le tout (*voir la figure 10.12*).

_FIGURE 10.12 Une entreprise adoptant une stratégie de différenciation en phase de croissance

Source : APPLE CANADA, *iTunes*, [En ligne], www.apple.com (Page consultée le 21 mai 2010)

Dans le cas d'une stratégie de domination par les coûts, l'entreprise tend à concevoir un produit peu différencié qu'elle peut fabriquer à moindre coût. Elle vise principalement à dominer le marché et à retirer en même temps des profits malgré l'âpreté de la concurrence. Comme dans la stratégie de produit différencié, l'entreprise a le choix entre l'ensemble du marché et un segment particulier. Si elle opte pour l'ensemble du marché, elle mise sur un avantage de coût résultant des larges volumes de ventes et décide ainsi de fixer des bas prix en vue de dominer le marché. Si elle opte pour un segment du marché en particulier, l'avantage de coût peut résulter du fait que le produit est vendu en grande quantité et à un nombre limité de clients, ce qui permet d'avoir des coûts de distribution très faibles, mais qui requiert une fixation du prix de pénétration afin de garder la clientèle.

La compagnie américaine de produits informatiques Dell s'est taillé une réputation dans son domaine grâce à l'adoption d'une stratégie de domination par les coûts : elle offre souvent des lignes de produits très peu étendues, mais réduit au minimum ses coûts de production et de commercialisation, ce qui lui permet d'avoir des prix extrêmement bas. Ainsi, elle a été la première compagnie à vendre ses ordinateurs uniquement sur Internet, sans passer par des magasins de détail classiques (*voir la figure 10.13*).

FIGURE 10.13 Une entreprise adoptant une stratégie de domination par les coûts en phase de croissance

Source : DELL CANADA, [En ligne], www.dell.ca (Page consultée le 31 mai 2010)

Cette politique de prix énergique a permis à Dell de devenir, dès 2001, le numéro un mondial dans le domaine des équipements informatiques. Depuis, son concurrent direct, la compagnie américaine Compaq, a suivi la même politique de pénétration par le prix et livre ouvertement une guerre de prix à Dell[16].

Dans certains marchés en croissance, les stratégies de produit différencié et de domination par les coûts peuvent coexister lorsqu'un segment de marché est prêt à payer un surplus en vue d'obtenir un produit différencié, tandis qu'un autre segment est prêt à accepter un produit indifférencié à un prix moindre. En pratique, l'entreprise doit alors définir sa stratégie de prix en répondant aux questions suivantes[17] :

■ Existe-t-il un segment de marché qui désire un produit unique et qui est prêt à payer un supplément de prix pour l'obtenir ?

■ Notre entreprise possède-t-elle les compétences nécessaires pour fabriquer et commercialiser un produit différencié ?

■ Le marché est-il suffisamment sensible au prix pour que nous puissions réaliser des économies de coûts significatives ?

■ Notre entreprise est-elle prête à investir les ressources et à assumer les risques nécessaires pour suivre une stratégie de domination par les coûts jusqu'à la pleine réussite ?

■ Existe-t-il des avantages de coûts qu'une entreprise à faible part de marché pourrait exploiter ?

- Pour quels attributs distinctifs le marché est-il prêt à payer un supplément de prix?
- Quels attributs distinctifs le marché est-il prêt à sacrifier en vue d'obtenir un prix moins élevé?

La tarification pendant la phase de maturité

Pendant la phase de maturité, l'augmentation ou le maintien du profit sont conditionnés par l'expansion aux dépens des concurrents. L'entreprise qui a effectué des investissements en vue d'atteindre une capacité de production et un coût déterminés doit faire preuve de vigilance pour maintenir ses parts de marché et éviter d'avoir à supporter des coûts irrémédiables.

De plus, la latitude de tarification est largement réduite en raison de trois facteurs déterminants [18]. D'abord, les acheteurs ont acquis de l'expérience; ils sont donc capables d'évaluer et de comparer les différentes offres, ce qui réduit la fidélité à la marque et la valeur de la réputation de la marque. Ensuite, la différenciation des produits est réduite par le fait de l'imitation des produits, des technologies et des stratégies marketing. Enfin, l'augmentation de la sensibilité au prix ainsi que les faibles risques liés à la standardisation des produits attirent de nouveaux concurrents particulièrement habiles en matière de production et de distribution. Ces concurrents peuvent être soit des entreprises étrangères spécialisées dans les mêmes produits, soit de grandes entreprises locales fabriquant ou commercialisant des produits similaires.

Ces trois facteurs combinés ont à la longue pour effet de réduire les prix et les marges de profit des acteurs du marché. L'entreprise doit s'adapter à cette nouvelle situation, à moins qu'elle ne soit en mesure d'introduire une innovation technologique majeure qui lui offrirait la possibilité de différencier de façon significative son produit ou de trouver de nouveaux débouchés ou d'autres utilités pour le produit existant.

Le fabricant de téléphones cellulaires Nokia, comme d'ailleurs ses concurrents, offre aujourd'hui une grande variété de modèles commercialisés à des prix très compétitifs par rapport à ceux de ses concurrents directs comme Sony, Samsung, LG et Motorola. La figure 10.14 présente la gamme complète des modèles de téléphones canadiens de Nokia.

La tarification pendant la phase de déclin

Dans la phase de déclin, les ventes du produit baissent considérablement, et l'effet de la baisse sur les prix dépend alors de deux facteurs: d'une part, il y a la difficulté qu'éprouve l'entreprise de se départir des stocks existants, d'autre part, la persistance d'une demande provenant de clients attachés au produit existant, soit par fidélité, soit par obligation d'achat (pas de solutions de rechange). En ce qui concerne le premier facteur lié à la capacité d'ajustement de l'industrie, trois situations peuvent se présenter [19]. Première situation: les coûts de production sont en grande partie des coûts variables. L'entreprise est capable de s'ajuster rapidement et facilement à la demande, avec très peu d'effets sur les prix. Deuxième situation: les coûts de production sont majoritairement fixes, mais ils peuvent être redirigés vers d'autres activités. Dans ce cas, l'entreprise parvient à rajuster la capacité de production et à éviter encore une fois une baisse des prix. Troisième et dernière situation: les coûts de production sont majoritairement fixes et hautement spécialisés, alors l'entreprise est obligée de réduire ses prix afin de maintenir un taux de production acceptable.

En ce qui concerne le deuxième facteur, lié à la nature de la demande dans la phase de déclin, deux situations sont possibles. La première est classique et correspond à la migration des consommateurs vers des produits nouveaux, souvent plus performants, plus originaux et parfois même moins coûteux. C'est le cas de la plupart des produits électroniques, informatiques ou de mode. Les consommateurs sont naturellement à la recherche du meilleur rapport qualité-prix. Dans leur phase de déclin, tous les modèles d'ordinateurs personnels, chaînes Hi-Fi, téléviseurs à écran cathodique, magnétoscopes ou lecteurs de CD portatifs, sont vendus à des prix dérisoires afin d'écouler les stocks existants et de préparer le lancement de nouveaux modèles technologiquement plus avancés. La seconde situation est moins fréquente : un segment déterminé de consommateurs reste fidèle à l'ancien produit, soit par loyauté et attachement, soit par obligation. C'est le cas, par exemple, des disques en vinyle (microsillons) qui, au début des années 1990, étaient encore en demande chez deux types de consommateurs : d'une part, ceux qui venaient de se procurer une chaîne stéréophonique avec tourne-disques et qui ne pouvaient s'offrir immédiatement un lecteur de disques compacts et, d'autre part, les animateurs (les DJ des boîtes de nuit et autres) pour qui les nouvelles chaînes stéréophoniques n'offraient pas les mêmes possibilités que les tourne-disques. La demande pour ce produit est donc restée concentrée auprès de groupes de consommateurs fidèles et spécialisés. Pendant plusieurs années, les prix appliqués aux nouvelles chansons qui sortaient en microsillon étaient relativement plus élevés en raison du nombre limité d'exemplaires commercialisés.

Par ailleurs, étant donné que les baisses de prix arrivent rarement à inverser la tendance de la demande pour un produit dans sa phase de déclin, la plupart des entreprises adoptent des stratégies qui leur permettent de se retirer du marché avec le moins de pertes possible, tandis que quelques autres essaient de profiter de ce retrait pour maintenir leur position ou même parfois la renforcer.

_FIGURE 10.14 Une entreprise dont les produits sont au stade de maturité

Source : NOKIA CANADA, [En ligne], www.nokia.ca (Page consultée le 31 mai 2010)

_10.4 Les méthodes de fixation des prix

La section qui précède a décrit les principaux aspects de la politique de prix ainsi que les stratégies possibles. Il s'agit maintenant de voir quelles sont les principales méthodes utilisées par les gestionnaires de marketing des entreprises pour fixer les prix de vente finals de leurs produits. On peut distinguer deux grandes approches : l'approche du prix interne et l'approche du prix externe. La première part de la structure interne des coûts de l'entreprise et de sa rentabilité, alors que la seconde tient surtout compte des facteurs de l'environnement externe tels que la concurrence et le marché.

10.4.1_L'approche du prix interne

Selon cette approche, on tient compte, dans la fixation du prix, des éléments internes à l'entreprise, notamment sa structure de coûts et ses objectifs de rentabilité. L'approche du prix interne est souvent qualifiée de statique, car elle fait abstraction de la dynamique des marchés et du comportement de la concurrence. Elle offre l'avantage de garantir une marge de profit potentielle pour les activités commerciales, mais elle comporte deux sérieux inconvénients. Premièrement, les prix fixés peuvent être non compétitifs par rapport à ceux des concurrents immédiats ou par rapport à ce que les consommateurs sont disposés à payer en échange de la valeur de satisfaction attendue. Deuxièmement, les prix fixés d'après l'unique analyse interne peuvent être inférieurs à ce que l'entreprise aurait pu appliquer du fait de sa position concurrentielle sur le marché et de l'élasticité-prix de la demande ; il y a par conséquent perte d'occasions d'affaires. Dans cette approche, on peut recourir à trois méthodes : la méthode du prix de revient majoré, la méthode basée sur l'analyse du seuil de rentabilité et la méthode de l'indexation sur le coût marginal.

La méthode du prix de revient majoré

La méthode du prix de revient majoré est la plus simple et la moins créative. Elle fixe le prix en ajoutant une marge standard au prix de revient. Le prix de revient se définit comme la somme du coût unitaire total de fabrication et du coût de commercialisation du produit. Le prix de vente unitaire se calcule comme suit :

$$\text{Prix de vente unitaire} = \text{prix de revient} + \text{marge de profit}$$

$$\text{Où : prix de revient} = \text{coûts unitaires totaux de production}$$
$$+ \text{coûts unitaires totaux de commercialisation}$$

$$= \frac{\text{coûts variables unitaires} + \text{coûts fixes}}{\text{ventes prévues d'unités}}$$

L'info-marketing 10.3 illustre par un exemple fictif le calcul du prix de vente unitaire sur la base du prix de revient majoré.

INFO MARKETING 10.3

Un exemple de calcul du prix de vente par la méthode du prix de revient et de la marge

Un fabricant de chaussures pour enfants prévoit vendre, dans l'année à venir, 10 000 paires de chaussures dont les coûts variables (production et commercialisation) sont de 20 $ par unité, à quoi il faut ajouter des coûts fixes de 150 000 $, et il décide de prélever une marge standard sur les ventes de 30 %. Le calcul du prix de vente s'effectue alors de la façon indiquée dans le tableau A.

TABLEAU A Le calcul du prix de vente pour l'année à venir

Coût variable unitaire (1)	20 $
Coûts fixes totaux (2)	150 000 $
Ventes prévues (3)	10 000 unités
Coûts fixes unitaires (4) = (2)/(3)	15 $
Coût de revient unitaire (5) = (4) + (1)	35 $
Prix de vente = (5)/(1 − 30 %)	50 $

La principale difficulté liée à la méthode du prix de revient majoré concerne les ventes que l'entreprise prévoit réaliser. En effet, une mauvaise prévision à la baisse peut aboutir à des prix trop élevés, donc moins compétitifs. À l'opposé, une mauvaise prévision à la hausse peut conduire à la fixation d'un prix bas qui pourrait affecter l'amortissement des charges fixes et, par conséquent, entraîner des pertes.

L'entreprise peut aussi décider d'appliquer des marges variables selon la rotation des stocks de produits. Ainsi, une entreprise qui commercialise une gamme variée de produits pourrait choisir de fixer des marges différentes pour chacun de ceux-ci. Les marges seront alors plus élevées pour les produits à rotation de stock plus faible. La méthode des marges variables est surtout utilisée par les entreprises de distribution. Par exemple, un magasin à grande surface peut décider de fixer des marges faibles sur les savons et les shampoings, des produits à forte rotation, et une marge plus élevée sur les appareils et les articles ménagers, des produits à rotation plus faible. Les premiers généreront une marge unitaire faible mais une marge totale élevée du fait des grandes quantités vendues, et vice versa pour les seconds.

Malgré sa simplicité, cette méthode n'est généralement pas à recommander, car elle néglige des facteurs importants dont l'entreprise doit tenir compte au moment de fixer ses prix, des facteurs tels que les politiques de prix des concurrents et la sensibilité des clients aux prix.

La méthode basée sur l'analyse du seuil de rentabilité

Le seuil de rentabilité (ou point mort) est défini comme le niveau d'activité évalué en quantités vendues ou en chiffre d'affaires à partir duquel les revenus de l'entreprise couvrent l'ensemble de ses coûts fixes et variables. D'un point de vue stratégique, le seuil de rentabilité est important pour déterminer le moment à partir duquel les activités commerciales de l'entreprise commencent à être profitables. La figure 10.15 (*voir p. 358*) présente dans un graphique l'analyse du seuil de rentabilité.

Le profit des activités commerciales est obtenu comme suit :

Profit commercial = (recettes totales) – (coûts totaux)
= (prix de vente × ventes en unités) – (coûts fixes totaux – coûts variables unitaires × ventes d'unités)

Le seuil de rentabilité en unités est obtenu en fixant le profit commercial à zéro. Cela donne la formule suivante :

$$\text{Seuil de rentabilité en unités} = \frac{\text{coûts fixes totaux}}{\text{contribution unitaire aux coûts fixes et aux profits}}$$

$$= \frac{\text{coûts fixes totaux}}{\text{prix de vente} - \text{coût variable unitaire}}$$

Comme le montre la figure 10.15, l'entreprise commence à dégager des bénéfices lorsque son revenu total couvre l'ensemble des coûts fixes et variables, donc à partir du moment où la contribution totale aux coûts fixes et aux profits égale les coûts fixes totaux. Il est important de signaler que l'analyse du seuil de rentabilité permet non pas de déterminer directement le prix optimal, mais d'estimer, suivant divers scénarios de prix, les quantités vendues ou la part de marché nécessaire pour assurer la rentabilité de l'entreprise.

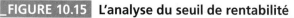

FIGURE 10.15 L'analyse du seuil de rentabilité

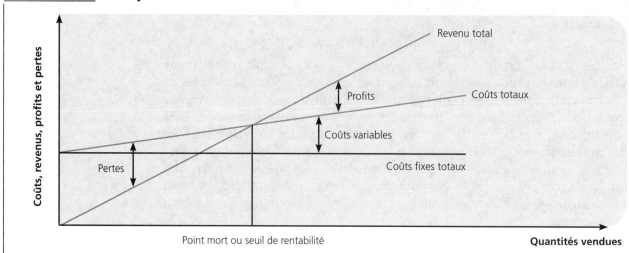

L'info-marketing 10.4 décrit l'application de la méthode basée sur l'analyse du seuil de rentabilité par un fabricant de shampoing pour bébés.

INFO MARKETING 10.4

La fixation du prix d'un shampoing en fonction du seuil de rentabilité

Une entreprise canadienne commercialise une marque de shampoing pour bébés. Les données sur les coûts sont les suivantes: coûts fixes totaux = 100 000 $ et coût unitaire variable = 5 $.

Elle veut maintenant procéder à l'analyse du seuil de rentabilité avec des hypothèses de prix de vente de la bouteille de shampoing (unité) à 10 $ et à 12 $.

Avec un prix de vente à 10 $:

- la contribution unitaire aux coûts fixes et au profit est de 5 $ (10 $ − 5 $);

- d'où un seuil de rentabilité de 20 000 unités (100 000 $/5 $).

À partir de 20 000 unités vendues, l'entreprise cesse de perdre de l'argent et commence à faire des profits.

Avec un prix de vente à 12 $:

- la contribution unitaire aux coûts fixes et au profit est de 7 $ (12 $ − 5 $);

- d'où un seuil de rentabilité de 14 286 unités (100 000 $/7 $).

À partir de 14 286 unités vendues, l'entreprise cesse de perdre de l'argent et commence à faire des profits. Donc, un prix de vente plus élevé permet à l'entreprise un amortissement plus rapide de ses coûts fixes et de ses coûts variables.

Si le marché total du produit commercialisé par l'entreprise est de 200 000 unités, l'analyse du seuil de rentabilité montre qu'en adoptant un prix de vente de 10 $ l'entreprise doit aller chercher une part de marché de 10 % (20 000/200 000) pour atteindre le seuil de rentabilité. Avec un prix de vente de 12 $, la part de marché requise est moindre, soit 7,14 % (14 280/200 000). La direction de l'entreprise doit donc évaluer les probabilités de conquête de chacune de ces parts de marché en tenant compte des investissements effectués, de la force de la concurrence et de l'élasticité-prix de la demande. Ensuite, elle pourra choisir entre les scénarios de prix proposés.

Par ailleurs, la méthode de l'analyse du seuil de rentabilité permet de calculer la quantité de produits à vendre pour atteindre un profit commercial cible (noté π^*), ce qui donne la formule suivante :

$$\text{Seuil de rentabilité en unités} = \frac{\text{coûts fixes totaux} + \pi^*}{\text{contribution unitaire aux coûts fixes et aux profits}}$$

$$= \frac{\text{coûts fixes totaux} + \pi^*}{\text{prix de vente} - \text{coût variable unitaire}}$$

Dans l'exemple présenté à l'info-marketing 10.4 (*voir p. 358*), si l'entreprise désirait atteindre un profit cible de 50 000 $, elle devrait vendre environ 30 000 unités par année à 10 $ par unité, ce qui correspondrait à 15 % de la part du marché.

Même si elle ne permet pas de calculer directement le prix de vente optimal, l'analyse du seuil de rentabilité donne à l'entreprise la possibilité de savoir, pour un prix donné, si ses capacités de production et de distribution suffisent pour atteindre le volume de ventes nécessaire, et si elle peut obtenir ce volume et la part de marché qui lui est associée dans les conditions actuelles du marché.

La méthode de l'indexation sur le coût marginal

Dans certains cas, une entreprise peut décider de vendre son produit à un prix égal à son coût marginal (estimé d'après le niveau du coût variable direct) dans le but d'écouler un volume de production excédentaire. Cette pratique est une variante d'une technique plus large, appelée « tarification en temps réel » (*yield management*), qui a été mise au point par l'industrie du transport aérien dans les années 1980 et qui est de plus en plus utilisée maintenant, entre autres dans l'hôtellerie, le transport routier ou la location de véhicules. Cette méthode a été conçue pour résoudre certains problèmes liés à la nature même des services, à savoir les problèmes de périssabilité ou de non-stockage et les contraintes d'abondance de l'offre du service en périodes de demande creuse, ce qui pourrait mettre l'entreprise dans une situation d'illégalité. Elle risquerait de faire face à des poursuites pour des pratiques de dumping.

En pratique, la méthode de l'indexation sur le coût marginal signifie que l'entreprise vend une partie de sa production à un prix couvrant uniquement les coûts variables directs afin d'écouler ses capacités excédentaires et de rentabiliser une partie de ses dépenses. Étant donné que ces unités supplémentaires n'augmentent ni les coûts fixes de l'entreprise ni les coûts variables indirects, le revenu généré contribuera à augmenter son profit total. Cependant, cette méthode doit être utilisée avec prudence car, au-delà d'une proportion donnée de la production totale, l'entreprise serait incapable de couvrir l'ensemble de ses coûts fixes et de ses coûts variables directs.

10.4.2_L'approche du prix externe

Selon l'approche du prix externe, on tient compte d'éléments liés à l'environnement externe à l'entreprise tels que la concurrence et le marché. On qualifie cela fréquemment d'approche dynamique, dans la mesure où ces éléments externes sont souvent imprévisibles, tant dans leurs actions que dans leurs réactions aux stratégies de prix adoptées par l'entreprise. Pour cette dernière, cela implique une analyse préalable de son environnement externe et un suivi continu de son évolution en vue d'apporter les ajustements nécessaires. L'approche du prix externe permet à l'entreprise de mieux s'adapter aux conditions de son marché cible, notamment du point de vue de la compétitivité et de la satisfaction de la clientèle cible. À l'intérieur de cette approche, on distingue deux types de méthodes : les méthodes orientées vers la concurrence et les méthodes orientées vers la demande.

Les méthodes orientées vers la concurrence

Plusieurs entreprises se basent, au moment de fixer le prix de leurs produits, sur les prix des produits concurrents. Dans certains cas, elles se contentent de s'aligner sur les prix du marché, alors que, dans d'autres, elles décident de tarifer leurs produits avec un écart positif ou négatif par rapport à la concurrence.

D'abord, dans le cas d'un alignement sur la concurrence, l'entreprise évalue les prix pratiqués par les concurrents. Puis, après vérification de leur compatibilité avec les coûts internes, elle fixe un prix équivalent pour son produit. Cette méthode suppose parfois que l'entreprise a la possibilité de sacrifier une partie de sa marge au profit des intermédiaires de la distribution tels que les grossistes, les semi-grossistes et les détaillants pour rendre son prix de vente au détail équivalent à celui de ses concurrents immédiats. Cette technique de tarification est surtout appliquée aux produits indifférenciés, pour lesquels la concurrence est très intense, mais aussi dans les marchés comprenant un nombre limité de concurrents. Dans les deux cas, une entreprise qui fixerait un prix supérieur à celui des autres concurrents se verrait aussitôt délaissée par les consommateurs, tandis qu'une entreprise qui opterait pour un prix inférieur serait rapidement suivie par les autres intervenants, provoquant ainsi un réalignement des prix à la baisse, donc une perte de marge pour tous. Cette situation concurrentielle est typique du marché de l'essence au Québec : les stations-service en concurrence directe dans un quartier, une ville ou une région ajustent mutuellement leurs prix en fonction de l'offre la moins élevée. Il est commun qu'une station-service Esso ajuste ses prix à la baisse pour les mettre au niveau d'un concurrent proche, une station Shell ou Petro-Canada, par exemple, qui affichent un prix inférieur de quelques cents.

D'un autre côté, la tarification à un prix supérieur à la concurrence est souvent utilisée par les entreprises dont les produits sont sensiblement différents de ceux de la concurrence ou par les entreprises qui ont un pouvoir de marché plus étendu que les concurrents immédiats (image forte et notoriété élevée). En pratique, non seulement cette méthode touche les produits à forte implication tels que les voitures (par exemple, Porsche et Ferrari) et les vêtements d'exception (par exemple, Armani et Versace), mais elle s'étend aussi à plusieurs produits d'achats courants tels que les accessoires (par exemple, les lunettes Chanel), les vins (par exemple, Veuve Clicquot), les fromages (par exemple, le Pied-De-Vent), les cosmétiques (par exemple, Lancôme de L'Oréal).

La méthode de la tarification à un prix inférieur à la concurrence est souvent employée par les fabricants et les distributeurs qui visent une domination des marchés par les coûts. Certaines entreprises privilégient les faibles marges et les volumes élevés, sacrifiant parfois la qualité du service à la clientèle. D'autres dont les produits sont perçus, à tort ou à raison, comme inférieurs à ceux de la concurrence peuvent aussi employer cette méthode pour compenser cette infériorité. Cette pratique peut être risquée, car elle entraîne, dans certains cas, une guerre de prix nuisible pour tous les concurrents, qui voient fondre leurs marges ainsi que leurs profits. Une entreprise qui veut faire appel à cette technique de tarification doit s'assurer qu'elle possède un avantage de coûts important et une capacité de production supérieure à celle de la concurrence. L'info-marketing 10.5 fait état de la guerre des prix entre les grandes bannières d'épicerie au Québec et décrit les effets de cette guerre sur la chaîne Sobeys.

INFO MARKETING 10.5

La chaîne Sobeys victime de la guerre de prix des épiciers au Québec

Originaire de Stellarton, en Nouvelle-Écosse, Sobeys est la deuxième chaîne de supermarchés au Canada. Présente depuis plusieurs années au Québec, elle annonce, au milieu de 2004, une baisse substantielle de ses bénéfices escomptés pour l'année en cours. Elle attribue ce phénomène à la baisse de prix qu'elle est obligée de consentir pour contrecarrer ses concurrents immédiats, dont Metro, mais surtout le plus grand épicier au Canada, la chaîne torontoise Loblaw, présente au Québec sous plusieurs bannières (Loblaws, Provigo, Maxi et Maxi & Cie). En plus d'occuper plus de terrain avec ses différentes bannières (distribution intensive), le groupe Loblaw a diversifié la gamme des produits offerts dans ses magasins en ajoutant plusieurs articles non alimentaires (électronique, photo, électroménagers, CD, DVD, etc.), ce qui lui a permis de pratiquer sur ses autres produits d'épicerie une politique de prix plus compressés. Malheureusement, Sobeys n'a pas pu suivre cette tendance vers la diversification de la gamme ni l'intensification de la distribution. Il ne lui reste qu'une solution : baisser encore plus ses prix pour gruger quelques points de part de marché à ses concurrents au Québec. Toutefois, Sobeys n'est pas la seule victime de cette guerre de prix ; les autres concurrents sont aussi touchés. Ainsi, Loblaw en premier a vu sa croissance ralentir en 2003 avec les résultats les plus bas des 5 dernières années, alors que Metro a connu la même année la première baisse de ses bénéfices depuis 13 ans.

Source : « Sobeys souffre de la guerre des épiciers », *La Presse,* 24 avril 2004, cahier Affaires, p. 1; adaptation libre.

Il est à noter que la concurrence par la baisse des prix présente plusieurs risques pour une entreprise. Ces risques sont essentiellement les suivants[20] :

- La baisse des prix est une action très visible et les concurrents verront immédiatement la menace, contrairement aux actions sur les autres éléments du mix de marketing tels que le produit, la distribution ou la communication.

- La baisse des prix est une action facilement imitable et la riposte des concurrents est souvent très rapide. L'entreprise qui baisse ses prix doit donc avoir un avantage économique important et durable.

- Les baisses de prix très faibles n'ont généralement pas d'effet sur la demande, car elles ne parviennent pas à atteindre le seuil de sensibilité des consommateurs.

- L'entreprise qui souhaite utiliser la baisse de prix doit donc consentir des baisses assez considérables.

- Les avantages de la baisse des prix peuvent être très rapidement annulés à la suite de l'alignement de la concurrence.

- La concurrence par les prix peut se transformer rapidement en une guerre des prix qui coûte énormément à l'ensemble de l'industrie, élimine les concurrents les plus faibles et ne profite qu'aux distributeurs et aux consommateurs.

- Les prix échappent à la volonté. À la suite d'une diminution des prix, il est très difficile pour l'entreprise de faire marche arrière et de les augmenter.
- Une baisse des prix décidée par l'entreprise n'entraîne pas nécessairement une baisse des prix au détail, ceux-ci étant fixés par les distributeurs.
- Une surestimation de l'élasticité de la demande peut faire perdre des profits à l'entreprise s'il y a baisse des prix.

La méthode orientée vers la demande

Cet examen de la méthode orientée vers la demande se concentrera sur l'évaluation du comportement des consommateurs au moment de la fixation du prix. On peut distinguer deux principales méthodes: le prix calculé à partir de l'élasticité et l'approche de la valeur perçue.

La méthode du prix calculé à partir de l'élasticité consiste d'abord à estimer l'élasticité-prix de la demande, ensuite à tracer la courbe de la demande du produit, pour enfin choisir le prix qui maximise les profits de l'entreprise.

À titre d'exemple, une entreprise évolue sur un marché dont l'élasticité-prix de la demande est estimé à -3,2. La valeur des coûts fixes de cette entreprise est de 600 000 $ et sa structure lui procure une capacité de production de 30 000 unités. Afin d'atteindre une capacité de production de 100 000 unités, l'entreprise doit réaliser des investissements supplémentaires de 200 000 $ et, pour une capacité de 350 000 unités, l'investissement supplémentaire sera de 400 000 $. Les coûts variables de l'entreprise sont de 25 $ par unité.

La figure 10.16 décrit la courbe de la demande du produit de cette entreprise et le tableau 10.2 indique les ventes, les coûts, les revenus et les profits pour différents niveaux de prix allant de 20 $ à 80 $.

En se basant sur l'élasticité-prix de la demande, on a calculé les quantités demandées pour chaque niveau de prix. Par la suite, on a déterminé la structure des coûts, les revenus de l'entreprise et les pertes ou profits correspondants. Les résultats du tableau 10.2 montrent que, dans les conditions de marché actuelles, l'entreprise obtiendra un profit optimum à un prix de 55 $.

La deuxième méthode se base, quant à elle, sur la valeur perçue du produit, une notion qui a été expliquée au chapitre 4. Les entreprises qui appliquent la tarification par la valeur d'utilité perçue déterminent leurs prix non pas à partir des coûts de fabrication ou de commercialisation du produit (c'est-à-dire sur la valeur comptable), mais à partir de sa valeur d'utilité telle qu'elle est perçue par le client. La valeur d'utilité dépend des attributs que les consommateurs associent aux différents usages d'un produit, à l'importance relative de ces attributs et à leur croyance concernant la capacité du produit à remplir chacun de ces usages.

Selon cette méthode, l'entreprise élabore souvent un concept de produit répondant aux attentes du marché cible. Elle détermine par la suite les prix justes, maximums et minimums que les consommateurs sont prêts à payer en échange de la valeur perçue, elle évalue leur disposition à acheter et elle analyse les autres offres présentes sur le même marché. En s'appuyant sur les résultats de son étude, l'entreprise procède ensuite à l'évaluation de sa structure de coûts et des profits potentiels, puis décide ou non de commercialiser le produit.

FIGURE 10.16 La courbe de la demande pour le produit d'une entreprise

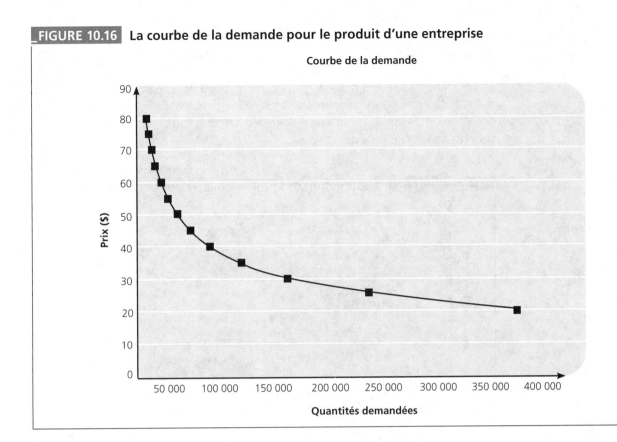

Courbe de la demande

TABLEAU 10.2 La structure des coûts, les revenus et les profits d'une entreprise pour différents niveaux de prix

Prix ($)	Quantité (unités)	Revenu total ($)	Coûts fixes ($)	Coûts variables ($)	Coût total ($)	Profits/pertes[a] ($)
80	10 000	800 000	600 000	250 000	850 000	-50 000
75	12 000	900 000	600 000	300 000	900 000	0
70	14 560	1 019 200	600 000	364 000	964 000	55 200
65	17 888	1 162 720	600 000	447 200	1 047 200	115 520
60	22 291	1 337 472	600 000	557 280	1 157 280	180 192
55	**28 236**	**1 552 954**	**600 000**	**705 888**	**1 305 888**	**247 066**
50	36 449	1 822 474	800 000	911 237	1 711 237	111 237
45	48 113	2 165 100	800 000	1 202 833	2 002 833	162 267
40	65 220	2 608 811	800 000	1 630 507	2 430 507	178 304
35	91 308	3 195 794	800 000	2 282 710	3 082 710	113 084
30	133 049	3 991 482	1 000 000	3 326 235	4 326 235	-334 753
25	204 009	5 100 226	1 000 000	5 100 226	6 100 226	-1 000 000
20	334 575	6 691 497	1 000 000	8 364 371	9 364 371	-2 672 874

a. Profits/pertes = (prix × quantités) – (coûts fixes + coûts variables)
= (revenu total) – (coût total)

La figure 10.17 explique le raisonnement sous-jacent à cette méthode en se référant au prix juste. Les clients déterminent la valeur apportée par le produit et lui attribuent un prix qu'ils estiment être juste. La droite représente la combinaison des valeurs perçues par les clients et des prix qu'ils acceptent de payer. Il s'agit pour l'entreprise qui suit l'approche de la valeur perçue de se positionner sur cette droite en offrant un produit qui répond aux attentes des consommateurs cibles à un prix qu'ils jugent raisonnable.

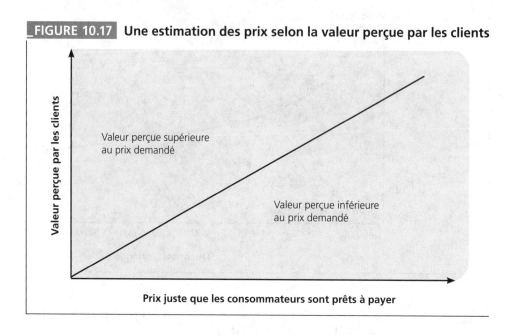

FIGURE 10.17 **Une estimation des prix selon la valeur perçue par les clients**

Certaines entreprises vont, cependant, au-delà de la combinaison valeur perçue/prix juste et proposent aux consommateurs des bénéfices égaux, voire plus grands, à un prix inférieur, tentant ainsi de se positionner dans la partie supérieure du graphique de la figure 10.17 (valeur perçue supérieure au prix demandé). Cette deuxième approche est appelée communément « tarification en fonction de la valeur ». Ces entreprises s'efforcent alors de compresser leurs coûts le plus possible afin d'obtenir à la fois un profit acceptable et une qualité supérieure.

En pratique, la tarification en fonction de la valeur permet à l'entreprise d'obtenir une estimation du prix psychologique, aussi appelé « prix d'acceptabilité », défini comme le prix pour lequel il existe le plus grand nombre de consommateurs potentiels prêts à acquérir le produit. Pour l'estimation de ce prix, on utilise souvent les données du niveau de prix minimum au-dessous duquel les consommateurs rejetteraient le produit en le jugeant de mauvaise qualité et celles du niveau de prix maximum au-dessus duquel les consommateurs jugeraient le produit trop cher pour la satisfaction qu'il procure. L'info-marketing 10.6 donne un exemple pratique de la méthode d'estimation du prix psychologique pour un spectacle de cirque pour enfants.

10.4.3_Une approche intégrée pour la fixation des prix

Les sections précédentes ont décrit les différents facteurs qui doivent entrer en ligne de compte quand on fixe des prix, les principales stratégies de prix ainsi que les principales méthodes utilisées. Ce qui suit propose une approche intégrée et présente les étapes que doit suivre une entreprise dans le processus de fixation des prix. La figure 10.18 (*voir p. 366*) énumère les étapes du processus, qui sont au nombre de cinq : la fixation et l'ordonnancement des objectifs ; la fixation d'une fourchette de prix ; l'évaluation des divers scénarios à l'intérieur de la fourchette de prix ; le choix du prix final ; l'évaluation et l'ajustement des prix.

L'estimation du prix psychologique pour un spectacle de cirque pour enfants

Établir la tarification pour un spectacle de cirque pour enfants qui arrive en ville pour la semaine de relâche scolaire n'est pas une chose évidente, car plusieurs facteurs rendent la décision complexe. Parmi ces facteurs, il y a le fait que la plus grande partie des coûts des opérations est souvent constituées de coûts fixes, que les activités de substitution ou concurrentes offertes aux enfants pour cette même période sont très variées et que la valeur réelle que les clients (dans ce cas, les parents) associent à ce produit culturel demeure très vague en raison de la nature intangible du produit et de son très fort contenu affectif. Dans ce cas, le prix psychologique apparaît comme la meilleure des solutions pour établir la tarification. Cela consiste à estimer le prix qui attirerait le plus grand nombre de consommateurs potentiels et qui générerait le minimum de mécontentement. Pour cela, une enquête par sondage est réalisée auprès d'un échantillon de 500 personnes représentatives de la population cible, c'est-à-dire des parents d'enfants de 3 à 12 ans. Deux questions fondamentales leur sont posées :

Q1 : Au-dessus de quel prix unitaire n'achèteriez-vous pas un ticket pour le spectacle, car vous jugez qu'il devient trop cher ?

Q2 : Au-dessous de quel prix n'achèteriez-vous pas un ticket car vous jugez que le spectacle serait de mauvaise qualité ?

Les résultats de l'enquête sont présentés dans le tableau des fréquences qui illustre la variation selon le niveau des prix, des pourcentages cumulés obtenus à la question 1 (P1) et à la question 2 (P2) (*voir le tableau A*).

Selon les résultats de cette enquête, il ressort clairement que le prix acceptable aux yeux de la plupart des consommateurs pour ce spectacle de cirque pour enfants serait de 19 $, toutes taxes comprises (TTC). C'est le prix psychologique.

Il est important de noter que, dans la tarification en fonction de la valeur, le prix occupe une place importante, mais non démesurée, par rapport aux autres éléments du mix de marketing. La tarification en fonction de la valeur tient compte de la nécessité de fournir un mix de marketing qui maximise le rapport entre, d'une part, les bénéfices apportés au client et, d'autre part, les prix et les autres coûts pour le client. Elle repose sur le principe voulant que le client, au moment de sa prise de décision, évalue les différents produits et choisit celui qui lui procure le maximum d'utilité au moindre prix.

TABLEAU A   Le tableau des fréquences

Niveau de prix	Q1 : Spectacle de cirque jugé trop cher			Q2 : Spectacle de cirque jugé de mauvaise qualité			Non-achat de ticket	Achat de ticket
TTC (en $)	Fréquence brute	Pourcentage brut	Pourcentage cumulé croissant (P1)	Fréquence brute	Pourcentage brut	Pourcentage cumulé décroissant (P2)	Pourcentage de mécontents (P1 + P2)	Pourcentage de satisfaits 100 – (P1 + P2)
15	0	0	0	175	35	100	100	0
16	0	0	0	100	20	65	65	35
17	0	0	0	75	15	45	45	55
18	25	5	5	65	13	30	35	65
19	25	5	10	35	7	17	27	73
20	50	10	20	25	5	10	30	70
21	100	20	40	25	5	5	45	55
22	100	20	60	0	0	0	60	40
23	125	25	85	0	0	0	85	15
24	65	15	100	0	0	0	100	0
TOTAL	**500**	**100**		**500**	**100**			

FIGURE 10.18 **La démarche pratique de fixation des prix**

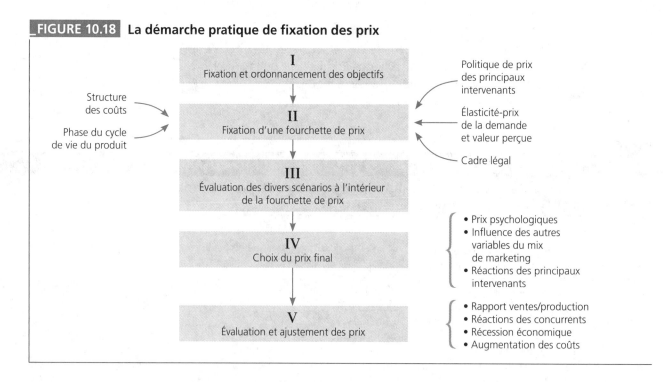

Étape 1. La fixation et l'ordonnancement des objectifs de l'entreprise

Comme on l'a déjà mentionné, la stratégie marketing de l'entreprise poursuit plusieurs objectifs, les principaux étant les objectifs de profit, de volume et de part de marché, d'image et de gamme. Ces objectifs sont le plus souvent pris en charge concurremment et il arrive parfois qu'ils s'opposent entre eux. Dans la première étape, l'entreprise doit déterminer les objectifs qu'elle veut atteindre et les classer par ordre d'importance.

Dans le cas du lancement d'un nouveau produit, même s'il est évident que les profits constituent un objectif essentiel, l'entreprise peut décider que ses objectifs prioritaires seront la définition de l'image de marque et le contrôle d'une part de marché donnée. L'objectif de profit sera considéré ultérieurement.

Étape 2. La fixation d'une fourchette de prix

Une fois ses objectifs hiérarchisés, l'entreprise doit fixer une fourchette de prix qui lui sera profitable. Il s'agit en fait de réaliser au mieux les objectifs énoncés à la première étape en respectant un certain nombre de contraintes. Les principales contraintes que l'entreprise doit prendre en considération sont liées à la structure des coûts, à la phase du cycle de vie où se situe son produit, à la politique de prix des principaux acteurs (concurrents et intermédiaires de la distribution), à l'élasticité-prix de la demande, à la valeur perçue du produit dans le marché cible et, enfin, au cadre légal, s'il y a lieu.

Ainsi, la structure des coûts permet à l'entreprise de déterminer le prix minimum à partir duquel son activité peut être rentable, c'est-à-dire son seuil de rentabilité. Quant à la phase du cycle de vie dans laquelle se situe le produit, elle est importante dans la mesure où les conditions du marché varient d'une phase à l'autre de ce cycle et que cette variation détermine la valeur des politiques de prix que l'entreprise peut choisir. Par ailleurs, la politique de prix des concurrents et les marges appliquées par les distributeurs influent grandement sur l'efficacité de la politique de tarification adoptée par l'entreprise. Il est donc nécessaire que l'entreprise en tienne compte. Enfin, l'étude de l'élasticité-prix de la demande permet à l'entreprise de déterminer les quantités demandées pour divers niveaux de prix, tandis que l'analyse de la valeur perçue lui procure des informations précieuses sur le prix maximum, minimum et juste que les consommateurs sont prêts à payer pour acquérir son produit.

D'autres contraintes peuvent s'exercer au cours de cette phase du processus de fixation des prix. Elles varient selon la situation et le statut de l'entreprise. Par exemple, des entreprises transnationales comme Procter & Gamble, General Motors et Sony doivent tenir compte de l'harmonisation internationale de leurs prix pour éviter la cannibalisation des marchés, le manque de compétitivité dans certains marchés ou les pertes d'occasions d'affaires. Aussi, les entreprises de services publics comme Hydro-Québec ou Postes Canada sont souvent obligées de respecter certains règlements établis par les commissions de réglementation. Il en va de même pour les entreprises qui gèrent une gamme de produits variés et des lignes étendues ; elles doivent souvent prendre en considération des interactions qui en découlent sous le rapport des objectifs (objectifs de la gamme/ objectif de produit singulier), d'élasticité-prix croisée de la demande de différents produits (produits complémentaires/produits substituables) et de risque de cannibalisation (concurrence directe entre les produits ou marques de l'entreprise).

Étape 3. L'évaluation des divers scénarios à l'intérieur de la fourchette de prix

Une fois la fourchette de prix définie, l'entreprise envisage les effets probables de chaque prix. Elle doit tenir compte de trois éléments importants : les prévisions des ventes et des parts de marché ; les estimations des coûts à engager ; les prévisions des revenus et des résultats de ventes. L'entreprise procède ensuite à une évaluation comparative pour choisir le scénario conforme à ses objectifs.

Étape 4. Le choix du prix final

Après avoir choisi le prix optimal, l'entreprise procède généralement à certains ajustements avant de fixer le prix final. Ce faisant, on tient compte de l'effet psychologique des prix, de l'influence des autres variables du mix de marketing et des réactions probables des principaux acteurs, notamment les concurrents et les intermédiaires de la distribution.

À titre d'exemple, plusieurs entreprises préfèrent afficher des prix non arrondis afin de donner au consommateur le sentiment qu'il profite d'une aubaine. Des étiquettes porteront le prix de 9,99 $ au lieu de 10 $, car beaucoup de consommateurs associent ce prix à 9 $ plutôt qu'à 10 $. D'autres effets psychologiques peuvent être pris en considération. Parmi ces effets, il y a le fait que de nombreux consommateurs se basent sur le prix pour évaluer la qualité du produit. Il y a aussi la notion de prix de référence, selon laquelle les consommateurs comparent toujours le prix du produit à certains prix de référence qu'ils ont à l'esprit. Le prix de référence peut être celui des produits concurrents (surtout les marques les plus connues), le prix payé dans des situations d'achats similaires, l'ancien prix du produit, et ainsi de suite.

Au moment de fixer le prix final, l'entreprise doit s'assurer de la compatibilité de ses choix en matière de politique de prix avec les autres éléments du mix de marketing, soit le produit, la distribution et la communication. Comme on l'a vu à la section 10.2 (*voir p. 332*), le succès d'un plan marketing dépend, entre autres choses, de la cohérence interne de ces quatre volets de prises de décision.

Étape 5. L'évaluation et l'ajustement des prix finals

Une fois la tarification finale fixée et mise en application, le gestionnaire de marketing doit poursuivre son examen de la situation et prévoir les conséquences à venir ainsi que les réactions du marché et de la concurrence par rapport à ces choix. L'entreprise pourrait alors être amenée à exercer une révision de sa politique de prix initiale soit à la hausse, soit à la baisse [21].

Plusieurs facteurs peuvent conduire l'entreprise à baisser ses prix initiaux. Trois circonstances méritent une attention particulière. La première, quand les capacités de production de l'entreprise dépassent de loin ses niveaux de vente, ce qui se répercute sur ses coûts moyens, qui deviennent alors très élevés. La deuxième, quand l'entreprise fait face à une concurrence accrue, voire une guerre de prix, ce qui entraîne une chute rapide de ses parts de marché. La troisième, lorsqu'une récession économique affecte le pouvoir de marché pour l'ensemble de la population. Dans chacune de ces circonstances, un ajustement des prix à la baisse apparaît comme une décision inéluctable si l'entreprise veut sauver son produit.

Par ailleurs, d'autres circonstances peuvent pousser l'entreprise à augmenter ses prix initiaux. Deux d'entre elles sont typiques. La première place l'entreprise dans une situation où elle doit faire face à une augmentation sensible et imprévue de ses coûts d'opération. Ce fut le cas, par exemple, dans le domaine de la transformation agroalimentaire, lorsque la plupart des compagnies se sont trouvées, en 2008, dans l'obligation d'augmenter leurs tarifs initiaux à la suite d'une forte hausse du prix des céréales et d'autres intrants, entraînant une hausse sensible du prix au détail des produits de boulangerie (13,2 % en 12 mois, dont 4 % rien qu'en juillet). D'autres produits alimentaires avaient subi des hausses comparables, notamment les dérivés laitiers et les viandes, dont la production nécessite de tels intrants pour l'élevage et l'alimentation des bêtes. La seconde circonstance est moins fréquente : l'entreprise fait face à une augmentation imprévue de la demande qu'elle a de la difficulté à satisfaire. Cela s'est produit, par exemple, avec les ventes des petites voitures économiques qui, dès 2008, ont connu des hausses sans précédent, aux dépens des grosses voitures beaucoup moins éconergétiques et souvent très coûteuses, jusque-là en vogue. Cet engouement imprévisible s'explique par les changements dans le comportement d'achat des Canadiens qui ont dû composer, entre autres, avec le litre d'essence à 1,50 $ (comparé à 0,60 $ en 2003) et avec une crise économique qui battait son plein. Dans de telles circonstances, un ajustement des prix à la hausse devient inévitable si l'entreprise veut garantir le même niveau de profitabilité dans le premier cas et profiter de l'occasion qui lui est offerte dans le second.

Cependant, il est important de garder à l'esprit qu'avant de procéder à tout changement de prix, que ce soit à la baisse ou à la hausse, l'entreprise doit étudier les effets de ces changements sur ses objectifs et sur les autres éléments du mix de marketing, en tenant compte des réactions possibles de ses clients et de ses concurrents. Un ajustement de prix qui n'est pas contrôlé peut parfois mener à un suicide commercial. L'info-marketing 10.7 énumère les recommandations d'une firme de conseil américaine sur les 10 erreurs à éviter au moment d'élaborer une politique de prix.

Les 10 erreurs à éviter dans la fixation des prix

Atenga est une firme de conseil américaine spécialisée dans la stratégie de fixation des prix (*pricing*). Elle se donne pour mission d'aider les entreprises de différents secteurs à gérer leurs prix et leur profitabilité le plus efficacement possible, par l'usage de données primaires et secondaires, internes et externes. Le gros de ses activités concerne l'élaboration du prix pour les nouveaux produits et services en phase de lancement ainsi que pour ceux déjà mis en marché mais qui nécessitent un effort d'optimisation. Le site Web d'Atenga recèle une foule de renseignements utiles au praticien de marketing, entre autres, les 10 erreurs qu'une entreprise doit éviter dans la gestion de ses prix, qui sont les suivantes :

1. Établir ses prix uniquement à partir des coûts plutôt que suivant la perception que les consommateurs ont des produits.

2. Établir ses prix uniquement sur la base du « prix du marché ».

3. Chercher à réaliser la même marge de profit pour différentes gammes de produits.

4. Échouer dans la segmentation de son marché et le ciblage de ses clients.

5. Maintenir ses prix au même niveau trop longtemps en ignorant les changements dans les coûts de production, les conditions de la concurrence et les préférences des consommateurs.

6. Stimuler les vendeurs selon les revenus générés plutôt que selon les profits.

7. Changer les prix sans tenir compte de la réaction des concurrents.

8. Ne pas allouer assez de ressources financières, humaines et technologiques pour une bonne gestion des prix.

9. Échouer dans l'implantation de procédures internes d'optimisation des prix.

10. Perdre son temps avec les clients les moins rentables aux dépens des plus rentables.

Source : ATENGA, *Top 10 Pricing Mistakes,* [En ligne], www.atenga.com (Page consultée le 10 mai 2010) ; traduction et adaptation libres.

_10.5_ La modulation des prix

Dans la gestion de sa politique de prix, l'entreprise essaiera souvent d'introduire une certaine flexibilité afin d'atteindre tous ses objectifs de ventes ou de profits. Elle pourra alors faire appel à d'autres éléments du mix de marketing qui ont une interaction directe avec le prix, notamment les techniques de promotion des ventes telles que les politiques d'escompte, les ristournes et les rabais. Les sections qui suivent décrivent brièvement ces diverses techniques et comment elles peuvent servir, en pratique, à moduler les prix de base d'un produit dans un marché.

10.5.1_Les politiques d'escompte

Les escomptes sont des réductions de prix accordées aux clients pour un temps limité dans le but de stimuler, à court terme, l'achat d'un produit. Les principaux types sont les escomptes de volume, les escomptes saisonniers, les escomptes liés aux conditions de paiement, les escomptes fonctionnels et les ristournes[22].

Les escomptes de volume

Ces réductions sur le prix de base sont attribuées par l'entreprise afin d'encourager ses clients à acheter le produit en plus grande quantité. Les escomptes de volume sont soit cumulatifs, soit non cumulatifs.

L'escompte cumulatif est accordé sur les achats effectués sur une certaine période et la réduction est proportionnelle aux quantités commandées. L'escompte non cumulatif, quant à lui, s'applique à une seule commande. Dans le premier cas, l'escompte vise souvent à favoriser les achats répétés et à fidéliser les clients; dans le second cas, le but est d'inciter le client à commander une quantité plus importante.

Outre celui d'accroître les ventes, l'escompte non cumulatif a pour principal avantage de générer des économies sur les coûts de distribution et de traitement de commande. Par contre, il comporte deux sérieux inconvénients. Il peut amener un distributeur à grouper certaines commandes pour pouvoir profiter de l'escompte ou à acheter plus de produits qu'il ne peut en écouler, ce qui risque par la suite de le placer dans l'obligation de baisser considérablement ses prix de vente au consommateur final. L'entreprise peut alors avoir à résoudre deux problèmes : un problème interne d'optimisation des coûts de production et de stockage, et un problème externe de mécontentement de ses autres distributeurs qui se voient cannibalisés sur les mêmes marchés.

Les escomptes saisonniers

Les entreprises qui doivent répondre à une demande saisonnière peuvent en venir à offrir des baisses de prix aux clients qui achètent le produit dans les périodes creuses ou en fin de saison. Cette technique permet aux producteurs d'éviter les coûts de surstockage dus à la baisse sensible de la demande en périodes creuses. Les fournisseurs de services se tournent souvent vers ce type d'escompte en raison du caractère périssable de leur produit. En effet, contrairement à un bien physique, un service ne peut pas être stocké et revendu par la suite. Toutefois, l'escompte saisonnier présente parfois l'inconvénient majeur d'inciter les clients à retarder leurs achats en vue d'obtenir une baisse de prix prévisible sur les produits.

Les escomptes liés aux conditions de paiement

Dans la plupart des cas, l'entreprise vend à crédit ses produits aux grossistes. Elle envoie la facture à son client, qui dispose d'un certain délai fixé à l'avance pour effectuer le paiement, 60 jours par exemple. Certaines entreprises réduisent les prix pour pousser l'acheteur à régler plus rapidement sa facture. Ainsi, lorsqu'un client veut payer un montant qui est dû dans les 60 jours, il peut bénéficier d'une première réduction s'il effectue le paiement total avant 30 jours ou d'une réduction plus marquée s'il l'effectue au moment de passer la commande.

Certains magasins ont recours à cette méthode pour encourager les consommateurs à payer comptant, ce qui permet au commerce, d'une part, de bénéficier d'une marge brute d'autofinancement (*cash flow*) et, d'autre part, d'éviter de payer à des entreprises financières comme Visa ou MasterCard des redevances sur les ventes effectuées à crédit.

Les escomptes fonctionnels

Les escomptes fonctionnels sont offerts par l'entreprise aux grossistes et aux détaillants qui prennent à leur charge certaines tâches comme le transport, le stockage, la promotion, le service après-vente ou toute autre tâche qui permet de pousser le produit dans le marché. L'entreprise accordera différents niveaux de remises à différents intermédiaires selon les fonctions qu'ils accomplissent. Cependant, pour éviter d'être accusée de pratiquer des prix discriminatoires, elle doit consentir les mêmes remises à tous les intermédiaires de son réseau de distribution qui achètent la même quantité et le même produit.

10.5.2_Les ristournes

Cette technique de promotion des ventes consiste, pour l'entreprise, à accorder à ses distributeurs ou à ses clients des réductions en échange de certains services. Il existe plusieurs formes de ristournes: les remises à des fins de publicité, les commissions pour les chefs de rayon et les offres de reprise.

Les remises à des fins de publicité

Les remises à des fins de publicité sont des réductions de prix accordées par une entreprise à ses distributeurs afin de les encourager à faire la publicité et la promotion de ses produits. Ces remises profitent au fabricant, qui peut ainsi compter sur un surplus d'effort de communication. Elles sont aussi avantageuses pour les distributeurs, qui sont alors mis en évidence.

L'entreprise doit dans ce cas vérifier l'affectation de ces sommes par les distributeurs et la conformité des activités publicitaires des distributeurs au positionnement des produits. Ce contrôle entraîne forcément un coût dont elle doit tenir compte au moment de la fixation des prix.

Les commissions pour les chefs de rayon

Ces réductions sont accordées aux distributeurs qui les octroient, à leur tour, aux chefs de rayon afin de pousser les ventes de certains articles. Elles touchent souvent les nouveaux produits, les produits à faible rotation ou les produits à fortes marges. Ainsi, les chefs de rayon et les vendeurs reçoivent des commissions sur les ventes de ces articles, et ces commissions sont payées par les remises accordées par l'entreprise.

Les offres de reprise

Ces réductions de prix sont accordées aux consommateurs pour la reprise d'un produit d'occasion de même catégorie que le produit acheté et parfois de la même marque. Cette technique est utilisée pour des produits tels que des cartouches d'encre, des ordinateurs, des électroménagers ou des voitures. Le but est souvent d'amener le consommateur à se départir d'un produit usagé devenu encombrant après l'achat d'un nouveau. Les magasins Best Buy offrent aux clients qui achètent un électroménager de prendre leur vieil appareil. De la même manière, la plupart des concessionnaires d'automobiles, avec la pleine approbation des fabricants, acceptent de prendre les vieilles voitures des clients en réduisant en contrepartie le prix de la nouvelle, si elles sont de la même marque.

10.5.3_Les coupons et les rabais

Plusieurs entreprises distribuent des coupons au moyen de l'emballage de leurs produits, de publicités imprimées, de la poste ou de leur site Web. La figure 10.19 (*voir p. 372*) illustre une utilisation de cette politique. Les consommateurs présentent les coupons aux distributeurs, qui leur accordent des réductions sur le prix de base du produit. Cette réduction est par la suite remboursée par l'entreprise au distributeur ainsi que les frais qui peuvent découler de cette opération.

_FIGURE 10.19 L'utilisation de rabais par les distributeurs de produits d'achat courant

Source : COSTCO, livret de coupons-rabais, été 2010.

Le mérite de ces coupons est qu'ils assurent à l'entreprise que les réductions de prix qu'elle accorde arrivent directement au consommateur final et ne sont pas encaissées par les distributeurs et les différents intermédiaires.

Afin d'aboutir au même résultat, certaines entreprises préfèrent accorder aux consommateurs des rabais après qu'ils ont acheté le produit. C'est le cas des rabais postaux offerts sur l'achat de certains produits informatiques, comme les logiciels et les imprimantes.

_Points saillants

_Le prix est défini comme l'ensemble des efforts pécuniaires ou autres que le consommateur est prêt à consentir en vue de l'acquisition d'une certaine valeur offerte par un produit, un service ou une combinaison des deux, dans une situation donnée.

_Seule une bonne combinaison des choix liés au produit, au prix, à la communication et à la distribution serait capable d'assurer un avantage compétitif à l'entreprise, en offrant au consommateur une valeur supérieure à celle de ses concurrents immédiats.

_Dans le processus décisionnel relatif à la politique de prix, l'entreprise doit prendre en considération quatre facteurs importants : les objectifs généraux de la stratégie marketing, la structure des coûts, les politiques de prix des concurrents et des distributeurs et, enfin, l'élasticité-prix de la demande.

_Au Canada, la *Loi sur la concurrence* définit un certain nombre de règles concernant les politiques de prix des entreprises, dont les plus importantes portent sur les ententes illicites, les prix discriminatoires, la vente à perte et les prix de revente.

_La première décision relative au prix que la direction marketing doit prendre concerne le choix entre une politique de prix uniforme et une politique de prix flexible.

_La politique de prix de l'entreprise doit changer avec chaque phase du cycle de vie d'un produit afin de mieux correspondre aux exigences et aux contraintes de l'environnement interne et externe de l'entreprise.

_On distingue deux grandes approches de fixation des prix : l'approche du prix interne et l'approche du prix externe. La première part de la structure interne des coûts de l'entreprise et de sa rentabilité, alors que la seconde tient principalement compte de facteurs de l'environnement externe tels que la concurrence et le marché.

_Les cinq principales étapes du processus de fixation du prix d'un produit ou d'un service sont : la fixation et l'ordonnancement des objectifs ; la fixation d'une fourchette de prix ; l'évaluation des divers scénarios à l'intérieur de la fourchette de prix ; le choix du prix final ; l'évaluation et l'ajustement des prix.

_Dans la gestion de sa politique de prix, l'entreprise fait souvent appel à d'autres éléments du mix de marketing qui ont une interaction directe avec le prix, notamment les techniques de promotion des ventes telles que les politiques d'escompte, les ristournes et les rabais.

_Questions

_1. Le concept de prix est défini de deux façons. Présentez et comparez ces deux définitions. Définissez dans vos propres mots le prix d'une offre. Appuyez vos propos par des exemples pratiques.

_2. Discutez de la relation entre le prix et chacune des autres composantes du mix de marketing.

_3. Une entreprise peut fixer des objectifs de profit maximum, minimum, satisfaisant ou raisonnable. Décrivez ces quatre types d'objectifs au moyen d'exemples.

_4. Quels sont les deux types d'objectifs de volume en matière de fixation de prix ? Expliquez chacun d'eux en mettant l'accent sur leurs facteurs de succès et d'échec.

_5. Quels sont les trois cas de figures illustrant les objectifs de gamme ? Énumérez quelques produits fournissant de bons exemples de chaque cas.

_6. Quelles composantes de la structure des coûts interviennent au moment de fixer des prix ?

_7. Expliquez brièvement le phénomène de la courbe d'expérience. Dans quelles situations une entreprise peut-elle bénéficier d'économies d'échelle ?

_8. Expliquez pourquoi il est important pour une entreprise de prendre en considération les concurrents et les distributeurs lorsqu'elle établit sa stratégie de prix.

_9. Qu'est-ce qui distingue une demande élastique d'une demande inélastique ? Quels sont les facteurs qui influent sur l'élasticité de la demande ?

_10. Quelles sont les principales règles imposées par la législation canadienne en matière de politique de prix ?

_11. Le service du marketing d'une entreprise locale cherche à mettre en place une politique de prix. Elle a le choix entre une politique de prix uniforme et une politique de prix souple. À votre avis, quelle politique doit-elle choisir? Justifiez votre réponse.

_12. Un détaillant de meubles veut percer le marché canadien. Il doit alors choisir la stratégie de prix adéquate pour faire face à des concurrents comme IKEA, Sears, Leon's et The Brick. Quelle politique de prix lui suggérez-vous?

_13. Une entreprise peut différencier son produit dans sa phase de croissance comme elle peut adopter une stratégie de domination par les coûts. Ces stratégies peuvent s'appliquer à l'ensemble du marché ou à un segment particulier. Donnez un exemple d'entreprise qui adopte une stratégie de différenciation en ciblant un segment spécifique et d'entreprise qui adopte une stratégie de domination par les coûts en visant le marché global.

_14. Qu'est-ce qui pourrait expliquer la baisse des prix des produits qui sont en phase de maturité? Y a-t-il des situations dans lesquelles une entreprise ne sera pas contrainte de diminuer les prix de ces produits?

_15. Choisissez un produit électronique, informatique ou de mode en phase de déclin. Décrivez les stratégies adoptées par les différentes entreprises concurrentielles de l'industrie de ce produit.

_16. Quels sont les avantages et les inconvénients de l'approche du prix interne? Serait-il convenable qu'une entreprise adopte cette approche?

_17. Qu'est-ce qu'un seuil de rentabilité? Quelle est son utilité pour les gestionnaires? Expliquez la méthode de fixation des prix basée sur l'analyse du seuil de rentabilité.

_18. Quelles sont les conditions d'application de la méthode de l'indexation sur le coût marginal?

_19. Quelle différence existe-t-il entre les méthodes de fixation des prix orientées vers la concurrence et orientées vers la demande?

_20. Une approche intégrée comprend des étapes que doit suivre une entreprise au moment du processus de fixation des prix. Quelles sont ces étapes? Expliquez brièvement chacune d'elles.

_21. Présentez brièvement les différentes techniques de promotion des ventes qu'une entreprise peut utiliser pour maximiser celles-ci. Parmi ces techniques figurent les politiques de réduction; présentez les avantages et les inconvénients de chaque type de rabais.

Fort de son succès mondial dans le domaine des logiciels, la compagnie américaine Microsoft a entamé, à partir de la fin de l'année 2001, un virage stratégique en pénétrant pour la première fois le marché des consoles de jeux vidéo, avec le lancement de sa Xbox. Le marché était jusque-là occupé par des joueurs pour la plupart japonais, notamment Nintendo, Sega et Sony.

En 2005, dans un marché de plus en plus compétitif, Microsoft décide de lancer une nouvelle console technologiquement plus avancée, qui portera le nom de Xbox 360. Elle fera partie de la même nouvelle génération de consoles que la PS3 de Sony et la Wii de Nintendo, qui suivront l'année d'après. Ce n'est que quelques semaines avant le lancement, en novembre 2005, que Microsoft fait l'annonce du prix officiel de sa Xbox 360. On proposera deux versions du même modèle : un ensemble complet vendu à 499 $, et un ensemble de base à 399 $. La première version porte le vrai nom du produit, Xbox 360, et comprend en plus de la console une manette sans fil, une façade détachable, un microcasque sans fil, un câble haute définition conçu pour les écrans de télévision HD, un câble Ethernet, une carte de membre pour le service Xbox Live Silver et, enfin, une télécommande en édition limitée. La version « allégée », appelée de façon suggestive Xbox 360 Core System, comprend, outre la console de jeu, une manette sans fil, une façade détachable, une carte de membre pour les services Xbox Live Silver et les câbles de base nécessaires (alimentation électrique et audio-vidéo). Microsoft précise que l'achat d'une console en version Core System et de tous les accessoires proposés dans l'ensemble le plus complet mais achetés séparément entraînerait un surcoût de plus de 200 $ par rapport à l'ensemble qui les inclut déjà.

D'ailleurs, Sony agit de la même façon avec sa console PSP, quand elle la lance en avril 2005, et avec sa console PlayStation 3, lancée uniquement sur Internet à la fin de 2005. Aucune de ces entreprises ne veut aller trop vite, afin de profiter des spéculations des médias, des premières réactions des amateurs de jeux vidéo, de l'opinion des analystes et des réactions immédiates des concurrents.

Dès que Microsoft indique le prix de son nouveau modèle, les consommateurs réagissent. D'abord, ils prennent conscience que le nouveau modèle se vendra plus cher que ce qu'ils avaient prévu et qu'il y aura deux versions. Les prix restent cependant convenables, et Microsoft vise intelligemment les moins fortunés avec la version de base, à prix plus bas. En fait, à 399 $, la version de base figure parmi les consoles les plus abordables jamais mises sur le marché. Ensuite, les noms des deux versions suggèrent au consommateur que la version la plus chère est « la bonne », puisqu'elle porte le nom du modèle lui-même, Xbox 360, tandis que l'autre version est appelée Xbox Core System. En outre, les accessoires qui accompagnent la version de base sont de moins bonne qualité (manette, câbles vidéo standards) que ceux de la version complète, ce qui fait croire que cette dernière est la version originale et que l'autre est une version simplifiée. Enfin, le prix de 499 $ pour la version complète ne plaît pas à tous les consommateurs. Plusieurs estiment que la sortie de deux versions d'un même modèle est une stratégie commerciale de Microsoft, qui vise à pousser au maximum les ventes, surtout en phase de lancement, de sa version la plus chère, ce qui lui permettra de réaliser rapidement de gros profits.

Sources : inspiré de plusieurs articles, dont : JEUX DIMENSION, « La Xbox 360 à nos portes… ET PAS CHER ! », *Nouvelles,* 6 septembre 2005, [En ligne], www.dimensiongames.com ; Peter BOULE, « Xbox 360 : prix ultra officiels », *Toute l'actualité informatique,* Tom's Hardware, 17 août 2005, [En ligne], www.presence-pc.com ; JEUXVIDEO.FR, « Xbox 360 : le lancement marathon », 2 décembre 2005, [En ligne], www.jeuxvideo.fr (Pages consultées le 10 mai 2010)

_1. Commentez la politique de prix adoptée par Microsoft pour le lancement de la Xbox 360 et les facteurs qu'elle a pris en considération au moment d'élaborer ses prix.

_2. Compte tenu de la phase de cycle de vie du produit – console de jeu nouvelle génération –, pensez-vous que Microsoft a fait le bon choix en cherchant à faire une pénétration par les prix ? Expliquez les raisons d'un tel choix.

_3. Comment jugez-vous la cohérence entre le prix établi par Microsoft pour sa console Xbox 360 et les autres éléments de son mix de marketing, notamment le produit, la distribution et la communication ?

_4. Quelle stratégie auriez-vous recommandée à ses concurrents Sony et Nintendo, qui s'apprêtaient à lancer leurs consoles de même génération ? Par la suite, quelle devrait être alors la riposte de Microsoft pour ce qui est du prix de la Xbox ?

_Notes

1. Philip KOTLER, Pierre FILIATRAULT et Ronald E. TURNER, *Le management du marketing,* 2ᵉ édition, Boucherville, Gaëtan Morin Éditeur, 2000, 875 p.

2. Kent B. MONROE et William B. DODDS, « A research program for establishing the validity of the price-quality relationship », *Journal of the Academy of Marketing Science,* vol. 16, nᵒ 1, mars 1988, p. 151-168.

3. Robert A. LYNN, *Price Policies and Marketing Management,* Homewood (Illinois), R. D. Irwin, 1967, 331 p.

4. Jean-Jacques LAMBIN, *Le marketing stratégique : du marketing à l'orientation-marché,* 4ᵉ édition, Paris, Ediscience International, 1999, 737 p.

5. Jean-Marc LÉGER et Serge LAFRANCE, « L'essence du marketing », *Commerce,* vol. 104, nᵒ 11, 2003, p. 92 ; Voir également le communiqué de presse de CAA-QUÉBEC, « Prix de l'essence : des marges au détail beaucoup trop élevées ! », 29 septembre 2009, [En ligne], www.caaquebec.com (Page consultée le 4 mai 2010)

6. Jean-Pierre LEGOFF, *Économie managériale : marchés, soutien à la décision, concurrence,* Sainte-Foy, Presses de l'Université du Québec, 1993, 445 p.

7. *Ibid.*

8. Thomas T. NAGLE et Reed K. HOLDEN, *The Strategy and Tactics of Pricing : A Guide to Profitable Decision Making,* 2ᵉ édition, Englewood Cliffs (New Jersey), Prentice Hall, 1995, 409 p.

9. *Ibid.*

10. Hermann SIMON et Robert J. DOLAN, « Price customization », *Marketing Management,* vol. 7, nᵒ 3, printemps 1998, p. 11-17.

11. L. CLOUTIER, « Toyota nie vouloir mettre fin au prix unique », *Le Droit,* 19 juin 2004, p. A51.

12. Stanley J. SHAPIRO *et al., Basic Management : A Global Managerial Approach,* 10ᵉ édition canadienne, Toronto, McGraw-Hill Ryerson, 2002, 864 p.

13. André DÉSIRONT, « Guerre de prix dans le domaine du voyage ? », *La Presse,* 15 octobre 2005, cahier Vacances-Voyage, p. 17.

14. Joel DEAN, « Pricing policies for new products », *Harvard Business Review,* novembre-décembre 1976, p. 141-153 ; Reed K. HOLDEN et Thomas T. NAGLE, « Kamikaze pricing », *Marketing Management,* vol. 7, nᵒ 2, été 1998, p. 30-38.

15. T. T. NAGLE et R. K. HOLDEN, *op. cit.*

16. « Compaq et Dell : guerre des prix », *La Presse,* 7 mai 2001, p. D8.

17. T. T. NAGLE et R. K. HOLDEN, *op. cit.*

18. *Ibid.*

19. *Ibid.*

20. Jacques LENDREVIE et Denis LINDON, *Mercator : théorie et pratique du marketing,* 7ᵉ édition, Paris, Dalloz, 2003, 322 p.

21. P. KOTLER, P. FILIATRAULT et R. E. TURNER, *op. cit.*

22. Kent B. MONROE, *Pricing : Making Profitable Decisions,* 2ᵉ édition, New York, McGraw-Hill, 1990, 337 p. ; T. T. NAGLE et R. K. HOLDEN, *op. cit.*

La distribution et la logistique

Sommaire

Les praticiens s'accordent pour dire que la distribution est un élément fondamental du mix de marketing. Dès l'Antiquité, des négociants et des marchands ont acheté au Moyen-Orient ou en Asie des produits tels que la soie et les épices, puis les ont transportés par caravane jusqu'à des ports maritimes pour les vendre à d'autres intermédiaires qui les expédiaient, à leur tour, dans des pays aussi lointains qu'en Europe, où des commerçants les revendaient. Pendant des millénaires, les agriculteurs et les artisans sont allés vendre au marché leurs produits aux consommateurs ou à de petits commerçants qui les revendaient une fois revenus chez eux. On offrait même des services. En effet, des scribes, des hommes dont le métier était d'écrire, se chargeaient de rédiger des documents officiels ou des lettres personnelles pour les particuliers, puisque la majorité de la population était analphabète.

Au Canada, au début de la colonie, les coureurs des bois échangeaient avec les autochtones des miroirs et autres objets contre des fourrures qui étaient ensuite vendues en Europe. Au XXIᵉ siècle, des marchés animaient déjà le centre des villes, comme celui de Saint-Hyacinthe, encore actif aujourd'hui. De nos jours, certains marchés sont très achalandés; c'est le cas des marchés Jean-Talon et Atwater, à Montréal, où les citadins peuvent s'entretenir avec des agriculteurs et leur acheter des produits frais sans avoir à passer par l'intermédiaire de grossistes et de détaillants. Dans certains centres de villégiature au Québec, on trouve à l'été et à l'automne un marché de fruits, de légumes et de produits maison. À Val-David, des artisans exposent leurs produits dans la rue. Et à l'autre bout de l'échelle, des commerçants aussi importants que Walmart n'hésitent pas à s'installer dans de petites villes.

Le rôle de premier plan joué depuis des siècles par la distribution dans la vie économique a conduit certains théoriciens à affirmer que la distribution constitue le fondement du marketing. D'autres considèrent que, depuis quelques décennies, les principaux changements en marketing concernent surtout la distribution et la logistique et qu'il en sera encore ainsi dans les années à venir. L'apparition de géants du commerce de détail tels que Walmart et Loblaw, celle d'entreprises de messagerie comme FedEx, UPS et DHL Express, avec leurs camions et leurs avions qui livrent des colis presque partout dans le monde en quelques jours, et celle encore d'entreprises de commerce électronique comme Amazon et eBay, qui ont donné un nouveau sens aux transactions commerciales, témoignent de cette révolution commerciale. À cause de leur impact sur la distribution et de l'importance de leur croissance, le commerce électronique et le cybermarketing (*e-marketing*) seront d'ailleurs étudiés en détail au chapitre 13.

Le présent chapitre traite du troisième « P » du mix de marketing, à savoir la « place » sur le marché. On pourrait aussi parler symboliquement de « pipeline », parce qu'un circuit de distribution conduit les produits des producteurs à leurs utilisateurs. Il sera principalement question des moyens utilisés pour donner aux produits (biens ou services) accès au marché. Le chapitre est divisé en quatre parties. La première définira la nature des circuits de distribution, et la deuxième expliquera la gestion des circuits de distribution. La troisième partie portera sur les principaux types de commerces de gros et de détail, puis la quatrième et dernière partie sera consacrée à la gestion de la logistique.

_11.1_ La nature des circuits de distribution

En général, les producteurs de biens de consommation et de biens de production font appel à des intermédiaires pour distribuer leurs produits sur le marché. De nos jours, de nombreuses entreprises de services recourent également à des intermédiaires. Ainsi, les agences de voyages servent à la fois des compagnies aériennes, des compagnies de location d'automobiles et des chaînes hôtelières. Un circuit de distribution est composé d'intermédiaires, c'est-à-dire d'entreprises ou d'individus interdépendants dont la fonction consiste à mettre des produits et des services à la disposition des consommateurs ou d'autres entreprises. Le tableau 11.1 donne une courte définition des principaux termes désignant des intermédiaires. Certains intermédiaires achètent, stockent et revendent des produits ; on les appelle des marchands. Par contre, les agents de fabricants et les courtiers (par exemple, les agents immobiliers) sont des intermédiaires qui ne prennent pas possession des produits, mais qui agissent uniquement comme entremetteurs ; on les désigne sous le terme général d'agent. De son côté, le facilitateur (par exemple, un transporteur ou une institution financière) a pour fonction d'aider à la distribution.

TABLEAU 11.1 Une définition des principaux termes désignant des intermédiaires

Terme	Définition
Intermédiaire	Personne ou entreprise qui s'entremet ou qui intervient dans un circuit économique ou commercial.
Distributeur	Tout commerçant qui s'occupe de la distribution d'un produit ou d'un service. Ce terme générique est souvent employé dans le sens de « grossiste ».
Facilitateur	Intermédiaire qui ne prend pas possession d'un produit ou d'un service, ne l'achète ni ne le vend, mais facilite les transactions.
Marchand	Intermédiaire qui achète, stocke et revend des marchandises.
Grossiste	Entreprise qui vend des produits et des services à des entreprises qui les revendent à d'autres entreprises, habituellement des détaillants. Certains grossistes, comme Metro et RONA, sont aussi des détaillants.
Détaillant	Entreprise qui vend des produits et des services aux consommateurs.
Agent de fabricant	Intermédiaire qui a pour fonction de représenter le fabricant et d'en vendre les produits.
Courtier	Intermédiaire qui met en relation le vendeur et l'acheteur.

11.1.1_Pourquoi des intermédiaires ?

Les intermédiaires créent de la valeur à la fois pour les producteurs et pour les acheteurs. Ils contribuent par exemple à réduire le nombre de transactions entre les fabricants et les acheteurs, ce qui aide à accroître l'efficacité et l'efficience du système de distribution en général. Ainsi, comme le démontre bien la figure 11.1 (*voir p. 380*), l'intervention d'un intermédiaire permet de ramener le nombre de contacts de 25 (*voir la figure 11.1a*) à 10 (*voir la figure 11.1b*), si l'on considère seulement 5 fabricants et 5 clients. On peut imaginer l'effet produit lorsqu'un fabricant vend à 5 intermédiaires, qui vendent chacun à 50 détaillants, qui ont chacun 1000 clients : le fabricant a alors accès à 250 000 consommateurs en ne vendant qu'à 5 intermédiaires… C'est cet effet multiplicateur que les fabricants attendent, entre autres, des circuits de distribution. Dans la pratique, la distribution directe est impossible pour bon nombre de fabricants. Ainsi, Nestlé ne pourrait avoir des points de vente rentables s'il y vendait uniquement ses tablettes de chocolat ou son eau minérale. Il lui faudrait y vendre d'autres articles pour connaître la rentabilité, et ces points de vente deviendraient alors, de fait, des commerces de détail.

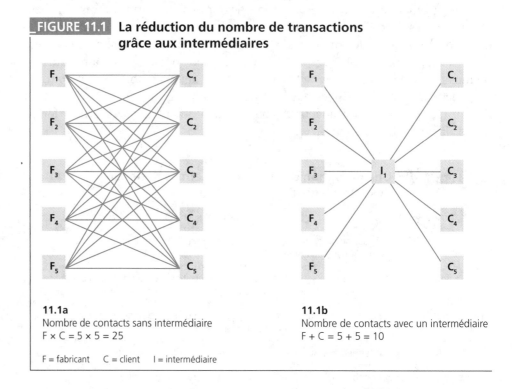

_FIGURE 11.1 La réduction du nombre de transactions grâce aux intermédiaires

11.1a
Nombre de contacts sans intermédiaire
F × C = 5 × 5 = 25

11.1b
Nombre de contacts avec un intermédiaire
F + C = 5 + 5 = 10

F = fabricant   C = client   I = intermédiaire

Les fabricants font appel à des intermédiaires parce que ces derniers sont mieux placés qu'eux pour distribuer de façon efficace leurs produits sur les marchés cibles, en raison de leurs relations, de leur expérience, de leur spécialisation et des économies d'échelle [1]. En fait, un circuit de distribution assure l'écoulement des produits et des services sur le marché, qui peut être constitué de consommateurs ou de clients industriels ou organisationnels. Par contre, ce faisant, les fabricants perdent un certain contrôle sur la manière dont sont vendus leurs produits et sur les clients à qui ils sont vendus. On prétend même que la balance du pouvoir sur les marchés au cours des dernières décennies est passée des fabricants aux distributeurs.

11.1.2_Les principales fonctions de la distribution

Fondamentalement, les circuits de distribution éliminent les différences de buts existant entre les clients et les producteurs. Les producteurs sont intéressés à produire et à vendre en grande quantité un nombre déterminé de biens et de services, alors que les clients veulent acheter et consommer une grande variété de produits, mais en faible quantité [2]. De plus, les circuits de distribution comblent les écarts d'espace, de temps, d'information, de valeurs et de propriété [3]. Les producteurs concentrent leurs opérations dans un nombre limité d'emplacements, souvent un seul, tandis que les clients sont disséminés sur une grande étendue géographique. Les clients peuvent vouloir acheter et consommer un produit en un temps autre que celui que le producteur a fixé pour la production et le transport de ses produits. De leur côté, les producteurs ne connaissent pas toujours tous les besoins des clients, ils ne peuvent savoir précisément qui a besoin de quoi, quand, où et à quel prix, puisqu'ils ne sont pas constamment en contact avec des clients. De leur côté, les clients peuvent ne pas connaître l'offre de tous les fabricants, ne pas savoir ce qui est sur le marché, quand, où et à quel prix. En fin de compte, les producteurs et les clients considèrent l'offre sous des points de vue différents : les premiers portent attention aux coûts et aux prix de la concurrence, et les seconds sont attentifs à leurs propres besoins, à l'utilité et au prix du produit ou du service ainsi qu'à leur capacité de payer.

Selon Frederick E. Webster, les intermédiaires, pour assurer l'acheminement des produits vers les acheteurs, accomplissent trois types de fonctions : les fonctions transactionnelles, logistiques et facilitatrices (*voir le tableau 11.2*). Ces fonctions sont essentielles à l'efficacité d'un circuit de distribution et sont l'objet de négociations entre les partenaires.

_TABLEAU 11.2 **Les principales fonctions de la distribution**

Type de fonctions	Exemples d'activités
Les fonctions transactionnelles	**L'achat.** L'acquisition de produits et de services en vue de la revente ou de l'approvisionnement. **La vente.** Les activités de représentation, de promotion et de sollicitation ayant pour but d'obtenir des commandes. **La prise de risques.** La prise de possession de produits malgré les risques que l'inventaire devienne désuet ou se détériore.
Les fonctions logistiques	**L'assortiment.** L'offre de produits provenant de plusieurs fournisseurs dans le but de présenter des stocks variés pour satisfaire les clients. **Le stockage.** L'entreposage des produits dans un endroit approprié, avant de les vendre, en vue d'assurer un meilleur service à la clientèle. **Le tri.** L'achat de produits en grande quantité et la répartition dans des formats mieux adaptés aux besoins des clients. **Le transport.** L'acheminement des produits vers les distributeurs, puis des distributeurs vers les détaillants et les clients finals.
Les fonctions facilitatrices	**Le financement.** Le crédit fait aux différentes catégories de clients. **Le classement.** L'inspection, le test et l'évaluation des produits pour leur assigner différents indices de qualité. **La collecte d'information et la recherche marketing.** La transmission d'information aux clients et aux fournisseurs sur les ventes et les tendances.

Source : Eric N. BERKOWITZ *et al.*, *Le marketing*, 2ᵉ édition, Montréal, Chenelière/McGraw-Hill, 2007, p. 353 ; adaptation libre.

La distribution joue un rôle fondamental dans notre système économique. Les entreprises de services, les fabricants de biens industriels ou de consommation, les coopératives agricoles et même les producteurs agricoles qui écoulent directement leurs produits sur le marché local ont besoin de la distribution. Tous empruntent, à des degrés différents, ses circuits pour acheminer les biens et services vers les clients. Toutes les fonctions de la distribution doivent être remplies. Il reste à savoir par qui elles le seront et comment. Les fabricants peuvent en accomplir un certain nombre, mais leur principal rôle est la production et non la distribution. Souvent, plus un fabricant assume lui-même des fonctions de distribution, plus les coûts qui en résultent sont élevés et plus le prix que le client a à payer tend à augmenter. C'est pourquoi la plupart des fabricants chargent des intermédiaires de remplir certaines fonctions de distribution. Les coûts du fabricant diminuent par le fait même. Normalement, les coûts de distribution assumés par les intermédiaires, à cause de leur spécialisation et des volumes en jeu, seront moins élevés que ceux des fabricants, ce qui a pour conséquence d'abaisser le prix demandé aux clients. De plus, si les clients acceptent de remplir eux-mêmes certaines fonctions, comme l'emballage dans certains supermarchés, le prix sera encore plus bas. Plus un circuit de distribution sera efficace et efficient, plus les prix demandés aux clients finals seront bas.

11.1.3_Les circuits de distribution

Il existe plusieurs types de circuits de distribution. Chacun peut être composé d'un nombre variable d'intermédiaires, allant d'aucun à plusieurs. Les intermédiaires qui contribuent de diverses manières à acheminer les produits vers le client final occupent différents niveaux dans le circuit. Le producteur et le client, que ce dernier soit un individu, une organisation ou une entreprise, sont les deux points extrêmes à considérer dans le processus de distribution des produits. La logique de la distribution est la même pour les clients consommateurs que pour les clients organisationnels ou industriels. La figure 11.2 présente les différents circuits de distribution possibles.

_FIGURE 11.2 **Les niveaux des circuits de distribution**

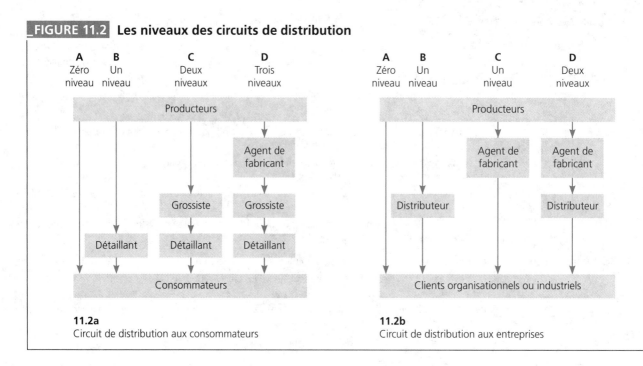

11.2a
Circuit de distribution aux consommateurs

11.2b
Circuit de distribution aux entreprises

Il existe plusieurs façons d'acheminer un bien vers les consommateurs, comme on peut le voir dans la figure 11.2a. Le circuit à zéro niveau (*le circuit A de la figure 11.2a*) est direct : du producteur au consommateur, sans aucun intermédiaire ; le producteur accomplit alors toutes les fonctions de distribution. Dans un tel cas, on parle souvent de marketing direct. Des compagnies d'ordinateurs, de jouets, de produits de beauté, d'articles de cuisine, de produits d'entretien ménager et même des compagnies d'assurances vendent leurs produits directement aux consommateurs. Plusieurs méthodes peuvent être utilisées, comme les démonstrations à domicile, la publicité à la télévision ou le commerce électronique. Des magazines comme *Châtelaine*, *L'actualité* et *Les Affaires* vendent leurs abonnements par correspondance. Certains producteurs agricoles, comme les viticulteurs, vendent leurs produits sur Internet. D'autres créent des événements en invitant les individus et les familles à cueillir eux-mêmes des fraises ou des pommes ; il s'agit là d'un bon exemple de vente directe du producteur au consommateur.

Certains fabricants de vêtements ont un point de vente dans leur usine, alors que d'autres, tels que Tommy Hilfiger, en plus de vendre à des commerçants, ont leurs propres magasins de détail. Il en est de même pour les produits électroniques. Ainsi, Sony possède ses propres magasins de détail. Certains fabricants d'automobiles, comme Mercedes, possèdent des concessions d'automobiles qui leur servent de banc d'essai pour des méthodes de vente ou pour le service à la clientèle. Cette méthode d'action présente la même structure qu'un circuit de distribution à un niveau, sauf que le commerce de détail appartient au fabricant. Comme le montre la figure 11.2a, il est possible pour un même producteur d'emprunter un ou plusieurs circuits de distribution, à condition de s'assurer qu'il n'y a pas de conflits avec les individus ou les entreprises faisant partie des divers circuits. Le circuit à un niveau (*le circuit B de la figure 11.2a*) est fort populaire : il est utilisé par de nombreuses grandes chaînes de commerces de détail comme Sears, La Baie et Walmart. Ces grandes chaînes achètent en grande quantité de façon à être traitées comme des grossistes par les fabricants.

Le circuit à deux niveaux (*le circuit C de la figure 11.2a*) comprend le grossiste et le détaillant. Il est utilisé par de grandes entreprises comme Metro, un grossiste qui vend à des détaillants. L'entreprise peut aussi être à la fois un grossiste et un détaillant ; c'est le cas de Loblaw. Le circuit à deux niveaux est employé pour de petits détaillants ou pour des produits à faible valeur unitaire achetés fréquemment, comme les journaux, les tablettes de chocolat ou le lait. Enfin, le circuit à trois niveaux (*le circuit D de la figure 11.2a*) est surtout utilisé par de petits fabricants qui font appel aux services d'un agent de fabricant pour vendre leurs produits. Ainsi, un fabricant d'articles de cuisine en plastique comme des louches ou des raclettes utilisera les services d'un agent de fabricant pour vendre ses produits à un grossiste, qui les revendra à des détaillants.

Les circuits empruntés par les producteurs de biens et de services destinés aux entreprises sont présentés à la figure 11.2b. Les fondements structurels des circuits de distribution aux clients organisationnels et industriels diffèrent de ceux des circuits de distribution aux consommateurs en ce que, en général, les produits sont plus spécialisés et les circuits sont plus courts en raison du moins grand nombre de clients et de l'importance quantitative des achats. Souvent, pour les produits d'achat courant et les fournitures, les commandes sont passées pour une année, et les bons de commande sont émis automatiquement lorsque le niveau des stocks baisse.

Comme dans le cas de la distribution aux consommateurs, les producteurs de biens et de services destinés aux entreprises peuvent vendre leurs produits directement aux clients (*le circuit A de la figure 11.2b*). Ainsi, grâce à sa propre force de vente, IBM vend sans intermédiaires ses produits et ses services. Il en va de même pour Bombardier Aéronautique et Bombardier Transport qui vendent directement à des transporteurs aériens et à des sociétés de transport public. Ce circuit à zéro niveau est particulièrement indiqué pour des produits dont le prix unitaire est élevé et dont l'installation, la formation des employés utilisateurs et le service après-vente exigent du personnel très qualifié.

Dans le premier circuit à un niveau (*le circuit B de la figure 11.2b, p. 382*), les représentants commerciaux du fabricant vendent des produits spécialisés à un grossiste ou à un détaillant industriel, qui les revend à des entreprises. Par exemple, un fabricant vend ses chariots élévateurs à un distributeur spécialisé en manutention de marchandises, et ce dernier les revend à des industriels ou à des compagnies de transport. Ces distributeurs industriels s'occupent non seulement de vendre, mais aussi de garder en stock une quantité déterminée de produits complets, de pièces de rechange et d'accessoires. Souvent, ils offrent également des services d'entretien et de réparation. Le second circuit à un niveau (*le circuit C de la figure 11.2b*) implique la présence d'un autre intermédiaire, l'agent de fabricant. C'est un contractuel responsable de la prospection de nouveaux clients et de la vente des produits de l'entreprise aux clients actuels ou potentiels. Il peut représenter plusieurs compagnies non concurrentes et complémentaires, et vendre directement à des distributeurs – un circuit à deux niveaux (*le circuit D de la figure 11.2b*) – ou à des clients organisationnels ou industriels.

Enfin, à ces types de circuits de distribution s'ajoutent les circuits électroniques. Des entreprises comme eBay ont en fait créé une variante moderne du circuit B de la figure 11.2b en développant le commerce électronique (*chapitre 13*).

_11.2 La gestion des circuits de distribution

Les décisions concernant les circuits de distribution sont parmi les plus importantes que la direction des entreprises doit prendre [4], puisque la gestion de ces circuits est un élément essentiel des stratégies fondamentales de marketing et des stratégies de mix de marketing. En fait, les décisions relatives aux circuits de distribution se répercutent sur toutes les autres décisions de marketing. De plus, elles engagent l'entreprise pour un terme assez long, et il peut être complexe et fort coûteux de modifier un circuit de distribution. La gestion des circuits de distribution comprend six étapes (*voir le tableau 11.3*) : l'analyse de l'environnement, la définition des objectifs, le choix d'un circuit de distribution, le choix des intermédiaires, les relations avec les intermédiaires et l'évaluation des intermédiaires retenus.

_TABLEAU 11.3 La gestion des circuits de distribution

1. L'analyse de l'environnement
   - L'analyse de l'environnement interne
   - L'analyse de l'environnement externe
     - L'environnement de l'entreprise
     - Les types de couverture du marché
     - Les types de circuits de distribution
2. La définition des objectifs
3. Le choix d'un circuit de distribution
4. Le choix des intermédiaires
5. Les relations avec les intermédiaires
6. L'évaluation des intermédiaires retenus

11.2.1_L'analyse de l'environnement

Comme l'a décrit le chapitre 2, la planification débute toujours par l'analyse de l'environnement. Dans l'analyse pour déterminer le choix d'un circuit de distribution, on s'attarde à l'environnement interne et à l'environnement externe de l'entreprise.

L'analyse de l'environnement interne

On analyse en premier lieu l'environnement interne, en particulier les facteurs relatifs à l'entreprise, généralement un fabricant ou possiblement un importateur, et aux produits. L'analyse doit tout d'abord définir le marché à couvrir et le positionnement des produits sur ce dernier. Elle doit évaluer les ressources financières, humaines et technologiques de l'entreprise. Ainsi, une petite entreprise aux revenus modestes aura avantage à retenir les services d'un agent de fabricant plutôt que de faire usage de sa propre force de vente à l'instar d'une grande entreprise comme Procter & Gamble ou GlaxoSmithKline. Il est par ailleurs indispensable de tenir compte de la nature des produits que l'on offre quand vient le temps de choisir un circuit de distribution. Un produit de consommation standard, à prix unitaire faible, appelle la mise à contribution de grossistes et de détaillants, alors qu'un produit complexe ou personnalisé, fabriqué sur demande et à prix unitaire élevé, comme un ordinateur spécialisé, exige plutôt un circuit direct du producteur au client.

L'analyse de l'environnement externe

L'analyse de l'environnement externe se penche sur l'environnement de l'entreprise, les types de couverture du marché et les types de circuits de distribution possibles.

L'environnement de l'entreprise

La première analyse de l'environnement de l'entreprise qui s'impose est celle du macroenvironnement. Tout d'abord, d'un point de vue économique, il faut évaluer tous les coûts afférents au transport et au stockage des marchandises. Les grandes tendances démographiques, comme la place croissante des femmes sur le marché du travail, le vieillissement de la population et l'étalement urbain, doivent être prises en considération. Du point de vue technologique, il faut savoir évaluer à la fois la capacité technologique des entreprises et des consommateurs concernés et leurs habitudes d'achat, par exemple l'utilisation grandissante du commerce électronique.

Une autre analyse importante concerne la clientèle actuelle ou potentielle. Quel est le profil des clients actuels ou potentiels? Qui sont-ils? Quels sont leurs besoins? Où, quand et comment achètent-ils? Quel genre de produits et services attendent-ils? Les clients recherchent la meilleure valeur possible. Ils veulent une grande variété de produits et de services, des délais d'attente et de livraison courts, une grande facilité d'accès, un très bon service après-vente et les meilleurs prix possible. Il faudra évidemment faire des compromis et déterminer quel circuit de distribution répondra le mieux aux besoins du marché, en tenant compte des ressources financières, humaines et technologiques de l'entreprise. Enfin, il faut évaluer la concurrence et l'offre qu'elle présente. Quels circuits de distribution les concurrents ont-ils choisis? Pourquoi? Quels sont ceux qui connaissent le plus de succès?

Si cette analyse a été bien faite, elle devrait permettre de bien cerner les enjeux auxquels fait face l'entreprise et d'aider à résoudre la question de la couverture du marché.

Les types de couverture du marché

L'étape suivante consiste à décider de la couverture du marché optimale à adopter. On distingue habituellement trois grands types de couverture du marché : la distribution exclusive, la distribution sélective et la distribution intensive [5]. La stratégie de distribution exclusive fait appel à un nombre limité de points de vente. La vente des produits est réservée à un unique détaillant par territoire ou par région. Souvent, le détaillant sélectionné n'a pas le droit de vendre les produits des concurrents ; on parle alors de vente exclusive. Les produits spécialisés ou de luxe, comme les automobiles et autres véhicules motorisés, les vêtements griffés, les stylos, les mallettes et les valises de luxe, sont généralement distribués en exclusivité. Ce mode de distribution comporte quatre avantages : 1) les détaillants connaissent bien leurs produits et sont donc capables d'en faire la promotion et de les vendre ; 2) le fabricant peut facilement vérifier si ses politiques en matière de prix, de service à la clientèle et de promotion sont respectées ; 3) le fabricant peut mettre en valeur son image de marque, ce qui lui permet souvent de maintenir une marge plus élevée ; 4) le fabricant peut aisément faire du marketing relationnel, ce qui permet d'accroître la fidélité des intermédiaires.

La distribution sélective est à mi-chemin entre la distribution exclusive et la distribution intensive. Au lieu d'accorder l'exclusivité de la vente pour un territoire ou un segment géographique donné à un seul détaillant, le fabricant sélectionne un certain nombre de détaillants dont les magasins attirent la catégorie de clients ciblée, possèdent des caractéristiques conformes au positionnement de son produit et emploient du personnel capable de mettre en valeur l'image de marque du produit. La distribution sélective permet au fabricant de rejoindre plus de clients potentiels qu'avec la distribution exclusive, et à des coûts moindres qu'avec la distribution intensive. Elle donne aussi l'occasion d'exercer un certain contrôle sur les pratiques de mise en marché des intermédiaires et d'entretenir des relations relativement plus personnalisées que dans le cas de la distribution intensive. Ce mode de distribution constitue un compromis intéressant, mais il ne permet toutefois pas de couvrir le marché aussi bien que la distribution intensive.

La stratégie de distribution intensive a pour but d'obtenir la couverture la plus complète du marché par le moyen d'un stockage des produits dans le plus grand nombre de points de vente possible. On s'en sert souvent pour la mise en marché de produits de grande consommation, comme les boissons gazeuses, les bières, les confiseries, les savons, les journaux, les tablettes de chocolat et les produits pharmaceutiques en vente libre. La distribution intensive convient aussi bien à la mise en marché des biens qu'à celle des services ; à preuve, le très grand nombre de guichets automatiques des institutions financières. Le principal avantage de ce mode de distribution est qu'il permet de couvrir le plus grand marché potentiel possible. Ses principaux inconvénients sont un certain manque de contrôle sur les pratiques de mise en marché du détaillant (présentoirs, promotion, niveau de prix) et des coûts élevés.

Les types de circuits de distribution

Un circuit de distribution est un ensemble plus ou moins ordonné d'entreprises ou d'entités administratives qui assurent l'acheminement des produits du fabricant jusqu'à l'acheteur. Les trois principaux types de circuits de distribution sont le circuit vertical, le circuit horizontal et le circuit multiple [6].

Le circuit vertical. Les entreprises qui font partie de ce type de circuit de distribution agissent au sein d'un système unifié. Elles travaillent en collaboration et sont dominées jusqu'à un certain point par celle d'entre elles qui est la plus influente. Le principal avantage des circuits de distribution verticaux est qu'ils permettent de contrôler les entreprises faisant partie du circuit et d'éliminer les conflits résultant de la poursuite d'objectifs différents. Grâce à ce type de circuit, on peut réaliser des économies du fait du nombre de membres, de leur pouvoir de négociation et de l'absence de dédoublement de certaines activités et de certains services. Il existe trois types de systèmes de marketing vertical :

1. **Le système de marketing vertical d'entreprise.** Il n'appartient qu'à un seul propriétaire, qui agit à la fois comme producteur et distributeur. C'est le système qui permet d'exercer le plus de contrôle sur l'ensemble du circuit de distribution. Il en existe deux formes. Dans la première, un distributeur peut être propriétaire, en totalité ou en partie, des entreprises manufacturières dont il distribue les produits. C'est le cas de Sears qui possède en tout ou en partie plus de la moitié des entreprises dont il vend les produits. Loblaw distribue les produits de la boulangerie Weston, dont il est propriétaire, mais il vend aussi les produits de nombreux autres fabricants. Dans la deuxième forme, un fabricant peut posséder son propre réseau de magasins de détail. Par exemple, le fabricant de peinture Sherwin-Williams possède un réseau de magasins de détail, alors que Tommy Hilfiger ne possède qu'un nombre limité de points de vente établis dans des endroits jugés stratégiques.

2. **Le système de marketing vertical d'influence.** La coordination entre le producteur et le distributeur repose alors sur le pouvoir que possède l'un des membres du circuit du fait de son influence ou de sa taille. Des compagnies comme Nestlé, Heinz, Campbell, Gillette et Procter & Gamble peuvent amener les grossistes et les détaillants à changer leurs délais de livraison, leurs étalages, leurs promotions, leurs prix et leurs soldes. Ils arrivent à coordonner un ensemble d'actions et de programmes dans le circuit de distribution, grâce à la collaboration qu'ils obtiennent des autres entreprises faisant partie du circuit. De la même manière, Walmart, vu l'importance de son volume d'affaires, peut obtenir des manufacturiers qu'ils fabriquent des produits selon des directives précises, qui seront vendus exclusivement dans ses magasins, ou encore négocier des prix et des conditions de livraison qui lui permettront d'offrir des prix plus bas à ses clients.

3. **Le système de marketing vertical de droit.** Des producteurs et des distributeurs indépendants s'engagent sur une base contractuelle à intégrer diverses opérations afin de réaliser des économies d'échelle, d'améliorer leur mise en marché et d'accroître ainsi leurs ventes et leur rentabilité. Ce système est responsable d'une proportion importante des ventes au détail réalisées au Canada. Il existe trois types de systèmes de marketing vertical de droit : la chaîne volontaire, la coopérative de détaillants et le franchisage.

   - La chaîne volontaire est mise sur pied par un grossiste. Elle est formée de petits détaillants indépendants qui s'engagent par contrat avec le grossiste à l'aider à mieux gérer les stocks et à accroître l'efficacité des achats. En se groupant de la sorte, les détaillants indépendants réalisent des économies d'échelle et bénéficient d'escomptes sur la quantité, ce qui leur permet d'abaisser leurs coûts, donc de concurrencer les grandes chaînes.

   - La coopérative de détaillants est créée à l'initiative de détaillants indépendants, afin d'exercer le rôle de grossiste. Les détaillants membres groupent leurs achats pour obtenir de meilleurs prix et mettent en œuvre conjointement des activités et des programmes de publicité et de promotion, lesquels ont ainsi plus d'effets. Les profits sont partagés entre les membres au prorata de leurs achats. RONA est un exemple de coopérative de détaillants qui a particulièrement bien réussi. Cette entreprise exploite maintenant 680 magasins et emploie 27 000 personnes dans toutes les régions du Canada. Le cas, à la fin du chapitre (*voir p. 409*), décrit la gestion efficace de cet important distributeur et détaillant.

■ Le franchisage est un contrat entre une société mère (le franchiseur) et un individu ou une entreprise (le franchisé) en vertu duquel le franchisé a le droit d'exploiter un commerce donné, sous un nom déterminé et suivant des règles précises (la franchise). Le franchisage est très populaire et a connu un taux de croissance fort élevé au cours des dernières années. Il en existe trois formes: la franchise de détail contrôlée par un fabricant, la franchise de gros contrôlée par un fabricant, et la franchise de détail contrôlée par une entreprise de services.

On cite habituellement comme exemple de franchise de détail contrôlée par un fabricant le concessionnaire d'automobiles à qui le fabricant (Ford, Honda, Mercedes…) accorde une licence, souvent en exclusivité sur un territoire donné. Le concessionnaire, un homme ou une femme d'affaires ou une entreprise indépendante, s'engage à vendre les voitures du franchiseur suivant diverses conditions de vente et de service. Dans la franchise de gros contrôlée par un fabricant, une entreprise comme Coca-Cola ou PepsiCo (le franchiseur) accorde une licence à un embouteilleur (le franchisé). Ce dernier, qui est grossiste, achète le concentré du franchiseur, y ajoute de l'eau gazéifiée, met en bouteille la boisson gazeuse et la distribue à des commerces de détail locaux, dont les supermarchés, les dépanneurs et les restaurants.

Il est également possible que la franchise de détail soit contrôlée par une entreprise de services. Le franchiseur vend alors au franchisé un concept élaboré par une marque de commerce reconnue, des méthodes relatives aux affaires, des aménagements normalisés, un système de service à la clientèle, des normes et des règles précises de fonctionnement, en ce qui a trait par exemple à l'affichage et aux costumes des employés. Le franchisage est une pratique de commerce courante dans la restauration rapide (McDonald's, Pizza Hut, Burger King, Tim Hortons), l'hôtellerie (Best Western, Holiday Inn), la location d'automobiles (Avis, Hertz, Tilden), l'immobilier (Century 21, RE/MAX) ainsi que dans de nombreuses autres entreprises de services telles que les centres de conditionnement physique, les agences de voyages et les clubs vidéo.

Le circuit horizontal. Le système de marketing horizontal est utilisé moins fréquemment que le système de marketing vertical de droit, mais exige néanmoins lui aussi des ententes formelles. Il implique l'association de deux ou plusieurs entreprises qui ont des produits et marchés différents, mais qui peuvent être complémentaires. Ces entreprises s'associent en vue de pénétrer un marché, misant sur la synergie de leurs expertises combinées. Ainsi, une compagnie pharmaceutique pourrait s'allier à un fabricant de nutraceutiques, ou bien à une compagnie qui occupe une part importante du marché des médicaments non brevetés dans les pharmacies pour offrir un produit breveté. Des succursales bancaires et des agences de voyages ont été mises en place dans des commerces de détail. Un tel système peut être aménagé pour un temps déterminé ou de façon permanente. Il est par ailleurs possible de créer une nouvelle entreprise pour réaliser les mêmes buts.

Le circuit multiple. Lorsqu'une entreprise emprunte deux ou plusieurs circuits de distribution pour atteindre un ou plusieurs marchés ou segments de marché, on parle de circuit multiple. Par exemple, Hewlett-Packard vend des serveurs et des solutions de réseautage directement aux grandes entreprises, alors que pour les microentreprises et les particuliers, les ventes se font par l'intermédiaire de détaillants comme Bureau en Gros. Ou encore, des fabricants comme Ralph Lauren confient à des détaillants le soin d'offrir leurs produits aux consommateurs, et ils ouvrent de leur côté leurs propres magasins de détail, appelés magasins de fabricants. Cette façon de faire accroît la couverture du marché en rendant les produits accessibles à un plus grand nombre de clients potentiels. Le circuit multiple peut donner lieu à des conflits entre les entreprises lorsque deux canaux de distribution se font concurrence sur un même marché.

11.2.2_La définition des objectifs

Une fois l'analyse de l'environnement terminée, le gestionnaire de marketing doit se demander quels sont les objectifs de son entreprise par rapport aux circuits de distribution. Le choix des objectifs dépend non seulement de l'environnement de l'entreprise, mais aussi du type de couverture de marchés et de circuits de distribution. D'autres variables dictent également ce choix. Il importe de rappeler au préalable que les décisions ayant trait à cet élément du mix de marketing ont des effets à long terme et qu'elles sont plus difficiles à modifier que celles qui concernent le produit, le prix ou les communications. En effet, les décisions relatives à la distribution engagent l'entreprise pour longtemps, parce qu'il faut des années pour bâtir un réseau de distribution efficace. Les engagements sont aussi spécifiés dans des contrats à long terme. L'entreprise doit donc se fixer des objectifs compatibles avec ses ressources. Elle doit particulièrement prendre en considération le positionnement du produit et le niveau de couverture de marché souhaité [7].

Les objectifs peuvent aussi concerner la part de marché, les ventes et la rentabilité, le niveau et la qualité du service à la clientèle, ou la minimisation des coûts. La manière d'aborder le marché variera beaucoup selon le niveau de service à la clientèle souhaité par les divers segments potentiels de marché. Les objectifs dépendent également des caractéristiques du produit. Les produits périssables exigent des circuits courts, et les produits volumineux, des circuits qui réduisent au minimum les distances et le nombre de manipulations. Les produits spécialisés, comme la machinerie ou l'équipement informatique, sont d'habitude vendus directement au client, mais il arrive qu'ils le soient par l'intermédiaire d'agents de fabricant.

11.2.3_Le choix d'un circuit de distribution

Au terme de l'analyse détaillée de l'environnement, les mercaticiens ont relevé les diverses possibilités de circuits de distribution et défini les avantages et les inconvénients, les forces et les faiblesses de chaque type. Pour faire le meilleur choix, ils tiennent alors compte des critères de rentabilité, de couverture du marché, de potentiel de croissance, de pérennité, de contrôle et de souplesse [8].

L'analyse de la rentabilité est un élément essentiel de l'évaluation d'un circuit de distribution. Pour pouvoir passer à une autre étape de l'analyse, il est nécessaire d'évaluer si le circuit de distribution qui pourrait être retenu est rentable. Il faut d'abord, qu'il s'agisse d'un producteur, d'un grossiste ou d'un détaillant, faire des prévisions de vente pour chaque circuit ou même pour un seul circuit en considérant diverses combinaisons d'entreprises. On détermine ensuite les coûts qui en résultent et l'on évalue la rentabilité des différents circuits, ou d'un seul circuit, en faisant varier dans chaque cas le nombre d'entreprises. Au terme de l'étude de rentabilité, certains circuits ou certaines entreprises auront été écartés. Les autres possibilités feront l'objet d'une analyse plus poussée.

Viennent s'adjoindre à l'analyse de la rentabilité les études de couverture du marché et de potentiel de croissance des circuits retenus, au regard des grandes tendances observées dans le domaine de la distribution et de la logistique. Quelle est la couverture optimale du marché et que réserve l'avenir ? La couverture du marché est un élément déterminant. Un produit doit être offert en quantité suffisante pour répondre aux besoins du marché, mais sans excéder la demande. Un autre élément à évaluer est la pérennité du circuit. Depuis combien de temps le circuit existe-t-il et quelle est la probabilité qu'il dure encore longtemps ? Il faut aussi considérer la pérennité des entreprises faisant partie du circuit. Quelle expérience ont-elles et quelle est leur probabilité de survie ?

Une fois que l'on a désigné les choix possibles, on les évalue en fonction de deux critères qui devraient être conciliables : le contrôle et la souplesse. Certains fabricants, et même certains grossistes, chercheront à obtenir le plus grand contrôle possible pour assurer un service à la clientèle parfait, selon leur point de vue, et pour renforcer l'image de marque du produit ou de l'entreprise. D'un autre côté, tous les membres du circuit exigeront de la souplesse pour avoir la plus grande marge de manœuvre possible. Si un circuit requiert de nombreux et longs engagements, il est clair qu'il devra être considéré, tant par les fabricants que par les grossistes, comme nettement supérieur aux autres pour être retenu, en raison des lourdes contraintes qu'il imposera ou de la difficulté présumée de contrôler les opérations qu'il comportera.

11.2.4_Le choix des intermédiaires

Maintenant qu'elle a retenu un circuit de distribution qui maximise les probabilités de succès, l'entreprise est prête à choisir les intermédiaires. Parmi les critères courants pour évaluer les intermédiaires dans un circuit, on trouve d'abord ceux qui ont servi à l'évaluation des divers circuits de distribution : la couverture du marché, le potentiel de croissance, la pérennité, le contrôle et la souplesse. À ces critères s'ajoutent la solvabilité et la stabilité financière, la qualité de la gestion, du personnel, des installations et du service, la fiabilité et la réputation de l'intermédiaire. Lorsque l'évaluation des différents intermédiaires est terminée, on effectue un choix et l'on entreprend des négociations en vue de conclure une ou plusieurs ententes.

11.2.5_Les relations avec les intermédiaires

Une fois les ententes conclues, les aspects administratifs réglés et les opérations mises en œuvre, le gestionnaire de marketing doit établir des relations de travail avec les intermédiaires et trouver des moyens de maintenir leur intérêt et leur motivation. Les relations que les dirigeants de l'entreprise productrice entretiennent avec ceux des entreprises distributrices peuvent être de nature personnelle. Dans les opérations journalières, les relations sont entretenues par les échanges entre les employés des deux types d'entreprises, mais surtout par les représentants commerciaux des producteurs et par les acheteurs ou les gestionnaires de catégories de produits des distributeurs.

Cependant, les entreprises qui font partie d'un circuit n'ont pas toujours les mêmes objectifs ni les mêmes intérêts. Des conflits peuvent donc surgir, et il importe de trouver des moyens de les résoudre, idéalement avant même qu'ils ne surviennent. Des conflits peuvent se déclencher dans les circuits de distribution verticaux, horizontaux et multiples [9]. On parle de conflit vertical lorsqu'il y a désaccord entre des entreprises de différents niveaux d'un circuit, par exemple, entre un fabricant de produits alimentaires et un grossiste, ou entre un fabricant de véhicules motorisés et ses concessionnaires. On a affaire à un conflit horizontal lorsqu'il y a désaccord entre des entreprises d'un même niveau, par exemple, entre Zellers et Walmart, ou encore entre deux concessionnaires Honda. Enfin, un conflit peut opposer des entreprises de circuits différents, à un même niveau ou à des niveaux différents ; par exemple, un magasin de détail qui vend des produits Ralph Lauren pourrait être en conflit avec les magasins de détail qui appartiennent à ce fabricant.

Les conflits peuvent naître lorsqu'il y a des objectifs incompatibles, une définition confuse des conditions de l'entente ou une compréhension erronée des droits et des responsabilités des entreprises faisant partie d'un circuit, ou lorsqu'il y a une mauvaise connaissance du marché, une intensification de la concurrence et un pouvoir excessif du fabricant ou de l'intermédiaire. Les conflits peuvent être néfastes. Il faut donc trouver des moyens de les prévenir ; et si l'on ne peut les empêcher de se produire, on mettra tout en œuvre pour les résoudre. L'un des moyens d'éviter les conflits consiste à s'assurer que les entreprises poursuivent les mêmes objectifs généraux. On peut échanger des employés des entreprises concernées ou tenir des réunions statutaires. Si un conflit surgit, les représentants des deux parties doivent s'efforcer de le régler par la négociation. En cas d'échec, on peut faire appel aux supérieurs des deux intervenants pour tenter de trouver une solution. Si la démarche échoue, on demandera à un médiateur d'harmoniser les intérêts des deux parties ou l'on désignera un arbitre dont la décision sera exécutoire.

11.2.6_L'évaluation des intermédiaires retenus

L'évaluation des intermédiaires retenus constitue la dernière étape du processus de gestion des circuits de distribution. La performance et le rendement financier des membres du réseau doivent être constamment évalués. Ainsi, un manufacturier devrait évaluer les ventes des intermédiaires par rapport aux objectifs et aux quotas de vente, le niveau des stocks et la fréquence des ruptures de stock, les résultats des promotions, la qualité du service à la clientèle et le degré de collaboration des intermédiaires. Dans le cas d'écarts notables, il faudra trouver des moyens de remédier aux divers problèmes décelés et, le cas échéant, résoudre les conflits. Si les écarts sont considérables, si l'on observe un manque de volonté ou d'intérêt, ou encore une incapacité à résoudre les problèmes, on peut être obligé de modifier le circuit de distribution. L'une des solutions envisageables peut être d'écarter des entreprises du circuit de distribution ou d'en ajouter. On peut vouloir modifier le circuit actuel ou, carrément, le supprimer ou en ajouter un autre.

_11.3_ Les principaux types de commerces de gros et de commerces de détail

La première partie de ce chapitre a défini la nature des circuits de distribution. La deuxième a traité de la gestion des circuits de distribution. Cette partie du chapitre décrira les principaux types de commerces de gros et de commerces de détail. Les grossistes et les détaillants jouent des rôles forts différents dans les circuits de distribution. Mais dans certains cas, des grossistes exercent certains rôles de détaillant et, inversement, des détaillants peuvent remplir des fonctions de grossiste.

11.3.1_Les commerces de gros

Le secteur du commerce de gros est constitué d'établissements qui exercent leurs activités principalement dans le domaine de la vente en gros de marchandises et qui fournissent la logistique de même que les services de marketing et de soutien connexes [10]. Le coût des biens vendus par les commerces de gros se chiffrait à 567,6 milliards de dollars au Canada en 2007, et à 97,5 milliards de dollars au Québec (*voir le tableau 11.4*).

_TABLEAU 11.4 Des statistiques d'exploitation des commerces de gros au Canada et au Québec

Commerce de gros	Canada		Québec	
	Coût des biens vendus (en milliards de dollars)	Marge brute (%)	Coût des biens vendus (en milliards de dollars)	Marge brute (%)
Produits agricoles	18,2	11,5	0,8	16,9
Produits pétroliers	125,4	5,0	12,0	2,6
Produits alimentaires	69,0	18,4	18,0	16,2
Produits d'alcool et de tabac	7,2	19,3	x	x
Habillement	6,0	37,9	2,5	36,3
Articles ménagers et personnels	24,1	30,6	6,0	31,2
Produits pharmaceutiques	29,6	18,7	8,4	23,3
Véhicules automobiles	69,6	9,1	8,5	12,6
Pièces et accessoires de véhicules automobiles	14,7	26,2	2,8	26,4
Matériaux de construction	38,5	26,7	9,3	24,4
Produits métalliques	15,1	17,3	3,8	15,3
Bois d'œuvre et menuiseries	11,4	16,0	2,1	15,7
Machines et fournitures	39,5	25,9	4,8	28,0
Ordinateurs et autres appareils électroniques	26,1	21,9	3,5	21,9
Machines de bureau et d'usage personnel	15,8	34,7	2,6	36,3
Produits divers	55,3	21,0	9,1	26,2
Agents et courtiers	1,9	67,4	x	x
Ensemble des groupes de commerces	**567,6**	**18,3**	**97,5**	**20,9**

x = Confidentiel en vertu des dispositions de la *Loi sur la statistique.*

Source : STATISTIQUE CANADA, *Commerce de gros (Canada), Coût des biens vendus* et *Commerce de gros (Québec), Coût des biens vendus,* [En ligne], www40.statcan.gc.ca (Pages consultées le 2 mars 2010); adaptation libre.

En général, la vente en gros est une étape intermédiaire dans la distribution de marchandises; beaucoup de grossistes sont donc en mesure de vendre des marchandises en grande quantité à des détaillants, à des entreprises et à une clientèle institutionnelle. Cependant, certains grossistes, notamment ceux qui fournissent des biens d'équipement qui ne sont pas de grande consommation, vendent des marchandises à la pièce aux utilisateurs finals.

Le commerce en gros fait intervenir deux principaux types de grossistes: d'une part, les grossistes marchands et, d'autre part, les courtiers et les agents.

Les grossistes marchands

Les grossistes marchands achètent et vendent des marchandises pour leur propre compte. Ils travaillent habituellement dans des entrepôts ou dans des bureaux et ils peuvent expédier les marchandises qu'ils ont en stock ou les faire envoyer directement du fournisseur au client.

En plus de vendre des marchandises, les grossistes marchands peuvent fournir des services de logistique, de marketing et de soutien tels que l'emballage et l'étiquetage, la gestion des stocks, l'expédition, le traitement des réclamations en application de la garantie, la promotion interne, la publicité coopérative et la formation requise pour assurer l'usage du produit. Entrent aussi dans cette catégorie les négociants en machines et en matériel, en machines agricoles et en poids lourds.

Les établissements de ce secteur reçoivent diverses appellations selon les rapports qui les unissent aux fournisseurs ou aux clients, ou selon la méthode de distribution employée. Les grossistes marchands peuvent se faire appeler grossistes, distributeurs, distributeurs en gros. On distingue par ailleurs deux catégories de grossistes marchands: les grossistes à services complets et les grossistes à services limités. Les grossistes à services complets se divisent à leur tour en deux types: les marchands en gros et les distributeurs industriels. Les grossistes à services limités, eux, sont de six principaux types: les grossistes au comptant, les grossistes-livreurs, les intermédiaires en gros, les grossistes responsables de l'étalage, les coopératives de producteurs et les grossistes de vente par correspondance. Le tableau 11.5 présente une description des activités des différents grossistes marchands.

_TABLEAU 11.5 **Les principaux grossistes marchands**

Type	Description
LES GROSSISTES MARCHANDS	Les grossistes marchands sont des entreprises indépendantes qui possèdent les marchandises qu'elles vendent. On les appelle aussi « marchands en gros », « distributeurs » et « grossistes en fournitures industrielles ». Les grossistes marchands se divisent en deux groupes: les grossistes à services complets et les grossistes à services limités.
• **Les grossistes à services complets**	Les grossistes à services complets fournissent des services tels que le stockage, la force de vente, le crédit, la livraison et des conseils en gestion. Il se divisent en deux groupes: les marchands en gros et les distributeurs industriels.
– Les marchands en gros	Les marchands en gros vendent surtout aux détaillants et offrent une gamme complète de services. Les grossistes généraux offrent plusieurs gammes de marchandises. Les grossistes à gammes limitées de produits ne vendent qu'une ou deux gammes de marchandises, mais offrent un assortiment qui a beaucoup de profondeur. Les grossistes à gammes de produits spécialisés concentrent leurs activités sur la vente d'une seule gamme de produits qui a beaucoup de profondeur. Parmi eux, on trouve les grossistes en produits de santé et les grossistes en fruits de mer.
– Les distributeurs industriels	Les distributeurs industriels sont des grossistes marchands qui vendent à des fabricants plutôt qu'à des détaillants; ils offrent des services tels que le stockage, le crédit et la livraison. Ils peuvent offrir un large éventail de marchandises, une gamme de produits généraux ou une gamme de produits spécialisés.

> **TABLEAU 11.5** **Les principaux grossistes marchands (*suite*)**

Type	Description
• **Les grossistes à services limités**	Les grossistes à services limités offrent moins de services à leurs fournisseurs et à leurs clients que les grossistes à services complets. Il y a plusieurs types de grossistes à services limités : les grossistes au comptant, les grossistes-livreurs, les intermédiaires en gros, les responsables de l'étalage, les coopératives de producteurs et les grossistes de vente par correspondance.
– Les grossistes au comptant	Les grossistes au comptant offrent une gamme limitée de produits ayant un taux de rotation rapide, qu'ils vendent au comptant à de petits détaillants. Ils ne font normalement pas de livraison.
– Les grossistes-livreurs	Les grossistes-livreurs, aussi appelés « marchands livreurs » (*truck jobbers*), accomplissent surtout des fonctions de vente et de livraison. Ils offrent une gamme limitée de produits semipérissables (tels le lait, le pain et les casse-croûte), qu'ils peuvent vendre au comptant aux supermarchés, aux dépanneurs, aux restaurants, aux hôtels, aux hôpitaux et aux cantines d'usines.
– Les intermédiaires en gros	Les intermédiaires en gros exercent leurs activités dans des industries où les marchandises sont livrées en grande quantité, en vrac ou en chargement complet. Le bois, les produits chimiques ou pétroliers sont des exemples de telles industries. Lorsqu'une commande est reçue, l'intermédiaire en gros trouve un fabricant qui expédie la marchandise directement au client selon les conditions et les délais fixés. L'intermédiaire en gros prend possession de la marchandise et assume le risque depuis le moment de l'acceptation de la commande jusqu'au moment de la livraison au client.
– Les grossistes responsables de l'étalage	Les grossistes responsables de l'étalage (*rack jobbers*) servent les détaillants en alimentation et en pharmacie pour tout ce qui concerne les articles non alimentaires. Ils marquent les prix sur la marchandise, s'assurent de la propreté et de la fraîcheur des produits, mettent en place les présentoirs aux points de vente et contrôlent les stocks souvent à l'aide d'appareils informatiques. Les produits sont vendus en consignation, ce qui signifie que les responsables de l'étalage gardent le titre des produits et facturent les détaillants seulement si les produits sont vendus aux consommateurs. Les grossistes responsables de l'étalage fournissent donc des services de livraison, d'étalage, de stockage et de financement. Ils font peu de promotion parce qu'ils vendent des marques connues qui sont abondamment annoncées.
– Les coopératives de producteurs	Les coopératives de producteurs sont la propriété des agriculteurs qui rassemblent les produits de la ferme vendus sur les marchés locaux. Les profits sont distribués aux membres à la fin de l'année. Les coopératives de producteurs s'appliquent souvent à améliorer la qualité des produits et à faire la promotion d'une marque, tels les oranges Sunkist et les raisins Sun Maid.
– Les grossistes de vente par correspondance	Les grossistes de vente par correspondance envoient leurs catalogues de produits à des clients commerciaux, industriels et institutionnels. Leurs principaux clients sont de petites entreprises situées dans des régions éloignées. On ne maintient pas une force de vente pour rendre visite aux clients. Les commandes sont remplies et envoyées par la poste, par camion ou par d'autres moyens de transport efficaces.

Sources : Philip KOTLER, Pierre FILIATRAULT et Ronald E. TURNER, *Le management du marketing,* 2e édition, Boucherville, Gaëtan Morin Éditeur, 2000, p. 626 ; Gary ARMSTRONG *et al., Marketing, An Introduction,* 2e édition canadienne, Toronto, Pearson Prentice Hall, 2007, p. 425 ; adaptation libre.

Les grossistes ont pour rôle principal d'acheter des marchandises et des services et de les revendre à des détaillants ou à d'autres grossistes. Ils font aussi affaire avec des commerces, des fabricants, des organisations, des institutions et des producteurs agricoles. Certains ont à la fois des activités de grossistes et de détaillants. Les grossistes occupent donc une place fort importante dans la chaîne de distribution.

Les courtiers et les agents

Les courtiers et les agents achètent et vendent des marchandises pour le compte d'un tiers moyennant une rémunération ou une commission. Ils ne deviennent pas propriétaires de ces marchandises et ils travaillent habituellement dans un bureau. Le tableau 11.6 définit les rôles des courtiers et des agents, dont les agents de fabricant, les agents de vente, les agents d'achat et les commissionnaires, ainsi que d'autres intermédiaires qui remplissent des fonctions de grossistes comme les succursales et les bureaux de vente de fabricants et de détaillants de même que les grossistes spécialisés.

_TABLEAU 11.6 Les principaux courtiers et agents

Type	Description
• Les courtiers et les agents	Les courtiers et les agents ne possèdent pas la marchandise et ils n'accomplissent que quelques fonctions. Leur principale fonction est de faciliter l'achat et la vente. Leur taux de commission varie souvent de 2 % à 7 % et quelquefois jusqu'à 10 %, selon la nature des fonctions exercées. Les courtiers et les agents se spécialisent généralement dans des gammes de produits ou s'occupent d'un type particulier de clients.
– Les courtiers	La principale fonction des courtiers est de mettre en relation les acheteurs et les vendeurs et d'aider à la négociation. Les courtiers sont payés par la partie qui fait appel à leurs services. Ils ne font aucun stockage, ne s'occupent pas de financement et n'assument aucun risque. Les catégories de courtiers les plus connues sont les courtiers en produits alimentaires, en immobilier, en assurances et en valeurs mobilières.
– Les agents	Les agents représentent les acheteurs ou les vendeurs de façon plus permanente que les courtiers. Il existe plusieurs catégories d'agents : les agents de fabricant, de vente ou d'achat, et les commissionnaires.
– Les agents de fabricant	Les agents de fabricant représentent deux ou plusieurs fabricants dont les gammes sont souvent complémentaires. Ils concluent une entente en bonne et due forme avec chaque fabricant au sujet de la politique de fixation des prix, des territoires, du processus de traitement des commandes, du service de livraison, des garanties et des taux de commission. Ils connaissent chacune des gammes de produits du fabricant et mettent à profit leurs nombreuses relations pour vendre ces produits. La plupart des agents de fabricant sont de petites entreprises comptant un nombre peu élevé de vendeurs. Ces agents sont utiles aux petits fabricants qui ne peuvent se permettre de mettre sur pied une force de vente, et aux gros fabricants qui veulent conquérir de nouveaux territoires ou se faire représenter sur des territoires où ils ne peuvent maintenir en permanence leur propre force de vente.
– Les agents de vente	Les agents de vente sont autorisés par contrat à vendre toute la production d'un fabricant, celui-ci ne s'intéressant pas à la fonction de vente ou ne possédant pas les compétences requises. L'agent de vente agit comme un service des ventes et il a droit de regard sur les prix et les conditions de vente. Il n'a normalement pas de territoire délimité. On trouve des agents de vente dans des industries comme le textile, l'équipement et la machinerie industriels, le charbon et le coke, les produits chimiques et les métaux.
– Les agents d'achat	Les agents d'achat ont généralement une relation à long terme avec les acheteurs. Ils font des achats pour eux, vont même jusqu'à faire la réception, l'inspection, l'entreposage et l'expédition des marchandises pour le compte de ces derniers. Ils sont bien informés et fournissent aux clients des renseignements utiles sur les marchés, tout en obtenant les meilleurs produits et les meilleurs prix possible.
– Les commissionnaires	Les commissionnaires sont des agents qui possèdent les produits et négocient les ventes. Normalement, ils ne sont pas des employés permanents. Ils sont le plus souvent chargés de mettre sur le marché les produits agricoles des cultivateurs qui ne désirent pas vendre leur propre production et qui n'appartiennent pas à des coopératives de producteurs. Les commissionnaires prennent un camion plein de produits agricoles au marché central, en vendent le contenu aux meilleurs prix possible, déduisent leur commission et leurs dépenses, et remettent le reste aux producteurs agricoles.
• Les succursales et les bureaux de vente de fabricants et de détaillants	Certains fabricants et certains détaillants remplissent des fonctions de grossistes. Des succursales ou des bureaux sont utilisés pour la vente ou pour l'achat.
– Les succursales et les bureaux de vente	Certains fabricants utilisent leurs propres succursales et bureaux de vente pour améliorer le contrôle des stocks, la vente et la promotion. Les succursales de vente maintiennent des stocks. On les trouve dans les industries telles que le bois, l'équipement et les pièces d'automobiles. Par contre, les bureaux de vente ne stockent pas de marchandises et sont à l'œuvre surtout dans l'industrie des tissus et de la mercerie.
– Les bureaux d'achat	Les bureaux d'achat remplissent des fonctions de courtier ou d'agent pour les achats; ils ne font pas partie de l'organisation de l'acheteur. Plusieurs détaillants ont des bureaux d'achat dans les marchés plus importants, comme Montréal et Toronto.
• Les grossistes divers	On trouve divers types de grossistes spécialisés dans certains secteurs, tels les ramasseurs de produits agricoles, les raffineries et les terminaux de produits pétroliers ainsi que les entreprises de vente aux enchères.

Sources : Gary ARMSTRONG *et al.*, *Marketing, An Introduction*, 2ᵉ édition canadienne, Toronto, Pearson Prentice Hall, 2007, p. 425 ; Philip KOTLER, Pierre FILIATRAULT et Ronald E. TURNER, *Le management du marketing*, 2ᵉ édition, Boucherville, Gaëtan Morin Éditeur, 2000, p. 627 ; adaptation libre.

Bien que le volume d'affaires des grossistes soit énorme, les commerces de détail sont beaucoup plus nombreux que les commerces de gros. C'est le commerce de détail et non le commerce de gros qui donne aux consommateurs accès aux biens et aux services.

11.3.2_Les commerces de détail

« Les détaillants diffèrent des grossistes en ce qu'ils vendent de la marchandise aux gens qui sont presque toujours les consommateurs finaux. Les ventes de produits non durables aux entreprises (par exemple, le papier, les stylos et les fournitures d'informatique) sont souvent effectuées par des détaillants également [11]. » Le Système de classification des industries de l'Amérique du Nord (SCIAN) définit le commerce de détail comme suit :

- « Les établissements de commerce de détail se consacrent principalement à la vente au détail de marchandises, généralement sans y apporter de transformation et en rendant les services liés à la vente des marchandises.

- Ils sont organisés pour vendre des marchandises en petites quantités au public.

- Les détaillants vendant en magasin exploitent des points de vente à des endroits fixes, situés et conçus pour attirer un volume élevé de clients spontanés en utilisant :

  - des présentoirs complets de marchandises

  - de la publicité dans les mass médias pour attirer les clients.

- Les détaillants qui ne vendent pas en magasin concentrent leurs efforts sur les ventes par catalogue et de porte-à-porte ainsi que sur la vente de produits spécialisés, tel que le mazout domiciliaire [...] [12]. »

« Une manière d'envisager le rôle du commerce de détail consiste à prendre en considération l'importance économique des dépenses des consommateurs. [...] Techniquement, le commerce de détail ne fabrique pas les produits. En fait, ce que le secteur du commerce de détail produit est le service de vendre au détail des marchandises aux consommateurs [13]. » Les ventes au détail au Canada ont atteint 413,1 milliards de dollars en 2009, dont 94,4 milliards de dollars au Québec [14]. Il y a approximativement 265 643 points de vente au détail au Canada et 67 315 au Québec [15].

Le commerce de détail, approvisionné par le commerce de gros, rend donc accessibles près des domiciles des gens les produits usuels, souvent sur une base quotidienne. Ainsi, on peut acheter le pain, le lait et les journaux dans un dépanneur près de son domicile. Ce secteur comprend trois grands types d'établissements : les commerces de détail en magasin, les commerces de détail hors magasins et les organisations de détail.

Les commerces de détail en magasin

Les magasins ou boutiques sont établis à une adresse précise et l'on peut s'y procurer différents biens de consommation, qui vont des fournitures de bureau aux accessoires électroniques, en passant par les matériaux de construction et la quincaillerie. Les magasins de détail s'adressent à une clientèle très large, formée de particuliers, mais aussi, dans certains cas, d'entreprises et autres organisations. Ils font généralement de la publicité à grande échelle et possèdent de grands étalages[16].

Les grandes chaînes de commerce de détail, tout comme les grossistes qui ont des activités de commerce de détail, exercent un pouvoir croissant dans la chaîne de distribution par rapport aux fabricants et aux transformateurs alimentaires. C'est pourquoi les détaillants font l'objet de nombreuses promotions de la part de ces derniers. On leur offre certains avantages financiers comme des escomptes ou des rabais de gros, on fait des démonstrations en magasin, et les détaillants exigent des frais de plus en plus importants pour les droits de référencement des nouveaux produits et des frais pour les emplacements les plus favorables sur les étagères ou encore pour la publicité coopérative.

Les grandes chaînes de commerce de détail pourraient ébranler la structure de la distribution au pays en mettant les grossistes à l'écart. Ainsi, Walmart a manifesté l'intention d'acheter « de plus en plus directement des manufacturiers les produits qu'elle vend dans ses magasins, ce qui lui permettra de réduire ses coûts. Walmart fera appel à des grossistes seulement quand cela sera vraiment nécessaire, par exemple, pour s'approvisionner auprès de certains petits fournisseurs[17]. » La figure 11.3 présente une publicité de la grande chaîne de pharmacies Groupe Jean Coutu.

Dans certains cas, en plus de vendre des marchandises, des détaillants fournissent des services après-vente, comme des services de réparation et d'installation. Ainsi, les marchands d'automobiles neuves, les magasins d'appareils électroniques et d'appareils ménagers de même que les magasins d'instruments de musique offrent souvent un service de réparation,

_FIGURE 11.3 **Une publicité d'une grande chaîne de pharmacies**

Source : *Commerce,* mai-juin 2009, p. 67.

alors que les magasins de revêtements de plancher et de garnitures de fenêtres fournissent souvent des services d'installation. Le tableau 11.7 (*voir p. 398-399*) donne une description des principaux commerces de détail en magasin : les magasins spécialisés, les grands magasins, les supermarchés, les dépanneurs, les solderies, les magasins-entrepôts, les magasins à grande surface, les magasins intégrés et les hypermarchés.

_TABLEAU 11.7 **Les principaux types de commerces de détail en magasin**

Type	Description	Exemples
• **Les magasins spécialisés**	Un magasin spécialisé offre une gamme restreinte de produits qui a cependant une grande profondeur, c'est-à-dire qui compte un grand nombre d'articles. Citons parmi les magasins spécialisés : les magasins de vêtements, les magasins d'articles de sport, les magasins de meubles, les magasins de matelas, les magasins d'appareils électroniques, les fleuristes et les libraires. On peut subdiviser les magasins spécialisés selon l'importance de leur gamme de produits. Certains ont tendance à devenir très spécialisés, comme les magasins de matelas où l'on ne trouve que des matelas et sommiers et de la literie. On trouve de plus en plus de ces magasins spécialisés dans les nouveaux mégacentres commerciaux.	The Body Shop (produits cosmétiques), Jean Junction (surtout des jeans), Warehouse (vêtements de travail ou de loisirs), La Source (appareils électroniques), Dormez-vous ? (matelas)
• **Les grands magasins**	Les grands magasins offrent plusieurs gammes de produits, le plus souvent des vêtements, des meubles et des appareils ménagers. Chaque gamme est gérée comme un rayon indépendant par des acheteurs spécialisés et des spécialistes de mise en marché. Certains grands magasins spécialisés n'offrent qu'un certain nombre de gammes de produits, par exemple des vêtements, des produits de beauté ou des cadeaux.	La Baie et Sears (grands magasins), Simons (grand magasin spécialisé)
• **Les supermarchés**	Le supermarché est un magasin relativement spacieux dont les coûts et les marges sont peu élevés, dont le volume d'activité est grand et dont le fonctionnement repose sur le libre-service ; il a été conçu pour répondre surtout à l'ensemble des besoins des clients en produits d'alimentation, d'hygiène, de lessive et d'entretien. À ces produits se sont ajoutés, dans certains supermarchés, des produits pharmaceutiques et des produits saisonniers (loisirs d'été ou d'hiver, articles pour le retour en classe, etc.). La concurrence entre les supermarchés est si forte que le profit d'exploitation atteint souvent à peine 1 % du chiffre d'affaires et 10 % de la valeur nette. Bien que les supermarchés aient subi de durs coups de la part de plusieurs concurrents innovateurs, tels que les dépanneurs et les magasins-entrepôts, ils demeurent les magasins de détail les plus visités par les consommateurs.	Metro, Provigo, Loblaws, Sobeys
• **Les dépanneurs**	Les dépanneurs sont des magasins relativement petits, souvent situés près des zones résidentielles, ouverts de longues heures et sept jours par semaine, pour offrir une gamme limitée de produits d'achat courant à haut taux de roulement. Les chaînes de dépanneurs vendent parfois de l'essence, en s'associant à de grands détaillants d'essence. Les heures d'ouverture prolongées et le fait que les consommateurs s'y rendent surtout pour y faire de menus achats en font des magasins où les frais d'exploitation, donc les prix, sont un peu plus élevés qu'ailleurs. De nombreux dépanneurs ont ajouté la vente de café, de sandwiches, de pâtisseries ainsi que plusieurs services.	Provi-Soir, Couche-Tard
• **Les solderies**	Les solderies offrent des marchandises standards à des prix plus bas que les marchands traditionnels, en acceptant des marges plus faibles et en vendant de plus grandes quantités. Les véritables solderies cèdent régulièrement leur marchandise à bas prix et proposent des marques nationales, de façon que les bas prix ne soient pas associés à une qualité inférieure. Les solderies ne sont plus limitées à la marchandise générale ; on trouve aussi des solderies spécialisées qui vendent, par exemple, des articles de sport, d'électronique ou des livres.	Walmart, Zellers, L'Aubainerie
• **Les magasins-entrepôts**	Les magasins-entrepôts achètent à des prix de gros plus faibles que les prix habituels et demandent aux consommateurs un prix moindre que le prix de détail. Ils ont tendance à offrir des collections de marchandises de haute qualité qui peuvent changer avec le temps. Ce sont quelquefois des fins de gamme, des surplus de production ou des produits de deuxième catégorie, obtenus à prix réduit des fabricants ou d'autres détaillants. Certains peuvent aussi offrir des produits de qualité de façon continue. Il y a trois types de magasins-entrepôts : les entrepôts de fabricants, les magasins-entrepôts indépendants et les clubs d'entrepôt.	

> _TABLEAU 11.7_ **Les principaux types de commerces de détail en magasin (_suite_)**

Type	Description	Exemples
– Les entrepôts de fabricants	Les entrepôts de fabricants appartiennent à des fabricants qui les exploitent et y écoulent normalement leurs surplus, des fins de série ou des articles de deuxième catégorie. Souvent, ces magasins sont concentrés dans des quartiers où il y a beaucoup de fabricants. La tendance actuelle est au regroupement de ces magasins dans des centres commerciaux constitués de magasins de fabricants. La possibilité d'obtenir des bas prix sur toute une gamme de produits suffit pour attirer les consommateurs.	Ralph Lauren, les Factoreries – Vallée Saint-Sauveur
– Les magasins-entrepôts indépendants	Les magasins-entrepôts indépendants peuvent être exploités dans des endroits semblables à ceux des clubs d'entrepôt, mais aussi dans les mégacentres commerciaux. Certains offrent de grands choix de produits dans de nombreuses gammes, et les clients vont habituellement dans l'entrepôt chercher leurs achats qu'ils transportent eux-mêmes à la caisse.	IKEA
– Les clubs d'entrepôt	Les clubs d'entrepôt, aussi appelés «clubs de grossistes», offrent un choix limité d'appareils électroménagers, d'armoires de cuisine, de meubles, de vêtements, d'articles d'épicerie et d'autres marchandises de marques connues. De plus, dans ce modèle de ventes différent, les clients doivent être membres et paient une cotisation annuelle de 50 $ ou plus pour avoir le privilège d'obtenir des réductions de prix importantes sur leurs achats. Un exemple en est Costco, qui exploite plus de 567 entrepôts dans 8 pays et compte 56 millions de membres et dont le chiffre d'affaires excède 71 milliards de dollars [18]. La figure 11.4 (_voir p. 400_) présente un exemple de publicité de Costco.	Costco
• **Les magasins à grande surface**	L'espace de vente des magasins à grande surface peut excéder 3 500 m². Ils sont conçus pour répondre à l'ensemble des besoins des consommateurs en matière de produits alimentaires et non alimentaires d'achat courant. On peut y trouver toutes sortes de produits ou de services, comme des services financiers et une cordonnerie. Certains sont en fait d'immenses magasins spécialisés offrant des gammes d'une grande profondeur. Les magasins intégrés et les hypermarchés sont des variantes des magasins à grande surface.	Maxi, Réno-Dépôt, RONA L'Entrepôt
• **Les magasins intégrés**	Il s'agit d'une forme limitée de supermarché que l'on trouve souvent dans le marché pharmaceutique. On y vend des produits pharmaceutiques, des produits alimentaires et des produits non alimentaires.	Jean Coutu, Pharmaprix
• **Les hypermarchés**	Les hypermarchés sont des magasins immenses d'une superficie pouvant atteindre 8 000 m² et même, dans certains cas, jusqu'à 22 000 m². Ils intègrent les principes des supermarchés, des solderies et des magasins-entrepôts. La gamme des produits offerts va bien au-delà des produits d'achat courant et inclut notamment des meubles, de petits et de gros appareils électroménagers et des vêtements. Les principes de base sont la présentation de la marchandise en vrac, la réduction au minimum de la manutention et les réductions offertes aux clients qui acceptent de transporter eux-mêmes les appareils électroménagers et les meubles à l'extérieur du magasin. Les hypermarchés sont nés en France, et cette forme de commerce de détail connaît une grande popularité en Europe.	Carrefour et Casino, en France

Sources : William D. PERREAULT et al., _Basic Marketing : A Global-Managerial Approach_, 12e édition canadienne, Toronto, Richard D. Irwin, 2007, p. 330-334 ; Philip KOTLER, Pierre FILIATRAULT et Ronald E. TURNER, _Le management du marketing_, 2e édition, Boucherville, Gaëtan Morin Éditeur, 2000, p. 605-606 ; adaptation libre.

Les commerces de détail hors magasins

Les détaillants qui ne vendent pas en magasin servent eux aussi le public, mais par des méthodes de vente différentes. Pour attirer les clients et commercialiser leur marchandise, les établissements de ce sous-secteur emploient des moyens comme l'infopublicité à la radio ou à la télévision, la diffusion de catalogues imprimés ou électroniques, la distribution de circulaires par la poste ou regroupées et ensachées (du genre Publisac), les démonstrations à domicile, les présentations temporaires de marchandises (stands), les distributeurs automatiques et, évidemment, Internet.

_FIGURE 11.4 **Une publicité d'un club d'entrepôt**

Échangez vos milles Aéroplan
contre des cartes **Comptant**
de Costco ou une adhésion.

Pour le plaisir. Pour la valeur. C'est Costco.
Visitez www.aeroplan.com/mesprimes

Source: *Aéroplan Arrivée*, n° 3, printemps-été 2009, p. 37.

Les méthodes de vente et de livraison varient selon le type de marchandise. Ainsi, les détaillants hors magasins qui ont recours aux nouvelles technologies de l'information pour accroître leur clientèle peuvent se faire payer au moment de l'achat ou de la livraison, et cette dernière peut être faite par le détaillant ou par une autre organisation (services postaux, messageries, etc.). Ceux qui rejoignent leurs clients par des démonstrations à domicile, des présentations temporaires et des distributeurs automatiques se font normalement payer au moment de l'achat et remettent aussitôt la marchandise aux acheteurs.

Les recettes d'exploitation des industries du commerce de détail hors magasins ont atteint 13 milliards de dollars au Canada en 2007, dont presque le tiers (4 milliards de dollars) par les entreprises de télémagasinage et de vente par correspondance. Pour la même période au Québec, les recettes d'exploitation ont atteint 2,3 milliards de dollars, mais seulement 292 millions par les entreprises de télémagasinage et de vente par correspondance. Les articles les plus vendus hors magasins au Canada étaient alors les articles de santé et de soins personnels (1,2 milliard), les aliments et boissons (883 millions), les appareils électroniques, ordinateurs et appareils photo (840 millions), les articles de sport et loisirs (689 millions)[19].

Le sous-secteur des détaillants hors magasins comprend aussi les entreprises de livraison à domicile. C'est le cas des marchands qui livrent le mazout et les journaux chez les particuliers. Le tableau 11.8 fournit une description des principaux commerces de détail hors magasins: la vente directe (la vente de personne à personne, la vente d'une personne à un groupe et la vente par réseau), le marketing direct et les distributeurs automatiques[20].

_TABLEAU 11.8 **Les principaux types de commerces de détail hors magasins**

Type	Description	Exemples
• **La vente directe**	La vente directe est une forme de distribution importante qui comprend les entreprises pratiquant le porte-à-porte, la vente de bureau en bureau ou les démonstrations à domicile. Il existe trois formes de vente directe: la vente de personne à personne, la vente d'une personne à un groupe (les démonstrations à domicile) et la vente par réseau.	
– La vente de personne à personne	Le vendeur cherche à vendre des produits à un acheteur potentiel.	Avon (cosmétiques), Fuller (produits de nettoyage), Electrolux (aspirateurs)
– La vente d'une personne à un groupe	Un représentant se rend au domicile d'une personne qui a invité des amis, des parents ou des voisins à une soirée. Le représentant fait une démonstration et prend les commandes. Les meilleurs représentants obtiennent des cadeaux de valeur, comme des bijoux.	Tupperware, Mary Kay Cosmetics
– La vente par réseau	Amway a été la pionnière de cette forme de vente à domicile qui fait appel à des travailleurs autonomes. Ces entrepreneurs travaillent à leur compte et agissent comme distributeurs. Ils recrutent des sous-distributeurs à qui ils vendent leurs produits, et ces sous-distributeurs recrutent à leur tour d'autres personnes à qui ils vendent des produits. La rémunération du distributeur est basée sur le pourcentage des ventes de tous les vendeurs qu'il a recrutés et sur le pourcentage d'une marge pour tout produit vendu à un client final.	Amway, Beauty Counselor

Type	Description	Exemples
• **Le marketing direct**	Les sources premières du marketing direct ont été le publipostage et la vente par catalogue. Le marketing direct désigne maintenant toute forme de contact direct telle que la télévente (émissions spécialisées ou information publicitaire) et le commerce électronique.	TVA Boutiques (télévente), Horticlub (catalogue et commerce électronique)
• **Les distributeurs automatiques**	La distribution automatique sert à vendre toutes sortes de produits, notamment les produits d'achat impulsif dont la commodité a une valeur élevée (cigarettes, boissons gazeuses, friandises, journaux, boissons chaudes) et nombre d'autres produits (bas, cosmétiques, condoms, casse-croûte, soupes et autres aliments chauds, livres de poche, disques compacts, DVD et Blu-ray, t-shirts, polices d'assurance, cirage à chaussures et jusqu'à des vers pour la pêche). Au Japon, on trouve dans les distributeurs des bijoux, des fleurs fraîches, des produits congelés et du whisky. Des distributeurs automatiques sont placés dans les usines, les bureaux, les écoles, les universités, les hôpitaux, les grands magasins, les hôtels, les stations-service et les aéroports. Les distributeurs automatiques offrent plusieurs avantages aux consommateurs: accessibilité jour et nuit, libre-service et non-manutention de la marchandise.	A. Lassonde, Coca-Cola, *La Presse*

Source: Philip KOTLER, Pierre FILIATRAULT et Ronald E. TURNER, *Le management du marketing*, 2e édition, Boucherville, Gaëtan Morin Éditeur, 2000, p. 609; adaptation libre.

Les organisations de détail

Une organisation de détail est une entreprise qui regroupe des commerces de détail. Provigo est un commerce de détail qui fait partie intégrante de Loblaw, un commerce de gros (quoique Loblaw ait aussi ses propres commerces de détail). Ce type d'entreprise forme donc un réseau de distribution. Le nombre de commerces de détail appartenant à une forme de réseau organisationnel de détail est plus élevé que celui des commerces de détail indépendants. L'organisation de détail comporte de grands avantages: un pouvoir d'achat et de négociation qui lui procure des économies d'échelle permettant des bas prix; une image de marque, une notoriété et une capacité publicitaire et promotionnelle qui stimulent l'achalandage. Les chaînes organisationnelles, les chaînes volontaires, les coopératives de détaillants, les coopératives de consommateurs, les organisations de franchise et les conglomérats de marchandisage constituent les principaux types d'organisations de détail[21], décrits au tableau 11.9.

> TABLEAU 11.9 **Les types d'organisations de détail**

Type	Description	Exemples
• **Les chaînes organisationnelles**	Les chaînes organisationnelles comprennent deux ou plusieurs magasins appartenant à un seul propriétaire qui en assure la direction; elles pratiquent une gestion centralisée des achats et de la mise en marché, et elles vendent les mêmes gammes de marchandises dans les différents magasins. On trouve les chaînes organisationnelles dans tous les secteurs du commerce de détail, mais elles occupent une part plus substantielle du marché dans les grands magasins, les magasins de produits de grande consommation, les magasins d'alimentation, les magasins de chaussures, les magasins de vêtements et les pharmacies. Leur chiffre d'affaires leur permet d'acheter de la marchandise en grande quantité à des prix avantageux. Elles peuvent se permettre d'engager des spécialistes au siège social dans les domaines du prix, de la promotion, du marchandisage, du contrôle des stocks et des prévisions des ventes.	Moores et Bovet (vêtements pour hommes), Laura Canada et les boutiques Marie Claire (vêtements pour femmes)
• **Les chaînes volontaires**	Une chaîne volontaire consiste en un groupe de détaillants indépendants parrainé par un grossiste qui achète en grande quantité et organise un marchandisage commun.	Provigo

> _TABLEAU 11.9 **Les types d'organisations de détail (*suite*)**

Type	Description	Exemples
• **Les coopératives de détaillants**	Une coopérative de détaillants consiste en un ensemble de détaillants indépendants qui établissent une organisation d'achats centralisée et se regroupent pour faire de la promotion.	Metro-Richelieu, RONA
• **Les coopératives de consommateurs**	Une coopérative de consommateurs (ou coop) est un commerce de détail dont les propriétaires sont les clients. Ces coopératives sont souvent mises sur pied par des gens qui se jugent mal servis par des commerçants exigeant des prix trop élevés ou offrant des produits de mauvaise qualité. Les membres investissent une certaine somme d'argent pour couvrir les frais d'exploitation de leur magasin, ils choisissent par vote les politiques de gestion et ils élisent la direction. On peut décider de fixer les prix les plus bas possible ou encore de fixer des prix normaux et d'offrir une ristourne aux membres en fonction de leur volume d'achats.	Diverses coopératives, par exemple, dans les universités (Coop ESG UQAM, Coop HEC Montréal); le Mouvement Desjardins, qui offre des services financiers de tout genre
• **Les organisations de franchises**	Une organisation de franchises est une association contractuelle entre un franchiseur (un fabricant, un grossiste ou une organisation de services) et des franchisés (gens d'affaires indépendants qui achètent le droit de posséder et de diriger une ou plusieurs unités dans l'organisation de franchise). Normalement, les organisations de franchises sont basées sur un service ou un produit unique, sur une méthode pour faire des affaires, sur une marque de commerce ou un projet ou sur un fonds de commerce mis sur pied par le franchiseur. Le franchisage est particulièrement important dans les secteurs de la restauration rapide, des clubs de films vidéo, des centres de conditionnement physique, des salons de coiffure, des centres de location de voitures, des motels, des agences de voyages et de l'immobilier.	McDonald's, Subway, Canadian Tire, Provi-Soir

Source: Philip KOTLER, Pierre FILIATRAULT et Ronald E. TURNER, Le management du marketing, 2e édition, Boucherville, Gaëtan Morin Éditeur, 2000, p. 610; adaptation libre.

_11.4 La gestion de la logistique

Le flux de matériaux part des fournisseurs pour aller à des fabricants; ces derniers les transforment en produits qui sont par la suite livrés à des grossistes, qui les distribuent à des détaillants, lesquels les vendent aux consommateurs. Rendre compte de ce flux est l'objet de la logistique.

La logistique est un concept qui a évolué à partir de la distribution physique et de la chaîne d'approvisionnement. *Le Nouveau Petit Robert* définit ainsi la logistique: «Ensemble de moyens et de méthodes concernant l'organisation d'un service, d'une entreprise et spécialement les flux de matières avant, pendant et après une production.[22]» La logistique s'est développée surtout au cours de la Deuxième Guerre mondiale et a grandement contribué à la victoire des Alliés.

11.4.1_La nature de la logistique

Les ouvrages de marketing publiés il y a une quinzaine d'années parlaient de distribution physique. Par ce terme, on entendait la gestion de l'entreposage des produits finis et de leur acheminement vers les grossistes et les détaillants. Le concept de la distribution physique s'est étendu depuis à la chaîne d'approvisionnement. D'une part, du point de vue des biens, cette chaîne débute en amont du fabricant par la gestion des intrants, en particulier des matières premières qui sont transportées et entreposées par le fabricant avant d'être transformées en produits finis. Les produits finis sont alors entreposés chez les fabricants avant d'être transportés et entreposés chez les grossistes qui, à leur tour, les distribueront aux détaillants, qui les offriront aux consommateurs. On ne se limite donc plus à la gestion des produits finis. D'autre part, la chaîne d'approvisionnement comprend toutes les entreprises qui, par leurs activités, contribuent à la création et à la livraison de produits ou à la prestation de services aux usagers finals.

La gestion de la chaîne d'approvisionnement consiste en l'organisation de l'information et des diverses opérations de logistique, comme la manutention des matières premières et des produits finis, l'intégration des systèmes informatiques et la transmission des données. Elle commence donc par le choix des meilleurs fournisseurs de même que des meilleurs moyens de transport et d'entreposage des matières premières, mais elle concerne aussi le transport et l'entreposage des produits finis. Elle permet d'améliorer la qualité des produits et la productivité, donc de réduire les coûts et, par conséquent, d'accroître la valeur pour les clients. Mais la gestion de la logistique va plus loin. Non seulement elle englobe la gestion de la chaîne d'approvisionnement, mais elle s'intéresse également aux rapports avec les marchés. Tout l'ensemble de l'offre et de la demande est pris en considération.

La logistique se définit comme l'ensemble des activités visant à rendre disponible le bon produit ou le bon service, en bonne quantité, au bon endroit, au bon moment et aux coûts les plus bas possible. La logistique se rapporte à la gestion efficace, du point de vue des coûts, des flux de matières premières, de produits semi-finis et de produits finis, et de l'information nécessaire du point d'origine au point de consommation en vue de satisfaire les exigences des clients[23]. En d'autres mots, la gestion de la logistique englobe, de la manière la plus rentable possible, la planification et la mise en œuvre des flux de matériaux, de produits, de données et de renseignements, à partir des intrants jusqu'aux usagers finals, de manière à répondre aux besoins de ces derniers. En pratique, la gestion de la logistique implique la mise en place d'un système de logistique, c'est-à-dire un ensemble de pratiques et de moyens pour rendre disponible le produit ou le service à la clientèle.

11.4.2_Le service à la clientèle

Selon le point de vue adopté, le service à la clientèle a plusieurs sens en marketing. Ce terme peut faire référence à l'unité administrative qui en est responsable, souvent appelée « département du service à la clientèle », ou à la manière de servir les clients – l'accueil, le temps d'attente, le temps de réponse –, ou encore à un ensemble de services, le plus souvent après-vente, qui sont fournis aux clients. Le service à la clientèle peut aussi s'appliquer à la fiabilité de la livraison ou de la prestation, à la facilité d'entrer en contact avec l'entreprise, de recevoir un bon service et de trouver des solutions aux problèmes éprouvés. Naturellement, plus le niveau du service à la clientèle est élevé, plus les coûts le seront. Dans le contexte de la logistique, le service à la clientèle prend en compte le délai d'approvisionnement et de réapprovisionnement, la fiabilité, la commodité, la facilité des communications d'entreprise, qu'elles soient faites de façon interpersonnelle ou électronique, et la qualité du service après-vente. La qualité du service à la clientèle dans une chaîne d'approvisionnement est maintenant un facteur clé de succès ; si le service à la clientèle est excellent, l'entreprise pourra se différencier grandement de la concurrence.

Le délai d'approvisionnement et de réapprovisionnement

Le délai d'approvisionnement et de réapprovisionnement est le temps qui s'écoule entre la commande et la livraison d'un bien ou d'un service. Il revêt évidemment une grande importance pour le grossiste ou le détaillant qui ne veut pas se trouver en rupture de stock. On veut que les délais soient les plus courts possible afin de minimiser les niveaux de stocks, donc les coûts. Dans le cas des commandes régulières pour des produits dont le volume de vente est élevé, le réapprovisionnement est facilité par la mise en place de systèmes informatisés de contrôle des stocks et de commandes de réapprovisionnement. Ces systèmes, d'une part, réduisent à la fois les risques de rupture de stock et les coûts de stockage et, d'autre part, améliorent le service à la clientèle. Il faut donc trouver un juste milieu entre les coûts liés à une rupture de stock quand les objectifs de niveau de service à la clientèle sont élevés, et les coûts qu'entraîne le maintien d'un niveau de stock élevé.

La fiabilité

La fiabilité est la capacité d'un système de fonctionner sans erreur, de façon constante et précise. Dans le contexte de la logistique, il est question de la capacité à fournir un service uniforme et constant, dans les délais prévus. Ainsi, le fournisseur de matières premières livrera régulièrement et à temps la bonne quantité de produits au fabricant, à défaut de quoi ce dernier pourrait avoir à payer des coûts de stockage pour les stocks excédentaires, ou devoir arrêter sa chaîne de production s'il y a rupture de stock. De même, le grossiste et le détaillant ont intérêt à répondre de façon satisfaisante aux exigences des clients, ce qui n'est pas possible s'il y a rupture de stock. La qualité du service à la clientèle devrait préoccuper toutes les entreprises qui font partie de la chaîne d'approvisionnement, et la fiabilité en est un élément important.

La commodité

On entend par commodité la possibilité pour un acheteur d'avoir accès facilement aux produits et aux services offerts par un vendeur. L'objectif ici est de simplifier autant que possible la tâche de l'acheteur qui veut faire des affaires avec le vendeur, en d'autres mots, de réduire les coûts autres que pécuniaires de l'acheteur. Certains produits doivent être offerts dans un nombre suffisant de points de vente pour qu'ils soient aisément accessibles ; on parle alors de distribution intensive, comme on l'a vu plus haut dans ce chapitre, ce qui implique une large diffusion mais aussi des coûts plus élevés. Plus un produit ou un service est facile d'accès, meilleur est le service à la clientèle.

Mais parfois la commodité se paie. Par exemple, les dépanneurs distribuent de nombreux produits courants, pendant de longues heures d'ouverture, et ce, sept jours par semaine. À cause des capacités limitées de stockage et du volume plutôt faible des ventes comparativement à une grande surface, les prix y sont souvent plus élevés. Toutefois, les consommateurs sont prêts à payer ces prix plus élevés à cause de la commodité. Autre exemple : on peut avoir accès à des services bancaires à domicile, 24 heures par jour, avec des frais de transaction moindres qu'en succursale. Par contre, si l'on veut utiliser le guichet automatique d'une banque qui n'est pas la nôtre mais qui est plus accessible, il faudra payer des frais pour la transaction.

La facilité des communications entre les entreprises

Plus les communications, tant interpersonnelles que technologiques, entre les diverses entreprises d'une chaîne d'approvisionnement seront étendues, meilleur sera le service à la clientèle. L'amélioration des communications entre les entreprises dépend d'abord des communications entre les individus, ce qui explique la croissance de l'intérêt pour le marketing relationnel. Par exemple, de nombreux vendeurs représentant des fabricants cherchent à établir des relations personnalisées avec les acheteurs et les directeurs de catégorie chez les grossistes et les détaillants. Mais, dans un contexte de logistique, le développement des technologies de l'information a aussi permis de créer des liens fonctionnels importants entre les fabricants, les grossistes, les détaillants et les transporteurs.

Un bon système de communication informatique suppose la possibilité pour les entreprises de faciliter le traitement des commandes, de s'échanger des bons de commande électroniques et de connaître le trajet d'un camion, le lieu où il est rendu et dans quel entrepôt tel produit est stocké. Fabricants, grossistes et détaillants peuvent constamment s'envoyer des renseignements les uns aux autres, ce qui permet de mieux gérer les stocks et ainsi de réduire les coûts, tout en offrant un meilleur service à la clientèle. On peut même faciliter les communications avec les consommateurs. Certaines entreprises impriment sur leurs produits un numéro de téléphone que les clients peuvent composer sans frais pour obtenir de l'information, se plaindre ou faire des suggestions.

La qualité du service après-vente

Un service après-vente de qualité est une composante fondamentale du service à la clientèle et est devenu pour certaines entreprises un facteur de différenciation important. Il peut prendre plusieurs formes, comme des services-conseils ou des services d'entretien, de réparation et de formation. La facilité d'accès est une qualité essentielle du service après-vente. Par exemple, Airbus offre un service continu d'expertise 24 heures par jour. Un pilote d'Air Canada qui a un problème technique au Mexique peut demander aux ingénieurs et aux techniciens montréalais d'Air Canada de l'aider. Si ces derniers ne sont pas en mesure de le faire, ils peuvent faire appel aux ingénieurs et aux techniciens d'Airbus, en France. De même, Bell Télé et Vidéotron mettent un centre d'appels à la disposition des clients aux prises avec certaines difficultés techniques.

Voici un autre exemple concret. Un client s'achète un caméscope Sony chez Sears, à Montréal, et prend soin de signer un contrat d'entretien. Par la suite, si l'appareil est défectueux, il pourra l'apporter chez Sears à Québec, qui le fera parvenir à Sony. Lorsque le caméscope aura été réparé, on l'appellera pour l'informer que l'appareil est prêt et où aller pour en prendre possession. De nombreuses entreprises offrent elles-mêmes des services d'entretien et de réparation, d'autres réservent les services de sous-traitants spécialisés. Elles proposent alors des contrats de service à la clientèle. Le fait d'améliorer le délai d'approvisionnement, la fiabilité, la commodité, la facilité des communications d'entreprise et la qualité du service après-vente a pour effet de perfectionner le service à la clientèle ; néanmoins, il va sans dire, cela implique des coûts plus élevés.

11.4.3_Les coûts de logistique

Outre les coûts liés au service à la clientèle, il faut considérer les coûts inhérents aux quatre fonctions fondamentales du système de logistique, à savoir le traitement des commandes, l'entreposage, les stocks et le transport. Certains de ces coûts sont corrélés. En expédiant de petites quantités pour réduire les coûts de stockage, il sera nécessaire de faire plusieurs envois, ce qui entraînera une augmentation des frais de traitement des commandes et des frais de transport ainsi que des risques de rupture de stock. À l'inverse, en expédiant de grandes quantités, on diminue les probabilités de rupture de stock et les frais de transport, mais on augmente les coûts d'entreposage et de gestion des stocks. La figure 11.5 (*voir p. 406*) illustre de façon simple ce dilemme. En augmentant le nombre d'entrepôts et en livrant plus de stocks, on augmente les coûts d'entreposage et de gestion des stocks, mais on réduit les coûts de transport. La figure montre qu'avec quatre entrepôts, on obtient des coûts minimaux totaux de logistique. On verra maintenant en détail les quatre fonctions fondamentales du système de logistique.

FIGURE 11.5 La minimisation des coûts totaux de logistique

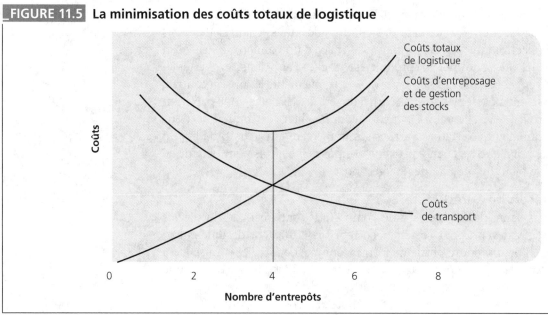

Coûts totaux
de logistique

Coûts d'entreposage
et de gestion
des stocks

Coûts
de transport

Coûts

Nombre d'entrepôts

Source : U.S. DEPARTMENT OF LABOR, Bureau of Labor Statistics, avril 2002.

Le traitement des commandes

Les opérations de logistique débutent dès qu'une commande a été passée. Il peut s'agir d'une commande ponctuelle ou encore de la commande d'un grossiste transmise automatiquement à un fabricant par voie électronique lorsque le niveau des stocks a atteint le point de commande. À la réception de la commande chez le fabricant, on vérifie le niveau des stocks en entrepôt et, s'il est insuffisant, on vérifie le calendrier de production. Lorsque le produit est disponible, la commande est expédiée de même que la facture, et le cycle de la commande se termine à la réception du paiement. De nos jours, on s'efforce autant que possible de diminuer la durée du cycle de commande, c'est-à-dire le temps qui s'écoule entre la réception de la commande, son expédition et le paiement. En effet, un cycle court est associé à une réaction rapide, à une plus grande satisfaction des clients, mais aussi à des coûts plus bas si le cycle est bien géré, donc à une plus grande rentabilité.

L'entreposage

Puisque les cycles de production et de consommation ne coïncident pas toujours et, surtout, que les quantités produites coïncident rarement avec les quantités voulues par les clients, il est nécessaire d'entreposer les marchandises. La fonction d'entreposage comble les écarts de temps et de quantité entre les producteurs et les clients. Une décision importante en logistique a rapport au choix du nombre et du site des entrepôts, comme le montre la figure 11.5. Le nombre d'entrepôts doit permettre d'obtenir les coûts minimaux totaux qui résultent d'un équilibre entre le niveau de service à la clientèle souhaité et les coûts de logistique. Une partie des stocks est conservée dans l'entrepôt de l'usine où sont fabriqués les produits, et une partie est expédiée dans de grands entrepôts de stockage appartenant au fabricant ou aux grossistes, ou livrée directement aux détaillants, qui les entreposent dans la partie arrière de leurs magasins. Les commis du magasin peuvent alors aller y chercher les produits manquant sur les étalages.

Les stocks

Un élément crucial tant pour la satisfaction des clients que pour la gestion des coûts est le niveau des stocks. Il est certain que les représentants commerciaux ainsi que les préposés au service à la clientèle s'attendent à ce que les stocks soient suffisants pour remplir immédiatement toutes les commandes des clients, quelles que soient les quantités. Mais maintenir des niveaux de stocks très élevés coûte cher : coûts élevés de chauffage, d'entretien et de dépréciation des entrepôts, des assurances, du matériel de manutention, de financement à cause du délai de paiement, et le reste. En fait, les coûts de stockage augmentent progressivement à mesure que le taux de réponse immédiate aux commandes avoisine 100 %. Le niveau des stocks doit être maintenu sous un seuil de commandes, lequel doit être déterminé en fonction d'un point d'équilibre entre le risque de rupture de stock, les coûts de traitement des commandes et les coûts de stockage.

Pour un fabricant, les coûts de traitement des commandes englobent les coûts de démarrage de la chaîne de production et les coûts de production proprement dits. Si les coûts de démarrage sont bas, il est possible de produire de petites séries ; s'ils sont élevés, alors de plus longues séries seraient indiquées. Ces coûts doivent compenser les coûts de stockage, au risque de mécontenter les clients en cas de rupture de stock. Ce choix est encore plus complexe de nos jours, car bon nombre d'entreprises choisissent la méthode de production juste-à-temps qui consiste à acheminer les matières premières à l'usine seulement au moment où elles sont requises.

Le transport

Le coût du transport revêt de plus en plus d'importance en logistique à cause des coûts élevés des équipements et du pétrole. Les décisions à prendre concernent les délais de livraison, les coûts des matières premières et des produits finis et la satisfaction de la clientèle. Les marchandises peuvent être livrées aux entrepôts du fabricant, des grossistes et des détaillants par avion, camion, train ou bateau. Évidemment, il est possible d'utiliser successivement plus d'un moyen de transport. Le choix du moyen de transport dépend, bien sûr, du coût, mais aussi du degré de flexibilité, de rapidité, de fiabilité, de disponibilité et de capacité que l'on attend. Pour la rapidité, on retiendra l'avion ; pour le volume et les coûts, on choisira le rail ou le bateau, ce dernier surtout pour les longues distances. Mais le camion est le moyen le plus utilisé, car il répond à la plupart des critères. Une entreprise peut posséder ses propres camions, avions ou bateaux, elle peut recourir aux services de transporteurs contractuels, ou tout simplement faire appel aux services de transporteurs publics comme Air Canada.

_Points saillants

_Les produits et les services sont rendus accessibles aux consommateurs et aux entreprises grâce aux circuits de distribution et à la logistique. Entre les producteurs de biens ou de services et les utilisateurs finals, il existe des circuits de distribution. Un circuit de distribution est composé d'intermédiaires, c'est-à-dire d'individus ou d'entreprises interdépendantes dont la fonction consiste à mettre des produits et des services à la disposition des consommateurs ou d'autres entreprises.

_Les intermédiaires créent de la valeur à la fois pour les producteurs et pour les acheteurs. Les intermédiaires accomplissent des fonctions transactionnelles, logistiques et facilitatrices. Un circuit de distribution est composé d'un nombre variable de niveaux et d'intermédiaires. Chaque intermédiaire qui remplit une fonction de distribution pour acheminer les produits du producteur vers le client final constitue un niveau du circuit.

_La gestion des circuits de distribution comprend six étapes : l'analyse de l'environnement, la définition des objectifs, le choix d'un circuit de distribution, le choix des intermédiaires, les relations avec les intermédiaires et l'évaluation des intermédiaires retenus.

_On considère qu'il existe trois grands types de couverture du marché : une distribution exclusive, une distribution sélective et une distribution intensive. Les trois principaux types de circuits de distribution sont : le circuit vertical, le circuit horizontal et le circuit multiple.

_Il existe deux grands types de grossistes : d'une part, les grossistes marchands et, d'autre part, les courtiers et les agents. Les premiers achètent et vendent des marchandises pour leur propre compte ; autrement dit, ils possèdent les marchandises qu'ils vendent. Les seconds achètent et vendent des marchandises pour le compte de tiers, moyennant une rémunération ou une commission ; ils ne prennent pas possession des marchandises. Le commerce de détail comprend trois grands types d'établissements : les détaillants en magasin (comme les magasins spécialisés, les grands magasins et les supermarchés), les détaillants hors magasins (comme la vente directe et les distributeurs automatiques) et les organisations de détail.

_La logistique est un concept qui a évolué à partir de la distribution physique et de la chaîne d'approvisionnement. La logistique se rapporte à la gestion efficace, du point de vue des coûts, des flux de matières premières, de produits semi-finis et de produits finis, et de l'information afférente depuis le lieu de production jusqu'au point de vente.

_L'objectif optimal de la logistique est de répondre le mieux possible aux besoins de la clientèle en rendant accessibles les bons produits ou les bons services au bon endroit, au bon moment et aux coûts les plus bas possible. Dans le contexte de la logistique, le service à la clientèle prend en compte le délai d'approvisionnement et de réapprovisionnement, la fiabilité, la commodité, la facilité des communications d'entreprise et la qualité du service après-vente. Outre les coûts liés au service à la clientèle, il faut considérer les coûts inhérents aux quatre fonctions fondamentales du système de logistique, qui sont le traitement des commandes, l'entreposage, les stocks et le transport.

_Questions

_**1.** Depuis des siècles, la distribution joue un rôle de premier plan dans la vie économique des sociétés. Une de ses composantes importantes est le circuit de distribution. De quoi s'agit-il ?

_**2.** En quoi les circuits de distribution des biens et services destinés aux entreprises diffèrent-ils des circuits de distribution destinés aux consommateurs ?

_**3.** La gestion des circuits de distribution est un élément essentiel des stratégies fondamentales de marketing et des stratégies de mix de marketing. Quelles sont les six étapes de la gestion des circuits de distribution ?

_4. Qu'entend-on par « couverture de marché » ? Quels sont les principaux types de couverture de marché ? Quels sont les avantages et les inconvénients de chacun ?

_5. Le système de marketing vertical de droit compte pour une proportion importante des ventes au détail réalisées au Canada. Expliquez brièvement la nature des trois types de systèmes de marketing vertical de droit.

_6. Le choix du circuit de distribution ou de l'intermédiaire dépend des objectifs que s'est fixés l'entreprise. Quels sont les principaux objectifs qu'une entreprise peut se fixer ?

_7. Le choix d'un circuit de distribution et d'un intermédiaire repose sur un certain nombre de critères. Quels critères doit-on appliquer dans le choix d'un circuit de distribution ? Et dans celui d'un intermédiaire ?

_8. Il existe deux types de grossistes : d'une part, les grossistes marchands et, d'autre part, les courtiers et les agents. Expliquez brièvement en quoi consiste le travail de chacun. Quelle est la principale différence entre les grossistes marchands et les courtiers ? Une entreprise peut-elle simultanément avoir recours aux deux types de grossistes ?

_9. Qu'entend-on par distribution physique, chaîne d'approvisionnement et logistique ? Existe-t-il une relation entre ces trois concepts ?

_10. Expliquez en vos propres termes ce que sont, du point de vue de la logistique, le délai d'approvisionnement, la fiabilité, la commodité, la facilité des communications d'entreprise et la qualité du service après-vente.

_11. Les coûts de la logistique se rattachent au service à la clientèle et aux quatre fonctions fondamentales du système de logistique de l'entreprise. Quelles sont ces fonctions ? En quoi consistent-elles ?

ÉTUDE DE CAS

RONA : un modèle d'affaires dynamique

RONA est le plus important distributeur et détaillant canadien de produits de quincaillerie, de rénovation et de jardinage. Le Groupe RONA inc. exploite un réseau de plus de 686 magasins de dimensions et de formats variés, qui emploie plus de 30 000 personnes dans toutes les régions du Canada sous une quinzaine de bannières (dont RONA L'Entrepôt, RONA Warehouse, RONA Le Régional, RONA Le Rénovateur, RONA Le Quincaillier, RONA L'Express, Botanix, RONA Home & Garden). Les employés travaillent dans 233 magasins d'entreprise, 431 magasins affiliés et 22 franchisés répartis dans 78 magasins à grande surface, 325 magasins de proximité, 238 magasins spécialisés pour les consommateurs et 40 magasins spécialisés pour les entrepreneurs. Tous ces magasins sont alimentés à partir de neuf centres de distribution disséminés dans tout le Canada. Le réseau de magasins RONA totalise plus de 1,5 million de mètres carrés et réalise des ventes au détail annuelles de plus de 6,0 milliards de dollars.

Le modèle d'affaires de l'entreprise mise donc sur un réseau de distribution intégré et est axé sur trois types de propriétés – des magasins d'entreprise, affiliés et franchisés – et trois types de magasins – à grande surface, traditionnels et spécialisés. De plus, RONA intègre les affaires électroniques à ses activités. Les valeurs à la base de la croissance de RONA sont le service à la clientèle, l'unité, le respect, le sens des responsabilités et la recherche du bien commun. L'unité est le principe fondateur de RONA, tous les employés font partie d'une même équipe. Le respect s'incarne d'abord dans les conditions de travail des employés, puis dans l'écoute de toutes les parties prenantes de l'entreprise. L'entreprise cherche aussi à développer le sens des responsabilités chez ses employés. RONA considère que son principal défi est de desservir et satisfaire les besoins des clients, un à la fois.

Les valeurs prônées par RONA, sa mission et son modèle d'affaires ont contribué à sa croissance. RONA est à la fois un grossiste marchand à services complets et un grossiste spécialisé, un magasin à grande surface et un commerce de détail hors magasin. Tout cet empire est né en 1960 de la vision de ses deux fondateurs : Rolland Dansereau et Napoléon Piotte (l'union des premières syllabes des deux prénoms a donné le nom Ro-Na).

Le Groupe RONA inc. fait maintenant face à de grands défis. Des entreprises comme Home Depot sont des concurrents directs et disputent le titre de leader à RONA. Et d'autres grands détaillants comme Canadian Tire visent des segments de marché semblables à ceux de RONA.

Source: RONA, *Relations avec les investisseurs: profil,* [En ligne], www.rona.ca (Page consultée le 29 avril 2010)

_1. Quelles grandes tendances ont influencé la croissance de RONA au cours des dernières années?

_2. Que doit maintenant faire RONA pour continuer à connaître autant de succès dans les années à venir?

_Notes

1. Gary ARMSTRONG *et al., Marketing, An Introduction,* 2e édition canadienne, Toronto, Pearson Prentice Hall, 2007, p. 421.

2. Louis W. STERN et Adel I. EL-ANSARY, *Marketing Channels,* 5e édition, Upper Saddle River (New Jersey), Prentice Hall, 1996, p. 5-6.

3. *Ibid.,* p. 321.

4. G. ARMSTRONG *et al., op.cit.,* p. 420.

5. William D. PERREAULT *et al., Basic Marketing: A Global-Managerial Approach,* 12e édition canadienne, Toronto, Richard D. Irwin, 2007, p. 306-307.

6. Philip KOTLER *et al., Marketing Management,* 13e édition canadienne, Toronto, Pearson Canada, 2009, p. 453-458.

7. *Ibid.,* p. 445.

8. Philip KOTLER, Pierre FILIATRAULT et Ronald E. TURNER, *Le management du marketing,* 2e édition, Boucherville, Gaëtan Morin Éditeur, 2000, p. 579-580.

9. *Ibid.,* p. 592-597.

10. STATISTIQUE CANADA, *Commerce de détail et de gros, Ventes et stocks de grossistes,* [En ligne], http//cansim2.statcan.ca (Page consultée le 2 mars 2010)

11. INDUSTRIE CANADA, « Le secteur du commerce de détail », *La structure du commerce de détail au Canada,* [En ligne], www.ic.gc.ca (Page consultée le 2 mars 2010)

12. *Ibid.* ; STATISTIQUE CANADA, « Commerce de détail », *Le Système de classification des industries de l'Amérique du Nord (SCIAN) 2002,* [En ligne], http://stds.statcan.ca (Page consultée le 2 mars 2010); adaptation libre.

13. INDUSTRIE CANADA, *loc. cit.*

14. STATISTIQUE CANADA, *Ventes au détail, par province et territoire* [2005-2009], [En ligne], www40.statcan.gc.ca (Page consultée le 2 mars 2010)

15. INDUSTRIE CANADA, « Annexe B – tableau 1 », *La structure du commerce de détail au Canada,* [En ligne], www.ic.gc.ca (Page consultée le 2 mars 2010)

16. STATISTIQUE CANADA, « Commerce de détail », *op. cit.* (Page consultée le 2 mars 2010)

17. François NORMAND, « Walmart achètera de plus en plus directement des manufacturiers », *Les Affaires,* 16 au 18 janvier 2010, p. 8.

18. COSTCO, *Investor Relations,* [En ligne], www.costco.com (Page consultée le 26 avril 2010)

19. STATISTIQUE CANADA, *Industries du commerce de détail hors magasins, statistiques d'exploitation, par province et territoire* et *Industries du commerce de détail hors magasins, marchandises vendues, par industries,* [En ligne], www40.statcan.gc.ca (Pages consultées le 2 mars 2010)

20. P. KOTLER, P. FILIATRAULT et R. E. TURNER, *op. cit.,* p. 609 ; W. D. PERREAULT *et al., op. cit.,* p. 334.

21. P. KOTLER, P. FILIATRAULT et R. E. TURNER, *op. cit.,* p. 610 ; G. ARMSTRONG *et al., op. cit.,* p. 430-431.

22. *Le Nouveau Petit Robert de la langue française,* Paris, Dictionnaires Le Robert, 2010, p. 1476.

23. Eric N. BERKOWITZ *et al., Le marketing,* 2e édition, Montréal, Chenelière/McGraw-Hill, 2007, p. 371 ; G. ARMSTRONG *et al., op. cit.,* p. 452 ; adaptation libre.

Les communications

Sommaire

I ne suffit pas de savoir faire, il faut aussi le faire savoir. Même si les chercheurs ont su innover et que les ingénieurs, en collaboration avec les mercaticiens, ont développé un produit attrayant qui répond bien aux besoins du marché et qui présente des avantages concurrentiels appréciables, voire pérennes, et même si le produit, que ce soit un bien ou un service, est offert à un prix intéressant, cela n'est pas suffisant pour conquérir un marché si personne n'en connaît l'existence. Il faut donc faire connaître ce produit, informer les gens de ses avantages, les intéresser, les amener à vouloir en savoir plus sur lui, les persuader, les inciter à l'acheter, confirmer qu'ils ont fait un bon achat et assurer leur satisfaction en permettant un dialogue véritable. C'est là le rôle de la communication marketing, c'est-à-dire d'informer, d'entretenir l'image et de promouvoir les produits et services de l'entreprise auprès des marchés par tout procédé médiatique [1]. La communication marketing, qui correspond au quatrième « P » du mix de marketing, soit la promotion, est un terme plus général, en fait, que celui de « promotion » et se rapporte à la panoplie d'outils maintenant utilisés en marketing pour communiquer avec les diverses clientèles, les intermédiaires et les employés.

La communication est un outil essentiel du mix de marketing. En effet, même si tous les autres éléments du marketing sont appliqués avec le plus grand soin, il est difficile de connaître le succès sans une communication efficace. La communication est l'élément le plus connu et le plus visible du mix de marketing: c'est la pointe de l'iceberg. Les gens peu informés associent d'ailleurs souvent la communication (et surtout la publicité) au marketing. Certains pensent même, faussement, que la publicité est le marketing.

La communication dans une entreprise se divise en communication externe et en communication interne (*voir la figure 12.1*).

_FIGURE 12.1   **Le mix de communication marketing**

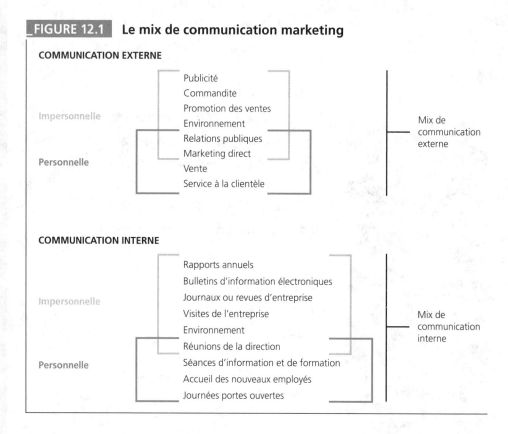

Ces deux formes de communication peuvent être impersonnelles ou personnelles. Une communication impersonnelle est destinée à plusieurs individus ou même à l'ensemble des individus faisant partie d'un marché cible. Une communication personnelle est dirigée vers un individu en particulier. Certains outils de communication peuvent être utilisés soit pour des communications impersonnelles, soit pour des communications personnelles.

D'un côté, le mercaticien dispose de huit instruments de communication externe, qui composent le mix de communication marketing externe : la publicité, la commandite, la promotion des ventes, l'environnement, les relations publiques, le marketing direct, la vente et le service à la clientèle. De l'autre côté, les moyens de communication marketing interne sont aussi nombreux : il y a les rapports annuels, les bulletins d'information électroniques, les journaux ou revues d'entreprise, les visites d'entreprise, l'environnement, les réunions de la direction, les séances d'information et de formation, l'accueil fait aux nouveaux employés et les journées portes ouvertes.

_12.1 Le mix de communication marketing

Voici maintenant une présentation des outils de communication du marketing externe, suivie d'une brève description des outils de communication du marketing interne sur lesquels se penchera la dernière partie du chapitre. Les outils servant à la communication marketing externe d'une entreprise avec les différents publics sont utilisés soit individuellement, soit en combinaison. Le mix de communication marketing externe, aussi appelé « mix promotionnel », comprend les instruments de communication suivants :

■ **La publicité.** Cet outil de communication impersonnelle comprend toute forme de présentation, d'information, de promotion ou de sollicitation qui est payée par un annonceur dont le nom est précisé et qui concerne un bien, un service, une idée ou une personne. Par exemple : les messages publicitaires diffusés dans les médias écrits (les journaux et les magazines), les médias électroniques (la radio et la télévision), sur Internet, sur les panneaux-réclames ou dans les *Pages Jaunes*. Le monde des communications vit une révolution et en 2009, pour la première fois, les Canadiens ont passé plus de temps par semaine en moyenne à naviguer sur le Web (18 heures) qu'à regarder la télévision (16,9 heures) [2]. La même année, les dépenses publicitaires en ligne ont dépassé pour la première fois les dépenses publicitaires à la radio (*voir l'info-marketing 12.1, p. 414*). Par ailleurs, la télévision traditionnelle, qui depuis des années accaparait la part la plus importante du marché publicitaire, est désormais concurrencée par la télévision spécialisée, dont le taux de croissance des revenus publicitaires et les cotes d'écoute augmentent sans cesse.

Il existe plusieurs types de publicité, soit la publicité de produit, la publicité institutionnelle, la publicité rédactionnelle et le placement de produit. La plus connue est la publicité de produit, de même que de service ou de cause, qui en vante les mérites. Une telle publicité peut être faite aussi bien pour le lancement d'un nouveau produit que pour l'annonce d'une pièce de théâtre ou d'un spectacle. C'est la forme la plus commune. La publicité institutionnelle a pour but d'accroître la notoriété, de mousser l'image ou de soutenir la confiance envers une entreprise ou une organisation comme la Banque de Montréal, Hydro-Québec ou Héma-Québec. Les deux autres types de publicité sont plus subtils. Le placement de produit met en évidence un produit dans un contexte positif et en situation d'utilisation, et ce, dans le contenu même d'un film ou d'une émission de télévision. Cette publicité est quelquefois critiquée parce que le consommateur n'est pas toujours conscient qu'il s'agit là d'une forme de message publicitaire. Enfin, la publicité rédactionnelle prend la forme d'un article publié dans des journaux quotidiens ou hebdomadaires ou dans des magazines, mais qui est clairement signalé comme étant une publicité.

■ **La commandite.** Aussi appelé *sponsoring* ou « sponsorisation », cet autre outil de communication impersonnelle apporte, à des fins publicitaires, un soutien matériel ou financier à des événements sportifs, artistiques, culturels ou caritatifs, ou encore à des vedettes sportives ou autres. Par exemple, cette aide peut être donnée à une activité sportive, comme le Grand Prix de Trois-Rivières ou des compétitions de patinage artistique ; à une entreprise culturelle, comme le Mondial des Cultures de Drummondville, le Festival d'été de Québec ou l'Orchestre symphonique de Montréal ; à une personnalité, comme les athlètes olympiques Alexandre Despatie, Alexandre Bilodeau ou Joannie Rochette ; à une cause, comme la recherche contre le cancer du sein ou sur les maladies infantiles. Ce moyen de communication fournit une occasion aux entreprises d'accroître leur notoriété, de s'identifier à un marché cible ou à un mode de vie, d'améliorer l'image de marque d'un produit ou d'un service, ou encore d'afficher leur engagement social.

INFO MARKETING 12.1

Les dépenses publicitaires : le Web dépasse la radio

« Autres temps, autres médias. Les dépenses publicitaires sur le Web ont poursuivi leur croissance accélérée l'an dernier au Canada, dépassant pour la première fois les sommes investies en radio.

Les annonceurs ont injecté 1,6 milliard de dollars dans l'Internet, comparativement à 1,55 milliard dans les stations de radio, selon une étude publiée hier par le Bureau de la publicité interactive du Canada (IAB). Le Web est ainsi devenu le troisième média sur le plan des revenus publicitaires, après la télé et les journaux.

Ce dépassement survient plus vite que prévu, admet Paula Gignac, présidente d'IAB. "On ne s'y attendait pas : on croyait atteindre 1,5 milliard et on ne savait pas ce que la radio obtiendrait, mais on l'a dépassée."

Les investissements publicitaires sur le Web ont connu une croissance exponentielle depuis les débuts de ce média, au milieu des années 1990. Ils atteignaient à peine 10 millions en 1997 et ont quadruplé depuis 5 ans.

Les revenus ont grimpé de 29 % l'an dernier et devraient encore progresser de 9,2 % cette année, malgré la crise économique, prédit l'IAB.

Stéphane Dumont, président de l'agence de publicité interactive Revolver 3, a remarqué un réel regain des investissements cet été après plusieurs mois difficiles. "Tous nos clients avaient suspendu beaucoup de campagnes, mais aujourd'hui, en août-septembre 2009, les vannes sont vraiment rouvertes."

En fait, le Web sera l'un des seuls médias à connaître une croissance de ses recettes publicitaires cette année. Selon les données de ZenithOptimedia, les dépenses globales des annonceurs devraient reculer de 4,4 % au pays, pour s'établir à 9,6 milliards. Elles baisseront de 2,5 % en télé, de 3,8 % en radio, de 15,6 % dans les quotidiens et de 12 % dans les magazines, prédit la firme.

Les investissements devraient repartir à la hausse en 2010 au Canada, avec un gain global de 2,9 %, selon ZenithOptimedia.

Modèle hybride

La popularité croissante du Web est en partie responsable des maux qui frappent les médias "traditionnels", en particulier les imprimés. Mais la hausse constante des revenus tirés de l'Internet profitera tôt ou tard aux groupes de presse établis, estime Ruth Klostermann, vice-présidente de ZenithOptimedia.

"C'est un modèle d'affaires qui est en évolution : les gens veulent et voudront encore une couverture en profondeur, de la recherche, une valeur éducative, et je ne sais pas dans quelle mesure l'Internet seul peut combler ces besoins, a-t-elle fait valoir. Il va y avoir un modèle hybride."

Paula Gignac, de l'IAB, entrevoit elle aussi une réinvention du modèle d'affaires qui ne saurait exclure les médias établis. "Une des grandes forces des entreprises médiatiques traditionnelles, c'est leur contenu, a-t-elle dit. Et je crois qu'il y a maintenant une symbiose reconnue entre le contenu primaire et ce qui se retrouve sur l'Internet, dans les blogues et les médias sociaux. Il faut du contenu, à la base, pour ensuite alimenter la discussion (sur le Web)."

Le Bureau de la publicité interactive a par ailleurs révélé hier que 20 % des dépenses faites sur le Web l'an dernier au Canada – l'équivalent de 317 millions de dollars – avaient été allouées au marché francophone. Il s'agit d'une hausse de 22 % sur un an. »

Source : Maxime BERGERON, « Dépenses publicitaires : le Web dépasse la radio », *La Presse Affaires,* 28 juillet 2009, [En ligne], http://lapresseaffaires. cyberpresse.ca (Page consultée le 18 mai 2010)

- **La promotion des ventes.** On entend par là une grande gamme de moyens incitatifs pour encourager l'essai ou stimuler l'achat d'un produit ou service. Il s'agit d'un outil de communication généralement impersonnelle. La promotion des ventes peut viser des consommateurs, des acheteurs organisationnels, des intermédiaires ou des représentants commerciaux. Elle est souvent combinée avec les autres instruments du mix communicationnel, particulièrement la publicité et l'effort de vente. Parmi les outils de promotion des ventes aux consommateurs, on trouve les échantillons, les concours et loteries, les primes, les bons de réduction, les rabais et remises en argent, de même que les divers programmes de fidélisation, comme Air Miles et Aéroplan. Les instruments les plus souvent utilisés à l'intention des intermédiaires sont les rabais et réductions sur la quantité, les remises pour la mise en valeur des produits en étalage ou dans les présentoirs, le partage des frais publicitaires et les marchandises gratuites. Enfin, pour les représentants commerciaux, il y a les concours de ventes, les congrès professionnels, les foires commerciales, les rencontres de ventes et les objets publicitaires à remettre aux clients.

- **L'environnement.** Il est constitué de tous les éléments physiques au cœur desquels se fait l'achat d'un produit ou est proposée la prestation d'un service. Par exemple, l'ameublement ou la décoration de la salle d'attente d'un bureau de professionnel comme un dentiste ou un avocat, sans oublier les revues récentes et d'intérêt pour le marché cible mises à la disposition des clients. Ou encore, le décor, l'éclairage et le choix des couleurs et de l'équipement, en somme tout ce qui crée de l'atmosphère dans un bureau, un commerce de détail ou un restaurant. L'environnement peut donc, lui aussi, représenter un outil de communication marketing contribuant à renforcer l'image d'une entreprise et son positionnement souhaité.

- **Les relations publiques.** Ces opérations ont pour but de favoriser les intérêts d'une organisation en instaurant un climat de confiance chez le public. Les relations publiques servent aussi à maintenir ou à améliorer l'image de l'organisation ou de ses biens et services – le mot clé ici est « image ». Les relations publiques peuvent permettre de limiter les effets négatifs d'une crise ou d'une controverse. On parle alors de « limitation des dommages », comme ce fut le cas pour les Aliments Maple Leaf, dont certains produits avaient été contaminés par la bactérie *Listeria.* On peut aussi penser à la réaction des principaux intéressés dans la crise provoquée par les problèmes de sécurité de certains modèles de Toyota et le désastre écologique causé par BP dans le golfe du Mexique, au comportement discutable de Tiger Woods de même qu'à celui de certains membres de la FTQ Construction. Les principaux outils de relations publiques sont les conférences de presse, les communiqués de presse, les publications de l'entreprise (sites Web, articles, revues d'entreprise, matériel audiovisuel) et les événements comme les visites industrielles. Les relations publiques peuvent être un moyen de communication impersonnelle, comme dans le cas d'une conférence de presse pour défendre la position d'une compagnie au cours d'une crise ou pour annoncer un nouvel investissement important. Elles peuvent aussi être un moyen de communication personnelle, par exemple lorsqu'un membre de la direction de l'entreprise est le conférencier invité à un lunch d'une chambre de commerce.

- **Le marketing direct.** Cet outil de communication, de plus en plus populaire, utilise la poste, le téléphone, le télécopieur ou Internet (courriel ou site Web) pour informer directement des clients actuels ou potentiels (par exemple, grâce à la visite virtuelle d'une maison à vendre, sur le site de RE/MAX) ou encore pour solliciter une réponse qui peut prendre la forme d'une commande, d'une demande d'information supplémentaire ou d'une visite à un point de vente. Parmi les moyens utilisés en marketing direct, on peut mentionner les envois par la poste (lettres de sollicitation, catalogues), le télémarketing et le commerce électronique. Le marketing direct peut être un mode de communication personnelle si l'on tient à jour une liste de clients ou de membres et que la communication est personnalisée ; il constitue un mode de communication impersonnelle si les listes d'envoi sont achetées de magazines ou d'associations professionnelles ou encore si le message est transmis au « propriétaire de la maison ».

- **La vente.** Toute présentation orale faite par le représentant d'une organisation auprès de clients actuels ou potentiels, et qui a pour but d'influer sur une décision d'achat, de solliciter une réponse directe, d'obtenir une commande, d'assurer un suivi, constitue une vente. On désigne les personnes qui font de la vente sous plusieurs vocables : représentants commerciaux, vendeurs, directeurs de comptes, ingénieurs commerciaux, agents. Peu importe le nom qu'on lui donne, le vendeur joue un rôle essentiel dans la vie d'une entreprise, car il « apporte l'eau au moulin ». Il s'agit de la seule fonction qui crée des revenus pour l'entreprise ; toutes les autres fonctions engendrent des dépenses. La vente, en fait, est le principal outil de communication de l'organisation. D'ailleurs, l'essentiel du budget du mix de communication est souvent consacré à la vente [3]. La vente est un moyen de communication personnelle, car elle suppose une communication directe entre deux individus (le représentant et le client actuel ou potentiel).

- **Le service à la clientèle.** On peut le définir comme un ensemble d'activités et de comportements qui font partie intégrante de l'offre de l'entreprise et qui sont conçus et adaptés de manière à accroître la satisfaction des clients en répondant adéquatement à leurs attentes avant, pendant et après la livraison d'un produit ou la prestation d'un service [4]. Dans une entreprise qui a épousé l'optique marketing, comme on l'a vu au chapitre 1, tous les employés devraient continuellement se soucier du service à la clientèle. Cet outil de gestion de marketing peut contribuer à accroître l'efficacité de la communication entre une entreprise et ses clients actuels ou potentiels. En pratique, le service à la clientèle sert à faciliter la gestion des opérations de l'entreprise, à assurer les suivis, à recevoir les plaintes, à apporter des correctifs et même à corriger les erreurs. Une entreprise ouverte à son marché et à l'écoute des plaintes de ses clients saura réagir à des problèmes d'une façon qui pourrait lui être fort bénéfique. Le principal blâme envers Toyota, à la suite des problèmes d'accélération incontrôlable connus en 2010, fut moins le problème technique en soi que le fait que le constructeur d'automobiles n'avait pas reconnu publiquement le problème assez tôt et, surtout, avait été trop lent à réagir et à en informer ses clients. Le service à la clientèle permet de dialoguer avec celle-ci afin d'assurer sa satisfaction. Il peut être fourni en personne, par téléphone, par courriel, ou par du personnel qui travaille dans ce que l'on nomme le service à la clientèle. Mais il peut aussi être rendu par les représentants commerciaux, ainsi que par tous les employés qui sont en contact d'une façon ou d'une autre avec les clients. Un service à la clientèle impeccable permet de conforter le client dans ses choix et accroît la valeur perçue des produits et services de l'entreprise. Un excellent service à la clientèle personnalisé peut devenir un avantage concurrentiel marquant. C'est évidemment un outil de communication personnelle.

En plus de la communication externe, nombre d'entreprises, dans leurs activités de marketing interne (*comme on le verra à la section 12.5, p. 438*), font de plus en plus appel à des outils de communication marketing interne, tels qu'un bulletin électronique destiné aux employés, une revue ou des rapports financiers envoyés aux actionnaires, aux employés et au milieu financier, un journal d'entreprise, des DVD pour transmettre de l'information ou former le personnel en contact avec la clientèle et les représentants de commerce. Ces divers outils ont pour objectif d'informer les employés sur les nouveaux produits ou services, ou encore de les inciter à mettre la clientèle au premier plan dans l'organisation.

Maintenant que l'on a décrit les principaux outils de communication externe disponibles pour les entreprises, on verra quelles sont les conditions essentielles pour les utiliser efficacement.

_12.2 Le processus de communication

D'une façon générale, on peut définir la communication comme étant tout simplement « le partage d'expérience » [5]. Plus précisément, la communication est la transmission, le partage, le transfert, l'échange d'informations, d'idées ou de connaissances entre deux ou plusieurs individus [6]. La communication peut être verbale ou non verbale. Pour pouvoir communiquer efficacement avec leurs divers publics, les mercaticiens doivent connaître parfaitement les éléments essentiels du processus de communication. La figure 12.2 présente un modèle du processus de communication approprié à la communication marketing externe tout autant qu'à la communication marketing interne.

_FIGURE 12.2 Le processus de communication

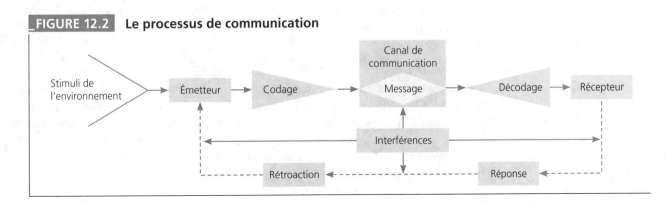

12.2.1_Les éléments fondamentaux du processus de communication

Les quatre principaux éléments de la communication sont l'émetteur, le canal de communication, le message et le récepteur. Deux de ces éléments peuvent correspondre à des personnes : l'émetteur et le récepteur. L'émetteur est la source d'où provient le message. Le récepteur reçoit le message transmis par l'émetteur. Le message désigne l'information transmise par l'émetteur, et le canal de communication est le moyen utilisé par l'émetteur pour transmettre cette information. Quatre autres éléments constituent les opérations principales du processus de communication. Ce sont le codage, le décodage, la réponse et la rétroaction. Le codage est la production du message selon un code en vue de sa transmission. Le décodage est l'action de déchiffrer ou de traduire le message reçu selon un code commun à l'émetteur et au récepteur afin d'en connaître la signification. La réponse est la réaction du récepteur au message reçu et décodé, et la rétroaction est le retour d'information sur le message. Le dernier élément du processus de communication est l'interférence, qui consiste en tout bruit, phénomène, nuisance hors du contrôle de l'émetteur ou tout autre message aléatoire ou concurrent venant entraver la communication transmise [7].

12.2.2_Le déroulement du processus de communication

À l'origine du processus de communication se trouve un émetteur, qui peut être un individu (le représentant de commerce, par exemple) ou une entreprise qui met en marché un produit. L'émetteur, influencé par les stimuli de son environnement, a une idée, une opinion ou une information à communiquer ; en d'autres mots, il veut envoyer un message à quelqu'un.

Pour l'émetteur, la première chose à faire est de déterminer avec précision à qui s'adressera le message. Ensuite, il doit décider de ce qu'il veut dire. Puis, l'émetteur doit coder cette information de manière à ce qu'elle soit comprise. Le message peut être constitué d'éléments physiques (le conditionnement d'un produit, un échantillon) ou visuels (un logo, une marque de commerce) ou verbaux (mots et symboles et leurs significations, volume de la voix et débit), de sons et d'images qui permettent de transmettre efficacement l'information. Dans le cas de la communication interpersonnelle, des éléments non verbaux (expressions faciales, mouvements des yeux, mouvements du corps, proximité, gestes des mains, manipulation d'objets, posture, vêtements) viennent s'ajouter aux éléments verbaux du message [8].

L'étape suivante consiste à faire le choix du canal de communication. Ce canal sert à transmettre le message au récepteur, ce dernier pouvant être un vaste auditoire (auditeurs de la radio, téléspectateurs, lecteurs de journaux ou de magazines, internautes) ou un seul individu (par exemple, un médecin qui reçoit un représentant commercial d'une entreprise pharmaceutique). Le mercaticien doit choisir des médias efficaces. Puis, le message est transmis au récepteur au moyen du canal de communication.

Les symboles dans le message transmis – mots, images, couleurs, expressions faciales, gestes – doivent alors être décodés par le récepteur. L'utilisation de symboles par les êtres humains rend leur communication unique par rapport à celle de tous les autres organismes vivants [9]. Pour qu'il y ait communication, le processus de décodage doit être compatible avec le processus de codage. Le mercaticien doit donc bien connaître l'auditoire auquel il s'adresse. Quel est son niveau de scolarité ? Quel vocabulaire doit-on employer pour être compris par lui ? La manière dont le message reçu est interprété doit répondre aux intentions de l'émetteur. Elle dépend de la capacité de l'émetteur à communiquer, du degré d'interférences ainsi que de l'attitude, des connaissances, du degré d'intérêt et de l'expérience du récepteur.

Si le message est bien exprimé et transmis, les idées, les opinions, les croyances ou les intentions du récepteur seront soit maintenues, soit modifiées. La réponse du récepteur peut prendre différentes formes. Le mercaticien doit donc déterminer les moyens qu'il prendra pour obtenir une rétroaction, un *feedback* du récepteur, c'est-à-dire pour apprécier les effets du message sur l'auditoire cible : niveau de notoriété, changements d'attitudes, intentions de comportement ou achats. Pour ce faire, il applique des mesures objectives qui permettent d'évaluer si la communication a eu les résultats escomptés. Des interférences peuvent se produire à toutes les étapes du processus de communication et ainsi nuire à l'efficacité de la transmission du message.

12.3 La gestion d'une communication marketing efficace

Le déroulement du processus de communication, tel que l'on vient de le décrire, amène à parler de la gestion de la communication marketing. Comme l'illustre la figure 12.3, le modèle [10] de gestion de la communication marketing comprend sept étapes : le ciblage de l'auditoire, la fixation des objectifs de communication marketing, la conception du message, le choix des canaux de communication marketing, l'établissement du budget de communication marketing, le choix du mix de communication marketing et le contrôle de la communication marketing.

_FIGURE 12.3   **Le modèle de gestion de la communication marketing**

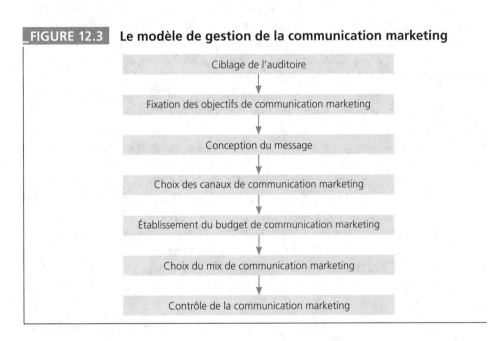

12.3.1_Le ciblage de l'auditoire

Dans l'élaboration et la présentation de l'offre de l'entreprise, la démarche du spécialiste du marketing va du client au client. Il en va de même pour la gestion de la communication marketing externe. Le mercaticien commence par délimiter l'auditoire cible et par définir ses caractéristiques, et il mesure, pour terminer, les résultats de la communication avec cet auditoire. La clientèle visée peut être composée de clients actuels ou potentiels, que ceux-ci soient des consommateurs ou des acheteurs organisationnels, des spécialistes ou des professionnels. Les objectifs de la communication marketing, la forme et la teneur du message, le budget de communication marketing ainsi que le choix des canaux de communication, du mix de communication marketing et des outils de mesure des résultats de la communication varieront en fonction de la composition de l'auditoire cible.

La première étape du processus de communication marketing consiste donc à délimiter le marché cible et à en déterminer les caractéristiques. Les études de marché de tous genres servent à définir le marché cible: études de segmentation des marchés, étude des caractéristiques des clients actuels ou potentiels, mise en évidence des besoins et des attentes pour un nouveau produit, mesure de la notoriété ou de l'image de l'entreprise ou d'une marque, mesure de la satisfaction de clients actuels, analyse des ventes, mesure des résultats de programmes promotionnels, et ainsi de suite. Le mercaticien doit faire part des conclusions des études de marché au communicateur et, ensemble, ils précisent quel sera l'auditoire cible. Plus l'entreprise sera renseignée sur l'auditoire cible, plus la préparation de la campagne communicationnelle sera facile, et plus les résultats de cette campagne seront positifs.

Habituellement, on tente tout d'abord de recueillir quatre types d'information au sujet de l'auditoire cible: les données sociodémographiques, les données psychologiques, les données psychographiques et les données comportementales. Évidemment, il faut d'abord tracer le profil sociodémographique de l'auditoire cible: âge, scolarité, profession, sexe, type de ménage, type de domicile, revenu individuel, revenu du ménage, dépenses moyennes (pour l'alimentation, le logement, le transport, les soins personnels, les soins de santé, etc.), origine ethnique, lieu de résidence, langue maternelle, et le reste. Les représentants commerciaux des divers médias sont bien informés sur les caractéristiques des médias, dont le leur, et possèdent de l'information assez complète sur le profil de leurs lecteurs, auditeurs ou téléspectateurs. Les spécialistes se fient au CARD (Canadian Advertising Rates and Data) pour obtenir de l'information détaillée sur les médias et leurs taux. Plus le profil est détaillé, plus le ciblage de l'auditoire sera précis. D'autre part, le « Media Digest » du CMDC (Canadian Media Directors' Council), publié chaque année par le magazine *Marketing,* donne de l'information variée sur les tarifs publicitaires et les auditoires cibles de différents médias. Par exemple, au printemps de 2009, *La Presse* avait une circulation totale de 200 921 exemplaires du lundi au vendredi, *Le Devoir* de 26 589, et *Le Journal de Montréal* de 267 396 (307 208 le samedi). Le coût pour une annonce noir et blanc pleine page dans *La Presse* était de 19 000 $ la semaine et de 25 000 $ le samedi; dans *Le Journal de Montréal,* respectivement de 12 066 $ et de 13 840 $. Une page publicitaire en quadrichromie coûtait 16 800 $ dans *Châtelaine,* un magazine destiné aux femmes, mais dont 23,5 % des 895 000 lecteurs sont des hommes. Une page dans *L'actualité,* qui compte 885 000 lecteurs se divisant moitié-moitié entre hommes et femmes, coûtait 18 940 $ [11].

Si l'on veut que le marketing et la communication soient efficaces, il ne faut pas se limiter au profil sociodémographique. Il est essentiel de connaître également le profil psychologique des clients actuels et potentiels de l'organisation. Quel est le niveau de notoriété de l'organisation et de ses produits? Quelle est l'image de l'organisation et de ses produits auprès de la clientèle actuelle et potentielle? Quelles sont les connaissances, croyances, attitudes, opinions ou impressions relativement à l'organisation et à ses produits? Quelles sont les valeurs des clients actuels et potentiels? Quels sont leurs besoins et leurs attentes? Cette description très détaillée de la clientèle facilite la préparation du contenu du message et le choix des canaux de communication.

Il convient aussi d'établir le profil psychographique de l'auditoire cible. On a vu au chapitre 7 pourquoi, par rapport à la segmentation sociodémographique, la segmentation psychographique est de nos jours un outil stratégique fort utilisé par les mercaticiens. Des personnes peuvent avoir un profil démographique presque identique, mais un profil psychographique très différent. Le profil psychographique se rapporte surtout au style de vie et il se mesure d'après les activités, les champs d'intérêt et les opinions des gens. Il peut arriver que des individus ayant le même profil socioéconomique aient un style de vie différent, donc des besoins, des attentes et des attitudes différents. Un rapport sur l'utilisation des trains de banlieue par les résidents de Deux-Montagnes et de Vaudreuil-Hudson, préparé pour l'Agence métropolitaine de transport de la région de Montréal, a montré que les variables psychographiques expliquent mieux que les variables sociodémographiques les comportements ou les intentions de comportement de la clientèle actuelle et potentielle en ce qui concerne les trains de banlieue. La direction de l'Agence a tenu compte de ce fait dans la préparation du produit offert aux usagers et dans l'élaboration du programme de communication visant à encourager l'utilisation des trains de banlieue. Le programme de communication marketing en question a été couronné de succès.

Enfin, au moment d'élaborer une campagne communicationnelle, il est utile de connaître le comportement de consommation des gens qui composent l'auditoire cible. Sont-ils des non-utilisateurs, d'anciens utilisateurs, des utilisateurs potentiels ou des utilisateurs réguliers? Dans ce dernier cas, sont-ils de faibles, de moyens ou de grands utilisateurs? Et sont-ils fidèles? Quels avantages pérennes recherchent-ils? Selon le cas, le contenu du message devra être adapté.

Plus les données sociodémographiques, psychologiques, psychographiques et comportementales sur les personnes qui composent le marché cible – particulièrement l'auditoire cible – seront précises, plus l'incertitude sera réduite, et meilleures seront les décisions prises à chacune des étapes ultérieures du modèle de gestion de la communication marketing. Les résultats aussi seront meilleurs. On peut alors passer à l'étape suivante du modèle, la fixation des objectifs de la communication marketing.

12.3.2_La fixation des objectifs de la communication marketing

L'auditoire cible est délimité, et le communicateur doit maintenant fixer les objectifs de la communication. En général, la communication cherche à informer, à influencer, à rappeler, à inciter à l'achat, ou encore à bâtir la confiance envers l'entreprise ou à conforter son image. Le mercaticien veut-il attirer l'attention, éveiller l'intérêt ou le désir, faire apprécier un bien ou un service, ou persuader le consommateur d'essayer ou même d'acheter le bien ou le service en question? C'est à lui de décider de la direction à prendre.

Les objectifs généraux de la communication marketing

Le tableau 12.1 (*voir p. 422*) présente trois modèles relativement simples à comprendre de niveaux hiérarchiques de réponses utiles pour déterminer des objectifs généraux de communication[12]. Dans la première colonne sont énumérés les trois objectifs généraux de la communication : faire connaître, faire apprécier et faire faire.

_TABLEAU 12.1 Les trois modèles de hiérarchie des réponses

Objectif général	Modèle des attitudes	Modèle d'adoption	Modèle AIDA
• Faire connaître	• Dimension cognitive	• Prise de conscience	• Attention
• Faire apprécier	• Dimension affective	• Intérêt • Évaluation	• Intérêt • Désir
• Faire faire	• Dimension conative	• Essai • Adoption	• Action

Le modèle des attitudes

Le modèle des attitudes, comme on l'a vu précédemment, comprend trois dimensions : la dimension cognitive, c'est-à-dire ce que la personne sait ou croit savoir au sujet du produit, du service ou de l'entreprise ; la dimension affective, soit le degré d'intérêt ou d'importance des caractéristiques ou attributs du produit, du service ou de l'entreprise ; la dimension conative ou comportementale, soit la probabilité ou l'intention de comportement ou d'achat de la personne. Le responsable du marketing peut souhaiter une réponse affective (accroître l'importance accordée à un attribut retenu dans la stratégie de positionnement d'un produit ou d'un service), cognitive (démontrer que le produit, service ou même l'entreprise possède ledit attribut ou performe bien en ce qui a trait à cet attribut, changeant ainsi la connaissance, la croyance et l'évaluation de l'attribut) ou conative (augmenter la probabilité de comportement) de la part de l'auditoire cible. Ainsi, l'objectif principal peut être d'accroître la notoriété d'une marque ou d'un produit, de faire connaître ses avantages concurrentiels, d'éveiller le désir ou de modifier l'opinion des gens concernant la possession d'un bien ou l'utilisation d'un service, d'une marque ou d'un produit déterminé. L'objectif poursuivi peut être aussi de persuader d'essayer, voire d'acheter un produit.

Le processus d'adoption

Le processus d'adoption de l'innovation, en cinq étapes, a été décrit au chapitre 9. Son objectif peut être de faire connaître un nouveau bien ou service, ou encore un bien ou service existant dont la notoriété est faible. Dans ce cas, le mercaticien peut tout simplement vouloir informer l'auditoire cible de l'existence du produit (étape de la prise de conscience) – par exemple, un nouveau téléphone cellulaire multifonction à écran tactile. Quand la plupart des consommateurs connaissent l'existence du produit, mais savent peu de choses sur lui (étape de l'intérêt), il faut éveiller leur curiosité en leur fournissant davantage d'information – par exemple, sur une fonction qui présente un avantage concurrentiel, en comparant un téléphone cellulaire iPhone 3GS d'Apple avec un modèle de BlackBerry. Cependant, même si le produit intéresse l'auditoire cible (étape de l'évaluation), il faut lui démontrer les avantages du produit par rapport aux attributs qu'il juge importants, de façon à l'amener à l'acheter pour une première fois s'il s'agit d'un nouveau bien ou service, ou à troquer ceux de la concurrence contre celui-ci dans le cas d'un bien ou service existant. On peut aussi, selon l'étape où est rendue la majorité de l'auditoire cible, avoir pour objectif d'inciter à l'essai, c'est-à-dire inviter les clients potentiels à se faire par eux-mêmes une idée de la valeur du bien ou du service. On leur donne alors de l'information sur les diverses manières de mettre le produit à l'essai : démonstrateur, location avec option d'achat, modalités de remboursement… On peut pareillement les persuader d'adopter le produit grâce à des promotions intéressantes comme des rabais ou des remises – par exemple, un téléphone cellulaire d'une valeur de 499 $ cédé à 149 $, en retour d'un engagement contractuel de service pour 3 ans. Enfin, le responsable du marketing veut que les clients renouvellent régulièrement l'achat, même dans le cas de biens durables. Il lui faut donc adapter son message en conséquence.

Le modèle AIDA

En 1925, avant même que le modèle des attitudes n'ait réellement été élaboré, Edward K. Strong a proposé un modèle de communication, pour faciliter la vente, qu'il a appelé « modèle AIDA[13] ». L'acronyme qui le désigne facilite la mémorisation de ses éléments distinctifs. Tout comme les modèles précédents, celui-ci repose sur le principe que la première étape d'une communication efficace est l'attention. Il faut donc d'abord attirer l'attention (A) des individus sur le message, le produit ou le service. Ensuite, il faut éveiller l'intérêt (I) et le désir (D) de l'auditoire cible. Enfin, il faut provoquer l'action (A), c'est-à-dire convaincre les gens d'acheter. Chaque étape du modèle peut avoir son propre objectif. Ce modèle simple, pratique et facile à appliquer peut être fort utile pour la formulation d'objectifs de communication marketing opérationnels.

La formulation d'objectifs de communication marketing opérationnels

Une bonne gestion de communication marketing exige la formulation d'objectifs précis. L'énoncé des objectifs de communication marketing doit donner des précisions sur l'auditoire cible, l'objet de la communication, la tâche de communication, l'échéancier et les mesures d'évaluation pour être opérationnels. En voici les caractéristiques :

- **L'auditoire cible.** Cet élément vient évidemment en tête de liste. À qui s'adresse-t-on ? Quelles sont les caractéristiques sociodémographiques, psychologiques, psychographiques et comportementales des gens qui composent l'auditoire cible ? Les réponses à ces questions sont capitales, entre autres raisons, pour la formulation du message et le choix des canaux et du mix de communication.

- **L'objet de la communication.** De quoi ou de qui parlera-t-on dans le message : d'un bien, d'un service, d'une cause, d'une personne, d'une marque ou d'une entreprise ? Surtout, quel est le lien avec les stratégies fondamentales de marketing ?

- **La tâche de communication.** Que s'agit-il de faire ? Accroître la notoriété, susciter l'intérêt, changer une attitude ou convaincre d'acheter ? Quels sont les résultats escomptés ?

- **L'échéancier.** Quand le programme sera-t-il mis en œuvre et quelle en sera la durée ? Dans quel délai les résultats escomptés de la tâche de communication devront-ils être atteints ?

- **Les mesures d'évaluation.** À quels critères se fiera-t-on pour mesurer les résultats de la tâche de communication ? Quels types de mesure seront effectués ? Quels sont les résultats attendus ? L'information obtenue sur les résultats du programme de communication servira de rétroaction, elle déterminera le succès ou l'échec du programme et on en tiendra compte dans les futures prises de décision relatives aux programmes de communication et de marketing. C'est ainsi que les gestionnaires prennent de l'expérience.

À titre d'exemple, voici un énoncé d'objectifs de communication fictif :

Accroître de 20 % la notoriété non aidée, de 30 % la notoriété aidée et de 20 % les ventes du fonds mutuel éthique, par rapport à l'an passé, auprès des diplômés universitaires – âgés de 35 ans et moins, ayant un revenu personnel supérieur à 45 000 $, socialement responsables et soucieux de leur sécurité financière –, au cours du premier trimestre de 2012. La campagne débutera le 8 janvier 2012 et durera 13 semaines.

L'auditoire cible est composé de diplômés universitaires âgés tout au plus de 35 ans et ayant un revenu personnel supérieur à 45 000 $, socialement responsables et soucieux de leur sécurité financière. L'objet du programme communicationnel est un fonds mutuel éthique. La tâche de communication est double : accroître, par rapport à l'an passé, la notoriété (la notoriété non aidée de 20 % et la notoriété aidée de 30 %) et les ventes de 20 % au cours des deux premiers trimestres de 2012. La campagne aura une durée de 13 semaines et débutera le 8 janvier 2012, l'échéancier est donc connu. Et il sera possible de mesurer la notoriété non aidée et aidée, et évidemment les ventes. Voilà qui est clair.

Comme les objectifs de communication marketing qui ont été fixés sont opérationnels et faciles à comprendre, on peut passer à la troisième étape du modèle de gestion de la communication marketing externe, qui consiste à concevoir le message.

12.3.3_La conception du message

La conception du message se situe au cœur même du processus de gestion de la communication marketing. Le communicateur sait maintenant à qui il s'adressera, l'auditoire a été ciblé. Il a prévu les résultats du programme communicationnel et fixé les objectifs de communication marketing. Le message doit se rapporter à la réponse souhaitée de l'auditoire visé par les objectifs. On déterminera maintenant ce qu'il faut dire (le contenu du message), comment le dire (la structure du message), sous quelle forme le dire (la présentation du message) et qui le dira (la source)[14]. La formulation du message dépend grandement, à l'évidence, des objectifs de la communication.

Le contenu du message

Le mercaticien et le communicateur doivent maintenant décider de ce qu'il faut dire à l'auditoire cible pour obtenir la réponse souhaitée. Pour atteindre cette fin, on peut faire appel à deux formes d'argumentation : l'argumentation stratégique et l'argumentation communicationnelle. Le choix de l'argumentation stratégique est du ressort du gestionnaire de marketing, qui connaît bien les stratégies de marketing que l'entreprise veut utiliser. Il possède aussi le savoir nécessaire pour contribuer au choix de l'argumentation communicationnelle. Mais, pour faire ce choix, il dépend beaucoup de l'expertise du communicateur.

L'argumentation stratégique

Le choix du contenu du message dépend d'abord des décisions stratégiques de l'entreprise. Le chapitre 2 a expliqué qu'il existe deux niveaux de stratégies de marketing : les stratégies fondamentales et les stratégies de mix de marketing (*voir la figure 2.5, p. 48*). Les stratégies fondamentales sont les stratégies principales sur lesquelles le mercaticien s'appuie pour assurer le succès de son produit, de sa marque ou de son entreprise. Ces stratégies doivent être élaborées avant les stratégies de mix de marketing, en particulier le mix de communication. Ainsi, avant de formuler un message, il faut s'assurer que les stratégies fondamentales ont été bien définies et comprises.

Du point de vue de la communication, parmi les stratégies fondamentales, ce sont surtout les stratégies de demande qui sont les plus importantes. Elles sont, rappelons-le, de trois types : les stratégies de segmentation, de différenciation et de positionnement. Tout d'abord, on choisit l'auditoire cible à partir de la stratégie de segmentation. On considère ensuite les attributs susceptibles d'offrir une valeur ajoutée au produit ou au service en le différenciant. L'avantage différentiel doit tenir compte des attentes des consommateurs, des avantages concurrentiels du produit et du positionnement des produits ou services des concurrents. Quels sont les besoins auxquels répond le produit ? Quelles sont ses principaux attributs ou ses principales caractéristiques ? Quels sont les avantages concurrentiels, si possible pérennes, sur lesquels il faut miser ? Comment agir face à la concurrence ? La stratégie de différenciation est étroitement liée à la stratégie de positionnement. Le positionnement souhaité sera choisi de façon à construire une offre et une image qui permettent d'occuper une place, une position compétitive et distinctive dans l'esprit des consommateurs cibles, comme on l'a vu au chapitre 8. Le message doit bien communiquer la stratégie de positionnement du produit, du service ou de l'entreprise.

S'appuyant sur le plan de marketing stratégique, le responsable du marketing désignera ensuite au responsable du programme de communication les éléments stratégiques qu'il juge à propos d'exploiter dans ce dernier.

L'argumentation communicationnelle

Le communicateur, en liaison avec le mercaticien, formule ensuite le message proprement dit. Il doit d'abord choisir le thème – axe, sujet, idée ou proposition – qu'il développera dans le message. Il s'agit d'évoquer de façon concrète et efficace le thème ou l'axe retenu. On cherche à trouver un appel, une amorce, un argument. Certains publicitaires prônent même l'usage d'un argument publicitaire unique (*unique selling proposition*, USP) qui se rapporte à l'avantage concurrentiel pérenne du produit, comme la traction intégrale de Subaru (« une pionnière souvent imitée, jamais égalée... »).

Selon l'objectif poursuivi, le message doit attirer l'attention, éveiller l'intérêt, susciter le désir ou inciter à l'achat en faisant appel à la raison ou à l'émotion. Suivant le cas, on fait valoir un avantage d'un bien comme un téléviseur (la clarté de l'image, la garantie) ou d'un service comme un service financier (la compétence du personnel, la sécurité de l'investissement, l'excellence du service à la clientèle), une motivation liée au produit ou une raison pour laquelle l'auditoire devrait se familiariser davantage avec le produit, le désirer ou agir d'une manière déterminée. Les communicateurs peuvent exploiter des arguments émotionnels positifs comme l'amour (une annonce de couches jetables montrant une nouvelle maman avec son bébé), l'humour (les annonces de Honda mettant en vedette l'humoriste Martin Matte, présentées sur son site Web avec quelques-uns de ses meilleurs monologues...) et la fierté (un message de la Société Saint-Jean-Baptiste à l'occasion de la Fête nationale). Ou encore, ils peuvent brandir des arguments émotionnels négatifs comme la honte (un message dans lequel un enfant implore ses parents de cesser de fumer), la culpabilité (un message qui montre un père arrêté pour ivresse au volant, en présence de ses enfants, à la suite d'un accident mortel) ou la peur (une publicité présentant les effets destructeurs de la consommation de drogues dures ou les effets dramatiques – la mort, l'incapacité physique permanente... – de la conduite automobile irresponsable des jeunes conducteurs : course dans les rues, haute vitesse, *car surfing*, etc.). On croit qu'évoquer modérément la peur est plus efficace que de lancer des appels trop forts ou trop faibles [15].

On sait maintenant ce qu'il faut dire, on a déterminé le contenu du message. Il s'agit ensuite de décider comment on procédera pour exposer ce contenu de façon logique et efficace ; en d'autres termes, quelle sera la structure du message ?

La structure du message

Cela renvoie à la manière dont le contenu du message est organisé. On doit rendre les arguments aussi efficaces et persuasifs que possible. Trois éléments se rapportant à la question ont fait l'objet de recherches : l'approche argumentaire, l'ordre de présentation des arguments et la formulation ou non d'une conclusion.

L'approche argumentaire est le premier élément à considérer dans l'élaboration d'un message persuasif. Le communicateur doit-il présenter seulement les arguments positifs, à savoir uniquement ceux qui font valoir son produit ou son service et qui font état de sa supériorité au regard d'attributs essentiels, et lesquels ? Ou doit-il aussi apporter des contre-arguments en mentionnant certaines faiblesses de son produit, comparativement à un produit concurrent, au regard d'attributs secondaires ? Il semble que les messages qui se limitent à énoncer uniquement des arguments positifs sont plus efficaces auprès d'un auditoire qui a une attitude favorable à l'égard du produit, comme les clients actuels ou les partisans d'un parti politique. En revanche, les contre-arguments sont plus efficaces auprès d'un auditoire plus scolarisé, mieux informé, qui soutient un autre point de vue que celui du communicateur ou qui aura à défendre le produit ou le service [16]. Par exemple, un représentant pharmaceutique qui présente un nouveau médicament à un médecin spécialiste doit faire valoir les avantages de ce produit par rapport aux produits existants, mais il doit aussi en indiquer les effets secondaires. Généralement, l'efficacité de ce dernier type de message résulte du crédit dont jouit la source auprès du récepteur, du fait de sa capacité à peser les arguments et les contre-arguments. La source devient alors plus crédible.

Le deuxième élément important de la structure du message est l'ordre de présentation des arguments [17]. Dans un message qui se limite aux arguments positifs et dont l'objectif est d'attirer l'attention, l'argument le plus frappant devrait être placé au début du message. Cette manière de procéder convient pour les produits d'achat routinier, surtout quand le message risque de passer inaperçu dans le média employé. Si l'auditoire est captif, le meilleur argument devrait être présenté à la fin. Dans le cas des contre-arguments, si l'auditoire est sceptique, peu réceptif, voire hostile, il est recommandé de débuter par des contre-arguments, car on bénéficie ainsi de l'effet de primauté. De toute façon, on conseille de toujours terminer l'énoncé par un argument positif, le plus fort, car on profite ainsi de l'effet de contiguïté. De fait, beaucoup de personnes se souviennent uniquement de la dernière chose vue ou entendue.

Le troisième élément d'intérêt dans la structure du message est la formulation d'une conclusion. Doit-on soi-même établir une conclusion ou doit-on laisser à l'auditoire le soin de conclure ? En général, il semble préférable de laisser l'auditoire tirer ses propres conclusions, surtout s'il est scolarisé ou très informé, s'il n'a pas confiance en la source ou si le sujet est personnel. Une façon subtile de faire les choses consiste à poser des questions et à laisser l'auditoire y répondre [18].

En fin de compte, le message est d'autant plus efficace que sa structure cadre avec le but visé. Les explications données dans cette section aideront le communicateur à exposer ses arguments de façon à influencer les attitudes et les comportements de l'auditoire cible.

La présentation du message

On vient de voir qu'il est possible d'utiliser la structure d'un message comme outil de persuasion. Pour rendre le message persuasif, on peut aussi faire appel au symbolisme. Un symbole est une image ou un objet qui a une valeur évocatrice. Ce peut être aussi un élément ou un énoncé descriptif ou narratif qui est susceptible de donner lieu à une double interprétation, sur le plan réaliste ou sur le plan des idées.

La forme du message, c'est-à-dire les symboles employés pour exprimer les idées, est donc un élément important qui dépend de la créativité du communicateur. Cette partie de la tâche de communication relève habituellement des spécialistes de la communication davantage que des spécialistes du marketing. La forme diffère selon le canal de communication. Dans le cas des journaux, des magazines et des autres imprimés, les éléments essentiels du message sont le titre, le texte, l'image (photo ou dessin), la taille et la couleur. On trouve un exemple d'un tel message à la figure 12.4. S'il s'agit d'un message télévisé, il faut prendre en considération non seulement les éléments verbaux (les dialogues du scénario publicitaire), mais aussi les éléments non verbaux (le décor, la gestuelle du présentateur, les vêtements, etc.), sans oublier la pièce de musique ou la ritournelle publicitaire (*jingle*), qui mettent en valeur le produit ou l'entreprise. À la radio, le communicateur portera une attention spéciale au scénario publicitaire (le choix des mots est très important puisqu'il n'y a pas de support visuel), au ton de la voix, au débit et à la respiration. Enfin, la marque de commerce, le design, l'emballage, la couleur ainsi que d'autres éléments matériels véhiculent également un message. Tous les éléments de la présentation doivent concourir à renforcer le message.

La source du message

Qui communique le message? D'où l'information provient-elle? La source du message peut elle aussi influer sur l'attitude à l'égard du produit. Cette source peut être une personne, une marque ou une entreprise. On a vu au chapitre 9 que la marque peut être un élément majeur de la stratégie de marketing et que le capital de marque est un atout pour une entreprise. Souvent, la source désigne la personne chargée de communiquer le message. Certains considèrent que les médias (radio, télévision, imprimé) et le support publicitaire (une annonce parue dans la revue *Scientific American* peut avoir un caractère fort différent de celui d'une publicité parue dans un magazine à sensation) font partie de la source. En fait, une source attrayante retient mieux l'attention et son souvenir s'imprime plus facilement dans la mémoire [19].

Les entreprises font souvent appel à des personnalités artistiques ou sportives comme source de leur message. En effet, plus la source est attirante ou populaire, plus le degré d'attention et de rappel du message sera élevé [20]. Plus la vedette peut être associée à l'une des caractéristiques d'un produit, plus la crédibilité de ce

_FIGURE 12.4 **Un message dans un magazine**

Source: *Châtelaine,* vol. 50, n° 7, juillet 2009, p. 70.

dernier sera grande. Des recherches ont aussi démontré que plus la source est crédible, plus le message est persuasif. Une source crédible aura plus de facilité à amener un changement d'attitude. Trois facteurs peuvent contribuer à la crédibilité d'une source : l'expertise, la confiance et la popularité [21]. On entend par expertise la compétence reconnue ou les connaissances particulières d'une personne, ou le renom d'une marque, dans un domaine déterminé. La crédibilité peut être accrue si l'on jumelle, par exemple, deux marques reconnues pour leur expertise respective. Ainsi, Pfizer et Johnson & Johnson ont uni leurs forces dans un message publicitaire : pour soigner les égratignures et les écorchures efficacement, on devrait appliquer l'onguent antibiotique Polysporin (de Pfizer) sur l'éraflure et la recouvrir avec un pansement adhésif de marque Band-Aid (de Johnson & Johnson). La confiance a rapport à la croyance dans la valeur morale d'une personne. Une personne généreuse, loyale et honnête inspire confiance. Le message qu'elle communiquera sera considéré comme crédible ; par conséquent, il sera persuasif. Enfin, la popularité est le fait d'être connu et apprécié par beaucoup de gens. Plus quelqu'un est populaire, plus l'influence qu'il exerce sur l'auditoire est grande. Les mercaticiens et les communicateurs ont donc avantage à choisir un porte-parole qui est compétent dans le domaine en question, qui inspire confiance et qui est populaire.

12.3.4_Le choix des canaux de communication marketing

Les canaux de communication marketing sont les moyens de transmission des messages à l'auditoire externe ou interne. Les entreprises reconnaissent de plus en plus qu'il est essentiel de communiquer non seulement avec les clients actuels ou potentiels et le public en général, mais aussi avec les intermédiaires et même avec leurs employés. Du fait de leur rôle éminent dans l'économie des pays développés et des particularités de leur marketing, les entreprises de services ont avantage à accorder à leurs employés une place importante dans leurs stratégies de communication. Des budgets considérables peuvent être consacrés à la communication, surtout externe, et certains coûts dépassent l'imagination. Ainsi, un message télévisé de 30 secondes au Super Bowl coûte environ 3 millions de dollars américains.

Les canaux de communication marketing externe se sont multipliés au cours des dernières années avec la prolifération des nouvelles technologies (cellulaires intelligents, Bluetooth, iPod, iPhone, iPad, Blu-ray, téléviseurs 3D...) et des nouveaux moyens de communication électroniques (Foursquare, Yelp, Gowalla, Square, @anywhere...). Les quotidiens imprimés traditionnels sont aussi accessibles sur Internet et en concurrence avec des journaux distribués gratuitement. La croissance exponentielle d'Internet, grâce entre autres à Google, Yahoo! et Microsoft, sa pénétration dans les foyers, son emploi accru sur téléphone cellulaire et, de plus en plus, son usage comme outil publicitaire, tout cela a révolutionné les communications organisationnelles et individuelles. La part du marché publicitaire sur Internet a triplé ces cinq dernières années. Des entreprises se servent de jeux en ligne pour faciliter le recrutement de diplômés. Les banques offrent des services à domicile, mais aussi des services mobiles, et ces outils financiers leur permettent de transmettre à leurs clients de l'information sur d'autres nouveaux services. Des entreprises donnent des cours gratuits en ligne, appelés « webinaires » (pour « séminaires Web »), afin de mousser leur image. Les réseaux sociaux virtuels connaissent une expansion rapide et continue, par exemple avec Twitter et Facebook. Ces derniers ont d'ailleurs été utilisés par le Théâtre du Rideau Vert, comme par beaucoup d'autres entreprises, pour la promotion de sa programmation.

Les canaux de communication marketing externe

La figure 12.1 (*voir p. 412*) a montré que les canaux de communication marketing externe peuvent être impersonnels, personnels ou à la fois impersonnels et personnels, selon le canal emprunté.

Les canaux de communication marketing externe impersonnels sont des canaux de transmission de masse de l'information à l'auditoire cible. Cette forme de communication ne laisse place à aucun contact direct ni à aucun échange personnel. Les canaux de communication externe impersonnels les plus utilisés en marketing sont la publicité, la commandite et la promotion des ventes.

La figure 12.5 donne un aperçu du partage des revenus publicitaires au Canada entre les principaux médias en 2008. On constate que la télévision remporte encore le plus gros morceau, suivie des quotidiens. À la figure 12.6, on peut prendre connaissance des parts de marché en heures d'écoute entre les différentes chaînes de télévision au Québec en 2008.

FIGURE 12.5 **Les revenus publicitaires au Canada par média en 2008**

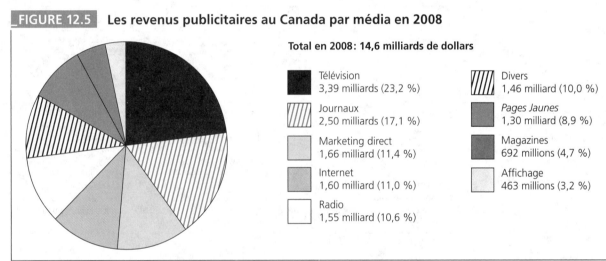

Total en 2008 : 14,6 milliards de dollars

Télévision
3,39 milliards (23,2 %)

Journaux
2,50 milliards (17,1 %)

Marketing direct
1,66 milliard (11,4 %)

Internet
1,60 milliard (11,0 %)

Radio
1,55 milliard (10,6 %)

Divers
1,46 milliard (10,0 %)

Pages Jaunes
1,30 milliard (8,9 %)

Magazines
692 millions (4,7 %)

Affichage
463 millions (3,2 %)

Source : *Marketing,* 29 septembre 2008, p.18.

FIGURE 12.6 **Les parts de marché entre les différentes chaînes de télévision en pourcentage des heures d'écoute par semaine au Québec en 2008**

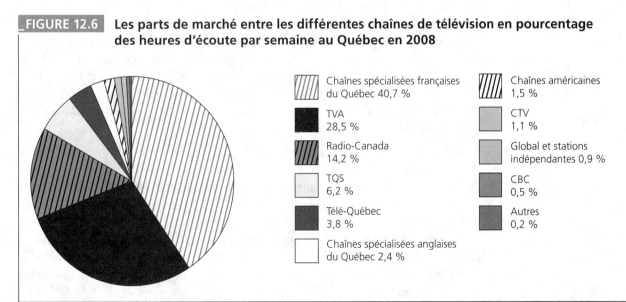

Chaînes spécialisées françaises
du Québec 40,7 %

TVA
28,5 %

Radio-Canada
14,2 %

TQS
6,2 %

Télé-Québec
3,8 %

Chaînes spécialisées anglaises
du Québec 2,4 %

Chaînes américaines
1,5 %

CTV
1,1 %

Global et stations
indépendantes 0,9 %

CBC
0,5 %

Autres
0,2 %

Sources : CANADIAN MEDIA DIRECTORS' COUNCIL, « Media Digest 09/10 », *Marketing,* numéro hors série annuel, automne 2009, p. 24 ; CENTRE D'ÉTUDES SUR LES MÉDIAS, *Portrait de la propriété dans le secteur de la télévision au Québec,* [En ligne], www.cem.ulaval.ca (Page consultée le 17 mars 2010)

Les principaux diffuseurs de télévision généraliste au Québec sont francophones, et Radio-Canada et TVA ont ensemble une part de marché de 42,7 %. Avec son réseau de 10 stations, TVA offre une couverture complète au Québec et est même accessible à des francophones des autres provinces canadiennes. TVA est le leader au Québec, avec à lui seul une part de marché de 28,5 %. Par contre, les deux grands diffuseurs généralistes subissent désormais l'assaut de nombreuses stations spécialisées comme RDS, Canal D et Évasion qui, regroupées, ont une part de marché de 40,7 %. À titre d'exemple de coûts de messages publicitaires à la télévision, on trouvera au tableau 12.2 certains tarifs à la carte pour TVA.

TABLEAU 12.2 **Un exemple de tarifs à la carte pour certaines émissions de télévision pour la saison 2009-2010**

Nom de l'émission	Tarif pour un message publicitaire de 30 secondes	Auditoire 25-54 ans
Salut, Bonjour!	2 100 $	160 000
Le TVA Midi	1 550 $	120 000
Le 17 heures	4 600 $	255 000
Le 18 heures	8 500 $	350 000
Le 22 heures	5 400 $	220 000
Occupation double	23 000 $	795 000
Taxi 0-22	12 000 $	480 000
Le Banquier	20 800 $	950 000

Note : Le tarif peut être présenté en coût par mille (CPM). Le tarif CPM à la carte à TVA, pour les adultes, est de 26,17 $ pour les émissions aux heures de pointe et de 13,48 $ pour les émissions de jour. Les espaces publicitaires sont normalement vendus pour des programmes intégrés de publicité, et certains escomptes de volume peuvent alors être obtenus.

Source : courtoisie de TVA VENTES ET MARKETING.

L'environnement, un autre canal de communication impersonnel, peut être aménagé de façon à donner une image déterminée à un hôtel, à un restaurant, à un bureau ou à un magasin de détail. La décoration intérieure, l'ameublement, l'équipement, les étalages et l'éclairage projettent une certaine image de l'organisation. L'environnement est un élément important de la dimension expérientielle de la consommation. Dans ce contexte, on entend par environnement aussi bien l'ambiance et le décor que la nature des autres clients et leur comportement, sans oublier l'ensemble des interactions client-entreprise qui font vivre au client une expérience plaisante.

Les relations publiques et le marketing direct peuvent constituer des canaux impersonnels ou personnels. Par exemple, la participation de membres de la direction à un gala ou à un tournoi de golf pour une cause sociale est une forme de représentation personnalisée servant à communiquer l'engagement social de l'entreprise et à en promouvoir l'image ; par contre, une conférence de presse afin d'annoncer un investissement considérable sera abondamment couverte dans les médias de masse et, en ce sens, deviendra impersonnelle. Il en va de même pour le marketing direct : la vente directe de produits à la télévision est une communication impersonnelle, alors qu'un envoi postal personnalisé est une forme de communication personnelle.

Finalement, il existe des canaux de communication marketing externe personnels. Ces canaux se composent de personnes, chargées en général de la vente ou du service à la clientèle. Ces personnes peuvent avoir des contacts directs, face à face, avec les clients ou communiquer avec eux par téléphone ou par courriel. La communication interpersonnelle est généralement plus efficace que la communication impersonnelle, parce qu'elle permet d'individualiser la présentation et d'obtenir une rétroaction qui elle-même permet une réaction immédiate. Les coûts par client entraînés par la communication personnelle sont évidemment beaucoup plus élevés que ceux liés à la communication impersonnelle. Les outils de communication varieront selon la nature de l'entreprise, du produit ou du service, de l'auditoire cible et les objectifs de communication marketing. Ainsi, la commandite sera accompagnée de publicité, ou encore, un effort de vente donné sera soutenu par une campagne publicitaire et par des activités de promotion auprès des représentants de commerce, des intermédiaires et des consommateurs.

Les canaux de communication marketing interne

La communication marketing interne avec tous les employés est essentielle si l'entreprise désire promouvoir une culture d'entreprise forte, une préoccupation de qualité des produits et des services, de même qu'une culture-client omniprésente, surtout si elle souhaite offrir un excellent service à la clientèle. Cette communication passe elle aussi par des canaux de communication impersonnels ou personnels, ou les deux à la fois, selon les objectifs de communication et les caractéristiques des outils de communication. Parmi les canaux de communication interne impersonnels, on peut mentionner les rapports annuels conçus à l'intention des employés, les bulletins d'information électroniques et les journaux d'entreprise, de même que les rencontres d'information avec les employés. On organise certains événements pour mieux faire connaître l'entreprise, comme les visites de celle-ci auxquelles sont conviés les familles et les amis des employés. L'environnement de travail, qui peut englober à la fois l'apparence et la propreté des locaux ainsi que l'habillement du personnel (parfois, les compagnies aériennes font appel à des couturiers réputés pour dessiner les uniformes de leurs agents de bord), constitue un autre moyen de communication interne.

De plus, l'entreprise peut emprunter plusieurs canaux de communication interne personnels. À l'occasion de grands événements, on organise des séances d'information où les cadres s'adressent en personne aux employés. Le président de la compagnie peut communiquer avec le personnel par vidéoconférence, sur Internet ou en distribuant un DVD. Des séances de formation ont lieu, pendant lesquelles des experts de l'entreprise ou venus de l'extérieur forment les employés. Autre exemple : le chef de produits peut parler d'un nouveau produit aux représentants au cours d'une réunion de vente. Le canal de communication personnel peut même être constitué uniquement de deux personnes. Ainsi, un représentant de commerce chevronné peut donner une formation à un nouveau représentant. Et des membres de la direction peuvent accueillir personnellement les nouveaux employés ou encore les employés et leur famille lors de journées portes ouvertes.

12.3.5_L'établissement du budget de communication

L'établissement du budget de communication comprend quatre étapes. On détermine d'abord l'ordre de grandeur du budget total de communication, puis il faut décider de la part consacrée à la communication marketing externe et celle attribuée à la communication marketing interne ; on évalue ensuite la portion du budget qui ira à chacun des outils de communication et, enfin, en recourant parfois à des procédures d'arbitrage, on fixe le budget total final. Pour établir le budget de communication marketing externe, les entreprises peuvent recourir aux méthodes suivantes : 1) le budget historique ; 2) les ressources disponibles ; 3) le pourcentage des ventes ou du chiffre d'affaires ; 4) la parité avec la concurrence ; 5) les objectifs et les tâches[22].

L'entreprise peut utiliser deux ou trois de ces méthodes concurremment ou successivement. Par exemple, on peut d'abord se fier au budget de l'année précédente, et l'on a alors une forme de budget historique. Les résultats de la présente année sont comparés aux prévisions budgétaires. On peut ensuite comparer les résultats obtenus avec les données existantes sur le pourcentage moyen des ventes de l'industrie, lorsque de telles statistiques existent ; et l'on peut employer la méthode des objectifs et des tâches pour raffiner l'analyse des différents postes du budget. On décide alors du budget final de communication marketing.

On verra maintenant brièvement en quoi consiste chacune de ces méthodes. Il est à noter qu'elles peuvent être suivies pour établir un budget de marketing ou un budget de communication.

Le budget historique

Pour élaborer un budget de communication marketing, on se base souvent sur le budget de l'année précédente ou des trois dernières années, surtout si les environnements interne et externe de l'entreprise sont relativement stables. Toutefois, de nos jours, il est rare que ces environnements le soient. On analyse aussi les résultats obtenus par rapport au budget précédent. La méthode du budget historique permet tout de même d'avoir un point de départ pour déterminer le budget et elle limite les risques du fait que l'on table sur l'expérience de l'entreprise en se fiant aux résultats obtenus en lien avec ce budget. Les prémisses de cette méthode peuvent toutefois amener un gestionnaire sagace à l'utiliser avec certaines réserves : en effet, elle suppose que le budget de l'année précédente était le meilleur budget possible et elle mise plus sur la tradition que sur les occasions d'affaires nouvelles.

Les ressources disponibles

Cette méthode traditionnelle est plutôt employée dans les petites organisations, principalement les organismes sans but lucratif. Le budget tient tout d'abord compte des dépenses obligatoires de l'organisation par rapport aux revenus prévus. Puis, en fonction des ressources disponibles, l'organisation décide du montant qui sera alloué à la communication. La méthode des ressources disponibles repose sur le principe que la communication est une dépense presque inutile. Ses partisans considèrent que la communication n'est pas un investissement et qu'elle ne peut avoir d'effet sur le niveau des ventes ou des activités de l'organisation.

Le pourcentage des ventes ou du chiffre d'affaires

Pour établir le budget, on peut aussi se baser sur un pourcentage des ventes, par exemple 12,5 % des ventes prévues dans la prochaine année. Le montant alloué aux communications va donc augmenter ou diminuer selon l'estimation des ventes. Cette méthode tient compte du coût de l'effort communicationnel en relation avec les ventes et la marge bénéficiaire prévues. La prémisse sur laquelle elle repose est toutefois fausse : les ventes ne sont pas la cause de l'effort communicationnel, c'est plutôt l'effort communicationnel qui est la cause des ventes… En ce sens, si l'on prévoit que les ventes vont baisser, en suivant cette méthode, le budget de communication sera réduit, alors qu'il faudrait peut-être au contraire l'augmenter pour empêcher les ventes de décroître. De plus, il est difficile de trouver un critère logique qui permette de fixer le pourcentage optimal. Enfin, cette méthode trop conservatrice ne permet pas de profiter des occasions d'affaires.

La parité avec la concurrence

Cette méthode est peu employée, car il est difficile dans beaucoup d'industries d'obtenir de l'information valide sur les dépenses de communication des concurrents. Cette information, lorsqu'elle est disponible, peut servir de base pour l'établissement du budget. Il faut cependant l'utiliser avec circonspection, car les circonstances et les variables prises en considération par les concurrents peuvent être fort différentes de celles de l'entreprise. Surtout, il est loin d'être certain que les budgets des concurrents sont optimaux.

Les objectifs et les tâches

La seule méthode réellement rationnelle est la méthode des objectifs et des tâches, qui nécessite une très grande compétence des gestionnaires. Il s'agit d'un type de budget à base zéro. On doit en premier lieu fixer des objectifs quantifiables précis, puis définir les tâches requises pour atteindre ces objectifs, et enfin déterminer les coûts de chacune de ces tâches et en faire la somme. Il ne faut pas se le cacher, cette méthode est beaucoup plus exigeante que les autres. Elle requiert non seulement que les objectifs soient quantifiables, mais aussi que les coûts et surtout les effets de la communication soient évalués. Le principal avantage de cette méthode est qu'elle oblige les gens à être plus rationnels dans l'exercice de leur métier et à établir des corrélations étroites entre les coûts d'utilisation des divers moyens de communication et les résultats escomptés. Il est certain que l'application de cette méthode nécessite de grands efforts, mais elle permet de développer une plus grande expertise à l'estimation des revenus et dépenses, et une fois qu'elle est maîtrisée, ces efforts sont largement récompensés. Bien entendu, rien n'empêche d'utiliser aussi d'autres méthodes de fixation de budget telles que le budget historique afin d'avoir un point de référence ou une base de comparaison ou de validation.

12.3.6_Le choix du mix de communication marketing

L'avant-dernière étape du processus de communication marketing externe consiste à déterminer quels éléments du mix de communication seront utilisés et à répartir le budget de communication entre ces éléments. On a décrit plus tôt dans ce chapitre les huit principaux outils qui composent le mix de communication externe. De multiples variables doivent être prises en compte dans la répartition du budget. Une fois le montant du budget de communication fixé, on le répartit selon les caractéristiques de chaque outil de communication. De plus, l'importance accordée à chaque outil de communication varie grandement selon que l'on a affaire au marché des consommateurs ou au marché organisationnel.

La première variable à prendre en considération est évidemment l'auditoire cible. Comme on l'a expliqué dans la partie du chapitre traitant du modèle de gestion de la communication marketing (*voir la figure 12.3, p. 419*), on commence donc par délimiter l'auditoire cible et définir ses caractéristiques. On dégage ensuite une deuxième variable : les objectifs de communication, qui doivent être en lien avec les objectifs et les stratégies de marketing. Cherche-t-on à faire connaître l'existence du produit ou bien ses caractéristiques ? Veut-on accroître sa notoriété ou en stimuler la vente ? On se référera alors aux modèles de hiérarchie des réponses présentés au tableau 12.1 (*voir p. 422*). Veut-on faire connaître, faire apprécier ou faire faire ? Une troisième variable à considérer est le cycle de vie, présenté au chapitre 9. Le produit ou le service dont on veut faire la promotion est-il à la phase d'introduction, de croissance, de maturité ou de déclin? On peut devoir considérer d'autres variables, comme les étapes du processus d'achat pour l'ensemble des clients potentiels ciblés et les stratégies appliquées en matière de prix ou de circuits de distribution. Le contenu du message et les canaux de communication doivent également être pris en compte au moment du choix des outils de communication. Enfin, l'établissement du budget de communication marketing sera sans doute l'un des critères les plus importants, sinon le plus important, dans la prise de décision finale.

Une fois le mix de communication externe établi, les décisions suivantes relatives aux outils de communication deviennent très opérationnelles. Par exemple, dans le cas de la publicité, il faudra choisir le type de média (télévision, radio, journaux, magazines, Internet...), puis le moyen de diffusion (dans le cas d'un magazine, ce pourrait être, par exemple, *Châtelaine* ou *L'actualité*). Il faut le reconnaître, cette tâche n'est pas facile. La qualité des décisions résultera de l'expérience et de la compétence des responsables, et du niveau et de la qualité de l'information recueillie à cette fin.

12.3.7_Le contrôle de la communication marketing

Le contrôle de la communication marketing externe ou interne constitue la dernière étape du modèle de gestion de la communication marketing. Il peut prendre deux formes: le prétest et le post-test. Le prétest est en fait un outil de contrôle qui a pour but de réduire au minimum les risques liés à la conduite d'une campagne de communication. Une fois prises les décisions relatives au contenu, à la structure et à la présentation du message ainsi qu'au choix du mix de communication, il convient de faire un prétest auprès de personnes de l'auditoire cible afin d'obtenir leur opinion. On peut par exemple vérifier la compréhension que ces personnes ont d'un message qui leur est présenté sous différentes formes (scénario, forme électronique, etc.). Si elles ne comprennent pas bien l'argumentation ou l'objectif, c'est que le communicateur n'est pas parvenu à concevoir un message qui puisse être compris de l'auditoire. Il lui faudra alors préparer un nouveau message. On peut aussi préparer deux versions d'un message et demander à un groupe témoin de dire de quelle façon il le perçoit et laquelle des deux versions il préfère.

Le post-test, quant à lui, mesure les effets de la communication sur l'auditoire cible. Celui-ci se souvient-il du message? A-t-il su reconnaître le message? Si oui, sans aide ou avec aide? Combien de fois le message a-t-il été vu? On cherche à mesurer divers effets du message, comme les changements de notoriété d'une entreprise, d'un produit ou d'un service – par exemple, le pourcentage de personnes qui connaissent une marque. On veut aussi évaluer les effets du message sur le comportement de l'auditoire: nombre d'appels téléphoniques ou de visites, nombre de personnes qui ont acheté le produit ou le service, pourcentage d'acheteurs satisfaits, et ainsi de suite.

_12.4 La gestion de la force de vente

Les ventes sont une part importante des activités et du budget de communication marketing; souvent, tous les autres éléments du mix de marketing servent à les soutenir. On trouve une force de vente non seulement dans les entreprises commerciales et industrielles, mais aussi dans des organismes sans but lucratif comme Centraide ou l'Orchestre symphonique de Montréal qui misent sur des activités de sollicitation pour remplir leur mission ou carrément assurer leur survie. Selon Statistique Canada[23], 1,2 million de personnes travaillent dans les ventes au Canada, dont 278 430 au Québec, soit environ 7 % de la population active ou 1 personne sur 13. Les directeurs des ventes n'hésitent pas à dire à leurs collègues des autres fonctions que seule la vente apporte de l'eau au moulin, comme nous l'avons déjà mentionné. La vente est l'unique fonction qui, dans un budget, contribue aux revenus; toutes les autres fonctions représentent des dépenses. Il est donc normal que le budget des ventes soit une composante importante du budget de communication. Dans les entreprises du marché industriel ou organisationnel et dans les petites ou moyennes entreprises, le budget de communication, voire de marketing est presque exclusivement consacré à la vente. Pour les entreprises de services au Québec, le budget des ventes constitue environ 40 % du budget de communication[24]. Et le budget annuel de la force de vente dans les grandes entreprises pharmaceutiques aux États-Unis est en moyenne de 750 millions de dollars[25]. Il est donc essentiel, pour un directeur de marketing, de porter une grande attention à la gestion de la force de vente.

La gestion de la force de vente comprend deux volets : l'organisation de la force de vente et la gestion des opérations de la force de vente[26].

12.4.1_L'organisation de la force de vente

La mise en place d'une force de vente implique tout d'abord un certain nombre de décisions qui refléteront la vision de la direction par rapport au rôle que la force de vente devra jouer pour permettre à l'entreprise d'atteindre ses objectifs et réaliser sa mission. La figure 12.7 présente les éléments de base de l'organisation de la force de vente, qui sont :

- la définition des objectifs de la force de vente ;
- la conception de la structure de la force de vente ;
- la détermination de la taille de la force de vente ;
- la formulation de la politique de rémunération de la force de vente.

_FIGURE 12.7 **L'organisation de la force de vente**

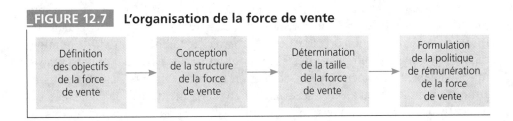

La définition des objectifs de la force de vente

La toute première étape consiste à énoncer le rôle de la force de vente et d'en fixer les objectifs en conséquence. Qu'attend-on des représentants commerciaux ? Évidemment, en premier lieu, on s'attend à ce qu'ils concluent des ventes. Mais, de nos jours, les attentes envers les vendeurs sont bien plus complexes. Les représentants doivent bien sûr maîtriser l'art de la vente, mais bien plus encore. Il est nécessaire qu'ils fassent de la prospection et recueillent de l'information sur les besoins des marchés et des clients et sur les actions des concurrents ; puis, il est essentiel qu'ils transmettent cette information à la direction du service de marketing. En tout temps, ils doivent assurer un excellent service après-vente et aider les clients à résoudre leurs problèmes. En considérant toutes leurs responsabilités, l'entreprise doit fixer aux représentants des objectifs comme consacrer 50 % de leurs efforts de vente aux clients actuels et 10 % à la prospection de nouveaux clients, accorder 20 % de leur temps au service à la clientèle, 10 % aux tâches administratives et 10 % aux déplacements.

La conception de la structure de la force de vente

La structure de la force de vente sera grandement influencée par la structure de l'organisation du marketing dans l'entreprise. D'une façon générale, les entreprises peuvent être organisées par marchés, par régions ou territoires, par produits ou services, ou par une combinaison de ces variables. À cause des grandes distances au Québec et au Canada, la structure par régions ou territoires est souvent retenue comme structure de base de la force de vente. La structure par territoires offre de nombreuses possibilités. Par exemple, plusieurs représentants d'une compagnie pharmaceutique pourraient travailler sur un même territoire, certains sollicitant les médecins en clinique privée, et d'autres, les médecins dans les hôpitaux et les pharmaciens. La direction du marketing doit toutefois surveiller l'évolution des marchés et les activités et la structure organisationnelle des forces de vente des concurrents, afin d'adapter rapidement la structure de sa force de vente en conséquence si nécessaire.

La détermination de la taille de la force de vente

Après avoir défini les objectifs et la structure de la force de vente, il faut en définir la taille. Évidemment, celle-ci dépendra des objectifs de l'entreprise et de la charge de travail, en prenant en considération les tâches attendues des représentants commerciaux, le nombre de clients actuels et potentiels à visiter, ainsi que la fréquence des visites. La taille de la force de vente pourrait exiger une allocation budgétaire relativement élevée.

La formulation de la politique de rémunération

Une fois connus les objectifs de la force de vente, sa structure et sa taille, il reste à déterminer la politique de rémunération. Ces décisions sont fort importantes puisqu'elles pourraient avoir un impact non négligeable sur le budget de communication de l'entreprise, tant du côté des revenus que des dépenses. Généralement, le niveau de rémunération doit être compétitif avec le marché. Le mode de rémunération doit être suffisamment intéressant pour attirer les nouveaux représentants, raisonnablement compétitif pour conserver les représentants actuels, et assez attrayant pour les inciter tous à se surpasser en vue d'atteindre et de dépasser leurs objectifs et ainsi en tirer un revenu gratifiant. La rémunération des représentants est souvent composée de quatre éléments : un salaire en partie fixe, incluant certains avantages comme une voiture ; une rémunération variable sous la forme de commissions et de bonus ; des avantages sociaux ; et le remboursement des dépenses.

12.4.2_La gestion des opérations de la force de vente

Après avoir déterminé les objectifs, conçu la structure, déterminé la taille et formulé la politique de rémunération de la force de vente, la direction du marketing mettra en œuvre la gestion des opérations de la force de vente, soit le recrutement, la formation et la supervision, la motivation et, finalement, l'évaluation des représentants (*voir la figure 12.8*).

FIGURE 12.8 **La gestion des opérations de la force de vente**

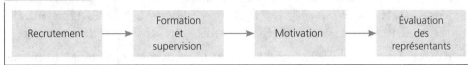

Le recrutement des représentants

Pour bâtir une force de vente qui connaîtra le succès, il est essentiel de recruter les bons candidats, et ce, pour deux raisons. Tout d'abord, les entreprises recherchent les candidats qui offrent le meilleur potentiel pour devenir de bons représentants. Ce sont ceux-là qui contribueront le plus à l'atteinte des objectifs. Ensuite, elles veulent trouver des candidats fiables qui persévéreront dans cette profession.

La formation et la supervision des représentants

Certaines entreprises investissent beaucoup dans la formation de leurs représentants commerciaux. On s'attend de nos jours à ce que les représentants aient une solide formation de base. Ils doivent bien connaître leur entreprise, ses produits ou ses services. Ils doivent connaître les clients et leurs attentes et être au fait des produits et services des concurrents. Ils doivent être en mesure de conseiller leurs clients, se montrer fiables et efficaces.

La fonction des ventes est fort importante dans une entreprise car les représentants génèrent les principaux revenus de l'entreprise, c'est pourquoi ils doivent être supervisés avec soin. Pour ce faire, l'entreprise établit des normes qui reflètent les bonnes pratiques de gestion des ventes – par exemple, en ce qui a trait à la gestion efficiente du temps, aux nombres de visites par jour ou par semaine, aux réponses aux appels et courriels, à la sollicitation de clients potentiels ou au service après-vente. L'atteinte des résultats demeure une préoccupation constante pour le responsable des ventes, qui doit toujours être aux aguets, savoir motiver ses représentants et pouvoir les soutenir lorsque des difficultés surviennent.

La motivation des représentants

Le métier de représentant offre de nombreux défis à ceux qui aiment en relever, peut être fort rémunérateur et peut servir de tremplin pour d'importantes fonctions de marketing ou de direction, mais il n'est pas toujours facile. Les représentants sont souvent seuls, ils doivent affronter des défis au quotidien et sont suivis à la trace. On attend d'eux à la fois qu'ils entretiennent d'excellentes relations avec leurs clients et qu'ils atteignent et dépassent leurs quotas de vente. Pour ce faire, on leur offre des stimulants pécuniaires et des récompenses morales comme la reconnaissance publique pour le dépassement de quotas ou l'obtention de contrats importants.

L'évaluation des représentants

L'évaluation des représentants constitue une partie importante de la gestion des ventes puisque les ventes, faut-il le rappeler, sont la principale source de revenus des entreprises. Pour bien faire cette évaluation, le directeur des ventes dépend de diverses sources d'information. Le premier renseignement pris en compte est le résultat comptabilisé des ventes. À cela s'ajoutent les rapports de ventes des représentants, les lettres de remerciements ou de plaintes des clients, les sondages, les observations personnelles, les échanges avec d'autres représentants commerciaux ou avec le personnel du service après-vente. Lorsqu'il évalue ses représentants, le gestionnaire doit considérer non seulement les résultats obtenus, mais aussi la situation économique et l'état du marché en général, les conditions spécifiques de son marché et de son territoire, la combativité des concurrents et la satisfaction de la clientèle.

La vente, on l'a déjà mentionné, est un élément fort important du mix de communication marketing externe de l'entreprise. Souvent, les autres éléments du mix de communication marketing agissent comme un soutien aux efforts de vente, et c'est pourquoi, dans les entreprises, on accorde une grande attention à la gestion des ventes.

_12.5 La communication marketing interne

La communication marketing interne est un outil de gestion de plus en plus utilisé dans les entreprises, dans le but non seulement de former et d'informer les employés et de les mobiliser, mais aussi de les sensibiliser à l'importance de la qualité des produits et services et à l'excellence du service à la clientèle. Cette composante du marketing interne a commencé à être reconnue et pratiquée il y a une vingtaine d'années.

Le processus de communication décrit à la section 12.2 (*voir p. 417*) est universel et s'applique évidemment à la communication marketing interne. Les sept étapes de la gestion de la communication marketing externe présentées à la section 12.3 (*voir p. 419*) sont donc les mêmes dans la communication marketing interne : le ciblage de l'auditoire, la fixation des objectifs de communication marketing, la conception du message, le choix des canaux de communication marketing, l'établissement du budget de communication marketing, le choix du mix de communication marketing et les mesures des résultats de la communication marketing.

Il existe toutefois des différences importantes entre la communication marketing externe (*présentée en détail à la section 12.1, p. 412*) et la communication marketing interne. En effet, la communication marketing interne exige la participation de la direction de l'entreprise et la collaboration d'autres services, dont les ressources humaines et les relations publiques. Les objectifs de la communication interne doivent refléter les objectifs, les intérêts et les préoccupations de la direction de l'entreprise, de ces services, de même que du service du marketing. La direction veut communiquer aux employés sa vision de l'entreprise, ses défis et ses succès ; les ressources humaines se préoccupent de motivation, de mobilisation et de rétention du personnel ; les relations publiques, de l'image de l'entreprise ; le marketing, de l'image et de la qualité des produits et services, de la qualité du service à la clientèle, et des ventes.

Le marketing interne est essentiellement l'utilisation du marketing traditionnel et de la démarche de marketing auprès du personnel en contact avec la clientèle actuelle et potentielle, de même qu'auprès du personnel en général[27]. Les employés peuvent transmettre à l'entreprise des informations relatives au marché et, inversement, transmettre au marché des informations concernant l'entreprise. Le marketing interne est en fait un processus d'information, de sensibilisation, de formation et de motivation. Il s'adresse au marché interne des employés et concerne l'orientation marketing dans l'entreprise, particulièrement la qualité des produits et services et l'excellence du service à la clientèle. Ce qui amène à reconnaître que la gestion du marketing, surtout dans les entreprises de services, est de plus en plus étroitement liée à la gestion des ressources humaines.

La communication marketing interne, selon le point de vue du service du marketing, a non seulement pour but d'informer et de former les employés, mais aussi de favoriser l'acquisition d'attitudes, de compétences et de comportements qui aident à la réalisation des stratégies et des opérations de marketing externe. Plus précisément, la communication marketing interne a pour buts :

- de susciter de la fierté chez les employés et d'accroître leur sentiment d'appartenance et leur loyauté envers l'entreprise ;
- de rendre les employés plus réceptifs aux besoins et aux attentes de la clientèle et d'augmenter la qualité du travail, à tous les échelons et dans toutes les fonctions de l'entreprise ;
- de stimuler le désir de bien servir la clientèle ;
- d'informer le personnel, particulièrement le personnel en contact avec la clientèle, des nouveaux programmes, produits ou services ou des modifications apportées à ceux qui existent déjà ;
- de faire connaître les nouvelles campagnes de publicité, les activités de relations publiques et les nouvelles promotions.

La communication marketing interne sert à la diffusion d'informations au sein des organisations. Il n'y a rien de plus désagréable et de plus démoralisant pour un employé, voire un cadre ou le directeur d'un service, que d'apprendre l'existence d'un nouveau produit, d'un nouveau service ou d'un nouveau programme par les médias ou, pire encore, par des clients ou des membres de sa propre famille. En agissant de la sorte, l'entreprise donne l'impression à ses employés et à ses clients qu'elle ne sait pas ce qu'elle fait ou qu'elle n'a aucune considération pour eux, ce qui peut avoir des résultats désastreux à la fois chez les uns et chez les autres.

Les moyens de communication interne sont nombreux et variés et, tout comme pour la communication externe, ils peuvent se classer en deux grandes catégories : les moyens d'information impersonnels, et les moyens d'information personnels, (*voir le tableau 12.3*).

TABLEAU 12.3 Les moyens de communication interne

Moyens d'information impersonnels	Moyens d'information personnels
• Le rapport annuel aux actionnaires • Le rapport annuel aux employés • Les journaux ou revues d'entreprise • Les bulletins électroniques • La pochette d'information destinée aux nouveaux employés • Les films et les vidéos d'information sur l'entreprise • Les bulletins spéciaux consacrés aux nouveaux produits et services • L'information publicitaire et promotionnelle (message publicitaire) • Les tableaux d'affichage • Les lignes sans frais (800, 866, 888) destinées aux employés	• Les réunions de la direction ou des cadres • Les réunions annuelles des représentants • Les réunions fonctionnelles • Les réunions d'information sur le plan d'affaires • L'accueil des nouveaux employés et le parrainage • Les enquêtes personnelles et les entrevues de groupe • Les programmes de suggestions (boîte aux idées) • Les journées portes ouvertes • Les fêtes d'employés • Les cérémonies (ouverture d'une usine ou d'une succursale) • Les cartes d'anniversaire de naissance aux employés

La communication marketing interne est un outil de gestion essentiel dans l'entreprise, à la fois complément de la communication externe et du plan de marketing dans son ensemble. C'est vrai pour toutes les entreprises, particulièrement pour les entreprises de services, puisque, dans ces dernières, le personnel fait partie de l'offre.

En conclusion, il faut reconnaître qu'une des tâches les plus importantes d'un gestionnaire est d'établir et de maintenir un système de communication au sein de son entreprise. Cet aspect est si critique que les entreprises qui ont les systèmes de communication les plus efficaces sont celles qui connaissent le plus de succès en affaires [28].

La prolifération massive des technologies de l'information et de la communication (TIC) depuis le début des années 1990 et l'avènement des outils du Web 2.0, social et participatif, au milieu des années 2000, ont considérablement transformé plusieurs éléments du mix de marketing. D'une part, la communication est devenue de plus en plus interactive et intégrée. D'autre part, des changements importants, résultant d'une approche plus fluide et plus efficace, ont eu lieu dans la distribution. Cela a entraîné une désintermédiation-intermédiation (disparition de certains intermédiaires et apparition de nouveaux) dans les circuits de distribution. De nouveaux biens et services numériques sont apparus, et un nouveau mode de tarification propre au Web s'est installé. Le chapitre 13 sera consacré à un volet important du marketing de nos jours, le cybermarketing, et plus particulièrement le commerce électronique.

_Points saillants

_Il est difficile de connaître le succès, même avec le meilleur des plans de marketing, sans une communication marketing efficace. Il faut non seulement savoir faire, il faut aussi le faire savoir. La communication marketing, qu'elle soit externe ou interne, peut être impersonnelle ou personnelle. La communication marketing externe de l'entreprise se fait au moyen de huit outils groupés sous la dénomination de « mix de communication » : la publicité, la commandite, la promotion des ventes, l'environnement, les relations publiques, le marketing direct, la vente et le service à la clientèle.

_La communication est la transmission, le partage, le transfert, l'échange d'informations, d'idées ou de connaissances entre deux ou plusieurs individus. Pour communiquer efficacement, il est nécessaire de comprendre le processus de communication. Celui-ci comprend neuf éléments : l'émetteur, le codage, le message proprement dit, le canal de communication, le décodage, le récepteur, la réponse, la rétroaction et les interférences.

_Pour élaborer une communication efficace, il faut avoir recours au modèle de gestion de la communication marketing, qui comprend sept étapes : le ciblage de l'auditoire, la fixation des objectifs de communication marketing, la conception du message, le choix des canaux de communication marketing, l'établissement du budget de communication marketing, le choix du mix de communication marketing et les mesures des résultats de la communication marketing.

_Pour bien cibler et connaître l'auditoire, quatre types d'information sont utiles : les données sociodémographiques, psychologiques, psychographiques et comportementales. Il faut ensuite fixer les objectifs de communication marketing. Pour ce faire, on s'inspire souvent d'un des modèles de hiérarchie des réponses, dont les trois objectifs généraux sont : faire connaître, faire apprécier et faire faire. À l'étape de la conception du message, le communicateur concentre son attention sur le contenu, la structure, la présentation et la source du message.

_Les cinq principales méthodes pour établir des budgets sont le budget historique, les ressources disponibles, le pourcentage des ventes ou du chiffre d'affaires, la parité avec la concurrence ainsi que les objectifs et les tâches. Cette dernière est la méthode la plus rationnelle ; il s'agit d'un type de budget à base zéro. La méthode du budget historique sert souvent de base de référence, et les autres méthodes, de bases de comparaison ou de validation.

_L'avant-dernière étape du modèle de gestion de la communication marketing consiste à sélectionner le mix de communication et à répartir ensuite le budget entre les huit éléments du mix de communication. Le choix du mix de communication dépend de l'auditoire cible et de ses caractéristiques, des objectifs de communication, du cycle de vie du produit ou service, ainsi que d'autres variables telles que le budget et les objectifs et stratégies de marketing. La dernière étape du modèle est le contrôle, qui peut prendre deux formes : le prétest et le post-test.

_La gestion de la force de vente comprend deux volets : l'organisation de la force de vente et la gestion des opérations de la force de vente. La mise en place d'une force de vente implique tout d'abord un certain nombre de décisions qui refléteront la vision de la direction par rapport au rôle qu'elle jouera dans l'entreprise. Les éléments de base de l'organisation de la force de vente sont : la définition des objectifs, la conception de sa structure, la détermination de sa taille et la formulation de sa politique de rémunération.

Le deuxième volet concerne la gestion des opérations de la force de vente, soit le recrutement, la formation et la supervision, la motivation et finalement l'évaluation des représentants. La vente est un élément fort important du mix de communication marketing externe de l'entreprise. Souvent, les autres éléments de ce mix procurent un soutien aux efforts de vente. C'est pourquoi, dans les entreprises, on accorde une grande attention à la gestion des ventes.

_La communication marketing interne est un outil de gestion de plus en plus utilisé dans les entreprises, et fort important. Elle a pour but, entre autres, de former et d'informer les employés et de les sensibiliser à l'importance de la qualité des produits et services et de l'excellence du service à la clientèle.

_1. « Le marketing, c'est la publicité ! » Êtes-vous d'accord avec cet énoncé ? Justifiez votre réponse.

_2. Qu'est-ce que le service à la clientèle ? Pourquoi est-il considéré comme un outil de communication marketing ?

_3. Quels sont les éléments fondamentaux du processus de communication marketing ? Pourriez-vous expliquer ce processus ?

_4. Qu'entend-on par « gestion de la communication marketing » ? Quelles en sont les étapes ? Quels rapports y a-t-il entre la gestion de la communication marketing et le processus de communication marketing ?

_5. En quoi le modèle d'attitude, le modèle d'adoption et le modèle AIDA sont-ils semblables ? En quoi sont-ils différents ? À quoi ces modèles peuvent-ils servir ?

_6. Qu'est-ce qui fait qu'un objectif de communication marketing est opérationnel ? À quoi servent les objectifs de communication marketing opérationnels ?

_7. La conception du message se situe au cœur même du processus de gestion de la communication marketing. Elle en est donc un élément essentiel. Que devrait-on prendre en considération quand on formule un message pour que celui-ci contribue à rendre la communication marketing efficace ?

_8. Qu'entend-on par « source du message » ? Pourquoi doit-on apporter une grande attention à la source d'un message ?

_9. Décrivez brièvement les cinq méthodes d'établissement d'un budget de communication marketing. Quels sont les principaux avantages et inconvénients de chaque méthode ?

_10. La gestion de la force de vente comprend deux volets : l'organisation de la force de vente et la gestion des opérations de la force de vente. En quoi consiste ces deux volets ? Comment se différencient-ils ?

_11. Qu'est-ce que le marketing interne ? Pourquoi certains gestionnaires considèrent-ils le marketing interne comme un outil de gestion essentiel ?

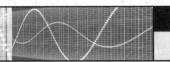
Paul P. Pratte est un humoriste nouvelle vague qui a connu des débuts un peu difficiles, mais qui a enfin remporté beaucoup de succès l'an dernier. Paul donne dans l'humour absurde, ses propos sont souvent débridés, voire déchaînés. Il plaît énormément à la génération Y, et même à la génération X. Cela le distingue des Martin Matte, Mario Jean, Jean-Marc Parent ou Lise Dion qui, dans leur humour, touchent plutôt les grandes étapes de l'existence (naissance, mariage, maladie, vieillesse...), la vie quotidienne et ses travers, les problèmes sociaux (jeunesse, immigration, racisme...) et la politique. Paul P. Pratte se rapproche davantage d'André Sauvé.

L'industrie de l'humour se porte bien au Québec. Le Festival Grand Rire de Québec et le Festival Juste pour rire de Montréal font salle comble chaque été. Rachid Badouri et surtout Louis-José Houde ont connu un succès fou dès leurs débuts. Les humoristes plaisent à un vaste public qui accourt à leurs spectacles, au point où il existe maintenant une certaine rivalité entre les humoristes, les chanteurs et les acteurs. Ces derniers et ces avant-derniers trouvent que les humoristes occupent trop de place sur les scènes, étant donné que le revenu discrétionnaire des spectateurs n'est pas illimité. On ne peut non plus nier le fait qu'il existe une certaine rivalité entre les humoristes eux-mêmes.

Malgré cela, le marché du spectacle au Québec est en bonne santé. Les spectacles à grand déploiement qui ont lieu l'été à Québec – que ce soit pour la Fête nationale, le Festival d'été de Québec ou les célébrations du 400ᵉ (de Plácido Domingo à Céline Dion, en passant par Sting et KISS) –, attirent des centaines de milliers de spectateurs sur les plaines d'Abraham. Le Festival Montréal en lumière, les FrancoFolies et le Festival international de jazz, à Montréal, attirent plus d'un million de spectateurs à des spectacles gratuits en plein air ou payants en salle.

Le marché du spectacle et des loisirs a tout de même ses limites. C'est ce qui préoccupe Paul P. Pratte et son imprésario. L'humour un peu fou et déjanté de PPP plaît bien aux jeunes adultes. Or, les études de marché révèlent que les baby-boomers et même les aînés sont les plus nombreux à assister aux spectacles en général. Ils ont plus de temps libre et leur revenu discrétionnaire est plus élevé puisqu'ils ont moins d'obligations. Le marché potentiel pour les spectacles au Québec se partage selon les groupes d'âge, comme suit : les 20-35 ans, 1 531 000 personnes ; les 35-50 ans, 1 739 000 ; les 50-65 ans, 1 607 000 ; les 65-80 ans, 835 000.

La dernière année a donné d'excellents résultats. Paul P. Pratte s'est créé un sigle : PPP. Il s'est produit au Monument-National à Montréal, mais aussi à Québec, à Trois-Rivières, à Saint-Jérôme et à Sherbrooke dans des salles d'environ 600 places. Les billets se vendaient 49,99 $. Il a donné 70 représentations dans l'année. Il a fait un peu de publicité dans les journaux locaux. Son imprésario, qui a de bonnes relations, l'a fait passer à la radio et à la télévision dans plusieurs émissions de variétés, pendant lesquelles on faisait tirer au hasard des billets. L'imprésario a aussi donné des billets à des leaders d'opinion. Paul P. n'a pas toujours fait salle comble, mais ses revenus ont atteint 1 632 007 $ l'an dernier. Ses dépenses d'opération (distribution artistique, transport, location de matériel, etc.) ont atteint 512 125 $, ses dépenses de fonctionnement (effets sonores, décors, location de salle, etc.) étaient de 148 220 $ et ses frais généraux d'administration ont atteint 434 234 $. Un total de 157 777 $ a été consacré à la communication (publicité, matériel promotionnel, affiches, etc.). Son profit a été de 379 651 $. Ses dépenses pour la communication étaient beaucoup plus basses que celles de l'industrie en général, qui sont en moyenne de 21,2 % des revenus.

Paul P. sait bien que cette dernière année fut exceptionnelle. Pour la suite, il doit prendre des décisions importantes. Doit-il profiter de sa popularité croissante pour attaquer plus agressivement le marché ? Doit-il investir massivement en communication ? Quel segment de marché doit-il cibler ? Comment doit-il se positionner ? Quelle argumentation communicationnelle devrait-il utiliser ? Quels canaux de communication devrait-il emprunter ?

_1. Que suggéreriez-vous à Paul P. Pratte ?

_Notes

1. Adapté de la définition du mot « communication » dans *Le Petit Larousse illustré,* Paris, Larousse, 2009, p. 227.

2. AGENCE QMI, « L'Internet devient plus populaire que la télé », *Nouvelles,* Argent, Quebecor Media, 23 mars 2010, [En ligne], http://argent.canoe.ca (Page consultée le 24 mars 2010)

3. Pierre FILIATRAULT et Jean-Charles CHEBAT, « Marketing budgeting practices : an empirical study », dans J. M. HAWES et G. B. GLISAN (dir.), *Development in Marketing Science,* The Academy of Marketing Science, vol. IX, 1987, p. 278-282.

4. Pierre FILIATRAULT, *Si notre service à la clientèle fait picpic, appuyez sur le 1 : les règles d'or pour viser l'excellence,* Montréal, Les Éditions Transcontinental, 2009, 141 p.

5. Pour un livre fondamental de premier ordre sur la communication, voir : Stewart L. TUBBS et Sylvia MOSS, *Human Communication,* 11e édition, Boston, McGraw-Hill Higher Education, 2009, 552 p.

6. Adapté de William LITTLE, Henry WATSON FOWLER et Jessie Senior COULSON, *The Shorter Oxford English Dictionary on Historical Principles,* Oxford, Clarendon Press, 1992, p. 379.

7. Adapté de Philip KOTLER *et al., Marketing Management,* 13e édition canadienne, Toronto, Pearson Canada, 2009, p. 506.

8. S. L. TUBBS et S. MOSS, *op.cit.,* p. 71-140.

9. *Ibid.,* p. 7.

10. La structure du modèle de gestion de la communication marketing proposée s'inspire de celle décrite par P. KOTLER *et al., op. cit.,* p. 508.

11. CANADIAN MEDIA DIRECTORS' COUNCIL, « Media Digest 09/10 », *Marketing,* numéro hors série annuel, automne 2009, p. 40 et 52 ; Voir aussi PRINT MEASUREMENT BUREAU, [En ligne], www.pmb.ca (Page consultée le 17 mars 2010)

12. Adapté de P. KOTLER *et al., op. cit.,* p. 507.

13. Edward K. STRONG Jr., *The Psychology of Selling,* New York, McGraw-Hill, 1925, p. 9.

14. Philip KOTLER et Peggy CUNNINGHAM, *Marketing Management,* 11e édition canadienne, Pearson Prentice Hall, 2004, p. 575-579.

15. Michael L. RAY et William L. WILKIE, « Fear : the potential of an appeal neglected by marketers », *Journal of Marketing,* vol. 34, janvier 1970, p. 57.

16. Carl Iver HOVLAND, Arthur A. LUMSDAINE et Fred D. SHEFFIELD, *Experiments on Mass Communication,* Princeton (New Jersey), Princeton University Press, tome 3, 1949, 345 p.

17. Curtis P. HAUGTVEDT et Duane T. WEGENER, « Message order effects in persuasion : an attitude strength perspective », *Journal of Consumer Research,* vol. 21, juin 1994, p. 205-218.

18. P. KOTLER et P. CUNNINGHAM, *op. cit.,* p. 577.

19. M. Wayne DELOZIER, *The Marketing Communications Process,* New York, McGraw-Hill, 1976, p. 98-99.

20. P. KOTLER et P. CUNNINGHAM, *op. cit.,* p. 579.

21. Herbert C. KELMAN et Carl Iver HOVLAND, « Reinstatement of the communication in delayed measurement of opinion change », *Journal of Abnormal and Social Psychology,* vol. 48, 1953, p. 327-335.

22. P. FILIATRAULT et J.-C. CHEBAT, *op. cit.,* p. 278-282.

23. STATISTIQUE CANADA, « Profession – Classification nationale des professions pour statistiques de 2006, catégorie de travailleurs (6) et sexe (3) pour la population active de 15 ans et plus, pour le Canada, les provinces, les territoires, les régions métropolitaines de recensement et les agglomérations de recensement, Recensement de 2006 – Données-échantillon (20 %) », *Recensement de la population de 2006,* n° au catalogue 97-559-XCB2006011, [En ligne], www.statcan.gc.ca (Pages consultées le 12 mars 2010)

24. Pierre FILIATRAULT et Jean-Charles CHEBAT, « How service firms set their marketing budget », *Industrial Marketing Management,* vol. 19, 1990, p. 63-67.

25. THE FREE LIBRARY, *Average Pharma Sales Force Budget Nears $750 million,* [En ligne], www.thefreelibrary.com (Page consultée le 12 mars 2010)

26. Adapté de Philip KOTLER *et al., Marketing Management,* 1re édition européenne, Harlow (Angleterre), Pearson Education Limited, 2009, p. 756-762.

27. Mac STRAVIC et Robin SCOTT, « Internal marketing for hospitals », *Health Marketing Quarterly,* vol. 3, nos 2 et 3, 1985-1986, p. 47-54 ; William GEORGE, « Internal marketing and organizational behavior : a partnership in developing customer-conscious employees at every level », *Journal of Business Research,* vol. 20, 1990, p. 63-74.

28. S. L. TUBBS et S. MOSS, *op. cit.,* p. 472-473.

Le marketing électronique

Sommaire

13

Pour de nombreux spécialistes en gestion de la technologie, la révolution déclenchée par Internet au début des années 1990 peut se comparer à celle qu'a provoquée l'apparition de l'imprimerie au XVᵉ siècle. Le point commun entre ces deux inventions est qu'elles véhiculent l'information et transmettent les connaissances de façon plus universelle, plus étendue et en plus grande quantité. Internet, cependant, s'est répandu et surtout s'est démocratisé de façon plus rapide que l'imprimerie. Il a donné lieu à des applications dans des domaines tels que l'informatique, les télécommunications, l'économie, la gestion et surtout le marketing avec l'avènement du commerce électronique [1].

Internet est un réseau public qui relie d'autres réseaux d'ordinateurs au moyen d'applications et de protocoles de langage standards destinés à assurer la fluidité des communications. Internet fait partie des technologies de l'information et de la communication (TIC) qui se sont largement diffusées dans le dernier quart du XXᵉ siècle avec le développement de l'informatique, la révolution du numérique, l'apparition de la fibre optique et la démocratisation de la téléphonie mobile.

La technologie se définit comme l'application d'une technique à la conception et à la fabrication d'un produit. Les technologies de l'information sont donc des techniques permettant de « fabriquer » de l'information, c'est-à-dire de saisir, de traiter, de stocker et de communiquer des données numérisables (textes, images, sons, etc.).

Mis au service des commerçants, Internet, comme les autres TIC, permet de gérer électroniquement les échanges entre les différents acteurs économiques : fournisseurs, distributeurs, consommateurs, gouvernements, banques, et le reste. Ces échanges concernent d'abord les informations reçues, communément appelées « données de recherche en marketing », ou diffusées, qui se rattachent aux moyens de communication de l'entreprise comme la publicité, la promotion des ventes et les publireportages. Mais elles concernent aussi les biens, les services (par exemple, le commerce de détail, le *e-banking*) et les paiements en ligne.

Vingt ans après la démocratisation d'Internet, on constate que cet outil a largement contribué à améliorer la gestion des relations des entreprises avec leurs marchés et a favorisé globalement l'établissement des approches marketing de personnalisation de l'offre et de fidélisation de la clientèle. Depuis plusieurs années, le nombre d'utilisateurs d'Internet, appelés « internautes », double annuellement.

Au début de 2010, ce nombre était estimé à plus de 1,43 milliard de personnes réparties dans les différentes régions du globe, ce qui représente un taux de pénétration de 21,05 %. Au Québec, la proportion des adultes (18 ans et plus) qui utilisent Internet de façon régulière était estimée à 76,1 % en mars 2010 [2]. Elle n'était que de 34 % en janvier 2004. Par ailleurs, 85,1 % des personnes branchées à Internet ont une connexion haute vitesse, que ce soit par câble, par téléphone ou par tout autre moyen comme le sans-fil et le satellite.

Historiquement, la crise des entreprises virtuelles entre 2000 et 2003, avec l'éclatement de la bulle Internet et les faillites qui ont suivi (610 entreprises et 75 000 emplois supprimés dans le monde), a révélé au grand jour l'absence d'une véritable vision stratégique, par contraste avec les investissements colossaux que ce domaine avait su drainer tout au long des années 1990. En effet, les premiers arrivés dans le domaine du commerce électronique, notamment Amazon, Priceline et Napster, avaient relégué la planification stratégique au second plan, croyant que le fait d'être les premiers sur le marché serait une garantie de succès. Cette croyance s'est avérée illusoire, et les entreprises travaillant sur le Web ont été dans l'obligation de bâtir un véritable modèle d'affaires électroniques avec une valeur économique [3]. Depuis la fin de 2003, on assiste à une réorganisation des affaires électroniques autour de certains modèles d'affaires ayant chacun ses particularités techniques, ses objectifs stratégiques et ses conditions de viabilité économique. Ces modèles seront présentés plus loin dans ce chapitre.

Dans la foulée de ce renouveau du Web, une nouvelle approche est née en 2004 sur Internet : le Web participatif, aussi appelé Web social ou encore Web 2.0. Le Web 2.0 est un ensemble d'applications nouvelles permettant aux internautes de s'approprier de nouvelles fonctionnalités du Web, de générer eux-mêmes du contenu et d'interagir directement avec d'autres internautes [4]. Le tableau 13.1 résume les différentes applications du Web 2.0 et la façon dont les entreprises les utilisent dans leurs actions quotidiennes en marketing.

_TABLEAU 13.1 Les applications du Web 2.0 et leur utilisation par les entreprises dans les activités marketing

Veuillez indiquer la raison pour laquelle votre entreprise utilise les médias sociaux suivants.	Les trois réponses les plus fréquentes	%*
« Page de fans » dans un réseau social en ligne comme Facebook ou MySpace	• Préférence/connaissance de la marque ou du produit • Relations publiques, gestion de l'image organisationnelle • Contact avec la nouvelle génération	82 % 62 % 30 %
Publication d'un blogue d'entreprise	• Relations publiques, gestion de l'image organisationnelle • Préférence/connaissance de la marque ou du produit • Service à la clientèle	76 % 73 % 19 %
Partage d'information par courriel sur les produits, les prix, les promotions, les aubaines, etc.	• Ventes • Préférence/connaissance de la marque ou du produit • Contact avec la nouvelle génération	69 % 52 % 48 %
Cotation de produit générée par les utilisateurs et mise à jour continuellement	• Préférence/connaissance de la marque ou du produit • Ventes • Service à la clientèle	65 % 62 % 42 %
Twitter	• Préférence/connaissance de la marque ou du produit • Relations publiques, gestion de l'image organisationnelle • Ventes	64 % 53 % 23 %
Commentaires sur le blogue d'entreprise	• Relations publiques, gestion de l'image organisationnelle • Service à la clientèle • Préférence/connaissance de la marque ou du produit	64 % 50 % 41 %
Chargement de contenu généré par les utilisateurs sur le site de l'entreprise	• Préférence/connaissance de la marque ou du produit • Relations publiques, gestion de l'image organisationnelle • Contact avec la nouvelle génération	63 % 21 % 26 %
Fil RSS	• Préférence/connaissance de la marque ou du produit • Relations publiques, gestion de l'image organisationnelle • Contact avec la nouvelle génération	62 % 41 % 26 %
Balisage, catégorisation ou classement des pages du site de l'entreprise par les utilisateurs	• Préférence/connaissance de la marque ou du produit • Ventes • Contact avec la nouvelle génération	53 % 47 % 26 %

* Le pourcentage est calculé d'après un échantillon de 100 gestionnaires de TI d'entreprises américaines.

Source : FORRESTER RESEARCH, *August 2009 Global and Channel Strategy Professional Online Survey,* [En ligne], www.forrester.com (Page consultée le 23 avril 2010) ; adaptation libre.

Partout dans le monde, l'usage des applications du Web 2.0 par les internautes connaît une forte progression. Au Québec, les sites de réseautage comme Facebook, les blogues comme Twitter et les sites de partage de vidéo et de musique comme YouTube connaissent les taux de fréquentation les plus élevés. En 2010, on estime que 39,7 % des adultes québécois participent à des sites de réseautage, 33,1 % consultent des blogues, 9,2 % font usage de Twitter et 17,9 % partagent de la musique sur Internet. Aujourd'hui, les entreprises québécoises ne peuvent plus ignorer cette nouvelle force de frappe que constitue le Web social et se doivent de l'intégrer dans les différents éléments du mix marketing [5].

L'info-marketing 13.1 décrit les principales tendances observées chez les Québécois en 2009 quant à différents sujets tels que la mobilité, le Web 2.0, les activités transactionnelles, le commerce électronique, le divertissement en ligne, les différents modes de communication sur Internet et la recherche d'informations.

Ce chapitre définira le commerce électronique, puis en étudiera des éléments se rapportant à la stratégie et au marketing, tels que le comportement du consommateur en ligne et la planification stratégique du marketing sur Internet, ou cybermarketing.

INFO MARKETING 13.1

L'état d'Internet et du commerce électronique au Québec en 2009

L'étude longitudinale NETendances, chapeautée depuis 1999 par le Centre francophone d'informatisation des organisations (CEFRIO) avec l'appui logistique de Léger Marketing, porte sur l'évolution de l'utilisation d'Internet au Québec. Pour réaliser l'enquête de 2009, Léger Marketing, dans le cadre d'un sondage omnibus, a interrogé au téléphone plus de 120 004 adultes. Les résultats ont été pondérés pour assurer la représentativité de l'ensemble des adultes québécois. Du rapport publié le 8 avril 2010 à l'occasion de l'événement La Boule de cristal du CRIM, il ressort plusieurs grandes tendances en matière d'utilisation d'Internet au Québec en 2009, qui se résument ainsi :

- « Le taux de pénétration d'Internet au Québec se stabilise à 73 %. Nous comptons maintenant 5,2 millions d'internautes québécois, soit 4,5 millions d'internautes réguliers et plus de 653 000 internautes occasionnels.
- La proportion d'adultes québécois branchés à Internet demeure stable, alors que l'accès à Internet haute vitesse poursuit sa progression.
- Les internautes québécois passent en moyenne 14 heures par semaine à naviguer sur Internet.

- Internet est la principale source d'information avant achat pour près de deux adultes québécois sur cinq : il est aussi la troisième principale source d'information pour prendre connaissance de l'actualité et des nouvelles, après la télévision et les journaux.

- En un an, la fréquentation des sites du gouvernement du Québec a augmenté de 33 %, celle des sites municipaux de 30 % et celle [des sites] du gouvernement du Canada de 17 %.

- La mobilité continue d'intéresser les adultes québécois : plus de la moitié d'entre eux possèdent un téléphone cellulaire, un assistant numérique personnel ou un téléphone intelligent ; de ce nombre, un adulte sur huit utilise son appareil pour accéder à Internet mobile.

- Les opérations bancaires en ligne demeurent l'activité transactionnelle la plus répandue, bien que le commerce électronique gagne du terrain.

- Malgré un certain intérêt pour les applications du Web 2.0, les adultes québécois utilisent celles-ci essentiellement à des fins de consultation ; d'autre part, près d'un adulte québécois sur dix écrit sur des wikis ou commente des blogues ou des microblogues. »

Source : CEFRIO, *NETendances 2009 : évolution de l'utilisation d'Internet au Québec depuis 1999*, une initiative du CEFRIO, en collaboration avec Léger Marketing, avril 2010, 141 p.

_13.1_ Le commerce électronique

On peut définir de façon restrictive le commerce électronique comme l'ensemble formé par les achats, les transferts ou les échanges de produits, de services et d'informations qui se font par l'intermédiaire de réseaux informatiques et de moyens électroniques [6]. Ces moyens couvrent la plupart des TIC issues de la révolution technologique du dernier quart du XXe siècle, notamment les ordinateurs personnels, les modems, la numérisation, l'échange de données informatisées (EDI), le réseau Internet, la téléphonie mobile, et autres innovations dérivées de l'intégration de ces différentes technologies. D'un point de vue marketing, le commerce électronique peut être défini au sens large comme un mode de distribution qui libère en quelque sorte le consommateur, du fait qu'il peut, sans se déplacer et moyennant quelques clics sur le bouton de la souris ou quelques touches sur l'écran tactile d'un téléphone intelligent, acheter à peu près tout, n'importe où et à un prix qui lui convient. Les dirigeants d'entreprise se sont vite aperçus que cela leur offrait le moyen de couvrir un marché beaucoup plus large qui ferait abstraction des frontières physiques traditionnelles.

De manière plus formelle, Statistique Canada insère dans le commerce électronique toute transaction empruntant des canaux informatisés, incluant le transfert de propriété ou le droit d'utilisation d'actifs tangibles ou intangibles. Le commerce électronique concerne donc des activités de nature financière et non financière telles que la diffusion et l'échange de données numériques, les transferts électroniques de fonds, les opérations boursières, les enchères commerciales, la conception en réseau, l'ingénierie, les soumissions, la vente directe aux consommateurs et les services après-vente. Le commerce électronique englobe la vente de produits (par exemple, biens de consommation ou produits à usage industriel) et la fourniture de services (services financiers, juridiques, d'information ou autres). Il implique la création de produits et de services numériques, c'est-à-dire de produits et de services entièrement « numérisés », donc intangibles et virtuels, tels que les livres, les périodiques, la musique, les films, les jeux, les logiciels, les services bancaires, les émissions de radio ou de télévision, etc. Considéré à ses débuts par les optimistes comme un outil qui allait révolutionner le commerce de détail et faire disparaître à jamais le commerce traditionnel, assimilé en pleine « crise des .com » de l'an 2000 par les pessimistes à un simple système de vente par correspondance dans lequel l'électronique remplace le papier, le commerce électronique apparaît aujourd'hui pour la plupart des gens réalistes comme un phénomène qui a de profondes répercussions. Il mérite d'être analysé sous plusieurs angles, puisqu'il transforme radicalement la gestion des échanges entre les agents économiques (États–entreprises–personnes) et la relation de l'entreprise avec son environnement d'affaires (clients–concurrents et partenaires–personnel–technologie). Estimé à 8000 milliards de dollars en 2009, le commerce électronique mondial devrait avoir doublé en 2013 pour atteindre 16 000 milliards de dollars [7]. Au Canada, les dernières estimations remontent à 2007, avec un volume de commerce électronique interentreprises de 62,7 milliards de dollars et une croissance annuelle moyenne de 10 % [8].

En pratique, les spécialistes envisagent souvent le concept de commerce électronique de deux points de vue. Le premier, macroéconomique, le considère comme une composante d'un domaine nouveau et plus large, désigné sous l'appellation d'« économie numérique ». Le second, davantage microéconomique, ouvre ce concept à la notion d'entreprise électronique et à la gestion des affaires électroniques. Ces deux points de vue seront décrits en détail, plus loin dans cette section. Auparavant, on fera le point sur les principaux avantages que cette forme de commerce procure aux différents agents économiques.

13.1.1_Les avantages du commerce électronique

L'expansion rapide et la réussite du commerce électronique, en particulier dans les échanges commerciaux entre entreprises, s'expliquent de plusieurs façons. En gestion des flux d'information reçus ou envoyés par l'entreprise, il est aisé de voir qu'un support de communication informatique permet d'augmenter de façon appréciable la productivité des activités commerciales ainsi que la fluidité des échanges. Le commerce électronique a permis de réduire les coûts de transaction, et son utilité à cet égard se manifeste sur plusieurs plans : d'abord, dans l'information de nature commerciale sur les produits et services diffusés sur les sites Internet ; ensuite, dans la réception de la commande et du paiement par voie électronique ; enfin, dans la livraison ou la fourniture par téléchargement direct dans le cas d'un produit numérisable (texte, image, logiciel…) ou d'un service accessible virtuellement (consultation en gestion, opération bancaire…). Le remplacement des êtres humains et du papier par des machines et des supports informatiques contribue dans une large mesure à réduire les coûts, les délais et, surtout, les risques d'erreur. Par exemple, un catalogue virtuel présenté sur un site commercial a l'avantage d'entraîner des économies tant dans la fabrication (suppression du papier) que dans la diffusion (impression et distribution). De plus, il est facile d'y apporter des modifications, et les envois peuvent être ciblés et personnalisés (par exemple, grâce à un carnet d'adresses électroniques). Parfois, le client peut lui-même participer à la conception du produit dont il a besoin. C'est le cas lorsqu'il veut acheter un ordinateur, compiler des pièces musicales ou dresser un itinéraire de voyage et choisir un lieu d'hébergement ainsi qu'un moyen de transport. Archambault (www.archambault.ca), qui distribue 76 % de la musique produite au Québec, a ouvert en 2005 un magasin virtuel comprenant 250 000 titres téléchargeables vendus chacun 0,99 $. La croissance de ses ventes en ligne a poussé la compagnie de distribution de disques à créer un site séparé, dédié exclusivement au téléchargement musical (www.zik.ca). Le premier avantage est d'ordre opérationnel, c'est-à-dire qu'il y a moins de coûts. Le second renvoie à la même notion d'efficacité, mais envisagée du point de vue du marketing : il procure une plus grande satisfaction au client. La fluidité des échanges d'information entre l'entreprise et ses clients, jointe au suivi et à la rétroaction obtenue à chaque transaction, contribue à établir une relation plus étroite et à personnaliser l'offre. Cela a pour effet d'augmenter la satisfaction des clients, donc leur sentiment de loyauté et de fidélité. Or, l'objectif ultime de tout gestionnaire de marketing est d'avoir le maximum de clients fidèles qui achèteront régulièrement le produit, de façon à réduire au minimum les coûts de commercialisation (prospection et persuasion de nouveaux clients) et à assurer des revenus stables à l'entreprise.

Il est assez difficile d'établir une stratégie marketing sur Internet, et le succès n'est pas assuré d'avance. Les coûts d'investissement dans ce domaine ainsi que les dépenses de maintenance et de mise à niveau continue du système d'information constituent le premier inconvénient du commerce électronique. Les erreurs résultant d'une collecte de données non pertinentes, un traitement inadéquat ou une incapacité d'utiliser les résultats pour les transformer en décisions opérationnelles représentent un deuxième inconvénient. À ces désavantages s'en ajoute un troisième, lié à la difficulté de prévoir l'évolution de l'environnement technologique et juridique ainsi que le comportement des acheteurs en ligne.

13.1.2_Le commerce électronique, une composante de l'économie numérique

L'économie numérique, souvent appelée « nouvelle économie », englobe de nombreuses activités qui chevauchent les secteurs secondaire (production) et tertiaire (services), dont l'informatique, les télécommunications et toutes les industries classées TI (pour « technologies de l'information »). L'une des approches communes en commerce électronique subdivise l'économie numérique en quatre couches. La première est constituée des infrastructures, avec toutes les entreprises qui produisent des biens ou fournissent des services venant soutenir l'infrastructure du réseau Internet – par exemple, AOL, Sympatico, Cisco et Google. La deuxième couche, celle des applications, intègre les concepteurs de logiciels et le capital humain impliqué dans cette conception – par exemple, Microsoft, IBM, Cossette et Google. La troisième couche est formée des intermédiaires qui participent à l'accroissement de l'efficacité des marchés électroniques en facilitant l'interaction en ligne entre les acheteurs et les vendeurs – par exemple, Expedia, PayPal, E*Trade, eBay et Google. La quatrième couche est celle des commerçants en ligne, c'est-à-dire les compagnies qui vendent des biens et services à des consommateurs ou à des entreprises via Internet – par exemple, Amazon, Cisco, RBC Direct et Dell. Il est à noter que, dans cette approche, le commerce électronique couvre les troisième et quatrième couches. Toutefois, cette catégorisation du domaine de l'économie numérique n'est pas unique, d'autres approches légèrement différentes existent.

D'un point de vue macroéconomique, les spécialistes catégorisent le commerce électronique suivant les acteurs concernés, soit les entreprises, les gouvernements et les consommateurs. Il en résulte plusieurs types d'échanges, énumérés à la figure 13.1. D'un point de vue marketing, les échanges entre entreprises (B2B), entre l'entreprise et le consommateur (B2C) et entre consommateurs (C2C) retiennent l'attention. À ses débuts – de 1995 à 2005 –, le commerce électronique se faisait essentiellement entre entreprises (B2B) et était surtout concentré en Amérique du Nord ; aujourd'hui, la situation est équilibrée, aussi bien entre les types d'échanges (B2B, B2C et C2C) que dans la distribution mondiale.

_FIGURE 13.1 Les différents types d'échanges dans le commerce électronique

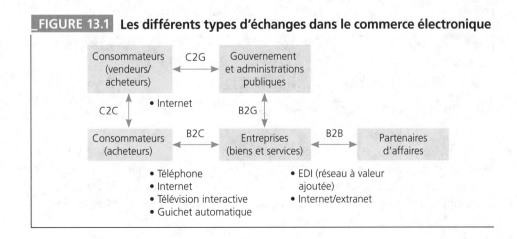

Le commerce interentreprises (B2B)

Le commerce électronique d'entreprise à entreprise, aussi appelé *business-to-business* (B2B), concerne l'ensemble des échanges d'information par Internet ou par d'autres supports électroniques entre deux ou plusieurs entreprises : fournisseurs, clients, sous-traitants, prestataires de services, et ainsi de suite. Les objectifs de cette forme de commerce peuvent aller de la rationalisation des processus d'achat et de vente entre une entreprise cliente et ses fournisseurs (commandes en ligne, suivi, paiement), jusqu'à l'intégration des processus de travail ou le partage des ressources humaines et technologiques entre entreprises. Par exemple, un constructeur d'automobiles comme Toyota doit traiter avec des centaines de fournisseurs de pièces détachées (composants mécaniques, électriques, pneumatiques, etc.) et organiser leur assemblage de façon à pouvoir produire à temps des centaines de milliers de voitures conçues selon différents modèles. Un distributeur de détail comme Walmart doit négocier des contrats d'achat avec des milliers de fournisseurs répartis dans le monde entier, veiller à obtenir les quantités nécessaires et surtout les prix les plus bas pour des produits tels que des électroménagers, du mobilier de maison ou de bureau, des vêtements, des jouets, du tissu, des films, des livres… La figure 13.2 présente un exemple de B2B, le site Web de producteurs et distributeurs de vins et spiritueux.

_FIGURE 13.2 Un site Web consacré au commerce interentreprises (B2B) de vins et spiritueux

Source : GLOBAL WINE & SPIRITS, [En ligne], www.globalwinespirits.com (Page consultée le 3 juin 2010)

L'avantage principal du commerce électronique interentreprises est qu'il réduit les coûts des opérations. En outre, il raccourcit le processus global de production et permet de réaliser des économies d'envergure. Il est important de rappeler que les premiers échanges électroniques interentreprises ont eu lieu à la fin des années

1980 à la suite de l'établissement des systèmes d'échanges de données informatisées (EDI). Le secteur financier a été le premier à effectuer ce genre d'échanges, qui concernaient les transferts électroniques de fonds, la transmission d'ordres et d'informations financières et la communication entre succursales d'une banque en vue de connaître l'état des comptes en ligne. D'autres secteurs, tels que l'automobile, la grande distribution et le transport aérien, ont par la suite eu recours au système EDI pour augmenter la fluidité des échanges de données entre fournisseurs et clients.

Cependant, en plus des lourds investissements qu'exige son implantation, l'EDI présente l'inconvénient de comporter des applications, des protocoles de communication et des modes de présentation qui sont difficilement compréhensibles pour les non-experts en informatique. Ce n'est pas le cas du réseau Internet, qui répond aux mêmes besoins que l'EDI, mais qui a un rendement supérieur (communication bidirectionnelle et facilité d'utilisation) à un moindre coût (système de réseaux). C'est ce qui explique le succès fulgurant qu'a rencontré le commerce électronique interentreprises de la fin des années 1990 à aujourd'hui. En 2007, le commerce électronique interentreprises au Canada était estimé à 62,7 milliards de dollars, soit le double du volume enregistré en 2004 [9]. La croyance populaire veut que les applications sociales du Web 2.0 telles que les réseaux sociaux virtuels, les blogues, les wikis et autres soient l'apanage exclusif des consommateurs individuels et que leur exploitation ne concerne que les commerces du type B2C ou C2C ; pourtant, le tableau 13.2 révèle le contraire. En effet, les chiffres montrent que, dans leurs relations commerciales, les entreprises exploitent les applications marketing du Web social entre elles autant sinon plus qu'elles ne le font avec leurs clientèles individuelles.

TABLEAU 13.2 L'usage des outils du Web 2.0 en B2B et en B2C

Usage des médias sociaux	B2B	B2C
Entretenir un ou plusieurs comptes ou profils d'entreprise sur les réseaux sociaux virtuels	81 %	67 %
Participer à des microblogues – par exemple, Twitter	75 %	49 %
Entretenir un ou plusieurs blogues d'entreprise	74 %	55 %
Faire le suivi des mentions de l'entreprise sur les réseaux sociaux virtuels	73 %	55 %
Participer à des discussions sur le site d'une tierce partie	66 %	43 %
Faire le suivi des mentions des concurrents sur les réseaux sociaux virtuels	61 %	49 %
Participer à des sites de questions et réponses – par exemple, Yahoo ! Answers, LinkedIn, forums	59 %	44 %
Faire des téléchargements – texte, images, vidéos… – sur un site de partage de contenu	50 %	32 %
Aménager une communauté en ligne pour les clients actuels ou potentiels	49 %	51 %
Faire le suivi des soumissions et des demandes de révision	48 %	56 %
Produire des webinaires et des fichiers balados	46 %	22 %
Faire de la publicité dans les réseaux sociaux virtuels	48 %	56 %
Faire du partage de signets – par exemple, par l'entremise des sites Digg, Delicious, StumbleUpon	38 %	21 %
Recruter des employés en passant par les réseaux sociaux virtuels	36 %	27 %

Source : BUSINESS.COM, _2009 B2B Social Media Benchmarking Study,_ novembre 2009, [En ligne], www.business.com (Page consultée le 3 juin 2010) ; traduction libre.

Le commerce entre entreprises et consommateurs (B2C)

Le commerce électronique entre les entreprises et les consommateurs, aussi connu sous l'appellation de *business-to-consumer* (B2C), est venu élargir la gamme des procédés de commerce au détail grâce auxquels les entreprises peuvent vendre leurs produits et services. Le commerce électronique n'a pas révolutionné le commerce de détail, mais il a permis, d'une part, aux entreprises de rejoindre une partie de leur clientèle cible et d'élargir dans certains cas l'éventail des produits et services offerts et, d'autre part, aux consommateurs d'avoir la possibilité de choisir les entreprises où ils font leurs achats, d'obtenir plus d'information sur les produits et d'avoir un accès plus facile à ces derniers (*voir la figure 13.3*). Le tableau 13.3 résume les principales caractéristiques du commerce électronique B2C au Canada et ses tendances entre 2007 et 2012. Au Québec, le commerce B2C connaît une croissance comparable à celle du Canada. En 2009, au cours d'un mois type, 1 Québécois adulte sur 5 a réalisé un achat en ligne, comparativement à 1 sur 20 en 2001, soit une croissance de 233 %. Au total, le volume des ventes faites en ligne par les consommateurs québécois a atteint 3,4 milliards de dollars en 2009, soit 200 millions de plus que l'année précédente. Par ailleurs, les États-Unis restent le premier pays au monde dans le domaine du commerce en ligne, qui en 2009 représentait 3,5 % du commerce de détail dans son ensemble.

_FIGURE 13.3 Un site Web consacré au commerce entre entreprise et consommateurs (B2C)

Source: ARCHAMBAULT, [En ligne], www.archambault.ca (Page consultée le 23 avril 2010)

Le commerce électronique B2C est plus ou moins complexe selon le produit. La commercialisation d'un service (par exemple, une assurance automobile), d'un produit non périssable (des légumes précuits en conserve), d'un produit de consommation habituelle (des produits d'épicerie) ou d'un produit numérique (un journal électronique) est généralement plus facile que la commercialisation d'un bien expérientiel (un parfum), d'un produit périssable (du poisson frais) ou d'un produit de grande valeur (un condominium). Souvent, la réussite de la commercialisation sur Internet dépend de la nature même du produit.

Globalement, on peut dire qu'Internet et le commerce électronique B2C ont fourni à l'entreprise une plateforme technologique propre à l'aider à améliorer la gestion des relations avec ses clients (*customer relationship management*). Considéré souvent comme un magasin virtuel, le site commercial est l'outil que l'entreprise utilise pour mieux connaître ses clients, pour mieux définir leurs profils et surtout pour suivre de plus près le comportement de consommation de chacun. En accumulant ce genre de renseignements, l'entreprise arrive à mieux cerner les besoins particuliers de ses clients et à offrir à chacun un mix de marketing personnalisé, c'est-à-dire un produit, une distribution, une communication et un prix adaptés à ses besoins. Cette personnalisation de l'offre augmente la satisfaction du client et, par conséquent, la fidélité à l'égard des produits et services de l'entreprise. De plus, en faisant participer le client à la conception même de l'offre de produit ou de service (l'achat d'un ordinateur devant satisfaire à des exigences techniques précises sur le site www.dell.ca ou d'un forfait voyage sur www.travelocity.ca) par le moyen des systèmes d'extranet et d'intranet, une entreprise qui fait du commerce électronique B2C peut optimiser la gestion de ses ressources de production et éviter, entre autres, les ruptures de stock et les invendus. Il en résulte une production sur mesure et «juste-à-temps». Le Web 2.0 et ses applications sociales pourraient sans surprise devenir dans les prochaines années l'un des principaux moyens de communication de masse. Grâce à ces supports interactifs, on réduirait les coûts de diffusion de l'information commerciale et l'on augmenterait en même temps l'efficacité du message. L'info-marketing 13.2 (*voir p. 456*) présente un appel lancé en 2010 par des experts québécois aux commerçants de détail, très en retard dans leur utilisation du Web 2.0 comme outil de séduction de leurs clients.

_TABLEAU 13.3 Quelques tendances du commerce électronique B2C au Canada entre 2007 et 2012

	2007	2008	2009	2010	2011	2012
Ventes pour l'ensemble du commerce en ligne du type B2C						
Valeur en milliards de dollars canadiens	13,8	15,5	16,6	18,1	20,3	22,8
Croissance annuelle	–	12,4 %	6,8 %	9,4 %	12,1 %	12,2 %
Consommateurs et acheteurs en ligne (en millions)						
Internautes âgés de 14 ans et plus	19,5	20,2	20,7	21,3	21,9	22,4
Internautes âgés de 14 ans et plus qui font du magasinage en ligne (en pourcentage du total des internautes)	14,6 (75 %)	15,5 (76,8 %)	16,3 (78,5 %)	17,0 (79,9 %)	17,7 (81,1 %)	18,4 (82,3 %)
Internautes âgés de 14 ans et plus qui font des achats en ligne (en pourcentage du total des internautes)	8,5 (43,4 %)	9,3 (46,1 %)	10,1 (48,9 %)	11,0 (51,7 %)	11,9 (54,4 %)	12,8 (57,3 %)
Internautes âgés de 14 ans et plus qui font des achats en ligne en pourcentage de ceux qui font du magasinage	57,9 %	60,0 %	62,3 %	64,7 %	67,1 %	69,6 %
Moyenne annuelle des ventes sur Internet par acheteur						
Valeur en dollars canadiens	1 629	1 673	1 639	1 651	1 710	1 780
Croissance annuelle	-	2,7 %	-2,0 %	0,7 %	3,6 %	4,1 %

Source : EMARKETER, décembre 2008, [En ligne], www.emarketer.com (Page consultée le 23 avril 2010)

Il est certain que le développement incessant du commerce électronique B2C a pour effet de modifier le rôle des intermédiaires des réseaux de distribution. Certains intermédiaires – grossistes, agents ou détaillants – risquent de disparaître, et les fournisseurs comme les consommateurs trouveront leur compte dans une telle situation. En effet, les fournisseurs seront plus proches de leurs clients, et les clients pourront vraisemblablement bénéficier d'une réduction du prix à la suite de l'élimination de la marge de profit des intermédiaires. C'est d'ailleurs ce qui se produit dans l'industrie du voyage, où les agences de voyages classiques sont progressivement remplacés par des sites Internet marchands qui sont beaucoup plus conviviaux et, surtout, offrent des tarifs très compétitifs. En décembre 2009, le prix des voyages dans le Sud n'avait jamais été aussi bas, et cette baisse était principalement due au rôle joué par des vendeurs de forfaits travaillant exclusivement en ligne (par exemple, www.tropicaltravel.net) ou utilisant les deux moyens, Internet et agence traditionnelle avec bureau (par exemple, www.voyagesdestination.com). Au Québec comme au Canada, les produits culturels liés aux divertissements, comme les billets de cinéma et de spectacles, les services de voyage, les vêtements, les chaussures et autres accessoires, les films, la musique, les livres et les produits informatiques étaient en 2009 les produits les plus recherchés sur le Web [10].

INFO MARKETING 13.2

Le Web 2.0 nourrit la passion des clients

« La popularité des réseaux sociaux sur Internet croît de façon importante, mais la plupart des détaillants québécois ignorent encore le phénomène. "Nous n'en sommes pas là du tout", a affirmé Normand Miron, président de la firme Ogilvy 2B Interactive et spécialiste du Web 2.0, au cours d'une conférence présentée dans le cadre du 17e congrès annuel du Conseil québécois du commerce de détail, le 16 mars [2010], à Montréal.

Les détaillants pèchent par ignorance

À son avis, c'est tout simplement par ignorance que les commerçants québécois utilisent aussi peu les sites populaires tels que Facebook, Twitter et Foursquare. "Les détaillants québécois n'ont pas compris que ces sites peuvent être des outils de vente et de service à la clientèle", a soutenu M. Miron. D'autres craignent que leur présence sur des sites de réseautage ne permette aux clients mécontents de se plaindre publiquement et que cela nuise à leur image. Or, les commentaires négatifs doivent être considérés comme une information utile pour mieux connaître les lacunes de son entreprise et les corriger, estime M. Miron.

Une clientèle privilégiée

Selon le patron de Ogilvy 2B Interactive, les réseaux sociaux ne doivent pas servir à afficher des annonces publicitaires classiques, car ce ne sont pas de simples succédanés gratuits des autres médias. "Ceux qui se donnent la peine de vous suivre sur Facebook et Twitter ont déjà un lien avec vous. Ce sont vos clients privilégiés. Vous devez nourrir leur passion."

Vos clients sont des mordus de plongée sous-marine, ils sont accros de BD japonaise ou de légumes biologiques, leur garage est rempli de tous les outils imaginables ? Parlez-leur de ce qui les allume et ils parleront de vous. Une stratégie qui coûte peu et qui rapporte beaucoup quand elle est bien exécutée. "Le bouche-à-oreille peut aider à construire une marque mondiale. Google n'a jamais fait de publicité !" a rappelé un autre conférencier, Philippe Le Roux, président-fondateur de Phéromone.

Point G, un exemple à suivre

Contrairement à ce qu'on pourrait croire, le Web 2.0 est particulièrement indiqué pour les petits commerces.

La raison est simple : ceux-ci n'ont pas les moyens de placer des annonces publicitaires à la télévision et dans les journaux, explique Normand Miron, président de Ogilvy 2B Interactive.

La microboutique de macarons, de glaces artisanales et de gaufres Point G, située sur l'avenue Mont-Royal, l'a bien compris. Afin de nourrir la passion de ses clients pour les macarons, elle exploite tant son site Internet que Facebook et Twitter. Ce serait même le premier commerce de Montréal à être présent sur Foursquare, la nouvelle coqueluche du Web.

Un concours visant à imaginer de nouvelles saveurs de macarons a suscité des centaines de suggestions : tomate-basilic, beurre d'arachide-confiture, et même bacon. À la suite d'un vote, la communauté gourmande n'a retenu que huit choix, et un jury – sur lequel siégeront des clients – fera la sélection finale. […] "Nous demandons des idées à tout le monde. Nous fonctionnons comme Google, explique le copropriétaire de Point G, Thierry Andrieu. Ce sont les clients qui mangent nos macarons, alors ce sont eux qui décident. Cela renforce les liens avec la clientèle."

La présence du Point G sur le Web est gérée, non pas par une firme de communications, mais par un client de la boutique qui adore les macarons, Olivier Mermet. Le jeune homme est étudiant à la maîtrise en gestion du commerce électronique à l'Université de Sherbrooke. »

Source : Marie-Ève FOURNIER, « Le Web 2.0 pour nourrir la passion de vos clients », *Les Affaires,* 13 avril 2010, [En ligne], www.lesaffaires.com (Page consultée le 4 juin 2010)

Enfin, la réussite d'une stratégie marketing B2C dépend dans une large mesure du comportement des consommateurs en ligne et du mix de marketing adopté sur le Web. Ces deux éléments seront examinés en détail plus loin dans ce chapitre.

Le commerce entre consommateurs (C2C)

La troisième forme de commerce électronique qui mérite d'être considérée par les spécialistes en marketing concerne les échanges directs entre les consommateurs (C2C). Les transactions se font entre des vendeurs et des acheteurs individuels, à l'instar de ce que l'on observe dans les ventes-débarras, les petites annonces des journaux et les enchères publiques. La figure 13.4 présente l'un des premiers sites Web C2C, celui des ventes aux enchères eBay. Par rapport aux autres types d'échanges classiques entre consommateurs, les échanges sur Internet prennent de plus en plus d'importance en raison de la prolifération des outils du Web 2.0. On n'a qu'à penser aux sites de partage de contenu numérique, musique, vidéo ou autres, et aux réseaux sociaux virtuels comme Facebook ou MySpace, qui agrandissent l'aire géographique de l'offre et de la demande. Aussi, plusieurs grands portails, comme MSN, Google et Amazon, favorisent et promeuvent différents types d'échanges entre les innombrables visiteurs qu'ils attirent. Au Québec, les transactions en ligne prennent de plus en plus d'ampleur. En 2007, 9 % des adultes québécois ont utilisé Internet pour vendre un produit ou un service à titre personnel sur des sites d'annonces classées comme eBay ou autres, contre 6,3 % en 2003 [11].

_FIGURE 13.4 Un site Web consacré au commerce entre consommateurs (C2C)

Source : EBAY, [En ligne] www.ebay.ca (Page consultée le 23 avril 2010)

13.1.3_Le commerce électronique et les affaires électroniques

Dans les années 1990, l'engouement pour les investissements massifs dans le domaine des TI en général et du commerce électronique en particulier a été largement influencé par une croyance aveugle partagée à l'époque par de nombreux praticiens et théoriciens de la gestion. Ces spécialistes considéraient que la nouvelle économie allait remplacer l'économie traditionnelle et que le mode d'échange électronique allait complètement transformer le comportement des consommateurs et, par conséquent, la gestion du marketing des entreprises. La réalité fut tout autre et le « big-bang » annoncé pour le nouveau millénaire a laissé la place à un désastre financier, économique et social. Pendant la « crise des .com » de 2000 à 2003, les entreprises électroniques cotées à la Bourse du NASDAQ ont vu leurs titres diminuer au cinquième de leur valeur, plus de 500 entreprises de l'économie numérique ont disparu, et les pertes d'emplois dans ce domaine ont dépassé les 100 000. La cause de ce désastre est sans équivoque : ce fut l'absence totale de planification stratégique et d'un vrai modèle d'affaires accompagnant la création de ces entreprises et encadrant leurs activités de gestion. Depuis, les investissements des entreprises dans le cybercommerce ne peuvent plus se faire sans l'élaboration d'une véritable stratégie d'affaires électroniques (*e-business*). Cette planification doit avoir les mêmes bases que pour les entreprises traditionnelles, avec notamment une analyse de l'environnement interne et externe, une définition des objectifs et du positionnement stratégiques, une planification des ressources et un contrôle (*chapitre 2*). La stratégie d'affaires électroniques peut donc être définie comme la direction et l'étendue que désire prendre à long terme une organisation pour acquérir des avantages concurrentiels, en configurant ses ressources dans un environnement changeant à l'aide des TIC, en vue de répondre aux besoins des marchés et de satisfaire aux exigences des acteurs concernés[12].

En plus d'obliger à un encadrement plus strict de la gestion des affaires électroniques et à l'adoption de stratégies appropriées, la « crise des .com » a poussé les entrepreneurs à réfléchir à un modèle d'affaires qui soit économiquement gagnant. En pratique, le modèle d'affaires correspond aux solutions technologiques de type Web ou EDI, mises en œuvre par une entreprise pour soutenir sa stratégie d'affaires électroniques et les activités de sa chaîne de valeur, incluant ses relations avec ses partenaires d'affaires, de façon à créer de la valeur pour l'entreprise et ses clients. Deux catégories d'entreprises dominent aujourd'hui le paysage du commerce électronique. D'abord, les entreprises traditionnelles qui exploitent le Web pour améliorer, transformer ou redéfinir ce qu'elles font déjà ; c'est le cas d'Archambault, IGA, Dell, RBC Direct et la majorité des entreprises issues de l'économie traditionnelle. Ensuite, les nouvelles entreprises qui ont vu le jour grâce à Internet et qui ont su saisir les nouvelles occasions qu'offre cet outil technologique ; on peut citer Amazon, eBay et YouTube. Les premières sont parfois qualifiées de « briques et clics » (*bricks and clicks*), et les secondes, d'« acteurs purs » (*pure play*).

Comme le montre clairement l'info-marketing 13.3 (*voir p. 460*) avec l'exemple du Groupe Pages Jaunes, l'adoption par les entreprises modernes du Web comme outil stratégique n'est plus, de nos jours, une question de choix ni de compromis. C'est une obligation, d'abord pour faire face à un environnement d'affaires de plus en plus compétitif, ensuite pour saisir l'occasion unique de créer de la valeur par une meilleure collaboration et une communication directe avec ses clients, ses fournisseurs et ses partenaires commerciaux via Internet, intranet et extranet. Reste cependant que le défi majeur de ces mêmes entreprises est de trouver le meilleur modèle d'affaires pour capturer une telle valeur et générer des profits[13]. Selon les spécialistes, un modèle d'affaires électroniques doit inclure trois composantes fondamentales : en premier lieu, une architecture des produits, services et flux d'information comprenant une description des différents acteurs et de leurs rôles ; en second lieu, une description des bénéfices potentiels pour les différents acteurs ; en dernier lieu, une analyse des sources de revenus. Il existe plusieurs typologies des modèles d'affaires électroniques[14]. Celle retenue dans ces pages est la plus récente. Elle décrit neuf modèles génériques : le Courtier, le Publicitaire, l'Infomédiaire, le Marchand, le Fabricant, l'Affiliateur, la Communauté, la Souscription et le Prestataire de service[15]. Ces modèles génériques sont décomposés à leur tour en sous-modèles qui permettent de classer les entreprises selon la nature de leurs propositions de valeur ou leur mode de génération de revenus. Le tableau 13.4 présente une brève description de ces modèles d'affaires sur le Web accompagnée de quelques exemples.

TABLEAU 13.4 **Les modèles d'affaires en commerce électronique**

Modèle et sous-modèles	Principales caractéristiques
1. Le Courtier • Espace d'échange *www.orbitz.com* • Exécution des transactions *www.respond.com* • Collecte des demandes *www.priceline.com* • Enchères *www.ebay.ca* • Intermédiaire de paiement des transactions *www.paypal.com* • Distribution • Intermédiaire de recherche • Centre commercial virtuel *www.amazon.ca*	Le rôle principal des courtiers est de mettre les acheteurs et les vendeurs en contact afin de rendre les transactions entre eux possibles; en contrepartie, ils reçoivent une rémunération ou une commission. Ces transactions peuvent se faire entre consommateurs, entre entreprises ou entre consommateurs et entreprises.
2. Le Publicitaire • Portail *www.ca.yahoo.com* • Annonces classées *www.monster.ca* • Enregistrement de l'utilisateur *www.mytimes.com* • Publicité liée à la recherche, lien commandité Google • Publicité contextuelle • Publicité ciblée sur le contenu Google • Publicité imposée à l'accueil d'un site (*infomercial*) *www.marketwatch.com* • Publicité imposée en transition vers certaines sections d'un site (*ultramercial*)	Ce modèle se base sur la publicité qui paraît sous forme de bannières ou d'hyperliens sur un site Web. Il est communément employé dans les sites Internet les plus visités ou dans les sites spécialisés. Le diffuseur du message peut être le propriétaire de la marque, un partenaire ou un tiers qui offre des espaces de publicité sur son site.
3. L'Infomédiaire • Réseau publicitaire *www.doubleclick.com* • Service de mesure de l'audimat *http://ca.nielsen.com* • Mesures incitatives *www.qinteractive.com* • Métamédiaire d'information *www.edmunds.com*	Le rôle des infomédiaires (intermédiaires de l'information) est de présenter l'information désirée, au moment voulu et à la personne intéressée. Leur travail consiste à aider les vendeurs ou les acheteurs à comprendre un marché en particulier.
4. Le Marchand • Marchand virtuel *www.amazon.ca* • Catalogue marchand *www.dell.ca* • « Briques et clics », magasin virtuel combiné à magasin avec pignon sur rue *www.futureshop.ca* • Vente directe virtuelle *www.apple.com/ca/itunes*	Ce modèle fait référence au marchand classique, commerçant de produits et services interentreprises ou grand public, transposé au commerce électronique.
5. Le Fabricant • Achat *www.dell.ca* • Location • Licence • Placement de ses propres produits	Ce modèle est adopté par certains manufacturiers qui souhaitent réduire le nombre d'intermédiaires et resserrer le canal de distribution en s'adressant directement au consommateur final via Internet. Cette méthode permet aux entreprises de bien comprendre les préférences de leurs clients, tout comme d'améliorer le service à la clientèle d'un côté et de réaliser des économies de l'autre.
6. L'Affiliateur • Échange de bannières *www.amazon.ca* • Paiement au clic • Partage de revenu	Un site marchand propose à un site amateur ou professionnel de le mettre en rapport avec des acheteurs potentiels grâce à un hyperlien ou une bannière Web. En contrepartie, le site marchand reçoit une contribution financière sous forme de pourcentage des ventes conclues. Ce modèle est le mieux adapté au Web vu qu'il ne génère pas de coûts pour le marchand tant qu'il n'y a pas de vente.
7. La Communauté • Source libre *www.redhat.com* • Contenu libre *http://fr.wikipedia.org* • Partage de contenu audio-visuel *www.youtube.com* • Réseau social virtuel *www.facebook.com*	Ce modèle regroupe de nombreux acteurs aux besoins complémentaires qui partagent des intérêts et des affinités de marché. Ses revenus ne sont pas liés à la vente directe de produits et services mais plutôt à la publicité contextuelle et aux tarifs d'abonnement.
8. La Souscription • Service de contenu *http://blog.listen.com* • Réseau d'échange de personne à personne *www.myp2p.eu* • Fournisseur de services Internet *www.corp.aol.com*	Ce modèle donne accès à des services offerts en ligne, à raison de frais facturés périodiquement (journaliers, mensuels ou annuels). Les modèles Souscription et Publicitaire sont souvent combinés.
9. Le Prestataire de service • Facturation selon l'utilisation • Paiement par abonnement *http://slashdot.org*	Ce modèle se divise en deux grandes approches. La première se fonde sur l'utilisation réelle d'un service, d'après comptage ou dosage (le plus pertinent des exemples étant la consommation d'électricité). La deuxième se base sur le taux d'utilisation et la facturation est sous forme d'abonnement.

Source: Michael RAPPA, « Business models on the Web », *Managing the Digital Enterprise*, [En ligne], http://digitalenterprise.org (Page consultée le 4 juin 2010); adaptation libre.

Le Groupe Pages Jaunes accentue son virage Web

« Le Groupe Pages Jaunes change son image avec un site Web revampé, un nouveau logo et une nouvelle campagne publicitaire dévoilés [le 23 mars 2010]. Par cette campagne, le [Groupe] Pages Jaunes veut promouvoir ses services en ligne alors que l'entreprise est davantage connue pour ses annuaires papier.

"Nos services sur Internet sont encore méconnus, admet Annie Marsolais, directrice générale des communications et du marketing. Nous voulons changer la perception des utilisateurs et des annonceurs qui nous associent uniquement avec notre plateforme papier."

Frank Pons, professeur du département de marketing de l'Université Laval, estime que la publicité télévisée, réalisée par les agences Taxi 2 et Taxi Montréal, est une réussite. "Pages Jaunes veut rajeunir son image et je crois qu'on cible bien les jeunes, explique-t-il. En même temps, la publicité montre bien comment on peut utiliser leur produit sur le Web."

Changer une image de marque est toutefois une entreprise difficile. "Ça prend plus qu'une publicité pour y parvenir, affirme M. Pons. S'il veut réussir, le Groupe Pages Jaunes devra prévoir d'autres étapes à sa stratégie de communication."

Le papier reste

Même si plusieurs analystes prédisent la mort des annuaires papier, le Groupe Pages Jaunes n'a pas l'intention de délaisser ce secteur d'activité qui représente 83 % de son chiffre d'affaires. "Les annuaires papier sont là pour rester, assure Mme Marsolais. Les utilisateurs pourront choisir la plateforme qu'ils préfèrent."

Cette nouvelle campagne est lancée à un moment où le Groupe tente de regagner la confiance des investisseurs qui craignent que l'entreprise n'arrive pas à contrer le déclin du secteur des annuaires papier. »

Source : Stéphane ROLLAND, « Pages Jaunes fait peau neuve », *Les Affaires,* 23 mars 2010, [En ligne], www.lesaffaires.com (Page consultée le 4 juin 2010)

13.1.4_Le commerce électronique et le cybermarketing

On l'a dit, le commerce électronique est considéré par les gestionnaires d'entreprise comme un ensemble de stratégies visant à faciliter les échanges commerciaux entre les entreprises et leurs partenaires (fournisseurs et clients) par l'emploi de technologies de l'information et des communications. S'il est vrai que ce point de vue retiendra l'attention dans ce chapitre, il est important de garder à l'esprit que la réussite d'une stratégie d'affaires électroniques dépend aussi du bon fonctionnement des supports informatiques et de l'utilisation optimale des outils logistiques. Un site Internet commercial difficile à consulter ou des retards dans la livraison d'une commande faite en ligne peuvent mécontenter la clientèle et faire échouer la stratégie de marketing électronique. Amazon, l'un des premiers magasins virtuels à avoir vu le jour, a dû affronter, au début de ses activités, d'énormes problèmes de livraison de ses commandes de livres et de disques compacts, car l'entreprise ne pouvait assurer l'acheminement de ses produits par la poste. Cela a conduit plusieurs vendeurs sur Internet à conclure des alliances stratégiques avec des entreprises de livraison. Ainsi, eBay Canada et Postes Canada ont formé un partenariat : les vendeurs sur ce site de ventes aux enchères peuvent recourir aux services de la société nationale pour expédier leurs envois au Canada et à l'étranger. Sans quitter le site de eBay ni ouvrir un compte avec Postes Canada, les vendeurs peuvent créer, acheter et imprimer des étiquettes d'expédition de Postes Canada.

Du point de vue des spécialistes en marketing, la facette du commerce électronique qui les concerne, appelée « marketing électronique » ou « cybermarketing » (*e-marketing*), est définie comme le processus de planification et de mise en œuvre de la conception, du prix, de la promotion et de la distribution d'idées, de biens et services, permettant de créer des échanges, effectués en tout ou en partie à l'aide d'un réseau d'ordinateurs, conformes à des objectifs individuels et organisationnels. Ce point de vue implique d'abord l'étude des comportements de consommation qui amènent à faire un achat en ligne : connaissance d'Internet, recherche d'information, examen des possibilités, décision de passer aux actes, risque perçu, essai, nouvel achat, et ainsi de suite. Il suppose ensuite de tenir compte de systèmes de renseignements marketing [16] (qu'on appelle aussi « forage de données » ou *data mining*), qui collectent et gèrent les données transactionnelles des clients et s'en servent ensuite pour prendre des décisions stratégiques afin de renforcer la relation avec chaque client, donc d'accroître sa loyauté. Il comprend enfin l'élaboration d'un mix de marketing intégré – produit, prix, communication et distribution – qui corresponde le plus possible non seulement aux potentialités de l'entreprise et à ses objectifs stratégiques, mais aussi à l'évolution de son environnement et des conditions du marché. Ce qui suit aborde successivement trois thèmes clés du marketing électronique, à savoir le comportement du consommateur en ligne, le mix de marketing sur Internet et l'évaluation marketing des activités Web (Web analytiques).

13.2 Le comportement du consommateur en ligne

L'analyse du comportement du consommateur en ligne occupe une place importante dans la planification stratégique des entreprises présentes sur le Web. En effet, la réussite dans cette forme de commerce dépend d'abord et avant tout de la réussite auprès de chaque cyberconsommateur potentiel. Ce qui suit décrit ce type de comportement.

13.2.1 Le processus d'achat sur Internet

Comme il a été clairement expliqué dans le chapitre 4, la compréhension des différentes étapes du processus décisionnel d'achat ainsi que la connaissance des facteurs déterminants dans chacune d'entre elles contribueront grandement à rendre plus efficaces les opérations stratégiques d'une entreprise relatives au produit, à la distribution, à la communication et au prix.

Lorsque Internet grand public est arrivé au début des années 1990 et qu'il a commencé à être utilisé comme outil commercial en 1995, bien des spécialistes ont prédit une révolution commerciale et un changement radical dans le domaine du marketing. On prévoyait un engouement massif des consommateurs pour cet outil libérateur qui allait entraîner la disparition des autres moyens de commerce de détail tels que la vente par catalogue, le porte-à-porte et même les magasins et les centres commerciaux. Ces prédictions sinistres ne se sont pas réalisées, bien que quelques phénomènes les aient corroborées sur certains plans. En 2010, le commerce électronique mondial destiné au consommateur représentait, selon les meilleures estimations, moins de 5 % du commerce de détail. Certains spécialistes prévoient que ce pourcentage atteindra de 15 à 20 % en 2020 [17].

En 2010, le Québec comptait plus de 4,5 millions d'internautes dont 1,2 million de cyberacheteurs, et leurs achats en ligne représentaient des revenus de plus de 4 milliards de dollars. Selon les prévisions des spécialistes, ces revenus devraient progresser annuellement à un taux moyen qui variera de 6 à 8 %. Ils ont été de 3,6 milliards de dollars en 2009 et de 3,2 milliards en 2008. En 2009, 20 % des adultes Québécois ont fait des achats sur Internet, soit 5 % de plus qu'en 2008.

Ces acheteurs, en majorité des hommes âgés de 18 à 44 ans, achètent en ligne des billets de spectacles, des appareils électroniques, de la musique et des films ainsi que du matériel informatique, des livres, des magazines et des vêtements[18]. Il faut préciser que la progression de l'achat en ligne au Québec est freinée par l'offre restreinte des entreprises locales. Seules 12 % des petites et moyennes entreprises québécoises offrent à leurs clients la possibilité de réaliser des transactions via Internet. En plus, les consommateurs québécois, à l'instar des autres Canadiens, restent en général très réticents face aux transactions (achats et paiements) en ligne. Ils se servent surtout d'Internet comme source d'information et, quand ils achètent, ils ciblent des produits et services à faible implication et dont l'achat est peu risqué. Selon les sondages du CEFRIO publiés en 2010, moins de la moitié, soit 45 %, des Québécois adultes jugent que les paiements par carte de crédit sur Internet sont assez ou très sécuritaires. L'info-marketing 13.4 présente les principales caractéristiques du cyberacheteur québécois en 2009.

INFO MARKETING 13.4

Le profil du cyberacheteur québécois en 2009

« Au Québec, le commerce électronique est en croissance depuis 2007. Selon les résultats annuels de l'Indice du commerce électronique au Québec, 20 % des adultes québécois ont effectué en ligne des achats totalisant 3,4 milliards de dollars en 2009. La valeur moyenne du panier d'achat se chiffrait à 270 dollars par cyberacheteur.

Lorsque nous comparons ces résultats à ceux enregistrés par NETendances au cours des dernières années, nous constatons que les Québécois sont de plus en plus nombreux à acheter des produits et des services sur le Web. Depuis la première mesure de cette enquête, réalisée en 2001, le nombre de cyberacheteurs a triplé, passant de 6 % en 2001 à 20 % en 2009.

Produits le plus souvent achetés en ligne

- Billets de spectacles, divertissement (57 %)
- Voyages ou vacances (42 %)
- Musique et films (33 %)
- Livres, revues, journaux (32 %)

Raisons pour lesquelles les Québécois achètent sur Internet

- Gain de temps (66 %)
- Prix compétitifs (33 %)
- Possibilité de vérifier la disponibilité des produits (32 %)
- Livraison plus facile (27 %)
- Choix plus vaste (26 %)

Profil sociodémographique

- Des habitants des grands centres urbains (RMR de Québec : 21 %, RMR de Montréal : 29 %)
- Principalement des professionnels (33 %) et des étudiants (27 %)
- Des ménages avec enfants (28 %) et des foyers dont le revenu familial annuel est supérieur à 60 000 $ (37 %)
- Des détenteurs d'un diplôme universitaire (31 %) et collégial (22 %) »

Source : CEFRIO, *NETendances 2009 : évolution de l'utilisation d'Internet au Québec depuis 1999,* une initiative du CEFRIO, en collaboration avec Léger Marketing, avril 2010, p. 129.

De nombreux facteurs de type macro influent sur le commerce électronique et expliquent sa progression dans le marché en général et dans celui des consommateurs en particulier. Il y a d'abord les facteurs techniques liés à l'efficacité, à la convivialité et aux coûts du support lui-même, lesquels se rapportent notamment à l'état des appareils servant à la gestion de l'information et de la communication (ordinateurs, modems, téléphones intelligents, etc.), aux applications et aux logiciels (développement de contenu, navigation, forage de données, sécurisation des transactions, etc.) et aux protocoles de communication (IP, HTTP, etc.). En ce sens, Internet haute vitesse et sa progression rapide dans la population (85,1 % des ménages québécois branchés en 2009 [19]), la baisse considérable des prix des ordinateurs combinée à l'amélioration continue de leur convivialité (miniportables, ordinateurs de poche, tablette multimédia de type iPad, etc.), la prolifération des téléphones intelligents (BlackBerry, iPhone et autres) expliquent en grande partie la croissance importante des achats en ligne depuis 2005. Viennent ensuite les facteurs stratégiques liés aux organisations, tels que l'apport à la chaîne de valeur, l'amélioration de la compétitivité, la réduction des coûts, l'amélioration des performances et la différenciation. À titre d'exemple, on estime que la réduction des coûts de transaction engendrée par le passage du système de servitude traditionnel à un système via Internet serait en moyenne de l'ordre de 87 % pour un billet d'avion (1 $ au lieu de 8 $), de 89 % pour une transaction financière (0,13 $ au lieu de 1,08 $) et de 98 % pour la distribution d'un logiciel (0,35 $ au lieu de 15 $) [20]. On relève aussi un certain nombre de facteurs liés à l'environnement politique et juridique, comme la déréglementation et le contrôle public des secteurs des télécommunications et des TI ou la réglementation juridique en rapport avec les transactions commerciales effectuées en ligne (sécurité des transactions, confidentialité des données personnelles, système de facturation, signature électronique, protection de la propriété intellectuelle…). Aux États-Unis, par exemple, la fraude sur Internet atteint des dimensions inquiétantes : elle a coûté 560 millions de dollars en 2009, soit une augmentation de plus de 110 % par rapport à 2008. Les fraudes les plus courantes concernent les vols d'identité, la non-livraison de marchandises commandées d'un cybermarchand et les courriels frauduleux incitant l'internaute à avancer une somme d'argent en vue d'en obtenir une plus grosse [21]. Enfin, la résistance au changement de la part de la population visée par le commerce électronique, notamment les consommateurs, constitue un dernier facteur. En effet, une enquête réalisée en 2007 auprès de 500 personnes ne faisant pas d'achat en ligne montre que les principales raisons qui les en empêchent sont les difficultés d'utiliser les cartes de crédit (42 %), les données personnelles demandées et le non-respect de la vie privée (44 %) et l'absence d'un besoin réel (37 %) [22].

En ce qui concerne la réaction des consommateurs à l'égard du commerce électronique, les études sur le comportement de consommation en ligne montrent que les étapes du processus de décision d'achat sont les mêmes que dans le commerce traditionnel (*chapitre 4*). On peut donc parler de définition du besoin, de recherche d'information, d'évaluation des possibilités et de prise de décision, d'acte d'achat et de comportement postachat. La figure 13.5 (*voir p. 464*) résume le rôle et l'apport des technologies de l'information à chacune des étapes du processus de décision d'achat.

Sur le Web, des modèles d'affaires électroniques se sont organisés pour répondre aux besoins spécifiques à l'une ou l'autre des différentes phases du processus décisionnel d'achat en ligne. D'abord, on trouve les sites Web de producteurs et prestataires, comme Sony, Nike, Apple ou Desjardins, qui cherchent à intervenir dans toutes les phases du processus. Ensuite, il y a les moteurs de recherche, comme Google, qui interviennent surtout dans la phase cognitive de recherche d'information. Aussi, il y a les sites d'experts, les sites intégrateurs et les sites participatifs (réseaux sociaux, blogues et forums de discussion), comme

Consumer Reports, Priceline, Expedia, Facebook et Twitter, qui offrent directement ou indirectement des services de conseil aux clients et les soutiennent dans l'évaluation des produits et services offerts en ligne. Enfin, il y a les facilitateurs comme PayPal, UPS et Postes Canada, qui interviennent à la phase conative pour faciliter les transactions en ligne [23].

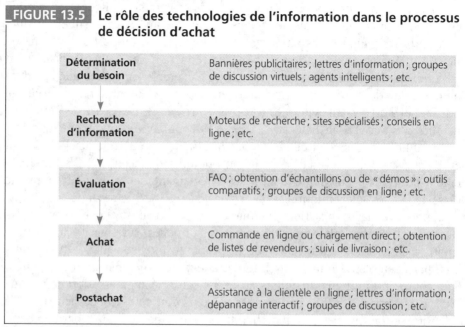

_FIGURE 13.5 Le rôle des technologies de l'information dans le processus de décision d'achat

Détermination du besoin	Bannières publicitaires ; lettres d'information ; groupes de discussion virtuels ; agents intelligents ; etc.
Recherche d'information	Moteurs de recherche ; sites spécialisés ; conseils en ligne ; etc.
Évaluation	FAQ ; obtention d'échantillons ou de « démos » ; outils comparatifs ; groupes de discussion en ligne ; etc.
Achat	Commande en ligne ou chargement direct ; obtention de listes de revendeurs ; suivi de livraison ; etc.
Postachat	Assistance à la clientèle en ligne ; lettres d'information ; dépannage interactif ; groupes de discussion ; etc.

Source : Alain D'ASTOUS et al., Le comportement du consommateur, 3e édition, Montréal, Chenelière/McGraw Hill, 2010, p. 454.

Internet procure une plus grande liberté de choix aux consommateurs et fournit aux entreprises un autre moyen de communication avec leurs clients cibles, plus intime et comportant des possibilités de personnalisation des relations commerciales.

L'un des résultats intéressants en ce qui a trait aux réactions des consommateurs sur Internet à l'égard du contenu des sites marchands concerne le comportement des individus dans le monde virtuel. Les acheteurs en ligne agissent dans le contexte d'Internet comme s'ils étaient dans le monde réel. La grande différence, c'est qu'ils y obtiennent de l'information plus rapidement et à moindre coût. Grâce à des moteurs de recherche de plus en plus nombreux et de plus en plus puissants, tels que Google, Bing et Alot, la capacité d'accès à l'information augmente sans cesse. Cela modifie considérablement le rapport de force entre les entreprises et les consommateurs, en faveur de ces derniers.

Avec le commerce électronique, les entreprises ont dû passer d'une approche transactionnelle à une approche relationnelle. De plus, deux éléments semblent influencer grandement le processus de décision d'achat sur Internet : l'implication et le risque perçu.

Il est à noter qu'au début du commerce électronique le degré de familiarité avec le support Internet était un autre facteur qu'il fallait souvent prendre en considération. Aujourd'hui, au Québec, vu le taux de pénétration d'Internet de 74 %, qui se situe dans la moyenne de l'ensemble des pays développés, ce facteur n'en est plus un et Internet est vraiment entré dans la vie des gens [24].

Par ailleurs, l'implication, qui a souvent rapport à l'importance de l'achat pour le consommateur, varie selon le type de produit, la situation d'achat et les caractéristiques de l'individu. Ainsi, pour des achats à forte implication (une maison, une voiture de luxe, une robe de mariée…), pour lesquels la phase cognitive prédomine, le consommateur utilise Internet beaucoup plus comme source d'information que comme moyen d'effectuer une transaction.

Par contre, pour un achat à faible implication (une cartouche d'imprimante, un produit d'épicerie courant, un film sur DVD…), les étapes conatives occupent le devant de la scène et le consommateur utilise Internet pour commander et recevoir rapidement le produit ou le service.

En ce qui concerne le concept de risque perçu, il est défini en partie par rapport au degré d'implication et en partie par rapport aux conséquences négatives d'une mauvaise décision d'achat. Ces conséquences peuvent être d'ordre pécuniaire, psychologique, social ou physique, et peuvent consister en une perte de performance ou en une perte d'occasions.

Toutes ces conséquences influent sur l'achat en général et sur l'achat sur Internet en particulier. Pour le cas où le risque perçu par le consommateur dans une situation d'achat excède un certain niveau, le gestionnaire de marketing doit prévoir l'application d'une stratégie de sécurisation qui conduise le client à réaliser son achat.

Le tableau 13.5 énumère les pratiques commerciales utilisées sur Internet pour accélérer le processus décisionnel d'achat des consommateurs en tenant compte du degré d'implication et du risque perçu.

TABLEAU 13.5 Les pratiques commerciales destinées à accélérer le processus décisionnel d'achat des consommateurs

Implication	Étapes du processus décisionnel et risque perçu
• Possibilité de configuration • Possibilité de transmettre de l'information personnelle • Possibilité d'interaction avec d'autres clients (communauté virtuelle)	**Recherche d'information (vendeur)** • Identification du site • Identification de la clientèle visée • Distinction entre les usagers
	Recherche d'information et évaluation (produits et services) • Engin de recherche intuitif • Catalogue électronique • Accès à l'inventaire • Possibilité d'interaction avec d'autres clients (communauté) • Accès à plusieurs modes de communication
	Transaction • Guichet unique • Bon de commande simple et complet • Quiétude d'esprit • Confidentialité
	Comportement postachat • Service à la clientèle • Possibilité d'interaction avec d'autres clients (communauté)

Source: Jacques NANTEL, Sylvain SÉNÉCAL et Raphaëlle CARON, « L'utilisation des meilleures pratiques commerciales sur Internet : une étude empirique de type *benchmarking* », *Gestion,* vol. 26, n° 3, automne 2001, p. 27-34.

13.2.2_L'approche relationnelle et la personnalisation au moyen d'Internet

La gestion du marketing s'est constamment adaptée aux changements survenus dans l'environnement externe des entreprises, notamment en ce qui concerne le comportement des consommateurs.

Avec l'avènement dans les années 1990 de l'ère postmoderniste, caractérisée par la mise au premier plan de l'information, du service et de l'innovation, les marchés sont devenus encore plus hétérogènes, et les besoins des consommateurs, plus précis. Chaque individu est maintenant lui-même un segment cible qu'il faut conquérir et, surtout, garder. En outre, du fait de la mondialisation des marchés et de la déréglementation dans plusieurs secteurs, les entreprises se livrent entre elles une concurrence féroce à laquelle s'ajoute la pression exercée par les clients sur les entreprises en perte de pouvoir. La gestion de la relation client (*customer relationships management* ou CRM) est devenue une norme dans la gestion des marchés en marketing.

Selon cette approche, l'entreprise doit collecter le maximum d'information sur tous les échanges ou les transactions avec chacun de ses clients, qu'il s'agisse d'un simple appel pour demander un renseignement, d'une visite en magasin, du premier achat d'un produit ou d'un service de la compagnie, d'un service après-vente, d'un retour de produit ou d'un nouvel achat. Les échanges en question doivent être décrits en précisant les différents moyens de communication employés : téléphone, courrier électronique, site Internet marchand ou même visites en magasin. Cette collecte d'information permet à la compagnie de suivre le comportement d'achat du client et de créer d'imposantes bases de données dynamiques, mises à jour continuellement. L'entreprise attribue à chaque client un statut déterminé, qui varie suivant son importance. Chaque client sera abordé d'une manière précise ; c'est ce qui constitue la personnalisation de la relation. Les renseignements recueillis sont exploités non seulement par le service du marketing, mais aussi par les autres services de l'entreprise, comme ceux de la production, des achats, des ressources humaines et de la recherche et développement, en vue de travailler étroitement avec les clients pour mieux les servir.

Le CRM peut être défini comme une stratégie d'entreprise qui a pour but de choisir et de gérer la clientèle en vue de maximiser sa valeur à long terme. La mise en application du CRM exige une culture et une philosophie d'entreprise centrées sur le client et non sur le produit, car il est nécessaire de soutenir efficacement les processus de marketing, de ventes et de services[25]. Le CRM est apparu à la fin des années 1980 dans de grandes entreprises du secteur des technologies de l'information et de la communication telles que Nortel Networks, Oracle ou PeopleSoft. Presque toutes les entreprises offrant des produits et des services l'ont par la suite adopté.

L'usage généralisé du CRM dans les entreprises s'explique par les innovations survenues dans le domaine des technologies de l'information et surtout par l'avènement d'Internet, qui a apporté un protocole de communication standard (*Internet Protocol*) permettant d'intégrer les différents canaux d'échange entre l'entreprise et ses clients dans des entrepôts de données (*data warehouses*) incorporés dans le système d'information marketing de la compagnie (*chapitre 5*). S'appuyant sur des logiciels complexes d'exploration de données (*data mining*), le traitement des données transactionnelles permet à la compagnie d'adapter son mix de marketing au statut et aux besoins particuliers de chaque client. Cela a entraîné l'apparition du concept de gestion électronique de la relation client (e-CRM). De nombreuses entreprises, dont Bell Canada, Rogers, Fido, Banque Royale du Canada et IBM, ont ainsi mis à la disposition d'un large public des centres d'appels interfacés aux services Internet. Avec le e-CRM, l'information recueillie sur chaque client est utilisée de manière beaucoup plus pertinente, car elle est rassemblée, téléchargée automatiquement et, surtout, traitée très rapidement et efficacement.

En appliquant une stratégie de e-CRM, l'entreprise vise trois grands objectifs : établir une relation durable avec chacun de ses clients ; consolider son avantage concurrentiel ; augmenter ses revenus et ses profits. Ces objectifs sont mutuellement dépendants. Ainsi, une relation forte avec les clients augmente leur fidélité aux produits et services de l'entreprise et lui procure un pouvoir de marché plus élevé que ses concurrents directs, une garantie relativement à son chiffre d'affaires et une diminution de ses frais de marketing. La stabilité ou l'augmentation des revenus, jointe à une réduction des charges commerciales, entraînera à long terme une amélioration de la rentabilité de l'entreprise.

Du point de vue opérationnel, le premier objectif, qui est d'établir une relation durable avec les clients, comporte des sous-objectifs tels que l'amélioration de la satisfaction de la clientèle et du taux de rétention, la maximisation de la valeur à long terme de chaque client, une segmentation du marché qui tient compte des particularités de chaque client, la participation du client à une offre de produits et services personnalisée, la résolution plus rapide des problèmes de service à la clientèle.

Au deuxième objectif, qui est de consolider l'avantage concurrentiel, se rattachent ces sous-objectifs : l'obtention de prévisions de ventes plus précises par la gestion optimale des activités d'approvisionnement (en amont) et de la logistique de la distribution (en aval) et par l'analyse de la rentabilité par client, l'amélioration des services après-vente, l'étude plus rapide et plus précise des réactions de chaque client face aux activités marketing (nouveau produit, promotion de ventes, etc.).

L'entreprise réalisera le troisième objectif, l'augmentation des revenus et des profits, en encourageant les ventes croisées, en donnant la préséance aux clients les plus rentables, en garantissant une hausse du chiffre d'affaires par suite de l'accroissement de la fidélité et, enfin, en réduisant les coûts de transaction par client.

L'implantation stratégique du e-CRM comporte quatre phases résumées dans l'info-marketing 13.5 (*voir p. 468*) : la définition de la proposition de la valeur, l'étude d'opportunité, la définition de la stratégie client et l'établissement du plan de transformation de l'entreprise.

13.2.3_L'expérience client et l'achat en ligne

Pour réussir à implanter une approche relationnelle avec ses clients en ligne, il est important pour une entreprise d'évaluer leur expérience de navigation, puis de faire en sorte que cette expérience soit la plus agréable possible. Dans ce contexte, il faut garder à l'esprit que, d'un point de vue stratégique, les objectifs fondamentaux d'un site Web transactionnel restent toujours d'attirer d'abord de nouveaux visiteurs (clients potentiels), de les convertir ensuite en acheteurs (clients actuels) pour enfin les rendre fidèles (clients habituels). Il paraît évident que, pour une entreprise, il est essentiel de pouvoir juger de la satisfaction des clients, aussi bien en ce qui a trait à la qualité des produits et services offerts en ligne qu'en ce qui a trait à l'expérience de navigation sur le site lui-même. Or, en pratique, il se trouve que cette dernière évaluation semble quelque peu ignorée même si les spécialistes en cybermarketing la recommandent fortement.

« L'implantation stratégique du e-CRM au sein d'une entreprise passe par le processus suivant :

Phase 1 : définir la proposition de valeur. Il s'agit de déterminer ce qui différencie l'entreprise de ses concurrents :

- ce que les clients valorisent ;
- ce que l'entreprise promet d'offrir ;
- ce que les consommateurs affirment recevoir réellement.

Phase 2 : l'étude d'opportunité. Il s'agit d'estimer l'apport de l'implantation d'une stratégie de e-CRM aux différents éléments de la chaîne de valeur d'une entreprise, notamment :

- qu'en est-il de la valeur économique des clients durant la durée de leurs interactions avec l'entreprise ?
- qu'en est-il de la valeur des clients nouvellement acquis ?
- qu'en est-il de la réduction prévue dans les coûts de transaction ?

Phase 3 : définir la stratégie client. On doit préciser l'orientation à prendre en essayant de comprendre :

- le profil des clients et leurs comportements de consommation spécifiques ;

- l'état de la concurrence et la position concurrentielle de l'entreprise ;
- les moyens à mettre en œuvre pour attirer et fidéliser les clients ;
- les compétences de gestion de la clientèle.

Phase 4 : établir le plan de transformation de l'organisation. On en vient à proposer la nouvelle façon de faire, en précisant :

- le processus d'affaires du point de vue de la stratégie client ;
- le changement dans la culture organisationnelle ;
- le lieu d'installation ;
- le flux de données ;
- l'infrastructure technologique. »

Source : INSTITUT DU COMMERCE ÉLECTRONIQUE, *Programme de certification professionnelle en affaires électroniques,* Montréal, 2002, p. 78.

L'expérience client est définie en général comme étant l'ensemble des réactions personnelles et subjectives exprimées par un client à chacun des points de contact directs ou indirects avec la compagnie au cours du processus d'achat. Cette expérience commence dès qu'un client prend connaissance de l'existence d'un produit, par exemple grâce à une publicité télévisée, un site Web proposé dans une recherche sur Google ou un courriel promotionnel. Elle est influencée par ses motivations, ses attitudes et ses préférences, exprimées tout au long du processus d'achat, jusqu'à ce qu'il décide de se procurer ou non le produit. En fait, l'expérience client continue au-delà même de la décision d'achat, dans les conséquences d'une telle décision, qu'il s'agisse de regret, de remords, de dissonance, d'insatisfaction, de satisfaction, de loyauté et autres réactions possibles. Des entreprises traditionnelles comme Apple, Fido, Dell et Cisco ainsi que des cybermarchands comme Amazon et eBay ont fait de l'expérience client leur cheval de bataille pour réussir leurs activités en ligne, engageant leurs clients dans des expériences authentiques qui mettent de l'avant leurs valeurs personnelles.

Pour les spécialistes en commerce électronique, deux types de motivations personnelles peuvent guider un client quand il visite un site Web : des motivations hédoniques ou des motivations utilitaires. Si ses motivations sont hédoniques, le client recherche avant tout le plaisir de la navigation plutôt que l'acte d'achat en tant que tel et la transaction. Quand ses motivations sont utilitaires, le client privilégie la rapidité et l'efficacité de la transaction plus que toute autre chose. En pratique, la conception d'un site Web doit d'abord et avant tout tenir compte de ces deux types de motivations personnelles, afin de répondre aux besoins des clients en ligne et de rendre leur expérience de visite sur le site la plus agréable possible. En effet, les motivations hédoniques sont souvent rejointes par les caractéristiques de présentation du site, comme le design, l'esthétique, la socialisation, l'effet de surprise. De leur côté, les motivations utilitaires peuvent être comblées par les caractéristiques de structuration du site, comme l'ergonomie, le côté pratique, la sélection des choix et la disponibilité de l'information pertinente.

Dans Internet, on trouve aujourd'hui trois catégories de sites Web marchands conçus suivant les besoins et motivations des internautes (*voir la figure 13.6*). D'abord les sites Web utilitaires, dont la conception nécessite davantage de structuration que de présentation; c'est le cas par exemple des sites d'institutions financières, comme les Caisses Desjardins, d'organismes gouvernementaux ou d'universités. Ensuite, les sites Web hédoniques, dont la conception doit posséder beaucoup de caractéristiques de présentation et peu de structure; c'est le cas des sites Web de musique, de films, de jeux en ligne ou de réseautage social. Enfin les sites hybrides, par exemple Future Shop, dont la conception exige autant de caractéristiques de structure que de présentation; c'est le cas des sites d'entreprise, de magasins virtuels ou de place de marché électronique. Au-delà des dimensions de la présentation et de la structure, une troisième dimension, la fonctionnalité, caractérise les sites Web. Pour les spécialistes, peu importe la nature d'un site Web – qu'il soit utilitaire, hédonique ou hybride –, la dimension fonctionnalité doit être constamment prise en considération au moment de sa conception.

_FIGURE 13.6 **Les caractéristiques globales d'un site Web par rapport aux besoins des visiteurs**

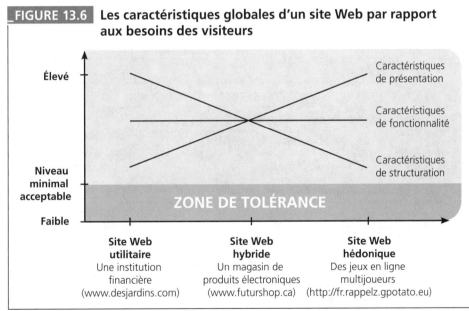

Source: Christopher MEYER et Andre SCHWAGER, «Understanding customer experience», *Harvard Business Review*, février 2007, p. 123; traduction et adaptation libres.

13.2.4_L'évaluation de la qualité d'un site Web marchand

Compte tenu de ce que l'on vient de dire au sujet du comportement des consommateurs en ligne, il s'avère important pour les entreprises présentes sur le Web d'évaluer la qualité de leur site, eu égard à sa capacité de satisfaire les besoins de ses clients cibles. Cette évaluation doit se faire de manière continue pour procéder sans cesse à des améliorations du site Web en question. La finalité d'un site Web reste toujours d'attirer le maximum de visiteurs (augmenter le trafic), de les convertir en acheteurs (les pousser à faire une transaction), pour enfin les fidéliser (les motiver afin qu'ils reviennent le plus souvent possible). En pratique, il existe plusieurs outils d'évaluation, que l'on peut classer en deux catégories: qualitatifs et quantitatifs. Les premiers se basent sur des techniques subjectives comme les entrevues individuelles, les entrevues de groupe et les protocoles verbaux. Les seconds, plus objectifs, sont des outils chiffrés comme les questionnaires autoadministrés et les Web analytiques. Quantité de modèles de questionnaires d'évaluation de sites Web sont accessibles, notamment WebQual[26] (*voir le tableau 13.6*) et le modèle des 7C, dont un exemple d'application pour des sites de magasins d'alimentation est présenté au chapitre 6 (*voir la figure 6.5, p. 197*).

TABLEAU 13.6 **Un outil quantitatif d'évaluation de la qualité d'un site Web transactionnel: le questionnaire WebQual 4.0**

Pour chacune des 23 affirmations, le répondant exprime son avis sur une échelle de Likert à sept niveaux, qui vont de (1) *Pas du tout d'accord* à (7) *Tout à fait d'accord*.

Le questionnaire WebQual 4.0 permet d'obtenir pour chaque répondant, pour chaque groupe de répondants et pour l'ensemble des répondants trois mesures de la qualité d'un site Web: une évaluation globale, une évaluation par dimension et une évaluation par affirmation.

Dimension 1 – Facilité d'usage	
1	Il est facile d'apprendre à naviguer sur le site.
2	Les interactions dans le site sont simples et compréhensibles.
3	La navigation sur le site est facile.
4	Le site est facile d'utilisation.
5	Le site est attrayant.
6	Le design du site est approprié.
7	Le site transmet l'image d'une entreprise compétente.
8	Le site me fait vivre une expérience positive.
Dimension 2 – Qualité de l'information	
9	Le site fournit de l'information précise.
10	Le site fournit de l'information crédible.
11	Le site fournit de l'information à jour.
12	Le site fournit de l'information pertinente.
13	Le site fournit de l'information facile à comprendre.
14	Le site fournit de l'information assez détaillée.
15	Le site présente l'information dans un format approprié.
Dimension 3 – Qualité des interactions	
16	Le site jouit d'une bonne réputation.
17	Je me sens en sécurité sur le site pour y effectuer des transactions.
18	Je sens que mes données personnelles sont bien protégées par le site.
19	Le site donne l'impression d'être personnalisé.
20	Le site incite à développer un sens communautaire.

	Dimension 3 – Qualité des interactions (*suite*)
21	Le site facilite la communication avec l'organisation.
22	J'ai confiance que les produits et services achetés sur le site me seront livrés.
	Dimension 4 – Perception globale
23	Ma perception globale du site est bonne.

Source : WEBQUAL, *WebQual Instrument*, [En ligne], www.webqual.co.uk (Page consultée le 7 juin 2010) ; traduction libre.

La plupart de ces modèles évaluent la qualité d'un site d'après quatre principales dimensions, à savoir la facilité d'usage, la qualité de l'information fournie, la qualité des interactions et la perception globale [27]. Quant aux Web analytiques, ces mesures de performance peuvent être intégrées au site lui-même sous forme d'applications informatiques qui traquent les visiteurs et enregistrent leurs actions (*clickstream*). Les Web analytiques peuvent aussi prendre la forme d'un tableau de bord, fourni par des firmes spécialisées offrant des services payants ; c'est le cas au Québec des firmes de recherche Adviso (www.adviso.ca) et NVI (www.nvisolutions. com). Certaines firmes offrent aussi la possibilité d'obtenir des données gratuites sur les performances d'un site – par exemple, Google Analytics et Amazon avec son outil Alexa. Globalement, les trois mesures de base fournies par les Web analytiques sont : les visiteurs uniques (le nombre de visiteurs différents sur une période donnée) ; les visites (toutes les interactions avec un visiteur au cours d'une visite donnée) ; les pages vues (le nombre de fois qu'une page quelconque a été vue, aussi qualifié de « nombre d'impressions »). De ces mesures de base découlent la plupart des autres indicateurs que l'on trouve dans les rapports de Web analytiques. La figure 13.7 donne un exemple de rapport de Web analytique qui évalue les performances d'un site de magasin d'alimentation en ligne.

_FIGURE 13.7 Un rapport de Web analytique

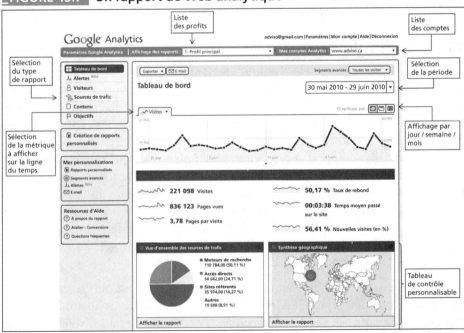

Sources : ADVISO, [En ligne], www.adviso.ca (Page consultée le 23 avril 2010) ; Paul BERNIER, *Introduction à la mesure de performance Web avec Google Analytics,* IAB Canada, texte d'une conférence donnée le 23 septembre 2009, p. 31.

_13.3 Le cybermarketing : le mix de marketing sur Internet

De l'examen du commerce électronique et du comportement d'achat en ligne, il ressort principalement que le réseau Internet a apporté un outil d'échange qui donne aux entreprises plus de possibilités de pénétrer le marché, et aux consommateurs, plus de flexibilité et de liberté dans l'achat de biens et services. De plus, pour être efficace, ce support d'échange dans les activités commerciales d'une entreprise doit nécessairement s'insérer dans une stratégie de commerce électronique qui tient compte des autres paliers stratégiques de l'organisation dans son ensemble ainsi que des fonctions marketing, finances, technologie, ressources humaines et autres. Le volet marketing d'une stratégie de commerce électronique est appelé « cybermarketing » ou « marketing sur Internet ». Il se définit comme « le processus de planification et de mise en œuvre de la fixation du prix, de la communication et de la distribution des idées, des produits et des services qui permet d'effectuer des échanges en totalité ou en partie à l'aide d'un réseau d'ordinateurs, conformément à des objectifs individuels et organisationnels »[28].

Ainsi, les objectifs et les divers éléments du plan de marketing sur Internet sont les mêmes que ceux du plan de marketing traditionnel, à cette différence près que la plateforme d'échange qui s'établira entre l'entreprise et son marché sera virtuelle et nécessitera de nombreux ajustements en raison, d'une part, de la nature et des limites du support Internet lui-même et, d'autre part, des particularités des acheteurs en ligne.

Les sections qui suivent examineront les quatre principaux éléments du cybermarketing – le produit, la communication, le prix et la distribution – en commerce électronique des organisations. Il est à noter que, dans le cybermarketing comme dans le marketing traditionnel, on s'efforce d'assurer la cohérence interne entre les quatre composantes (d'où la notion de mix de marketing) et la cohérence externe entre ces éléments et l'analyse des environnements interne et externe de l'entreprise (forces et faiblesses, occasions d'affaires et menaces). En outre, on définit les objectifs stratégiques, c'est-à-dire les stratégies d'offre et de demande.

13.3.1_Le produit

La pratique du commerce électronique démontre que tout, ou presque tout, se vend et s'achète sur Internet, depuis les produits et services numériques, comme les applications et les logiciels, les textes, la musique, la vidéo et les opérations bancaires, jusqu'aux produits et services physiques tels que les ordinateurs, les œuvres d'art, les voitures et les produits d'épicerie. Plusieurs entreprises commercialisent des produits et services aussi bien physiques que numériques. C'est le cas d'Archambault (www.archambault.ca), le plus gros vendeur de disques au Québec, et d'institutions financières comme la Banque Royale du Canada (www.banqueroyale.com), la Banque de Montréal (www.bmo.com) et le groupe financier Desjardins (www.desjardins.com). D'autres entreprises vendent uniquement sur Internet. C'est le cas de Dell (www.dell.ca), de l'agence de voyages Expedia (www.expedia.ca) et de la banque ING Direct (www.ingdirect.ca).

La commercialisation des biens et services sur Internet est plus complexe qu'il n'y paraît à première vue. C'est plus qu'une simple affaire de distinction entre produits numériques et produits physiques. À cet égard, il faut savoir que, dans le domaine du commerce de détail (B2C), ce qui guidera les choix stratégiques en matière de politique de produits, ce sont notamment la taille et la concentration des marchés locaux, la nécessité d'être physiquement près de la clientèle, la tenue d'un inventaire et la centralisation de la production (*voir la figure 13.8*).

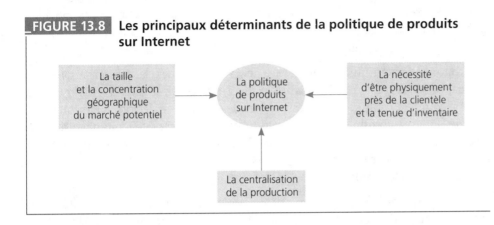

FIGURE 13.8 **Les principaux déterminants de la politique de produits sur Internet**

Premier facteur, la taille des marchés locaux ainsi que la concentration géographique des clients semblent influer grandement sur les coûts de la distribution physique des produits et services. La structure des coûts de distribution peut avantager les grands marchés dont les consommateurs sont fortement concentrés géographiquement, comme c'est le cas aux États-Unis et au Canada. Ce premier facteur concerne très peu les produits numériques et les services qui ne requièrent aucune ou très peu de logistique de distribution, comme les pièces musicales, les logiciels et les placements financiers. Le commerce électronique apparaît comme le meilleur moyen d'écouler ces produits et services sur le marché. La plupart des fabricants de logiciels (par exemple, Microsoft) délaissent de plus en plus la commercialisation des logiciels sur CD-ROM ou DVD-ROM au profit du téléchargement sur Internet. Pour leur part, les quotidiens tendent à privilégier le format électronique au détriment du format papier. L'industrie de la musique et du cinéma semble prête à tout miser sur le téléchargement des pièces musicales et des films ainsi qu'à leur stockage sur disque dur, et à abandonner les CD et les DVD (par exemple, www.apple.com/ca/fr/itunes). De même, depuis juin 2008, toutes les compagnies aériennes membres de l'Organisation de l'aviation civile internationale (OACI) utilisent partout dans le monde les billets électroniques. Aujourd'hui, Air Canada, comme bien d'autres compagnies internationales, propose dans tous les aéroports du pays et dans certains aéroports à l'étranger des bornes d'enregistrement express qui permettent aux voyageurs de réserver, de payer, de modifier un itinéraire et même de s'enregistrer sur un vol de façon électronique.

Deuxième facteur, de nombreux produits et services requièrent une proximité physique avec les consommateurs. C'est le cas, par exemple, des produits d'épicerie, des médicaments, des services médicaux et des services de déménagement : souvent, les consommateurs veulent avoir rapidement en main leurs achats ou s'adresser de vive voix à un membre d'une profession libérale ou à un détaillant. Pour de tels produits, le commerce sur Internet peut servir d'appoint au commerce de détail traditionnel. La plupart des magasins d'alimentation au Québec se sont dotés d'un site Web marchand qui offre la possibilité aux consommateurs de passer des commandes sur Internet et de se faire livrer la marchandise par le magasin le plus proche (www.iga.net, www.provigo.ca, www.maxi.ca). Le géant de la distribution au détail Walmart applique une stratégie qui mise sur le commerce électronique comme complément à son réseau d'hypermarchés. Walmart a donc ajusté sa logistique en conséquence et veille à ce que les stocks soient proches des clients en ligne (www.walmart.ca). La majorité des banques canadiennes ont réduit le nombre de leurs succursales de façon à favoriser les services bancaires électroniques (*e-banking*), c'est-à-dire fournis par l'entremise des guichets automatiques, du téléphone et d'Internet (www.desjardins.com, www.rbc.ca, www.bmo.com, www.hsbc.ca).

Troisième facteur qui doit guider les choix stratégiques, la concentration de la fabrication de certains produits et de la difficulté de les stocker à proximité des clients, comme c'est le cas pour les voitures, les meubles et les biens fabriqués sur mesure. Pour ces produits, souvent à forte implication, les consommateurs utiliseront Internet pour s'informer. Le site Web commercial de l'entreprise devrait donc servir d'outil de communication plutôt que de support de transaction (www.toyota.ca, www.ford.ca).

En se basant sur les principaux déterminants de la politique de produits sur Internet, on peut établir une typologie des produits, résumée au tableau 13.7, comportant quatre catégories auxquelles se rattachent des stratégies déterminées.

_TABLEAU 13.7 Une typologie des produits et services commercialisables sur Internet et des stratégies recommandées

Catégorie de produits ou de services	Exemples	Stratégies recommandées
Produits numérisables	Musique, films, journaux, logiciels, revues, etc.	Seront commercialisés exclusivement sur Internet en raison de la grande couverture du marché et de la possibilité de les distribuer par ce moyen afin d'éviter les coûts de logistique entraînés par leur distribution physique.
Services	Voyages, services d'hôtellerie, services bancaires, consultations, etc.	Seront commercialisés en utilisant à la fois le réseau traditionnel (agences de voyages, succursales bancaires, etc.) et le réseau électronique (Internet), avec une segmentation du marché qui tient compte du degré de familiarité des consommateurs avec le commerce électronique. On favorisera l'utilisation du support virtuel en raison des réductions de coûts qu'il entraîne et de son efficacité.
Produits exigeant des stocks locaux	Produits d'épicerie, médicaments, articles de quincaillerie, vêtements, etc.	Seront commercialisés en utilisant à la fois le réseau traditionnel, qui sera le principal support de distribution (supermarchés, pharmacies, etc.), et le réseau électronique (Internet), qui sera un support complémentaire mais nécessaire. On harmonisera, évidemment, la logistique des deux réseaux afin de réduire les coûts totaux.
Produits dont la fabrication est centralisée	Voitures neuves, meubles de qualité, etc.	Seront commercialisés en utilisant principalement le réseau traditionnel (concessionnaires automobiles, magasins de meubles, etc.). Internet servira surtout à échanger de l'information avec la clientèle.

De cette analyse de la situation actuelle et des tendances futures, il ressort clairement qu'Internet a affecté la politique de produits des entreprises de trois principales façons. La première concerne la transformation de certains produits tangibles en produits numériques purs ; c'est le cas de la musique, des films, des journaux et autres publications, des livres, des émissions de télévision, des billets d'avion et de spectacles et des transactions financières. L'info-marketing 13.6 présente comment la révolution des livres numériques (*e-book*) commencée au début des années 2000 rattrape en 2010 les manuels scolaires pour s'adapter à la nouvelle génération des étudiants mobiles et branchés.

INFO MARKETING 13.6

Les manuels pédagogiques entrent dans la danse numérique

« "Les appareils comme l'iPad ont le potentiel de transformer en profondeur le secteur de l'éducation et des manuels scolaires à l'échelle mondiale", dit John Doerr, un investisseur en capital de risque fort connu de Silicon Valley.

La polyvalence des nouvelles tablettes numériques telle l'iPad, qui sont dotées d'écran couleur et d'une connexion Internet haute vitesse, emballe au plus haut point les experts. Par exemple, ces appareils pourraient permettre aux étudiants nord-américains de s'inscrire à distance à un cours à l'Université d'Oxford, en Angleterre, note M. Doerr.

Place à l'étudiant mobile

La firme new-yorkaise TBI Research estime que les manuels pédagogiques connaîtront un essor exceptionnel grâce aux tablettes multimédias. Les manuels pédagogiques ne représentent pour le moment que 15 % des ventes de livres

numériques, par rapport à 39 % dans le marché des livres imprimés. "Les étudiants sont devenus très mobiles. Un appareil qui répond à tous leurs besoins est une priorité pour eux", croit Rory Maher, analyste chez TBI Research.

Pour les universités aussi. "L'iPad et les futures tablettes Windows sont très intéressantes pour nous", affirme Louise O'Neill, directrice associée de la bibliothèque de l'Université McGill.

La collection de deux millions d'*e-books* de la bibliothèque de McGill en fait la plus importante du genre parmi les universités québécoises. "Le numérique permet de reproduire de très vieux livres imprimés et de les mettre dans les mains d'étudiants et de chercheurs qui, autrement, n'y auraient pas accès." Et comme c'est téléchargeable par Internet, ils n'ont même pas à se déplacer jusqu'à la bibliothèque. »

Source : Alain McKENNA, « Les manuels pédagogiques entrent dans la danse numérique », *Les Affaires,* 14 avril 2010, [En ligne], www.lesaffaires.com (Page consultée le 8 juin 2010)

La deuxième façon dont Internet a influencé la politique de produits porte sur la création de services complémentaires qui ajoutent de la valeur aux produits déjà existants. Parmi ces services complémentaires offerts en ligne, on trouve des programmes de service à la clientèle (Bell Canada, Vidéotron, Fido, Hydro-Québec), des programmes de loyauté et de privilèges (Flying Blue d'Air France-KLM), des mises à jour de produits (Adobe Acrobat, Microsoft Office) et des fonctionnalités supplémentaires (mannequin virtuel d'une boutique de vêtements, transactions en ligne d'institutions financières). Au Québec, les transactions financières, plus particulièrement les opérations bancaires, ne cessent de prendre de l'ampleur. Le pourcentage des Québécois qui font fréquemment ces opérations sur Internet a presque triplé en moins de 10 ans pour passer de 15,9 % en 2001 à 44,2 % en 2009 [29].

La troisième façon dont Internet a influencé la politique de produits des entreprises se situe dans l'élargissement de la gamme et des lignes de produits offerts. Traditionnellement, lorsque l'on classe les produits offerts dans un marché par ventes décroissantes, très souvent les résultats donnent un graphique similaire à celui présenté à la figure 13.9 (*voir p. 476*).

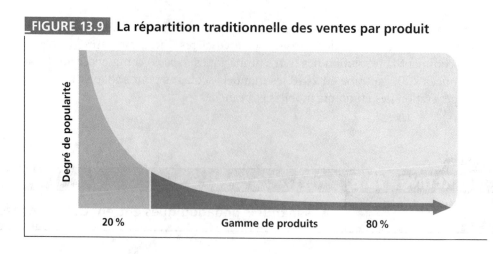

_FIGURE 13.9 La répartition traditionnelle des ventes par produit

Le gros du volume des ventes des entreprises (80 %) est généré par un petit nombre de produits (20 %), que l'on qualifie de produits populaires. Le restant des produits (80 %) ne génère que très peu de ventes (20 %), et l'on parle alors de longue traîne. Bien souvent, les entreprises choisissent d'investir dans les produits les plus populaires qui occupent les grands marchés à potentiel élevé et pour lesquels le rapport coûts de commercialisation/bénéfices d'exploitation est beaucoup plus intéressant. Le Web a ouvert la porte aux entreprises pour qu'elles aillent recueillir la longue traîne, qui représente de petits marchés à potentiel de vente faible mais qui engendre des coûts de production et de distribution relativement élevés. Grâce au Web, ces entreprises peuvent désormais offrir des gammes de produits plus variées avec des lignes élargies, sans courir le risque de voir leurs coûts augmenter de façon exponentielle par rapport à leur chiffre d'affaires. Par exemple, dans la distribution de musique, Amazon arrive à réaliser plus de 25 % de son chiffre d'affaires sur des articles que l'on ne retrouve pas dans des commerces de détail traditionnel comme Walmart et qui ne figurent pas dans les 100 000 titres les plus populaires. Ce pourcentage serait de 40 % pour Rhapsody (www.rhapsody.com), qui offre plus de 1 million de titres sur son site, alors que Walmart ou tout autre magasin spécialisé ne peut mettre sur ses étalages plus de 50 000 titres. La situation est similaire du côté de la distribution des films où, pour des raisons d'espace physique et de rentabilité commerciale, un détaillant traditionnel comme Blockbuster ne peut détenir en magasin plus de 3000 titres sur un potentiel de 200 000. Un distributeur virtuel comme Amazon peut mettre à la disposition de ses clients l'ensemble des produits vidéo disponibles, tant les plus populaires que les films d'auteur ou de répertoire, sans pour autant voir ses coûts de commercialisation exploser. Le commerce électronique permet donc aux entreprises d'élargir presque indéfiniment leur offre de produits, tout en réduisant considérablement les coûts marketing qui leur sont associés, afin de rejoindre des petits marchés et exploiter à fond la longue traîne [30].

13.3.2_La communication

Dans le plan de marketing d'une entreprise, la communication consiste à gérer les moyens de diffuser l'information commerciale dans le marché cible. Elle a pour objectif de faire connaître les produits et services, de les faire aimer et d'en stimuler l'achat. Comme on l'a vu au chapitre précédent, la publicité, la commandite, la promotion des ventes, les relations publiques et la force de vente ont traditionnellement été les principaux moyens dont disposait l'entreprise pour communiquer. Mais le marketing direct, et surtout Internet, est un outil de communication de plus en plus important. Le réseau Internet a d'abord servi à la communication avant d'être utilisé pour les autres éléments du mix de marketing [31] (la distribution, le produit et le prix). Selon un sondage SOM/Branchez-vous! réalisé en février 2009, le Web représente la deuxième source d'information commerciale des Québécois (30 %), juste après la télévision (40 %) et loin devant les autres médias comme la radio (19 %) et les quotidiens (10 %). Conséquemment, la part d'Internet dans les investissements médiatiques au Québec est passée de 4 % en 2004 à 14 % en 2009, après la télévision (29 %) et les quotidiens (20 %), mais devant les journaux hebdomadaires (13 %), la radio (10 %), les magazines (7 %) et l'affichage (5 %) [32]. Dans une étude publiée en 2008 et portant sur les tendances à long terme, réalisée auprès de 78 publicitaires américains, 62 % des répondants affirment que la publicité télévisée est moins efficace qu'il y a deux ans et que cette tendance va se maintenir (ce pourcentage était de 78 % en 2004). De plus, 87 % des répondants projettent d'investir davantage dans les outils Web comme la commandite et la vidéo, 73 % dans les moteurs de recherche et les portails, 42 % dans le courrier électronique. Par contre, seuls 25 % des répondants planifient d'investir plus dans l'affichage public, 18 % dans le publipostage, 8 % dans la radio et 2 % dans les magazines [33].

Les objectifs de la communication en ligne et de la communication traditionnelle sont les mêmes, à cela près qu'ils tiennent compte de certaines particularités liées à la nature même du support. En effet, Internet fait partie d'un environnement hypermédiatique et assez particulier qui comporte la possibilité d'avoir une communication de masse avec des sources de diffusion multiples (*many-to-many*), contrairement aux supports de communication de masse traditionnels tels que la télévision, la radio ou les journaux, dans lesquels la communication est du type monosource (*one-to-many*). Le réseau Internet est donc un lieu de rencontre où tout le monde peut communiquer avec tout le monde. Il faut préciser que, parmi tous les moyens de communication – publicité, promotion des ventes, force de vente, publireportage, et le reste –, la publicité semble entraîner le plus de dépenses sur Internet.

En plus de s'adapter aux caractéristiques de la nouvelle génération des consommateurs branchés, la publicité sur Internet offre aux entreprises trois principaux avantages par rapport à des supports tels que la télévision, la radio ou les journaux. D'abord, la grande portée des messages et leur coût relativement faible. En effet, Internet est un réseau électronique mondialement accessible, avec forte pénétration au Québec (75 % en 2010) et un peu partout dans le monde (1,43 milliard d'utilisateurs en 2010) et dont les coûts d'accès ne cessent de baisser. Ensuite, la conception du contenu des messages (texte, image, son et vidéo) et leur mise en ligne présentent une grande flexibilité. La technologie de programmation Web est de plus en plus performante, avec une gestion plus rapide de contenus de plus en plus lourds. Enfin, l'interactivité avec les clients cibles et les possibilités de personnalisation du message diffusé ont été facilitées par les développements récents du Web participatif (Web 2.0) et ses nouvelles applications comme les blogues, les sites de partage, les réseaux sociaux, les wikis et les fils RSS. Désormais, Internet permet de transmettre une publicité unique et ciblée, capable de susciter instantanément et à moindre coût l'attention, l'intérêt ou le désir de l'internaute, voire de le pousser à l'achat.

Plusieurs outils de communication publicitaires sont utilisés en ligne. Les outils les plus courants sont le référencement dans les moteurs de recherche (44 % des dépenses sur Internet aux États-Unis en 2008), l'affichage (21 %), les communautés virtuelles, les sites de partage et autres outils participatifs (5,5 %), l'envoi de courriels (2 %) et les commandites (2 %) [34].

Le site Internet marchand représente le premier palier de la communication d'une compagnie. Il annonce la présence de cette dernière dans un marché et accroît ainsi sa visibilité, il donne une idée de l'entreprise par la façon dont il est conçu et aménagé, et il fournit de l'information sur ses produits et ses services. Par ailleurs, assez souvent, il est nécessaire de faire connaître le site Internet. On utilise pour ce faire le réseau Internet lui-même ou l'on fait appel aux supports traditionnels tels que les journaux, les pancartes, l'affichage mobile ou la télévision.

L'affichage publicitaire en ligne

L'affichage publicitaire en ligne, aussi appelé « bandeau » ou « bannière », représente 40 % des revenus de la communication globale en ligne. Il consiste à faire des insertions de messages commerciaux qui donnent de l'information positive sur un produit. Dans l'affichage en ligne, la conception du message et l'insertion suivent les mêmes règles que dans l'affichage traditionnel. Cela suppose donc un ciblage, un message clair et un bon choix d'emplacement.

L'affichage publicitaire sur Internet comporte plusieurs avantages. D'abord, il est possible d'intégrer le son, les couleurs et la vidéo pour augmenter la force de persuasion du message. Ensuite, cela réduit de façon notable les coûts de diffusion du message, surtout lorsque l'entreprise s'adresse à des consommateurs d'un pays étranger. Enfin, il est possible de personnaliser cette communication directe et de la rendre interactive en utilisant les sites personnalisés.

L'affichage publicitaire peut prendre différentes formes. Il peut consister en des insertions publicitaires dans le site Internet propre de la compagnie, en des insertions publicitaires dans les sites d'autres compagnies ou dans des portails très achalandés, comme l'annonce de la Banque de Montréal dans celui de Radio-Canada présenté à la figure 13.10, en des « pages de fans » ou des mentions sur des sites de réseautage social ou de partage de contenu, en de l'information publicitaire dans une infolettre, ou en des messages apparaissant soudainement en cours de navigation (*pop-up*).

On peut également échanger des référencements avec d'autres entreprises en affichant son propre site Internet sur le site d'une autre compagnie – partenaire ou non – et en créant un hyperlien.

_FIGURE 13.10 L'affichage publicitaire sur Internet

Source : RADIO-CANADA, [En ligne], www.radio-canada.ca (Page consultée le 20 avril 2010)

Comme pour tout affichage, l'efficacité de cette méthode de communication sur Internet dépend de l'emplacement du message par rapport au public cible. C'est pourquoi il importe de prévoir des méthodes de mesure d'efficacité telles que des compteurs qui calculent le nombre de personnes ayant vu au moins une fois le message (nombre de visiteurs de la page où le message est affiché) ou le nombre de personnes ayant cliqué sur le message parmi ceux qui l'ont vu. Des technologies et des applications informatiques peuvent recueillir ce genre de données.

Le courrier électronique

Le courrier électronique est le moyen de communication publicitaire le plus populaire sur Internet. La méthode consiste à faire un envoi massif à partir d'une liste d'adresses électroniques de clients potentiels ou actuels. Le courrier électronique présente l'avantage d'être une communication de masse personnalisable, facile à concevoir et peu coûteuse à diffuser. Il permet aussi de se concentrer sur des éléments d'information commerciale très précis et de rejoindre des clients potentiels sans qu'ils aient besoin de visiter le site Internet de l'entreprise. Par contre, les inconvénients majeurs de cette méthode de communication résident, d'une part, dans la difficulté d'établir une liste d'envoi qui cadre bien avec la population cible et, d'autre part, dans le risque d'indisposer les personnes non désireuses de faire des affaires avec l'entreprise en question. Dans les courriels publicitaires, il faut s'assurer que le message est clair, que l'accès au site Web marchand est facilité par l'ajout d'un hyperlien, que la personne sollicitée a la possibilité de faire retirer son nom de la liste d'envoi et, enfin, que les envois sont faits à intervalles réguliers et assez rapprochés. Il faut éviter d'envoyer des courriels surchargés d'information ou auxquels sont attachés des fichiers trop lourds (en format PDF, JPEG ou autre). C'est sans compter la prolifération des filtres antipourriel, des applications conçues pour bloquer la réception de courriels indésirables ou dont l'origine est douteuse, couramment appelés « pourriels ». En 2010, le pourcentage des pourriels reçus par les internautes du monde entier était estimé à 79 % de l'ensemble des courriels reçus[35].

Les communautés virtuelles et les autres applications du Web participatif

Les communautés virtuelles sont apparues en même temps qu'Internet et le commerce électronique. Elles sont nées du besoin des utilisateurs d'Internet de communiquer avec d'autres utilisateurs qui partagent le même intérêt pour un produit, une marque ou un phénomène de consommation. On trouve, par exemple, des communautés virtuelles organisées autour d'un sport (NHL, NFL, NBA, FIFA), d'un livre ou d'un film (*Avatar, Le seigneur des anneaux, Star Trek*), de personnages (Harry Potter, Batman, Superman, Spider-Man), d'un événement (la série *Star Académie*, la soirée des Oscars, le concours Miss Monde) ou d'une nouveauté technologique (iPad d'Apple, Wii de Nintendo, PlayStation 3 de Sony, Xbox 360 de Microsoft). Les communautés virtuelles favorisent la communication de bouche à oreille et les discussions entre les consommateurs d'un même produit. Elles offrent aussi aux représentants des compagnies la possibilité de transmettre de l'information et d'apporter des suggestions ou des précisions de façon à mettre leurs produits en évidence. Ce genre d'échange peut avoir pour effet d'accroître la demande pour un produit ou un service, de réduire le risque perçu par une personne hésitante, d'atténuer la dissonance cognitive chez un acheteur peu disposé à faire l'acquisition d'un produit ou d'encourager la fidélité et la loyauté à une marque.

Les communautés virtuelles peuvent s'exprimer par le moyen de groupes de nouvelles (*newsgroup*), de séances de clavardage (*chat*), de plateformes d'information, de critique ou d'opinion du type magazine (*webzine*), de listes de discussion et de foires aux questions (FAQ). Par exemple, un magazine virtuel destiné aux parents pourrait proposer sur son site un forum qui examine des sujets liés à la famille et à l'enfance, comme la grossesse, l'accouchement, l'alimentation, la maternité, l'allaitement, le service de garde et l'éducation. Avec l'avènement du Web participatif, les communautés virtuelles ont évolué vers de nouvelles formes comme les réseaux sociaux en ligne (Facebook, Windows Live Profile, MySpace), les sites de partage de contenu (YouTube, Dailymotion, iMesh), les blogues et microblogues (MonBlogue, Twitter), les wikis, les fils RSS et autres outils participatifs (*voir le tableau 13.1, p. 447*). La popularité de ces outils et le nombre de visiteurs qu'ils drainent expliquent en grande partie l'intérêt croissant des entreprises pour communiquer sur ce type de sites Web. En effet, au Canada en 2009, on comptait déjà plus de 19 millions de visiteurs uniques sur Facebook, 16 millions sur YouTube et 2,5 millions sur Twitter.

L'utilisation des outils du Web 2.0 comme support de communication publicitaire peut se faire de façon implicite ou explicite. Un usage implicite consiste à se servir des sites existants pour diffuser, par exemple, une vidéo faisant la promotion d'un nouveau modèle de voiture sur YouTube, ouvrir une page institutionnelle sur Facebook, Twitter ou Flickr (*voir la figure 13.11*), rédiger un wiki sur l'encyclopédie en ligne Wikipédia qui donne de l'information sur de l'équipement sportif (par exemple, sur Nike : http ://fr.wikipedia.org/wiki/Nike), ou encore, insérer des commentaires favorables au sujet d'un nouveau filtre solaire pour enfants sur le blogue d'une communauté virtuelle de parents. Un usage explicite pour une entreprise consiste à mettre en ligne un site de partage d'information propre à ses clients potentiels ou actuels, ou à prévoir un blogue sur son site même, ou encore à y inclure un système de votes et de critiques dont les résultats (lorsqu'ils sont favorables) deviennent un outil de vente et de promotion pour les produits de la compagnie. Ainsi, l'entreprise Nokia propose un forum en ligne à ses clients, accessible à partir de son site (www.forum.nokia.com).

_FIGURE 13.11 La présence d'une entreprise sur des sites issus du Web 2.0

Source : GENERAL MOTORS, [En ligne], www.gm.ca (Page consultée le 8 juin 2010)

Dans une étude publiée en 2007 portant sur l'avenir des applications du Web 2.0, il ressort, selon les spécialistes des TI, que les investissements dans ces outils vont continuer à croître, surtout du côté des réseaux sociaux, des blogues et des fils RSS[36]. Si certains mercaticiens considèrent que les outils du Web 2.0 jouent un rôle très positif dans la communication en ligne et appellent les entreprises à s'y consacrer davantage (*voir l'info-marketing 13.2, p. 456*), d'autres ne partagent pas le même avis. Pour ces derniers[37], les outils participatifs sont quelquefois risqués et présentent certains inconvénients pour une entreprise. D'abord, les supports eux-mêmes ne sont ni crédibles ni fiables aux yeux de ceux qui les fréquentent, ce qui risque d'affecter l'information commerciale (les publicités insérées) qui en émane. Ensuite, les concurrents mis au courant de l'existence de ces publicités virtuelles seront tentés de diffuser des informations défavorables sur le produit ou le service. Cela suppose un suivi continu des échanges et exige la participation d'un grand nombre d'intervenants pour être profitable. Enfin, il faut que l'information fournie soit récente et que le contenu soit modifié en fonction des interventions subséquentes.

Les programmes de partenariat

Un programme de partenariat sur Internet consiste, pour une compagnie présente sur le Web, à conclure une entente avec une autre compagnie présente sur le Web en vue d'échanger des clients moyennant le paiement d'une commission. Cet échange peut se faire au moyen d'un référencement direct, par une affiche publicitaire, par un renvoi automatique à la sortie du site de l'entreprise ou par un hyperlien. L'objectif d'un programme de partenariat est surtout de faire connaître un site et d'augmenter l'achalandage (nombre de visiteurs). Amazon a été l'un des premiers sites marchands à proposer ce genre de programme. Aujourd'hui, presque toutes les entreprises font ce type d'échange, ce qui a pour effet de renforcer l'image du réseau. La figure 13.12 illustre l'utilisation d'un programme de partenariat entre, d'une part, le site de l'agence de voyages Travel Last Minute et, d'autre part, RBC Assurances, RIU Hotels et Club Med.

_FIGURE 13.12 Un programme de partenariat dans la communication en ligne

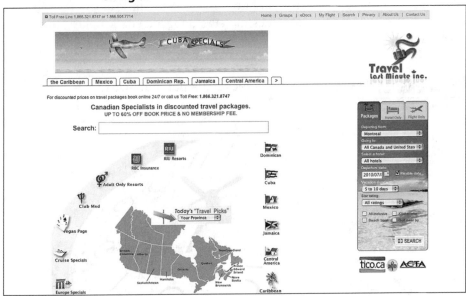

Source : TRAVEL LAST MINUTE, [En ligne], www.travellastminute.ca (Page consultée le 20 juin 2010)

Les moteurs de recherche

La communication par moteur de recherche représente aujourd'hui l'un des défis majeurs des entreprises actives sur le Web pour accroître leur visibilité et attirer le plus possible de visiteurs sur leur site. Qu'ils soient généralistes comme Google, Yahoo! ou Bing, ou spécialisés comme YouTube (vidéo) ou Baidu (musique), les moteurs de recherche constituent les portes d'entrée sur le Web. Les internautes les consultent pour rechercher des renseignements divers, entre autres de l'information commerciale sur l'achat de produits, comme les fournisseurs existants, ceux qui sont les plus proches ou ceux qui répondent le mieux à leurs besoins et désirs. En 2010, le Groupe Pages Jaunes, chef de file dans le marché de la recherche commerciale locale au Canada depuis 1908, reconnaissait Google comme l'un de ses concurrents immédiats. Pour effectuer des travaux de plomberie ou d'électricité, le réflexe de plus en plus de consommateurs au Québec, comme ailleurs dans le monde, est de taper quelques mots-clés dans Google (plus de 90 % de part de marché des moteurs de recherche en 2010 [38]), et le tour est joué. Les résultats de recherche ressembleront à ce que l'on voit dans la figure 13.13. Sur cette page Web, on remarque deux composantes fondamentales : une liste de liens ordonnancés qui peut s'étaler sur plusieurs pages (bloc A), puis une liste restreinte placée à la verticale, à droite ou en haut (bloc B). Il est évident que le souhait de n'importe quelle entreprise, c'est que son nom de domaine figure parmi les premiers sur la liste du bloc A, ou encore mieux sur la liste du bloc B. C'est la notion de référencement sur Internet. Ce référencement peut prendre deux formes, soit organique ou payant. Le référencement organique, aussi appelé « référencement naturel », est un processus gratuit qui fait en sorte que le site d'une entreprise apparaît sur la liste exhaustive du bloc A à la suite d'une recherche par mot-clé pertinent. Par contre, le référencement payant, aussi appelé « placement payant », est un processus d'insertion publicitaire qui, suivant une recherche par mot-clé, force l'apparition de l'adresse Web d'une entreprise sur la liste restreinte et souvent mise en évidence par la couleur, la taille des caractères ou autre du bloc B, en haut ou à droite de la page des résultats. Il faut préciser qu'il existe un troisième référencement, l'inclusion payante. Cela consiste, pour une entreprise, à payer le moteur de recherche pour voir son positionnement naturel sur la liste du bloc A s'améliorer. En pratique, toute entreprise se doit d'optimiser le développement ou la restructuration de son site Web afin d'améliorer son rang dans le référencement organique des moteurs de recherche les plus utilisés par les consommateurs en ligne.

_FIGURE 13.13   Les résultats d'une recherche par mots-clés

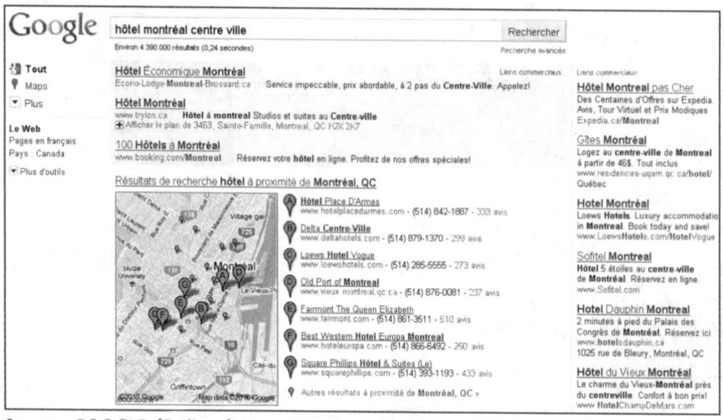

Source : GOOGLE, [En ligne], www.google.ca (Page consultée le 23 avril 2010)

La communication mobile

Cherchant à obtenir une plus grande interactivité avec leurs clients cibles et une communication plus efficace, les entreprises trouvent dans les téléphones mobiles un moyen idéal pour rejoindre directement un plus grand nombre de consommateurs. En ce sens, les statistiques au Québec comme ailleurs sont sans équivoque. En 2008, 139,3 millions de téléphones intelligents avec accès à Internet à haut débit et aux applications du Web 2.0 (iPhone, BlackBerry, LG et autres) ont été vendus dans le monde. Selon les estimations, en 2012 les ventes de téléphones intelligents vont tripler pour atteindre 492 millions, jusqu'à dépasser les ventes d'autres appareils électroniques comme les ordinateurs personnels, qui devraient atteindre 443,1 millions d'unités [39]. En 2009, plus de 472 000 adultes québécois (7,6 % de la population) ont accédé au Web au moyen de leurs téléphones mobiles et près de la moitié (46,7 %) l'ont fait pour chercher de l'information. Une étude réalisée aux États-Unis et en France montre que 47 % des propriétaires de téléphones mobiles qui s'en servent pour naviguer sur le Web sont des femmes attirées par les réseaux sociaux virtuels, le magasinage en ligne et les derniers potins sur les célébrités [40]. L'intégration dans la téléphonie mobile d'Internet et des moyens de communication classiques comme la télévision, la radio et les journaux offre aujourd'hui la possibilité aux entreprises d'avoir une communication intégrée et enrichie qui rejoint le consommateur en tout temps et en tout lieu. Les applications de la communication mobile sont multiples et s'apparentent quelque peu à celles que l'on trouve sur le Web : envoi de messages courts personnalisés (SMS), affichage publicitaire mobile, moteurs de recherche, sites de ventes et aubaines, géolocalisation des commerces par catégorie de produits. La figure 13.14 présente l'exemple d'une firme de communication québécoise spécialisée dans la communication mobile.

_FIGURE 13.14 **Une firme de communication québécoise spécialisée dans la communication mobile**

Source : MOBILITO, [En ligne], www.mobilito.ca (Page consultée le 23 avril 2010)

13.3.3_Le prix

Dans un plan de marketing, la politique de prix consiste à associer une valeur monétaire au produit ou au service commercialisé en tenant compte des coûts de production et de commercialisation ainsi que d'autres éléments externes tels que la concurrence et les consommateurs. Pour établir sa politique de prix dans le commerce électronique, l'entreprise doit d'abord déterminer quels sont les principaux facteurs qui influent sur la sensibilité des consommateurs en ligne et ensuite choisir la méthode de fixation des prix qui convient le mieux [41].

Les déterminants de la sensibilité au prix des consommateurs en ligne

Parmi les nombreux éléments qui influencent la sensibilité des consommateurs au moment d'un achat en ligne, on peut citer l'unicité, la substitution, le coût total, le niveau des stocks et les coûts partagés. La figure 13.15 énumère ces éléments et définit la nature de leurs influences. Le facteur le plus important est la valeur unique du produit. Le consommateur est disposé à payer un prix plus élevé s'il est convaincu que les bénéfices et les avantages associés au produit ou au service commercialisé en ligne ne peuvent être obtenus par des moyens plus traditionnels. Le deuxième facteur en importance est le degré de substitution du produit ou service en ligne avec d'autres produits ou services offerts sur le Web ou ailleurs. Ainsi, il est plus difficile de fixer des prix très élevés si les consommateurs sont en mesure de vérifier rapidement le prix de produits et de services substituts au moyen d'applications ou sur des sites Web du type facilitateur (par exemple, www.priceline.com). Le troisième facteur est le coût total d'acquisition du produit. Il est évident que le consommateur qui achète sur Internet une voiture neuve accordera plus d'importance au prix facturé et qu'il fera plus de recherches et de comparaisons que s'il allait faire une commande d'épicerie ou acheter un film en DVD. Le quatrième facteur est la capacité de stocker l'achat. Les consommateurs sont moins sensibles au prix d'un produit périssable ou à celui d'un service, à cause des désavantages liés à un achat qui ne servira que plus tard. Le cinquième et dernier facteur est le partage des coûts avec d'autres achats. Ainsi, le consommateur est moins sensible au prix lorsqu'il groupe ses achats (plusieurs livres achetés à la fois dans un même site) que lorsqu'il fractionne ses achats.

_FIGURE 13.15 **Les déterminants de l'élasticité-prix des consommateurs sur Internet**

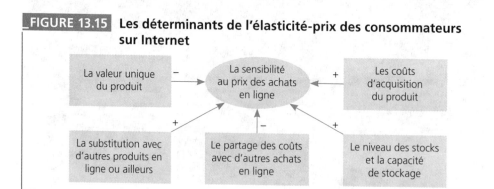

La fixation des prix en ligne

L'avènement du commerce électronique dans le monde des affaires a entraîné, en ce qui concerne la politique des prix, deux conséquences majeures : l'accroissement de la concurrence par les prix et l'apparition de nouvelles formes d'établissement des prix. La première conséquence résulte de la désintermédiation des systèmes de distribution et de la baisse des coûts que celle-ci a provoquée, tout comme de l'accès plus facile et plus rapide des consommateurs aux informations relatives aux offres disponibles sur le marché. Comme il a été clairement expliqué dans le chapitre 10, l'établissement du prix d'un produit ou d'un service repose sur trois éléments: l'analyse des coûts, l'estimation de la valeur d'utilité pour le consommateur et l'avantage concurrentiel.

D'après les spécialistes en marketing, Internet offre aux entreprises une excellente occasion d'avoir des prix plus précis, que l'on peut ajuster plus facilement aux fluctuations des conditions de l'offre et de la demande, et qui s'adaptent plus efficacement à la segmentation des clientèles et à la personnalisation de l'offre[42]. Les échanges commerciaux sur Internet ont entraîné l'apparition de nouveaux modes d'établissement des prix. On trouve, d'abord, des sites de ventes aux enchères en ligne, comme eBay (*voir la figure 13.16*). Sur ce vaste marché en ligne se rencontrent de façon informelle acheteurs et vendeurs. Les particuliers y mettent aux enchères des produits de toutes sortes (sites généralistes) ou déterminés (sites communautaires) pour les proposer à d'autres particuliers, acquéreurs potentiels et joueurs (marchandage).

On trouve aussi des sites où les clients fixent eux-mêmes le prix en tenant compte de l'offre et de la demande en vigueur au moment de la transaction. C'est le cas, par exemple, de Priceline (*voir la figure 13.17*). Le client prend le dessus sur l'entreprise en donnant le détail de sa demande en vue de l'achat d'un produit ou d'un service donné dont il fixe lui-même le prix. Le site en question transmet alors l'offre à ses partenaires susceptibles de répondre favorablement à cette demande dans les conditions établies par le client. L'offre est valable pour une durée déterminée, et le client ne peut en aucun cas faire marche arrière.

_FIGURE 13.16 **La fixation du prix par les enchères en ligne**

Source: EBAY, [En ligne], www.ebay.ca (Page consultée le 23 avril 2010)

_FIGURE 13.17 **La fixation du prix par les acheteurs en ligne**

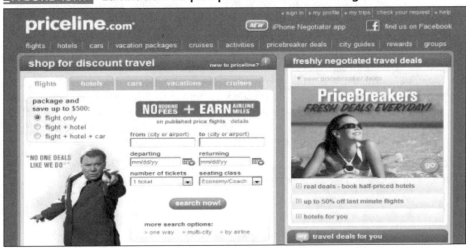

Source: PRICELINE, [En ligne], www.priceline.com (Page consultée le 23 avril 2010)

Bien que la réglementation du commerce sur Internet ait fait beaucoup de progrès, certains points restent encore obscurs et attendent d'être éclaircis, en particulier ceux qui ont rapport à la taxation et à la fiscalité. Or, la taxation et la fiscalité influencent directement la fixation du prix, surtout quand il s'agit d'une transaction entre un acheteur et un vendeur de pays différents dont les cadres réglementaires divergent, ou lorsqu'il s'agit d'une entreprise complètement virtuelle qui commercialise un produit informatique ou un service intangible, comme c'est le cas d'ING Direct, le plus grand établissement bancaire virtuel au Canada. En 2004, après huit années d'activité au Canada, ING Direct a dépassé la Banque Laurentienne et rejoint la banque HSBC au chapitre des dépôts des particuliers. Ses principaux atouts sont d'offrir des comptes d'épargne à taux d'intérêt plus élevés que la concurrence et de laisser une grande liberté d'action à ses clients, car elle leur permet de conserver leurs comptes dans les autres établissements bancaires [43].

Les spécialistes du commerce électronique s'entendent sur une formule de fixation de prix en ligne qui suit la règle de la marge unitaire suivante [44] :

$$(p^* - c)/p^* = -1/e(p^*)$$

où : $(p^* - c)/p^*$ = marge maximale en pourcentage ;

$e(p^*)$ = élasticité-prix de la demande = $(\Delta Q/\Delta p^*)(p^*/Q)$;

p^* = prix de maximisation des profits ;

c = coût marginal unitaire ;

Q = niveau de production.

Il est évident que le terme le plus difficile à mesurer dans la formule ci-dessus est l'élasticité-prix de la demande.

En guise de conclusion à cette section, l'info-marketing 13.7 présente quelques conseils pratiques que le gestionnaire en marketing a avantage à suivre lorsqu'il fixe ses prix sur Internet.

INFO MARKETING 13.7

Des conseils pratiques concernant la politique de prix sur Internet

La gestion stratégique du prix des articles et services vendus en ligne est soumise à deux contraintes importantes. En premier lieu, les exigences des cyberconsommateurs sont en hausse constante. Ils recherchent le meilleur rapport qualité-prix, et savent où aller cueillir toute l'information virtuelle dont ils ont besoin.

En second lieu, la nature même du cyberespace fait qu'il est extrêmement facile de naviguer d'un site à un autre pour comparer les offres disponibles. Certains portails comparent directement les prix ou proposent des raccourcis pour les achats en ligne. Performance Interactive, une agence française spécialisée dans l'optimisation des relations interactives entre les entreprises et leurs clients, prodigue six conseils pour surmonter ces deux contraintes.

1. En tout temps et dans tous les cas, les prix en ligne doivent être plus bas que les prix en magasin.

2. Qu'on le fasse soi-même en naviguant d'un site à l'autre ou qu'on possède des logiciels qui le font automatiquement et constamment, on doit se tenir au courant des agissements et des prix des concurrents sur le Web.

3. Les prix en ligne doivent être affichés clairement. S'ils sont peu compétitifs, on doit les faire ressortir encore davantage, de telle sorte qu'ils paraissent avantageux.

4. Le consommateur doit avoir l'impression que, s'il n'achète pas le produit tout de suite en ligne, il rate une excellente occasion. Les techniques traditionnelles employées dans la grande distribution peuvent se révéler aussi efficaces dans l'espace virtuel pour dynamiser les sites, régulièrement modifier l'offre faite en ligne, lancer des promotions.

5. Quand les efforts de dynamiser la mise en marché virtuelle ne portent pas de fruits, on peut encore aller plus loin : intégrer le produit dans un forfait, une proposition globale, pour que l'offre semble incomparable et que le prix paraisse plus avantageux. Par le fait même, l'entreprise ne fera peut-être pas de bénéfices sur le produit d'appel mais ira chercher des profits grâce aux produits connexes.

6. Sur Internet comme dans le marché traditionnel, toute entreprise doit chercher à fidéliser sa clientèle. Pour y arriver, chaque cyberconsommateur doit avoir l'impression que l'offre qu'on lui fait s'adresse à lui exclusivement, et que le prix conclu découle de sa fidélité à la marque.

Source : E. LEVEQUE, *Le Journal du Net*, Benchmark Group, 2006 ; adaptation libre.

13.3.4_La distribution

La distribution se définit comme l'ensemble des activités qui permettent l'acheminement des produits et services vers les utilisateurs. Les intermédiaires de la distribution constituent l'un des éléments les plus importants de la politique de distribution d'une entreprise. Par leur organisation et leur efficacité, ils contribuent directement au succès ou, au contraire, à l'échec de la commercialisation d'un produit ou d'un service. Grâce aux capacités du réseau Internet, le commerce électronique a radicalement transformé le système de distribution de deux façons : par une désintermédiation et une réintermédiation[45].

D'une part, il y a eu affaiblissement du pouvoir et du rôle des intermédiaires classiques, qu'ils soient grossistes ou détaillants, dans la mesure où les sites Web marchands permettent aux fabricants de traiter directement avec les clients potentiels. Ainsi, les agences de voyages qui, il y a à peine 10 ans, avaient le monopole de la commercialisation de ce type de services jouent aujourd'hui un rôle assez effacé et, selon plusieurs spécialistes, leur avenir est sérieusement menacé.

D'autre part, avec l'arrivée du commerce électronique sont apparus de nouveaux intermédiaires qui apportent une valeur ajoutée considérable au système de distribution électronique. Ces nouveaux intermédiaires sont de différents types. On distingue surtout :

- les facilitateurs, qui facilitent l'accès aux sites Web marchands des entreprises (par exemple, http://ca.yahoo.com, www.toile.com, www.expedia.ca) ;

- les agrégateurs (www.mobshop.com) et les encanteurs (www.ebay.ca), qui facilitent les ventes aux enchères ;

- les agents de magasinage, qui aident les clients à trouver les meilleures offres sur le marché (http://meilleursprix.ca, www.montrealaubaines.com, http://lesventes.ca) ;

- les évaluateurs de performance des sites Web (www.gomez.com) ;
- les *hubs,* qui sont des lieux de rencontre et d'échange entre des fournisseurs et des acheteurs, pour la plupart industriels (www.imx.com) ;
- les agents de certification, de sécurité et de confidentialité des sites Web marchands (www.trust.com).

La figure 13.18 présente un exemple de nouveaux intermédiaires de la distribution travaillant dans le commerce électronique interentreprises (B2B). La figure 13.19 montre un exemple d'intermédiaires actifs dans le commerce électronique destiné au consommateur final (B2C et C2C).

Selon plusieurs spécialistes en marketing, le système de distribution du commerce électronique diffère de celui du commerce traditionnel sur plusieurs plans, notamment [46] :

- une grande dépendance à l'égard des cyberintermédiaires et des facilitateurs ;
- une réduction du nombre d'intermédiaires ;
- une diminution des stocks ;
- une relation plus étroite entre l'acheteur et le vendeur ;
- des prix moins élevés et une plus grande variété de produits ;
- une meilleure réponse aux consommateurs.

Internet a complètement transformé le système de distribution dans plusieurs secteurs de l'économie. Il a changé la relation entre l'entreprise et ses clients. L'un des concepts intéressants qui témoignent de cette transformation est la réponse optimale au consommateur, ou ROC (en anglais : *efficient consumer response, ECR*), très répandue aujourd'hui dans les secteurs de l'agroalimentaire, des produits pharmaceutiques et de la quincaillerie. Cette stratégie de distribution orientée vers les clients a pour but de maximiser la satisfaction de ces derniers et de réduire en même temps au minimum les coûts supportés par chaque intervenant de la chaîne de distribution. La ROC établit un partenariat entre les intermédiaires de la chaîne de distribution qui rend plus efficace l'acheminement du produit au consommateur final. Les technologies de l'information et de la communication servent donc à coordonner l'intégration des chaînes de distribution. L'utilisation optimale de ces technologies serait la condition de réussite de cette intégration [47].

Il est à noter, enfin, que le système de distribution dans le commerce électronique représente une part importante des dépenses marketing et que les coûts qui y sont rattachés dépassent souvent les coûts de communication et de promotion du produit.

_FIGURE 13.18 Des intermédiaires de la distribution présents dans le B2B

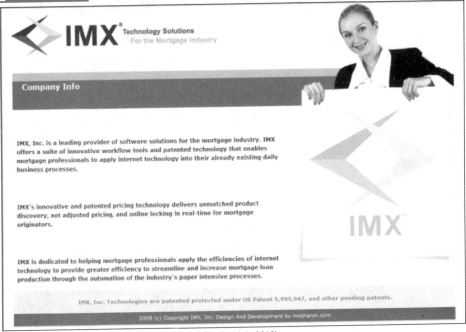

Source : IMX, [En ligne], www.imx.com (Page consultée le 9 juin 2010)

_FIGURE 13.19 Des intermédiaires de la distribution présents dans le B2C et le C2C

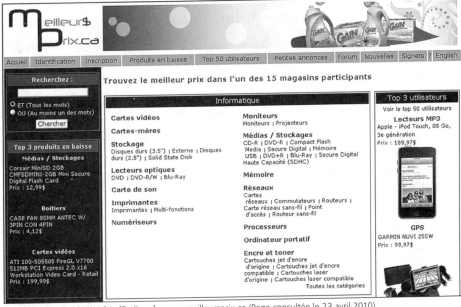

Source : MEILLEURSPRIX.CA, [En ligne], www.meilleursprix.ca (Page consultée le 23 avril 2010)

_Internet est un réseau mondial qui relie des milliers de réseaux différents d'ordinateurs et des millions d'ordinateurs. Internet a modifié considérablement les enjeux commerciaux, les pouvoirs des différents acteurs économiques et, surtout, la façon d'agir des gestionnaires.

_Internet a ouvert la voie à une communication plus directe entre l'entreprise et sa clientèle cible ainsi qu'à des échanges plus fréquents non seulement de biens tangibles mais surtout de services. Le Web social offre aujourd'hui plus de potentialités pour les entreprises afin d'attirer de nouveaux clients, les convertir et les fidéliser.

_Le commerce électronique est défini comme le processus de ventes, d'achats, de transferts ou d'échanges de produits, de services et d'informations par l'intermédiaire d'un réseau d'ordinateurs, incluant Internet. Il représente aujourd'hui environ 3 % du commerce mondial sous ses différentes formes.

_Le commerce électronique s'effectue entre et au sein de trois types d'entités : les entreprises, les gouvernements et les consommateurs individuels. D'un point de vue marketing, ce sont les volets d'échange entreprise à entreprise (B2B), entreprise à consommateur (B2C) et consommateur à consommateur (C2C) qui sont les plus intéressants.

_Internet est venu offrir aux consommateurs plus de liberté de choix pour satisfaire leurs besoins, et aux entreprises, un autre canal d'échange avec leurs clients cibles, qui est de plus un canal intime offrant des possibilités de personnalisation des relations commerciales. Les entreprises doivent se soucier de l'expérience du client sur leur site pour la rendre la plus agréable possible.

_Le CRM peut être défini comme une stratégie d'entreprise ayant pour but de choisir et de gérer la clientèle afin de maximiser sa valeur à long terme. Cette stratégie vise trois grands objectifs : bâtir une relation durable avec chacun de ses clients, augmenter son avantage concurrentiel et augmenter ses revenus et ses profits.

_Le Web a affecté la politique de produits des entreprises de trois principales façons. D'abord, la transformation de certains produits tangibles en produits numériques, ensuite, la création de services complémentaires qui ajoutent de la valeur aux produits déjà existants et, enfin, l'élargissement de la gamme et des lignes de produits offerts.

_Internet propose un environnement hypermédiatique et assez spécifique qui offre la possibilité d'une communication de masse avec des sources de diffusion multiples (*many-to-many*), contrairement aux autres supports de communication de masse traditionnels, tels que la télévision, la radio ou les journaux, qui, eux, assurent un modèle de communication du type monosource (*one-to-many*).

_Internet offre aux entreprises une excellente occasion d'avoir des prix plus précis, que l'on peut ajuster plus facilement aux fluctuations des conditions de l'offre et de la demande, et qui s'adaptent de manière plus efficace à la segmentation des clientèles et à la personnalisation de l'offre.

_Le commerce électronique est venu fondamentalement transformer le système de distribution traditionnel, et ce, de deux façons : par une désintermédiation et par une réintermédiation.

_1. Qu'est-ce qu'Internet et qu'est-ce qui explique son apparition?

_2. Définissez le commerce électronique et expliquez en quoi il se rattache au concept d'affaires électroniques.

_3. En tant que client qui utilise les services et produits bancaires en ligne, expliquez quels sont les avantages que vous retirez du commerce électronique dans le secteur bancaire.

_4. Expliquez comment le commerce électronique a changé le mode de fonctionnement des détaillants de produits de grande consommation comme Sears et Walmart. Pensez-vous qu'il supplantera un jour le commerce physique?

_5. Quels sont les principaux avantages du commerce électronique? Prenez comme exemple une entreprise du secteur du tourisme et de l'hôtellerie.

_6. En vous référant à la typologie du commerce électronique, expliquez les différences entre le B2B, le B2C et le C2C. Prenez des exemples sur Internet.

_7. En quoi le commerce électronique favorise-t-il les relations de l'entreprise avec ses clients? Donnez des exemples concrets pour justifier votre opinion.

_8. Supposons que vous vouliez faire votre épicerie sur Internet. Décrivez les différentes étapes du processus d'achat en ligne par lesquelles vous devez passer et illustrez votre réponse par des captures d'écran sur Internet.

_9. Indiquez les règles que doit suivre le gestionnaire de marketing pour adapter son site Internet en fonction des intérêts et des besoins de chaque client.

_10. Définissez le e-CRM et expliquez quels sont les objectifs visés par l'entreprise qui applique une stratégie de e-CRM.

_11. En vous basant sur la typologie des produits et services commercialisables sur Internet, indiquez quelle serait la stratégie de produit la plus appropriée pour la vente de pantalons prêts à porter pour femmes.

_12. Quels sont les outils de communication les plus utilisés en ligne et les buts de chacun d'entre eux? Étudiez quelques exemples précis pris sur Internet.

_13. Énumérez les différents facteurs qui influencent les consommateurs au moment de l'achat en ligne et expliquez en quoi consistent leurs influences.

_14. Quelles sont les principales méthodes de fixation des prix en commerce électronique?

_15. Certains spécialistes en marketing affirment que le commerce électronique bouleverse le système de distribution en ce qu'il entraîne une désintermédiation et une réintermédiation. Partagez-vous leur opinion?

_16. Indiquez quels sont les intermédiaires de la distribution électronique en prenant des exemples sur Internet.

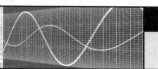
En 2008, à 47 ans, Barack Obama est devenu le 44e président des États-Unis d'Amérique. Diplômé de l'Université Columbia et de la Faculté de droit de Harvard, il fut le premier Afro-Américain à présider la revue *Harvard Law Review*. Il a été travailleur social dans les quartiers sud de Chicago, puis avocat en droit civil, avant d'exercer trois mandats au Sénat de l'Illinois de 1997 à 2004. Il a aussi enseigné le droit constitutionnel à l'Université de Chicago de 1992 à 2004. Il s'est fait connaître au niveau national à la convention démocrate de 2004 qui devait désigner John Kerry comme candidat à la présidence. Il a été élu sénateur en novembre 2004, et a soumis sa candidature à l'investiture démocrate pour la présidence des États-Unis le 10 février 2007. Il a d'abord dû se battre contre Hillary Clinton pour prendre la tête de son parti, puis contre John McCain, le candidat républicain à la présidence. La question qui intrigue est la suivante : comment, en moins de deux ans, Barack Obama a-t-il fait pour persuader les démocrates d'abord et la majorité des Américains par la suite qu'il était le meilleur candidat à la présidence ?

Un modèle d'affaires électroniques

Dans sa démarche, le candidat Obama a adopté un véritable modèle d'affaires électroniques basé sur l'utilisation des outils du Web pour atteindre trois grands objectifs : le premier, faire participer le plus de personnes possible à sa campagne électorale ; le deuxième, les persuader individuellement de la pertinence de son discours sur le changement ; le troisième, les fidéliser pour qu'ils deviennent eux-mêmes ses propres vendeurs. L'approche de marketing relationnel adoptée par Obama se fondait sur la personnalisation de masse. Une telle approche contrastait avec la stratégie de pression (*push marketing*) privilégiée jusque-là par la plupart des candidats en politique américaine, notamment ses rivaux Hillary Clinton et John McCain (publicité de masse, campagne télévisée et radiodiffusée, appui de personnages influents, exploitation du capital de marque lié à l'image personnelle – par exemple, « Clinton, ce fut d'abord Bill », « McCain, le plus célèbre prisonnier de la guerre du Viêtnam »). Pour le financement de sa campagne, Obama a préféré rechercher de petites contributions, à raison de 5 $, 10 $ ou 20 $, de la part d'un très grand nombre de personnes, plutôt que de gros montants prodigués par quelques donateurs importants, souvent des entreprises.

Le plan d'action

Pour construire son modèle d'affaires électroniques, Obama a fait appel à des personnes clés qui avaient déjà réussi dans le domaine du marketing relationnel et dans l'implantation du Web participatif 2.0, comme d'anciens responsables de chez Google et Facebook, puis il a sollicité les services de plusieurs entreprises réputées en e-CRM et en gestion de la relation avec le client sur le Web, dont RightNow et Central Desktop.

Il a également eu recours à de multiples outils de commerce électronique, parmi lesquels :

- Un système de réponse aux courriels des électeurs pour gérer les demandes de renseignements et les questions de la part des personnes autres que la presse, dans tous les coins des États-Unis. Les courriels passaient au préalable par un système de ventilation selon la provenance géographique, pour bien comprendre les questions et y donner des réponses adéquates.

- Un « centre de réponse » Obama, c'est-à-dire un site Web où le visiteur pouvait consulter les questions posées au candidat par catégorie ainsi que la réponse donnée à chacune, avec la possibilité d'évaluer la pertinence des questions et la qualité des réponses. Il faut préciser que les responsables de la campagne d'Obama ont pu utiliser les Web analytiques pour mettre en évidence certaines questions posées – et donc les soucis, les problèmes et les besoins des gens – par État, par ville et parfois même par quartier.

- Le recrutement, par la firme Central Desktop, de responsables Web par circonscription, afin de recruter des milliers de bénévoles aussi bien en Californie qu'au Texas.

- La conception de son propre site de réseau social, à l'adresse my.barackobama.com, qui a permis à ses partisans de s'afficher en créant leur propre profil et d'inviter leurs amis à s'y joindre. Dans ce réseau social virtuel, on a surtout voulu présenter une page de collecte de fonds pour inciter les partisans à contribuer à la campagne d'Obama (le total amassé y était constamment affiché et mis à jour), organiser et promouvoir des événements de financement, et permettre aux membres de témoigner de leur propre expérience en ce qui avait trait à la campagne d'Obama ou de commenter celle des autres candidats.

- La tenue d'un blogue personnel et la mise en ondes d'une chaîne de télévision pour trouver du financement auprès des entreprises qui voulaient faire de la publicité sur le Web.

- La diffusion sur YouTube de messages publicitaires vidéo officiels, avec la permission accordée à des visiteurs de les commenter et de proposer d'autres messages.

- L'intégration d'autres réseaux sociaux très populaires, généralistes comme Facebook, MySpace, Flickr, LinkedIn, ou spécialisés comme MiGente, Batanga, AsianAve, Faithbase, BlackPlanet, Eventful, Digg.

- Le référencement auprès d'autres sites dérivés du site principal d'Obama, comme Asian Americans, African Americans, Americans Abroad, Environmentalists, First Americans, Generation Obama, Kids…

> ÉTUDE DE CAS   Le cybermarketing au service de la politique: le cas d'Obama (*suite*)

■ Des accessoires virtuels en distribution libre: un livre virtuel gratuit, des gadgets logiciels (*widgets*), des boutons publicitaires avec logo pour les blogues, des vidéos de divertissement, des affiches, des fonds d'écran, des sonneries de portable, et ainsi de suite.

Sources: ce cas s'inspire de plusieurs références, notamment: Bruce D. TEMKIN, « Presidential candidate sites fail usability », Forrester Research, 28 août 2008, 10 p.; Bill IVES, « How Barack Obama is using the Web to further engage voters », *Content News*, 1er juin 2008, p. 12-13.

_**1.** Exposez dans ses grandes lignes la stratégie marketing du candidat Barack Obama à la présidence américaine de 2008. Opposez cette stratégie à celles de ses principaux rivaux, Hillary Clinton et John McCain.

_**2.** Posez un diagnostic des forces et des faiblesses du candidat Obama, et décrivez les circonstances favorables et les menaces qui ont caractérisé l'environnement dans lequel il se trouvait.

_**3.** Faites une évaluation de la performance de chacun des outils Web utilisés et de leur contribution à la réussite d'Obama.

_**4.** Expliquez les principaux facteurs de succès et les principales menaces liés à la stratégie Web de Barack Obama au cours de sa campagne électorale.

_**5.** Pensez-vous que cette stratégie de cybermarketing politique pourrait réussir dans un contexte municipal, provincial ou fédéral, au Québec et au Canada? Expliquez votre point de vue.

_Notes

1. Thomas M. SIEBEL et Pat HOUSE, *Cyber rules: stratégies pour exceller dans l'e-commerce,* Paris, Maxima éditeur, 1999, 304 p.

2. CENTRE FRANCOPHONE D'INFORMATISATION DES ORGANISATIONS (CEFRIO), « Statistiques Internet », *Blogue du CEFRIO,* [En ligne], http://blogue.cefrio.qc.ca (Page consultée le 2 juin 2010)

3. Michael E. PORTER, « Strategy and the Internet », *Harvard Business Review,* vol. 79, n° 3, mars 2001, p. 62-78.

4. Tim O'REILLY, *What Is Web 2.0: Design Patterns and Business Models for the Next Generation of Software,* Web 2.0 Conference 2005, 30 septembre 2005, [En ligne], http://oreilly.com; Tim O'REILLY et John BATTELLE, *Web Squared: Web 2.0 Five Years On,* Web 2.0 Summit 2009, 20-22 octobre 2009, [En ligne], www.web2summit.com (Pages consultées le 2 juin 2010)

5. CEFRIO, « Résultats de mars, NETendances 2010 », *Blogue du CEFRIO,* [En ligne], http://blogue.cefrio.qc.ca (Page consultée le 2 juin 2010)

6. Efraim TURBAN, *Electronic Commerce: A Managerial Perspective,* Englewood Cliffs (New Jersey), Prentice Hall, 2006, 792 p.

7. INTERNATIONAL DATA CORPORATION (IDC), « Worldwide digital marketplace model and forecast », communiqué de presse, 9 décembre 2009.

8. STATISTIQUE CANADA, « Commerce électronique et technologie », *Le Quotidien,* 24 avril 2008, [En ligne], www.statcan.gc.ca (Page consultée le 3 juin 2010)

9. *Ibid.*

10. CEFRIO, *NETendances 2009: évolution de l'utilisation d'Internet au Québec depuis 1999,* une initiative du CEFRIO, en collaboration avec Léger Marketing, avril 2010, 141 p.

11. CEFRIO, *NETendances 2008: évolution de l'utilisation d'Internet au Québec depuis 1999,* une initiative du CEFRIO, en collaboration avec Léger Marketing, mars 2009, 133 p.

12. Gerry JOHNSON et al., *Stratégique,* 8e édition, Paris, Pearson Education France, 2008, 752 p.

13. Paul TIMMERS, « Business models for electronic markets », *Electronics Markets,* vol. 8, n° 2, avril 1998, p. 3-8.

14. Louise CÔTÉ, Michel VÉZINA et Vincent SABOURIN, *Modèles d'affaires électroniques: cadre de réflexion stratégique à l'intention des petites et moyennes entreprises canadiennes,* CEFRIO, juin 2003, 22 p.; P. TIMMERS, *loc. cit.*; Paul TIMMERS, *Electronic Commerce: Strategies and Models for Business-to-Business Trading,* Chichester (Angleterre), John Wiley & Sons, 2000, 288 p.

15. Michael RAPPA, « Business models on the Web », *Managing the Digital Enterprise,* [En ligne], http://digitalenterprise.org (Page consultée le 4 juin 2010). Les appellations françaises des modèles de Rappa proviennent de Jean RÉDIS, *Le business model: notion polymorphe ou concept gigogne?,* Académie de l'entrepreneuriat, 2009, [En ligne], www.entrepreneuriat.com (Page consultée le 20 juin 2010)

16. T. M. SIEBEL et P. HOUSE, *op. cit.*

>_ Notes (*suite*)

17. Anne-Caroline DESPLANQUES, « 20 % du commerce de détail sera électronique d'ici 10 ans ? », *bénéfice.net,* Branchez-vous ! Affaires, 8 décembre 2009, [En ligne], http://benefice-net.branchez-vous.com (Page consultée le 7 juin 2010)

18. CEFRIO, *NETendances 2009, op. cit.*

19. *Ibid.*

20. OCDE, *Mettre les TIC à profit dans une économie numérique,* Paris, Service des Publications de l'OCDE, 2003, 30 p.

21. Alain McKENNA, « Cybercrimes, vol d'identité et courriels frauduleux ont explosé en 2009 », blogue *Technomade, Les Affaires,* 16 mars 2010, [En ligne], http://www.lesaffaires.com (Page consultée le 7 juin 2010)

22. J. C. WILLIAMS GROUP, « Who has not made a purchase in the past six months », 2007 Canadian E-Commerce and Social Networking Summary, mandaté par Visa et Yahoo ! Canada, 3 juillet 2007, [En ligne], www.emarketer.com (Page consultée en mai 2010)

23. Ming ZENG et Werner REINARTZ, « Beyond online search : the road to profitability », *Management Review,* vol. 45, n° 2, hiver 2003, p. 107-130.

24. Réseau d'informations scientifiques du Québec.

25. Don PEPPERS et Martha ROGERS, *Managing Customer Relationships,* Hoboken (New Jersey), John Wiley and Sons, 2004 ; CRM GURU BLOG, [En ligne], www.crm-guru.com (Site consulté en octobre 2005)

26. Stuart BARNES et Richard VIDGEN, « Assessing the quality of auction web sites », *Proceedings of the Hawaii International Conference on Systems Sciences,* Maui (Hawaï), 4 au 6 janvier 2001 ; Stuart BARNES et Richard VIDGEN, « Data Triangulation in action : Using comment analysis to refine Web quality metrics », *Proceedings of the 13th European Conference on Information Systems,* Ratisbonne (Allemagne), 26 au 28 mai 2005.

27. France BELANGER *et al.,* « Web site success metrics : addressing the duality of goals », *Communications of the ACM,* vol. 49, n° 12, décembre 2006, p. 114-116 ; Stuart BARNES et Richard VIDGEN, « An evaluation of cyber-bookshops : the WebQual method », *International Journal of Electronic Commerce,* vol. 6, n° 1, automne 2001, p. 11-30.

28. Philip KOTLER, Pierre FILIATRAULT et Ronald E. TURNER, *Le management du marketing,* 2e édition, Boucherville, Gaëtan Morin Éditeur, 2000, p. 781.

29. CEFRIO, *NETendances 2009, op. cit.*

30. Chris ANDERSON, *La longue traîne,* 2e édition, Paris, Pearson, 2009, 320 p.

31. T. M. SIEBEL et P. HOUSE, *op. cit.*

32. *Marketing interactif + Publicité sur Internet,* IAB Canada, 2010, p. 66.

33. James McQUIVEY, *Advertisers see a TV + Web future,* Forrester Research, 4 avril 2008 [En ligne], www.forrester.com (Page consultée le 26 mai 2009)

34. IAB, *IAB News,* [En ligne], www.iab.net (Page consultée le 13 mars 2010)

35. RADICATI GROUP, *Email reputation services 2007-2011, March 2007,* [En ligne], www.emarketer.com (Page consultée le 1er juin 2010)

36. G. Oliver YOUNG *et al., Global Enterprise Web 2.0 Market Forecast : 2007 to 2013.*

37. Eric K. CLEMONS, Steve BARNETT et Arjun APPADURAI, « The future of advertising and the value of social network websites : some preliminary examinations », *Information Strategy & Economics,* 27 mai 2007, p 267-276.

38. Pierre-Yves SANCHIS, « Parts de marché des moteurs de recherche : chiffres multi-pays », blogue *Création de startup en France,* 27 février 2010, [En ligne], www.creation-startup.com (Page consultée le 8 juin 2010)

39. Selon la firme de recherche Gartner, *Les Affaires,* 27 mars au 2 avril 2010, encadré de la p. 4.

40. CEFRIO, *NETendances 2009, op. cit.,* p. 49.

41. Jim CARROLL et Rick BROADHEAD, *Selling Online : How to Become a Successful E-Commerce Merchant in Canada,* Toronto, Macmillan of Canada, 1999, 592 p.

42. Walter BAKER, Mike MARN et Craig ZAWADA, « Price smarter on the Net », *Harvard Business Review,* vol. 79, n° 2, février 2001, p. 122-127.

43. Yannick CLÉROUIN, « ING Direct croît à un rythme fulgurant au Canada », *Les Affaires,* samedi 2 juillet 2005, p. 9.

44. Ward HANSON, *Principles of Internet Marketing,* Cincinnati, South-Western College Publishing, 2000, 467 p.

45. T. M. SIEBEL et P. HOUSE, *op. cit.*

46. E. TURBAN, *op. cit.*

47. Vincent LAPIERRE, « Technologie de pointe dans la distribution alimentaire », *Les Affaires,* cahier spécial, samedi 2 avril 1994, p. B9 ; ECR CANADA, [En ligne], www.ecr.ca (Page consultée le 23 avril 2010)

La gestion
du marketing

Sommaire

Le premier chapitre de ce livre a expliqué que le marketing est à la fois une philosophie de gestion, une fonction de l'entreprise, une démarche et un ensemble de pratiques. Ce dernier chapitre se concentrera sur la fonction du marketing dans l'entreprise. Le management d'une entreprise exige la coordination de diverses activités fonctionnelles. Gérer une entreprise, c'est assurer l'intégration de la gestion du marketing, des finances, de la production ou des opérations, des ressources humaines, des relations de travail, des systèmes d'information et de la technologie. Parmi ces fonctions, on s'intéressera évidemment au marketing. La fonction marketing a pour objet principal la gestion des échanges entre l'entreprise et ses clients. Elle a pour but de déceler les changements dans la société et dans les marchés et les clients, de comprendre les relations entre l'entreprise, les marchés et les clients, de reconnaître et de satisfaire les besoins des clients, d'opérationnaliser les stratégies fondamentales de marketing et d'assurer la gestion du mix de marketing et du service à la clientèle. La direction du service de marketing doit définir des politiques, mettre en place des systèmes de gestion et, enfin, mettre en œuvre des programmes et des activités de marketing.

L'American Marketing Association (AMA) définit la gestion du marketing comme un processus mis en place pour fixer des objectifs d'une organisation (considérant ses ressources internes et les opportunités sur le marché), planifier et mettre en œuvre des activités afin de rencontrer ces objectifs, et mesurer les progrès faits pour les atteindre. Ce processus doit être continu et répétitif, de façon à ce que l'entreprise puisse s'adapter aux changements internes et externes qui génèrent continuellement à la fois des problèmes et des occasions[1].

En pratique, le processus de la gestion du marketing comprend quatre étapes : la planification, l'organisation, la mise en œuvre et le contrôle. Les trois dernières correspondent à la réalisation de ce qui a été planifié à la première. Pour que le plan de marketing soit opérationnel, c'est-à-dire pour qu'il puisse être réalisé, un certain nombre de décisions concernant l'organisation (qui fera quoi ?), la mise en œuvre (comment procédera-t-on ?) et le contrôle (que mesurera-t-on et comment ?) doivent être prises.

La planification du marketing a été expliquée en détail au chapitre 2. On y a vu que le processus de planification comprend quatre étapes (*voir la figure 2.4, p. 43*) : l'analyse de la situation, la définition de l'orientation stratégique, la création et l'exécution du plan de marketing. L'analyse de la situation consiste en l'examen de l'environnement interne et externe de l'organisation et en la définition des enjeux. La détermination des enjeux cerne la situation de l'entreprise à partir de ses forces et de ses faiblesses ainsi que des occasions d'affaires et des menaces auxquelles elle fait face. Cette analyse terminée, les responsables du marketing passent à l'étape de l'orientation et s'appliquent alors à définir la mission et les objectifs de marketing de l'entreprise : où veut-elle aller ? Que veut-elle faire ? L'étape suivante concerne la définition des stratégies de marketing, qui peuvent être de deux niveaux : les stratégies fondamentales et les stratégies de mix de marketing. Avec la définition des stratégies s'achève la planification proprement dite du marketing. La dernière étape du processus de planification est l'exécution, qui comporte trois volets : l'organisation, la mise en œuvre et le contrôle, qui font l'objet du présent chapitre.

_14.1 L'organisation

Comme le montre bien la figure 14.1, l'organisation est le pivot du processus de gestion du marketing. Mettre en place l'organisation du marketing, c'est créer une structure qui permet à l'entreprise d'atteindre ses objectifs de marketing[2]. C'est dans cette structure qu'évoluent les gestionnaires de marketing. On entend par « gestionnaires de marketing » des cadres qui remplissent diverses fonctions de marketing – telles que les ventes, la planification du marketing, la gestion de produits ou de marchés, la fixation des prix, la gestion de circuits de distribution, la recherche en marketing, la communication, le service à la clientèle – et assurent la coordination avec d'autres services qui accomplissent des tâches associées au marketing – comme l'entreposage, l'expédition et le transport, le traitement des commandes, les achats, la comptabilité, le développement de produits, la production et les opérations, le respect des garanties. Le gestionnaire de marketing peut porter un titre formel, comme le vice-président marketing qui rend des comptes directement au président. Ce peut aussi être le directeur de produits, de services, de marques ou de marchés ; ou encore le directeur de la publicité ou de la recherche. Il peut par ailleurs être en partie responsable des ventes[3].

_FIGURE 14.1 Le processus de gestion du marketing

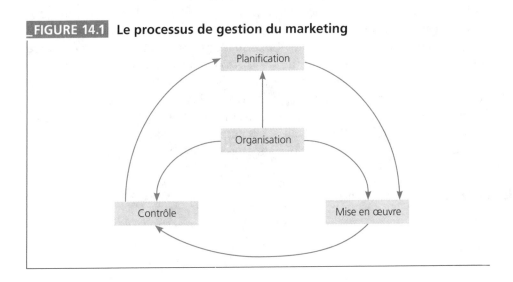

On pourrait dire qu'organiser, c'est doter une entreprise « d'une structure, d'une constitution déterminée, d'un mode de fonctionnement [...], c'est préparer une action pour qu'elle se déroule dans les conditions les meilleures, les plus efficaces[4] ». Organiser, c'est « combiner les éléments d'un ensemble pour en assurer le bon fonctionnement[5] ». On cherche à coordonner les efforts à l'intérieur du service de marketing, et entre le service de marketing et les autres services de l'entreprise, en définissant les relations entre les tâches et les lignes d'autorité. Sans organisation, il est impossible de dresser un plan de marketing, de le mettre en œuvre ni d'en contrôler l'exécution et les résultats. On verra maintenant en quoi consiste l'organisation de la fonction marketing dans une entreprise.

14.1.1_L'évolution de l'organisation du marketing

L'organisation du marketing a évolué en même temps que la fonction marketing. De nos jours, le service de marketing dirige un grand nombre d'opérations très variées et complexes, qui requièrent souvent la collaboration d'autres services de l'entreprise et de firmes externes spécialisées. On est passé d'un service des ventes à un service des ventes ayant le soutien de diverses fonctions de marketing plus ou moins autonomes, puis à un service de marketing indépendant et, enfin, à un service de marketing intégré (*voir la figure 14.2, p. 498*).

Le service des ventes

Il y a quelques décennies, le service des ventes assurait à lui seul le développement des activités commerciales de l'entreprise. La fonction ventes était la responsabilité du vice-président aux ventes, qui gérait la force de vente et qui prenait
lui-même en charge les clients les plus importants. Il avait aussi la responsabilité
de certaines tâches de marketing courantes (préparation de brochures, de catalogues et de messages publicitaires) et confiait souvent diverses tâches par contrat à
des firmes spécialisées (*voir la figure 14.2a*). Cette forme d'organisation se rencontre encore souvent dans les petites entreprises, où le directeur des ventes porte
quelquefois le titre de directeur de marketing, mais consacre la plus grande partie
de son temps aux ventes.

Le service des ventes avec soutien de marketing

À mesure qu'elle a pris de l'expansion, l'entreprise a vu la nécessité de mettre sur
pied divers services et activités de marketing pour soutenir les efforts de vente :
préparation d'activités promotionnelles, publication d'un catalogue ou d'une brochure, organisation du lancement d'un *nouveau produit*. L'entreprise s'est alors
aperçue qu'il lui fallait obtenir plus d'informations sur les clients, la concurrence
et ses produits, et qu'il lui serait utile à l'occasion de mener un sondage auprès des
clients et de suivre certaines des recommandations formulées par l'unité de soutien
de marketing (*voir la figure 14.2b*). Avec toutes ces tâches, le vice-président aux ventes
ne pouvait pas consacrer tous les efforts qu'il aurait souhaités à la gestion de l'équipe
de vente et à ses clients. Il devait aussi s'occuper de fixer les prix, évaluer les circuits de distribution, et prendre plusieurs décisions au sujet de la communication.

FIGURE 14.2 **L'évolution de la fonction marketing**

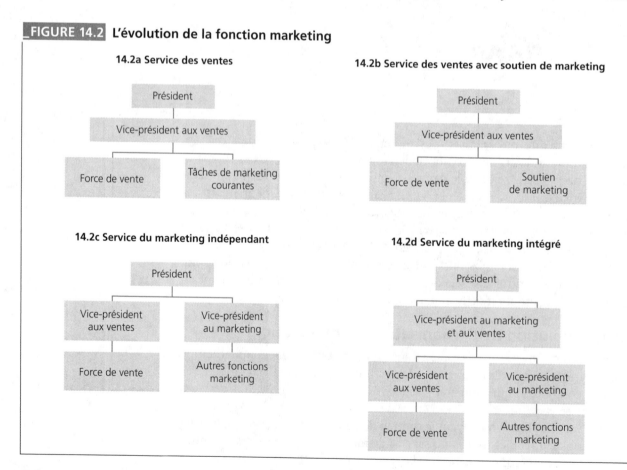

Le service du marketing indépendant

L'intérêt pour le marketing augmentait toutefois en même temps que l'entreprise se développait. Reconnaissant de plus en plus la nécessité de bénéficier de diverses fonctions de marketing (service à la clientèle, promotion des ventes, publicité, recherche en marketing, planification marketing), on a institué le poste de vice-président au marketing (*voir la figure 14.2c*). Le vice-président aux ventes avait ainsi plus de temps pour s'occuper des clients les plus importants, pour sélectionner, former et diriger les représentants commerciaux. Le président constatait les avantages d'avoir mis sur pied un service de marketing et d'avoir placé à sa tête un vice-président. Dès lors, il décelait mieux les possibilités de marchés et différents problèmes dans les secteurs des ventes et du marketing. Cette structure a été utilisée pendant plusieurs années, et on la trouve encore dans de nombreuses entreprises.

Le service du marketing intégré

La structure parallèle ventes et marketing présente aussi des désavantages. Les vice-présidents aux ventes et au marketing devraient normalement travailler en étroite collaboration, mais il se peut qu'ils soient en désaccord au sujet des opérations quotidiennes. Leurs relations peuvent être tendues. Pour éviter les conflits entre des personnes qui occupent ces postes clés, de nombreuses entreprises ont attribué la responsabilité du marketing et des ventes à une seule personne, le vice-président au marketing et aux ventes, dont dépendent un directeur du marketing ou vice-président au marketing et un directeur des ventes ou un vice-président aux ventes. Le directeur du marketing ou vice-président au marketing a pour fonctions de suivre l'évolution des marchés, de déceler les occasions d'affaires, de préparer des stratégies et des programmes de marketing en collaboration avec le directeur des ventes ou vice-président aux ventes, ce dernier étant, pour sa part, chargé d'appliquer ces stratégies et ces programmes, et de diriger les opérations des ventes. Le vice-président au marketing et aux ventes a surtout la responsabilité d'assurer la plus grande synergie possible entre le marketing et les ventes.

Le service du marketing intégré permet de considérer toutes les opérations de l'entreprise dans une optique marketing. Il lui incombe de promouvoir une optique marketing ou une culture client au sein de l'entreprise, et de s'assurer que les autres fonctions ne se déchargent pas de leurs responsabilités relatives aux clients. Comme on l'a vu au chapitre 1, le marketing dans une entreprise est plus qu'un service, c'est une philosophie de gestion, un principe général sur lequel se base l'entreprise. Lorsque tous les employés comprennent cela, l'entreprise est réellement dotée d'une optique marketing [6].

Quand le service de marketing devient très important, l'entreprise peut avoir un défi majeur à relever : comme ce service a beaucoup grossi, il faut en évaluer la taille. Si l'on a multiplié les tâches et recruté beaucoup de personnel, il faut possiblement envisager de réduire la taille et de simplifier le service de marketing [7]. D'ailleurs, bon nombre de grandes entreprises demandent à des firmes spécialisées en sondages ou en études de marché, à des agences de publicité ou de relations publiques de réaliser certaines des tâches de marketing faites au sein de l'entreprise. Les cadres de celle-ci deviennent alors des directeurs de projets, et ils ont pour principales fonctions de coordonner les activités du service du marketing ainsi que d'assurer la liaison entre ce service et les sous-traitants chargés de réaliser des activités telles que les sondages et les campagnes publicitaires.

14.1.2_La structure organisationnelle

La structure organisationnelle de la fonction marketing varie d'une entreprise à l'autre, et même d'une année à l'autre dans la même entreprise, selon les changements dans l'environnement et selon le marché, la technologie, la force de la concurrence et les stratégies de l'entreprise. Dans les grandes entreprises, la forme de l'organisation est nécessairement complexe, car les stratégies et les structures sont liées les unes aux autres [8]. Les nouvelles stratégies amènent des changements dans les structures organisationnelles et celles-ci, en retour, entraînent l'élaboration de nouvelles stratégies. On pourrait même parler à cet égard d'une séquence « stratégie-structure-stratégie [9] ».

La structure organisationnelle du service de marketing peut prendre plusieurs formes. Certains modèles organisationnels de base permettent de définir la forme d'organisation à laquelle correspond l'organigramme d'un service de marketing [10]. Les structures organisationnelles du service de marketing peuvent être établies par rapport aux quatre éléments suivants : 1) les fonctions ; 2) les marchés ; 3) les régions ; 4) les produits, groupes de produits, services ou marques [11]. Les figures 14.3 à 14.6 (*voir ci-dessous et p. 501-502*) présentent des organigrammes se rattachant à ces quatre modèles organisationnels de base. À ces modèles de base s'ajoutent la structure matricielle et la gestion de projets.

L'organisation par fonctions

L'organisation par fonctions est la structure organisationnelle la plus traditionnelle de même qu'une des plus répandues [12]. Les spécialistes sont groupés selon des fonctions telles que les ventes, le service à la clientèle, la recherche, les nouveaux produits ou la publicité et la promotion des ventes. À ces spécialistes, énumérés à la figure 14.3, peuvent s'ajouter un directeur de la logistique, un directeur de la planification du marketing ou un directeur des services administratifs. Le rôle du vice-président au marketing est de coordonner le travail lié à ces différentes fonctions. Les principaux avantages de l'organisation fonctionnelle sont la définition claire des tâches et la simplicité administrative. Un désavantage non négligeable de cette structure est la faiblesse relative et notable de la fonction ventes par rapport au marketing.

FIGURE 14.3 L'organisation par fonctions

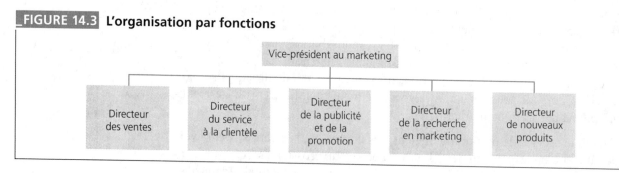

La structure fonctionnelle devient moins efficace lorsque le nombre de marchés, de territoires, de produits, de services ou de marques augmente. Lorsqu'un marché, un territoire, un produit ou une marque ne relèvent pas de la compétence d'une personne en particulier, on risque de ne pas accorder une attention suffisante à leur potentiel ou aux menaces qui les guettent. Il importe aussi de garder à l'esprit que ces diverses fonctions sont difficiles à coordonner. Enfin, la création de ces divers postes requiert un volume d'opérations et de revenus suffisamment élevé. Dans les petites et moyennes entreprises, on contourne souvent cette difficulté, pour se tourner vers une structure plus minimale, en nommant un responsable des ventes et un responsable des activités de marketing[13], tous deux sous l'autorité directe du président.

L'organisation par marchés

L'organisation par marchés (*voir la figure 14.4*) convient lorsqu'une entreprise fait des affaires avec des groupes de clients qui, du fait de leurs caractéristiques, de leurs habitudes d'achat et de leurs besoins particuliers, exigent des stratégies de marketing différentes. Ainsi, Hydro-Québec distingue les marchés des grandes entreprises, des entreprises industrielles, des entreprises commerciales et des résidences. Hewlett-Packard offre des imprimantes aux individus et aux entreprises. Les banques, elles, fournissent des services aux particuliers et aux entreprises, aussi bien dans le pays d'origine qu'à l'étranger. Les services bancaires aux particuliers sont à leur tour divisés en deux catégories : les opérations courantes pour le marché traditionnel et la gestion privée, ou la gestion de patrimoine pour les clients qui ont un portefeuille plus important ou plus complexe. Les principaux avantages de la structure par marchés sont de permettre à l'entreprise d'adapter son offre à chacun des marchés, suivant l'optique marketing, de bien servir les clients en répondant mieux à leurs besoins et de mieux coordonner les diverses opérations de marketing relatives à ces marchés.

_FIGURE 14.4 L'organisation par marchés

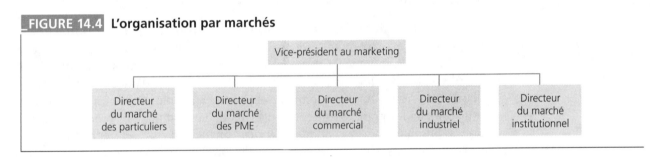

Les directeurs de marchés sont des spécialistes des divers marchés. Ils font faire des études de marché, dressent les plans de marketing, mettent en œuvre les divers programmes et en assurent la coordination, et dirigent les opérations de marketing se rapportant au marché dont ils ont la charge. La principale difficulté rencontrée dans cette forme d'organisation concerne l'établissement d'une coordination entre les tâches des gestionnaires des divers marchés et entre les tâches d'autres intervenants en marketing.

L'organisation par régions

L'organisation par régions (*voir la figure 14.5*), aussi appelée organisation géographique ou territoriale, présente certaines analogies avec l'organisation par marchés.

_FIGURE 14.5 L'organisation par régions

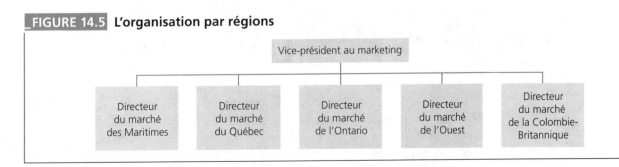

La division des tâches s'y fait cependant en fonction des caractéristiques régionales. Cette structure est souvent utilisée au Canada (les Maritimes, le Québec, l'Ontario, etc.) et au Québec (l'Outaouais, l'île de Montréal, la Rive-Nord, la Rive-Sud, la Capitale-Nationale, les Laurentides, l'Estrie, le Saguenay, la Côte-Nord, le Bas-Saint-Laurent, etc.) à cause de l'immensité du territoire. Les directeurs régionaux connaissent à fond un territoire ou une région. Ils sont donc des spécialistes, comme les directeurs de marchés. Ils dressent les plans de marketing, appliquent et coordonnent les programmes de marketing et dirigent les diverses opérations de marketing dans leur région, en les adaptant à la culture régionale.

Plusieurs entreprises favorisent la régionalisation pour se rapprocher de leurs marchés, en particulier des marchés de masse. Par exemple, le goût des boissons gazeuses diffère selon les pays, McDonald's n'offre de la poutine qu'au Québec, et le mix promotionnel peut varier selon les régions (l'accent sera mis sur un festival tel que le Festival western de Saint-Tite, une foire agricole comme l'Expo de Saint-Hyacinthe, ou une activité sportive comme la course en canot du Carnaval de Québec).

Cette structure a l'avantage de pouvoir s'adapter aux particularités d'une région déterminée et de pouvoir assurer une bonne coordination des opérations de marketing qui se déroulent dans cette dernière. Les principaux inconvénients sont les coûts élevés et les difficultés de coordination des stratégies et activités marketing de la région avec le siège social et avec les autres régions.

L'organisation par produits, groupes de produits, services ou marques

L'organisation par produits, groupes de produits, services ou marques est une structure organisationnelle très populaire dans les entreprises qui offrent un grand nombre de produits (*voir la figure 14.6*). Cette forme d'organisation ne remplace pas l'organisation fonctionnelle, elle vient en appoint [14]. Elle est très souvent utilisée dans les grandes entreprises : biens de consommation, produits cosmétiques, produits pharmaceutiques, services financiers, etc. L'entreprise doit tout d'abord décider si elle fonctionnera avec des produits ou services, ou des groupes de produits ou services, ou encore par marques. Une telle organisation est tout indiquée lorsqu'une entreprise offre au marché plusieurs marques ou produits différents. Sa particularité réside dans le fait que la responsabilité d'un produit y est confiée à un « champion », qui concentre ses efforts sur sa mise en valeur et qui coordonne les opérations liées à la gestion de son produit avec les fonctions de marketing et les autres fonctions de l'entreprise qui influent sur la mise en marché, les ventes et la rentabilité du produit.

FIGURE 14.6 L'organisation par produits, services ou marques

La mise en place de l'organisation par produits remonte à fort longtemps. En 1927, un jeune cadre d'entreprise se vit confier le mandat d'étudier pourquoi le lancement d'un nouveau produit avait eu peu de succès, de corriger les défauts et de s'occuper de promouvoir le produit. Ce qu'il fit avec succès. Le produit était le savon Camay, et le jeune cadre s'appelait Neil H. McElroy. Cet employé de Procter & Gamble devint par la suite président de la compagnie. Inutile de dire que la compagnie adopta cette structure organisationnelle et créa par la suite de nombreux postes de directeurs de produits [15].

Le directeur d'un produit ou d'un service est responsable de sa conception, de sa mise au point et de son lancement, de la préparation du plan de marketing, de sa mise en œuvre et de son contrôle. Les tâches du directeur de produits sont très variées. Il lui faut connaître à fond les concurrents et élaborer des stratégies à court terme pour faire échec à leurs promotions énergiques, et des stratégies à long terme pour bien positionner son produit par rapport à ceux de la concurrence. Il doit élaborer des prévisions annuelles de ventes, dresser le plan de marketing annuel du ou des produits dont il est responsable, travailler en collaboration avec les divers services et fonctions de l'entreprise (contentieux, achats, fabrication ou opérations, ventes, publicité, promotion des ventes, recherche en marketing...) et confier des travaux en sous-traitance à des agences de publicité ou de relations publiques. Il doit former et informer les représentants commerciaux, les intéresser à son produit et stimuler l'intérêt des distributeurs. Il doit aussi faire faire des études de marché et apporter des améliorations ou des modifications à son produit pour l'adapter aux besoins changeants du marché. Il doit enfin développer des habiletés de coordination avec les autres directeurs de produits et les différents directeurs de services fonctionnels.

L'organisation par produits offre plusieurs avantages. Le premier est évidemment d'assurer la coordination de toutes les activités internes et externes à l'entreprise relatives au produit. Normalement, cette structure doit permettre d'élaborer des stratégies fondamentales et de mix de marketing plus efficaces du point de vue du marché et des coûts. La gestion par produits constitue un excellent moyen de formation pour les jeunes cadres, car elle leur permet de se familiariser avec les différentes opérations et fonctions de marketing et avec les autres fonctions de l'entreprise. L'un des principaux inconvénients est la contrepartie de cet avantage : comme il devient rapidement un généraliste, le directeur de produits n'acquiert pas d'expertise dans un domaine précis. Autres inconvénients : les coûts liés à ce type de structure sont souvent assez élevés et, du fait que les directeurs de produits ont beaucoup de responsabilités mais peu d'autorité, la coordination avec les autres responsables du marketing et ceux des autres services de l'entreprise peut parfois être difficile à réaliser. Un autre problème est que la responsabilité d'un produit est souvent d'une durée limitée. Les bons directeurs de produits sont promus, les mauvais sont démis de leurs fonctions, ce qui amène souvent une vision à court terme. Dans le même ordre d'idées, les directeurs de produits et de marques focalisent plus sur les parts de marché que sur les relations avec les clients [16]. Il existe aussi le danger que le directeur de produits soit affecté d'une « myopie du marketing », comme on l'a décrit au chapitre 1, et devienne si intéressé aux produits qu'il en oublie le marché. Néanmoins, les entreprises en général croient que les avantages de cette structure organisationnelle compensent grandement ses désavantages et elles y ont souvent recours. Toutefois, pour pallier certaines des faiblesses de cette forme d'organisation, plusieurs grandes entreprises adopteront une structure matricielle.

L'organisation matricielle

Il est courant qu'une grande entreprise combine plus d'une des quatre structures organisationnelles de base. En effet, si elle utilise seulement la structure fonctionnelle, rien ne garantit que les divers spécialistes seront bien renseignés sur les particularités des marchés et des régions, pas plus qu'ils connaîtront les caractéristiques d'un produit donné et le profil des clients. Selon la nature des produits et des marchés, l'entreprise peut choisir de faire appel à la fois à des responsables de fonctions de marketing (recherche en marketing, publicité, ventes, etc.), à des directeurs de produits et à des directeurs de marchés ou de régions. Elle mettra alors en place l'organisation matricielle qui correspondra le mieux à ses besoins organisationnels (*voir la figure 14.7*).

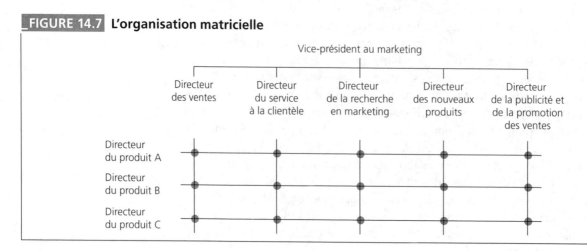

FIGURE 14.7 L'organisation matricielle

Car la structure matricielle peut prendre plusieurs formes. Dans l'exemple présenté à la figure 14.7, l'entreprise a combiné une organisation par fonctions à une organisation par produits. Le directeur de la recherche en marketing est responsable des études de marché qui intéressent l'entreprise ainsi que de la recherche en marketing au sujet des produits A, B et C. Il en va de même pour la publicité et pour toutes les autres fonctions de marketing. De son côté, le directeur du produit A, pour atteindre ses objectifs, peut compter sur la collaboration des directeurs de la recherche en marketing, de la publicité et de la promotion des ventes. Il doit, en liaison avec le directeur du service à la clientèle, vérifier la qualité de son produit et examiner les plaintes et les suggestions qui ont été formulées. Enfin, il doit travailler en collaboration avec le directeur des ventes et il sera sans doute appelé à participer à des réunions portant sur les ventes, voire à former des représentants commerciaux.

Les structures matricielles produits-régions et produits-marchés peuvent s'avérer très utiles. Dans le premier cas, les directeurs de produits aident les directeurs régionaux à répondre aux attentes de leur clientèle et à ce que leurs produits soient bien adaptés à leurs régions respectives. De leur côté, les directeurs régionaux collaborent avec les directeurs de produits pour augmenter les ventes ou la part de marché dans leurs régions, et ainsi atteindre leurs objectifs de ventes. Dans le deuxième cas, les directeurs de produits s'attachent à répondre aux besoins de chaque marché et à atteindre leurs objectifs, et les directeurs de marchés collaborent avec les directeurs de produits pour, eux aussi, atteindre leurs objectifs.

Dans certaines grandes entreprises, on peut avoir à la fois une structure par fonctions, par marchés, par régions et par produits, groupe de produits, services ou marques. Les directeurs peuvent donc avoir des responsabilités doubles, triples et même quadruples. Cette structure est indiquée lorsqu'une entreprise offre plusieurs produits sur différents marchés ou dans diverses régions. Le principal avantage de cette forme d'organisation est qu'elle favorise la coordination entre les différentes structures organisationnelles. Les directeurs de fonctions fournissent les ressources spécialisées de l'entreprise et mettent des consultants à la disposition des directeurs de produits, de marchés ou de régions. Dans ses fonctions, le directeur de marchés ou de régions apporte le point de vue du « marché » ; le directeur de produits, quant à lui, cherche à établir un équilibre entre les demandes du marché et les capacités de l'entreprise, et il coordonne les activités internes et externes relatives à ses produits.

Cette forme d'organisation comporte aussi des désavantages. Elle est évidemment coûteuse à cause du grand nombre de personnes qui entrent en jeu, et elle peut donner lieu à des conflits si des objectifs, des styles de gestion et des personnalités s'opposent. Cette structure ne peut bien fonctionner que si les objectifs et les tâches de chacun sont bien définis, et surtout si tous savent se montrer habiles dans les relations interpersonnelles.

L'organisation par projets

Dans la pratique, on parle plutôt de gestion par projets que d'organisation par projets. Et la gestion par projets peut facilement coexister avec les autres structures de base de l'entreprise. Au cours des dernières années, ce type de gestion a acquis une grande popularité non seulement dans les bureaux d'ingénieurs et d'architectes ainsi que dans les entreprises de construction, mais aussi dans les entreprises industrielles et les entreprises de services privées ou publiques. La gestion par projets est fort utilisée pour le lancement de nouveaux produits. Elle possède certaines caractéristiques de la structure matricielle, mais elle est moins lourde. Elle a un caractère temporaire ; on s'en sert pour accomplir une tâche déterminée dans des délais précis et dans les limites d'un budget établi.

L'équipe de projets est formée de personnes provenant de diverses unités et fonctions de l'entreprise, avec à sa tête un directeur de projets. Comme le responsable de la structure matricielle, le directeur de projets doit avoir des habiletés et des compétences en relations humaines et posséder des qualités d'administrateur. Il doit coordonner différentes activités, être capable d'influencer et de persuader ses collègues, et même de les contraindre, au besoin, bien qu'il n'occupe pas nécessairement un rang plus élevé dans la hiérarchie. La gestion par projets facilite la coordination des activités et met à profit les compétences de chacun des membres. Ses principaux désavantages sont l'instabilité et le manque de continuité, mais, en revanche, les objectifs, le budget et les échéances qui sont clairement établis peuvent permettre une gestion plus efficace des programmes et activités.

14.1.3_L'intégration du marketing dans l'entreprise

L'optique marketing, comme on l'a vu au chapitre 1, est une philosophie de gestion qui repose sur quatre piliers : la focalisation sur le marché, l'orientation vers le client, le marketing intégré et la rentabilité. Le marketing intégré signifie que l'ensemble des activités de l'entreprise forme un tout.

Cela implique : l'harmonisation des diverses fonctions et activités de marketing ; la prise en compte du marketing, à tous les échelons de l'entreprise, dans les décisions et les opérations relatives aux clients ; la subordination des autres fonctions de l'entreprise à la fonction marketing pour tout ce qui concerne le client. Cette section traitera en détail de ce dernier aspect.

Logiquement, les divers services de l'entreprise, comme les finances, la production ou les opérations et les ressources humaines, devraient collaborer harmonieusement pour offrir des produits et services de qualité, pour assurer la satisfaction de la clientèle et ainsi permettre à l'entreprise d'atteindre ses divers objectifs, en particulier celui de la rentabilité. Malheureusement, ce n'est pas toujours le cas.

Des rivalités peuvent opposer les divers services quant à leur importance et à leur rôle respectifs. Certains services comme certaines personnes veillent davantage à leurs intérêts qu'à ceux de l'entreprise. Dans les opérations quotidiennes surviennent de profondes divergences d'opinions sur les façons d'atteindre les objectifs de l'entreprise, sur la place à accorder aux clients et sur le choix des priorités.

Il appartient donc au service du marketing de rappeler aux autres ce qu'est l'optique marketing ainsi que la place que la clientèle doit occuper dans l'esprit du personnel de l'entreprise. À cet égard, les pouvoirs et les responsabilités du service du marketing ne sont pas toujours clairement définis. Les services autres que celui du marketing regardent leurs missions et leurs rôles différemment que ne le fait ce dernier, comme le montre le tableau 14.1.

Les différents services fixent ensemble les objectifs de l'entreprise, décèlent les problèmes et déterminent les solutions à apporter suivant leur propre point de vue, lequel peut être très différent de celui du service du marketing. Inévitablement, les opinions s'opposeront. C'est d'ailleurs ce que l'on verra maintenant : comment les principaux services de l'entreprise peuvent avoir des buts différents.

_TABLEAU 14.1 **Des exemples de différences de priorités entre le service du marketing et les autres services**

Service	Priorités de chaque service	Priorités du service du marketing
Recherche et développement	Recherche fondamentale Long terme Intérêts des chercheurs Innovation avant tout	Recherche appliquée Court et moyen terme Caractéristiques facilitant la vente Produit concurrentiel
Ingénierie	Longs délais de conception Peu de modèles Composants standards	Courts délais de conception Beaucoup de modèles Composants sur mesure
Achats	Gamme de produits étroite Pièces standards Prix au lieu de la qualité Lots économiques	Gamme de produits étendue Pièces sur mesure Qualité des matériaux Grands lots pour éviter la rupture de stock
Production	Séries longues et peu de modèles Peu de modifications des modèles Commandes standards Facilité de fabrication Contrôle de la qualité adéquat	Courts délais de production et plusieurs modèles Modifications fréquentes Commandes sur mesure Apparence esthétique Contrôle de qualité sévère
Opérations	Intérêts propres du personnel Service standard Gestion du personnel	Besoins des clients Satisfaction de la clientèle Qualité du service à la clientèle
Finances	Conservatisme Scepticisme à l'égard des dépenses de marketing Budgets rigides Prix couvrant les coûts	Audace Arguments intuitifs pour justifier les dépenses Budgets flexibles Prix favorisant le développement des marchés
Comptabilité	Transactions standards Peu de rapports Faibles risques Conditions de crédit serrées Procédure de recouvrement sévère	Conditions particulières Rapports détaillés Risques modérés Conditions de crédit avantageuses Procédure de recouvrement souple

La recherche et le développement

Les scientifiques s'appliquent à faire avancer les connaissances. Leur travail est souvent de longue haleine. Par exemple, dans les laboratoires des compagnies pharmaceutiques, les chercheurs se consacrent à trouver un remède aux nombreux cancers, au diabète ou à l'obésité morbide, ou un vaccin contre le sida : un travail qui peut prendre des années, voire des décennies.

Avant qu'un nouveau produit soit introduit sur le marché, il faut parfois de 10 à 15 ans de recherche intensive. De nombreux produits prometteurs en laboratoire échouent les tests sur les êtres humains. Certains produits, comme le Vioxx, se révèlent nuisibles plusieurs années après leur lancement. Les experts en recherche fondamentale ont tendance à être solitaires, ils n'aiment guère rendre des comptes. Les solutions faciles et les débouchés à court terme les intéressent peu. Lorsqu'ils font de la recherche appliquée, les scientifiques ont plus tendance à être à l'écoute du marché, même s'ils demeurent en quête d'innovations révolutionnaires, ce qui peut les amener à s'intéresser davantage au produit qu'aux besoins du marché.

Les mercaticiens, pour leur part, recherchent des applications à court terme ainsi que des produits qui se différencient de ceux de la concurrence. Les spécialistes du marketing, du fait de leurs fonctions, connaissent bien le marché et les besoins des clients. Ils ont souvent à travailler en équipe. Ils font preuve de dynamisme, s'intéressent surtout au court terme et cherchent de nouveaux moyens de répondre aux attentes du marché. Ils veulent que les produits aient des caractéristiques qui facilitent la vente, ce qui peut contraindre les chercheurs à faire des compromis que ces derniers considèrent indésirables, selon leur point de vue. On peut, par contre, reprocher aux mercaticiens leur trop grand optimisme, leur vision à court terme et le fait d'être beaucoup trop intuitifs à l'occasion.

Il faut s'efforcer de rapprocher les points de vue des mercaticiens et des scientifiques. Les chercheurs qui, par la recherche fondamentale, ont découvert une nouvelle molécule à partir de laquelle on élaborera un médicament ne participeront pas au lancement commercial du nouveau produit, puisqu'ils auront déjà entrepris un autre projet de recherche. Il est cependant essentiel d'associer un mercaticien avec un scientifique, lorsque cela est possible, dès l'étape de la mise au point d'un produit et, plus tard, à celle du lancement afin de tirer pleinement profit des compétences de chacun. Pour assurer la bonne marche des projets d'envergure, il peut même être utile de mettre en place des mécanismes de résolution de conflits entre mercaticiens et scientifiques.

L'ingénierie

Les ingénieurs sont des gens pratiques. Les ingénieurs responsables du développement de nouveaux produits aiment innover, cherchent à concevoir des produits de qualité et veulent prendre le temps de bien faire leur travail. La qualité et la fiabilité des produits sont de toute première importance pour eux. Ils soignent le design des produits de façon à faciliter leur fabrication et, par la suite, l'entretien. Ils tâchent d'utiliser des composants standards et de restreindre les coûts de production. Ils sont ainsi amenés à présenter un nombre limité de modèles composés le plus possible de pièces standards.

Les mercaticiens, parce qu'ils ont directement affaire au marché, exigent que les délais de conception soient courts lorsqu'ils décèlent un nouveau besoin ou constatent qu'un de leurs concurrents a introduit un produit ou un modèle nouveau sur le marché. Ils peuvent même se montrer impatients et sous-estimer la difficulté des défis à relever. En outre, pour faciliter la mise en marché, les mercaticiens veulent avoir plusieurs modèles à leur disposition. Certains souhaitent personnaliser l'offre de l'entreprise en donnant aux clients la possibilité de choisir les composants de leur produit. Les ingénieurs reprochent aux mercaticiens de céder trop facilement aux exigences du marché et de ne pas tenir suffisamment compte des difficultés de conception d'un produit. Ils leur reprochent aussi de multiplier les artifices pour faciliter la vente sans se préoccuper des conséquences sur les coûts du produit et la rentabilité de l'entreprise. Pour éviter les querelles et rapprocher les esprits, on recommande de faire collaborer des mercaticiens et des ingénieurs dans les équipes chargées de la conception de nouveaux produits.

Les achats

Les acheteurs doivent relever quotidiennement des défis de taille. Ils doivent acheter du matériel et des composants de qualité au meilleur coût possible, parfois dans d'autres pays et dans un contexte de « juste-à-temps », en quantité suffisante pour ne pas manquer de stocks, mais pas trop non plus pour ne pas surcharger l'inventaire. (Ainsi, lors de l'éruption d'un volcan islandais en 2010, des usines de Mazda au Japon ont dû fermer leurs portes parce que des contrôles électroniques fabriqués en Irlande n'avaient pu être livrés à cause de l'annulation de dizaine de milliers de vols pour des raisons de sécurité.) Ils cherchent à acheter des lots économiques et des pièces standards chez des fournisseurs fiables. Ils veulent avoir de petites gammes de produits et des achats peu fréquents à cause des frais de commande. Dans le but de payer de meilleurs prix, ils peuvent devoir faire des compromis, inacceptables pour les mercaticiens, sur la qualité des matériaux.

Pour leur part, les mercaticiens veulent disposer d'une large gamme de produits afin de répondre le plus précisément possible aux besoins des divers microsegments du marché. Ils attachent plus d'importance à la qualité des matériaux et des pièces qu'à leurs coûts, et cherchent à faire acheter en grande quantité de façon à ne jamais se trouver en rupture de stock. Ils reprochent aux acheteurs leur manque de flexibilité par rapport aux exigences du marché. Les acheteurs, quant à eux, blâment les mercaticiens pour leur manque de précision dans l'évaluation de la demande, ce qui entraîne soit des ruptures de stock et, par voie de conséquence, des commandes à des coûts moins favorables, soit du surstock occasionnant des pertes considérables. On tâchera donc de faire travailler ensemble acheteurs et mercaticiens dans les différentes équipes, comme les comités de production ou de développement de nouveaux produits, de manière à les amener à trouver des compromis.

La production

Les responsables de la production dans les entreprises manufacturières doivent affronter des problèmes de productivité, de coûts de production, de qualité des produits, de bris d'équipement, de négociations collectives, de délais de production et de logistique. Les mercaticiens ont des exigences de plus en plus élevées, ils veulent des produits de haute qualité à prix faible, un grand nombre de modèles, des modifications fréquentes aux produits, des commandes sur mesure avec des délais de production courts et des stocks élevés permettant de répondre rapidement aux demandes. Ils se plaignent des délais de production et de livraison, de la mauvaise qualité des produits, des erreurs de livraison et du mauvais service à la clientèle. Pour leur part, les responsables de la production se plaignent des demandes exagérées des mercaticiens, de leur ignorance des réalités de la production, des coûts élevés de leurs demandes, de leurs erreurs dans la prévision des ventes et des promesses irréalistes faites aux clients.

Les conflits entre les spécialistes du marketing et les spécialistes de la production sont fréquents et peuvent nuire aux relations avec les clients et à la rentabilité de l'entreprise. Il faut que chacun comprenne la nature de ses responsabilités et aussi celle des autres, et voie la nécessité de collaborer. Ainsi, un membre du personnel du marketing devrait faire partie de l'équipe de direction de la production, et des membres du service de la production devraient être invités à participer à certaines des activités de marketing comme des réunions de service à la clientèle. Les gens de marketing se familiariseraient avec les exigences de la production et avec les concepts de production « juste-à-temps », de qualité totale, d'automatisation et de robotisation. Les gens de production verraient mieux les difficultés que les mercaticiens doivent surmonter pour satisfaire aux exigences des consommateurs, des clients et des intermédiaires, tenir tête à la concurrence et faire face aux pressions résultant de la mondialisation des marchés.

Les opérations

Dans les entreprises de services, on ne parle pas de production, comme dans les entreprises manufacturières, mais plutôt d'opérations. Les employés d'une compagnie aérienne peuvent avoir pour fonctions de donner de l'information aux clients, de leur vendre des billets, d'assurer leur ravitaillement et leur bien-être à bord de l'avion et de transporter leurs bagages à destination. Tous les services fournis aux passagers constituent des opérations. Dans les entreprises de services, les relations entre les membres du service du marketing et ceux des opérations doivent être étroites et continues, entre autres pour assurer un service à la clientèle de qualité.

Étant donné que les services sont rendus par des individus, le personnel fait partie intégrante de l'offre de l'entreprise. Il faut éviter que les intérêts du personnel entrent en conflit avec ceux des clients. Les mercaticiens doivent définir clairement en quoi consistent la qualité des services et les attentes des clients, et collaborer à la formation du personnel avec le service des ressources humaines et les responsables des opérations. Les personnes chargées des opérations doivent avoir un mode d'action orienté vers les clients et être soucieuses de répondre à leurs besoins. Il faut que les membres du service du marketing collaborent avec les gens des opérations pour fournir constamment des services de qualité. Ils doivent s'occuper conjointement de former le personnel en contact avec la clientèle et lui apprendre à avoir une attitude positive envers elle.

Les finances

Les responsables des finances et les mercaticiens diffèrent souvent par leurs tempéraments et leur manière d'envisager la gestion de l'entreprise. Les responsables des finances sont généralement des gens conservateurs, qui cherchent à minimiser les risques et qui s'intéressent surtout à la rentabilité. Ils accordent beaucoup d'importance au contrôle. Les mercaticiens sont plus « entreprenants » : ils prennent davantage de risques, favorisent la création de nouveaux produits et l'exploration de nouveaux marchés, se soucient de l'augmentation des ventes et de la satisfaction de la clientèle plus que de la hausse de la rentabilité. Les responsables des finances jugent souvent que les mercaticiens ont de la difficulté à associer la rentabilité et l'augmentation des ventes avec la hausse des dépenses engagées dans les diverses opérations de publicité et de promotion. Ils reprochent aux mercaticiens de dépasser les budgets et de baisser trop facilement les prix, ce qui a, bien entendu, un effet direct sur la rentabilité.

De leur côté, les mercaticiens considèrent que, en permettant de fabriquer une image de marque ou d'accroître la fidélité des clients, les dépenses marketing contribuent à assurer la rentabilité de l'entreprise. Les mercaticiens reprochent aux financiers de manquer de vision et de flexibilité, et de ne pas savoir saisir les occasions d'affaires. Pour rapprocher les deux groupes, des financiers devraient faire partie des différents groupes de travail du marketing comme pour le lancement de nouveaux produits, et des gestionnaires de marketing devraient collaborer étroitement avec des financiers pour diverses tâches comme des analyses de rentabilité de nouveaux projets ou certains aspects de la préparation du budget.

La comptabilité

Les différences de vues entre les comptables et les mercaticiens se manifestent surtout dans le domaine du crédit et de l'application des règles comptables. Les comptables préfèrent les opérations standards et apprécient peu les promotions, parce que les ristournes et les remises qui y sont rattachées entraînent des opérations comptables d'exception. Ils reprochent aussi aux gens de marketing, en particulier aux représentants commerciaux, leurs comptes de dépenses excessifs et leurs retards à produire leurs rapports de ventes. Pour leur part, les mercaticiens trouvent souvent à redire à propos des règles d'imputation des frais généraux et des frais indirects relatives aux divers produits, et aimeraient avoir des rapports comptables détaillés selon les marchés, les clients, les territoires ou les circuits de distribution.

Les mercaticiens veulent des conditions de crédit avantageuses et tolèrent les risques modérés. Au contraire, les comptables acceptent mal une telle manière de voir les choses et tiennent à appliquer des règles rigoureuses quand il s'agit d'évaluer le crédit de clients potentiels. Aussi les mercaticiens jugent-ils souvent les normes de crédit trop sévères. Les représentants commerciaux travaillent fort pour trouver de nouveaux clients et ils estiment que les comptables ont une trop grande peur du risque, qu'ils font perdre à l'entreprise des ventes et des profits. Il est donc essentiel de demander aux comptables et aux mercaticiens de se rencontrer pour tenter d'aplanir leurs divergences d'opinions.

La figure 14.1 (*voir p. 497*) a décrit le rôle crucial et central que joue l'organisation dans le processus de gestion du marketing. Il convient maintenant d'examiner la raison d'être du plan de marketing, qui est sa mise en œuvre.

14.2 La mise en œuvre

Un plan de marketing n'a de valeur que s'il est mis en œuvre, et on ne peut l'évaluer que d'après les résultats obtenus. C'est en se basant sur le plan conçu par les personnes qui occupent les différents postes décrits précédemment que l'on appliquera les stratégies de marketing. L'American Marketing Association définit la mise en œuvre comme la conception de programmes et d'activités de marketing en vue d'atteindre les objectifs stratégiques, malgré les contraintes existantes et avec les ressources disponibles [17]. Les programmes sont à la fois la traduction du plan stratégique en termes opérationnels et un moyen grâce auquel on peut suivre et contrôler la performance stratégique. Le plan d'action comprend trois éléments :

1. les tâches à accomplir, incluant les directives précises pour chaque élément du mix de marketing ;
2. les échéanciers à respecter pour chaque activité ou élément ;
3. l'allocation des ressources et les budgets impartis [18].

Thomas V. Bonoma a élaboré un modèle de mise en œuvre[19] qui comprend quatre niveaux structurels allant du plus simple au plus complexe : les activités de marketing, les programmes de marketing, les systèmes de marketing et les politiques de marketing.

L'offre de l'entreprise est vue comme un ensemble d'activités et de programmes de marketing (*voir la figure 14.8*). Une activité de marketing est un ensemble d'actions de marketing et seulement d'actions de marketing (par exemple, la participation à une foire commerciale). Un programme de marketing est composé de paquets de fiches, chaque fiche correspondant à une activité. Chaque programme comprend un certain nombre d'activités de marketing, de même que des activités se rapportant à d'autres fonctions de l'entreprise, comme la production et la logistique. Les activités et les programmes de marketing sont les éléments les plus opérationnels de la pratique du marketing et relèvent donc de la responsabilité des directeurs de produits ou de marchés, ou de spécialistes tels que le responsable de la publicité ou de la promotion. Par contre, les systèmes et les politiques de marketing relèvent de la direction générale. Les systèmes sont définis comme des opérations courantes de gestion de marketing qui ont été structurées, organisées formellement. Le budget de marketing ou les rapports de ventes font partie de ces opérations courantes. Les politiques de marketing, quant à elles, sont des règles et des directives de gouvernance.

FIGURE 14.8 Le modèle de mise en œuvre du marketing

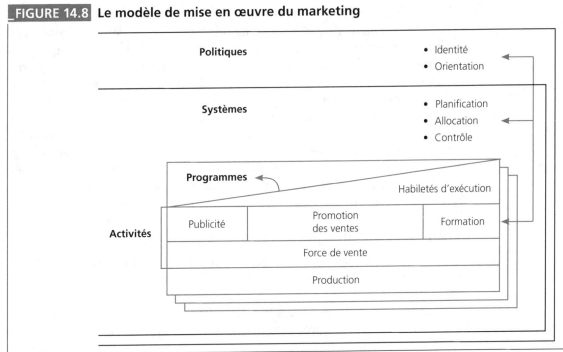

Source : Thomas V. BONOMA, *The Marketing Edge : Making Strategies Work,* New York, The Free Press, 1985, p. 23 ; adaptation libre.

14.2.1_Les activités de marketing

Une activité est un ensemble d'actions ou de tâches qui servent, à plus ou moins court terme, à la mise en marché d'un produit ou d'un service. Une activité de marketing est une action de base – par exemple, une séance de formation destinée aux représentants. Normalement, une activité de marketing est mise en œuvre uniquement par la fonction marketing de l'entreprise. Les activités de marketing sont considérées comme les éléments de base dans la hiérarchie des stratégies de marketing, et aucune stratégie de marketing ne peut être mise en œuvre sans elles. On peut même dire qu'il est peu probable qu'une stratégie réussisse si les activités de marketing n'ont pas été bien exécutées.

Bonoma[20] a étudié les causes d'échec des activités de marketing dans plusieurs entreprises. Son objectif était évidemment de trouver des moyens d'assurer le succès de la mise en œuvre de stratégies de marketing. Il a mis en évidence trois causes d'échec :

■ **La gestion par supposition.** Au lieu d'utiliser des données de faits validées, certains gestionnaires formulent des suppositions au sujet, par exemple, des causes de l'échec du lancement d'un nouveau produit, ou de réactions du marché et des intermédiaires, ou encore du comportement des clients et du personnel en contact avec les clients. On se base alors sur des suppositions ou des conjectures pour prendre des décisions.

■ **L'incohérence organisationnelle.** Il y a parfois des contradictions entre ce qui est demandé par les membres de la haute direction de l'entreprise et ce que l'on demande aux employés chargés des opérations, comme améliorer le service à la clientèle et réduire le budget de ce même service. Ces contradictions peuvent avoir pour effet de nuire à la cohésion de l'organisation, de démotiver les employés et même de discréditer l'entreprise aux yeux des employés, des sous-traitants, des intermédiaires et des clients.

■ **La médiocrité globale.** C'est la situation à laquelle on aboutit quand le vice-président au marketing n'ose pas faire des choix et miser sur les compétences gagnantes de certaines fonctions, mais au contraire alloue des ressources également à toutes les fonctions et dans tous les domaines. C'est une erreur stratégique que de répartir uniformément les maigres ressources dont on dispose. Soucieuse de traiter tout le monde sur le même pied ou de bien faire dans tous les domaines à la fois, la direction distribue des ressources limitées entre tous les services au lieu d'en avantager certains et de risquer de déplaire à d'autres. Il est mieux de développer des compétences particulières dans certaines fonctions (le service de publicité ou la force de vente, par exemple) et d'investir les ressources dans les domaines où il est stratégiquement souhaitable de le faire, de façon à acquérir des avantages concurrentiels pérennes.

14.2.2_Les programmes de marketing

Les programmes de marketing impliquent la combinaison d'activités de marketing avec certaines activités relatives à d'autres fonctions de l'entreprise. Ils exigent donc le soutien à la fois du service du marketing et d'autres services de l'entreprise, comme celui des ressources humaines ou de la logistique. Par exemple, un fabricant de machinerie lourde pourrait vouloir améliorer son service à la clientèle en réduisant le temps de livraison des pièces de rechange. Un tel programme mettra à contribution, outre le service du marketing, ceux de la production, de la logistique, des finances et des ressources humaines de l'entreprise.

Les programmes de marketing peuvent prendre plusieurs formes : une campagne publicitaire, une promotion destinée aux consommateurs, une promotion destinée aux intermédiaires, le lancement d'un nouveau produit, l'ouverture d'une nouvelle succursale, et ainsi de suite. Les programmes de marketing ont une durée déterminée, reçoivent des fonds dont le montant est fixé d'avance et sont souvent gérés comme des projets, car le responsable doit assurer la coordination des différentes fonctions associées pour les besoins de la cause. Parce que ces programmes permettent de réaliser le plan de marketing, il est nécessaire de les gérer de manière rigoureuse, de faire un suivi serré et d'éviter les erreurs.

Les deux principales causes d'échec des programmes de marketing sont les promesses en l'air et la prolifération excessive des programmes.

Les promesses en l'air sont faites aux clients potentiels ou actuels de manière irréfléchie ou inconsidérée. Formulées par des représentants commerciaux ou du service à la clientèle, ou incorporées dans des messages publicitaires, ces promesses irréalisables engagent l'entreprise. Le problème est que les diverses fonctions (ingénierie, production, etc.) sont quelquefois incapables de réaliser le programme de marketing qui aurait permis d'honorer la promesse faite aux employés et aux clients. En suscitant des attentes auxquelles on ne peut répondre, on risque de briser le moral des employés et la confiance des clients. Ces derniers pourraient se tourner rapidement vers les concurrents dès qu'ils auront perdu confiance.

La deuxième cause est la prolifération excessive des programmes, ce qui crée de la confusion chez les clients actuels ou potentiels, de même que chez les employés. À la longue, cela démotive les uns et les autres. Ainsi, si une institution financière a pris l'habitude de multiplier, en plus des promotions de tout genre, les lancements de nouveaux produits et de nouveaux services, les clients et les employés risquent de ne plus s'y retrouver. Il n'est pas rare d'ailleurs qu'une institution financière canadienne offre plus de 400 produits financiers. Les clients et les employés finissent par n'y plus voir clair et par accueillir tous ces programmes avec indifférence. Le manque d'intérêt et de connaissances des uns et des autres explique l'échec de plusieurs programmes. Les responsables du marketing doivent savoir être sélectifs, préférer la qualité à la quantité.

Quelque bien conçus et bien exécutés que soient les activités et les programmes de marketing, rien ne garantit qu'ils connaîtront le succès. Ils doivent également être soutenus par des systèmes de marketing efficaces et des politiques cohérentes.

14.2.3_Les systèmes de marketing

Un système est un ensemble structuré d'éléments abstraits. Le système de marketing est l'ensemble des tâches de gestion du marketing qui sont devenues des opérations courantes structurées. Dans la pratique, c'est un outil de gestion qui sert à informer, à faciliter la prise de décision des gestionnaires et à contrôler les activités et les programmes de marketing pour s'assurer que les objectifs de ces programmes et ceux du plan de marketing en général sont atteints. Le processus de planification et les structures organisationnelles déjà décrits sont des exemples de composantes de systèmes de marketing qui concernent des pratiques de gestion. Les autres systèmes essentiels sont les budgets, qui permettent l'allocation des ressources, et les systèmes comptables, qui permettent le contrôle des ressources. Il existe plusieurs autres types de systèmes de marketing : le traitement des commandes, la facturation, le suivi logistique de la livraison, les rapports des ventes, les garanties, le service à la clientèle, etc.

Même si les systèmes de marketing se sont grandement améliorés au cours des ans, leur mise en œuvre ne connaît pas toujours le succès. Les trois principales causes d'échec des systèmes de marketing sont : le rituel, la politisation et l'indisponibilité.

Le rituel consiste à appliquer des décisions et à suivre des comportements habituels quand le bon sens exigerait que l'on prenne une autre direction. Autrement dit, quand à force de faire les choses d'une certaine façon, cela devient la façon de faire les choses, on se heurte tôt ou tard à des problèmes. Le rituel dans une entreprise peut facilement avoir des répercussions sur la gestion et même sur la direction des affaires, et surtout faire obstacle au changement. Il faut donc se garder de la routine et savoir regarder son travail d'un œil critique.

La politisation est le fait d'attribuer aux données fournies par le système d'information marketing un sens différent de celui auquel on devrait s'attendre ou de les utiliser à des fins autres que celles qui ont été prévues. L'information destinée à faciliter ou à améliorer la prise de décision peut être modifiée, déformée, trafiquée afin de servir des intérêts personnels ou ceux d'un service, de défendre un point de vue ou de discréditer des idées, des projets ou des programmes. Autrement dit, on utilise des systèmes pour des fins autres que celles pour lesquelles ils ont été conçus. Il est clair que l'on doit être le plus objectif possible dans l'analyse de données et subordonner les intérêts particuliers à l'intérêt général.

Enfin, l'indisponibilité désigne l'absence d'un système d'information marketing ou tout simplement le manque de données nécessaires pour prendre les bonnes décisions ou bien accomplir les diverses tâches de gestion du marketing. Les systèmes originellement conçus pour faciliter le travail des gestionnaires finissent par ne plus avoir leur raison d'être. Les gestionnaires se plaignent alors de ne pas disposer de l'information nécessaire pour mener à bien leur travail.

L'inadéquation entre l'information fournie par les systèmes et les besoins des gestionnaires peut se traduire par une surcharge d'information ou, au contraire, par un manque d'information utile au service de marketing. Dans certains cas, les gestionnaires reçoivent des renseignements inutiles ou traités de telle manière qu'ils ne peuvent servir à la prise de décision en marketing. Par exemple, des données recueillies sur les ventes à des fins comptables ne sont pas forcément pertinentes pour la prise de décision en marketing. Dans d'autres cas, l'information nécessaire à la prise de décision en marketing manque tout simplement, soit parce que les systèmes n'ont pas été programmés en vue d'aider à cette prise de décision, soit parce qu'il n'existe aucun système de renseignements. Les entreprises ignorent souvent les chiffres des ventes ou la rentabilité par produits, par services, par régions, par clients, par représentants commerciaux, et le reste; elles ont encore moins accès à des données croisées, comme les ventes par produits ou clients dans une région donnée. Il faut s'assurer non seulement que des systèmes appropriés sont en place, mais aussi qu'ils fournissent de l'information utile aux gestionnaires.

Il est évidemment essentiel de se garder de ces causes d'échec. Pour que le service du marketing et même l'entreprise soient bien gérés, il est nécessaire de disposer de systèmes de marketing performants. Pour avoir de tels systèmes, les dirigeants doivent décider clairement de la direction à faire prendre à l'entreprise, puis investir les ressources nécessaires. Ils doivent aussi déterminer avec précision le rôle du marketing dans l'entreprise. Les systèmes de marketing permettent de gérer, de planifier, d'exécuter et de contrôler les opérations et de distribuer les ressources, mais ce sont les politiques de marketing qui donnent une identité à l'entreprise et qui déterminent dans quelle direction elle va.

14.2.4_Les politiques de marketing

Les politiques de marketing établissent des règles générales de conduite. Elles dictent les comportements, alors que les systèmes les décrivent. Les politiques peuvent être énoncées par écrit ou verbalement ; parfois, elles demeurent tacites. Les directives guident la mise en œuvre des activités, des programmes et des systèmes de marketing. Une hiérarchie de politiques encadre les activités, les programmes et les systèmes de marketing, depuis les politiques sur les promotions aux intermédiaires, la publicité spécialisée, les réponses à la clientèle après la fermeture des bureaux et le retour de marchandises, en passant par les politiques de recrutement de représentants commerciaux, jusqu'aux politiques d'identité et d'orientation du marketing de l'entreprise. On ne s'attardera qu'à ces deux dernières, car elles regardent la direction générale de l'entreprise. Les politiques d'identité du marketing concernent la nature et la culture du marketing dans l'entreprise, alors que les politiques d'orientation du marketing se rapportent aux stratégies de marketing et au leadership du marketing.

Les politiques d'identité du marketing

La nature et la culture du marketing dans l'entreprise sont l'objet propre de la politique d'identité du marketing. On entend par « nature du marketing » la compréhension commune de ce qu'est le marketing dans l'entreprise – comme la définition de la fonction elle-même, son rôle, ses rapports avec les autres fonctions –, et de ce qu'est l'entreprise dans la perspective du marketing – par exemple, une entreprise innovatrice, avec une préoccupation marquée pour le développement durable, soucieuse de la qualité des produits qu'elle distribue à des commerces spécialisés et désireuse d'avoir des représentants commerciaux très compétents ; ou une entreprise de services qui se différencie par la compétence et le professionnalisme de ses employés ainsi qu'un excellent service à la clientèle.

La culture du marketing, quant à elle, est un concept plus vaste. Elle se rapporte à l'ensemble des valeurs partagées par la direction et les employés (par exemple, l'importance du service après-vente, l'observance du code d'éthique de l'entreprise, ou le sens de la responsabilité sociale), aux règles de conduite (par exemple, le respect des promesses faites aux clients), aux symboles et aux activités symboliques servant à exprimer les valeurs partagées et à imposer les règles de conduite (par exemple, l'énoncé de mission, l'utilisation du logo de l'entreprise, les rencontres régulières du comité de gestion de la qualité[21]). La culture marketing est le tissu social sous-jacent, quelquefois inexprimé, de la gestion du marketing dans l'entreprise. Si la culture marketing est une sous-culture de la culture organisationnelle de l'entreprise, elle est néanmoins une force qui façonne non seulement ce qu'est le marketing dans l'entreprise, mais aussi ce qu'est l'entreprise elle-même.

Les deux défauts majeurs que peut présenter une politique d'identité du marketing sont l'ambiguïté et l'incohérence. Il arrive que des employés des divers services de l'entreprise, même au marketing, aient une perception différente de ce qu'est la nature du marketing dans l'entreprise. La nature et le rôle de la fonction marketing sont alors ambigus. Il arrive aussi que les employés des divers services et des divers échelons hiérarchiques ne partagent pas les mêmes valeurs et ne suivent pas les mêmes règles de conduite. Il appartient alors à la direction générale de prendre les moyens nécessaires pour éviter autant que possible toute incohérence dans l'opérationnalisation du marketing de l'entreprise en imposant une conception unique du marketing à tous les niveaux hiérarchiques et dans tous les services.

Les politiques d'orientation du marketing

Les politiques d'orientation du marketing indiquent la direction que l'entreprise entend faire prendre aux activités, aux programmes et aux systèmes de marketing. Elles comprennent les politiques de stratégies et les politiques de leadership et définissent, d'une façon générale, l'orientation de tout ce qui se fait en marketing. Les stratégies fondamentales de marketing servent de guide dans la définition et l'application des stratégies du mix de marketing (*chapitre 2*). Ces stratégies s'insèrent dans le déclenchement du processus de planification du marketing, et font le pont avec la mission et les objectifs de marketing qui définissent l'orientation de l'entreprise. Les stratégies de mix de marketing, quant à elles, sont intimement liées aux activités et aux programmes de marketing. Les stratégies fondamentales de marketing jouent donc un rôle crucial dans l'orientation de l'entreprise. Par exemple, l'ajout d'un produit qui n'est pas conforme ou cohérent avec l'offre de l'entreprise, ou encore le positionnement flou d'un produit, refléterait une politique d'orientation mal définie. Les concepts de produits retenus pour développement doivent faire partie de la stratégie fondamentale de marketing et permettre à l'entreprise d'atteindre ses objectifs. De même, dans le choix de la stratégie de positionnement d'un produit, il est essentiel que le directeur de produits ou le responsable du marketing indique clairement ce que doivent être ce positionnement et les actions à accomplir pour l'obtenir, de façon à proposer au marché une offre cohérente. Et tous les employés de l'entreprise doivent être mis au courant de cette démarche.

L'entreprise doit aussi adopter des politiques de leadership en marketing. La force du leadership a un effet direct sur l'efficacité des opérations de marketing. En fait, l'entreprise a besoin de leaders, de vrais chefs, pour pouvoir appliquer les stratégies servant à la mise sur pied des activités, des programmes et des systèmes de marketing. Les cadres ne font pas tous de bons chefs.

La faiblesse des cadres peut être une cause importante de l'échec des politiques d'orientation de l'entreprise. Pour résoudre ce problème, il faut une excellente gestion des ressources humaines. Cela implique la mise en œuvre de politiques en matière de recrutement, de formation des cadres et de développement de leurs compétences, en particulier de tout ce qui est relatif au leadership.

14.3 Le contrôle

Le contrôle est le corollaire de la planification : sans planification, il est impossible d'exercer un contrôle. Le contrôle sert à évaluer si l'organisation mise en place et la mise en œuvre du plan de marketing ont permis d'atteindre les objectifs de marketing fixés dans le plan et, sinon, d'apporter des mesures correctives. Dans une optique marketing, le contrôle sert à la fois à apprécier la performance d'un produit sur le marché, la satisfaction de la clientèle et les résultats financiers. Le contrôle concerne les dimensions stratégique, administrative et opérationnelle de la mise en œuvre du plan de marketing.

Le contrôle en marketing ne sert pas uniquement à déterminer si les objectifs de marketing ont été atteints ou non ; il permet de connaître les coûts réels, de mettre en lumière des problèmes, d'appliquer des mesures propres à redresser la situation et de prévenir les erreurs. Malheureusement, le contrôle en marketing est souvent le maillon faible du processus de gestion du marketing, pour plusieurs raisons :

- certains gestionnaires ne perçoivent que les coûts additionnels entraînés par le contrôle et n'en considèrent pas les avantages ;
- il est quelquefois difficile d'établir des critères d'évaluation des résultats ;
- la mise en place d'un système de contrôle en marketing est souvent une entreprise complexe et coûteuse ;
- le système de contrôle ne donne pas toujours des indications sur les mesures correctives à apporter ni sur les moyens de les appliquer. Mais les avantages de mettre en place un système de contrôle en marketing dépassent de beaucoup ces désavantages.

14.3.1_Les buts du contrôle en marketing

Le contrôle en marketing a pour objet d'aider les responsables à mieux gérer la fonction marketing et à guider leurs efforts. Les buts d'un système de contrôle sont, par exemple, d'évaluer :

- l'orientation stratégique de l'entreprise ;
- l'atteinte des objectifs fixés dans le plan, tels que la satisfaction de la clientèle, la rentabilité et la part de marché ;
- la gestion des activités et des programmes de marketing ;
- le niveau d'adoption de l'optique marketing dans l'entreprise ;
- les résultats des tests de marché des nouveaux produits, des nouvelles promotions, des nouvelles campagnes publicitaires.

Le contrôle est un outil de gestion essentiel qui favorise l'adoption d'une attitude positive à l'égard de l'analyse continuelle des données et de l'interprétation des résultats. Il permet souvent de cerner les difficultés rencontrées par un produit ou un programme, d'en déterminer les causes et de trouver des méthodes pour corriger si possible la situation ou empêcher que les échecs ne se répètent.

Le contrôle sert aussi à reconnaître les personnes peu performantes, à améliorer leurs compétences et à modifier leur comportement. Enfin, il donne l'occasion aux responsables du marketing d'apprécier l'influence des stratégies de mix de marketing sur les divers programmes et activités de marketing. Ainsi, il sert non seulement à mesurer divers éléments de la performance, mais aussi à développer les capacités de gestion du marketing.

14.3.2_Le système de contrôle en marketing

Le système de contrôle en marketing comprend trois types de contrôle : le contrôle de l'orientation stratégique, le contrôle de la productivité et le contrôle des activités et programmes de marketing. La figure 14.9 (*voir p. 518*) présente un modèle de processus de contrôle en marketing.

La première étape du processus consiste à rechercher les domaines clés que l'entreprise doit contrôler (par exemple, les ventes et la rentabilité). On détermine ensuite les critères de rendement, comme le niveau des ventes, la rétention et la satisfaction de la clientèle, la rentabilité et le respect des échéanciers. L'étape suivante est plus difficile : il s'agit de fixer les objectifs par rapport auxquels seront mesurés et comparés les résultats tels que le pourcentage de la clientèle se disant très satisfaite et satisfaite, les ventes par territoire ou la rentabilité par client. Les normes varieront évidemment selon que l'on a affaire à l'orientation stratégique, à la productivité ou à des activités et programmes de marketing.

FIGURE 14.9 Le système de contrôle en marketing

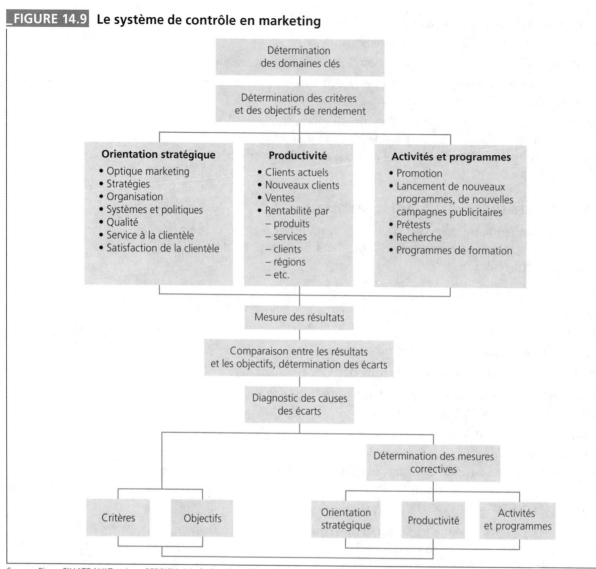

Source: Pierre FILIATRAULT et Jean PERRIEN, *Marketing de services financiers*, Montréal, Institut des banquiers canadiens, 1999, p. 201 ; adaptation libre.

Ensuite, il faut mesurer les résultats par rapport aux normes et aux critères retenus. La tâche principale consiste, après avoir comparé les résultats aux objectifs suivant les différents critères, à mesurer les écarts marquants et à les examiner. Deux possibilités se présentent alors : ou bien il existe un écart réel, positif ou négatif par rapport à un objectif fixé correctement, ou bien le critère ou l'objectif n'a pas été déterminé correctement. En cas d'écarts notables, il convient de se demander si le critère retenu mesurait bien ce qu'il fallait mesurer. Si le critère a mal été défini, il faut alors revoir le critère et l'objectif. Si les critères et les objectifs ont été bien choisis et s'il existe un écart négatif, il y a lieu d'envisager des mesures correctives. Si les écarts sont positifs, on en explique la raison et l'on tire les leçons qui s'imposent.

Le contrôle de l'orientation stratégique

Ce contrôle consiste en l'analyse et l'évaluation systématiques de l'environnement de l'entreprise et de son adaptation à cet environnement. Le contrôle de l'orientation stratégique peut être fait sur une base régulière en même temps que la préparation du plan de marketing, laquelle correspond à l'analyse de la situation, la première étape du processus de planification du marketing (*chapitre 2*). Il peut aussi être fait à l'occasion d'événements précis tels que l'entrée en fonction d'un nouveau vice-président au marketing, le lancement d'un produit révolutionnaire par un concurrent, des demandes pressantes résultant de la mondialisation des marchés ou la mise en place d'un nouveau circuit de distribution. Cet examen critique de la situation de l'entreprise, de son organisation ou de son efficacité globale est aussi appelé « audit marketing ». C'est l'examen complet, systématique, objectif et périodique de l'environnement interne et externe de l'entreprise.

Le contrôle de la productivité

Le contrôle de la productivité du marketing se rapporte à la performance. Il constitue sans doute la partie du contrôle en marketing qui se rapproche le plus de la méthode de contrôle traditionnelle. Il s'agit ici d'efficacité. Ce type de contrôle dépend largement de la qualité du système comptable dans la perspective du marketing. Les résultats sont évalués par rapport aux objectifs fixés dans le plan de marketing. Par exemple, les ventes et la rentabilité par produits ou par services, la rétention des clients actuels et l'acquisition de nouveaux clients sont mesurées et comparées aux objectifs. Si nécessaire, des actions correctives seront entreprises.

Le contrôle des activités et des programmes

Ce contrôle a un caractère nettement plus opérationnel. Il consiste à examiner les activités et les programmes accomplis au regard de l'exécution du plan de marketing annuel. Un outil fréquemment utilisé est la gestion de projets. Par exemple, à l'aide d'un graphique de Gantt, on définit les tâches à exécuter pour le lancement d'un nouveau produit, la promotion des intermédiaires, une campagne publicitaire ou une étude de marché. Les diverses tâches sont placées selon un ordre logique et chronologique. On détermine la durée de chaque tâche, la personne qui en sera responsable et un budget approprié. Chaque activité ou programme est géré comme un projet, et le directeur du marketing veille à ce que chaque projet respecte l'échéancier et le budget alloué. Le contrôle sert à la gestion des opérations et permet de s'assurer que le projet est mené à terme dans les temps et selon les budgets. Il permet également d'évaluer, *a posteriori,* les résultats et les causes des succès et des échecs. En outre, il mesure les résultats des activités et programmes de marketing par rapport aux objectifs fixés par ces actions.

Le contrôle en marketing clôt le processus de gestion du marketing. Il sert à informer, à gérer et à former. Il est utile non seulement pour mesurer si les objectifs du plan de marketing ont été atteints et pour apporter des mesures correctives le cas échéant, mais aussi pour prévenir les erreurs, évaluer l'orientation stratégique du marketing et s'assurer que les activités et les programmes de marketing ont été menés à bonne fin. Le contrôle aide enfin à acquérir les compétences essentielles pour la gestion du marketing. L'avenir du marketing passe par un meilleur contrôle de ses dépenses et une plus grande préoccupation au sujet du rendement de l'investissement et de la rentabilité par segment de marché, par circuit de distribution et par client [22].

Mais la clé du succès en marketing demeurera toujours de bien connaître le marché, de bien gérer les relations avec les clients, d'être à l'affût des changements dans l'environnement externe et de s'y adapter, de bien répondre aux besoins du marché tout en étant socialement responsable, d'innover, d'offrir de la valeur aux clients grâce à des produits et services de qualité à un prix équitable, et de donner un excellent service à la clientèle.

—Le processus de la gestion du marketing comprend quatre étapes : la planification, l'organisation, la mise en œuvre et le contrôle. Les trois derniers éléments de ce processus sont liés à la planification du marketing parce qu'ils font partie de son exécution.

—L'organisation constitue un élément crucial du processus de gestion du marketing. L'organisation du service du marketing comporte quatre possibilités allant du plus traditionnel au plus souhaitable : le service des ventes, le service des ventes avec soutien de marketing, le service du marketing indépendant et finalement le service du marketing intégré.

—La structure organisationnelle du marketing peut prendre plusieurs formes : l'organisation par fonctions, l'organisation par marchés, l'organisation par régions, l'organisation par produits, groupes de produits, services ou marques, l'organisation matricielle et l'organisation par projets. Les mercaticiens doivent constamment veiller à intégrer la fonction marketing. Cela signifie l'intégration des diverses fonctions du marketing dans le service du marketing lui-même, celle du marketing à tous les échelons de l'entreprise et celle du service du marketing avec les autres services de l'entreprise.

—Un plan de marketing n'a de valeur que s'il est mis en œuvre. Le modèle de mise en œuvre proposé comprend quatre niveaux structurels, allant du plus simple au plus complexe : les activités de marketing, les programmes de marketing, les systèmes de marketing et les politiques de marketing. Les causes d'échec à chacun des niveaux structurels de mise en œuvre et les moyens d'assurer leur succès ont été présentés.

—Le contrôle est le corollaire de la planification. Il aide à déterminer si l'organisation mise en place et la mise en œuvre ont permis d'atteindre les objectifs fixés dans le plan et, le cas échéant, d'apporter des mesures correctives. Le système de contrôle en marketing comprend trois types : le contrôle de l'orientation stratégique, le contrôle de la productivité et le contrôle des activités et programmes de marketing.

_Questions

_1. Qu'entend-on par l'organisation de la fonction marketing dans une entreprise ?

_2. L'organisation du marketing a beaucoup évolué au cours des dernières années. Commentez.

_3. Expliquez ce qu'est une structure matricielle. Quelles formes peut-elle prendre en marketing ? Quels en sont les avantages et les inconvénients ?

_4. Expliquez ce qu'est le modèle de mise en œuvre de Bonoma. La mise en œuvre est-elle plus importante que la planification ? Pourquoi ?

_5. Quelles sont les principales causes d'échec des activités et des programmes de marketing ?

_6. Qu'est-ce qu'un système de marketing ? Donnez-en quelques exemples. À quoi ces systèmes servent-ils ?

_7. Qu'est-ce qu'une politique d'identité du marketing ? Et une politique d'orientation du marketing ? Quelles différences y a-t-il entre les deux ? Donnez des exemples de ces deux types de politiques.

_8. Qu'entend-on par culture marketing dans une entreprise ? Pourquoi un directeur du marketing devrait-il s'occuper de la culture marketing ?

_9. Le contrôle est le corollaire de la planification. Qu'est-ce que cela signifie ? Est-ce vrai, selon vous ?

_10. Expliquez brièvement en quoi consistent les trois types de contrôle en marketing.

ÉTUDE DE CAS
Securmatik

Securmatik fabrique des systèmes de sécurité pour les domiciles. Son président, Jean Poirier, possédait une vaste expérience en sécurité en tant que policier lorsqu'il a fondé l'entreprise il y a huit ans et a lancé un premier produit : un système d'alarme câblé, avec tableau de contrôle et sirène intérieure. Après des débuts pénibles, les ventes ont augmenté rapidement et ont presque doublé ces 3 dernières années, pour atteindre aujourd'hui 19 millions de dollars. Jean Poirier vous convoque à son bureau et vous annonce qu'il a un mandat à vous confier : revoir la structure organisationnelle du marketing de l'entreprise. Il vous dit ceci :

« J'ai lancé mon entreprise avec le produit Securouse, un système d'alarme contre les vols par effraction. Mon premier marché a été le Québec, que je connaissais bien. Je me suis vite rendu compte que mon système était plutôt rudimentaire et que je devais faire du développement de produit. Grâce à une subvention gouvernementale, j'ai pu engager un jeune ingénieur, Nadal Rachid, qui est toujours à mon emploi, pour s'occuper du développement de produits, puis j'ai pris le leadership des ventes et du marketing. Bien vite est venu s'ajouter le Secursystal, un système d'alarme plus complet que le Securouse avec détecteurs de mouvement, clavier DEL, alarmes anti-intrusion et anti-incendie branchées sur une centrale. J'ai nommé Nadal directeur du Secursystal, produit qui est rapidement devenu notre vache à lait.

J'ai bientôt dû engager une analyste en marketing, Évelyne Massicotte, qui a aussi pris en charge le service à la clientèle. Elle a rapidement été impliquée dans diverses tâches de soutien du marketing, comme les soumissions, le catalogue, les promotions et la mise à jour du site Web.

Il y a quatre ans, nos efforts de R et D ont réellement porté fruits et j'ai alors embauché François Tremblay pour s'occuper de la gamme des produits Securtopstar, un système de sécurité basé sur Secursystal, mais plus complexe puisque l'on y a ajouté des détecteurs de mouvements plus sensibles, des commandes à distance et des minicaméscopes numériques. Le produit, plus cher, cible le marché des maisons de luxe et des bureaux de professionnels. Pour sa mise en marché, j'ai fait appel à Michel Beaulieu, qui a passé beaucoup de temps à en faire la préparation. Pourtant, les ventes de Securtopstar au Québec ne vont pas très bien.

En même temps, les ventes du Secursystal décollaient. J'ai vite compris l'importance du marché de l'Ontario pour ce produit et, vu que j'étais débordé, j'ai recruté un directeur des ventes d'expérience, Brian Malone. Son salaire est élevé, mais ça en valait la peine : les ventes en Ontario ont grimpé en flèche et représentent aujourd'hui 21 % de nos ventes totales, et elles pourraient doubler d'ici 3 ans. Il y a deux ans, j'ai dû embaucher un représentant pour les Maritimes et, l'an passé, un autre pour les Prairies. Brian m'a bien aidé pour leur formation et leur supervision. Depuis, je lui ai demandé de trouver un représentant pour la Colombie-Britannique, et il m'a suggéré de recourir aux services d'un agent de fabricant. Les ventes augmentent partout, la production a de la difficulté à suivre le rythme… et les problèmes se multiplient. Nous recevons des plaintes des clients. Des détaillants se sont plaints de ruptures de stock. Je passe mon temps à éteindre des feux. Je ne fais que butiner, je ne peux pas tout faire. Je suis avant tout le président, n'est-ce pas ?

En plus, en réponse à de nombreuses suggestions de clients, nous avons ajouté une gamme complémentaire de produits de sécurité, les serrures Securlockstar. Nous avons conclu une entente d'exclusivité pour le Canada avec Swisslockguard et nous assemblons ici ces serrures. J'ai fait le gros du travail, puis j'ai demandé à Nadal, mon ingénieur, et à François, mon directeur des produits Securtopstar, de collaborer pour la mise en marché des serrures Securlockstar. »

Monsieur Poirier conclut ainsi : « Je me rends compte qu'il y a de la confusion dans l'organisation. Tout le monde et personne ne s'occupe de Securlockstar. Je ne sais pas si Évelyne, mon analyste marketing, peut en prendre davantage… Moi non. »

_1. Que recommanderiez-vous à M. Poirier pour améliorer la structure organisationnelle du marketing de Securmatik ?

_Notes

1. AMERICAN MARKETING ASSOCIATION, [En ligne], www.marketingpower.com (Page consultée le 23 avril 2010)

2. Pierre FILIATRAULT, *Comment faire un plan de marketing stratégique*, 2e édition, Montréal, Éditions Transcontinental, 2005, p. 237.

3. Définition inspirée de l'AMERICAN MARKETING ASSOCIATION, [En ligne] www.marketingpower.com (Page consultée le 23 avril 2010)

4. Eugene M. JOHNSON, Eberhard E. SCHEUING et Kathleen A. GAIDA, *Profitable Service Marketing*, Homewood (Illinois), Dow Jones-Irwin, 1986, p. 133 ; traduction libre.

5. *Le Petit Larousse 2010*, Paris, Larousse, 2010, p. 718.

6. Fred R. DAVID, *Concepts of Strategic Management*, 5e édition, Englewood Cliffs (New Jersey), Prentice Hall, 1995, p. 165.

7. Frederick E. WEBSTER, Jr., « The changing role of marketing in corporations », *Journal of Marketing*, vol. 56, octobre 1992, p. 1-17.

8. Philip KOTLER, *Kotler on Marketing*, New York, The Free Press, 1999, p. 178.

9. Nigel F. PIERCY, *Marketing Organization : An Analysis of Information Processing, Power and Politics*, Londres, George Allen & Unwin, 1985, p. 3-17.

10. Pierre FILIATRAULT et Jean-Charles CHEBAT, « Pratiques de gestion dans les entreprises de services », *Revue française de marketing*, vol. 113, n° 3, 1987, p. 49-67.

11. Pierre FILIATRAULT et Brian METCALFE, *Marketing bancaire : services aux consommateurs*, 2e édition, Montréal, Institut des banquiers canadiens, 1994, p. 608.

12. Philip KOTLER et al., *Marketing Management*, 13e édition canadienne, Toronto, Pearson Canada, 2009, p. 661.

13. P. FILIATRAULT, *op.cit.*, p. 238.

14. P. KOTLER et al., *op. cit.*, p. 663.

15. Philip KOTLER, Pierre FILIATRAULT et Ronald E. TURNER, *Le management du marketing*, 2e édition, Boucherville, Gaëtan Morin Éditeur, 2000, p. 802.

16. La structure de cette section s'inspire de P. KOTLER, P. FILIATRAULT et R. E. TURNER, *op. cit.*, p. 809-813, et de P. KOTLER et al., *op. cit.*, p. 662.

17. Définition de la mise en œuvre (*implementation*) selon l'AMERICAN MARKETING ASSOCIATION, [En ligne], www.marketingpower.com (Page consultée le 23 avril 2010)

18. Malgré son importance dans la pratique, peu d'auteurs se sont penchés sur ce sujet. Nous avons puisé les éléments de base de cette partie du chapitre dans Thomas V. BONOMA, *The Marketing Edge : Making Strategies Work*, New York, The Free Press, 1985, 241 p. ; Pierre FILIATRAULT et Jean PERRIEN, *Marketing de services financiers*, Montréal, Institut des banquiers canadiens, 1999, p. 192-198.

19. T. V. BONOMA, *op. cit.*, p. 24-34.

20. *Ibid.*, p. 24-28.

21. P. KOTLER et al., *op. cit.*, p. 688.

22. *Ibid.*

_Médiagraphie

AAKER, David A. et George S. DAY. *Marketing Research,* 4e édition, San Francisco, John Wiley & Sons, 1980.

AAKER, David A. et J. Gary SHANSBY. « Positioning your product », *Business Horizons,* vol. 25, n° 3, mai-juin 1982, p. 56-62.

AAKER, David A., V. KUMAR et George S. DAY. *Marketing Research,* 9e édition, San Francisco, John Wiley & Sons, 2007, 792 p.

ADAMS, Jack A. *Learning and Memory: An Introduction,* Homewood (Illinois), Richard D. Irwin, 1980, 378 p.

LES AFFAIRES. « Investir », vol. LXXXII, n° 19, 15 au 21 mai 2010, p. 45.

AGENCE QMI. « L'Internet devient plus populaire que la télé », *Nouvelles,* Argent, Quebecor Media, 23 mars 2010, [En ligne], http://argent.canoe.ca (Page consultée le 24 mars 2010)

AGUILAR, Francis J. *Scanning the Business Environment,* Boston, Harvard Business School, coll. « Publishing Division », 1967, 239 p.

ALEXANDER, Ralph S. « Report of the definitions committee », *Journal of Marketing,* octobre 1948, p. 202-217.

AMEREIN, Pierre. *Marketing: stratégies et pratiques,* Paris, Nathan, 1996, 384 p.

AMERICAN MARKETING ASSOCIATION. [En ligne], www.marketingpower.com (Page consultée le 23 avril 2010)

AMERICAN MARKETING ASSOCIATION. *Statement of Ethics,* [En ligne], http://www.marketingpower.com (Page consultée le 24 janvier 2010)

ANDERSON, Chris. *La longue traîne,* 2e édition, Paris, Pearson, 2009, 320 p.

ARMSTRONG, Gary *et al. Marketing, An Introduction,* 2e édition canadienne, Toronto, Pearson Prentice Hall, 2007.

AURIER, Philippe. « Segmentation: une approche méthodologique », *Recherche et applications en marketing,* vol. IV, n° 3, 1989, p. 53-75.

BABBIE, Earl R. *The Practice of Social Research,* 8e édition, Belmont (Californie) et Toronto, Wadsworth, 1992, 493 p.

BAKER, Walter, Mike MARN et Craig ZAWADA. « Price smarter on the Net », *Harvard Business Review,* vol. 79, n° 2, février 2001, p. 122-127.

BANAJI, Mahzarin R., Max H. BAZERMAN et Dolly CHUGH. « How (un)ethical are you? », *Harvard Business Review,* décembre 2003, p. 56-65.

BARNES, Stuart et Richard VIDGEN. « An evaluation of cyberbookshops: the WebQual method », *International Journal of Electronic Commerce,* vol. 6, n° 1, automne 2001, p. 11-30.

BARNES, Stuart et Richard VIDGEN. « Assessing the quality of auction web sites », *Proceedings of the Hawaii International Conference on Systems Sciences,* Maui (Hawaï), 4 au 6 janvier 2001.

BARNES, Stuart et Richard VIDGEN. « Data Triangulation in action: using comment analysis to refine Web quality metrics », *Proceedings of the 13th European Conference on Information Systems,* Ratisbonne (Allemagne), 26 au 28 mai 2005.

BARTELS, Robert. « Can marketing be a science? », *Journal of Marketing,* 15 janvier 1995, p. 319-328.

BARTELS, Robert. *The History of Marketing Thought,* 2e édition, Colombus (Ohio), Grid, 1967.

BASS, Frank M., Douglas J. TIGERT et Ronald T. LONSDALE. « Market segmentation: groups vs. individual behavior », *Journal of Marketing Research,* vol. V, août 1968, p. 264-270.

BEANE, T. P. et D. M. ENNIS. « Market segmentation: a review », *European Journal of Marketing,* vol. 21, n° 5, 1987, p. 20-42.

BECKSTEAD, Desmond et Guy GELLATLY. « Les travailleurs du savoir sont-ils employés uniquement dans les industries des technologies de pointe? » *L'économie canadienne en transition,* Statistique Canada, [En ligne], www.statcan.gc.ca (Page consultée le 26 février 2010)

BÉDARD, Michel G. et Roger MILLER. *La direction des entreprises: une approche systémique, conceptuelle et stratégique,* Montréal, Chenelière/McGraw-Hill, 2003.

BELANGER, France *et al.* « Web site success metrics: addressing the duality of goals », *Communications of the ACM,* vol. 49, n° 12, décembre 2006, p. 114-116.

BELK, Russel W. « Situational variables and consumer behavior », *Journal of Consumer Research,* vol. 2, décembre 1975, p. 157-164.

BENNETT, Peter D. *Dictionary of Marketing Terms,* 2e édition, Chicago, American Marketing Association, 1995. Cité dans Philip KOTLER, Pierre FILIATRAULT, et Ronald E. TURNER, *Le management du marketing,* 2e édition, Boucherville, Gaëtan Morin Éditeur, 2000, p. 16.

BERKOWITZ, Eric N. *et al. Le marketing,* 2e édition, Montréal, Chenelière/McGraw-Hill, 2007.

BERKOWITZ, Eric N. *et al. Marketing,* 4e édition canadienne, Toronto, McGraw-Hill Ryerson, 1999, 584 p.

BERKOWITZ, Eric N. *et al. Marketing,* 7e édition, Toronto, McGraw-Hill Ryerson, 2008, 587 p.

BERRY, Michael J. A. et Gordon S. LINOFF. *Data Mining: techniques appliquées au marketing, à la vente et aux services clients,* Paris, InterEdition, 1997, 300 p.

BHAT, Subodh et Srinivas K. REDDY. « Symbolic and functional positioning of brands », *Journal of Consumer Marketing,* vol. 15, n° 1, 1998, p. 32-43.

BONOMA, Thomas V. *The Marketing Edge : Making Strategies Work,* New York, The Free Press, 1985, 241 p.

BONOMA, Thomas V., Gerald ZALTMAN et Wesley J. JOHNSON. *Industrial Buying Behavior,* rapports nos 70-177, Cambridge, Marketing Science Institute, décembre 1977, 28 p.

BRETON, Pascale. « La crise frappe les pharmaceutiques », *La Presse,* 6 juillet 2009, p. A2.

BROOKSBANK, Roger. « The anatomy of marketing positioning strategy », *Marketing Intelligence and Planning,* vol. 12, no 4, 1994, p. 10-14.

BUREAU DE LA CONCURRENCE. *Déclarations environnementales : guide pour l'industrie et les publicitaires,* [En ligne], www.bureaudela concurrence.gc.ca (Pages consultées le 25 février 2010)

BUZZELL, Robert D., Donald F. COX et Rex V. BROWN. *Marketing Research and Information Systems,* New York, McGraw-Hill, 1969, 788 p.

CAA-QUÉBEC. « Prix de l'essence : des marges au détail beaucoup trop élevées ! », communiqué de presse, 29 septembre 2009, [En ligne], www.caaquebec.com (Page consultée le 4 mai 2010)

CALANTONE, Roger J. et Alan G. SAWYER. « The stability of benefit segments », *Journal of Marketing Research,* vol. XV, août 1978, p. 395-404.

CANADIAN MEDIA DIRECTORS' COUNCIL. « Media Digest 09/10 », *Marketing,* numéro annuel hors série, automne 2009, p. 24, 40 et 52.

CARPENTER, Gregory S., Rashi GLAZER et Kent NAKAMOTO. « Meaningful brands from meaningless differentiation : the dependence on irrelevant attributes », *Journal of Marketing Research,* vol. XXXI, août 1994, p. 339-350.

CARROLL, Jim et Rick BROADHEAD. *Selling Online : How to Become a Successful E-Commerce Merchant in Canada,* Toronto, Macmillan of Canada, 1999, 592 p.

CENTRE FRANCOPHONE D'INFORMATISATION DES ORGANISATIONS (CEFRIO). *NETendances 2008 : évolution de l'utilisation d'Internet au Québec depuis 1999,* une initiative du CEFRIO, en collaboration avec Léger Marketing, mars 2009, 133 p.

CENTRE FRANCOPHONE D'INFORMATISATION DES ORGANISATIONS (CEFRIO). *NETendances 2009 : évolution de l'utilisation d'Internet au Québec depuis 1999,* une initiative du CEFRIO, en collaboration avec Léger Marketing, avril 2010, 141 p.

CENTRE FRANCOPHONE D'INFORMATISATION DES ORGANISATIONS (CEFRIO). « Résultats de mars, NETendances 2010 », *Blogue du CEFRIO,* [En ligne], http://blogue.cefrio.qc.ca (Page consultée le 2 juin 2010)

CENTRE FRANCOPHONE D'INFORMATISATION DES ORGANISATIONS (CEFRIO). « Statistiques Internet », *Blogue du CEFRIO,* [En ligne], http://blogue.cefrio.qc.ca (Page consultée le 2 juin 2010)

CHEBAT, Jean-Charles, Pierre FILIATRAULT et Jean HARVEY. *La gestion des services,* Montréal, Chenelière/McGraw-Hill, 1999.

CHOFFRAY, Jean-Marie et Gary L. LILIEN. « A new approach to industrial market segmentation », *Sloan Management Review,* vol. 3, printemps 1978, p. 17-29.

CHOUINARD, Tommy. « Québec veut réduire le taux de décrochage de 11 % », *Cyberpresse,* [En ligne], www.cyberpresse.ca (Page consultée le 25 février 2010)

CHURCHILL, Jr., Gilbert A. *Marketing Research : Methodological Foundations,* 7e édition, Forth Worth (Texas), Dryden Press, 1999, 1018 p.

CLEMONS, Eric K., Steve BARNETT et Arjun APPADURAI. « The future of advertising and the value of social network websites : some preliminary examinations », *Information Strategy & Economics,* 27 mai 2007, p. 267-276.

CLÉROUIN, Yannick. « ING Direct croît à un rythme fulgurant au Canada », *Les Affaires,* samedi 2 juillet 2005, p. 9.

CLOUTIER, L. « Toyota nie vouloir mettre fin au prix unique », *Le Droit,* 19 juin 2004, p. A51.

COLLÈGE DE L'IMMOBILIER. « Les années 2000 – une croissance marquée pour l'immobilier au Québec », *Blogue du Collège de l'immobilier,* [En ligne], http://blogue.collegeimmobilier. com (Pages consultées le 3 mars 2010)

COMMISSION SUR LA DÉMOCRATIE CANADIENNE ET LA RESPONABILITÉ DES ENTREPRISES. *Démocratie canadienne et responsabilisation des entreprises : un survol des enjeux,* Atkinson Charitable Foundation, 2001.

COMMISSION SUR LA DÉMOCRATIE CANADIENNE ET LA RESPONSABILITÉ DES ENTREPRISES. *Une nouvelle équation : les profits et les responsabilités des entreprises à l'aube du 21e siècle, rapport final,* Atkinson Charitable Foundation, Columbia Foundation, Fridswell Foundation, janvier 2002.

CONFÉRENCE RÉGIONALE DES ÉLUS DE LAVAL (CRÉ DE LAVAL). *Le Québec et les changements climatiques : un défi pour l'avenir,* [En ligne], www.mddep.gouv.qc.ca (Page consultée le 26 février 2010)

COSTCO. *Investor Relations,* [En ligne], www.costco. com (Page consultée le 26 avril 2010)

CÔTÉ, Louise, Michel VÉZINA et Vincent SABOURIN. *Modèles d'affaires électroniques : cadre de réflexion stratégique à l'intention des petites et moyennes entreprises canadiennes,* CEFRIO, juin 2003, 22 p.

CRM GURU BLOG. [En ligne], www.crm-guru.com (Site consulté en octobre 2005)

CROMPTON, John L. et Charles W. LAMB. *Marketing, Government and Social Services,* New York, John Wiley & Sons, 1986, 485 p.

CURRIM, Imran S. « Using segmentation approaches for better prediction and understanding from consumer mode choice models », *Journal of*

Marketing Research, vol. XVIII, août 1981, p. 301-309.

CYBERLIVRE DU CANADA. « L'économie, la gestion de nos ressources pour l'avenir ». Note : le *Cyberlivre du Canada* était tiré de l'*Annuaire du Canada* de 2001 (11-402-XPF au catalogue) et n'est plus publié.

DAGHFOUS, Naoufel, Emmanuel CHÉRON et Isabelle HIÉ. « Pretest of a model of acculturation and grocery shopping behavior in five Canadian ethnic subcultures », dans Ajay K. MANRAI et H. Lee MEADOW (dir.), actes du 9e Congrès international de marketing, The Academy of Marketing Sciences et The University of Malta, Qawra (Malte), vol. IX, 23-26 juin 1999, p. 245-246.

D'ASTOUS, Alain *et al. Comportement du consommateur,* 2e édition, Montréal, Chenelière/McGraw-Hill, 2006, 510 p.

D'ASTOUS, Alain *et al., Comportement du consommateur,* 3e édition, Montréal, Chenelière Éducation, 2010, 520 p.

D'ASTOUS, Alain. *Le projet de recherche en marketing,* 3e édition, Montréal, Chenelière/McGraw-Hill, 2005, 432 p.

D'ASTOUS, Alain et Naoufel DAGHFOUS. « The effects of acculturation and length of residency on consumption-related behaviors and orientations of Arab-Muslim immigrants », annales du Congrès de l'Association des sciences administratives du Canada, Niagara Falls (Ontario), 1991, p. 91-101.

DAVID, Fred R. *Concepts of Strategic Management,* 5e édition, Englewood Cliffs (New Jersey), Prentice Hall, 1995.

DAVIS, Harry et Benny RIGAUX. « Perception of marital roles in decision making processes », *Journal of Consumer Research,* vol. 1, 1974, p. 51-61.

DAY, George S., Allan D. SHOCKER et Rajendra K. SRIVASTAVA. « Customer-oriented approaches to identifying product-markets », *Journal of Marketing,* vol. 43, no 4, automne 1979, p. 8-19.

DEAN, Joel. « Pricing policies for new products », *Harvard Business Review,* novembre-décembre 1976, p. 141-153.

DE BODINAT, Henri. « La segmentation stratégique », *Harvard-L'Expansion,* no 16, printemps 1980, p. 95-104.

DELOITTE et TOUCHE. *Vision in Manufacturing Study,* Deloitte Consulting et Keenan-Flager Business School, mars 1998.

DELOZIER, M. Wayne. *The Marketing Communications Process,* New York, McGraw-Hill, 1976, 324 p.

DEMOUY, Guy et Robert SPIZZICHINO. *Les systèmes d'information en marketing,* Paris, Dunod, 1969.

DÉSIRONT, André. « Guerre de prix dans le domaine du voyage ? », *La Presse,* 15 octobre 2005, cahier Vacances-Voyage, p. 17.

DESPLANQUES, Anne-Caroline. « 20 % du commerce de détail sera électronique d'ici 10 ans ? »,

bénéfice.net, Branchez-vous ! Affaires, 8 décembre 2009, [En ligne], http ://benefice-net.branchez-vous.com (Page consultée le 7 juin 2010)

DESROSIERS, Éric. « Immobilier : les statistiques canadiennes perdront de leur lustre », *Le Devoir,* 6 février 2007, section « Économie », [En ligne], www.ledevoir.com

DUBUC, André. « Van Houtte veut redevenir le leader québécois des cafés-bistros », *Les Affaires,* 12 décembre 2009, [En ligne], www.lesaffaires.com (Page consultée le 21 avril 2010)

DUHAIME, Carole *et al. Le comportement du consommateur,* 2e édition, Boucherville, Gaëtan Morin Éditeur, 1996, 669 p.

EASTLACK, Jr., Joseph O. et Ambar G. RAO. « Conducting advertising experiments in the real world : the Campbell Soup Company experience », *Marketing Science,* vol. 8, no 1, hiver 1989, p. 72-73.

THE ECONOMIST. « Pocket World in Figures », London, 2009, p. 14.

THE ECONOMIST. « Sonic sinker », 23 novembre 2002, p. 58.

ECR CANADA. [En ligne], www.ecr.ca (Page consultée le 23 avril 2010)

ENGEL, James F., Roger D. BLACKWELL et Paul W. MINIARD. *Consumer Behavior,* 8e édition, New York, The Dryden Press, 1995, 690 p.

ENGEL, James F., Henry F. FIORILLO et Murray Alexander CAYLEY. *Market Segmentation : Concepts and Applications,* New York, Holt, Rinehart & Winston, 1972, 486 p.

ENGEL, James F., David T. KOLLAT et Roger D. BLACKWELL. *Research in Consumer Behavior,* New York, Holt, Rinehart & Winston, 1970, 767 p.

ENVIRONNEMENT CANADA. *Évaluation des effets des changements climatiques et des variations extrêmes des niveaux d'eau sur des usages sensibles du Saint-Laurent,* [En ligne], www.qc.ec.gc.ca (Page consultée le 26 février 2010)

THE ENVIROMEDIA GREENWASHING INDEX. [En ligne], www.greenwashingindex.com

EVRARD, Yves, Bernard PRAS et Elyette ROUX. *Market : études et recherches en marketing,* 3e édition, Paris, Nathan, 2003, 699 p.

FILIATRAULT, Pierre. *Comment faire un plan de marketing stratégique,* 2e édition, Montréal, Les Éditions Transcontinental, 2005.

FILIATRAULT, Pierre. *Si notre service à la clientèle fait picpic, appuyez sur le 1 : les règles d'or pour viser l'excellence,* Montréal, Les Éditions Transcontinental, 2009, 141 p.

FILIATRAULT, Pierre et Jean-Charles CHEBAT. « How service firms set their marketing budget », *Industrial Marketing Management,* vol. 19, 1990, p. 63-67.

FILIATRAULT, Pierre et Jean-Charles CHEBAT. « Marketing budgeting practices : an empirical study », dans J. M. HAWES et G. B. GLISAN (dir.),

Development in Marketing Science, The Academy of Marketing Science, vol. IX, 1987, p. 278-282.

FILIATRAULT, Pierre et Jean-Charles CHEBAT. « Pratiques de gestion dans les entreprises de services », *Revue française de marketing,* vol. 113, n° 3, 1987, p. 49-67.

FILIATRAULT, Pierre et Brian METCALFE. *Marketing bancaire: services aux consommateurs,* 2e édition, Montréal, Institut des banquiers canadiens, 1994.

FILIATRAULT, Pierre et Jean PERRIEN. *Marketing des services financiers,* Montréal, Institut des banquiers canadiens, 1999.

FILSER, Marc. *Le comportement du consommateur,* Paris, Éditions Dalloz, 1994, 426 p.

FISHBEIN, Martin et Icek AJZEN. *Beliefs, Attitude, Intention, and Behavior: An Introduction to Theory and Research,* Reading (Massachusetts), Addison-Wesley, 1975, 578 p.

FITZSIMMONS, James A. et Mona J. FITZSIMMONS. *Service Management for Competitive Advantage,* New York, McGraw-Hill, 1994.

FRANCVERT. *Impacts des changements climatiques sur la faune du Québec,* [En ligne], www.francvert.org (Page consultée le 26 février 2010)

FRANK, Ronald E., William F. MASSY et Alfred KUEHN. *Quantitative Techniques in Marketing Analysis,* Homewood (Illinois), Irwin, 1962, 556 p.

THE FREE LIBRARY. *Average Pharma Sales Force Budget Nears $750 million,* [En ligne], www.thefreelibrary.com/ (Page consultée le 12 mars 2010)

FRISCH, François. *Les études qualitatives,* Paris, Éditions d'Organisation, 1999, 192 p.

FULD, Leonard. « A recipe for business intelligence success », *The Journal of Business Strategy,* vol. 12, n° 1, 1991, p. 6, 12-17.

GEORGE, William. « Internal marketing and organizational behavior: a partnership in developing customer-conscious employees at every level », *Journal of Business Research,* vol. 20, 1990, p. 63-74.

GLAZER, Rashi. « Marketing in an information-intensive environment: strategic implications of knowledge as an asset », *Journal of Marketing,* vol. 55, n° 4, 1991, p. 1-19.

GRAMMOND, Stéphanie. « La *Loi sur la protection du consommateur* expliquée », *La Presse Affaires,* [En ligne], lapresseaffaires.cyberpresse.ca (Page consultée le 27 février 2010)

GREEN, Paul E., Frank J. CARMONE et David P. WACHSPRESS. « On the analysis of qualitative data in marketing research », *Journal of Marketing Research,* vol. XIV, février 1977, p. 52-59.

GREEN, Paul E., Donald S. TULL et Gerald ALBAUM. *Research for Marketing Decisions,* 5e édition, Englewood Cliffs (New Jersey), Prentice-Hall, 1988, 784 p.

GREENPEACE. *En quoi consiste KYOTOplus?,* [En ligne], www.greenpeace.org (Page consultée le 26 février 2010)

HALEY, Russell I. « Benefit segmentation: a decision-oriented research tool », *Journal of Marketing,* vol. 32, juillet 1968, p. 30-35.

HANSON, Ward. *Principles of Internet Marketing,* Cincinnati, South-Western College Publishing, 2000, 467 p.

HAUGTVEDT, Curtis P. et Duane T. WEGENER. « Message order effects in persuasion: an attitude strength perspective », *Journal of Consumer Research,* vol. 21, juin 1994, p. 205-218.

HAWKINS, Del I., Don ROUPE et Kenneth A. CONEY. « The influence of geographic subcultures in the United States », *Advances in Consumer Research,* vol. 8, 1980, p. 713-717.

HESKETT, James L., W. Earl SASSER, Jr. et Christopher W. L. HART. *Service Breakthroughs: Changing the Rules of the Game,* New York, The Free Press, 1990.

HLAVACEK, James D. et B. Charles AMES. « Segmenting industrial and high-tech markets », *Journal of Business Strategy,* vol. 7, n° 2, printemps 1986, p. 39-50.

HOFSTEDE, Geert. « National cultures in four dimensions: a research-based theory of cultural differences among nations », *International Studies of Management and Organization,* vol. 12, n°s 1-2, hiver 1983, p. 46-75.

HOLDEN, Reed K. et Thomas T. NAGLE. « Kamikaze pricing », *Marketing Management,* vol. 7, n° 2, été 1998, p. 30-38.

HOVLAND, Carl Iver, Arthur A. LUMSDAINE et Fred D. SHEFFIELD. *Experiments on Mass Communication,* Princeton (New Jersey), Princeton University Press, tome 3, 1949, 345 p.

HOWARD, John A. et Jagdish N. SHETH. *The Theory of Buyer Behavior,* New York, John Wiley & Sons, 1969, 458 p.

HUSTON, Larry et Nabil SAKKAB. « Connect and develop: inside Procter & Gamble's new model for innovation », *Harvard Business Review,* vol. 84, n° 3, mars 2006, p. 58-66.

HUTT, Michael D., William V. MUSE et Robert J. KEGERREIS. « Market segmentation using behavioural variables », *Southern Journal of Business,* vol. 7, 1972, p. 55-64.

IAB. *IAB News,* [En ligne], www.iab.net (Page consultée le 13 mars 2010)

INDUSTRIE CANADA. « Annexe B – tableau 1 », *La structure du commerce de détail au Canada,* [En ligne], www.ic.gc.ca (Page consultée le 2 mars 2010)

INDUSTRIE CANADA. « Le secteur du commerce de détail », *La structure du commerce de détail au Canada,* [En ligne], www.ic.gc.ca (Page consultée le 2 mars 2010)

INSTITUT DE LA STATISTIQUE DU QUÉBEC. *Pas de déclin démographique d'ici 2056 mais un vieillissement de la population toujours présent*, [En ligne], www.stat.gouv.qc.ca (Page consultée le 1ᵉʳ mars 2010)

INSTITUT DE LA STATISTIQUE DU QUÉBEC. *Remariages selon la durée et l'année de divorce ou veuvage au Québec en 2007*, [En ligne], www.stat.gouv.qc.ca (Page consultée le 25 février 2010)

INTERNATIONAL DATA CORPORATION (IDC). « Worldwide digital marketplace model and forecast », communiqué de presse, 9 décembre 2009.

JACOBY, Jacob et Leon KAPLAN. « The Component of Perceived Risk », dans M. VENKATESAN (dir.), *Advances in Consumer Research,* vol. 3, Provo (Utah), Association for Consumer Research, 1972, p. 1-3.

J. C. WILLIAMS GROUP. « Who has not made a purchase in the past six months », 2007 Canadian E-Commerce and Social Networking Summary, mandaté par Visa et Yahoo ! Canada, 3 juillet 2007, [En ligne], www.emarketer.com (Page consultée en mai 2010)

JOHNSON, Eugene M., Eberhard E. SCHEUING et Kathleen A. GAIDA. *Profitable Service Marketing,* Homewood (Illinois), Dow Jones-Irwin, 1986.

JOHNSON, Gerry *et al. Stratégique,* 8ᵉ édition, Paris, Pearson Education France, 2008, 752 p.

KALAFATIS, Stavros P., Markos H. TSOGAS et Charles BLANKSON. « Positioning strategies in business markets », *Journal of Business and Industrial Marketing,* vol. 15, nº 6, 2000, p. 416-437.

KAMAKURA, W. A. et G. RUSSEL. « A probabilistic choice model for market segmentation and elasticity structure », *Journal of Marketing Research,* vol. XXVI, novembre 1989, p. 379-390.

KELMAN, Herbert C. et Carl Iver HOVLAND. « Reinstatement of the communication in delayed measurement of opinion change », *Journal of Abnormal and Social Psychology,* vol. 48, 1953, p. 327-335.

KHAN, Barbara E. « Acte d'achat et trop-plein d'informations », *Les Échos,* 31 mai 2002, p. 23.

KIPPENBERGER, T. « Remember the USP ? », *The Antidote,* vol. 5, nº 6, 2000, p. 6-8.

KOTLER, Philip. *Kotler on Marketing,* New York, The Free Press, 1999.

KOTLER, Philip *et al. Marketing Management,* 1ʳᵉ édition européenne, Harlow (Angleterre), Pearson Education Limited, 2009.

KOTLER, Philip *et al. Marketing Management,* 13ᵉ édition canadienne, Toronto, Pearson Canada, 2009.

KOTLER, Philip et Peggy CUNNINGHAM. *Marketing Management*, 11ᵉ édition canadienne, Pearson Prentice Hall, 2004.

KOTLER, Philip, Pierre FILIATRAULT et Ronald E. TURNER. *Le management du marketing,* 2ᵉ édition, Boucherville, Gaëtan Morin Éditeur, 2000, 875 p.

KYJ, Larissa S. et Myroslaw J. KYJ. « Customer service : product differentiation in international markets », *International Journal of Physical Distribution and Logistics Management,* vol. 24, nº 4, 1994, p. 49.

LACKNIAK, Gene R. et Patrick E. MURPHY. « Incorporating marketing ethics into the organization », dans Gene R. LACKNIAK et Patrick E. MURPHY (dir.), *Marketing Ethics : Guidelines for Managers,* Lexington (Massachusetts), Lexington Books, 1985.

LAMBIN, Jean-Jacques. *Le marketing stratégique : du marketing à l'orientation-marché,* 4ᵉ édition, Paris, Ediscience International, 1999, 737 p.

LAMBIN, Jean-Jacques. *La recherche marketing,* Montréal, McGraw-Hill, 1990, 1035 p.

LAMBIN, Jean-Jacques. *La recherche marketing : analyser, mesurer, prévoir,* Paris, Ediscience International, 1994, 424 p.

LAPIERRE, Vincent. « Technologie de pointe dans la distribution alimentaire », *Les Affaires,* cahier spécial, samedi 2 avril 1994, p. B9.

LAROCHE, Michel *et al. Italian Ethnic Identity and Its Relative Impact on the Consumption of Convenience and Traditional Foods,* Montréal, Faculté de commerce et d'administration, Université Concordia, collection « Documents de travail », août 1997, 27 p.

LEFÉBURE, René et Gilles VENTURI. *Data mining,* Paris, Eyrolles, 2001, 392 p.

LÉGER, Jean-Marc et Serge LAFRANCE. « L'essence du marketing », *Commerce,* vol. 104, nº 11, 2003, p. 92.

LÉGER, Jean-Marc et Serge LAFRANCE. « Wal-Mart : tous pour un et un pour tous ! », *Commerce,* vol. 103, nº 11, novembre 2002, p. 51.

LÉGER MARKETING. *L'opinion du monde 2006,* Montréal, Les Éditions Transcontinental, 2006, 192 p.

LE GOFF, Jean-Pierre. *Économie managériale : marchés, soutien à la décision, concurrence,* Sainte-Foy, Presses de l'Université du Québec, 1993, 445 p.

LE HUB. « Seniors : Bayard Presse décrypte les dynamiques d'un marché à haut potentiel », [En ligne], www.laposte.fr/lehub (Page consultée le 28 janvier 2010)

LENDREVIE, Jacques et Denis LINDON. *Mercator : théorie et pratique du marketing,* 7ᵉ édition, Paris, Dalloz, 2003, 322 p.

LITTLE, William, Henry WATSON FOWLER et Jessie Senior COULSON. *The Shorter Oxford English Dictionary on Historical Principles,* Oxford, Clarendon Press, 1992.

LOUDON, David L. et Albert J. DELLA PITTA. *Consumer Behavior : Concepts and Applications,* New York, McGraw-Hill, 1979, 727 p.

LOVELOCK, Christopher H. et Charles B. WEINBERG. *Marketing for Public and Nonprofit Managers,* New York, John Wiley & Sons, 1984.

LYNN, Robert A. *Price Policies and Marketing Management,* Homewood (Illinois), R. D. Irwin, 1967, 331 p.

MAILLARD, Rémi. « Marketing/Blanchiment écologique » *Protégez-Vous,* août 2009, p. 11-17.

MANIFESTE POUR UN QUÉBEC LUCIDE. [En ligne], www.pourunquebeclucide.org (Page consultée le 24 février 2010)

MARKETING ÉTHIQUE. fr.wordpress.com (Page consultée le 24 janvier 2010)

MARKETING ÉTUDIANT. www.marketing-etudiant. fr (Page consultée le 4 janvier 2010)

MARTINEAU, Pierre. « Social classes and spending behavior », *Journal of Marketing,* nº 23, octobre 1958, p. 121-130.

MASLOW, Abraham. *Motivation and Personality,* 2ᵉ édition, New York, Harper & Row, 1970, 411 p.

MCKENNA, Alain. « Cybercrimes, vol d'identité et courriels frauduleux ont explosé en 2009 », blogue *Technomade, Les Affaires,* 16 mars 2010, [En ligne], http://www.lesaffaires.com (Page consultée le 7 juin 2010)

MCQUIVEY, James. *Advertisers see a TV + Web future,* Forrester Research, 4 avril 2008, [En ligne], www.forrester.com (Page consultée le 26 mai 2009)

MINISTÈRE DE L'ÉDUCATION, DES LOISIRS ET DU SPORT. *Indicateurs de l'éducation,* édition 2007, p. 108 et 129, [En ligne], www.mels. gouv.qc.ca (Page consultée le 24 février 2010)

MINISTÈRE DE LA SANTÉ ET DES SERVICES SOCIAUX. *Changements climatiques – Santé environnementale,* [En ligne], www.msss. gouv.qc.ca (Page consultée le 26 février 2010)

MITCHELL, Arnold. *The Nine American Lifestyles,* New York, Warner, 1993, 302 p.

MONROE, Kent B. *Pricing: Making Profitable Decisions,* 2ᵉ édition, New York, McGraw-Hill, 1990, 337 p.

MONROE, Kent B. et William B. DODDS. « A research program for establishing the validity of the price-quality relationship », *Journal of the Academy of Marketing Science,* vol. 16, nº 1, mars 1988, p. 151-168.

MORRISON, Donald G. « On the interpretation of discriminant analysis », *Journal of Marketing Research,* vol. VI, mai 1969, p. 156-163.

MYERS, James H. et Edward TAUBER. *Market Structure Analysis,* Chicago, AMA, 1977, 159 p.

NAGLE, Thomas T. et Reed K. HOLDEN. *The Strategy and Tactics of Pricing: A Guide to Profitable Decision Making,* 2ᵉ édition, Englewood Cliffs (New Jersey), Prentice Hall, 1995, 409 p.

NAISBITT, John et Patricia ABURDENE. *Megatrends 2000,* New York, William Morrow and Company Inc., 1990, 384 p.

NATIONS UNIES. Département des affaires économiques et sociales, Division de la population, [En ligne], www.un.org (Page consultée le 28 janvier 2010)

NEILSEN, A. C. *New Product Introduction-Successful Innovation: Fragile Boundary,* A. C. Neilsen

Bases et Ernst and Young Global Client Consulting, juin 1999.

NORMAND, François. « Walmart achètera de plus en plus directement des manufacturiers », *Les Affaires,* 16 au 18 janvier 2010, p. 8.

LE NOUVEAU PETIT ROBERT DE LA LANGUE FRANÇAISE. Paris, Dictionnaires Le Robert, 2010.

OBOULO. [En ligne], www.oboulo.com (Page consultée le 24 janvier 2010)

OFFICE DE LA PROTECTION DU CONSOMMATEUR. *Lois et règlements,* [En ligne], www.opc.gouv. qc.ca (Page consultée le 27 février 2010)

OPTION CONSOMMATEURS. *Produits naturels et médicaments: un mélange parfois risqué,* Montréal, novembre 2005.

O'REILLY, Tim. *What Is Web 2.0: Design Patterns and Business Models for the Next Generation of Software,* Web 2.0. Conference 2005, 30 septembre 2005, [En ligne], http://oreilly. com (Page consultée le 2 juin 2010)

O'REILLY, Tim et John BATTELLE. *Web Squared: Web 2.0 Five Years On,* Web 2.0 Summit 2009, 20-22 octobre 2009, [En ligne], www. web2summit.com (Page consultée le 2 juin 2010)

ORGANISATION DE COOPÉRATION ET DE DÉVELOPPEMENT ÉCONOMIQUE (OCDE). *Mettre les TIC à profit dans une économie numérique,* Paris, Service des Publications de l'OCDE, 2003, 30 p.

PALAN, Kay M. et Robert E. WILKES. « Adolescent-parents interaction in family decision making », *Journal of Consumer Research,* vol. 24, septembre 1997, p. 159-169.

PALMER, Adrian et Catherine COLE. *Services Marketing: Principles and Practices,* Englewood Cliffs (New Jersey), Prentice Hall College, 1995.

PELLEMANS, Paul. *Recherche qualitative en marketing: perspectives psychoscopiques,* Bruxelles, De Boeck, 1999, 462 p.

PEPPERS, Don et Martha ROGERS. *Managing Customer Relationships,* Hoboken (New Jersey), John Wiley & Sons, 2004.

PERREAULT, William D. *et al. Basic Marketing: A Global-Managerial Approach,* 12ᵉ édition canadienne, Toronto, Richard D. Irwin, 2007.

PERRIEN, Jean, Emmanuel J. CHERON et Michel ZINS. *La recherche en marketing,* Boucherville, Gaëtan Morin Éditeur, 1984, 217 p.

LE PETIT LAROUSSE 2010. Paris, Larousse, 2010.

LE PETIT LAROUSSE ILLUSTRÉ. Paris, Larousse, 2009.

PIERCY, Nigel F. *Marketing Organization: An Analysis of Information Processing, Power and Politics,* Londres, George Allen & Unwin, 1985.

PLAISENT, Michel *et al. Introduction à l'analyse des données de sondage avec SPSS,* Québec, Presses de l'Université du Québec, 2009, 110 p.

PLUMMER, Joseph T. « The concept and application of lifestyle segmentation », *Journal of Marketing,* vol. 38, janvier 1974, p. 33-37.

POPCORN, Faith. *Le rapport Popcorn. Comment vivrons-nous l'an 2000 ?*, Montréal, Éditions de l'Homme, 1994, 268 p.

PORTER, Michael E. *L'avantage concurrentiel,* Paris, Dunod, 1999, 647 p.

PORTER, Michael E. *Choix stratégiques et concurrence,* Paris, Economica, 1982, 426 p.

PORTER, Michael E. *Competitive Advantage: Creating and Sustaining Superior Performance,* New York, Free Press, 1985, 557 p.

PORTER, Michael E. *Competitive Strategy,* New York, Free Press, 1980, 397 p.

PORTER, Michael E. « Strategy and the Internet », *Harvard Business Review,* vol. 79, n° 3, mars 2001, p. 62-78.

LA PRESSE. « Compaq et Dell : guerre des prix », 7 mai 2001, p. D8.

PRINT MEASUREMENT BUREAU. [En ligne], www. pmb.ca (Page consultée le 17 mars 2010)

LES PUBLICATIONS DU QUÉBEC. *Loi sur la protection du consommateur,* [En ligne], www2. publicationsduquebec.gouv.qc.ca (Page consultée le 27 février 2010)

RADICATI GROUP, *Email reputation services 2007-2011, March* 2007, [En ligne], www.emarketer. com (Page consultée le 1er juin 2010)

RANGAN, V. Kasturi, Rowland T. MORIARTY et Gordon S. SWARTZ. « Segmenting customer in mature industrial markets », *Journal of Marketing,* vol. 56, octobre 1992, p. 72-82.

RAPPA, Michael. « Business models on the Web », *Managing the Digital Enterprise,* [En ligne], http://digitalenterprise.org (Page consultée le 4 juin 2010)

RAY, Michael L. et William L. WILKIE. « Fear : The potential of an appeal neglected by marketers », *Journal of Marketing,* vol. 34, janvier 1970, p. 57.

RÉDIS, Jean. *Le business model : notion polymorphe ou concept gigogne ?,* Académie de l'entrepreneuriat, 2009, [En ligne], www. entrepreneuriat.com (Page consultée le 20 juin 2010)

REEVES, Rosser. *Reality in Advertising,* New York, Alfred Knopf, 1961, 147 p.

REICHHELD, Frederick F. *The Loyalty Effect,* Boston, Harvard Business School Press, 1996, 323 p.

RESNICK, Alan J., Peter B. B. TURNEY et J. Barry MASON. « Découverte de la contre-segmentation », *Harvard-L'Expansion,* n° 16, printemps 1980, p. 46-54.

RIEST, Al et Jack TROUT. *Le marketing guerrier,* Montréal, McGraw-Hill, 1988, 182 p.

RIEST, Al et Jack TROUT. *Le positionnement,* Montréal, McGraw-Hill, 1987, 215 p.

ROBINSON, Patrick J., Charles W. FARIS et Yoram WIND. *Industrial Buying and Creative Marketing,* Boston, Allyn & Bacon, 1967, 288 p.

RODGERS, Caroline. « Le plan marketing en trois étapes », *La Presse Affaires,* 26 février 2008, p. 7, [En ligne], http://lapresseaffaires. cyberpresse.ca (Page consultée le 23 février 2010)

RODGERS, Everett M. *Diffusion of Innovation,* New York, Free Press, 1962.

ROKEACH, Milton. *The Nature of Human Values,* New York, Free Press, 1973, 438 p.

RUDELIUS, William, John R. WALTON et James C. CROSS. « Improving the managerial relevance of market segmentation », *Review of Marketing,* AMA, 1987, p. 385-403.

SALLENAVE, Jean-Paul et Alain D'ASTOUS. *Le marketing : de l'idée à l'action,* 2e édition, Boucherville, Éditions G. Vermette, 1996, 540 p.

SANCHIS, Pierre-Yves. « Parts de marché des moteurs de recherche : chiffres multi-pays », blogue *Création de startup en France,* 27 février 2010, [En ligne], www.creation-startup. com (Page consultée le 8 juin 2010)

SAUL, John. *Mort de la globalisation,* Paris, Payot, 2006.

SCHEIN, Edgar. *Organizational Culture and Leadership,* San Francisco, Jossey-Bass, 1985.

SHAPIRO, Stanley J. *et al. Basic Marketing : A Global Managerial Approach,* 9e édition canadienne, Toronto, McGraw-Hill Ryerson, 2001, 832 p.

SHAPIRO, Stanley J. *et al. Basic Marketing : A Global Managerial Approach,* 10e édition canadienne, Toronto, McGraw-Hill Ryerson, 2002, 864 p.

SHASHO JONES, Glenda. « The secrets of repositioning », *Catalog Age,* juin 1997, p. 83.

SHETH, Jagdish N. « A model of industrial buyer behavior », *Journal of Marketing,* vol. 37, octobre 1973, p. 50-56.

SIEBEL, Thomas et Pat HOUSE. *Cyber rules : stratégies pour exceller dans l'e-commerce,* Paris, Maxima éditeur, 1999, 304 p.

SIEGEL, Dominique. *Le diagnostic stratégique et la gestion de la qualité,* Paris, L'Harmattan, 2004, 251 p.

SIMON, Hermann et Robert J. DOLAN. « Price customization », *Marketing Management,* vol. 7, n° 3, printemps 1998, p. 11-17.

SMITH, N. Craig et John A. QUELCH. *Ethics in Marketing,* Homewood (Illinois), Irwin, 1992.

SMITH, Scott M. et Gerald S. ALBAUM. *Fundamentals of Marketing Research,* Thousand Oaks (Californie), Sage Publications, 2005.

SMITH, Wendell R. « Product differentiation and market segmentation as alternative marketing strategies », *Journal of Marketing,* vol. 21, n° 1, juillet 1956, p. 3-8.

SOM. *Études de satisfaction,* [En ligne], www.som.ca (Page consultée le 17 février 2010)

SOMMERS, Montrose S. *et al. Fundamentals of Marketing,* 8e édition canadienne, Toronto, McGraw-Hill Ryerson, 1998.

SOMMERS, Montrose S. et James G. BARNES. *Fundamentals of Marketing,* 9e édition canadienne, Whitby (Ontario), McGraw-Hill Ryerson, 2001, 378 p.

SRIVASTAVA, Rajendra K., Robert P. LEONE et Allan D. SHOKER. « Market structure analysis : hierarchical clustering of products based on substitution-in-use », *Journal of Marketing*, vol. 45, 1981, p. 38-47.

STAFFORD, James E. « Effects of group influences on consumer brand preferences », *Journal of Marketing Research*, vol. III, février 1966, p. 68-75.

STATISTIQUE CANADA. « L'activité humaine et l'environnement : les déchets solides », *Le Quotidien*, [En ligne], www.statcan.gc.ca (Page consultée le 25 février 2010)

STATISTIQUE CANADA. *L'activité humaine et l'environnement : statistiques annuelles 2007 et 2008*, [En ligne], www.statcan.gc.ca (Page consultée le 26 février 2010)

STATISTIQUE CANADA. *Annuaire du Canada 2008*, n° 1-402-XPF au catalogue, Ottawa, octobre 2008, p. 107-116.

STATISTIQUE CANADA. *Caractéristiques de la population active selon les sexes*, [En ligne], www45.statcan.gc.ca (Page consultée le 26 février 2010)

STATISTIQUE CANADA. « Commerce de détail », *Le Système de classification des industries de l'Amérique du Nord (SCIAN) 2002*, [En ligne], http://stds.statcan.ca (Page consultée le 2 mars 2010)

STATISTIQUE CANADA. *Commerce de détail et de gros, Ventes et stocks de grossistes*, [En ligne], http//cansim2.statcan.ca (Page consultée le 2 mars 2010)

STATISTIQUE CANADA. « Commerce électronique et technologie », *Le Quotidien*, 24 avril 2008, [En ligne], www.statcan.gc.ca (Page consultée le 3 juin 2010)

STATISTIQUE CANADA. *Composantes de la croissance démographique, par province et territoire*, [En ligne], www40.statcan.gc.ca (Page consultée le 1er mars 2010)

STATISTIQUE CANADA. *Décès et taux de mortalité, par province et territoire*, [En ligne], www40.statcan.gc.ca (Page consultée le 1er mars 2010)

STATISTIQUE CANADA. *Les dépenses moyennes des ménages au Canada et au Québec*, [En ligne], www40.statcan.gc.ca (Page consultée le 25 février 2010)

STATISTIQUE CANADA. « Grades, diplômes et certificats décernés », *Le Quotidien*, [En ligne], tableaux 1 et 2 : www.statcan.gc.ca (Pages consultées le 24 février 2010)

STATISTIQUE CANADA. *Industries du commerce de détail hors magasins, statistiques d'exploitation, par province et territoire et Industries du commerce de détail hors magasins, marchandises vendues, par industries*, [En ligne], www40.statcan.gc.ca (Pages consultées le 2 mars 2010)

STATISTIQUE CANADA. *Mariages, par province et territoire ; Divorces, par province et territoire*, [En ligne], www40.statcan.gc.ca (Pages consultées le 25 février 2010)

STATISTIQUE CANADA. *Naissances et taux de natalité, par province et territoire*, [En ligne], www40.statcan.gc.ca (Page consultée le 1er mars 2010)

STATISTIQUE CANADA. *Population des régions métropolitaines de recensement*, CANSIM, tableau 051-0034 et publication n° 91-213-XIB au catalogue, [En ligne], www40.statcan.gc.ca (Page consultée le 26 février 2010)

STATISTIQUE CANADA. *Population et démographie*, [En ligne], www41.statcan.gc.ca (Page consultée le 26 février 2010)

STATISTIQUE CANADA. *Population par année, par province et territoire*, CANSIM, tableau 051-0001, 2009, [En ligne], www40.statcan.gc.ca (Page consultée le 1er mars 2010)

STATISTIQUE CANADA. *Produit intérieur brut en termes de dépenses, par province et territoire*, [En ligne], www40.statcan.gc.ca (Page consultée le 25 février 2010)

STATISTIQUE CANADA. « Profession – Classification nationale des professions pour statistiques de 2006, catégorie de travailleurs (6) et sexe (3) pour la population active de 15 ans et plus, pour le Canada, les provinces, les territoires, les régions métropolitaines de recensement et les agglomérations de recensement, Recensement de 2006 – Données-échantillon (20 %) », *Recensement de la population de 2006*, n° au catalogue 97-559-XCB2006011, [En ligne], www.statcan.gc.ca (Pages consultées le 12 mars 2010)

STATISTIQUE CANADA. *Profil de la population canadienne selon la mobilité : les Canadiens en mouvement*, [En ligne], www12.statcan.gc.ca (Page consultée le 25 février 2010)

STATISTIQUE CANADA. *Recensement de la population de 2006*, [En ligne], www40.statcan.gc.ca (Page consultée le 25 février 2010)

STATISTIQUE CANADA. *Revenu total médian selon le type de famille, par province et territoire*, [En ligne], www40.statcan.gc.ca (Page consultée le 25 février 2010)

STATISTIQUE CANADA. *Ventes au détail, par province et territoire [2005-2009]*, [En ligne], www40.statcan.gc.ca (Page consultée le 2 mars 2010)

STERN, Louis W. et Adel I. EL-ANSARY. *Marketing Channels*, 5e édition, Upper Saddle River (New Jersey), Prentice Hall, 1996.

STERSHIC, Sybil F. « Leveraging your greatest weapon », *Marketing Management*, vol. 10, n° 2, juillet-août 2001, p. 40-43.

STEWART, David W. *Secondary Research : Information Sources and Methods*, Newbury Park (Californie), Sage Publications, 1984, 135 p.

STRAVIC, Mac et Robin SCOTT. « Internal marketing for hospitals », *Health Marketing Quarterly*, vol. 3, n°s 2 et 3, 1985-1986, p. 47-54.

STRONG, Jr., Edward K. *The Psychology of Selling*, New York, McGraw-Hill, 1925.

SUDMAN, Seymour. *Applied Sampling*, New York, Academic Press, 1975, 256 p.

TIMMERS, Paul. « Business models for electronic markets », *Electronics Markets*, vol. 8, n° 2, avril 1998, p. 3-8.

TIMMERS, Paul. *Electronic Commerce: Strategies and Models for Business-to-Business Trading*, Chichester (Angleterre), John Wiley & Sons, 2000, 288 p.

TOMKINS, Richard. « Making selling superfluous », *The Globe and Mail*, 9 juin 2003, p. BE8.

TRANSPORTS QUÉBEC. *Changements climatiques*, [En ligne], www.mtq.gouv.qc.ca (Page consultée le 26 février 2010)

TRÉGUER, Jean-Paul. *Le senior marketing*, 4e édition, Paris, Dunod, 2007.

TROUT, Jack. « How growth destroys differentiation », *Brandweek*, 24 avril 2000, vol. 44, n° 17, p. 42-47.

TROUT, Jack. *The New Positioning*, 1re édition, New York, McGraw-Hill, 1997.

TRUDEL, Jonathan. « Attention, iceberg en vue », *L'actualité*, 15 septembre 2005, p. 18-20.

TUBBS, Stewart L. et Sylvia MOSS. *Human Communication*, 11e édition, Boston, McGraw-Hill Higher Education, 2009, 552 p.

TUFFÉRY, Stéphane. *Data mining et statistiques décisionnelles*, Paris, Éditions Technip, 2007, 736 p.

TURBAN, Efraim. *Electronic Commerce: A Managerial Perspective*, Englewood Cliffs (New Jersey), Prentice Hall, 2006, 792 p.

TYLOR, Edward B. *Primitive Culture*, Londres, John Murray, 1871, 524 p.

VALLERAND, Nathalie. « La planification stratégique évolue », *Les Affaires*, 9 octobre 2004, p. 6.

VAN HOUTTE. *Code de conduite en entreprise*, [En ligne], www.vanhoutte.com (Page consultée le 24 janvier 2010)

VON HIPPEL, Eric. « Lead users: a source of novel product concepts », *Management Science*, juillet 1986, p. 791-805.

WEBSTER, Jr., Frederick E. « The changing role of marketing in corporations », *Journal of Marketing*, vol. 56, octobre 1992, p. 1-17.

WEBSTER, Jr., Frederick E. et Yoram WIND. « A general model for understanding organizational buying behavior », *Journal of Marketing*, vol. 36, avril 1972, p. 12-19.

WEDEL, Michel et Jan-Benedict E. M. STEENKAMP. « A clusterwise regression method for simultaneous fuzzy market structuring and benefit segmentation », *Journal of Marketing Research*, vol. XVIII, novembre 1991, p. 385-396.

WELLS, William D. « Psychographics: a critical review », *Journal of Marketing Research*, vol. XII, mai 1975, p. 196-213.

WHEELER, Steven et Evan HIRSH. « Channel management: a framework for revolution », *Brandweek*, vol. 40, n° 43, 15 novembre 1999, p. 28.

WIKIPÉDIA. *A Short History of Marketing*, [En ligne], wikio.fr/video/2210491 (Page consultée le 23 janvier 2010)

WIKIPÉDIA. *Éthique des affaires*, [En ligne] fr.wikipedia.org/wiki/Ethique_des_affaires (Page consultée le 27 janvier 2010)

WIKIPÉDIA. *Marketing*, [En ligne] fr.wikipedia.org/wiki/Marketing (Page consultée le 23 janvier 2010)

WILLIAMS, Tim. *La Convention sur les changements climatiques et le protocole de Kyoto*, PRB 07-21F, révisé le 30 janvier 2009, Bibliothèque du Parlement, Service d'information et de la recherche, [En ligne], www.parl.gc.ca (Page consultée le 25 février 2010)

WIND, Yoram. « Issues and advances in segmentation research », *Journal of Marketing Research*, vol. XV, août 1978, p. 317-337.

WIND, Yoram et Richard N. CARDOZO. « Industrial market segmentation », *Industrial Marketing Management*, vol. 3, mars 1974, p. 153-166.

YOUNG, G. Oliver *et al.* *Global Enterprise Web 2.0 Market Forecast: 2007 to 2013*.

ZALTMAN, Gerald et Philip BURGER, *Marketing Research: Fundamentals and Dynamics*, Hinsdale, The Dryden Press, 1975, 744 p.

ZEITHAML, Valarie A., A. PARASURAMAN et Leonard L. BERRY. « Problems and strategies in services marketing », *Journal of Marketing*, vol. 49, printemps 1985, p. 33-46.

ZENG, Ming et Werner REINARTZ. « Beyond online search: the road to profitability », *Management Review*, vol. 45, n° 2, hiver 2003, p. 107-130.

ZIFF, Ruth. « Psychographics for market segmentation », *Journal of Advertising Research*, vol. 11, n° 2, avril 1971, p. 3-9.

_Index